Geiger, Ludwig

Johann Reuchlin, sein Leben und seine Werke

Geiger, Ludwig

Johann Reuchlin, sein Leben und seine Werke

Inktank publishing, 2018

www.inktank-publishing.com

ISBN/EAN: 9783750111448

All rights reserved

JOHANN REUCHLIN

SEIN

LEBEN UND SEINE WERKE

VON

Dᴿ. LUDWIG GEIGER.

LEIPZIG

VERLAG VON DUNCKER & HUMBLOT

1871.

MEINEM VATER

ZUM 24. MAI 1870.

INHALT.

Inhalt.

Viertes Buch.

EINLEITUNG.

ALLGEMEINER GESICHTSPUNKT. — QUELLEN UND
BEARBEITUNGEN.

Die Erfindung der Buchdruckerkunst musste dem geistigen
Leben der Nationen eine andre Grundlage geben. Die Hand-
schriftenhändler des Mittelalters hatten zwar auch schon einen Um-
tausch geistiger Produkte in verschiedenen Ländern angebahnt; von
einer gemeinschaftlichen europäischen Cultur kann man erst sprechen,
seitdem durch die Druckpresse alte und neue Schriften in vielen
Exemplaren rasch überallhin verbreitet werden konnten.

In Deutschland, wo die Buchdruckerkunst erfunden worden,
wurden die Pressen zuerst zur Befriedigung nothwendigen Bedürf-
nisses verwandt: zur Erbauung und zum Unterricht. Man druckte
Bibeln in der lateinischen Uebersetzung und in der Landessprache,
man druckte die lateinische Grammatik des Donat. Aus Deutschland wanderte die Kunst nach Italien: hier wurde sie zuerst in den
Dienst wissenschaftlicher Arbeit gestellt.

Erzeugnisse italienischer Pressen kamen nach Deutschland zurück,
die stummen Zeugen trieben mächtiger an, redeten lauter, als die
beredtesten Zungen. Der deutsche Humanismus versuchte Deutschland wieder in das Recht einzusetzen, das es nie hätte verlieren
sollen.

Die wissenschaftliche Bildung Deutschlands knüpft an die italienische an, lernt von ihr, nimmt von ihr auf, aber weicht auch sehr

von ihr ab. Es würde zu weit führen, wollten wir uns ein klares
Bild machen von den Aehnlichkeiten und Gegensätzen; es ist nur
nöthig, die historische Thatsache festzuhalten, dass eine Abhängigkeit von Italien stattfand. Man sehnte sich nach dem Lande, in
dem man am besten das Erbe des Alterthums finden zu können
glaubte, und doch wollte man nicht zu viel aus ihm aufnehmen;
man schämte sich jeder Abhängigkeit, denn man trug Verlangen
nach selbständiger Gestaltung; eine geheime Rivalität entstand, die
durch einen gewaltsamen Bruch zum offenen Ausdrucke kam.

Es ist ein geschichtlich wichtiges Faktum, dass die Männer,
welche den ersten Grundstein zum deutschen Humanismus gelegt
haben, aus dem Norden, zum Theil aus sehr entlegenen und jetzt
gar nicht mehr zu uns gehörigen Gegenden stammten; dass die,
welche dem Humanismus dann seine feste, unwandelbare Basis gegeben haben, aus Süd- und Mitteldeutschland kamen: so
reichten sich Nord und Süd zur geistigen Wiederbelebung des Vater-
lands die Hände.

Vier Männer sollen uns vergegenwärtigen, wie das Streben der
damaligen Gelehrten ein dem Mittelalter bereits durchaus entfremdetes war. In ernster, wissenschaftlicher Weise streben sie alle, aber
die Wissenschaft ist ihnen nicht Selbstzweck. Sie sind Theologen
ihr Leben hindurch, oder am Ende ihrer Tage; am Schlusse der
mit andern Dingen, in andrer Gesinnung zugebrachten Lebenszeit
wenden sie sich der Theologie zu.

Alexander Hegius war im Dorfe Heck (daher sein Name)
bei Holstmar geboren, 1469 ward er Rektor der Schule zu Deventer.
Er war ein vortrefflicher Schulmann. Die von ihm geleitete Anstalt
blühte und gedieh so lang er lebte; sie wurde die Pflanzstätte für
eine ganze Generation bedeutender Männer. Das Lateinische schien
fast seine Muttersprache geworden zu sein: er schrieb es in Prosa
und nicht ungeschickten Versen. Er legte grosses Gewicht auf
Kenntniss des Griechischen, ermahnte die Jugend, sich dieselbe anzueignen, aber er war doch froh, wenn Agricola ihm die Uebersetzung des Lucian zuschickte, und forderte ihn auf, eine Schrift
des Xenophon zu übertragen. Er war früher einer heiteren Lebens-
philosophie zugethan. — Das Gute schien ihm, schreibt er an
Agricola, nur insofern gut, als es Vergnügen gewährte. Gut sein
in dem Sinne: sich jeden Genusses zu enthalten, dünkte ihm eine
ewige Strafe, nicht ein Verdienst. Später wurde er ernster und

trüber gestimmt. Redlichkeit und Tugend betrachtete er in dem
allgemein angenommenen Sinne. An seinen Lehrer Wessel schrieb
er: Er folge in seiner Selbstbildung den von ihm empfangenen
Rathschlägen; er betrachte die Literatur für verderblich, die man
nur mit Einbusse frommer Gesinnung erlernen könne. Als er im
Jahr vor seinem Tode, 1496, nach Münster berufen wurde, um die
Leitung der neugegründeten Schule zu übernehmen, lehnte er den ◄
Ruf ab seiner theologischen Studien wegen: er war in seinem Alter
noch Priester geworden[1]).

Seit seiner Jugend gehörte Rudolf von Langen dem geistlichen Stande an. Er war ein Mann, der weder durch glänzende
wissenschaftliche Leistungen, noch durch hervorragende praktische
Thätigkeit sich bekannt gemacht hat. Seine schriftstellerischen Arbeiten sind unbedeutend, seine Gedichte verrathen keinen poetischen
Geist, ausgezeichnet ist er nur durch unermüdliche Pflege geistiger Arbeit.
Die Gelehrten förderte und unterstützte er in jeder Weise, den Lernenden errichtete er in Münster eine Schule, die ihres Gleichen
kaum fand, aber in bescheidener Zurückhaltung nahm er selbst
keinen unmittelbaren Antheil an der Leitung derselben. Er war
1438 geboren und starb 1519. Sein ganzes Leben war ihm eine
Zeit des Lernens. In seiner Jugend hatte er lange in Italien ge-
weilt, als Sechzigjähriger ging er zum zweiten Male dahin. Er
lernte stets, aber er blieb sein ganzes Leben hindurch auf dem
Standpunkt der Jugend, am Anfang der humanistischen Bildung,
während die Welt weit über ihn hinausgeschritten war zu höherer
Stufe. Er hielt geistliche Würde in Leben und Gedanken. Die
Pflichten seines priesterlichen Amtes erfüllte er in strenger Gewissenhaftigkeit, sein Lebenswandel war ein unbefleckter, seine Frömmigkeit war innig und erhebend, fern von Selbstquälerei, nicht blos
dem Aeusserlichen hingegeben[2]).

Kaum die Hälfte der Zeit wie Langen, aber mächtiger und ein-
greifender hat Rudolf Agrikola gewirkt (geb. 1445, gest. 1485).

---

[1]) Vgl. die Abhandlung von M[olhuysen] über Hegius in: Over-
ysselsche Almanak voor Oudheid en Letteren. Deventer 1852, S. 37—66.

[2]) Erhard: Erinnerungen an Rud. von Langen und seine Zeitgenossen
in Zeitschrift für Vaterländische Geschichte und Alterthumskunde. Münster,
1838, S. 26—79; Ad. Parmet: R. v. L. Leben und gesammelte Gedichte
des ersten Münsterschen Humanisten. Münster 1869.

**

In enger Verbindung stehend mit den eben geschilderten Männern, in mancher Beziehung ihnen gleich, kündigt er doch eine neue Richtung an. Er ist ein unsteter Wanderer, wie die Humanisten der späteren Zeit. Von seiner Heimath Friesland geht er nach Löwen, von da nach Frankreich, dann nach Italien, er kehrt nach seiner Heimath zurück, ist später am Hof des Erzherzogs Maximilian, und stirbt in Heidelberg in der Umgebung Dalburgs. Er ist lebenslustig und kühn. Aus Italien hat er sein Bestes genommen, und doch will er nicht, dass es als erstes Land verkündet werde, Deutschland soll die Ruhmespalme gereicht werden. Sein ganzes Leben sehnt er sich nach Italien, indess dort zu bleiben vermag er nicht. Schön sagt Erasmus: Er hätte der Erste in Italien sein können, aber er zog Deutschland vor. Er hasste den Streit, gern führte er den griechischen Spruch im Munde: Besser ist zu schweigen, als zu schelten. Er wusste, dass ihm Vieles fehlte und gestand seine Schwäche offen ein. Aber seine literarische Bedeutung war gross: sie liegt namentlich in seinen Uebersetzungen griechischer Schriften ins Lateinische, in seinen Gedichten, Briefen, in seiner Dialektik, in einer kleinen pädagogischen Schrift, die maassgebend für viele Jahrzehnte geworden ist. Und doch! am Ende seines Lebens fühlt er in sich eine Leere und Oede. Seine frühere Beschäftigung vermochte ihn nicht mehr auszufüllen, er hielt seine vergangene Geistesrichtung für verfehlt: im Studium der hebräischen Sprache und der Theologie suchte und fand er zuletzt seine Befriedigung [1]).

Diese Wendung wurde zum grossen Theil veranlasst durch einen Mann, der ganz wohl als Typus für die Geistesrichtung in der ersten Hälfte des 15. Jahrhunderts dienen kann, durch den berühmten „Reformator vor der Reformation" Johann Wessel. Es ist hier nicht der Ort, sein Leben genau zu schildern, seine Lehre zu prüfen, ihr Verhältniss zur Reformation zu untersuchen. Was ihn von Thomas a Kempis unterscheidet, mit dem man ihn wohl oft zusammengestellt hat, das ist sein Durst nach Erkenntniss, der Trieb des Handelns, der stärker in ihm war, als die Herzensfrömmigkeit. Sein ganzes Leben, sein Studium, seine wissenschaftliche Arbeit ist der Theologie geweiht. Und doch, als der Ordensgeneral der

---

[1]) Vgl. Agrikola's Briefe an Reuchlin; Joh. Saxo's (Melanchthons) Rede, Corp. Reform. XI, 438—446; J. P. Tresling: *Vita et merita Rudolphi Agricolae. Groningae* 1830.

Franziskaner, Franz von Rovero, mit dem er 1473 nach Italien reiste, ihn für seinen Orden zu gewinnen suchte, widerstrebte er; als die Theologen in Heidelberg 1477 verlangten, er solle die Tonsur nehmen, um als Lehrer dort zu wirken, sträubte er sich dagegen. Er war erfüllt von tiefer Liebe zum Göttlichen, sein Christenthum war ein einfach aus der Schrift geschöpftes, wissenschaftlicher Freisinn, geistige Selbständigkeit beseelte ihn. Seine wissenschaftliche Bedeutung spricht er selbst aus: Thomas war ein Doktor, nun gut: ich bin auch ein Doktor. Thomas verstand kaum lateinisch und kannte nur eine Sprache; ich habe Kenntniss von drei Hauptsprachen. Thomas hat kaum den Schatten des Aristoteles gesehen; ich habe den griechischen Aristoteles unter Griechen erblickt. Als Franz von Rovero Papst wurde, drang er darauf, dass Wessel etwas erbitte: das einzige, was er verlangte, war eine griechische und hebräische Bibel aus der vatikanischen Bibliothek. Wessel strebte nach Wahrheit, er wollte sich von Jedem belehren lassen; von sich selbst richtigere Kenntniss empfangen. Die Wissenschaft musste ihm durchdrungen sein von der lebendigen Liebe, von Gottes Geiste. Abergläubischen Vorstellungen war er abgeneigt, von tiefer Frömmigkeit, von der aller Methodismus und Formalismus fern bleiben musste, war er erfüllt. Er hat sich aber mit gelegentlichem Aussprechen seiner wissenschaftlichen Ansichten begnügt. Den weiteren Schritt, die Kenntnisse, die er sich gesammelt, durch Werke, durch wissenschaftliche Lehrgebäude Andern nutzbar, fruchttragend zu machen, hat er nicht gethan, — er war und blieb Theologe[1]).

Neben der humanistischen und theologischen Richtung dieses älteren Humanismus lebte, wie wir sahen, in Manchen bereits der nationale Gedanke. Kurze Zeit später, sowie Maximilian I. als Erzherzog, als König, als Kaiser die Blicke Deutschlands, der ganzen Welt auf sich zog, kam dieser Gedanke zum lebendigen Ausdruck. Maximilian ist eine jugendlich heldenhafte Persönlichkeit, eine poetisch angehauchte Natur, den Dichtern und Gelehrten in warmer Liebe zugethan, von ihnen besungen und gepriesen, selbst Schriftsteller und Dichter, ein Deutscher durch und durch, in beständigem Kampf

---

[1]) Ullmann: Reformatoren vor der Reformation (Hamburg, 1842) II, S. 285—685. Für meinen Zweck konnte ich aus dem schön gearbeiteten Buche von Friedrich: Johann Wessel. Regensburg, 1862, nichts entnehmen.

mit den Franzosen, „dem Erbfeinde deutscher Nation", mit Italien, drohend in Miene und Haltung gegen den neu heranrückenden Feind von Osten, den Türken:

Die Humanisten schaarten sich um ihren Herrscher. Sie schrieben lateinisch, aber sie waren deutsch; griechische und lateinische Schriftsteller hoben sie zum Licht empor, aber zum Ruhme Deutschlands; die Forschung der vaterländischen Geschichte lag ihnen am Herzen, denn Deutschland musste stets gross gewesen sein, — sie waren deutsch mit jeder Faser ihres Geistes und Herzens.

Immer höher wächst dieser Gedanke. Nationale Empfindung vermischt, vereinigt sich mit religiöser. Mehr und mehr verstärkt sich der Gegensatz gegen Italien und gegen Rom, das als Mittelpunkt Italiens gelten konnte. Die barbarischen Deutschen haben sich frei gemacht, sie wollen auch von Andern für frei anerkannt werden. Glänzend floss vom Munde der Italiener die lateinische Rede, lieblich formte sich bei ihnen das Gedicht: auch wir sprechen in der Sprache Ciceros, auch wir dichten, wie Virgil und Terenz, Plautus und Horaz gesungen. Ihr rühmt Euch, aus tiefem Schutt die Jahrhunderte lang verborgene griechische Sprache hervorgeholt zu haben: nun haben wir das Erbtheil angetreten, wir brauchen nicht nach Griechenland zu eilen, in heimischen Gefilden können wir die Sprache erlernen, unser ist Plato, unser ist Aristoteles, befreit von dem Unrath scholastischer Erklärer, gelöst von den Banden, die unverständige Uebersetzer um sie geschlagen. Hebräische Bibeln sind bei Euch zuerst gedruckt, aber wir geben der Sprache ihr erstes, wissenschaftliches Lehrgebäude; wer in jene heiligen Tiefen hinabsteigen will, bedarf der Juden nicht mehr, uns muss er fragen. In Rom herrscht der Papst mit Heiligkeit umgeben, die von Jahrhunderten geweiht sein soll, mit dem Anspruch auf eine Weltherrschaft auch über Geister und Herzen, doch das ist nur Trug und Schein; statt des Guten herrscht dort das Böse, statt der Sittenreinheit Frivolität und Verderbtheit, statt der Tugend, die um ihrer selbst willen geübt wird, Käuflichkeit und Unredlichkeit: bei uns aber waltet in unnahbarer Hoheit, in Glanz und Machtfülle der Kaiser, der Herr der Welt, das Licht der Erde, der Ruhm des Weltalls.

Die Geistlichkeit in Deutschland war Trägerin der Machtansprüche, die der Papst erhob; der Hass, der jenen traf, richtete sich daher auch gegen sie. Aber die italienische Cultur, die den römischen Hof zierte, war bei ihnen nicht zu finden, ihre Unwissenheit, ihre Verachtung der Bildung, ihr Stolz auf die winzigen und lächerlichen Ueberreste des Alterthums, die sie das Mittelalter hindurch gerettet hatten, war eine beständige Nahrung zum Hass, eine unerschöpfliche Quelle für Gelächter und Spott.

Eine jede neue Richtung muss kämpfend, angriffslustig auftreten. Den Boden, den sie einnehmen will, besitzt der Feind, er muss verdrängt werden. Der Kampf wird heftig geführt, er geht aus von den Grundsätzen, um die es sich handelt, die von der einen Seite geleugnet, von der andern mit tiefer Ueberzeugung verfochten werden. Aber leicht artet der Streit aus, die Grundsätze werden verlassen, nur deren Vertreter angegriffen; der heilige Ernst der Ueberzeugung schwindet, Spott und Lachen tritt an seine Stelle; der Gegenstand des Kampfes wird vergessen, man ist sich seiner Macht bewusst geworden, man will den Sieg, man verlangt den Gegner zu seinen Füssen. Nun wird der Kampf geführt um des Kampfes willen, nicht des Geistes wegen, nicht wegen der Wissenschaft, die man zuerst in's Leben einzuführen als einzige hohe Aufgabe erkannte[1]).

Welch eine Kluft zwischen den beiden Richtungen des Humanismus, die wir unterschieden haben: die alte, nach Kenntnissen sich sehnend, und doch in der ersten Entwicklung stehend, ernster Beschäftigung hingegeben, in stille, beschauliche Betrachtung ihr ganzes Leben hindurch oder wenigstens am Ende ihrer Tage versenkt; die neue, im Vollbesitz wissenschaftlicher Kenntniss, geistigen Reichthums, jugendlich angeregt, voll frischen Muthes, noch kämpfend, aber ohne Furcht und Zagen, denn sie weiss, sie muss den Sieg erringen.

Eine Zeit stillen Forschens, emsiger Arbeit, muthigen Ringens liegt zwischen inne: drei Jahrzehnte, die letzten des fünfzehnten, das erste des sechszehnten Jahrhunderts, wenn man geistige Arbeit so strenge in zeitliche Grenzen einschliessen kann.

Diese Arbeit hat ein Mann gethan, zum grossen Theil allein, zum Theil mit Helfern, die er selbst sich ausrüstete: dieser Mann

[1]) Die Charakteristik des neueren Humanismus ist allgemein gehalten und kurz gefasst, weil über die Vertreter desselben in dem Werke selbst gesprochen und das Urtheil im Einzelnen begründet ist.

war Johann Reuchlin. Dadurch ist seine Stellung bezeichnet, seine Bedeutung und seine Grösse. Er erstrebte nichts Flitterhaftes, nichts Aeusserliches, nichts Vergängliches; er will Nichts für sich, der Ruhm des Vaterlandes steht ihm nicht am höchsten, seine Anstrengungen gelten dem Preise, der Erhöhung seines Glaubens, sein Kampf gilt der Wissenschaft. Durch ihn ist das Hebräische wiedererweckt, durch ihn das Griechische neu erstanden, in die tiefsten Gründe menschlichen Denkens ist er gestiegen, und wenn er nicht die reine Frucht hervorgeholt, wenn seine einzelnen philosophischen Anschauungen unklar und verworren waren, so sind die cabbalistischen Träumereien, die vor und nach ihm geistig und moralisch verderblich wirkten, bei ihm von einem tiefen und reinen Streben nach Vervollkommnung und Veredlung der Menschheit durchglüht. Die Wissenschaft muss frei sein. Sie darf nicht in den Dienst genommen werden von einer kirchlichen Richtung, die in jeder neuen Kenntniss einen Abbruch ihrer Autorität, eine Schädigung ihrer Herrschaft sieht; in ihrem ruhigen vorsichtigen Gang darf ihr nicht ein plötzliches Halt zugerufen werden. Reuchlin war sich dieses Grundsatzes wohl bewusst, er brachte ihn in seinem Wirken und Schaffen zum Ausdruck. Auch in seinem Leben steht er durchaus mitten inne zwischen dem alten und neuen Humanismus, ein Mittelpunkt beider Bewegungen, mit Kraft hinüberführend von der einen zur andern. Nicht in stiller Beschaulichkeit lebend, wie jener, nicht ruhelos umherirrend, feindlich jeder festen Lebensstellung, als eines drückenden Sklavenbandes, wie dieser: er ist Staatsmann und Richter; nicht als Mönch, als Geistlicher der Frauen sich enthaltend, wie jener, nicht frech und zügellos die Heiligkeit des Weibes betastend wie dieser: dreissig Jahre alt gründet er sich einen eignen Hausstand.

Wir werden seine Ansichten und seine wissenschaftlichen Bemühungen, seinen Kampf, der doch mit als Folge dieser Anstrengungen angesehen werden kann, sein Leben, das ganz von diesem Streben durchweht ist, seine Freunde, die gern mit ihm denselben Weg betraten, schildern und so die Bedeutung des Mannes zu erfassen suchen.

Die Quellen für die Biographie Reuchlins sind vor allem seine
Briefe, und die Briefe seiner Freunde an und über ihn. Fast in
keiner Zeit sind Briefe eine so bedeutende Geschichtsquelle, als in
der Zeit des Humanismus. Allerdings, es ist nicht mehr nöthig,
schriftlich Alles mitzutheilen; die Buchdruckerkunst ist erfunden. Aber
die aller Orten errichteten Pressen haben ungeheure Aufgaben zu
erfüllen, die Schätze des Alterthums, die seit Jahrhunderten unbenützt
lagern, sollen zugänglich gemacht, lang verstopfte Quellen den
Durstigen erschlossen werden. Zeitungen gibt es nicht, es wäre
auch kein Publikum da, das sie lesen könnte. Die humanistische
Bewegung ist in ihrem Beginne eine auf einen engen Kreis be-
grenzte, ein persönliches Interesse, hervorgerufen durch geistige Verwandtschaft, wissenschaftliche Zusammengehörigkeit verknüpft die
Einzelnen, Einer kennt den Andern, ein Jeder betrachtet die Sache
des Genossen als seine eigene. So werden persönliche und allgemeine, wissenschaftliche und politische Gegenstände in den Briefen
im reichsten Maasse behandelt.

Es ist keine Uebertreibung, wenn man sagt: man würde den
grössten Theil der in der Epoche des Humanismus und der Reformation in Deutschland herrschenden geistigen Strömung deutlich
genug zu erkennen im Stande sein, wenn durch Ungunst der Zeiten
nur die Briefwechsel von Reuchlin, Hutten und Erasmus, Luther und
Melanchthon erhalten worden wären. Des Erasmus Briefe sind vielfach,
zuletzt am vollständigsten, wenn auch ziemlich unkritisch, in der
Leydener Ausgabe seiner Werke zusammengestellt worden (1703 fg.)
Luther und Melanchthon haben in de Wette, Burkhardt und Bretschneider würdige, Hutten in Böcking einen unübertrefflichen Herausgeber gefunden.

Eine Sammlung von dem Briefwechsel Reuchlins fehlte, für den
Biographen war es daher erste Pflicht, eine solche zu veranstalten.
Dieser Sammlung konnte nicht eine Handschrift zu Grunde gelegt
werden; die Briefe fanden sich an vielen Orten zerstreut vor.

Den Grundstock zu der Sammlung bildeten

1. Die 1514 erschienenen, wahrscheinlich von Reuchlin selbst
herausgegebenen *clarorum virorum epistolae ad Joh. Reuchlin*, die
Briefe von 1478—1511 enthaltend, die in der sub 2 genannten
Sammlung nochmals abgedruckt werden und von denen in Zürich
1558 eine neue Ausgabe herauskam.

2. Die Mai 1519 erschienenen *Illustrium virorum epistolae ad Joh. Reuchlin*, deren erstes Buch die uns bekannten, deren zweites, mit nur geringen Ausnahmen, die Briefe von 1511—1519 enthält und damit das werthvollste Material für die Geschichte des Reuchlinschen Streites liefert.

3. Die handschriftlich in Berlin vorhandenen, zuerst von Friedländer Berlin 1837 herausgegebenen Briefe Reuchlins an Freunde und Gönner in Rom (1514—1519) nebst einigen andern verwandten Briefen und Aktenstücken.

Die drei Sammlungen unterscheiden sich wesentlich dadurch, dass die beiden ersten fast allein Briefe an Reuchlin, die dritte fast ausnahmslos Briefe Reuchlins an Andere enthält. Da diese aber nur den zu Rom schwebenden Streit behandeln, so waren noch wichtige Lücken auszufüllen. Dazu boten sich zunächst Reuchlins Schriften. Der Sitte der Zeit folgend hat Reuchlin jede Schrift, die er herausgab, mit einer Widmung versehen, auch Schriften Anderer Briefe beigegeben, die oft wichtige Daten für sein Leben enthalten. Ausserdem waren aus den oben bezeichneten Sammlungen Huttens, Melanchthons, Briefe Reuchlins, namentlich aber aus den Briefsammlungen des Erasmus und dem zu Frankfurt a. M. befindlichen, von Tentzel im *Supplementum historiae Gothanae* nur unvollständig herausgegebenen, Briefcodex des Mutian eine grosse Anzahl von sehr wichtigen Stellen über Reuchlin zusammengetragen. Wichtige Stücke fanden sich auch in gedruckten Sammlungen Dalburgs, Peutingers und Pirckheimers u. A. und an vielen, oft ziemlich entlegenen Orten; Handschriftliches, namentlich wichtige und bisher ganz unbekannte Briefe Reuchlins habe ich aus Basel, Frankfurt a. M., Gotha, Paris, Stuttgart, Wien und Wolfenbüttel benutzt.

Das in dieser Weise zusammengetragene Material lag mir in einer vollständig chronologisch geordneten Sammlung vor, die noch nicht herausgegeben werden konnte. Für das Studium dieses Werkes wäre es natürlich von grossem Nutzen gewesen, wenn die Sammlung gedruckt in den Händen der Leser gewesen wäre; bei der Bezugnahme auf die Briefe hätte eine kurze Anführung der Band- und Seitenzahl genügt. Doch glaubte ich mich schon aus äusseren Gründen, um den Umfang dieses ohnehin nicht kleinen Bandes nicht übermässig anzuschwellen, einer genauen Angabe des Ortes, wo die einzelnen Briefe jetzt zu finden sind, und einer Mittheilung der Stellen, aus denen das im Texte Behauptete geschlossen wurde

— eine Methode, die mir im Interesse der Wissenschaft durchaus
geboten erscheint — enthalten zu dürfen. Ich habe mich bei allen
Briefanführungen, wenn nicht gerade einzelne Worte für das Verständniss durchaus nothwendig schienen, mit Angabe des Brief-
schreibers, des Adressaten, des Briefdatums oder bei undatirten
Briefen mit Angabe der Anfangsworte begnügt. Die Briefsammlung
selbst, die in dieser Weise als nothwendiger Anhang zur vorliegenden ·
Biographie Reuchlins hingestellt ist, wird, wie ich hoffe, in nicht
allzu langer Zeit erscheinen können.

Neben den Briefen sind es natürlich Reuchlins Werke, welche
die eigentliche Grundlage zu einer Lebensbeschreibung liefern müssen.
Einige von diesen Schriften sind polemischer Natur. Sie sind wichtige Denkmale in dem grossen Streite, der Reuchlin einen grossen
Theil seines Ruhms verliehen, der für sein Leben ein immer neues
Interesse zu erwecken gewusst hat. Für diesen Streit sind aber
ausser Reuchlins Schriften und den von ihm herausgegebenen Aktenstücken die Streitschriften der Freunde und Gegner von vorzüglich-
ster Bedeutung. Sie sind alle von mir benutzt und besprochen
worden. Dabei hat mich der Grundsatz geleitet, gerade den absichtlich oder unabsichtlich vergessenen Schriften der Gegner eine
besondere Aufmerksamkeit zu schenken. Denn der Biograph, wenn
er seine Aufgabe richtig erfasst, muss sich vor allem hüten, ein-
seitig zu werden, nicht von parteiischer Vorliebe für seinen Helden
und Voreingenommenheit gegen seine Widersacher erfüllt sein; um
die rechte Bedeutung des Mannes zu erkennen, den er zu schildern
unternommen hat, muss er Alles erwägen, was zu seinen Gunsten
und Ungunsten gesagt worden ist.

Und diese historische Gerechtigkeit möchte ich ganz für mich
in Anspruch nehmen. Um diese zu erzielen, durfte ich mich nicht,
wie dies alle meine Vorgänger gethan hatten, mit Aufzählung
der Werke und kurzen, meist nichtssagenden Bemerkungen darüber
begnügen, ich musste alle einzelnen Schriften genau durchnehmen,
nach den verschiedenen Abtheilungen, in die man die Wissenschaft
zu zerlegen pflegt, die Schriften und die wissenschaftlichen Anschauungen Reuchlins besprechen, und durch eine Betrachtung des Zu-
standes, der vorher in den einzelnen Fächern geherrscht hatte, und
der Wirkungen, die von Reuchlins Schriften auf die Folgezeit ausgegangen sind, einer jeden Leistung den ihr gebührenden Platz an-
weisen.

Bei den Werken wie bei allen im Streite behandelten Schriften
habe ich mich bibliographischer Genauigkeit befleissigt, bei den
Werken stets die erste Ausgabe so genau als möglich beschrieben.

Ein bibliographischer, chronologisch nach der Abfassungszeit der
Schriften geordneter Index, dessen Zusammenstellung bisher nur mit
unzureichenden Mitteln versucht worden ist, soll der Briefsammlung
beigegeben werden.

Eine Mittelstellung zwischen Quellen und Bearbeitungen nimmt
Melanchthons *Oratio continens historiam Johannis Capnionis* ein. Sie
ist 1552 von Martin Simon in Wittenberg gehalten, aber von Melanchthon verfasst. Ueber die Ereignisse im Leben Reuchlins hätte
Niemand besser unterrichtet sein können, als der Grossneffe Melanchthon, aber er hat es versäumt, ein würdiges biographisches
Denkmal zu errichten, und sich mit einer Rede begnügt, die als Zusammenstellung manches Thatsächlichen zu einem Gesammtbilde
Lob verdient, aber schon ihrer Form wegen durchaus keinen Anspruch auf Vollständigkeit machen kann. Selbst in dem Wenigen,
was sie gibt, ist ihr keineswegs überall Glaubwürdigkeit beizumessen.

Doch hat diese Rede den Späteren vielfach als Quelle gedient:
für Adam in seinen *vitae philosophorum* und die an ihn anschliessen-
den, auf ihm fussenden Verfasser von Gelehrtenverzeichnissen,
Johann Bismark, und einen Ungenannten, dessen Schriftchen Struve
mittheilt.

Der erste, der ein ausführliches Leben Reuchlins geschrieben
hat, war Joh. Heinrich Mai, Professor in Giessen, Pforzheimer von
Geburt[1]). Seine *vita Reuchlini* erschien Durlach 1687. Die Form
ist eigenthümlich. Die Lebensbeschreibung ist eine Rede, kaum 50
Seiten gross, das Uebrige sind Anmerkungen und Exkurse zu den
einzelnen Sätzen der Rede. Mai standen neue Quellen zu Gebote,
er veröffentlicht Briefe und handschriftliche Notizen. Viele andere
Stücke aus den Briefsammlungen und Reuchlinschen Vorreden druckte
er neu ab. Sein Buch ist eine umfangreiche Materialiensammlung,

---

[1]) Vorher hatte selbständige und im Ganzen werthvolle Nachrichten gegeben Crusius, Annales Suevici, (1595) Pars III, p. 402, 437, 454, 508,
528, 536, 544, 569 sq.

ohne Verarbeitung und geistige Durchdringung, doch als die erste grössere, mit Liebe und Sorgfalt ausgeführte Arbeit dankbar anzuerkennen.

Gleiche Liebe und Sorgfalt, ja eine ungemessene, unbegrenzte Verehrung vor Reuchlin zeigte der Helmstädter Professor von der Hardt. Er widmete Reuchlin ausschliesslich den 2. Theil seiner grossen *Historia literaria reformationis*, in dem er den Augenspiegel, die *Defensio*, die *Acta judiciorum* abdrucken liess, eine Ausgabe. in der diese Schriften vielen der Späteren überhaupt nur zugänglich gewesen sind. Zur zweihundertjährigen Erinnerung an Reuchlin gab er 1713, 1714, 1715 Schriften heraus, die in schwülstiger Form die 1513—1515 geschehenen Ereignisse durchaus nach den eben bezeichneten Quellen erzählen, veröffentlichte er 1720 die in Ingolstadt 1520 von Gussubelius gehaltene Rede. Auch ein handschriftlicher Commentar zu derselben und zu den Briefen Reuchlins an Pirckheimer aus diesem und dem vorhergehenden Jahre ist' erhalten, aber durchaus ohne Werth.

In seinen biographischen und literarischen Nachrichten von den Lehrern der hebräischen Literatur in Tübingen 1792 hat Schnurrer S. 6—66 ein Leben Reuchlins geliefert, das sich eben so wie das an Quellenbelegen reichere, fast gleichzeitige Leben Meiners in: Lebensbeschreibungen berühmter Männer aus der Zeit der Wiederherstellung der Wissenschaften (Zürich 1795) I, S. 44—212, durch genaue Feststellung einzelner Thatsachen auszeichnet. Schnurrer gebührt noch das Verdienst, einen bibliographischen Index verfertigt zu haben, der bisher nicht übertroffen worden.

Denn zwei im Jahre 1830 unabhängig von einander erschienene Biographien von Meyerhoff (Joh. Reuchlin und seine Zeit. Berlin.) und Erhard (Geschichte des Wiederaufblühens wissenschaftlicher Bildung in Teutschland. Magdeburg B. II, S. 147—442) haben darin den Vorgänger nicht übertroffen. Erhard ist weit genauer und fleissiger gearbeitet, Meyerhoff oberflächlich und ungründlich in jeder Beziehung. Francis Barham: *The life and times of John Reuchlin or Capnion, the father of the German Reformation, London* 1843 ist eine englische Bearbeitung von Meyerhoffs Werk.

Eine schöne Skizze ohne wissenschaftlichen Anspruch, das Anmuthigste, was über Reuchlin geschrieben worden, hat Lamey 1855 zur Erinnerung an das vierhundertste Geburtsjahr geliefert. Seitdem ist eine neue Biographie Reuchlins nicht erschienen; nur der Artikel Reuchlin von Oehler in Schmids Encyklopädie des gesammten Erziehungs- und Unterrichtswesens 1867, 61. u. 62. Heft ist wegen seiner Genauigkeit im Einzelnen zu nennen.

Die vorhandenen genügten auch für ihre Zeit nicht, seit dem Erscheinen der beiden letzteren grösseren Arbeiten ist aber so manches neue Material aufgefunden worden, das Berücksichtigung verdient.

Mit Benutzung dieses neuen Materials sind drei wissenschaftliche Werke erschienen, die indirekt auf Reuchlin Bezug haben; die in Forschung und Darstellung gleich vortrefflichen, gleichzeitig erschienenen Arbeiten von D. F. Strauss, Ulrich von Hutten (2 Bde. Leipzig 1858. 59) und Kampschulte, die Universität Erfurt in ihrem Verhältniss zu Humanismus und Reformation (2 Bände. Trier 1858, 1860), und der 9. Band von Grätz, Geschichte der Juden, der zum Theil dem Reuchlinschen Streit gewidmet ist.

Grätz hat das Verdienst, zum ersten Male die Pfefferkornschen Schriften benutzt zu haben; aber seine ganze Geschichtsauffassung ist eine durchaus parteiische und zahllose Irrthümer im Einzelnen verunzieren die Darstellung.

So schien eine Neubearbeitung des Lebens Reuchlins nicht überflüssig. Kleinere Arbeiten über einzelne Punkte habe ich in der letzten Zeit an verschiedenen Orten veröffentlicht, sie werden an passender Stelle immer erwähnt werden. Mein Verhältniss zu den Biographien ist so, dass ich sie alle gelesen und benutzt habe. Ich habe sie nur dann citirt, wenn ich eine originale Nachricht aus ihnen anführen konnte; wenn ich dasselbe zu erzählen hatte, wie sie, so schien es überflüssig, ihrer zu gedenken; war ich anderer Ansicht, so habe ich mich des Tadels absichtlich enthalten: durch stete Polemik gegen die Vorgänger wird die Wahrheit nicht gefördert, die Richtigkeit der eignen Ansicht nicht gekräftigt. In meiner Darstellung hoffe ich mich von jeder Parteilichkeit fern gehalten zu haben. Der wäre ein schlechter Biograph, der nicht für seinen Helden, wenn man denn dieses Wort anwenden soll, Achtung und Liebe empfände. Vollkommene Kenntniss erwirbt nur der, der von Liebe zu seinem Gegenstand durchdrungen ist, sagt Rhabanus Maurus. *Nemo perfecte sapit, nisi is qui recte diligit.*

Am Schlusse dieser Einleitung habe ich noch die angenehme Pflicht zu erfüllen, den Vorständen der Bibliotheken und Archive, die mich bei meiner Arbeit bereitwillig unterstützten, namentlich den in Frankfurt a. M. und Göttingen, den Gelehrten, die mir mit einzelnen Mittheilungen förderlich waren, meinen herzlichen Dank auszusprechen.

In diese frohe Stimmung mischt sich ein trüber Ton, wenn ich des schmerzlichen Verlustes gedenke, den die Wissenschaft durch den Tod des Hrn. Geh.-Rath Böcking in Bonn erfahren hat. Seine oft gerühmte Liberalität hatte er auch gegen mich geübt und mir die unbeschränkte Benutzung seiner reichen Bibliothek gestattet. Sie ist mir von grosser Bedeutung gewesen für meine Studien der Geschichte des Humanismus überhaupt und speziell für dieses Werk, das ich ihm gerne als schuldigen Tribut der Dankbarkeit übergeben hätte.

Berlin, August 1870.

DER VERFASSER.

ERSTES BUCH.

LEBENSEREIGNISSE.

(1455—1512.)

ERSTES KAPITEL.

JUGENDZEIT, SCHÜLER- UND WANDERJAHRE.

(1455—1482).

Am 22. Februar 1455 wurde Johann Reuchlin in Pforzheim geboren [1]). Für einen jeden Menschen knüpft sich an die Geburtsstätte ein besonderer Reiz; mit Pietät hing Reuchlin sein ganzes Leben an der Stadt, in der er zuerst das Licht der Welt geschaut; er nannte sich stets Phorcensis: aus Pforzheim. Ihren Ursprung hat er mit sagenhafter Umkleidung ausgeschmückt [2]). Phorcys, nach dem Zeugniss des Homer ein Führer der Phryger im trojanischen Kriege (der freilich, nach demselben Gewährsmann, von der Hand des Ajax vor Troja den Tod erlitt) [3]), sei nach dem Falle der Stadt mit Aeneas nach Italien gezogen. Dann habe er Italien und Deutschland durchschweift, sei im Westen des letzteren herumgezogen und habe vor einem klaren und reinen Wasser Halt gemacht, dessen Namen ihm ein Greis auf Befragen: Aeneas (Enz) genannt habe. Staunend habe er dann ausgerufen:

---

[1]) Vgl. meine Schrift, Ueber Melanchthons Oratio continens historiam Capnionis. Eine Quellenuntersuchung. Frankfurt a. M. Joseph Baer 1868. S. 17. Anm. 1, die vielen Angaben dieses Abschnittes zu Grunde liegt. Ich werde sie kurz (Mel. or.) citiren, wenn die dort gegebenen Ausführungen genügend und weder einer Wiederholung, noch Berichtigung bedürftig erscheinen.

[2]) Das Folgende, in allen Biographieen Reuchlins angeführt, ist aus Reuchlins De verbo mirifico ed. 1514 a iii b.

[3]) Homer, Ilias II, 864 und XVII, 312 ff.

1 *

„Bist du jener Aeneas, welchen dem Troer Anchises,
Venus, die schöne, gebar, an des Simois phrygischem Strome?"[1])
habe das Zusammentreffen der Namen den Seinigen als günstige
Vorbedeutung vorgehalten, ihnen geboten, hier eine Stadt zu bauen
und sie, nachdem sie bald vollendet dastand, nach seinem Namen,
Phorcis, genannt.

Für den Historiker freilich bleibt von dem Berichte nichts übrig.
Pforzheim, die Pforte des Schwarzwald *(Porta Hercyniae)*[2]) liegt an
dem Zusammenfluss der Worms und Nagold in die fischreiche Enz.
„Es ist nicht gross", sagt ein zeitgenössischer Berichterstatter, der
Pommer Bartholomäus Sastrow[3]), der 1544 von Speier nach Pforzheim kam, um dort einige Zeit zu verweilen, „ligt gar im Grunde
an einer schönen, lustigen Wisen, dardurch läuft ein clares, gesundes
Wasser, gibt allerlei wohlschmeckende Fische, daran man des Sommers gar gute Kurtzweile haben kan, zwuschen uberaus hohen
Bergen, so mit Holtzungen, einer Wiltnussen nicht ungleich, be-
wachsen, so guth Wildbreth gibt."

Die Stadt Pforzheim „hat vor zeitten gehört zu den Hertzogthum
Schwaben, aber da die hertzogen von Schwaben on mänlich samen
abgiengenn, ist sie an die Marggraveschafft kommen. Etliche sprechen,
dass keyser Friederich der erst sie geben hab dem Marggraven"[4]).
Wie dem auch sein mag, vor 1256 gehörte sie jedenfalls den
Markgrafen von Baden[5]), die sich, wenigstens im 15. Jahrhun-

---

[1])   *Tu ne ille Aeneas, quem Dardanio Anchisae*
        Alma Venus Phrygii genuit Simoentis ad undam?
*Quos versus posthac Maro Virgilius in suam Aeneida transtulit, peregrina
vetustate delectatus.* Reuchlin a. a. O. Die Verse aus Virg. Aen. 1, 616. 617.

[2]) „aber die andern halten, dass der nam komm von Orcinia-sylva, da-
ist, von dem Hartzwald", sagt Münster, nach Reuchlins Bericht, in seiner
Cosmographia, Beschreibung aller Lender. Basel 1545. S. 454. An einer
andern Stelle Rudimenta hebraica p. 9 meint Reuchlin: *Orcyniam silvam
Aristoteles scribit Arcyniam, et verius, tanquam ab Harce, id est pice cogno-
minatam.* Irenikus in seiner Exegesis lib. XI p. 385 erwähnt Reuchlins
Erklärung und ist von deren Richtigkeit völlig überzeugt.

[3]) B. S. Herkommen, Geburt und Lauff seines gantzen Lebens, herausgegeben von Mohnike 1. Theil 6. Buch Cap. 3. Greifswald 1823. Bd. I
S. 266 fg.

[4]) Münsters Cosmographia a. a. O.

[5]) Gehres, Pforzheims kleine Chronik, Memmingen 1792. Die 3. Auflage
erschien Carlsruhe 1815 unter dem Titel: J. Reuchlins Leben und die Denk-

dert[1]), gern in der Stadt aufhielten, eine beliebte Residenz, wenn man den Ausdruck gebrauchen darf, daraus machten: war es doch „fast die fürnemste statt, so die Marggraven in jrer herrschafit haben, wie wol Baden des heissen wassers halb ains grössern ansehens ist"[2]).

Es war eine Stadt, wie es im Mittelalter viele gab, durch Nichts ausgezeichnet, aber auch ohne besondern Mangel, mit Allem wohl versehen, „was man zur Leibes Notturfft, auch Erhaltunge zeitliches Lebents in Gesuntheit und Kranckheit von Nöten [braucht], an Gelerten, Ungelerten, Apothekern, Balbiern, Wirtsheusern, allerlei Handtwerckern, nichts aussgenommen"[3]).

Wie die meisten mittelalterlichen Städte hatte es seinen Aberglauben und Judenvertreibungen. Im Jahre 1267 sollen die Juden ein Mädchen Margarethe gekauft, ihr Blut abgezapft und das todte Kind ins Wasser geworfen haben. Man zog es heraus, die Juden wurden zum Theil gerädert, zum Theil an den Galgen gehangen, das Kind bestattete man feierlich und verehrte sein Grab als heilig. Der Sarg mit der kostbaren Reliquie erhielt sich lange; die Dominikanerklosterfrauen melden in ihrem Heiligenbuche, dass 1507 das Grab dieses Kindes im Beisein des Cardinals Bernhardin eröffnet und der Leichnam noch unverwest gefunden worden sei; 1647 wurde es als eine der Kostbarkeiten der Stadt nach Baden gebracht[4]). Bei Gelegenheit der durch das Auftreten des „schwarzen Todes" in

---

würdigkeiten seiner Vaterstadt, obwol auch in dieser der schon in der ersten Auflage etwa 30 Seiten grosse Abschnitt über Reuchlin nicht vermehrt, sondern auch hier, wie der Verfasser sagt, „nach der Darstellung eines Meisters in der biographischen Kunst", aus Ludwig Schubart: Literärische Fragmente I. Sammlung S. 43—116, gearbeitet ist.

[1]) Schon Markgraf Bernhard I., gest. 1431, hatte Pforzheim oft zu seiner Residenz gemacht; vgl. J. G. F. Pflüger, Geschichte der Stadt Pforzheim. Pforzheim 1862 S. 142. Der in diesem, durch gründliche Studien vor dem Gehres'schen Schriftchen ausgezeichneten Buche, stehende biographische Abschnitt über Reuchlin S. 165—172 ist nur ein oft wörtlicher Auszug aus Lamey's Schrift, wie der Verfasser S. 165 Anm. 2 angibt.

[2]) Münsters Cosmographia a. a. O.

[3]) Bartholomäus Sastrow a. a. O.

[4]) Vgl. Gehres a. a. O. S. 20 ff. Pflüger S. 88 fg. bietet hier nichts Neues; in einer Geschichte der Juden habe ich dies Ereigniss nicht erwähn gefunden.

ganz Deutschland veranlassten Judenverfolgung 1348, mögen auch
in Pforzheim Juden getödtet und vertrieben worden sein[1]). Wir
sahen, die Geistlichkeit war solchen Ausschweifungen des religiösen
Gefühls eher zu- als abgeneigt. Geistliche gab es in der kleinen
Stadt genug; es waren nicht weniger als 4 Klöster: zwei weibliche,
das der Cisterzienserinnen und der Dominikanerinnen, und zwei
männliche, der Franziskaner und Dominikaner. Letzteres (das Pre-
digerkloster zum St. Stephan) scheint 1279 gebaut und ziemlich früh
mit Pfründen ausgestattet worden zu sein[2]); es erfreute sich wol
bald einiger Bedeutung, da schon 1382 und 1414 das Provinzial-
capitel des Ordens hier abgehalten wurde[3]). Mit dem Kloster war
vielleicht frühzeitig eine Schule verbunden, die mässigen Anforderungen entsprochen haben mag, wenn sie auch erst später, nach
Reuchlins Zeit, unter Georg Simler, Johann Hunger und Andern zu
grosser Bedeutung gelangt ist[4]). Gelehrte hat es in Pforzheim nach
Reuchlins Zeugniss[5]) immer gegeben, wenn auch freilich ihre Namen
uns unbekannt geblieben sind und ihre Leistungen.

In diesem „für die Entwickelung geistiger Fähigkeiten nicht
ungünstigen" Boden wuchs Reuchlin heran. Sein Vater Georg, wie
seine Mutter Erinna Elissa, die beide aus Pforzheim stammten, waren
ehrsame Leute, sein Vater Verwalter des Dominikanerstifts in seiner
Vaterstadt[6]). Anderes ist uns leider von Vater und Mutter nicht
bekannt, nicht wann sie geboren und gestorben, nichts Sonstiges
über ihr Leben, nichts über die Einwirkungen auf ihren Sohn. Der

---

[1]) Vgl. Pflüger S. 97.

[2]) Vgl. Pflüger S. 76 und passim.

[3]) Vgl. Mone, Quellensammlung zur Badischen Landesgeschichte (1863)
III, S. 582.

[4]) Vgl. Pflüger S. 134 fg.

[5]) Reuchlin lässt in De verbo mirifico ed. 1514 Anm. 3 den Sidonius,
einen der Unterredner, sprechen: *Quamquam videre mihi videor aptitudinem
Phorcensis agri non nihil ingeniis indigenarum conferre, idque rerum esse,
literatorum hominum ingens numerus inde genitorum facit.*

[6]) Vgl. Mel. or. S. 67 fg. und die Anmm. Tendenziöse Herabsetzungen
enthalten Pfefferkorns Aeusserungen: *Hoc autem ex aliis audivi, patrem
ipsius pauperculum fuisse et antiquarum caligarum resarcinatorem* in seiner
Defensio contra famosas obscurorum virorum epistolas (ed. Böcking, Leipzig
1864) p. 187 und Streydtpuechlyn C. 3[b]: Do Johan Reuchlin eyn junger
bub gewest ist, do hat jm seyn vater villeicht mit den altden hossen gedeckt, die er den leuten umb das brot zu verdienen ghellickt nnd gelapt hat.

„sehr frommen" Mutter, die mit dem Vater bei den Dominikanern
eine Ruhestätte erhielt, setzte der Sohn einen Grabstein, dessen
Inschrift noch erhalten ist[1]). Die Eltern mögen in dem jungen
Sohne bald die nicht gewöhnlichen Fähigkeiten erkannt haben;
nachdem er die lateinische Schule in Pforzheim durchgemacht,
schickten sie den kaum Fünfzehnjährigen zur weiteren Ausbildung
auf die Universität Freiburg. Am 19. Mai 1470 wurde Reuchlin
hier als Sechster unter dem Rektorate des Juristen Friedrich Mecko-
loher oder Meckenlocher von Wendelstein immatrikulirt[2]).

In Freiburg war erst vor kurzem eine Universität errichtet
worden. Es sollte eine Pflanzstätte wahrer Wissenschaft werden.
Schon in seinem Stiftungsbriefe vom 21. Sept. 1456[3]) hatte der Erzherzog Albert gesagt: Unter allen guten Werken, die er thun wolle,
habe er vor Allem auserwählt, eine Universität zu gründen; er
wolle dadurch mit andern Fürsten den Brunnen des Lebens graben
helfen, daraus von allen Enden der Welt unversiegbar belebendes
Wasser tröstlicher und heilsamer Weisheit zur Löschung des verderblichen Feuers menschlicher Unvernunft und Blindheit geschöpft
werde. Und als am 26. April 1460 die Universität eingeweiht
wurde, da hielt der erste Rektor Andreas Hummel eine Rede über
den Spruch: Die Weisheit hat sich ein Haus gebaut, und durch die
ganze Rede zog sich der strenge Gegensatz gegen die Unwissenheit, gegen die Klostergeistlichkeit als deren Träger, gegen die
Laien und namentlich die Adligen als Verächter der Wissenschaft.
Die Universität nahm raschen Fortgang; schon im ersten Jahre
wurden 234 Studenten immatrikulirt; aber doch befand sie sich, als
Reuchlin sie bezog, noch in ihrer Kindheit: noch war kein Lehrer
für Rede- und Dichtkunst angestellt[4]), noch wüthete in der Philosophie nicht der Kampf zwischen Nominalismus und Realismus,
noch war selbst die griechische Sprache nicht in die Reihe der
Studienfächer aufgenommen; noch wirkte in der theologischen Fakultät nicht Geiler von Keisersperg, der erst 1475 seine Lehrthätig-

---

[1]) S. Briefsammlung 7. März 1506.

[2]) Vgl. Mel. or. S. 42 zur Ergänzung Riegger, Amoenitates Fribur-
genses I, p. 2.

[3]) Für dieses und das Folgende vgl. H. Schreiber, Geschichte der
Albert-Ludwigs Universität zu Freiburg i/B. 1. Bd. 1857 S. 49 ff.

[4]) Das geschah erst durch die Ernennung des Heinrich Gundelfinger
von Constanz 5. November 1471, Schreiber a. a. O. S. 68.

keit begann. Die Vorlesungen, die in der ersten Zeit gehalten wurden, beschränkten sich auf Aristoteles Ethik und Physik, auf die *Summulae* des Petrus Hispanus und auf Donat. Der humanistische Geist, der namentlich die Jugend so mächtig anzog, war also noch nicht lebendig, und überhaupt war ja damals für einen Jüngling in dem Alter Reuchlins die erste Universität nur das, was für die heutige Jugend die höheren Klassen eines Gymnasiums sind. Ein Fachstudium hat Reuchlin gewiss noch nicht ergriffen; was er in Freiburg studirt, ist uns ebensowenig bekannt, als die Dauer seines Aufenthaltes daselbst. Er selbst hat über diesen, ohne Zweifel sehr kurzen, Zeitraum seines Lebens nie gesprochen; wir können als sicher annehmen, dass der wahre Grund seiner Bildung hier nicht gelegt worden ist.

Von Freiburg kehrte er nach seiner Geburtsstadt zurück. Damals, vielleicht schon früher, brachte ihn seine angenehme Stimme mit dem Hofe in Verbindung. Mit anderen Jünglingen hatte er im Kirchenchore mitzusingen, dann nahm man ihn an den Hof, um ihn in Musikaufführungen mitwirken zu lassen [1]. Es wurde wol damals, wie später, am Hofe einfach und „ersparlich, gleichwoll furstlich und loblich haussgehalten" [2], der Markgraf Karl I., 1453—1475 war ein biederer Mann, der durch seine Tüchtigkeit beim Papst und beim Kaiser in hohem Ansehen stand, aber streitbar und kriegerisch, der sich um Wissenschaft und Kunst wenig gekümmert haben mag, sein Leben in beständigen Fehden und Kämpfen zubrachte, die zum Schaden für ihn und für sein Land meist von unglücklichem Ausgange waren [3]. Sein dritter Sohn Karl war zum geistlichen Stande bestimmt. Er war einige Jahre jünger als Reuchlin [4], und als er nun zu seiner Ausbildung nach fremden

---

[1] Quelle dafür ist Melanchthon in seiner Oratio, s. Briefsammlung zum Jahre 1552.

[2] Das meldet Bartholomäus Sastrow a. a. O., der in seiner naiven Weise hinzufügt, „aber weit von der Pommerschen Art, an Fleisch unnd Fischen, allerlei Zugemus, gesottenen Feigen, Habernbrei, menigerlei Krauth, zimblich brot unnd eim jedern in einem zinnern Becher bei anderhalb Stuck Dischwein, darmit man, sonderlich des Sommers, lange nicht konnte zukommen. Auf der Räte Disch aber wurth jme zweimhal eingeschenkt."

[3] Vgl. Sachs, Einleitung in die Geschichte der Marggravschaft und des marggrävlichen altfürstlichen Hauses Baden. Karlsruhe 1767. Zweyter Theil. S. 379 ff.

[4] Er war geboren am 8. Juli 1458.

Hochschulen geschickt werden sollte, wurde Reuchlin, dessen Kenntnisse in der lateinischen Sprache man schon damals rühmte[1]), ihm als Begleiter und älterer Genosse erkoren. Von seiner Einwirkung auf seinen Zögling ist nichts bekannt. Er war mit ihm in Paris, schwerlich länger als ein Jahr, dann löste sich die Verbindung. Friedrich wurde bald zu vielen kirchlichen Ehrenstellen erhoben, 13. Mai 1496 zum Bischof von Utrecht erwählt; nach zwanzigjähriger Regierung, in der er, wie sein Vater, nach allen Seiten Kriege zu führen hatte, starb er am 24. Sept. 1517. „Er war ein freundlicher, gütiger, leutseliger Herr, muthig und unerschrocken, gegen Ueberwundene milde und gnädig, den Frieden liebend, der ihn gleichsam hasste, mit allen Tugenden geschmückt, nur dass er sich ungern in geistliche Angelegenheiten mischte"[2]).

So war Reuchlin in Paris. Paris nahm damals noch dieselbe Stellung ein, die es das ganze Mittelalter hindurch behauptet hatte, als Mutter aller übrigen geistigen Pflanzstätten, als Mittelpunkt alles geistigen Lebens. Ein theologischer Ausspruch der von hier ausgegangen war, hatte unbedingte Autorität; wollte man Jemand als wissenschaftlich sehr hochstehend bezeichnen, so sagte man wol von ihm, er sei so gelehrt, als hätte er sein ganzes Leben auf dieser Hochschule zugebracht. Fremde Nationen eilten hierher, als nach der Quelle, um daraus die Weisheit zu schöpfen. Auch die Deutschen fanden sich zahlreich ein, überstrahlte doch ein Pariser Magister und Doktor bei weitem den auf einer andern Universität Graduirten. Bis in das sechszehnte Jahrhundert hinein strömten die jungen Deutschen hierher, ein grosser Theil der jüngeren Humanisten hat hier den Grund zu seiner Bildung gelegt. Doch in der Zeit, als Reuchlin hier weilte, waren die Deutschen nicht so zahlreich, eine *germanica natio* existirte noch nicht.

Eine grosse, dem Fremden, der aus kleinen Verhältnissen kam, imponirende Stadt war Paris schon im 15. Jahrhundert. Kleine enge Strassen in, wie es schien, unentwirrbarem Getriebe, und doch nach einem einheitlichen Plane errichtet; schon stand Notre-Dame mit ihren ehrfurchtgebietenden Thürmen, schon lud die Sorbonne die Jünger der Wissenschaft ein zum Eintritt in die geweihten Hallen.

.   [1]) Melanchthon in der S. 8 Anm. 1 angeführten Rede.
      [2]) So schildert ihn der Domherr Wilhelm Heda von Utrecht. Ueber Friedrich vgl. Sachs a. a. O. S. 627—647.

Und auf den Strassen, welch Leben und Treiben einer unruhig
erregten, nach Schaustellungen aller Art begierigen, geistig belebten
Bevölkerung[1]). „Vielleicht hat kein anderer Fürst für das Empor-
kommen von Paris so viel gethan, als Ludwig XI. Er gab der
Stadt gerichtliche und merkantile Vorrechte, erleichterte die Zufuhr
von Lebensmitteln, begünstigte vor Allem den Zuzug von Fremden,
für welche sie beinahe als Asyl angesehen werden konnte, so dass
sie sich an Menschenzahl stattlich ausnahm, — man berechnet, dass
Paris damals 300,000 Einwohner gehabt habe"[2]). Das ganze
Leben, dazu die eigenthümlichen Sitten und die fremde Sprache,
musste das jugendliche Gemüth des Fremden, der bisher nur die
engen Zustände der kleinen Städte des Vaterlandes kannte, mächtig
anregen.

Auch das Leben an der Universität war in lebhafte Schwingungen
versetzt. Heftig hatte der Streit zwischen Nominalismus und Realismus gewüthet und war durch einen gewaltsamen Akt zu einst-
weiliger Entscheidung gelangt. Am 1. März 1473 hatte Ludwig XI.
den Nominalismus verboten, die Nominalisten einkerkern lassen, ihre
Bücher confiscirt und zum Theil angeschmiedet. So verstand man
die Freiheit des Unterrichts. In den einzelnen Fakultäten lärmte
und tobte eine wilde, oft zügellose Jugend; in der Artistenfakultät
trieb sie es so arg, dass man mit energischen Maassregeln den vor-
gekommenen Ausschreitungen entgegentreten musste[3]).

In Paris war es Reuchlin vergönnt, einen Meister zu finden,
wie er ihn sich nicht besser wünschen konnte, in dem Haupte der
Realisten, Johannes Heynlin vom Stein (Johannes a Lapide),
einem Mann, den Reuchlin in Basel als Lehrer wieder traf, und
dem er auch im späteren Leben Theilnahme und Verehrung bewahrte[4]). Heynlin vom Stein war von Geburt ein Deutscher, er

---

[1]) Es sei gestattet, auf die unübertreffliche Schilderung des Anblicks
von Paris und des bewegten Volkslebens in der Stadt im 15. Jahrhundert
hinzuweisen, die Victor Hugo in seinem Roman: Notre Dame de Paris gegeben hat.

[2]) Ranke, Französische Geschichte I, S. 82 fg., S. 83 Anm. 1.

[3]) Vgl. für das Gesagte Bulaeus, historia universitatis Parisiensis V,
p. 703 fg., 706 ff., 711 fg.

[4]) Er widmet ihm 1488 die Uebersetzung einer griechischen Schrift,
1494 (Vorrede zu De verb. mirif.) nennt er ihn mit den ehrenvollsten Ausdrücken.

hatte in Leipzig und Freiburg studirt, hatte sich bald in Paris als Theologe und Philosoph Geltung verschafft, und nahm seit 1469, wo er Rektor der Universität wurde, eine entscheidende Stellung ein. „Es war ein Mann[1]) von ebensoviel Ernst und Strenge des Lebenswandels, als umfassender Gelehrsamkeit, Beredtsamkeit und That-kraft. In der mittelalterlichen Scholastik einer der letzten ausgezeichnetsten Meister, steht er in gleicher Zeit an Begeisterung für die neuerweckte Kenntniss des Alterthums wenigen seiner Zeitgenossen nach, förderte auf alle Weise die glänzendste Erfindung jener Zeit, die Buchdruckerkunst und bekämpfte als Kanzelredner die Sittenverderbniss seiner Zeit. In rastloser, fast räthselhafter Thätigkeit ist er abwechselnd, man möchte fast sagen, oft gleichzeitig in Basel, Paris, Tübingen und Bern mit ungeheurem Erfolge aufgetreten, ohne doch eine bleibende Befriedigung zu finden, eine jener fast tragischen Erscheinungen, die kurz vor der Reformation einen besseren Zustand innerhalb der Schranken der römischen Kirche erstrebten, zuletzt aber resignirt sich zurückzogen."

Johannes a Lapide ward Reuchlins Lehrer in der Grammatik; Rhetorik hörte er bei Wilhelm Tardivus und Robert Gaguinus[2]). Tardivus, ein zu seiner Zeit geschätzter Lehrer, ist Verfasser einer Rhetorik, die er dem Dauphin Karl VIII. widmete; Robert Gaguin war ein bekannter Historiker[3]). Er gab eine Chronik der Franken von den Zeiten des Königs Pharamund bis 1491 heraus, die weniger Kritik als treffliche Kenntniss der lateinischen Sprache zeigt, durch zahlreiche Auflagen bewies, dass sie dem Geschmack des Publikums entsprach, und für die Zeiten, die der Verfasser selbst erlebt hatte, den grossen französisch geschriebenen Chroniken Frankreichs zu Grunde gelegt wurde; er schrieb einige kleinere historische Schriften, auch seine Briefe sind gesammelt schon bei seinen Lebzeiten herausgegeben worden. Aber Reuchlin begnügte sich nicht mit dem Studium der lateinischen Grammatik und Rethorik, er lernte auch Griechisch, er begann wenigstens die Anfangsgründe dieser Sprache sich anzueignen.

Da fand er einen gleichgestimmten Genossen in Agrikola,

---

[1]) Worte Vischers in der gleich anzuführenden Schrift S. 160.
[2]) Reuchlin an Jakob Faber 31. August 1513; vgl. auch Bulaeus p. 881
[3]) Vgl. für das Folgende Potthast, Bibliotheca historica medii aevi. Berlin 1862. S. 240, 291, 325, 869.

mit dem ihn von nun an bis zu des Ersteren Tode innige Freundschaft verband; dem Frühverstorbenen soll er in einer Leichenrede,
die nicht auf uns gekommen ist, ein Denkmal gesetzt haben.

Warum Reuchlin Paris so bald verlassen, ist unbekannt. Vielleicht hat seine Stellung bei dem jungen Markgrafen aufgehört,
wahrscheinlich ging er fort, um bei seinem Lehrer Johannes a
Lapide bleiben zu können, der bald, nachdem seine Partei den
grossen Sieg errungen, seinen Sitz in Paris aufgab und mit Basel
vertauschte.

Als der kaum zwanzigjährige Reuchlin nach Basel kam (1474),
herrschte hier ein reges, wissenschaftliches Leben und Treiben.
Kurze Zeit vorher hatte der berühmte Aeneas Sylvius Piccolomini,
der später als Pius II. den päpstlichen Thron bestieg, nicht viel
Rühmliches über das geistige Streben in der Stadt zu sagen gewusst [1]. Um Wissenschaften kümmern sie sich nicht; die Schriftsteller des Alterthums wollen sie nicht kennen, nur mit Dialektik
und Grammatik geben sie sich ab. Zwar darf das Verdikt nicht
so streng genommen werden und der Papst hatte selbst die beste
Gelegenheit, die Schärfe seines Urtheils zu mildern. Schon vorher
hatte sich in Basel das Streben gezeigt, eine Universität zu begründen;
dem neuen Papst äusserte man bald nach seiner Thronbesteigung
(1458) den Wunsch. Am 12. November 1459 erliess Pius die
Stiftungsbulle, am 4. April 1460 wurde die Universität feierlich
eröffnet [2].

Bald machte sich auch hier, wie auf andern Universitäten in
der philosophischen oder Artistenfakultät der Gegensatz zwischen
Realismus und Nominalismus geltend; in Basel nannte man jenen
„den alten", diesen „den neuen Weg" [3]. Zwar wurden bei der
Stiftung nur 4 Professoren vom neuen Wege angestellt, noch 1464
wollte man drei Magister, darunter Johann a Lapide, abweisen,
die sich meldeten, um im alten Wege zu lehren, „weil es unmöglich

---

[1] Dies und die im Texte folgende Schilderung der Universität Basel
nach der vortrefflichen Arbeit von W. Vischer: Geschichte der Universität
Basel von der Gründung 1460 bis zur Reformation 1529. Basel 1860. Unsere
Stelle S. 9 fg. Was Reuchlin über diese Periode seines Lebens angibt
wird unten erwähnt werden.

[2] Vischer a. a. O. S. 26—28, S. 32 ff.

[3] Diese ganze Bewegung hat Vischer zum ersten Male richtig und
eingehend nach den Quellen geschildert. Vgl. seine Worte S. 140 Anm. 1.

ware. Eintracht und Frieden zu erhalten, wenn beide Wege neben
einander geduldet würden." Aber der Rath setzte ihre Aufnahme
durch [1]). Und eben der zuerst zurückgewiesene a Lapide war es,
welcher der Entwicklung der Universität, des ganzen geistigen
Lebens in Basel den bedeutendsten Aufschwung gab. Um ihn
schaarten sich die hervorragendsten Männer und auch nach seinem
Fortgang 1466 standen die Lehrer des Realismus wissenschaftlich
höher. Streitigkeiten zwischen beiden Parteien kamen allerdings
auch hier vor, waren aber nicht so roh und gewaltthätig, wie auf
andern Universitäten.

Einen nicht minderen Einfluss, wie bei seiner ersten Lehr-
thätigkeit, übte a Lapide auch bei seinem zweiten Aufenthalte in
Basel (1474—78) aus, wo er freilich die Stellung eines Predigers bekleidete, aber mit der Universität ebenso wie früher zusammenhing.
Grade dieselbe Zeit, wahrscheinlich in enger Verbindung mit seinem
Lehrer, brachte Reuchlin in Basel zu. Er machte in regelrechter
Weise seine Studien durch. Er hatte zum Baccalaureat anderthalb
Jahre zu arbeiten, grammatische Studien nach seinem Belieben zu
treiben. hauptsächlich aber mit den Traktaten des Peter Hispanus
und einer grossen Anzahl aristotelischer Schriften sich bekannt zu
machen. 30 Disputationen hatte er anzuhören, und, wenn es gefordert wurde, sich auch redend zu betheiligen, ebensoviele waren
zur Erlangung des Magistergrades nöthig. Die Bekanntschaft mit
andern aristotelischen Schriften war gefordert, selbstverständlich in
lateinischer Uebersetzung mit den scholastischen Commentaren,
Lektüre Euklids u. A. Ausserdem wurde Leben. Sitten und Studien
des Examinanden geprüft. so dass die Fakultät die Gewissheit
habe, keinen Unwürdigen zuzulassen, sondern Ehre mit ihm einzulegen [2]).

Diesen Anforderungen genügte Reuchlin. Er wurde im Sommer-
semester 1474 unter dem Rektor Johannes von Berwangen als
Johannes de Pforzheim in die Matrikel eingeschrieben, im Frühling
1475 unter dem Dekan Johannes Institoris von Ettenheim Baccalaureus — wahrscheinlich wurde ihm das Pariser Studium als ein
Jahr angerechnet — und 1477 unter dem Magister Conrad Wölflin

---

[1]) Vischer S. 128—157.
[2]) Vgl. Vischer S. 153 ff. namentlich Anm. 15. Die Statuten sind
von á Lapide verfasst. Vischer S. 148.

von Rotenburg, Magister der freien Künste im neuen Wege [1]).
Das waren schon viele Andre vor ihm gewesen.   Aber schon jetzt
zeigte Reuchlin, dass er sich von dem alten lang betretenen Wege
entfernen wollte.   In Basel befand sich ein Grieche Andronikus
Contoblakas, der zwar keine öffentliche Lehrstelle bekleidete,
aber denen, die danach verlangten, gern die Sprache seines Landes
mittheilte.   Reuchlin ward sein Schüler [2]).

So ward er der erste Deutsche, der, man kann wol sagen
seit Jahrhunderten, in Deutschland griechisch lernte.   Wie wenig
hört man im Mittelalter von der griechischen Sprache.   Es erregte
Bewunderung, als der Abt Bovo von Corvey dem König Conrad I.
ein griechisches Schreiben auslegen konnte [3]), und die Verbindung
Otto's II. mit der Prinzessin Theophane verbreitete mehr griechische
Unsitte als Kenntniss der Sprache in Deutschland.   Galt doch im
ganzen Mittelalter der Spruch: *Graeca sunt, non leguntur!*

Man kann nicht sagen, dass es unmöglich gewesen wäre, die
Sprache zu erlernen.   Hülfsmittel waren reichlich vorhanden, aber
es fehlte das Verlangen, sie zu benutzen.   Freilich erst in der Mitte
des 15. Jahrhunderts wurden die Lehrer häufiger.   Die aus dem
zerstörten Constantinopel herüberwandernden Griechen wurden die
Führer des Abendlandes, sie, die Bringer einer neuen Kunst, wurden
wie Orakel angestaunt, wenn sie auch oft ziemlich unbedeutende
Menschen waren.   Aber von ihnen konnte man mit leichter Mühe
den äusseren Sprachschatz sich aneignen; hatte man den sich erworben,
dann musste es der eignen Fähigkeit gelingen, sich in das Wesen
der Sprache zu vertiefen, das Verständniss der Schriften sich zu
verschaffen, in den Geist des Alterthums sich hineinzuleben.

Das neue Studium, das er erfasste, betrieb Reuchlin mit Eifer.
In Paris hatte er es bei den Schülern des Gregor Tiphernas begonnen [4]); aber der kurze Aufenthalt dort hatte ein tieferes Eindringen
nicht gestattet.   Jetzt legte er den festen Grund zu seinem späteren
reichen Wissen.   Als er von Basel aus seine Schritte weiter gewandt hatte,

---

[1]) Vgl. Vischer S. 170 und Anm. 33. — Die übrigen Angaben über
Reuchlins Aufenthalt in Basel, Vischer S. 190 und 191, stützen sich auf
Mayerhoff.

[2]) Reuchlins Vorrede zu den Rudimenta hebraica 7. März 1506.

[3]) Wattenbach, Deutschlands Geschichtsquellen im Mittelalter. 2. Aufl.
1866 S. 211.

[4]) Vgl. Reuchlin an Jakob Faber, 31. August 1513.

schrieb ihm sein früherer Lehrer, Contoblakas, einen Brief, um ihn zu fleissiger Fortsetzung des Studiums zu ermahnen, und zu ermuntern, nun selbst in dieser Sprache Unterricht zu ertheilen [1]. Schon von Basel aus hatte er mit dem Strassburger Peter Schott, einem gelehrten Mann, der auch als Buchdrucker und Verleger mannigfach thätig war, Verbindungen angeknüpft, und ihm einen griechischen Brief geschrieben. Der hatte ihn wol verstanden, aber, um in derselben Sprache zu antworten, schrieb er zurück, sei er nicht bewandert genug [2].

Der Mann, an den dieser Brief gerichtet war, war Sebastian Brant, 3 Jahre jünger als Reuchlin, aber zu gleicher Zeit mit ihm in Basel lebend [3]. Gewiss schlossen sich schon jetzt beide aneinander an, und blieben ihr ganzes Leben durch Freundschaftsbande verbunden. Viele Briefe, die uns davon ein Zeugniss ablegen [4], sind noch erhalten; geeinigt waren beide noch durch gleichen Beruf, für seinen Sohn Onophrius kann Brant keinen besseren Lehrer finden als Reuchlin [5].

Sonstige Freunde aus der ersten Baseler Zeit kennen wir nicht; nur die Verbindung mit Johannes Heynlin vom Stein dauerte fort [6]. Es zeigt so recht das wissenschaftliche Streben Reuchlins, dass er sich über äussere Schranken hinwegsetzend, was wenig Andere zu thun wagten, zu einem Manne ging, der Entgegengesetztes lehrte.

Auch mit einem Andern kam Reuchlin hier in Berührung. Der Buchdrucker Johannes Amorbach, der selbst nicht gelehrt,

---

[1] Contoblakas an Reuchlin, Basel 1477.

[2] Peter Schott an Sebastian Brant, 12. December 1478. In den Werken Schotts, wo dieser Brief zuerst abgedruckt ist (Strassburg 1498), ist für die in dem Briefe vorkommenden griechischen Stellen ein leerer Raum gelassen.

[3] Er war 1458 geboren. 1475 wurde er in Basel immatrikulirt; vgl. Vischer S. 188.

[4] 9. Januar 1494; 1. October 1495; 1496; Verse zu Reuchlins Scenica progymnasmata 13. Januar 1500. Vgl. auch Reuchlins Worte in der Widmung des Werkes De verbo mirifico an Dalburg; seinen Brief an Wimpheling 30. November 1513 und an Achilles de Crassis 1. November 1518.

[5] Am 1. October 1495 möchte Brant gern Reuchlin zum Lehrer haben. Die Verse Brants an Reuchlin 1500 (nach 13. Januar) deuten darauf, dass Onophrius damals bei dem letzteren war.

[6] Vgl. Vischer S. 171.

[7] Ueber ihn und seine Söhne Basilius, Bonifacius und Bruno, namentlich den letzteren, vgl. die Arbeit von Fechter, Bruno Amorbach in den Baseler Beiträgen zur vaterländischen Geschichte. 1843. II S. 167 ff.

die Gelehrten und ihre Unternehmungen begünstigte und in der Erziehung seiner trefflichen Söhne gleichsam das ihm Fehlende ergänzte, beauftragte ihn, ein lateinisches Wörterbuch zu schreiben, das unter dem Namen *vocabularius breviloquus* [1] erschien und in einer grossen Anzahl Auflagen verbreitet wurde.

So fing der junge Mann bereits jetzt an, schriftstellerisch thätig zu sein; nachdem er Magister geworden war, hatte er auch begonnen, als Lehrer zu wirken. Es glückte ihm schnell. Unter nicht geringem Zulauf älterer und jüngerer Leute hielt er Vorlesungen über griechische und lateinische Sprache [2]; einer seiner Zuhörer, Johann Heberling aus Gmünden rühmte später einem Schüler [3], dass Reuchlin der gefeiertste Lehrer gewesen wäre, mit dem keiner hätte verglichen werden können. Das mag mit etwas zu starken Farben aufgetragen sein; hören wir lieber Reuchlins eignen Bericht, der sich indess etwas weiter, als auf die Baseler Zeit erstreckt.

„Als junger Mensch wendete ich mich, da man noch um mich die rohe Philosophie des vorigen Jahrhunderts lehrte, der feinen und geglätteten Form lateinischer Rede in Prosa und Poesie zu. Schriftsteller der einen und der andern Art lehrte ich öffentlich. Zuerst bemühte ich mich, eine reinere Grammatik herzustellen, denn das war sicherlich das nöthigste Erforderniss bei Leuten, deren einziges Streben es Jahrhunderte lang gewesen war, recht barbarisch zu reden. Mit dem Mangel der Sprache war auch in die Gemüther ein Wohlbehagen an geistiger Unklarheit eingezogen. Sie zu beseitigen war ein grosses Werk, nun ist sie glücklich gewichen. Aber alle diejenigen, die das Werk unternahmen, wurden von den alten auf ihre Lehrmethode stolzen Lehrern scheel angesehen. Zu dem Lateinischen kam dann das Griechische, dessen Kenntniss zur feineren Bildung durchaus nöthig ist. Dadurch wurden wir zur aristotelischen Philosophie zurückgeführt, die man erst recht erfassen kann, wenn man die Sprache versteht, gewannen so den Geist aller derer, die von der thörichten alten Lehre noch nicht ganz befleckt, sich nach reinerer Erkenntniss sehnten, dass sie zu uns strömten

---

[1] Die Betrachtung dieses Lexikons muss dem zweiten Abschnitte vorbehalten bleiben.

[2] Melanchthons Rede 1552 (in der Briefsammlung).

[3] Wilhelm Copus, später Leibarzt des Königs von Frankreich, an Reuchlin 25. August 1514.

und die Spielereien der Schulen verliessen. Die alten vertrockneten Sophisten aber wurden erzürnt, sie sagten, was wir lehren, sei fern von römischer Reinheit, in den Lehren der von der Kirche abgefallenen Griechen zu unterrichten sei verpönt" [1].

Möglich, dass die Anfeindung der Sophisten Reuchlin aus Basel vertrieben, obwol nichts davon bekannt geworden, wahrscheinlich, dass er aus eignem Entschlusse fortgezogen. Er war noch nicht fertig, er wollte noch lernen. Er hatte im Griechischen im Verhältniss zu seinen übrigen Zeitgenossen eine nicht geringe Kenntniss erlangt, aber seinem Wissensdrange genügte das nicht. Was er bei Contoblakas begonnen, setzte er in Paris bei Georg Hermonymus aus Sparta fort. Die wenigen Monate seines zweiten Pariser Aufenthaltes [2] hat er wol ganz diesem Lehrer gewidmet. Hermonymus, ein hochgeachteter, selbst vom Papst Sixtus IV. sehr geschätzter Mann war nicht der erste, der nach Jahrhunderten wieder in Paris die griechische Sprache lehrte; er war der Nachfolger des Gregor Tiphernas, jenes in Italien geborenen Griechen, der 1470 als unbekannter Fremdling zu dem Rektor der Pariser Universität gegangen war, und sein Verlangen, jene fremde Sprache zu lehren, durchgesetzt hatte. Hermonymus war für Reuchlin ein treuer Lehrer, der seinem Schüler gern die Schätze seiner Sprache mittheilte, und ihn auch lehrte, das Griechische schön zu schreiben, wodurch Reuchlin sich einen Namen machte und viel Geld verdiente [3].

Denn letzteres war allerdings nöthig. Reuchlin musste sich erwerben, was er für seinen Lebensunterhalt bedurfte. Und dies Gefühl der eignen Verantwortlichkeit mag ihn nun bei Zeiten veranlasst haben, ein Brotstudium zu ergreifen. Wir stehen noch in

---

[1] Reuchlin an Cardinal Hadrian, Februar 1518. Widmung des Werkes De accentibus et orthographia.

[2] Für das Chronologische sei kurz auf Mel. or. S. 19 und die dort angeführten Stellen verwiesen.

[3] Dies und das Vorhergehende nach der Rede Melanchthons 1552. — Gegen Hermonymus sagt Erasmus in seinem Catalogus Lucubrationum (vor seinen Werken ed. Lugd. Bat. 1703 fol. 9 b): *Ad graecas literas utcunque puero degustatas iam grandior redii h. e. annos natus plus minus triginta, sed tum quum apud nos nulla graecorum codicum esset copia, neque minor penuria doctorum, Lutetiae tantum unus Georgius Hermonymus Graece balbutiebat, sed talis, ut neque potuisset docere si voluisset, neque voluisset, si potuisset.* Aber bei diesem Zeugniss bleibt zu bedenken, dass Erasmus es liebte, sein Verdienst auf Kosten Anderer zu erhöhen.

Geiger, Johann Reuchlin. 2

den ersten Zeiten des Humanismus, noch in jener Periode, in denen die,
welche den gleichsam neu erstandenen Sprachstudien sich zuwandten,
dieselben nur als nothwendige Unterlage ihrer Bildung ansahen, und
nachdem sie damit den Grund gelegt, ein Fach wählten, um im
Leben praktisch thätig zu sein. Noch begegnet uns nicht jene
junge Generation, die, Zugvögeln gleich, überall umherfliegt, die
meint, mit den neuen Studien auch eine andre Lebensart annehmen
zu müssen, und den praktischen Beruf fast für entehrend hält.

Reuchlin wählte das Studium der Jurisprudenz. Auf den
deutschen Universitäten war dafür wenig gesorgt; für das kanonische
Recht gab es wol Lehrstühle, weniger für das römische, dessen
Reception in Deutschland weit länger auf sich warten liess, als
z. B. in Frankreich. Aber auch hier konnte man nicht auf allen
hohen Schulen sich Kenntniss des Civilrechts aneignen; wie Paris
für das kanonische, so besass für das Civilrecht Orleans ein
Privilegium. Daher wendete sich Reuchlin hierher. Zwar geht der
Ursprung Orleans bis zum Kaiser Aurelius nicht herab, wohin die
Sage es verweist, und auch Virgil hat die hohe Schule nicht besungen; aber ziemlich alt war die Universität doch: Papst Clemens V.
hatte sie 1305 gestiftet [1]). Unter der Studentenschaft herrschte ein
frisches, geistiges Leben. Sie war, wie auf allen übrigen Universitäten in
Nationen getheilt, hier waren es zehn: von allen die bedeutendste
war die deutsche. Am festesten und besten organisirt, genoss sie
die grössten Freiheiten und besass die schönste Bibliothek [2]). Die
Professoren der Jurisprudenz waren damals keine Männer von
grosser wissenschaftlicher Bedeutung. Noch in den dreissiger Jahren
des 16. Jahrhunderts klagt der später so berühmt gewordene Theologe Theodor Beza, dass die Rechtswissenschaft auf eine barbarische
unmethodische und trockene Weise betrieben wurde, und es mag
am Ende des 15. Jahrhunderts eher schlimmer als besser gewesen
sein. Aber wer etwas lernen wollte, der konnte es bei diesen alten
Herrn gewiss, die Alles wussten, was in ihren Büchern stand, aber
nichts mehr, die keine Neuerung einführen wollten, nicht geistreich

---

[1]) Vgl. Le Maire, Histoire et Antiquitez de la ville et duché d'Or-
léans. 1648 in fol. p. 354 fg.

[2]) Vgl. das eben angeführte Werk, nach welchem Baum: Theodor
Beza 1. Band. Leipzig 1843 S. 23—32, der auch für das Folgende zu vergleichen ist, eine hübsche Schilderung gegeben hat.

reden, nicht allzuviel denken, und deren Stolz es war, so zu lehren, wie Jahrhunderte vor ihnen es gethan.

Aber das juristische Studium füllte auch Reuchlins Zeit nicht aus. Zwar war er auch darin sehr fleissig und wurde schon 1479, nachdem er erst Anfang 1478 nach Orleans gekommen war, Baccalaureus; indess in diesen Fächern Schüler, ward er in andern Lehrer. Namentlich die jungen Adligen unterrichtete er, erklärte ihnen Cicero's Briefe, gab sich Mühe, einen reineren lateinischen Ausdruck ihnen beizubringen und lehrte sie die Anfangsgründe der griechischen Grammatik [1]). Für letzteres gewährte Hermonymus bereitwillig Hülfe. Er ermahnte seinen Schüler, in seinem Fleiss für das Studium der griechischen Sprache zu verharren, übersendete ihm erbetene Bücher, soweit sie in seinem Besitz waren [2]). Aber Reuchlin genügte das Vorhandene nicht, er schrieb eine kleine Grammatik zunächst zum eignen Gebrauch und bei den Vorträgen für seine Schüler bestimmt, die diesen treffliche Dienste geleistet haben mag, aber nie gedruckt worden ist [3]).

---

[1]) Quellen dafür sind: Reuchlins Vorrede zu den Rudimenta hebraica 7. März 1506 und Melanchthons Rede 1552. — Einen Freund erwarb sich Reuchlin in dem Professor der lateinischen Grammatik Hyvo Britannus de Alnctomenguidi. Vgl. dessen Brief vom 30. November 1483. Unter seinen Schülern wird Hieronymus Zschegkebürlin genannt, der Basler Patricier, der als Student ein lockeres Leben führte, später aber Carthäusermönch, dann Prior in Basel wurde. Reuchlin blieb auch weiter mit ihm in Verbindung. In der Continuatio chronicae Cartusiae Basil. heisst es: *Item de hujus patris Hieronymi mirabili conversione extabat epistola quaedam doctissimi Joannis Capnionis ad eundem, postquam jam in ordine degerit in qua valde vir idem mirabatur tam insolitam in eo mutationem. Nam quia praeceptor ejus erat ingenium illius optime noverat et inter caetera quantae fuerit olim lasciviae, dum Parisiis et Aurelianis causa studii conversaretur, ad memoriam illius revocabat, ita quod quasi fuisset tunc antesignanus et praecipuus inter eos, qui mundanis deliciis ad omnem excessum volutabantur. Sed deinde collaudans in eo dominicam misericordiam ad arreptum propositum fideliter hortabatur, praedicens ei, quod in brevi foret in praelatum assumendus a suis fratribus, quos a statu paupertatis ad congruam jam sufficientiam suorum largitate bonorum provexisset. Epistola illa per incuriam, proh dolor, combusta est, quae tamen digna fuerat huc de verbo ad verbum assignari.*

[2]) Vgl. den lateinischen Brief des Hermonymus 12. Februar 1478 und das griechische Briefchen 1478; Briefe Reuchlins an Hermon., worauf dieser Rücksicht nimmt, sind nicht erhalten.

[3]) Reuchlin gibt als ihren Titel μιχροπαιδεία in der angeführten Vorrede.

2*

Diese Grammatik benutzte er auch zu Vorlesungen in Poitiers, wohin er zur Vollendung seines juristischen Studiums ging. Poitiers war eine Universität weit jüngeren Datums als Orleans; erst 1431 war sie gestiftet worden [1]), nach dem Muster von Toulouse für 4 Fakultäten eingerichtet, aber die juristische war die bedeutendste. Von allen Provinzen Frankreichs, selbst vom Auslande strömte die Jugend herbei, die Säle konnten die Zuhörer nicht fassen [2]). Auch Reuchlin lag seinen Studien mit Eifer ob; seine Lehrer Peter Durand und Hugo von Banza sind nicht weiter bekannt. Am 14. Juli 1481 erhielt er das Licentiatendiplom, in dem seine Beredsamkeit, seine Kenntnisse und seine guten Sitten besonders hervorgehoben wurden, ihm die Fähigkeit ertheilt wurde, nun überall in seinem Fache Vorlesungen zu halten, und die ausdrückliche, den sonstigen Sitten der Universität entgegenstehende, Erlaubniss gewährt, den Doktortitel zu erwerben, wo es ihm beliebe [3]).

Nach Erlangung der neuen Würde verweilte Reuchlin wol nicht lange mehr in Poitiers. Er kehrte nach Deutschland zurück. Aber in seiner Heimath, wohin er zunächst gegangen sein mag, um seine Eltern wiederzusehn, blieb er nicht. Dazu hatte er nicht 8 Jahre auf seine wissenschaftliche Ausbildung verwendet, um nun als Beamter in Pforzheim sein Leben zuzubringen. Er wusste, dass er einen reichen Schatz des Wissens in sich aufgenommen hatte, er wollte ihn für sein Vaterland verwerthen. Da zog es ihn denn nach einer Stätte geistigen Lebens, nach einer Universität.

Aber nicht mehr als Schüler ging er hin; die Zeit des Lernens war vorüber. Er war nun alt genug, einen Lebensberuf zu ergreifen. Vielleicht dachte er daran, in Tübingen, wohin er sich nun wandte, in seinem eigentlichen Fache als Professor zu wirken

---

[1]) Die Lettres patentes vom 16. März 1431 und die Bulle Eugen IV. vom 4. Kal. Jun. 1431 bei Thibaudeau, Abrégé de l'histoire de Poitou. Paris et Poitiers 1783 in 8°. vol. III p. 362—370.

[2]) Thibaudeau sagt a. a. O. p. 28. 29: *L'université de Poittiers devint florissante: on y venait étudier le droit Romain de toutes les provinces, et même des autres royaumes. Il y avait un si grand nombre d'écoliers que les salles ne pouvaient les contenir, plusieurs étaient obligés de prendre les leçons à la porte, même dehors ce qui en avait engagé quelques-uns à aller étudier dans d'autres universités.*

[3]) Das Diplom unter dem angeführten Datum in der Briefsammlung.

und daneben kräftige Hand anzulegen an die Neugestaltung des wissenschaftlichen Lebens in Deutschland; indess sein Schicksal gestaltete sich anders.

ZWEITES KAPITEL.

DER MANN IN AMT UND WÜRDEN (1482—1512).

Vier Jahre bevor Reuchlin nach Tübingen kam, war hier eine Universität gegründet worden[1]. Die Nähe zu seiner Vaterstadt Pforzheim, der helle Glanz der noch so jungen Hochschule, veranlasste ihn hierherzugehen, sagt Melanchthon. Die Universitätslehrer Tübingens waren keine hellstrahlenden Sterne der Wissenschaft, aber für jene Zeit von grosser Bedeutung, in hohem Ansehn stehend. Da war Conrad Summenhart, Theologe, Prediger, ein Mann, der zuerst für das Hebräische sich Mühe gab; Gabriel Biel, einer der letzten und bedeutendsten in der Reihe der Scholastiker des Mittelalters; Johann Vergenhans (Naukler), der in der Regierung des Landes eine hohe Stellung einnahm, bedeutende juristische Kenntnisse besass und sich später als Historiker einen Namen machte. Ihnen mag Reuchlin, gleich als er nach Tübingen kam (9. Dec. 1481)[2], sich genähert haben und von ihnen mit

---

[1] Die Bulle des Papstes Sixtus IV. vom 13. November 1476. Der Stiftungsbrief des Grafen Eberhard vom 3. Juli 1477; die Eröffnung fand am 1. October 1477 statt. Dass ein neuer — deutscher — Freiheitsbrief Eberhards vom 9. October 1477 an vielen Stellen dem oben besprochenen Freiburger wörtlich entnommen ist, sagt Stälin, Wirtembergische Geschichte 3. Theil. Stuttgart 1856 S. 77 Anm. 2. — Die Geschichte der Universität Tübingen in der ersten Zeit ihres Bestehens ist schwer, wenn nicht unmöglich zu schreiben, da erst von 1530 die Senatsprotokolle und andere zur Geschichte einer Universität unentbehrlichen Quellen beginnen. So sind die Versuche einer Geschichte für jene Periode: Eisenbach, Geschichte und Beschreibung der Stadt und Universität Tübingen. 1822, und der weit gründlichere von Klüpfel, Geschichte und Beschreibung der Universität Tübingen. 1849 für unsern Zweck ohne Werth.

[2] Reuchlin wurde unter dem Rektor Conrad Schöferlin inscribirt als Magister Johannes Röchlin de Pfortzen legum Licentiatus 5to idus Decemb. 1481; zuerst angegeben bei Schnurrer, Biographische Nachrichten von den Lehrern der hebräischen Literatur in Tübingen S. 9 Anm. 1.

Freundlichkeit aufgenommen worden sein. Sie empfahlen den jungen
Mann, der gut lateinisch sprechen und schreiben konnte und durch
seinen langjährigen Aufenthalt im Auslande sich die Fähigkeit erworben hatte, mit Fremden umzugehen, an den Grafen Eberhard[1]).
Die Schwaben, die das Lateinische im eigenen Lande gelernt hatten,
waren wegen ihrer eigenthümlichen Aussprache bekannt, sie fürchteten
vielleicht mit Recht, dass andere Völker in diesen sonderbaren
Tönen die Sprache Cicero's nicht wiedererkennen möchten[2]).

Der regierende Graf von Würtemberg war Eberhard im Bart,
ein Fürst, der es im seltenen Grade verstand, die Liebe seiner
Unterthanen, die Achtung derer, die ihm gleich und über ihm
standen, die Verehrung aller Gelehrten, die ihn als Vater und Beschützer priesen, zu erwerben. Wie bei einem Besuche seines
Grabes am 29. Mai 1498 Maximilian in die Worte ausbrach: Hier
liegt ein Fürst, welchem ich im ganzen römischen Reich an Verstand und Kunst Keinen zu vergleichen weiss, — so urtheilten alle,
namentlich auch die Dichter und Gelehrten der Zeit[3]) über Eberhard, als er noch lebte.

Und Eberhard verdiente das Lob. Er war ein weiser staats-

----

[1]) Das sagt Melanchthon a. a. O.

[2]) Die bekannte Geschichte mit dem Hechinger Latein, zuerst erzählt
bei Caspar Bucher Merkurius 1615, entbehrt doch wol historischer Begründung, s. Lamey S. 89 Anm. 19.

[3]) Vor Allem sind die Gedichte Bebels zu erwähnen. Er schrieb ein
Panegyricon de laudibus illustrissimi et pientissimi principis Ebrardi senioris
ducis de wirtemberg et Theck, das seinen Namen mit Recht verdient. Alle
Eigenschaften Eberhards werden enthusiastisch gepriesen, die Helden des
Alterthums zum Vergleiche aufgerufen, aber sie müssen vor ihm verschwinden.
Der Schluss lautet:

Sic minor et Fabius sicque Camillus erit.
Servator patriae toto celebrabere in orbe
Et tua laus postris non ruitura manet.
Ipse deum vitam accipies post fata, sed inter
Heroas niteas candida stella poli.

Dann folgt ein Tetrastichon an Eberhard und ein sapphisches Gedicht De
adventu divi principis Ebrardi ad suos subditos cum ex comite dux creatus
esset. In dem Schriftchen: Carmina. De laudibus illustrissimi principis
Ebrardi ducis de Wirtemberg et Theck . . . A. E. Impressum in Reütlingen
per Michallem (!) Greiff Anno Domini 1496. 4 Bogen à 6 Bll. in 4°. A. 5ᵃ—
B. 3ᵇ.

kluger Mann, auf das Wohl seines Landes bedacht, dem er durch
Verträge Einheit und Untheilbarkeit verschaffte, durch den schwäbischen Bund Sicherheit nach aussen, durch weise Gesetze Ruhe im
Innern verlieh. Man wusste nicht, was man an ihm am meisten
rühmen sollte: seine Gerechtigkeitsliebe oder seine Friedfertigkeit,
seinen Eifer für das Reich oder für die christliche Lehre, seine
Achtung vor den Gelehrten. Er selbst war kein Gelehrter; es
fehlte ihm die nothwendigste Bedingung dazu: Kenntniss des Lateinischen. Aber die Werke des Alterthums wollte er kennen, die
Bücher des alten Testaments liess er sich verdeutschen und studirte
sie fleissig. Lateinische Schriftsteller wie Ovid, Sallust und Livius,
auch Josephus und Augustinus liess er sich ins Deutsche übertragen[1], so verschaffte er sich auch Kenntniss eines indischen
Buches (Beispiele der alten Weisen) und las medicinische, astro-
logische und astronomische Werke. In seiner Bibliothek verwahrte
er kostbare Handschriften; namentlich an alten deutschen Schriftstellern ergötzte er sich, wie seine Mutter Mechthild es gethan. In
seinem Auftreten war er leutselig und liebenswürdig; Furcht kannte
er nicht, auch nicht den Mächtigsten gegenüber, gegen seine
Untergebenen war er sanft und milde; so gewann er Aller
Herzen[2].

Das war der Mann, in dessen unmittelbarer Nähe Reuchlin
nun 14 Jahre seines Lebens zubringen sollte. Man hatte ihn als
Dolmetscher gewählt; zunächst hatte er nun dieses Amt anzutreten.
Die Reise ging nach Italien. Es ist zweifelhaft, ob Graf Eberhard
ein Gelübde gethan hatte, nach Rom zu ziehen, oder ob seine An-
dacht ihn nach der Stätte zog, wo der Stellvertreter Christi seinen
Sitz hatte. Mitte Februar 1482 reiste man von Stuttgart ab[3]. Die
schon genannten Vergenhans und Biel waren des Grafen Begleiter,
ausserdem Peter Jakobi von Arlun in Luxemburg, Propst zu Back-
nang, ein gelehrter Mann, Theolog, Philolog und Doktor beider
Rechte, der beim Hofe in grossem Ansehn stand und hohe Aemter

---

[1] Auch Reuchlin übersetzte ihm Einiges: Zwei philippische Reden
des Demosthenes, vgl. den Brief des Wolf v. Hermansgrün an Reuchlin
August 1495, und eine Rede, die Andreas Schenck dem Grafen zugeschickt
hatte, vgl. den Brief Schencks an Reuchlin 20. Februar 1488.

[2] Die Charakteristik Eberhards nach Stälin a. a. O., hauptsächlich
S. 646 fg. 760 fg.

[3] Vgl. Stälin III, S. 591 fg.

bekleidete, den nachmaligen Herzog Ulrich erzog [1]) und mit Reuchlin später in ein enges Freundschaftsverhältniss trat [2]). In dem neuen Kreise wusste Reuchlin sich bald Ansehn und Geltung zu verschaffen. Es geschah wol auf seinen Rath, dass man zuerst in Florenz Halt machte (Anfang März) [3]). Hier regierte Lorenz von Medici, ein Fürst, der, wie sein Vater Cosmus, Wissenschaften und Künste liebte und ihre Pflege begünstigte. Reuchlin erzählte dem Grafen viel von Lorenzo's Ruhm und Pracht und erweckte in Eberhard den Wunsch, den prächtigen Mediceer zu sehen. Lorenzo kam dem Fremden freundlich entgegen, nahm ihn mit in sein Haus und führte ihn überall herum, zeigte ihm die wolgefüllten Marställe, die köstlich versehenen Rüstkammern, die reich verzierten Säle im Pallaste, die Pflanzungen auf dem Dache, die den Gärten der Hesperiden an Lieblichkeit glichen. Der schönste Anblick für Reuchlin war freilich die Bibliothek, die an Reichthum alle andern damals überstrahlte; er konnte des Rühmens kein Ende finden. Lorenzo nahm die Schmeichelworte freundlich auf, aber mit einer scherzhaften Wendung entgegnete er, sein grösster Schatz bestehe nicht in seinen Büchern, sondern in seinen Kindern [4]). Da mag er wol eine Thür geöffnet und den Fremden seine Kinder gezeigt haben, unter denen auch der spätere Papst Leo X., wie sie auf die Lehren hörten, die Angelus Politianus ihnen gab [5]).

Von den Gelehrten, die Cosmo's Hof geziert hatten, waren viele schon ins Grab gesunken; Franz Philelphus lebte nicht mehr, nicht Laurentius Valla, nicht Nikolaus Perottus; mit den Uebriggebliebenen mag Reuchlin, dessen Aufenthalt in Florenz schwerlich

---

[1]) Vgl. Heyd, Ulrich Herzog zu Würtemberg. 1. Band. Tübingen 1841, S. 44. 90.

[2]) Vgl. seine Briefe an Reuchlin 1. Januar, 1. März, 1. September 1488 von Pavia, wohin Jakobi als Mann zu eigner Ausbildung ging.

[3]) Das hat Stälin a. a. O. zuerst behauptet. Zwar steht dem ein Bericht Reuchlins direkt entgegen. Er sagt (Widmung der ars cabalistica an Leo X. März 1517) *intravi Florentiam circiter XII Kalendas Apriles* 1482. Aber dieser 35 Jahre nach dem Ereigniss geschriebene Bericht lässt sich mit den sonstigen feststehenden Daten nicht vereinigen; der Aufenthalt in Florenz muss entweder vor 15. März oder nach 16. April stattgefunden haben. S. u.

[4]) Ein unübersetzbares Wortspiel: *majorem sibi thesaurum in liberis esse quam in libris.* Dies und das Vorhergehende aus dem in voriger Anmerkung angeführten Briefe Reuchlins.

[5]) Manlius, locorum communium collectio.

48

länger als einige Tage gedauert hat, bekannt geworden sein. Mit Angelus Politianus selbst, mit Christoph Landinus, der später der Lehrer seines Bruders wurde [1]), vielleicht auch mit Georg Merula. Von solch kurzem Aufenthalte eine neue Lebensrichtung abzuleiten, scheint schwer. Die platonische Akademie in Florenz war Reuchlin gewiss schon vorher nicht unbekannt. Es ist weit natürlicher anzunehmen, dass Reuchlin, durch seine Uebereinstimmung mit deren Lehren bewogen, danach verlangte, die persönliche Bekanntschaft der Hauptvertreter jener Richtung zu machen, als dass er, durch den Umgang mit diesen Männern bestimmt die von ihnen vorgetragenen Lehren annahm.

Und weiter nach Rom. Am 15. März 1482 zog Eberhard dort ein. Papst Sixtus IV., ein gebildeter Kirchenfürst, mit dessen Erlaubniss selbst hebräisch-kabbalistische Werke übersetzt wurden, würdigte ihn der grössten Auszeichnung: er überreichte ihm die goldene Rose, die er alljährlich dem verdientesten Herrscher zu geben pflegte [2]). Auch in Rom diente Reuchlin wol als Dollmetscher [3]). Denn die Feierlichkeiten füllten die ganze Zeit nicht aus; auch ernstere Berathungen fanden statt. Bei einer derselben hielt der Papst dem Grafen vor, dass in Rom schlimme Gerüchte verbreitet seien über die üble Behandlung päpstlicher Höflinge, welche auf Kirchen in Würtemberg und Mömpelgard angewiesen waren. Der Graf erwiderte, in seiner Regierung könne eine solche Behandlung unmöglich vorgekommen sein; denn während derselben habe kein päpstlicher Eingriff in seine landesherrlichen Rechte stattgefunden. Seine Vorfahren, welche gegen die Ungläubigen blutig gestritten, hätten das Recht, geistliche Lehen zu vergeben, auf ihn vererbt. Er werde das Recht auch standhaft behaupten, sonst setze er sich der Gefahr aus, von seinen Unterthanen für einen Bastard

---

[1]) Streler an Reuchlin 8. August 1491.

[2]) Stälin a. a. O. III, S. 592 fg., der als hauptsächlicher Quelle dem Diarium Romanum des Jacobus Volaterranus folgt.

[3]) Nach einer Erzählung bei Manlius l. c. p. 549 hätte für Eberhard zuerst ein anderer der Begleiter eine Rede vor Papst und Cardinälen gehalten. Sie hätten dieselbe aber nicht verstanden und den Grafen gebeten, einen andern Redner zu wählen; da habe Reuchlin das Amt übernommen. Die Erzählung klingt viel unwahrscheinlicher, als die, der oben im Texte gefolgt ist.

angesehen zu werden. Solche freimüthige Reden nahm der Papst
übrigens heiter auf[1]).

Für Reuchlin ist es bezeichnend und gewiss nicht eindruckslos
gewesen, dass er gleich bei seinem ersten Auftreten am päpstlichen
Hofe die Rechte eines deutschen Fürsten, die Selbständigkeit weltlicher Macht dem römischen Stuhle gegenüber zu vertheidigen hatte.

Aber Reuchlin war nicht nur Hofmann; er war Gelehrter.
Hier in Rom tritt uns der Zug seines Wesens entgegen, den wir
schon mannigfach bemerkt haben und noch oft bemerken werden:
jeden Augenblick der Musse, den ihm seine geschäftliche Thätigkeit
übrig liess, wendete er wissenschaftlicher Beschäftigung zu, an jedem
Ort, wo er hoffen konnte, Neues zu lernen, suchte er seine Kenntnisse zu vermehren.

In Rom wurde damals das Griechische von einem nach Italien
gewanderten Griechen Johann Argyropulos gelehrt. Es war ein
alter Mann, der schon ein halbes Jahrhundert in Italien lehrte, seit
1434 in Padua, dann in Florenz, endlich in Rom, ohne Zweifel der
talentvollste der Griechen, die nach Italien übergesiedelt waren, der
sich namentlich durch Ausgaben und Scholien zu einzelnen Schriften
des Aristoteles verdient gemacht hat. Dabei war er aber ein echter
Byzantiner: launisch, prahlerisch, unzuverlässig, unverträglich. Bissig
und anmaassend wie die meisten seiner Landsleute erklärte er einmal, nur um die Italiener zu ärgern, Cicero sei in der griechischen
Sprache wie in der Philosophie völlig unwissend gewesen[2]). Ein
solcher Mann wollte einen Andern neben sich nicht dulden. Als
Reuchlin, der junge unbekannte Fremdling, in seinen Hörsaal kam[3]),
in dem die angesehensten Männer, Bischöfe und Cardinäle Platz genommen hatten, meinte Argyropulos wol, den kühnen Eindringling
zu beschämen. Nachdem Reuchlin den würdigen Lehrer ehrfurchts-
voll gegrüsst, die traurige Verbannung der Griechen aus ihrem
Lande bejammert, seine Begierde, griechisch zu lernen erklärt und

---

[1]) Stälin S. 594.

[2]) Die letzten Worte aus G. Voigt, die Wiederbelebung des classischen
Alterthums oder das erste Jahrhundert des Humanismus. Berlin 1859 S. 189.

[3]) Dass der Unterricht 1482 und nicht 1498, wie die gewöhnliche
Annahme ist, oder 1490 stattgehabt, habe ich Mel. or. p. 61 fg. erwiesen.
Vgl. übrigens die Stelle Reuchlins in der Einleitung zu den Rudim. hebr.
7. März 1506 und die Anm. dazu.

auf Befragen des Lehrers geantwortet, dass er Deutscher und mit der griechischen Sprache nicht ganz unbekannt sei, gab ihm Jener eine Stelle des Thucydides zu lesen und zu übersetzen. Als Reuchlin in richtiger Aussprache den Text las und das Gelesene in einer guten lateinischen Uebersetzung wiedergab, rief Argyropulos jammernd aus: Durch unsere Verbannung ist Griechenland über die Alpen geflogen [1]).

Zu weiteren Anknüpfungen kam es in Rom wol nicht. Nach vierwöchentlichem Aufenthalt verliess Eberhard mit seinen Begleitern 10. April die Stadt. Es war nicht das letzte Mal, dass Reuchlin sie sah.

So kehrte man nun zur Heimath zurück. Reuchlin war geheimer Rath des Grafen, auch als Anwalt in Stuttgart thätig, der Residenz Eberhards, wo er nun mit geringen Unterbrechungen bis fast zu seinem Lebensende festen Wohnsitz nahm. Auch eine amtliche Stellung erhielt er: er wurde 1481 Beisitzer am Hofgericht [2]). Was er in Poitiers sich für die Heimath aufgespart, holte er nun nach Erlangung einer festen Stellung nach: er wurde Doktor des Rechts: in seinen Briefen und seinen Werken nennt er sich mit diesem Titel [3]). Nicht lange nach der Rückkehr aus Italien muss er sich auch verheirathet haben. Wir kennen nicht den Namen der Frau, der er die Hand gereicht; Nachkommen hat er mit ihr keine erzeugt. Welches Verhältniss zwischen den Gatten gewaltet, ist nicht bekannt; Agrikola wünscht dem Freunde zur Vermählung Glück, will aber dem gegebenen Beispiele nicht folgen, oft fügen andere Freunde in ihren Briefen Grüsse an die Frau hinzu [4]). Nach-

---

[1]) Diese Geschichte erzählt nach Reuchlins eigenem Berichte Melanchthon zuerst in der, unter Veit Dietrichs Namen veröffentlichten Rede De studio literarum 1533 (Corpus Reformatorum vol. XI col. 233), dann in der Rede über Reuchlin 1552. Sie ist von allen Biographen Reuchlins und auch sonst unzählige Male im Originale und in Uebersetzung wiedergegeben worden.

[2]) Vgl. Steinhofer, Neue Würtembergische Chronik III. Stuttgart 1754 S. 410. Hier wird er noch als M. Johann Röchlin aufgeführt, nicht als Doctor. Steinhofers Angaben sind fast als Quelle anzunehmen, denn sein Werk ist bekanntlich nichts als ein meist wörtlicher Abdruck der handschriftlichen Geschichte Oswald Gabelkofers bis 1534.

[3]) Joannes Reuchlin Phorcensis LL. doctor.

[4]) Die Stelle Reuchlins an dem vor. Seite Anm. 3 angef. Orte ist ganz

dem Reuchlin drei Jahre entfernt von seiner Frau in Heidelberg zugebracht, sehnte er sich zu ihr zurückzukehren und die Heidelberger Freunde wollen ihr durch Geschenke die Erlaubniss abgewinnen, den Mann wieder fortziehen zu lassen [1]). 1502 hat er sich mit ihr der Pest wegen von Stuttgart nach dem Kloster Denkendorf begeben [2]), hat er sich in diesem Jahre von ihr scheiden lassen, oder ist sie jetzt gestorben? Hat Reuchlin sich zum zweiten Male verheirathet [3])? Dann hätte auch die zweite Frau ihn nicht überlebt, es scheint, dass sie schon 1516 nicht mehr am Leben war,

---

unbestimmt: *Regressus inde in Sueviam uxore mihi ducta sumpsi Doctoris insignia.* Das gibt uns freien Zeitraum von 1481 (dem Jahr der Rückkehr aus Frankreich) bis 1492, in welches Jahr das von Reuchlin zunächst gemeldete Ereigniss fällt. — Die Glückwünsche Rudolph Agrikola's in einem Heidelberg 4. Februar datirten Briefe d. h. 1484 oder 1485, denn nur in diesem Jahre hielt sich Reuchlin in Heidelberg auf. Grüsse der Freunde an die Frau oder einfache Erwähnung derselben in folgenden Briefen: Andreas Schenck 20. Februar 1488; Leontorius 1489; Johann Streler 1492; Jodocus Gallus 9. September 1499; Sebastian Brant 13. Januar 1500; Gallus 28. Januar 1500; derselbe 28. Februar 1501; Nikolaus Basellius 15. September 1501.

[1]) Vgl. die Stelle aus Melanchthons Rede; namentlich den Brief des Johann Wacker an Reuchlin 1499. Der war auch zufrieden, wenn die Frau ihren Mann nur auf einen Besuch nach Heidelberg liesse: *saltem te semel ad nos remittat.*

[2]) Dankbrief Reuchlins an den Propst v. Denkendorf 1. Januar 1503.

[3]) Die Hauptstelle ist die in dem Briefe des Cardinals Raimund von Gurk an Reuchlin 27. Juni 1502: *Optaremus, quod divortium posset celebrari inter te uxoremque tuam, eius tamen consensu, quam plurimum nostro nomine salvam esse jubebis.* Ist damit wirklich die Scheidung gemeint oder ist vielleicht das Ganze als ein Scherz aufzufassen? Ich würde das Letztere unbedenklich annehmen, wenn Reuchlin sich nicht ausdrücklich *digamus* nennte (Brief an die Kölner 27. Jan. 1512). Aber freilich konnte eine zweite Ehe nach vollzogener Scheidung nach kanonischem Rechte nicht geschlossen werden; man müsste dieses annehmen, die erste Frau sei gestorben, bevor die beabsichtigte Scheidung ausgeführt worden. Denn *digamus* bedeutet zweimal verheirathet bei Reuchlin, nicht blos vermählt; den Pfefferkorn nennt Reuchlin: *laicus conjugatus* (an Conrad Collin 11. März 1512). Aber wann ist die erste Frau gestorben? Zwischen 1503 und 1506? Denn 7. März 1506 (an seinen Bruder Dionysius) nennt sich Reuchlin *uxorius* und 1509 schreibt ihm Basellius: *Uxorem tuam pedibus laborantem gaudeo tuo rure delectari, quam meis verbis salvere jubeas oro;* der im J. 1512 gebrauchte Ausdruck *digamus* berechtigt zu schliessen, dass die eine Frau damals noch lebte.

sicher war sie 1519 todt [1]). Auch von ihr hätte Reuchlin keine
Nachkommen gehabt. Aber alle diese Verhältnisse lassen sich durch
unsere Quellen nicht sicher stellen, so gern wir auch einen richtigen
Einblick in diese kleinlich erscheinenden Dinge haben möchten.

Bleiben wir bei den Familienangelegenheiten einen Augenblick
stehen. Ob Reuchlins Aeltern noch gelebt haben mögen? Jedenfalls
waren Verwandte Reuchlins immer noch in Pforzheim; seine Schwester
Elisabeth war dort verheirathet. Sie ist die Grossmutter Melanchthons.
An ihr hing Reuchlin mit Innigkeit, oft kam er nach seiner Vaterstadt, sie zu besuchen [2]). Eng war er auch mit seinem gewiss
zwanzig Jahre jüngeren Bruder Dionysius verbunden. Ob dieser
wirklich schon 1488 in Basel studirte und 1490 dort Baccalaureus
wurde? Es ist kaum anzunehmen, denn in den folgenden Jahren
schickte ihn Reuchlin mit einem Erzieher zum weiteren Studium
nach Italien, der ihm, wie einem Vater, Berichte über die Studien
des Zöglings schickte. Da schildert man den Jüngling als einen
Knaben von so zartem Alter, dass sein Entlassen aus der Umarmung
der Aeltern doppelt wunderbar erscheine. Nach Deutschland zurückgekehrt, wurde er 1494 in Tübingen Magister, 1498 in Heidelberg
erster Lehrer des Griechischen. Von seinen weiteren Schicksalen
ist nichts bekannt [3]); nur dass er Geistlicher geworden, und dass
Reuchlin auch weiter für seine Unterstützung im Leben und für
seine geistige Ausbildung gesorgt. Er widmet ihm sein Lehrbuch
der hebräischen Sprache, und bittet ihn, seinen Geist mit dieser
neuen Kenntniss zu bereichern [4]). Aber von bedeutenden Gaben
scheint Dionysius nicht gewesen zu sein; schriftstellerisch ist er nicht
aufgetreten, man müsste denn kleine Gedichte als beachtenswerthe

---

[1]) 1516 wurde Reuchlin, seine Schwester Elisabeth, sein Bruder Dio-
nysius in den Augustinerorden aufgenommen; vgl. den Brief des Aegidius
Viterbiensis 1516; von des Ersteren Frau ist nicht die Rede; 1519 bei der
Einnahme Stuttgarts durch den schwäbischen Bund erhält Reuchlin einen
Schirmbrief für sich und sein Gesinde; seiner Frau wird nicht gedacht.
Dann zieht er von Stuttgart fort; er hätte in einem seiner Briefe der Frau
gedenken müssen, wenn sie noch gelebt hätte.

[2]) Camerarius, vita Melanchthonis ed. Strobel. Halae 1777 p. 9.

[3]) Vgl. meine Mel. or. S. 64 fg. und die Anmm., wo ich alle hier
in Betracht kommenden Stellen zusammengestellt habe.

[4]) Rudimenta hebraica; namentlich die schon oft angeführte Vorrede
vom 7. März.

Leistungen betrachten [1]). Nach dem Auftreten der Reformation wurde er protestantischer Pfarrer, verheirathete sich, und hat so den Namen, den auch sein berühmterer Bruder trug, bis auf den heutigen Tag fortgepflanzt [2]).

Vom Grafen Eberhard wurde Reuchlin zu mannichfachen Geschäften verwendet; vornehmlich zu solchen, wo dem Geschäftsträger ausser der juristischen, staatsmännischen Befähigung auch Redegabe nothwendig war. So finden wir ihn neben Ludwig Vergenhans und Hermann von Sachsenheim [3]) als Gesandten auf dem Reichstag zu

---

[1]) Ein Gedicht aus dem Schriftchen *Ad illustrissimü Bauariae du | cem Philippum Comitem | Rheni Palatinü et ad no | bilissimos filios epistola. | Oratio continens dictiones, clausulas et elegantias | oratorias eu signis distinctis. | Epigrammata in diuum Marsiliü inceptorem Plau- | tatoremque gymnasii Hydelbergensis. |* (Wolfenb. Bibl. 53 Quodl.) Bl. C 6 a. (Mit Marsilius ist Marsilius de Inghen gemeint) mag hier Platz finden.

In famigeratissimum Marsilii Dionysii Reuchlin philosophie magistri.

Alcides graiis quondam male gratus et exul
Virtutis meritas non tulit ille vices.
Eiectum legimus lacedaemone deinde Lygurgum (!)
Ante cui leges iuraque sancta dedit.
Spretus et ipse Solon patrias exivit Athenas,
Spretus Miltiades, postlabitus Pericles
Urbis et auctorem caput orbis Roma peremit
Proscripsit civem teque, Camille suum,
Quid iuvat hic Graios quid commemorare Latinos
Nostrates etiam talis erynnis habet,
Audet Marsilium trivialis quisque parentem
Carpere gymnasii gymnosophista procax.

Auch in der lateinischen Grammatik des Joh. Brassikanus findet sich ein Epigramm von ihm.

[2]) Nach einer Mittheilung des Herrn Prof. Lamey in Carlsruhe leben in Holland noch direkte Nachkommen des Dionysius, die den Adelstitel angenommen haben; in Deutschland Hermann Reuchlin, ein hauptsächlich durch seine Leistungen in italienischer Geschichte bekannter Schriftsteller.

[3]) Vgl. das für die Mitglieder des Reichtags zu Frankfurt 1486 gedruckte Schriftchen: In dissem Buchlin findet man | beschreben die fursten, grauen | vnd frijhen, die uff dem Dage | mit dem allerdurchluchtigsten | fursten vnd hern. Kayser Fre- | dericñ dem dritten zu der er- | welung des durchluchtigen | Fürsten Maximilians Erczher | czog zu osterich der keyserli | chen maiestat sone . czu einem | Romschen konig . erschenen | sint. etc. | Titel nach 11 Zeilen. 8 Bll. in kl. fol. (das Ganze nur etwa fünf Finger breit). Der zweite vermehrte Druck hat 10 Bll. [Frankfurter Arch. Wahltagsacte Tom. II nach p. 186.] In dem 1. Druck Bl. 5 a unten steht: „Des Grauen von Wyrtenbergs rete. Synen kantzler ist Doctor in beyden rechten vnd prob-t

Frankfurt 1486, wo dem Kaiser Friedrich. der grosse Sieg gelang. dass die Churfürsten noch bei seinen Lebzeiten seinen Sohn Maximilian zum römischen König wählten (26 Februar)[1]. Den neu gewählten König, der zur Krönung nach Aachen ging, begleitete Reuchlin[2]. Ob er hierbei[3], man wüsste nicht bei welcher Gelegenheit, eine Rede gehalten hat? Ob er bereits hier mit dem Kaiser Friedrich. mit seinem Sohn Maximilian in Berührung gekommen von ihnen als Rath aufgenommen worden ist? Aber wichtig ward der Reichstag für ihn. Denn was ihm in Italien nicht gelungen war, glückte ihm hier. Er machte die Bekanntschaft eines der berühmtesten Männer des damaligen Italiens, des Hermolaus Barbarus[4]. Ein junger Mann, etwa in dem Alter Reuchlins, hatte er in seinen Studien zuerst einen ähnlichen Weg eingeschlagen, wie dieser. Hauptsächlich hatte er Philosophie studirt. dann wurde er auch Doktor der Rechte. Seine wissenschaftliche Thätigkeit wendete er den Schriftstellern des Alterthums zu. Unter den damaligen Gelehrten gibt er das erste Beispiel kritischer Behandlung der alten Texte. vergleicht die Handschriften und will die klassischen

---

zu stuckarten, Her Herman von sachsenheim ritter. Doctor Hans reychlyn." (Dass Vergenhans und Sachsenheim mit Reuchlin auf dem Reichstage waren, sagt schon Sattler, Geschichte des Herzogthums Würtemberg unter der Regierung der Graven, Ulm 1768. IV, S. 217.) Eine Gesandtschaft Venedigs und Hermolaus Barbarus findet sich nicht erwähnt, ebensowenig wird unter der Botschaft Herzog Albrechts von Meissen der Erhard von Windsberg genannt, wol aber 4 andre, dagegen kommt vor: Doctor Andreas Schenck „mit andern yem zugegeben" als „diener des hertzogen von Meylants" und „Doctor Birckheymer" (die 2. Auflage hat: „Eyn doctor genant Birckheymer) unter „den reten des Hertzog Albrechts von Munchen." — Für Barbarus und Windsberg vgl. das Folgende.

[1]) Klüpfel, Maximilian I., Berlin 1864 S. 42.

[2]) Neben dem Briefe Erhards v. Windsberg 22. Juli 1486 ist Reuchlin selbst in einer auch sonst interessanten Stelle dafür Quelle; *Defensio contra calumniatores Colonienses* (1514 B. 4b): er redet Maximilian an: *tuo veterano qui non tantum sub divo patre tuo causarum patronus militari quondam tam in senatu, quam in consistorio assessor et imperialis palatii comes. verum in maximis rebus etiam tuis gerendis, in regia dignitate consequenda, in corona et unctione suscipienda, inter tuos clarissimos annumeratus sum et catalogo adscriptus.*

[3]) Die Krönung fand am 5. April statt; s. Klüpfel S. 44 ff. Windsberg sagt: *te oratore, me medico praesentibus.*

[4]) Für Barbarus vgl. die gründlichen Nachweisungen von Mohnike in Ersch und Gruber, Realencyklopädie 1. Sekt. 7. Band. S. 350—352.

Werke in ihrer ursprünglichen Reinheit wiederherstellen: in Pomponius Mela will er 300, in Plinius 5000 Fehler verbessert haben. Aber dann wirkte er als Professor in Padua und Venedig, daneben als Staatsmann. Für seine Vaterstadt Venedig war er mehrfach als Gesandter thätig, bei Sforza in Mailand, am päpstlichen Hofe zu Rom, bei dem deutschen Kaiser. So war er auch nach Frankfurt gekommen, um dem neuen römischen Könige zu seiner Würde Glück zu wünschen, und die Verträge seiner Vaterstadt zu befestigen [1]. Während der ganzen Zeit der Gesandtschaft waren der deutsche und italienische Gelehrte bei einander, gar Manches mag Reuchlin da von dem neuen Freunde aufgenommen haben.

Zu einer andern Gesandtschaft wurde Reuchlin im folgenden Jahre gebraucht. Graf Heinrich von Würtemberg, der Oheim Eberhards d. Aelt., hatte ein Söhnchen erhalten. Um dazu Glück zu wünschen, wurde Reuchlin mit einigen Andern nach Reichenweiher geschickt. Aber hier war die Freude in Trauer umgeschlagen, bald nach der Geburt war die Mutter gestorben. Das neugeborne Kind war der spätere Herzog Ulrich. Ob Reuchlin wol ahnte, als er an der Wiege stand, welche Schicksale ihm von diesem Knaben bevorständen!?

Dann folgten einige Jahre der Ruhe. 1490 ging Reuchlin zum zweiten Male nach Italien. Gewiss nicht, wie man häufig angenommen hat, um die päpstliche Genehmigung für die Errichtung eines neuen Klosters im Schönbuch zu erwirken, wahrscheinlich zur Begleitung des jungen Ludwig [2], eines natürlichen Sohnes Eberhards d. Aelt. [3], der gute Anlagen zum Studiren zeigte, und aus Italien mit dem Doktorhut der Rechte geschmückt heimkehrte. Die Reise fand im Frühling und Sommer 1490 statt, am 9. August verliess er Rom: gegen Ende des Jahres, spätestens Anfang des folgenden wird er wieder in seiner Heimath gewesen sein [4]. Diese

---

[1] Er hat daselbst eine Rede gehalten, die gedruckt worden ist, vgl. Potthast, Bibliotheca historica medii aevi. Berlin 1862 p. 156 und über Hermolaus' Aufenthalt in Frankfurt die Notiz bei Schück, Aldus Manutius Berlin 1862 S. 114 Anm. 2.

[2] Vgl. Mel. or. S. 24—26. Für letzteres mit besonderer Rücksichtnahme auf Sattler, Geschichte Würtembergs unter den Graven V, S. 27.

[3] Er wurde übrigens von Friedrich für ehelich erklärt. 16. Februar 1484 bei Sattler IV, Beylagen No. 103 p. 156—158.

[4] Ueber den Anfang der Reise lassen sich keine bestimmten Daten geben. Mayerhoff, Johann Reuchlin. Berlin 1830 S. 23 Anm. 2 sagt, mit

zweite italienische Reise war für Reuchlin von grosser Bedeutung. Die mit Hermolaus Barbarus in Frankfurt geschlossene Freundschaft wurde in Rom befestigt. Barbarus war Gesandter Venedigs bei Innocenz VIII., er wurde Reuchlins Lehrer im Lateinischen; es war gleichsam ein Weihezeichen für die Aufnahme in den Gelehrtenbund, dass er den für italienische Gelehrte etwas seltsam klingenden Namen Reuchlin in den griechischen: Capnion verwandelte[1]). Es ist nichts Zufälliges, dass Reuchlin im persönlichen Verkehre, in Unterschriften seiner Briefe, in seinen Werken diesen Namen fast niemals anwandte, selten nur, wenn er vertraulich, scherzhaft sprach, oder an italienische Gelehrte sich richtete, die ihn besser unter diesem Namen kannten[2]). Ebensowenig zufällig, wie dass Jakob Wimpheling seinen deutschen Namen beibehielt und Ulrich von Hutten, sie alle drei Vertreter eigenthümlicher Richtungen im Humanismus, denen vor Allem das gemeinsam war, deutsch zu sein!

Bei Hermolaus hatte der unermüdlich Strebende den Schatz seiner lateinischen Kenntnisse mit neuen Reichthümern vermehrt; auch für das Griechische suchte und fand er, der durch sein Wissen schon längst alle Uebrigen in Deutschland überragte, einen Nachfolger des Argyropulos, nun den letzten, der in dieser Sprache sein Lehrer wurde: Demetrius Chalkondylas aus Athen[3]), der in

---

Berufung auf Sattler, ohne weitere Stellenangabe, Reuchlin sei am 27. Febr. 1490 noch in Stuttgart gewesen.

[1]) Vgl. meine Mel. or. S. 23 und Anm. 1.

[2]) Eine Zusammenstellung des Vorkommens von Capnio habe ich a. a. O. Anm. 4 gegeben; hinzuzufügen ist der Brief Reuchlins an Papst Leo X., 13. Juni 1515, und der unten zu erwähnende des Chalkondylas vom 16. Juni 1491. — Dazu, dass die Umwandlung des Namens in Italien, nicht, wie Melanchthon behauptet, in Frankfurt stattfand (s. Mel. or. S. 22 A. 3) ist zu vergleichen die interessante Aeusserung in dem Briefe Georg Oehmlers (Aemilius) an seinen Bruder Nikolaus 1536 im Corpus Reformatorum ed. Bretschneider vol. III col. 211. — Hier ist zu bemerken, dass der sehr verschiedenartig geschriebene Name neben Reuchlin: Räuchlin, Reuchlein, Reuchlyn, Reichlein, Reuchlen, Rochlein, Röchlin, Röchli, Rechlin — auch zu Spott Anlass gab. Ortuin Gratius sagt in seiner Epistola apologetica (ed. Böcking in Lamentationes obsc. vir. Leipzig 1864 p. 336): *Nomina hercle vestra (quantum videre videor) nominibus quadrant. Ille Fumulus appellatur, vos obscuri, et vere obscuri. Nam tenebrae omnium vestrae (ut cum gratia et honore Capnionis, non vestro loquar) totum pene terrarum orbem, infinitis tum mendaciis obumbrarunt.*

[3]) Vgl. Vorrede zu Rudim. hebr.

Geiger, Johann Reuchlin. 3

Florenz und Mailand lehrte, und sich als erster Herausgeber des
Homer grosses Verdienst erworben hat. Reuchlin kam zu ihm nach
Florenz mit einem Empfehlungsbriefe des Hermolaus ausgerüstet.
Schon damals wunderte sich Demetrius, welches Wissen der Fremd-
ling besässe, als er aber einen griechischen Brief von ihm erhalten
hatte, konnte er sich nicht enthalten, Reuchlin hochzupreisen und
seinem Vaterlande Glück zu wünschen, dass es mit einem solchen
Manne gesegnet sei [1]).

Der zweite Aufenthalt in Italien gab auch Veranlassung zu
einer persönlichen Bekanntschaft mit dem Grafen Pikus von
Mirandula, die zwar nur sehr oberflächlich war, — als Reuchlin
ihm im nächsten Jahre seinen Bruder Dionysius und dessen Begleiter Streler empfahl (1491), wusste Pikus nur noch, dass er bei
ihm gewesen und ihn über Orpheus Einiges gefragt habe[2]), — deren
Folgen aber von weitgreifender Bedeutung gewesen sind. Reuchlin
wurde recht eigentlich der Nachfolger des Pikus, er baute jene aus
griechischer Philosophie und Cabbalah gemischte Lehre aus, die dieser
zuerst verkündet hatte.

Möglich, dass Reuchlin damals auch mit Marsilius Ficinus bekannt geworden, dem berühmten Platoniker, der ihm später den oft
erwähnten, liebenswürdigen Brief sandte: die jungen Leute, die von
ihm fort zur Ausbildung nach Italien gingen, schienen eher eine
Universität zu verlassen, als eine aufzusuchen[3]).

Die für ihn nützlichste Bekanntschaft machte er wol aber in
Rom an dem päpstlichen Geheimschreiber Jakob Aurelius
Questemberg, einem Meissener von Geburt, der früh nach Rom
gekommen war, sich hier zu einer hohen Stellung aufgeschwungen
hatte und sie benutzte, seinen Landsleuten sich hülfreich zu erzeigen.
Reuchlins Abreise geschah so plötzlich, dass er von dem neu-
gewonnenen Freunde keinen Abschied nehmen konnte und Questemberg in einem von Lobeserhebungen überströmenden Briefe sein
Bedauern darüber aussprach[4]). Es ist hier nicht der Ort zu zeigen,

---

[1]) Griechischer Brief des Dem. Chalk an Reuchlin 16. Juni 1491.

[2]) Johann Streler an Reuchlin 8. August 1491. Vgl. übrigens Mel.
or. S. 65, namentlich Anm. 5. — Der hier erwähnte Pikus ist nicht, wie
das oft geschehen, mit seinem Neffen Joh. Franz. Pikus zu verwechseln.

[3]) Mars. Ficinus an Reuchlin und Ludwig Naukler 5. Juni 1491.

[4]) Questemberg an Reuchlin, Rom 1. August 1490. Lebensnachrichten
über Questemberg das. in der Anm.

von welchem Nutzen grade die Anknüpfung mit diesem Mann
für Reuchlin wurde, wie dieser an ihm in freudigen Tagen einen
theilnehmenden Freund, in seiner Bedrängniss einen Rather und
Helfer fand.

So schied Reuchlin diesmal reich an Eindrücken aus Italien.
Aeusserlich gab er sich wieder dem Geschäftsleben hin. Er gehörte
in Gemeinschaft mit Johann und Ludwig Vergenhans, mit M. Nittel
und Schöferlin dem Hofgerichte zu Stuttgart an [1]), aber von seiner
Thätigkeit an demselben ist uns nichts bekannt [2]).

Bald fand sich wieder Gelegenheit zu seiner Verwendung. Nach
einigen verfehlten Versuchen war es gelungen, zum Schutze des
Reichs im Innern den schwäbischen Bund herzustellen, dem am
14. Februar 1488 neben dem grössten Theile des Adels und der
Reichsstädte in Schwaben auch der Graf Eberhard von Wirtemberg
beigetreten war. Da gab es denn beständig Verkehr und Unterhandlungen mit dem Kaiser, gar manchmal mag Reuchlin für seinen
Grafen thätig gewesen sein, und diese Thätigkeit ihn in nahe Beziehungen zu den übrigen Bundesständen gebracht haben; aber auch
für andre arbeitete er, so für den Markgrafen Friedrich von Brandenburg, den Schwager Eberhards d. Jüng. [3]). Vielleicht war der
Markgraf es auch, der Reuchlin zu einem andern Amte verhalf.
Eberhard d. Aelt., der selbst keine rechtmässige Nachkommenschaft
besass, richtete sein Streben darauf, das wirtembergische Land für
untheilbar zu erklären. Nach mehrfachen glücklichen Versuchen
wurde der Plan durch die Ansprüche seines streitsüchtigen Vetters
Eberhard d. J. zu nichte gemacht (Frankfurter Entscheid 1489).
Aber wenige Jahre darauf (1492) gelang es durch die Vermittlung
des Markgrafen und des Erzbischofs Berthold von Mainz in Esslingen
zwischen den beiden Eberhards einen Vertrag herzustellen, wonach
die Herrschaft Wirtemberg ungesondert und ungetrennt bleiben
sollte. Nach dem Tode Eberhards d. Aelt. sollte Eberhard d. J. das
ganze Land erhalten, aber es nur mit Beihülfe eines nicht von ihm
erwählten Zwölferausschusses regieren [4]). Um die Bestätigung dieses

---

[1]) Sattler a. a. O. V S. 121.

[2]) Wenigstens hat man auf meine Bitte im Haus- und Staatsarchiv zu
Stuttgart vergebliche Nachforschung gehalten.

[3]) Vgl. den Brief Reuchlins an Markgraf Friedrich von Brandenburg
28. März 1492 in der Briefsammlung.

[4]) Stälin a. a. O. III, S. 614 fg.

3 *

Vertrages zu erwirken, wurde Reuchlin zum Kaiser Friedrich nach
Linz geschickt oder ihm aufgetragen, hier, wo er sich noch von
der früheren Gesandtschaft her befand, den neuen Auftrag zu voll-
ziehen. Allzu lange Zeit brauchte Reuchlin dazu nicht. Am 2. September war der Vertrag geschlossen worden, am 18. Oktober erfolgte
die kaiserliche Bestätigung [1]. Es lässt sich annehmen, dass, nachdem
er sie erhalten, Reuchlin bald nach Stuttgart reiste, um seinem
Fürsten von dem Erfolg der Gesandtschaft zu berichten; freilich
erst, nachdem er vom Kaiser ein schönes Zeichen grosser Achtung
erhalten hatte. Der Kaiser machte ihn wegen der Herrlichkeit seiner
Tugenden, wegen der Berühmtheit, die ihm seine lobenswerthen
Sitten verschafft hätten, zum kaiserlichen Pfalzgrafen, mit der Befugniss, alle diejenigen zu öffentlichen Notarien zu ernennen, die
ihm zu diesem Amte geeignet schienen, und ihnen den Eid der
Treue an Kaisers Statt abzunehmen; ferner richterliche Funktionen
auszuüben, endlich 10 Doktoren zu creiren. Er und sein Bruder
Dionysius nebst ihren beiderseitigen Nachkommen wurden in den
Adel erhoben, und ihnen als Wappen ein Schild verliehen, darin
ein Altar, von dem aus angezündeten Kohlen Rauch emporstieg.
Der Altar trug die Inschrift: Reuchlins Altar [2]. Das Wappen hat
Reuchlin manchmal geführt — es prangt auf dem Titel einiger
Werke — den Titel hat weder er, noch sein Bruder angenommen,
auch von den ihm zustehenden Befugnissen hat er wol keinen Gebrauch gemacht. Er war ein zu bescheidener Gelehrter, um mit
den Machttiteln der Grossen zu prunken; er liebte es mehr, unter
den Schriftstellern und den geistig hervorragenden Männern der
Zeit den ersten Rang einzunehmen, denn als kaiserlicher Pfalzgraf
zu gebieten.

Nichts zeigt so sehr den glühenden Eifer Reuchlins für die
Wissenschaft, als dass er, der nun fast Vierzigjährige, ein neues
Studium, das der hebräischen Sprache begann. Schon während
der Gesandtschaft beim Kaiser, am 25. September 1492 [3]) hatte er

---

[1]) Chmel, Regesten Friedrich IV., S. 793, No. 8855.

[2]) Ara Capnionis; das Diplom vom 24. Oktober 1492 in der Briefsammlung.

[3]) Das sagt Reuchlin in einer Aufzeichnung, die Majus, vita Reuchlini
p. 541 erhalten hat: *Joannis Reuchlin Phorcensis Praeceptores in Hebraicis:
Primus fuit Jacobus Jehiel Loans Mantuanus seu Ferraricus ann.* 1492
7. *Calend. Octobr.*

den Unterricht in derselben, die ihm nicht ganz fremd war [1]), bei dem kaiserlichen Leibarzt Jakob ben Jehiel Loans begonnen. Loans war ein Jude, aber doch, was zu jener Zeit selten war, ein gebildeter, in Wissenschaften unterrichteter Mann, ein sorgsamer, treuer Lehrer, von dessen gediegenem Wissen Reuchlin Vieles aufnahm, dessen Treue er auch in späteren Jahren rühmte, und ihm fast ein Jahrzehnt darauf in einem hebräisch geschriebenen Briefe seine Verehrung ausdrückte [2]).

Er unterbrach den Unterricht, um seinem Grafen Bericht über seine Sendung zu erstatten, dann, wahrscheinlich im ersten Viertel des folgenden Jahres, muss er aufs Neue nach Linz gekommen sein, — er hatte zuerst angefragt, ob sein Lehrer Loans auch dort sei [3]). — und sich hier ziemlich lange, doch wol nur des Lernens wegen, aufgehalten haben; am 19. August 1493, als Kaiser Friedrich starb, war er noch dort [4]).

Hier, am kaiserlichen Hofe, machte er die Bekanntschaft von einer Anzahl gelehrter Männer, die theilweise als Beamte beim Kaiser thätig waren, theilweise nur den Hof begleiteten [5]). Da war der kaiserliche Sekretär Peter Bonomus von Tergeste, ein wissen-

---

[1]) Vgl. unten 2. Abschnitt.

[2]) Nov. 1500 (in der Briefsammlung).

[3]) Die Chronologie ist hier nicht leicht. Der Brief an Bernhard Perger kann, selbst wenn man ihn auf die erste Reise Reuchlins zum Kaiser — in Sachen des schwäbischen Bundes — beziehen will, nicht am 26. März 1492 geschrieben sein, denn wie sollte er Reuchlin in Stuttgart getroffen haben, da dieser bereits am 28. März von Füssen aus schreibt (s. Seite 35 Anm. 3). Ebensowenig gehört der Brief des Petrus Bonomus zum 2. März 1492, sondern 93; hier wird von Loans gesprochen, dass er nicht in Linz sei, aber bald zurückkehren werde, und schon aus dem Tone, ebenso wie aus dem Inhalt des Briefes geht hervor, dass Reuchlin mit dem ganzen Linzer Gelehrtenkreise persönlich bekannt ist. Ein anderer Brief des Franciscus Bonomus undatirt (anf. *Salvus sis Capnion latentissime*) ist frühestens Ende 1492 zu setzen, vielleicht auch in ein späteres Jahr; richtiges Datum haben nur die Briefe Crachenbergers 19. Februar 1493 und Fuchsmags 28. Febr. 1493.

[4]) Reuchlins Defensio contra calumniatores Colonienses (1513) K 2ᵃ: ... *serenissimus Caesar Fridericus tertius, pater tuus imperator invictissimus, ... qui obiit me praesente in Lyncea* 14. *kalen. septembres, anno* 1493.

[5]) Quelle für das Folgende sind die oben Anm. 3 angeführten Briefe. In den Anmerkungen zu diesen Briefen in der Briefsammlung sind über die einzelnen Personen biographische Details gegeben.

schaftlich gebildeter Mann, der auch später Reuchlin gern mit
gelehrten Hülfsmitteln unterstützte; sein Bruder Franz, Beamter
der Kaiserin, der in den Unruhen und Festlichkeiten einer kaiserlichen Hochzeit Zeit fand, mit Reuchlin zu plaudern; der österreichische
Kanzler Bernhard Perger, Superintendent der Universität, dem
scholastischen Wesen der früheren Zeit durchaus abgeneigt, der
später mit Celtis an der Neugestaltung der Universität arbeitete,
und selbst schriftstellerisch thätig war; Wilhelm Waldner, der
gleichfalls eine nicht unbedeutende Beamtenstelle bekleidet zu haben
scheint; Johann Fuchsmag, der weniger als kaiserlicher Rath,
denn als Professor des Rechts wirkte, und vor Allem sich darum
bemühte, den Conrad Celtis, in dem der Humanismus den lebendigsten
Ausdruck gefunden hatte, nach Wien zu ziehen; letzteres in Gemeinschaft mit Johann Crachenberger, der, obgleich er deutsche
Briefe schrieb, und sogar mit dem Plane umging, eine deutsche
Sprachlehre zu verfassen, mit seinem ehrlichen deutschen Namen
nicht zufrieden war und Reuchlin bat, doch einen griechischen für
ihn aufzufinden, dessen er sich unter den Gelehrten besser bedienen
könnte, als des barbarischen, den er jetzt trage [1]).

Ende 1493 ist Reuchlin aus diesem geistig angeregten Kreise,
der ihm gewiss nach des Amtes Mühen und Beschwerden eine recht
erwünschte Erholung und Erquickung bot, geschieden. Von seiner
Thätigkeit in Stuttgart hören wir erst wieder im folgenden Jahre.
Ehe der Graf Eberhard zur Vermählung des Königs Maximilian
mit Blanka Maria, die am 16. März 1494 stattfand, abreiste, schickte
er seine Räthe Jörg von Ehingen, Dr. Martin Nittel und Reuchlin
nach Harburg, um daselbst die Huldigung anzunehmen und die
Herrschaft für den Grafen Heinrich, wenn er wieder zu Verstand
käme, und seine Kinder zu erhalten [2]). Von den sonstigen ohne
Zweifel sehr zahlreichen Geschäften, die Reuchlin für seinen Grafen
besorgte, ist uns nichts bekannt, ebensowenig von den mancherlei
Rechtssachen, die er seit 1484, als Anwalt des Predigerordens durch
ganz Deutschland, geführt hat.

In Gemeinschaft mit Eberhard war Reuchlin auf dem berühmten
Reichstage zu Worms 1495. Aber als am 21. Juli Maximilian den

---

[1]) Reuchlin hat wol dem Wunsche des Freundes genügt; Crachenberger nennt sich später Pierius Graccus.
[2]) Sattler a. a. O. V, S. 30.

verdienten Grafen zum Herzog machte, war Reuchlin nicht zugegen. Sein Freund Johann Wolf von Hermansgrün, Gesandter Magdeburgs auf dem Reichstage, forderte ihn auf, die Erhebung Eberhards in einem Liede zu besingen; Reuchlin entschuldigt sich, dass er dazu nicht befähigt sei. Das möge Wolf thun, dem die grossen Ereignisse selbst mit anzusehn gestattet sei; er werde zu Hause zurückgehalten, die getäfelte Decke, der schattige Giebel verhindere ihn zu dichten. Dann aber scheinen Ereignisse eingetreten zu sein, die den Grafen Eberhard wünschen liessen, seinen erprobten Rath um sich zu haben; auf die Aufforderung seines Herrn reiste Reuchlin nach Worms. Da sprach er auch in Ladenburg bei Johann von Dalburg, dem Bischof von Worms vor, mit dem er schon seit längerer Zeit in Beziehung stand, wenn er auch seine persönliche Bekanntschaft vielleicht erst jetzt gemacht hat [1]).

Kurze Zeit darauf trat in dem Schicksal Reuchlins eine entscheidende Wendung ein. Der Herzog Eberhard starb am 24. Februar 1496 [2]) tief betrauert von allen seinen Unterthanen, auch von Reuchlin und seinen Freunden, die schon bei dessen Lebzeiten laut seinen Ruhm verkündet hatten. Für den Fall seines Todes waren die Regierungsverhältnisse bereits vorher geregelt worden. Wir erinnern uns des Esslinger Vertrages, der hatte jetzt in Wirksamkeit zu

---

[1]) Für alles dieses verweise ich auf die ausführliche Darlegung in Mel. or. S. 44—46.

[2]) Vgl. Stälin a. a. O. III, S. 645. — Conrad Summenhart hielt eine sehr gerühmte Leichenrede. Bebel meinte in der Widmung seines oben S. 22 A. 3 angeführten Schriftchens an Rektor und Professoren der Universität Tübingen, die Verdienste Eberhards *tot et tantae sunt, ut in principe viro non possit plus postulari, quae etiam nullo referente cunctis clarescunt, quibus quoque in omni genere virtutis ad exemplar posteritatis nihil sit expressius;* sie bedürften freilich zu würdigem Preise *vel Maronem, vel Homerum.* Bebels Elegia in fatum et mortem illustrissimi principis Ebrardi (B. 3^b — B. 4^b) ist von poetischer Schönheit. Sie beginnt:

> *Si liceat cuiquam tetra turgescere bili*
> *In divos, posset nunc licuisse mihi.*
> *Judicis intemeranda vetat sententia summi,*
> *Judicium sacrum . .*

schildert die Verdienste Eberhards in allen Beziehungen und schliesst:

> *Solatur tamen hoc ducis ex ditione popellos*
> *Fama solo maneat, spiritus astra petat.*

In einem eignen Gedichtchen wird die Jungfrau Maria angerufen, den Verstorbenen auf dem Wege zu den Sternen zu leiten.

treten. Aber wenn Eberhard d. J. auch bereit war, seine Rechte in Anspruch zu nehmen, mit der Erfüllung seiner Pflichten eilte er nicht. Es gefiel ihm wol als Herzog dies Land zu verwalten, aber seine zügellosen Sitten wollte er nicht lassen, seine frühere schlechte Umgebung vereinigte er wieder um sich. Der Augustinermönch Conrad Holzinger, des j. Eberhards Günstling, den Eberhard d. A. ins Gefängniss geworfen hatte, — Reuchlin war dabei thätig gewesen[1]) — kam wieder zu Macht und Ansehn. Reuchlin zitterte. Bald nach dem Tode seines Fürsten wandte er sich rathlos, hülfesuchend nach allen Seiten. Bernhard Schöferlin, kaiserlicher Rath, suchte ihn zu trösten: Nur keine Verzweiflung! Wo Menschenrath aufhöre, werde Gott helfen. Noch sei nicht Alles verloren, vielleicht werde Gott den Sinn des neuen Fürsten erleuchten, dass er treuen, verständigen Rathgebern sein Ohr zuneige. Aber die Menschen dürften die Hände nicht in den Schooss legen. Was den Einzelnen nicht möglich sei, gelinge vielleicht der Gesammtheit. Prälaten, Adlige, die Vornehmen des Landes müssten sich zusammen thun, um Eberhard zu veranlassen, die alten Räthe oder neue vertrauens-

---

[1]) Urkunden fehlen darüber. In seinem Aufsatze über Holzinger in Claiber, Studien der evangelischen Geistlichkeit Wirtembergs. Stuttgart 1832. IV, 1, S. 177—208, der zum grossen Theil nur eine Zusammenstellung der Stellen bei Sattler ist, aber auch Anderes enthält, das an andern Orten zu erwähnen ist, hat Heyd S. 90 fg. erzählt, dass Reuchlin, der sich 1488 in Mainz aufhielt, den dortigen Erzbischof veranlasste, den gerade anwesenden Holzinger in Haft zu nehmen 30. November 1488, und dass der Augustinermönch dann, nachdem auch Eberhard angekommen, von Reuchlin u. A. nach Tübingen in Gewahrsam gebracht wurde. In der oben (S. 39 Anm. 2) angeführten Schrift Bebels steht C. 6 fg., gleich nach zwei Gedichten zum Lobe Reuchlins (vgl. Briefsammlung 1496) ein überschwängliches Lobgedicht auf Holzinger. *Ad clarissimum virum Conradum Holtzinger de Weyla theologiae doctorem, ducis Ebrardi secretarium et oratorem*, dann eine *Elegia consolatoria* an denselben, die so beginnt:

> *Gratari libuit tibi praeclarissime patrum*
> *Ereptus cum sis carceris exicio,*
> *Gratatur pariter divae studiosa caterva*
> *Pallados atque adamans ingenuusque sophos*
> *Sperantes duce te virtutum scandere culmen*
> *Cum faveas doctis doctus ubique viris.*

Wo liegt die Wahrheit? In Reuchlins Angriffen oder in Bebels Lobeserhebungen?

würdige anzunehmen [1]). Auch der kaiserliche Sekretär Petrus Bonomus suchte Reuchlin zu trösten und versprach ihm seine Hülfe. Nur sollte er genauer angeben, was er wünsche, ob eine Anstellung am kaiserlichen Hofe, ob nur einen Empfehlungsbrief [2]).

Aber Reuchlins Blicke wandten sich nach einer andern Richtung. Schon im Jahre 1491 hatte ihm der edle Johann von Dalburg geschrieben: Wenn die Dinge sich in traurigem Schicksal verwirren, so wirst Du bei mir und meinem Bruder eine sichere Zufluchtsstätte finden. Alles was uns gehört, betrachte als Dein Eigenthum [3]). Jetzt liess er es nicht mehr bei blossen Worten bewenden, sondern machte sein Versprechen wahr.

So kam Reuchlin nach Heidelberg. Die Uebersiedelung geschah eilig, ohne viel Ueberlegung, vielleicht meinte er, die Prüfungszeit werde rasch vorübergehen, vielleicht wollte er nur sich schnell in Sicherheit bringen, seine Frau liess er in Stuttgart zurück [4]). Als Reuchlin nach Heidelberg kam, war er kein Jüngling mehr: fast ein halbes Jahrhundert hatte er durchlebt. Er hatte sich schon grossen Ruhm erworben, wissenschaftlich ausgezeichnet war sein Name der des ersten, bedeutendsten Gelehrten in Deutschland geworden. Nun trat er in einen geistig hoch angeregten Kreis. Heidelberg war Sitz und Mittelpunkt der rheinischen Gesellschaft. Conrad Celtis hatte sie ins Leben gerufen 1491, aber bald war er fortgezogen und mit seinem Fortgange fehlte der Gesellschaft die lebendige Triebfeder. Nun stand J o h a n n v o n D a l b u r g an der Spitze [5]), Bischof von Worms, vertrauter Rathgeber des Churfürsten Philipp von der Pfalz. Dalburg war selbst tüchtig wissenschaftlich gebildet, er hatte in Erfurt studirt, dann war er nach Italien gezogen,

---

[1]) Bernhard Schöferlin an Reuchlin, Frankfurt 28. Februar 1496.

[2]) Peter Bonomus an Reuchlin, Augsburg 21. April 1496.

[3]) Joh. v. Dalburg an Reuchlin 12. December 1491.

[4]) Vgl. oben S. 28 Anm. 1.

[5]) Ueber Dalburg vgl. Z a p f, Johann von Dalburg. Augsburg 1789, Nachtrag Zürich 1796; E r h a r d, Geschichte des Wiederaufblühens wissenschaftlicher Bildung in Teutschland, 1826 I, S. 356—374; wenig Neues bietet U l l m a n n, Memoria Joh. Dalburgii etc. 1840. — Für die damals in Heidelberg lebenden Gelehrten ist im Ganzen zu vergleichen, neben H a u t z, Geschichte der Universität Heidelberg Bd. I. Mannheim 1862, der viel Thatsachen gibt, ohne zusammenhängende Darstellung, L. H ä u s s e r, die Anfänge der classischen Studien in Heidelberg. Heidelberg 1844.

um hier aus den reinsten, lautersten Quellen zu schöpfen. Den Rudolph Agrikola hatte er da kennen gelernt und an sich gezogen, der nur zu kurz eine Zierde Heidelbergs blieb, und schon längst todt war, als Reuchlin kam.

Obwohl Heidelberg der Sitz der rheinischen Gesellschaft war, lebten doch keineswegs alle Glieder derselben hier, grade die bedeutendsten waren in andern Städten zerstreut: Johann Tritheim, Wilibald Pirckheimer, Ulrich Zasius; aber eine Anzahl anderer gediegener Männer blieben zurück [1]). Alle überstrahlte damals Jakob Wimpheling, der grade jetzt wieder nach Heidelberg von Speyer, wo er eine Reihe von Jahren hindurch ein Predigtamt verwaltet hatte, zurückkehrte, der rüstigsten Streiter für den Humanismus einer, der mit Recht „Deutschlands Erzieher" genannt werden dürfte; in so unermüdlicher Weise kämpfte er für Verbesserung des Unterrichts im Allgemeinen und in den einzelnen Fächern, suchte er die Jugend zu sittlicher Höhe zu erheben, das ganze deutsche Volk zum Bewusstsein seines Werths und seiner Tüchtigkeit zu bringen, und wie in der Sprache die Barbarismen, so in der Theologie die entstellenden Missbräuche abzustellen [2]).

Die Uebrigen, die sich in Heidelberg aufhielten, waren keine Namen ersten Ranges, aber Männer, die den wissenschaftlichen Bestrebungen zugeneigt, sie selbst pflegten, soweit ihre Fähigkeiten es zuliessen und diejenigen ehrten, die Verkünder einer neuen Zeit geworden waren. Da war Heinrich von Bunau ein sächsischer Edelmann, Geheimschreiber der Herzöge Friedrich und Johann, der sich eine Zeit lang in Heidelberg aufgehalten zu haben scheint, und sich hauptsächlich philosophischen Studien hingab [3]); Dietrich von Pleningen, der neben seinem Kanzleramt und den mannigfachen politischen Geschäften, zu denen er verwendet wurde, noch Zeit fand zu zahlreichen Uebersetzungen lateinischer Schriftsteller ins Deutsche, die

---

[1]) Ueber die rheinische Gesellschaft ist zu vergleichen Klüpfel, De vita et scriptis Conradi Celtis 1827, I, p. 109 sqq., anderweitige Literatur bei Aschbach, Roswitha und Conrad Celtis. 1868, S. 7 Anm. 2, der, wie bekannt, die Dramen der Roswitha als gemeinschaftliche Arbeit dieser Gesellschaft erklärt.

[2]) Wimphelings Leben s. bei Erhard a. a. O. X, S. 428—467 und P. v. Wiskowatoff, Jakob Wimpheling. Sein Leben und seine Schriften. Berlin 1867.

[3]) Vgl. die unten anzuführende Stelle aus Trith. Chron. Sponh.

zum Theil veröffentlicht wurden[1]), Conrad Leontorius, ein gründlich unterrichteter Mann, der lange Zeit Mönch in Maulbronn, später im Beginenkloster zu Engenthal an seiner eigenen Bildung und dem Unterricht junger Leute arbeitete[2]); Adam Wernher, ein fruchtbarer Dichter, bei dem der gute Wille freilich stärker ist, als die dichterische Ader, und der später als Erzieher der Söhne des Pfalzgrafen Philipp und Richter an dem von Ludwig V. bestellten Hofgericht — er war eigentlich Jurist und Professor der Jurisprudenz in Heidelberg — hoffentlich mehr geleistet hat, als in dem dichterischen Fach, das er aus Neigung betrieb[3]); Jakob Drakontius[4]), ein Schüler des Celtis, der sich, nicht unglücklich, in lateinischen Gedichten versuchte; der Jurist Johann Vigilius (Wacker), von dem als Jurist nichts Sonderliches bekannt ist, den aber mit Reuchlin eine innige Freundschaft verband, die in Heidelberg in Scherz und Munterkeit ihren Ausdruck fand, aber das persönliche Zusammensein lange überdauerte[5]).

Es herrschte unter diesen Gelehrten ein reges munteres Treiben. Da scheute man auch Trinkgelage nicht, „bis tief in die Nacht hinein kostete Reuchlin die Weine seines Freundes Vigilius, auf die Gefahr hin, im Nebel des Erwachens seine Kleidungsstücke mit denen des Freundes zu verwechseln"; und diese heiteren Zusammenkünfte waren nichts Seltenes, auch Andere wurden dazu gebeten und feierten das fröhliche Beieinandersein mit Gedichten und Gesängen[6]). Da ver-

[1]) Vgl. Panzer, Annalen der deutschen Literatur. I, S. 382, 383, 394 fg.

[2]) Vgl. die Briefe des Leontorius an Reuchlin 7. März 1489, 21. April 1494, 30. März 1495 nebst den Anmm. und Fechter, Bonifacius Amorbach in Baseler Beitr. zur vaterl. Gesch. 1843. 2. Band. S. 167 fg.

[3]) A. Wernher, aus Temar gebürtig, vgl. Schwab, syllabus rectorum Heydelbergensium. I, p. 51 (der Adam Wernher, auf den Jakob Micyllus Cal. Oct. 1550 ein Epithalamion Silvae lib. II p. 147—166 und ein undatirtes Epitaphium macht Silvae lib. VIII p. 347 sq., ist vielleicht sein Sohn). Eine Anzahl Gedichte unseres Adam sind abgedruckt aus einer Carlsruher Handschrift bei Mone, Quellensammlung zur badischen Landesgeschichte III, 1863 S. 158—164, ein Gedichtchen an Reuchlin, s. unten S. 48 Anm. 2.

[4]) Vgl. Klüpfel a. a. O. II, p. 168. Drei Briefe von ihm in dem Celtis'schen Codex in Wien.

[5]) Vgl. Schwab, I, p. 78 und unten Buch 3 Cap. 7.

[6]) Brief Wackers an Reuchlin 2. November 1499; die „ " bezeichneten Worte aus Strauss, Ulrich von Hutten I, S. 192 fg.

anstaltete Dalburg mit den Genossen, die sich um ihn schaarten, gemeinsame Fahrten an den Rhein bis nach Coblenz hinunter [1], sie sprachen bei dem gelehrten Abte Johann von Tritheim ein, staunten über seine Bibliothek, über die Schätze, die er hier vereinigt hatte und sorgsam hütete [2]; einer der Zurückgebliebenen trauert, dass mit den Abgereisten auch die Musen fortgezogen seien, dass der Trank nicht mehr munde, denn Apollo sei geschwunden [3].

Aber man verkehrte auch in ernster, wissenschaftlicher Weise; die Fragen, die die Zeit erregten, wurden erwogen. Da klagte Wimpheling in vertrauten Gesprächen mit Reuchlin und Wacker, wie man sich so heftig gegen die Aufnahme der humanistischen Studien sträube, und sie beriethen, wie diesem Zustande abzuhelfen sei [4]; in philosophischen Unterhaltungen vergingen den Freunden manche Stunden der Nacht [5]. Es war ein förmlicher Gelehrtenhof, wo jedem Einzelnen seine Aufgabe zugewiesen war. Leontoriys und Drakontius hatten zu dichten, und sie thaten ihre Pflicht selbst beim Becherklange; aus dem Griechischen ins Lateinische und Deutsche zu übersetzen war Reuchlins Amt, dessen er sich in zufriedenstellendster Weise entledigte. Uebersetzungen von Stücken Homers und vom Leben Constantins d. Gr. sind hier entstanden [6]. Was der Bischof will übersetzt er, schreibt Spies an Celtis, denn Dalburg war

----

[1] Heinrich Spies an Conrad Celtis 6. Mai 1496.

[2] *Eodem anno (1496) 4 Non. Julii fuerunt hic in monasterio nostro ad videndam bibliothecam nostram, quam fama ubique preciosam divulgavit, Johannes episcopus Wormaciensis, vir graece et latine doctissimus, Johannes Reuchlin alias Capnion, legum doctor, Hebraice, Graece et Latine disertissimus, ducis Wirtembergensis secretarius, Franciscus Bononius (!) Tergestinus poëta et orator Graece et Latine peritus, reginae Romanorum secretarius, Henricus de Bunau miles, in omni facultate eruditus, ducum Saxoniae Friderici et Johannis secretarius, philosophorum omnium maecenas. Hi omnes viri doctissimi visa tanta multitudine rarorum voluminum in hoc paupere monasterio, nimium obstupuerunt, ordinem preciumque eorum et studium patris Trithemii industriamque collaudantes.* Trithemius, Chron. Sponh. z. J. 1496. Freher: Trith. Opp. hist. Frankfurt 1605. II, 401.

[3] Jakob Drakontius an Conrad Celtis bei Zapf, Nachtrag S. 46. 29. Juni 1496, wo unter Anderen, die abwesend sind, *Joannes Reuchlin, quem nosti* angeführt wird und es dann heisst: *Bacchanalia siccant pocula. Non adest inter epulas Apollo pater altissima illa virorum ingenia movens.*

[4] Wimpheling an Vigilius, Heidelberg 1. September 1499.

[5] Vigilius an Reuchlin 2. November 1499.

[6] Heinrich Spies an Celtis 6. Mai 1496.

auch hier der Leiter und Ordner. Er bediente sich Reuchlins Hülfe auch in praktischen Dingen. der Bibliothek, die ehedem Agrikola geleitet. setzte er nun ihn vor[1]).

Schon dadurch — denn die Bibliothek war, wenn wir uns des Ausdrucks bedienen dürfen,· ein Staatsinstitut, — kam Reuchlin in Berührung mit dem Churfürsten Philipp von der Pfalz[2]). Philipp der Aufrichtige war zur Zeit, als Reuchlin nach Heidelberg kam, wegen der Abwesenheit Maximilians Reichsverweser, ein geistig angeregter Mann, der Geschmack fand an dem frischen Leben, das um ihn herrschte, und der den Geist dieses Kreises auch der Universität Heidelberg einzuhauchen bemüht war. Das gelang freilich nicht so bald. Auch Reuchlin erfuhr es. Es ist nicht bekannt, dass er sich um ein Universitätsamt beworben, aber gern hätte er öffentliche Vorlesungen über die hebräische Sprache gehalten; das hinderte, sagt ein späterer Berichterstatter, die Wuth der Mönche. Gern hätte er gesehen, dass sein Bruder Dionysius Professor des Griechischen geworden wäre, aber noch war diese Sprache fast so verpönt, wie das Hebräische, trotz aller Anstrengungen gelang es nicht, den Wunsch durchzusetzen. Vielleicht dass der Jurist Reuchlin. glücklicher war, als der Philologe. Denn in der That vermehrte der Pfalzgraf Philipp in dieser Zeit die Zahl der Professoren des römischen Rechts, das bereits unter seinem Vorgänger in Heidelberg eine Stätte gefunden hatte, stiftete ein Collegium für Studirende der Jurisprudenz; es ist möglich, dass Reuchlin dazu den Anstoss gegeben hat.

Seinen berühmten Gast suchte der Pfalzgraf in anderer Weise zu ehren. Er ernannte ihn mit einer Besoldung von 100 Gulden, zwei Pferden und einem Hofkleid, auf ein Jahr zu seinem Rathe und zum obersten „Zuchtmeister" seiner Söhne, der eine Oberaufsicht über deren Erzieher zu führen hatte, als Rath aber bereit sein sollte, in und ausser Landes für die Angelegenheiten des Fürsten thätig zu sein[3]). Gelegenheit dazu fand sich bald. Philipps Sohn Ruprecht sollte seine nahe Verwandte Elisabeth, Tochter Herzog Georgs von Baiern heirathen; dazu musste ein päpstlicher Dispens

---

[1]) Vgl. meine Bemerkung in Langbeins päd. Arch. 1868 S. 489 fg. für dies und das Folgende.

[2]) Vgl. Häusser, Geschichte der rheinischen Pfalz, Heidelberg 1845, I, S. 421 ff. 446 ff.

[3]) Vgl. die Urkunde vom 31. December 1497.

beschafft werden. Ein Anderes, was den Pfalzgrafen veranlasste, einen
Gesandten nach Rom zu schicken, waren die Weissenburger Händel.
Der päpstliche Bann war über Philipp verhängt worden, der die
Gewaltthätigkeiten seines Vasallen Hans von Trott gegen den
Weissenburger Abt Heinrich hatte geschehen lassen; er suchte vergeb-
lich sich davon zu befreien[1]). Er glaubte, das werde besser ge-
schehen können, wenn ein eigener Gesandter in Rom seine Sache
verfechte; als solchen schickte er Reuchlin.

So reiste Reuchlin zum dritten Male nach Rom. Schon im
Juni 1498 scheint er dort gewesen zu sein. In seiner Verlegenheit
wegen mangelnder Instruction hat er sich wol an Franz, Cardinal-
diakon von S. Eustachius gewandt, der konnte ihm freilich keinen
Rath ertheilen[2]). Seine Angelegenheiten besorgte er aber zur Zu-
friedenheit. Der päpstliche Dispens wurde ertheilt, die Heirath
Ruprechts und Elisabeths fand 1499 statt; in der Weissenburger
Sache ist uns eine Rede Reuchlins erhalten[3]).

Lateinisch und Griechisch hatte er genug gelernt, im Hebräischen,
das er noch nicht allzu lange betrieb, suchte er nun in Rom sich
auszubilden. Er fand einen Lehrer dafür in dem Juden Obadja
Sforno aus Cesena, einem klassisch gebildeten Mann, Arzte und
Philosophen, der neben dem Unterricht in der hebräischen Sprache
auch Reuchlins Eifer für die Cabbalah noch mächtiger angeregt
haben mag[4]). Sforno war ein trefflicher Lehrer, und Reuchlin gedachte
seiner mit Liebe, wenn Sforno auch seine Mühe sich hoch genug vergelten liess. Einen Freund fand Reuchlin auch in Rom, den Lorenz
Behaim, den späteren Domherrn von Bamberg, der mit Pirckheimer
in naher Beziehung stand. Mit ihm zusammen schweifte Reuchlin
umher[5]); Reuchlin war eifrig bemüht, für seine Bibliothek hier werthvolle Schätze hebräischer Bücher zu erwerben; noch sind einzelne
davon mit seinen Inschriften vorhanden[6]). Die Freundschaft mit

---

[1]) Vgl. Häusser S. 425 fg. Weitere Ausführungen über Reuchlins
Thätigkeit in Mel. or. p. 68—70.

[2]) Franciscus S. Eustachii diaconus cardinalis an Reuchlin 17. Juni 1498.

[3]) Ad Alexandrum VI Pontificem Maximum 7. August 1498. Sie wird
an anderem Orte besprochen werden.

[4]) Vgl. Grätz, Geschichte der Juden, IX. Band. 1866. S. 50 und 94.

[5]) Vgl. die in: Das Studium der hebr. Sprache S. 29 Anm. 1 angeführten Stellen.

[6]) Vgl. die Anm. 5 angegebene Stelle und Jonathans chaldäische Bibel-
übersetzung (Karlsruher Hofbibliothek Mscr. Durlac. 53 Cod. Ms. Membr. in

Jakob Questemberg wurde noch fester geknüpft, er schrieb selbst die Rede Reuchlins ab, da er einen andern Schreiber in der Eile nicht finden konnte[1].

Nach 1498 ist Reuchlin von Rom fortgegangen, genauer lässt sich der Zeitpunkt seiner Abreise nicht bestimmen. Seine Bücher hatte er der Sorge seines Freundes Peutinger in Augsburg empfohlen und schwebte doch in Angst, sie möchten nicht sicher zu ihm gelangen, aus der dieser ihn befreite[2].

Unterdess hatten sich in Wirtemberg die Dinge geändert. Mit wunderbarer Schnelligkeit hatte man sich in wenig Tagen von der Missregierung Eberhards befreit, ein Regiment eingesetzt, das für den noch unmündigen Ulrich die Herrschaft führte. (April 1498)[3]. Die Aenderung war von Maximilian bestätigt worden; so war Reuchlin seines Feindes ledig; das Land, das ihm ein neues Vaterland geworden war, stand ihm wieder offen. Vielleicht wollte man in Stuttgart, wie früher, seines Rathes bei wichtigen Dingen nicht entbehren, so mögen ihn die beiden Naukler, Lamparter u. A., mit denen auch, trotz Reuchlins Entfernung, die Verbindung nicht abgebrochen worden war[4], in seine frühere Stellung zurückgerufen haben[5]. Ein festes Amt hatte Reuchlin in Heidelberg nicht mehr

---

gr. 4°), worin von Reuchlins Hand l. S.: *Ego Joannes Reuchlin phorcensis LL. Doctor emi hunc librū chaldaicū Jonatte XI aureis Rhenen. Rome IIII Nonas Sextiles Anno MCCCCLXXXXVIII.* und 1. Blatt auf dem Deckel: *Nota. Anno dńi 1501. Jam elapsi sūt anni 396 | quod hic liber scriptus extat manu atramentarii.* Ferner: *David Kimchi et Moses in artes grammatica* (das. Mscr. 58 in 4°) von Reuchlins Hand am Anfang; *Has duas grammaticas hebraicas: scilicet librum Dauid Kymchi | De subtiliatione et libru Intellectus boni Moysi grammatici: | Emi ego Joannes Reuchlin phorcensis: Rome: multis ducatis | In Mense Quintili Anno MCCCCLXXXXVIII.* Am Ende: *Grammaticae | Due finiūt | Joannis Reuchlin | phorceñ. LL. Doc.* | In der Handschrift selbst sind einzelne lateinische und griechische Worte von Reuchlins Hand am Rand geschrieben.

[1] Questemberg an Reuchlin Oratori palatino 1498.

[2] Peutinger an Reuchlin 29. Januar 1499. Dieser, noch mehr der in voriger Anmerkung angeführte Brief beweisen, dass Reuchlin Rom noch 1498 verlassen.

[3] Vgl. Heyd, Ulrich Herzog zu Württemberg I, 1843, S. 22 ff.

[4] Vgl. den Brief Johann Nauklers an Reuchlin 22. März 1498.

[5] Melanchthon in der schon oft angeführten Rede; vgl. auch den Brief des Johann Naukler aus Tübingen 25. Juli 1499: *oro non defatigeris venire ad me paucisque diebus tuis rebus abesse. Habeo enim quae conferre*

— wir erinnern uns, die Anstellung beim Pfalzgrafen war nur für
ein Jahr gewesen — nun sehnte er sich aber zu seinem Weibe
zurück, auch mochte ihm dieses beständige Leben am Hofe nicht
behagen [1]), — so verliess er Heidelberg. Seine Freunde liessen ihn
nur ungern ziehen. Kaum eine Mahlzeit haben wir zusammen
genossen und schon werden wir auseinandergerissen, klagt Adam
Wernher [2]); vergebliche Anstrengungen wurden von Vigilius, Pleningen, Dalburg und dem Churfürsten selbst gemacht, den Schei-
denden zu halten, oder den Geschiedenen zurückzuführen, wozu man
der Frau durch Geschenke, durch ein Fass Wein u. a., die Erlaubniss abgewinnen wollte [3]), — diese schöne sonnenfrische Epoche in
Reuchlins Leben war zu Ende.

Aber nicht nur die Freunde betrauerten seinen Weggang, auch
die Jugend, der er ein leuchtendes Vorbild geworden war, sah ihn
ungern scheiden: jener heldenmüthige Franz von Sickingen, der
20 Jahre später bekannte, dass Reuchlin, soviel an ihm gelegen,
sich bemüht, ihn in sittlicher Tugend zu unterweisen [4]); alle die,
denen Reuchlin Lehrer im Hebräischen geworden war; die Jünglinge,
die Reuchlins Komödie *Scenica progymnasmata* hatten aufführen helfen,
nachdem eine andere zuerst für diesen Zweck bestimmte, auf Dalburgs Rath unterdrückt worden war, unter denen nur Jakob Spiegel,
der Neffe Wimphelings, der später selbst sich einen ehrenvollen Namen erwarb, Erasmus Münch, späterer Professor der Jurisprudenz
in Heidelberg, genannt werden sollen [5]). Und die vielen andern

.

tecum animus est. Sollte auch im Letzteren die Aufforderung gemeint sein,
nach Stuttgart zurückzukehren? Das Datum stört nicht; denn ein zwin-
gender Grund, Reuchlins Abreise von Heidelberg früher zu setzen, ist nicht
vorhanden. Aber klingen die Worte so ernst? Könnte nicht eher ein
Abstecher von Stuttgart nach Tübingen und die Mittheilung einer gering-
fügigeren Angelegenheit gemeint sein?

[1]) Mel. a. a. O.; den Heimgekehrten beglückwünscht Sebastian Brant,
dass er aus der *aerumnosa curialis molestia* entronnen sei, 23. Januar 1500.

[2])   *Adae Wernheri Temarensis Tetrastichon.*
Cum tua jam totum fumascat fama per orbem,
Quam facile audito nomine notus eris;
Vix una in coena nos sors conjunxit amicos
Et jam distrahimur. Fumule, vive, vale!
undatirt in Epp. illustrium virorum. Hagenau 1519 m 3[b].

[3]) Vigilius an Reuchlin 2. November 1499.

[4]) 26. Juli 1519 vgl. unten.

[5]) Vgl. Briefsammlung nach 1. Mai 1498.

Jünglinge, die damals in Heidelberg den Grund zu ihrer Bildung legten! Ich nenne nur Johann Eck [1]), dem, man mag über seine religiöse Gesinnung denken, wie man will, doch der Ruhm gelassen werden muss, dass er der neuen wissenschaftlichen Richtung treu angehangen; und den fleissigen, gründlichen Nikolaus Ellenbog, der nichts Höheres kannte als seine Bücher, der damals neben ernsten Studien mit poetischen Scherzen an seine gleichaltrigen und gleichstrebenden Freunde seine Zeit vertrieb [2]). Wie mögen alle diese auf den Mann geschaut haben, dem sich an Berühmtheit in Deutschland damals Keiner gleichstellen konnte, der hier in glänzender Weise, wenn auch ziemlich vorübergehend, als Staatsmann und Gelehrter, als Lehrer und Dichter thätig war [3]).

Nachdem Reuchlin heimgekehrt, erwarteten ihn noch grössere Ehren, als er bisher genossen. Er, der Gelehrte, der am liebsten sich ganz der wissenschaftlichen Musse hingegeben hätte, dessen Freunde es seiner fast für unwürdig hielten, dass er sich mit andern Dingen abgab [4]), war fast sein ganzes Leben hindurch gezwungen, am Hofe zu leben, oder in Staatsgeschäften sich zu bewegen!

Der schwäbische Bund war 1488 gegründet worden, im Jahre 1500 erfolgte seine Verlängerung auf weitere 12 Jahre. Vielleicht schon damals, wahrscheinlich aber erst 1502 [5]), wurde, nach einem vorher gefassten Beschlusse, dass jede der drei Klassen, Fürsten, Ritter, Städte, einen gelehrten Bundesrichter wählen sollte, die zu-

[1]) Er wurde unter Adam Wernhers Rektorat 1498 immatrikulirt, vgl. Wiedemann, Dr. Johann Eck, Regensburg 1865 S. 6.

[2]) Vgl. m. Nikolaus Ellenbog in Oesterreichische Vierteljahrsschrift für katholische Theologie, Wien 1870. 1. Heft. S. 50 fg.

[3]) Seine Anhänglichkeit an den Pfalzgrafen Philipp zeigte Reuchlin noch später durch die Widmung der Uebersetzung von Cicero's Tuskulanen, 24. Juni 1501, in der er ihm ausdrücklich für die genossenen Wohlthaten seinen Dank ausspricht. Diese Uebersetzung, eine prächtige Handschrift, befindet sich noch auf der Heidelberger Bibliothek.

[4]) Vgl. oben die Aeusserung Brants; und Tritheims 1494 *Dignus profecto, qui solis litteris, non etiam perstrepenti populari curiae incumberet.*

[5]) Datt, de pace publica lib. II, cap. 20l, §. 823—26 p. 454 z. J. 1502: „Es ist auch D. Johannes Rechlin drew Jar die nechsten nach einander folgenden zu einem Richter der obgemelten Fürsten angenommen." Jedenfalls ist nach Ablauf dieser Zeit die Ernennung erneuert worden, vielleicht auf 8 Jahre, vielleicht auf längere Zeit mit freiem Kündigungsrechte Reuchlins.

sammen ein Collegium zu bilden hatten, Reuchlin von der ersten
Klasse zum schwäbischen Triumvir ernannt [1]). Er verwaltete sein
Amt 11 Jahre. Es scheint ihn doch nicht allzu sehr in Anspruch genommen zu haben, denn gerade diese Jahre waren die Zeit, in der
er wissenschaftlich am thätigsten war, produktiv und sammelnd, vor-
bereitend für spätere Veröffentlichungen; und ein ganzes Jahr, 1509.
in dem er kränkelte, scheint er mit seiner Frau, die gleichfalls
leidend war, in stiller Zurückgezogenheit auf einem Landgütchen.
das er bei Stuttgart besass, gelebt zu haben. Erst Ende 1512 gab
er sein Amt auf. Das Bundesgericht wurde von Tübingen, wo es
bisher gehalten worden, und wo die Entfernung von Stuttgart kaum
in Betracht gekommen war, nach Augsburg verlegt [2]), das dem alten
und damals durch seinen gewaltigen Streit in eine aufreibende
Thätigkeit versetzten Manne zu entfernt sein mochte, um sich jähr-
lich viermal daselbst einzufinden [3]).

Viel Anderes über sein Leben ist uns aus jener Zeit nicht bekannt, nur dass er 1502 der Pest wegen, die in ganz Schwaben
wüthete, seinen gewöhnlichen Wohnort Stuttgart verliess und sich
nach dem Kloster Denkendorf begab, wo er mit Weib und Gesinde
eine freundliche Aufnahme fand [4]); dass er seine Stellung als Anwalt
bei den Dominikanern beibehielt, und durch seine aufopfernde, un-
eigennützige Thätigkeit, die dem Orden in schwierigen Dingen von
grossem Vortheil war, sich den wärmsten Dank des ganzen Ordens
und seiner einzelnen Mitglieder verdiente [5]); dass er auch sonst als
Anwalt thätig war, z. B. am päpstlichen Hofe eine Entscheidung

---

[1]) Auf dem Titel zweier Schriften nennt sich Reuchlin: *Caesareae
majestatis, archiducis Austriae, illustrissimorum imperii electorum et caeterorum
principum in confoederatione Sueviae index ordinarius;* von Anderen wird er
genannt: *Sueviae triumvir.*

[2]) Der Beschluss zur Verlegung wurde auf dem Bundestag zu Augsburg Oktober 1512 gefasst. Vgl. Klüpfel, Urkunden zur Geschichte des
schwäbischen Bundes 2, S. 59.

3) Das Material für diese chronologisch nicht leichte Frage ist zusammengestellt in Mel. or. S. 29—34. Die dort gezogenen positiven, wenn
auch ausdrücklich als nicht ganz sicher hingestellten Folgerungen scheinen
mir nach reiflicher Erwägung nicht annehmbar.

4) Vgl. Reuchlin an den Propst von Denkendorf 1. Januar 1503.

5) Vgl. die Briefe des Peter Siber, Ulm 16. April 1504; Wigand
(Wirth), Frankfurt 17. April 1504; Lorenz Aufkirch, Ulm 1504.

für ein Nonnenkloster herbeizuführen sich bemühte[1]): dass er weiter am Hofgericht mit Peter Jakobi und Conrad Breuning seinen Platz einnahm[2]).

Vielleicht mag auf das Aufgeben des Amts als Bundesrichter Reuchlins neuer Landesherr, Herzog Ulrich, von Einfluss gewesen sein. Ulrich war am 8. Februar 1487 geboren. Gleich nach seiner Geburt war seine Mutter gestorben; als die Gesandten Eberhards, darunter Reuchlin, der Mutter Glück wünschen wollten, lebte sie nicht mehr[3]); sein Vater, Graf Heinrich V. war irrsinnig. Man merkte dem Jüngling an, dass er keine elterliche Erziehung genossen hatte; die konnte durch die Unterweisung des wackern und gelehrten Peter Jakobi[4]) nicht ersetzt werden. Als er nach Verdrängung Eberhards d. J. zur Regierung kam, war er ein Kind. Ein Regimentsrath leitete die Staatsgeschäfte bis 1503, da erhob Maximilian den Sechzehnjährigen zur selbständigen Regierung. Wie sein Vorfahr, Eberhard d. Aelt., dem schwäbischen Bunde beizutreten weigerte er sich entschieden; mag er nicht auch seine Räthe bestimmt haben, sich davon zu entfernen? Seine trotzige Selbstüberhebung wollte das Herabdrücken Wirtembergs zu einer unselbständigen Lage nicht dulden. In seinem Verfahren gegen das Land war Ulrich das gerade Gegentheil Eberhards. Er war herrschsüchtig und verschwenderisch; seine gedrückten Unterthanen machten ihrem Zorn in der Empörung des armen Conrad Luft. Wie gegen das Volk, so stellte er sich auch feindselig gegen den Adel: die Ermordung seines Dieners Hans von Hutten, nach dessen Weib ihn gelüstete, machte das Maass voll, die Flucht seiner eignen Gemahlin Sabina, die nicht mehr mit ihm zu leben vermochte, brachte es zum Ueberlaufen[5]). Die Schilderung, wie es dann zum Kampfe gekommen, ist überhaupt nicht unsere Aufgabe, aber auch der Zeit-

---

[1]) Reuchlin an Questemberg 15. December 1504 und Questemberg an Reuchlin 16. Januar 1505.

[2]) Vgl. Heyd a. a. O. S. 44.

[3]) Siehe S. 32.

[4]) Vgl. Heyd, Peter Jakobi in Klaibers Studien der evangelischen Geistlichkeit Württembergs III, 1, S. 180—187 und oben S. 24 Anm. 1 und 2.

[5]) Die Charakteristik Ulrichs nach H. Ullmann, Fünf Jahre Würtembergischer Geschichte 1515—1519. Leipzig 1867.

4*

punkt, in dem das geschehen, liegt über das Ziel hinaus, das wir uns hier gesteckt haben.

Später war Reuchlins Verhältniss zu seinem Landesherrn auch kein ungetrübtes mehr, es wurde zuletzt ganz feindselig; in den Jahren, die uns hier beschäftigen, herrschte noch Friede. Als Ulrich mit mehr als königlicher Pracht seine Vermählung mit Sabina von Baiern feierte (1511), fiel Reuchlin neben Andern das gewiss beschwerliche Amt zu, die Gäste, besonders die Geistlichen, zu besorgen[1]). Da mag er manche angenehme Bekanntschaft von ausländischen und inländischen Gelehrten gemacht und erneuert haben; am wichtigsten war für ihn wol, dass er hier dem Churfürsten Friedrich von Sachsen nahe trat, an dessen Hofprediger Spalatin er eine Beschreibung der Festlichkeiten schickte[2]).

Als Reuchlin die Bundesrichterwürde und wol zugleich sein Amt als Rath des Herzogs von Wirtemberg aufgab, sehnte er sich nach Ruhe. Er fühlte sich alt, ermüdet, er wollte nur der Wissenschaft leben, sich von dem Gewühle des öffentlichen Verkehrs zurückziehn. Er hätte die Ruhe verdient. 31 Jahre war er unermüdlich in Staatsgeschäften thätig gewesen, Kaiser, Fürsten und Städte hatten ihm in den wichtigsten Angelegenheiten Vertrauen geschenkt, er hatte Ehren genug gehäuft, der Sorgen zum Ueberdruss gehabt, aber die Ruhe sollte ihm nicht werden.

---

[1]) Vgl. Heyd, Herzog Ulrich I, S. 145 Anm. 10 und S. 149. Die daselbst Anm. 12 aus Jakob Frischlins De nuptiis ducis Ulrici etc. libri sex, versu heroico mitgetheilte Stelle über Reuchlin lautet:

  Cui sua cura datur lautis apponere mensis
  Canonicos, cleros, monachos, justo ordine fratres,
  Rite locare viros, abbates coenobiorum
  Excipere hospitio, plumata cubilia cuique
  Designare viro, mensas hilarare tacentes.

[2]) Reuchlins Brief ist nicht erhalten; ich lasse Spalatin erzählen: „In diesem Jahre 1511 hat Herzog Ulrich von Würtemberg sein ehelichs Beilager mit Frauen Sabina, gebornen Herzogin zu Baiern, Herrn Wilhelms, Ludwig und Ernsten Gebrüder, Herzogen zu Baiern, Schwester, zu Stuttgarden gehabt, und ist ein solch Volk da gewest, dass Doctor Johann Reuchlin mir Spalatino dazumal geschrieben, dass der Herzog zu Würtemberg etlich Tage 16000 Menschen gespeiset hat. Herzog Friedrich, zu Sachsen Churfürst, ist auch auf dieser fürstlichen Hochzeit zu Stuttgarden (gewest) und hat der Braut der ehrlichsten und herrlichsten Geschenk eins gethan." Aus: Friedrichs des Weisen Leben und Zeitgeschichte von Georg Spalatin. Aus den Originalhandschriften herausgegeben von Chr. Gotth. Neudecker und Ludw. Preller. Jena 1851 S. 149.

Wir haben Reuchlins äussere Lebensschicksale bis zu einem passenden Punkte geführt; nun ist es an der Zeit, nach einem kurzen Blicke, den wir auf die Freunde dieser Epoche werfen wollen, seine wissenschaftlichen Leistungen zu betrachten, dann jenen grossen Streit uns vorzuführen, in den er verwickelt wurde, aus dem er, zwar äusserlich besiegt, aber doch mit ungeschwächter Kraft und Stärke hervorging, ehe wir wieder an dem Punkt, an dem wir hier stehen bleiben, anknüpfend die Schicksale der letzten Lebensjahre schildern.

Der vielen, bei den mehrfachen Reisen nach Italien gemachten Bekanntschaften haben wir erwähnt, die Freunde kennen gelernt, die Reuchlin (in Basel: Sebastian Brant, Peter Schott; in Paris: Rudolph Agrikola; in den Gelehrtenkreisen zu Linz und Heidelberg) sich verschaffte. Aber damit ist uns noch nicht die ganze Schaar derer bekannt, die Reuchlin umgaben; in seinem Briefwechsel begegnen uns noch andere Namen. Es sind nicht lauter Männer von grosser Berühmtheit, aber doch fast alle von ernstem Streben, voll Eifer für die Wissenschaft, voll reiner Hingebung für den Beruf, dem sie sich gewidmet.

Auch mit den Grossen zu verkehren war Reuchlin nicht ungewohnt. Wir sahen ihn mit Kaisern und Fürsten; auch Reinher, Herzog von Lothringen verlangte seinen Rath[1]). In freundschaftlichen Ausdrücken wendet sich Raimund, Cardinal von Gurk an ihn: er möge ihm eine Rede über Deutschland und seine Fürsten verfassen[2]). Es ist eine merkwürdige Zeit: der Adel ist sich seiner Würde wol bewust, aber einen noch höheren Schmuck, als der Titel ihm verleiht, sucht er in der Gelehrsamkeit. Da treffen wir den Erhard von Windsberg, der mit Reuchlin auf dem Reichstag von Frankfurt 1486 zusammen war; den kaiserlichen Rath Hieronymus von Eudorff, der sich auf ein Gütchen zurückgezogen und für sich und seinen Sohn einen Lehrer wünscht; Andreas Schenck, der eine von ihm gehaltene Rede überschickt; Dietrich von Pleningen, der uns von Heidelberg bekannt ist; in ihnen allen ist eine Doppelnatur: sie wollen als Ritter gelten, aber auch

---

[1]) Reinher an Reuchlin 20. Juli 1491.
[2]) Raimund an Reuchlin 27. Juni 1502.

als Gelehrte, sie vergessen nie, ihrem Namen hinzuzufügen: *Doctor et miles* [1]). Eine Mittelstellung zwischen diesen und den folgenden nehmen die Brüder Bernhard und Conrad Adelmann von Adelmannsfelden ein, beides Adlige, beide aber auch in geistlichen Aemtern in Eichstädt und Elwangen thätig, von denen der Erstere Reuchlin eine treue Freundschaft noch für viele folgende Jahre bewahrte, schon 1484 in hellen Zorn über die Barbarei ausbrach und Reuchlin als ihren Besieger und Unterdrücker pries, der Letztere bereits damals Tübingen dem Glanze italienischer Universitäten gleichzustellen versuchte [2]). Wie in dem Adel, so war auch in den Klöstern zum Theil schon eine heilsame Veränderung vor sich gegangen. Da war in dem Kloster Ottenbeuren ein Abt, Leonhard Widemann, der, mehr von seinen Mönchen gedrängt, als selbst den Impuls gebend, den Wissenschaften eine Stätte eröffnete, sich an Reuchlin wandte, um einen Lehrer fürs Hebräische zu erlangen, und einen solchen zugesagt erhielt; sein Mönch Nikolaus Ellenbog war den Studien eifrigst ergeben und der wärmste Verkünder von Reuchins Lob [3]). Der Probst Wolfgang in Ror, der für sein Alter keinen besseren Trost kannte, als die heiligen Wissenschaften, erbat sich Aufklärungen über Stellen aus Reuchlins Werken; der Domprobst Georg von Gemmingen in Speier gab Nachricht von der Handschrift eines über deutsche Geschichte handelnden Werkes; der Hirsauer Mönch Nikolaus Basellius preist Reuchlin wegen des Ruhmes, den er durch Verbreitung hebräischer Studien sich verdiene und beglückwünscht ihn wegen der ländlichen Zurückgezogenheit, deren er nun sich erfreue [4]); Jakob Sprenger, der Verfasser des berüchtigten Hexenhammers, Provincial des Dominikanerordens, überlässt im Namen des Basler Convents Reuchlin eine Handschrift zu lebenslänglicher Benutzung [5]).

---

[1]) Vgl. oben S. 43 und die Briefe vom 31. Januar 1509, 20. Februar 1488, 4. Febr. 1508.

[2]) Briefe Bernhards 2. Oktober 1484, 3. November 1490; Conrads 26. April (1491?)

· [3]) Brief Leonhards 8. Oktober 1508; Reuchlins 11. Oktober; Ellenbogs 21. Januar 1510.

[4]) Brief Wolfgangs 1501; Gemmingens 4. December 1500; Basellius' 14. September 1501 und 31. März 1509.

[5]) Sprenger an Reuchlin 31. August 1488. Ueber Jakob Louber vgl. unten.

Und daran reiht sich eine Anzahl derer, die in jener Zeit als Gelehrte einen hervorragenden Platz einnahmen: der Strassburger Prediger Johann Geiler von Keisersperg, der wie kaum ein Andrer vor oder nach ihm es verstand, der Welt einen Spiegel ihrer Schlechtigkeit vorzuhalten, und sie zur Umkehr zu mahnen, der zur Herausgabe der Schriften des Peter Schott Reuchlins Hülfe in Anspruch nahm, die dieser freilich nicht leisten konnte [1]); der Colmarer Sebastian Murrho, ein Freund Wimphelings und ein reges Mitglied des Strassburg-Schlettstadter Gelehrtenbundes, der mit Kenntniss der lateinischen und griechischen die damals überaus seltene der hebräischen Sprache verband und Reuchlin in seinen ersten auf die Erlernung derselben gerichteten Bemühungen behülflich war [2]): Conrad Peutinger in Augsburg, der gelehrte, emsig forschende Antiquar, der unermüdlich thätige Staatsmann und Jurist, von dessen geschäftlichen Bemühungen für Reuchlin wir schon gehört haben, der aber dem Freunde ebenso sehr Familienangelegenheiten mittheilte und gelehrte Anfragen an ihn richtete [3]); der Gothaer Kanoniker Mutian Rufus, dessen Stimme später von so entscheidendem Gewicht werden sollte, der schon frühzeitig um Reuchlins Freundschaft bat, nach der er sich, wie er schreibt, schon lange gesehnt hätte [4]); Beatus Rhenanus, ein wackerer Humanist, ein eifriger Sammler für die Vergangenheit des Vaterlandes, der, als einer der Ersten, hauptsächlich durch reinen Patriotismus bewogen, der deutschen Geschichtschreibung sich zuwandte und mit glücklicher Kritik die aufgefundenen Quellen bearbeitete, der, in eignem und Anderer Namen, Reuchlins Bibliothek benutzte, und wol Reuchlins Bekanntschaft mit dem berühmten Pariser Theologen Jakob Faber vermittelte [5]); der berühmte Dichter Conrad Celtis, dessen ganzes Wesen, wenn auch oft derb und schlüpfrig, ohne festen Halt und Stütze, doch erfüllt war von mächtiger Liebe zu seinem Vaterlande, die ihn manchmal selbst zu unrühmlichen Handlungen hinriss, von

---

[1]) Briefe Keiserspergs an Reuchlin 27. Januar 1494 und das. in der Anm. die Verse Reuchlins an Schott.

[2]) Brief Murrho's an Reuchlin, 29. Juni 1487 und unten 2. Buch.

[3]) Briefe Peutingers an Reuchlin 29. Januar 1499, der die genauesten Nachrichten über des Ersteren Vermählung enthält, und 22. April 1503.

[4]) Mutians Brief an Reuchlin 1. Oktober 1503. Mutian wird uns unten Buch 3, Kap. 5 beschäftigen.

[5]) Briefe Rhenanus' 10. November 1509, 14. April 1510.

unauslöschlicher Begeisterung für das wieder erweckte Alterthum und
seine herrlichen Schätze, der Reuchlins literarische Verdienste in
einer poetischen Ode pries [1]); Heinrich Bebel, dem recht eigentlich der Ruhm gebührt, das Barbarische des früheren lateinischen
Ausdrucks aufgespürt und an seine Stelle einen reinen, bessern gesetzt zu haben, der als befähigter Dichter unter den vielen Dichter-
lingen der Zeit rühmlich hervorsticht und dessen Freimuth in
kirchlichen Dingen selbst unter seinen Genossen für ungewöhnlich
gross gelten muss. Um Reuchlins Bekanntschaft zu machen, schickte
er ihm Brief und Gedichte zu: er sei ein von Gott auf die Erde
gesandtes Zeichen; für die Lösung sprachlicher Schwierigkeiten
wusste er keinen Geeigneteren zu finden als ihn [2]).

Wie mit Bebel, so unterhielt Reuchlin auch mit andern Tübinger
Professoren ein freundschaftliches Verhältniss: er griff wol auch
indirekt in die Universitätsverhältnisse ein und es ist kein Zufall, dass
der Arzt Widmann aus Baden, dass Hildebrand aus Schwezingen,
Melanchthon aus Bretten, Simler aus Pforzheim Professoren, und
der Badener Anshelm Universitätsbuchdrucker wurden [3]). So wechselte
er Briefe mit Johann Stöffler, dem Mathematiker und Astronomen,
der trotz seiner Hinneigung zur Astrologie, durch seine Verdienste
in der Mathematik, besonders dadurch, dass er zuerst einen Kalender
herausgab, seinen Namen bekannt gemacht hat, und der von
Reuchlin Aufklärungen über hebräische Worte erbat und ihm dafür
mit mathematischen Instrumenten versah und seine Nativität be-
rechnete; so stand er mit dem Professor des kanonischen Rechts Martin
Breminger (Uranius) in gelehrtem Büchertausch [4]). Auch mit den
Professoren andrer Universitäten, mit hohen Beamten unterhielt er
rege Verbindung: mit dem Heidelberger Juristen Simon Ribisin,
der ihm seine Hülfe in einem Rechtsgeschäfte versprach, und dessen
Freundschaft ihm noch in späterer Zeit von Werth war, mit Adolph
Okko, dem Leibarzt verschiedener Fürsten, der ihm zur Ergänzung
seiner Bibliothek behülflich war, ihn mit Nachrichten aller Art ver-
sorgte und ihn um sein der wissenschaftlichen Beschäftigung ge-

---

[1] C. 1500 (Briefsammlung) anf.: *Capnion, nostrae decus* . . .

[2]) Brief Bebels an Reuchlin 1496: *Cum ea de te fama*, ein Sapphicon
und eine Elegia desselben an denselben; Brief vom 25. Februar 1501.

[3]) Diese Bemerkung macht Heyd, Herzog Ulrich S. 204 Anm. 52.

[4]) Briefe Stöfflers 8. April 1502; 8. März 1504; Bremingers 26. Sept.
1488; 1. December 1491.

weihtes Leben beneidete, mit Gabriel Bossus, dem Sekretär des
Herzogs von Mantua, der ihm in die Ferne von Italiens Schätzen
spendete [1]).

In jener Zeit, wo die Schriftstellerei durch die kürzlich entdeckte
und rasch emporblühende Buchdruckerkunst einen neuen Aufschwung
nahm, standen die Buchhändler, als Vermittler zwischen Gelehrten
und Publikum, den ersteren weit näher, als dies oft später der
Fall war. Sie nahmen ihren Platz ein mitten in dem geistigen
Leben, sie wurden mit davon erfasst, und bemühten sich, gewissen
Richtungen in demselben durch ihre Pressen bestimmten Ausdruck
zu geben. Vielleicht die hervorragendsten unter ihnen am Ausgange
des 15. Jahrhunderts waren Johannes Amorbach, jener Basler,
der schon, als Reuchlin in Basel studirte, seinen Werth zu schätzen
gewusst und ihm die Ausarbeitung eines Lexikons übertragen hatte,
dann der Verleger von Reuchlins Werk: vom wunderthätigen Wort
geworden war, und auch später sich seine Hülfe bei der Ausgabe
der Werke des Hieronymus zu verschaffen suchte [2]); dann Aldus
Manutius, der durch die rasche Verbreitung, die er vermittelst seiner
schönen und billigen Ausgaben den vorzüglichsten lateinischen und
griechischen Schriftstellern gab, wesentlich zur schnellen und glücklichen Entwicklung des Humanismus, namentlich in Deutschland,
beigetragen hat, und der Reuchlin mehrfach Bericht über seine
Verlagsthätigkeit gab, der Bewunderung Ausdruck verlieh, die er
gegen ihn hegte, und in dessen Lobe Befriedigung fand [3]).

Wir haben gesehn, dass Reuchlin seine Landsleute nicht
vergass, sie priesen sich glücklich, ihn zu besitzen. In den Briefen
begegnen wir dem Johann Molitorius, einem Schüler Dringenbergs
in Schlettstadt, Doktor der Rechte, Dekan in Baden, der von dem
Meister Erläuterungen griechischer Wörter verlangt, Adam Frey
aus Pforzheim, badischem Kanzler, dem jungen Nikolaus Gerbelius
aus Pforzheim, der Studium und Lebensrichtung ganz von dem
Winke des erfahrenen Lehrers abhängig macht, Georg Simler, der
zuerst als Rektor der lateinischen Schule in Pforzheim, später als

---

[1]) Brief Ribisius 30. August 1502; Briefe Okko's 24. November 1491,
4. Juli 1494, 23. December 1494; Briefe Bossus' 20. December 1490,
1. April 1491.

[2]) Brief Amorbachs 27. Juni 1509 und unten.

[3]) Briefe des Aldus 18. August und 24. Dec. 1502.

Professor zu Tübingen in rühmlicher Weise wirkte[1], Franz Irenikus, dem späteren Historiographen, den Reuchlin zuerst als fleissigen Schüler der Pforzheimer Schule kennen lernte und seitdem mit ihm in Verbindung blieb[2].

Wohin wir auch schauen in diesem Kreise, überall die gleiche Verehrung vor dem Manne, den wir hier zu schildern unternommen haben, dieselbe Bewunderung seines vielseitigen Talentes, seines ausgebreiteten Wissens, seiner Schriften. Wir wollen versuchen, uns nun auch mit diesen bekannt zu machen.

--

[1] Brief des Molitorius 1488, Frei's 18. Februar 1489, Gerbelius' 1506 — er wird uns später noch beschäftigen —, Simlers 1507, 20. Juni 1509.

[2] P. J. Schneider, Versuch einer medic.-statist. Topogr. von Ettlingen, Carlsruhe 1818 S. 224. Vielleicht hat auch Reuchlin den Namen des jungen Friedlieb in Irenikus verwandelt.

ZWEITES BUCH.

REUCHLINS WERKE.

Wenn wir Reuchlins wissenschaftliche Verdienste zu prüfen unternehmen, und dabei sehr ins Einzelne gehende Untersuchungen nicht scheuen können, so dürfen wir einen allgemeinen Gesichtspunkt nicht aus dem Auge verlieren.

Die Periode, um die es sich hier handelt, ist, wenn man so sagen darf, eine Zeit der Kindheit wissenschaftlichen Strebens. Ein jedes Gebiet, das der Forscher betrat, war für die Zeit ein neues, noch nicht betretenes; fast in allen Gegenständen, an die Reuchlin heranging, war er ein Erster. Dies ist von grosser Bedeutung für die Beurtheilung, die man ihm angedeihen lassen soll. Man wird geringere Leistungen höher erheben, als sie ihrem reellen Werthe nach verdienen; Irrthümer und Missgriffe müssen eher entschuldigt werden, da noch Keiner vorher das Richtige und Empfehlenswerthe gezeigt hatte.

Doch werden wir uns nicht in solchem Lobesschwall ergehen, wie die Zeitgenossen, wie viele der älteren Biographen es gethan. Ein leuchtendes Genie war Reuchlin nicht, nicht eines jener Phänomene, die nur in Zwischenräumen von Jahrhunderten auftreten, und die Augen aller derer blenden, denen es vergönnt ist, sie zu sehen. Reuchlin lenkte den Geist der Mitlebenden in andre Bahnen, er gab dem wissenschaftlichen Streben eine vom Bisherigen zum Theil sehr abweichende Richtung, aber auf das, was er leistete, und was er that, schauen wir jetzt nicht hin als auf etwas Unerreichbares; seine Leistungen in vielen Fächern des Wissens sind übertroffen, in manchen ganz verworfen worden, oder haben den Späteren nur als Grund- und Unterlage für bessere Erkenntniss gedient.

Aber bedeutend, gross bleibt er doch. Er hatte einen freien
Blick für das, woran es der Zeit vor allem gebrach, ein Streben
nach Wahrheit, das durchaus consequent, unbeirrt von Neben-
gedanken und Rücksichten seinen Weg ging, eine sittliche Reinheit
und Erhabenheit, deren höchstes Ziel die Veredlung und Vervollkommnung der Menschheit war.

Was uns jetzt bei einer Betrachtung von Reuchlins Arbeiten
wunderbar erscheint, ist seine Vielseitigkeit. Freilich, die Gebiete
waren damals nicht so abgegrenzt, wie jetzt, und mehrere zusammen
bedurften kaum soviel Arbeit, als heute ein einziges, aber es ist
doch unendlich mannigfach, was er geleistet hat. Und dann, was
er that, das musste in den Stunden geschehen, die er dem Berufe
abrang.

Reuchlin war Jurist, ein vielbeschäftigter Anwalt, er bekleidete
ein hohes richterliches Amt. Wir haben seine juristischen Studien
verfolgt. Er hatte sie getrieben, um sich eine Stellung im Leben
zu verschaffen; schon in der Universitätszeit war aber sein Haupt-
augenmerk auf die humanistischen Studien gerichtet. Dann hat
er den grössten Theil seines Lebens hindurch zwar als praktischer
Jurist gewirkt, aber seine Kenntnisse nur zur Berufsarbeit, nie zur
wissenschaftlichen Beschäftigung verwerthet [1]. Die trockene Art,
in der die Jurisprudenz ihm von seinen Lehrern vorgetragen worden,
konnte ihn nicht anziehn; aber den Drang, hier Neues zu schaffen,
der Vater einer neuen Wissenschaft zu werden, fühlte er nicht in
sich. Es ist nicht bekannt, wieweit er den Forschungen und Arbeiten
seines jüngeren, ihm befreundeten Zeitgenossen Ulrich Zasius Theilnahme und Beifall schenkte. Reuchlins Kenntniss der Gesetzbücher und
juristischen Schriftsteller muss keine geringe gewesen sein; seine Vertheidigungsschrift gegen die Kölner, sein Augenspiegel, die beide oft lange
juristische Auseinandersetzungen enthalten, legen Zeugniss davon ab [2].

[1] Melanchthons Behauptung (Or. de Eberh. principe Corp. Ref. XI
col. 1026) *Capnio . . contexuit elementa juris civilis, quae viam ei (Eberh.)
monstrarent in judicando* ist durch kein anderes Zeugniss gestützt.

[2] Angeführt werden z. B. in der Defensio: *Concil. Toletanum B* 3 *b;
F* 2 *a; Ephes H* 2 *a; Papinianus autor C* 4 *a; Bartolus H* 4 *b; ut Cardinalis
de Zabarellis, Dominicus, aliique consultissimi juris docuerunt D* 6 *; Rofredus
ille iurisconsultus antiquus et laudatus H* 3 *b; ut inquit Baldus et Joannes de
Imola K* *a; Ulpianus, de verborum significatione* wird Rud. hebr. p. 70 citirt.

Aber wenn er sonst von Jurisprudenz spricht, so geschieht es mit Widerwillen, fast mit Abscheu [1]).

Schon in seinem ersten grösseren Werke gibt er seine Ansicht in deutlicher Weise zu erkennen. Er spricht von jener berühmten Kunst des Rechts, die von den Parteien durch so grossen Preis erkauft, von den Advokaten für mehr als göttlich gehalten werde, die aber in Wirklichkeit niedriger sei, als irgend ein Handwerk, für den, dessen Sinn auf Hohes gerichtet sei, und nicht Kleinliches und Zufälliges, Ruhm, Ehre und Schönheit erstrebe. Denn welcher Schmuck, welche Würde kann in einem Studium liegen, das an der Erklärung einzelner Punkte und Buchstaben klebt, wie kann man eine Wissenschaft achten, in der Jeder eine Begründung seiner Rechte und Ansprüche zu finden glaubt, aus der man lohnenden Gewinn zu ziehen sich bemüht? Ist es denn etwas Grosses, den Namen jedes Paragraphen zu kennen und für alle Fälle anzuwenden, verdient nicht der Apotheker dieselbe Anerkennung, der für die einzelnen Krankheiten Salben und Mittel kennt, oder der Schuster, der jedem Fuss sein Maass anzupassen weiss [2])? Recht ist nur, was die Menschen wollen, die Rechtsprechung ruht bei den Richtern; günstigen Urtheilsspruch erlangt man durch Schmeichelei, Bestechung oder Kunst der Rede [3]).

Später glaubte er, in seiner grossen Bescheidenheit, seinen barbarischen Styl entschuldigen zu müssen und that dies durch den Hinweis darauf, dass er ja täglich gezwungen sei, sich um kleinliche, nichtige Gegenstände zu kümmern, mit Bauern um erbärmliche Streitigkeiten zu verhandeln, — denn es sei nun einmal seines

---

[1]) Eigenthümlich ist es, dass er sich trotz dieser Abneigung nie anders als *Legum Doctor* nennt und unterschreibt.

[2]) Es wäre zu weitläufig die ganze sehr ausgedehnte Stelle anzuführen; der Anfang lautet: *tam celebrem illam et vulgatam juris exercitationem, et a quaestuariis ingenti precio licitatam, et a controversiarum consultoribus plus quam divinam prope habitam, nullius vel mediocris momenti quasi artem aliquam sellulariam aut cerdonicam rectius aestimari, praesertim homini libenter ad res altas et dignissimas summa laude intendenti, ac non potius fragilia, caduca, fluxa et inania, gloriae, pulchritudinis, divitiarum, aetatis ludibria quaelibet admiranti.* De verbo mir. a 4[b].

[3]) *Sic jus esse nihil aliud quam quod homines volunt. Civilitatem itaque jurisque prudentiam in sola vulgi aut judicum persuasione contineri mea sententia est, sive tu id oratoria eloquentia, seu muneribus aut blanditiis efficias, dummodo mulceatur qui juri dicendo praeest.* a. a. O.

Amtes, die Klagenden anzuhören und ihnen Rath zu ertheilen [1]).
Aber trotz der von Anfang an bestehenden Abneigung gegen den
juristischen Stand und die für diesen erforderlichen Kenntnisse hatte
er ihn mit Absicht ergriffen. Es erscheint fast als unnöthige Selbstquälerei, wenn er es ausspricht, ernste, Geist und Gemüth erfüllende
und erhebende Studien habe er sich für das reifere Alter aufgespart
die Jugend möge sich auch mit dem beschäftigen, was ihr unangenehm dünke [2]). Er nahm es ernst mit Allem was er begann, und
seine Gründlichkeit verliess ihn auch in den juristischen Studien
nicht; er spottete über die jungen Studenten, die im ersten Jahre
alle Streitigkeiten entscheiden zu können glauben, im zweiten zu
zweifeln, im dritten zu lernen beginnen, wenn sie eingesehen haben,
dass sie nichts wissen [3]).

Ehe wir die Gebiete betrachten, auf die sich Reuchlins wissenschaftliche Beschäftigung vor allem wandte, müssen wir einen Blick
dahin werfen, wohin Reuchlin nur gelegentlich schweifte. Da ist
vor allem die Geschichte zu erwähnen. Historiker von Profession
war Reuchlin nicht; ein eigentlich geschichtliches Werk hat er nicht
geschrieben. Dass er es gethan, beruht nur auf Mittheilungen von
Melanchthon, der seine Aeusserungen durch Verwirrungen, die darin
vorkommen, verdächtig gemacht hat. Die in der damals üblichen
Weise nach den vier Monarchieen bearbeitete Weltgeschichte, die
von Melanchthon dem Reuchlin zugeschrieben wird, gehört diesem
sicherlich nicht an; man kann höchstens zugeben, dass er an das
von Rudolf Agrikola bearbeitete und im Heidelberger Gelehrtenkreise, bei Dalburg und dem Churfürsten rasch beliebt gewordene
Werk die letzte Feile angelegt hat. Das Buch scheint übrigens
nicht gedruckt worden zu sein und hat sich jedenfalls, soweit bekannt, nicht erhalten [4]).

---

[1]) Einleitung zu den Rud. hebr. 7. März 1506.

[2]) Vorrede zu den sept. psalmi 1. August 1512.

[3]) Manlius, loc. comm. coll. (Briefsammlung).

[4]) Vgl. die genaue in meiner Mel. or. S. 53—59 gegebene Auseinandersetzung über diese Frage. Ausser den dort angeführten Stellen sind noch
einige nachzutragen, in Vorreden zu geschichtlichen Büchern — Melanchthon
betrachtete unsere Weltgeschichte gleichsam als das erste humanistische Ge-
schichtsbuch und hielt es daher der Aufmerksamkeit für besonders werth —
oder in Briefen an Fürsten, denen Melanchthon das Beispiel des Pfalzgrafen
Philipp als empfehlenswerth vorhalten wollte —, Stellen, die aber meist dasselbe sagen. Vgl. Corpus Reformatorum III, col. 216 fg. (1532); VIII, 406

Auch von einer Unsitte, die bei den Historikern jener Zeit im Schwange war, hielt Reuchlin sich nicht frei; ich meine die Sucht, dem deutschen Volke, um seinen Ruhm und seine Bedeutung zu vermehren, ein recht hohes, alle andern Völker überragendes, Alter zuzuschreiben. Diese Sucht, eine Frucht des namentlich unter den deutschen Humanisten so kräftig und mächtig sich regenden Patriotismus, bot bekanntlich dem Celtis und Tritheim zum Theil Veranlassung zu ihren geschichtlichen Fälschungen; Reuchlin brachte es nicht soweit. Oder sollte es nicht patriotisches Streben, sondern Schmeichelei gewesen sein, was ihn 1513 veranlasste, seinen alten Gönner, dessen Unterstützung ihm grade damals von grossem Werthe war, den Churfürsten Friedrich den Weisen von Sachsen und sein Geschlecht mit Hülfe Homers u. A. bis in das graueste Alterthum hinauf zu versetzen, und Sachsen, Meissner, Thüringer mit den alten Axenern, Mysern und Tyrigeten zu identificiren [1])? Man kann nicht sagen, dass diese Ansicht sich allgemeinen Beifalls erfreute. Mutianus Rufus, das Haupt des Erfurter Gelehrtenkreises, machte sich über diese Darstellung sehr lustig. er meinte witzig. die Axener seien ein eben solches Rauchvölklein gewesen, wie die Capnobaten, die Anhänger Reuchlins [2]).

Es bedeutete wenig, dass Reuchlin nicht eigentlicher Historiker war sein Ruhm war strahlend genug, dass man danach strebte, historischen Werken einleitende Worte von ihm voranzustellen; so findet sich in der umfangreichen und für ihre Zeit wichtigen und einflussreichen Weltchronik Nauklers eine ziemlich grosse Einleitung von Reuchlin. Geschichte, lehrt er, ist für alle Lebenslagen und Stellungen wichtig und nöthig; sie entflammt zur Tugend, reizt zur Ehre an, aus einer Betrachtung der Geschichte des Alterthums erkennen die Völker und der Einzelne, in welcher Weise sie ihr Leben einzurichten haben. Der

---

(1. Januar 1555); VIII, 811 sq. (1. August 1556); IX, 532 (1558); bekanntlich ist die Rede aus dem Jahre 1552. Dagegen finden sich in einem Briefe von 1542 an den jungen Pfalzgrafen (IV, col. 929) die Worte, in denen nur von Agrikola die Rede ist: *Saepe audivi narrantem Capnionem, adeo fuisse avidum historiarum Palatinum Philippum, ut contexi sibi integram historiam ac seriem Monarchiarum a Rudolpho Agricola curavit, qui aulam Heidelbergensem diu secutus est.* Sollte vielleicht Melanchthon dadurch, dass er die Erzählung aus Reuchlins Munde hatte, allmählich zu dem Glauben veranlasst worden sein, Reuchlin sei der Verfasser der fraglichen Schrift?

[1]) Vorrede zu der Uebersetzung des *Constantinus magnus* 13. Aug. 1513.

[2]) An Heinrich Urban 22. August 1513 (Briefsammlung).

Geiger, Johann Reuchlin.   5

Werth der Geschichte sei schon in alter Zeit erkannt worden. Zur
Erinnerung an vergangene Zeiten habe man Säulen und Denkmäler
errichtet. Das sei zuerst und in grossartiger Weise von den Juden
geschehen, wie man ja überhaupt auf die Juden, als die ersten Lehrmeister wissenschaftlicher Erkenntniss, stets zurückgehen müsse. Von
ihnen rühren die Buchstaben her, die auch, wenn schon in anderer
Weise, den Egyptern bekannt wurden, und durch diese den Griechen.
Bei diesen dienten Inschriften und Grabdenkmäler zum steten Wach-
halten der Vergangenheit; frühzeitig traten auch Historiker auf, die
zuerst in gebundener,' dann in ungebundener Rede die Geschicke
des eigenen Volkes und fremder Nationen erzählten. Auch die
Römer haben die Geschichtschreibung sehr gepflegt[1]). Von allen
Arten historischer Werke sei zur Einprägung der Thatsachen keine
geeigneter, als die Chronik, die, eingeengt in eine bestimmte Form,
in Einfachheit, ohne Schmuck der Rede, alles Wissenswerthe mit-
theile. Grosse Lobsprüche auf die vorliegende Chronik, ihren Verfasser und sein Geschlecht beschliessen die Vorrede[2]).

Reuchlins Hauptleistungen liegen auf einem andern Gebiete.
Er war vor allem Philologe. In der Zeit, in der Reuchlin lebte,
war der falsche Glaube des Mittelalters, der zu wissenschaftlichen
Zwecken der deutschen Sprache das Bürgerrecht versagt hatte,
noch nicht überwunden. Wenn auch Rudolf Agrikola in seiner
kleinen, aber für die Pädagogik epochemachenden Schrift: Ueber
die Verbesserung des Studiums (1484), als Regel gegeben hatte,
man solle das Gelesene mit gleichbedeutenden Ausdrücken im
Deutschen wiedergeben und umgekehrt beim Uebersetzen in fremde

---

[1]) Recht zu bedauern ist, dass Reuchlin keine kurze Uebersicht der
deutschen Geschichtschreibung gibt, sie überhaupt mit keinem Worte erwähnt.

[2]) *Joannis Reuchlini . . in Joannis Nauderi chronicon praefatio.*
Briefsammlung 1500. In dem erzählenden Theile der ersten Ausgabe
dieser Chronik wird Reuchlin nicht erwähnt, dagegen heisst es im Aucta-
rium der zweiten 1514 von Nik. Basellius besorgten: *Accessit huic saeculo verae laudis nonnihil e literarum gloria quae ut autoribus praestan-
tissimis in Suevia coepit, optamus deorum favore principumque nostrorum
benignitate sit perennis. Restituit literas Joannes Reuchlin Phorcensis Legum
Doctor, linguas treis hebraicam, graecam et latinam paene ex aequo peritus,
Erasmi illius Roterodami Optimi Maximi literarum praesidis testimonio; de
utroque vel eam ob caussam pauciora dici a nobis debent quod extra communem
literatorum aleam sua virtute suis laudibus provecti sunt.*

Sprachen die Sätze sich zuerst deutlich und klar im Deutschen formuliren [1]), — das Deutsche war noch mit einer Art Verachtung bestraft. Die Regenten für Oestreich ermahnten die Studenten der Wiener Universität (1499), sich nicht mit den Produkten der Vulgärsprache abzugeben, aus denen kein ursprüngliches Wissen geschöpft werden könnte [2]). Vielleicht hatte sich hier eine Neigung zur Aufnahme der vaterländischen Sprache gezeigt, die den Alten verdächtig schien, wie denn ein Oestreicher Johann Crachenberger, der freilich mit seinem barbarisch klingenden Namen sich nicht zufrieden gab, die erste deutsche Grammatik geschrieben haben soll [3]), während zu gleicher Zeit ein Schweizer, Heinrich Loriti, die deutsche Sprache für geeigneter zum Schimpfen hielt, als die lateinische [4]).

Reuchlin bediente sich zu seinen wissenschaftlichen Werken allerdings auch der lateinischen Sprache. Hier eine Reform einzuführen war damals noch unmöglich. Man war des Deutschen noch durchaus ungewohnt, das Deutsche selbst unausgebildet und zum wissenschaftlichen Verkehre nicht geeignet. Aber Reuchlin verachtete die Sprache nicht. Im Gegentheil: er bediente sich ihrer in sehr verständiger Weise. Die Werke des klassischen Alterthums schätzte er so hoch, dass er ihrer gern auch alle Diejenigen theilhaftig machen wollte, denen die lateinische Sprache unbekannt war. Dem Grafen Eberhard übersetzte er zwei philippische Reden des Demosthenes; dem Pfalzgrafen Philipp Cicero's Tuskulanen. die er mit einigen Anmerkungen begleitete und mit einem deutschen Briefe. in dem er den Gefühlen des Dankes Ausdruck verlieh, dem Fürsten überschickte; nach Tritheims Bericht hat er auch ein Stück der Ilias,

---

[1]) De reformando studio; eigentlich ein Brief an Jakob Barbirianus 7. Juni 1484; sehr häufig gedruckt. Es sei nöthig, das Gelesene *quam maxime propriis et idem significantibus verbis reddere vernaculo sermone*, das zu Uebersetzende *quam plenissime rectissimeque patrio sermone intra animum suum formare, deinde latinis explicare.*

[2]) R. Kink, Gesch. der k. Universität zu Wien (1854) I, 1 S. 195 Anm. 226: *in vulgaribus, ubi penitus nulla originalis scientia continetur, imbuerentur.*

[3]) Vgl. oben S. 38 Anm. 1.

[4]) H. Loriti sagt in seiner Rede über Sueton, die der Ausgabe dieses Schriftstellers (Basel 1560) angehängt ist, bei der Schilderung des Kaisers Tiberius: *De eo sane, quod vix latine dixeris, nostra lingua ornatissime dici poterit:* ein abgfeimter, erloser, znichtiger Böswicht .. s. H. Schreiber, H. Lorit. Glareanus. Freiburg 1837 S. 103 Anm. 249.

5*

das den Kampf des Paris und Menelaus schilderte, in deutsche
Verse übertragen [1]). Wie er überhaupt die Denkmäler der Vorzeit
emsig erforschte, so wendete er sich auch denen des deutschen Mittelalters zu: den Freidank hat er gelesen [2]) und wohl noch manches
Andere. Bereits i. J. 1505 veröffentlichte er eine kleine deutsche
Schrift [3]), einige deutsche Briefe von ihm sind erhalten, sein „Augenspiegel" ist deutsch abgefasst, und, wie ihn Ranke genannt hat, ein
schönes Denkmal deutscher Prosa. Was ihn zur Abfassung dieser
Schrift in deutscher Sprache veranlasste war zwar Pflichtgefühl: der
Kaiser und der Erzbischof hatten ihn in deutschen Briefen aufgefordert, sein Gutachten abzugeben, er glaubte in derselben Sprache
antworten zu müssen; aber liegt nicht noch ein anderer Gedanke
darin? Es handelte sich hier um eine allgemeine Angelegenheit,
um eine Sache, die das ganze Volk betraf, da trat der Gelehrte
zurück, und der Volksmann stellte sich an seinen Platz. An der
Spitze des Geisterkampfes für das Recht freier Meinungsäusserung
steht ein deutsches Buch.

Die Gelehrtensprache war lateinisch. Reuchlins wissenschaftliche Werke, seine gelehrte und freundschaftliche Correspondenz
sind in dieser Sprache abgefasst. Er hatte sie frühzeitig gelernt
und gelehrt, kaum zwanzigjährig fasste er sie in ein Compendium
zusammen, das sich zwar als kurzredend einführt, aber doch einen
recht stattlichen Band bildet. Der *Vocabularius breviloquus* erschien
zuerst 1475 [4]) oder 76. zuletzt in der 25. Auflage 1504. In keiner der
Ausgaben ist Reuchlins Name genannt, und aus diesem Grunde ist
das Werk manchmal Reuchlin abgesprochen und wegen einiger
Traktate des Guarinus Veronensis über Accente und Aussprache,
die allen Ausgaben mit Ausnahme der ersten beigegeben sind, als
Werk des Guarinus bezeichnet worden. Dass es aber Reuchlin angehört, wird neben einer Aeusserung Melanchthons in seiner Rede
durch ein ausdrückliches Zeugniss Reuchlins, wodurch auch die
Zeit der Abfassung bestimmt wird, als sicher hingestellt.

Die Brüder Amorbach, so erzählt Melanchthon, richteten in

---

[1]) Wahrscheinlich bedankt sich Dalburg für die Sendung dieser Uebersetzung in dem Briefe vom 12. December 1491.

[2]) Vgl. Augenspiegel fol. X.

[3]) Vgl. unten 3. Buch 1. Cap.

[4]) Reuchlin an seinen Bruder Dionysius 7. März 1506. Für das Biblio-
graphische vgl. den Index bibl.

Basel eine Druckerei ein, sie sahen, es fehle an einem brauchbaren lateinischen Wörterbuch, und gaben Reuchlin den Auftrag ein solches zusammenzustellen. Reuchlin war Student, er war arm, vielleicht mochte die Bezahlung der Arbeit ihn veranlassen, sie zu unternehmen, die ihm von den Verlegern gewährte Zeit wird auch knapp zugemessen gewesen sein. Seine Arbeit musste daher zum grossen Theil Compilation werden. Er sagt es selbst auf dem Titel seiner ersten Ausgabe und in der Vorrede. Als seine Gewährsmänner nennt er: Papias, Brito, Catholikon, Alarius und Isidor. Was konnte er aus ihnen lernen? Das klassische Latein, wie wir es heute nach dem Muster der Alten lehren, gewiss nicht. Entwickelte Sprachkenntniss macht es erst möglich, die einzelnen Sprachen in ihrer Eigenthümlichkeit recht zu begreifen. Das Mittelalter kannte nur eine Sprache, die lateinische, von den übrigen hatte es nur mehr oder weniger beträchtliche Bruchstücke, die es, da es sonst nicht wusste, wo sie unterzubringen, der lateinischen zuschob. So wurde diese Sprache, noch vermehrt durch die unzähligen neugebildeten Worte, die, von dem Gebrauch der Sprache für alle, grosse und kleine, Bedürfnisse des Lebens veranlasst, entstanden, durch die corrumpirten Ausdrücke, die aus der mangelhaften Kenntniss der echten Quellen, der klassischen Schriftsteller, sich bildeten, zu einem seltsamen Gemisch. Sie stellt sich uns gewiss nicht als angenehme Erscheinung dar, sie ist der Ausdruck einer starken Unbildung, eines übermüthigen Nichtwissens. Sie zu kritisiren und zu bespötteln ist ein gar leichtes Geschäft, das eine wäre so unfruchtbar, wie das andere ungerecht. Eine jede Zeit mag sich des von ihr errungenen Fortschritts freuen, sie hat nicht nöthig, mit Verachtung auf die vorangegangenen Leistungen zu blicken, oder in Selbstgenügsamkeit auf die eignen.

Der Fortschritt, der durch die Humanisten namentlich in der lateinischen Sprache bezeichnet wird, ist ein grosser. Reuchlin ist hier der Regenerator nicht geworden. Er bekennt, auf dem alten Standpunkte zu stehn, von den Vorgängern viel anzunehmen. Am häufigsten citirt er Papias [1]). Bei seinen Anführungen geht er durch-

------

[1]) Ich benutze die Ausgabe: *PAPIAS VOCABVLISTA. | A. E. Impressum Venetiis per Philippu de pincis, Man- | tuanum. Anno domini MCCCCXCVI. die XIX. Aprilis. Regnante serenissimo Augustino Barbadi- co. Venetiarum duce felicissimo.*

aus ehrlich zu Werke; nur ganz seltene Beispiele werden sich finden lassen, wo er einen Artikel stillschweigend aufnimmt, ohne senie Quelle zu bezeichnen [1]).

Papias ist in der klassischen Literatur nicht sehr bewandert, juristische Ausdrücke sind ihm so gut, wie ganz unbekannt. Um so mehr bemüht er sich, statt der wirklich der echten Sprache angehörigen Bestandtheile·fremde einzufügen, griechische und hebräische Ausdrücke kommen in Fülle vor. Bei den ersteren begnügt er sich nicht mit der lateinischen Schreibung, er fügt auch die griechische hinzu, auch sonst finden sich häufig zur Erklärung oder Analogie griechische Wörter, einmal folgt eine Reihe griechischer Verse (s. v. *charita*). Die Bemerkungen bei den einzelnen Wörtern sind meist sehr kurz, es wird häufig nur ein anderes Wort gewählt, um den Sinn desjenigen, das grade vorliegt, zu erläutern. Da kommt allerdings Vieles vor, was uns im höchsten Grade unsinnig erscheinen muss, wenn *crudeo* einfach durch *crudesco* erklärt, oder richtiger nicht erklärt wird und wenn für *accipere* die Erklärung: *accipere est ab alio, sumimus vero ipsi* für genügend erachtet wird.

Wenn man dieses oder irgend ein anderes beliebiges Wort im Breviloquus nachsieht, so wird man dessen Superiorität leicht erkennen. Im Allgemeinen lässt sich der wichtige durch dieses Lexikon bezeichnete Fortschritt dahin fassen, dass es statt eine Concordanz für Vulgata und Septuaginta zu sein, — denn auf diesem Standpunkte stehen die meisten mittelalterlichen Wörterbücher — als seine Aufgabe erkennt, den ganzen durch klassische Schriftsteller und die Quellen der römischen Jurisprudenz wesentlich bereicherten lateinischen Sprachschatz in sich aufzunehmen. Die grosse Kenntniss der römischen Gesetzbücher wird durch deren vielfache, an allen Orten zerstreute Anführungen und durch zahlreiche selbständige, oft seitenlange juristische Artikel erwiesen [2]). Ob diese grosse Kenntniss wirklich eigen ist, oder entlehnt? Es ist merkwürdig, dass Reuchlin selbst den Beginn seiner juristischen Studien einige Jahre später setzt. Von lateinischen Schriftstellern citirt er eine grosse Anzahl. Die auch sonst bekannte Erscheinung tritt gleichfalls bei Reuchlin zu Tage: die Dichter der klassischen Periode

---

[1]) Mir sind folgende aufgestossen: *astrologi, coliciani, Salomon*.

[2]) Man vgl. z. B. *actio, causa, codex, colonus, jus, res, senatusconsultum, sententia, substitutio, testamentum*.

sind ihm weit bekannter, als die Prosaiker. Von letzteren citirt er
nur Plinius und Josephus, während er von den ersteren Plautus und
Terenz, Ennius, Horaz, Virgil, Persius, Juvenal, Martial und Lucan
anführt. Aus der ersten christlichen Zeit Macrobius, Prudentius,
Claudian, die Kirchenväter: Rabanus, Augustin, Basilius, Hieronymus
und eine grosse Anzahl mittelalterlicher Schriftsteller [1]). Die Belegstellen werden durchaus nicht für jedes Wort gegeben, und wo sie
vorkommen, sind sie nicht allzu genau. Meistens heisst es einfach:
Ovid, Horaz, worauf der Vers folgt, auf den der Verfasser sich bezieht, weit seltener folgt noch ein Zusatz, der nähere Bezeichnung
der Schrift oder des Buches enthält, die gemeint sind.

Dem Werke geht eine Vorrede voraus, in welcher vom Verfasser das Prophetenwort: Siehe Herr, ich vermag nicht zu reden,
denn ich bin ein Knabe, — auf die Unkenntniss im Lateinischen gedeutet wird. Die früheren Wörterbücher seien zwar werthvoll und
haben dem neuen zur Grundlage gedient, aber zum Theile seien
sie durch Ausführlichkeit und theuren Preis, zum Theil durch übel
angebrachte Kürze und Unordnung schwer zu gebrauchen. Der
Verfasser bittet die Leser um Nachsicht und Milde, Gott um Kraft,
denn ohne Gott sei kein Werk zu beginnen [2]). Der Stoff des Lexikons ist, abweichend von den früheren Wörterbüchern, in drei
Theile getheilt: Nomen, Verbum, Adverbium, von denen der erste
mehr als zwei Drittel des ganzen Raumes einnimmt, und in den
zweiten Theil insofern hinübergreift, dass er neben den Adjektiven
auch die adjektivischen Formen des Verbums enthält; auch die
Eigennamen sind darin aufgenommen. In den einzelnen Theilen
sind die Wörter streng alphabetisch geordnet, so dass z. B. *ab re
(sine causa)* vor *abreptitius, acommentariis, asecretis* u. a. als ein
Wort betrachtet, unter *ac* und *as* gestellt werden. Ausnahmen von
dieser Regel finden sich selten, nur die Wörter, die *y* in der Mitte
haben, finden sich nicht nach *x*, sondern unter denen mit *i*; *c* und

---

[1]) Z. B. *Beda tractatus de mensibus; Beda expositiones super parabolas;
Vita beata Sylvestri; Goffredus novella poetria; Boetius de consolatione philosophiae, Merbotus libellus de lapidibus. Macer de viribus herbarum.* — Was
ist die so oft angeführte *Aurora*, aus der Verse und Sprüche mitgetheilt
werden? — Eigenthümlich ist das Citiren der lateinischen Uebersetzungen
von Homer und von Aristoteles, erstere in Hexametern.

[2]) Die in fast allen Ausgaben auf der Rückseite des Titels stehende
Vorrede ist nur eine buchhändlerische Reclame für das folgende Werk.

ch werden als gleichbedeutend angesehen; sehr selten vorkommende Eigennamen unter dem zuerst stehenden zusammengefasst [1]).

Die bei Papias bemerkte Anführung des Griechischen und Hebräischen findet sich auch hier. Freilich in beschränkterem Maasstabe; griechische Typen kommen bei Reuchlin nicht vor; aber ein strenges System alle nur griechischen Worte auszuschliessen, befolgt er keineswegs [2]). Ein ähnliches Verhältniss findet für das Hebräische statt. Griechisch, das sahen wir, hat Reuchlin bereits in Basel gelernt, und wenn seine Kenntniss zur Zeit der Abfassung des Wörterbuchs auch noch nicht sehr gross war, so kann er immerhin einiges gewusst haben [3]). Die hebräische Sprache war ihm zu jener Zeit noch unbekannt. Die hebräischen Worte, die er anführt, sind fast durchgehends aus der Vulgata genommen; selbst bei diesen, ausnahmslos aber bei den übrigen, citirt er Papias oder andere [4]) als Gewährsmänner. Bei dieser Unkenntniss des Hebräischen, die aus dem angeführten Umstande und auch aus später anzuführenden Gründen als sicher angenommen werden kann, bleibt es eigenthümlich, dass er hebräische Worte citirt, wo sie gar nicht hingehören [5]). Später mit Entschiedenheit ausgesprochene, zu grosser Wichtigkeit gelangte Grundsätze zeigen sich schon hier: Finden sich in den Büchern des alten Testaments Fehler, so müsse man, um sie zu verbessern, auf den Urtext, das Hebräische zurückgehn [6]). — Vereinzelt findet sich auch eine Rücksichtnahme auf das Deutsche [7]).

----

[1]) Z. B. s. v. *Amorreus: Amorreus, Arazeus, Aseneus et Aradus fuerunt filii Chanaan*; bei den einzelnen Namen wird nur zum Theil auf Amorreus zurückverwiesen oder s. v. *carcan: carcan, calamo, arphat, emoth civitates in oriente sunt.*

[2]) Während Reuchlin z. B. Worte wie *catalepsia, cataepaenon* auslässt, nimmt er ganze Ausdrücke wie *scemata lexeos ke dianeas* auf.

[3]) Er führt selbständig kleine Regeln an, z. B. s. v. *agon: Apud graecos enim in multis vocabulis vocalis ante vocalem producitur, sed quando ad formam latinorum reducitur, potest corrigi* . .

[4]) So gleich am Anfang: *A. Aleph igitur prima litera hebraeorum vel hebraici alphabeti est et interpretatur doctrina vel via vel beatitudo secundum Hieronymum.*

[5]) Z. B. s. v. *canticum: et dicitur hebraice syrasyrim.*

[6]) S. v. *asteriscus: Nota quod ubicumque in libris ceteris testamenti mendositas reperitur, currendum est ad volumina hebraeorum, quod vetus testamentum primo in lingua hebraea scriptum est.*

[7]) *Bistardus est nomen avis:* ein trap.

Die Erklärung der einzelnen Worte — lateinisch durch lateinisch — ist meist kurz, einfach, schmucklos. Zur Einprägung verschiedener Bedeutungen eines Wortes, zur Erläuterung gegebener Regeln werden häufig Verse angeführt, die zu dem angegebenen Zwecke ganz nützlich sind, poetische Schönheit nicht gerade besitzen [1]. Um die Bedeutung eines Wortes sicher festzustellen, werden häufig die Synonyma aufgezählt und die kleinen Verschiedenheiten in der Bedeutung gezeigt [2]. Neben der sprachlichen Erklärung geht dann die sachliche, die oft ziemlich eingehend ist und fast unvermeidlich zu Abschweifungen führt [3]. An gleichmässige Behandlung der Gegenstände ist nicht zu denken. Man vergleiche die deutschen Städtenamen. Bei Basilea, wo es doch ziemlich nahe lag, etwas ausführlich zu verweilen, heisst es einfach *quaedam civitas cis Rhenum*, auch Agrippina wird mit der kurzen Bemerkung abgefertigt: *civitas Colonia ab Agrippa condita*, dagegen wird Argentina ein ziemlich grosser Artikel gewidmet, die Entstehung der Stadt erzählt, ihre verschiedenen Namen genannt.

Bemerkungen, von denen man auf die Sinnesart des Verfassers schliessen könnte, finden sich selten. Abergläubischen Vorstellungen alter Zeit schliesst er sich völlig an: Gog und Magog sind von Alexander dem Grossen zwischen dem kaspischen Meer und den Bergen eingeschlossen worden; erst bei dem Ende der Welt werden sie herausgelassen und der Menschheit grossen Schaden verursachen. Ein Komet bezeichnet bei seinem Erscheinen Tod oder Unglück des Fürsten oder des Landes, seine Strahlen zeigen nach der Richtung, wo der Unfall geschehen wird. *Judaeus* be-

---

[1] Schon in der Einleitung sagt er *applicavi quibusdam vocabulis versus ex diversis auctoribus collectos*. Z. B. s. v. *abba*:

> *Omnis barbara vox non declinata latine,*
> *accentum super extremam servabit acutam,*

oder s. v. *acer*:

> *Dicitur arbor acer, vir fortis improbus acer*
> *Pro primo dat eris, sed pro reliquis tibi dat eris.*

s. v. *bastum*:

> *Basia conjugibus, sed oscula dantur amicis*
> *Suavia lascivis miscentur grata puellis.*

[2] Vgl. *codex* und *liber*, *chirographus* und *syngraphus*.

[3] Mythologische Bemerkungen s. v. *acervus Mercurii* und *agones*, medicinische s. v. *cholera*, Abhandlung über die Winde s. v. *Africus*; vgl. auch *allegoria*, *asteriscus*, *bellum*, *caerimonia*.

deutet Bekenner, das passt jetzt nicht mehr, sie müssten richtiger Verkenner genannt werden [1]).

Dass Reuchlin sich über den Standpunkt seiner Vorgänger nicht völlig erhoben hat, zeigt sich in nichts mehr, als in den Etymologien. Sie finden sich häufig bei den Eigennamen, besonders den biblischen, aber auch bei vielen andern Wörtern. Da kommen allerdings sonderbare Dinge genug zum Vorschein. *Uterus* werde gesagt *ab utendo* oder *ab utilitate*; *biblia* von *biblos* oder *bibo*; *castra* von *casa alta*; *barbarismus* = *barba, ars, mos*; *centauri* = *gentauri* = *geniti ex aura*; *cimiterium* = *(cimis* = *dulcis, sterion* = *statio)* = *dulcis statio animarum*; *malus* = μέλαν, *quod est nigrum*; *mamma* = *malum* (Apfel), *quod est rotunda* u. s. w.

Dagegen finden sich neben der Bekanntschaft mit der klassischen Literatur, die den Vorgängern fremd ist, neben dem gewählteren lateinischen Ausdruck, der vortheilhaft von der mittelalterlichen Sprache absticht, wol Aeusserungen, die den Humanisten ahnen lassen. Unter *autor* könnte man neben dem *inventor* auch den *ligator* verstehen; so verschafft er mit Plato und Aristoteles auch Ovid, Virgil, Lucan das Bürgerrecht.

Das Lexikon steht auf der ersten Stufe von Reuchlins schriftstellerischer Thätigkeit, fast am Beginn seiner wissenschaftlichen Bildung überhaupt. Es wäre seltsam, dass Reuchlin bei all den neu erscheinenden Ausgaben keine bessernde Hand angelegt hätte, wenn man sich nicht erinnerte, dass nur die Ausgaben bis 1482 bei Amorbach aufgelegt, alle späteren Nachdrücke sind.

Seit 1504 ist keine neue Ausgabe erschienen; die Zeit war über das Werk hinweggeschritten. In der Zwischenzeit war es von neu erscheinenden Wörterbüchern benutzt, zu Grunde gelegt worden. Gemma gemmarum und Vocabularius ex quo, die von dem Breviloquus hauptsächlich dadurch sich unterscheiden, dass sie die Erklärung der lateinischen Wörter in deutscher Sprache geben [2]),

---

[1]) S. v. *Magog, cometa, Judaeus* .. Die letzte Stelle lautet: *Et interpretatur Judaeus confessor sive confidens. Nomen vero modo nondum eis convenit, interpretatio autem ejus ab eis longe absentatur. Non enim vero nomine nunc dicuntur confessores, sed difessores potius.*

[2]) Gemma gemmarum ist niederdeutsch, Vocab. ex quo oberdeutsch; letzteres, schon im Umfang bedeutend kleiner als ersteres, scheint nur ein Auszug desselben. In der Vorrede zum Gemma gemmarum heisst es: *Superioribus diebus varios praestantissimi ideomatis (!) latini magnificos floruisse videmus interpretes: Huguitionem, Papiam, Britonem, Catholicon, Braxilogum, Brevi-*

nennen ihn als Quelle. Die Späteren urtheilten anders. Melanchthon meinte, zu seiner Zeit hätte es Vielen genützt, da man
bessere Wörterbücher nicht gekannt hätte. Die unmittelbaren Nachfolger Reuchlins, die jüngeren Humanisten, die noch bei des Alten
Lebzeiten Grammatiken nebst kleinen Wörterbüchern schrieben,
theilen nicht mehr den Standpunkt, den er beim Abfassen seines
Wörterbuchs eingenommen. Man lese nur die Vorreden zu dem
Vocabularius des Johann Altenstaig, um die Verschiedenheit zu erkennen [1]). Eine merkwürdige Erscheinung tritt hier hervor. Schon
Bebel sagt in dem einleitenden Gedicht, man würde hier weder den
Papias, noch die Träume des Huguitio, noch des Catholikon finden [2]),
und Altenstaig erweitert noch die Reihe derjenigen, die verworfen
werden müssen [3]), keiner von beiden nennt den Breviloquus, aber
ebensowenig findet er sich unter den Quellen angeführt, aus denen
Altenstaig geschöpft zu haben bekennt [4]). Von Unkenntniss des
Reuchlin'schen Werkes kann hier die Rede nicht sein: ein Buch,

---

*logum (!) caeterosque qui latinum per aliud solum latinum unica gaudentes
expositione multis interpositis permagna cuderunt volumina praeclara et egregia.*
Auch der V. ex quo nennt unter seinen Quellen den Breviloquus, sein
Zweck ist *ut eo facilius sacram scripturam intelligere possint, imo quodlibet
scriptum latinicale (!) pro utilitate et necessitate.*

[1]) *Vocabularius | Joannis Altenstaig Mindelhaimensis. | Vocum que in
opere grammatico plu- | rimorum continentur, brevis | et vera interpretatio.*
A. E.: *Joannes Prüss chalcographus Argentinus | in officina sua (zum Thier-
garten) trans- scripsit XIII die Octobris: Anno | salutis . M.CCCCC.IX.*

[2]) *Non hic invenies Papiam, atque Hugutio quae dat
Somnia, Catholicon cogitur esse procul.*

[3]) Ausser den Genannten: *Mammetrectus, Grecista, Sinthisis, Joannes
de werdea, Brito, ceterumque imperitum vulgus.*

[4]) *A. Gellius, Nonius Marcellus. Festus Pompejus, Pomponius Laetus,
Nicolaus Perottus, Petrus Marsus, Varro, Ubertinus, Martinus Phileticus, Bar-
tholomaeus Merula, Raphael Regius, Nestor Calepinus, Curius Lancilotus. —*
Aehnlich verfährt der Meister Bebel selbst. In seinem *Vocabularius
optimarum dictionum* (abgedruckt in den zahlreichen Ausgaben der klei-
neren Schriften unter dem Titel: *Commentaria epistolarum conficiendarum*)
citirt er die von ihm benutzten Schriftsteller, klassische und neuere, meist
italienische, ferner *Auctores taxati et errorum accusati ab auctore;* in keiner
der beiden Abhandlungen findet sich der Breviloquus. Der in der letzteren
genannte Brachilogus ist davon zu unterscheiden (s. S. 74 Anm. 2). Auf-
fallenderweise nennen die Dunkelmännerbriefe in satirischer Weise den
Breviloquus neben V. ex quo. Catholikon und Gemma gemmarum (I, 1), lassen
ihn aber an anderer Stelle (II, 60) fort.

das 25 Auflagen erlebt hatte, musste einem Jeden, der mit ähnlichen Arbeiten sich beschäftigte, bekannt sein. Auch meine ich nicht dieses Schweigen so erklären zu müssen, dass man dem Breviloquus wol gleichen Rang mit Papias gab, ihn aber nicht nennen wollte mit Rücksicht auf den Verfasser, den man verehrte. Der Grund dafür, dass man den Breviloquus in keine der beiden Abtheilungen setzte, ergibt sich eben aus der eigenthümlichen Stellung, die unser Lexikon wirklich einnimmt: noch wurzelnd in der alten, aber dennoch ausgerüstet mit vielen Waffen der neuen Zeit.

Es ist oben von der Kenntniss alter lateinischer Schriftsteller gesprochen worden, die Reuchlin besass; es ist natürlich, dass er sie im Laufe der Zeit bedeutend vermehrte. In den späteren Werken finden wir neben den uns bekannten Dichtern [1]) auch andere angeführt, z. B. Lukrez und Statius [2]), aber auch eine Anzahl Prosaiker der klassischen und späteren Zeit werden benutzt. Vor allem Cicero in mehreren seiner Schriften, daneben Plinius, Sueton, der Grammatiker Festus, die Selbstgespräche des Marc Aurel, Cato, Sulpicius Severus, Sallust, Livius [3]). Von den Kirchenvätern ohne Vergleich am meisten wird Hieronymus citirt. Er begleitet Reuchlin auf seiner ganzen wissenschaftlichen Laufbahn, von deren Beginn bis zum Ende. Am meisten begegnet er in den Schriften, die hebräische Sprache behandeln, man kann sagen, eine Behauptung erhält erst dann ihre rechte Weihe, wenn sie durch ein Zeugniss des Hieronymus bestätigt wird. Indess ist es nicht richtig, dass Reuchlin daran gedacht hat eine Ausgabe der Werke des berühmten Kirchenvaters

---

[1]) Ovid de verbo mirif. e 3ª. Rud. hebr. p. 157. Defensio H 2b, de arte cabb. fol. XXXV. R. h. 585. 614, 7 psalmi G 3ª, 1ª; Virgil R. h. p. 43. 121. 149. 169. 364. 369. 382. 385; Horaz d. v. m. d 2b, d 4ª, R. h. p. 61. 231. 332; 7 ps. 1 5b; Terenz R. h. p. 391: 7 ps. G 3ª; d. v. m. d 2b; Persius R. h. p. 309; Plautus d. v. m. 64ª; de a. c. XXXIVb; Defensio Bª, H 2b; Lucan R. h. p. 422; Ennius d. v. m. h 4b.

[2]) D. v. m. a 5ª, b 4b, b 5ª; R. h. p. 585; d. a. c. XLIIIª. Statius d. v. m. e 3ª.

[3]) Cicero contra Pisonem d. v. m. f 4ª; pro Flacco R. h. p. 6; Defensio F 4ª; ad Herennium 7 ps. C 8ª; offic. Def. Kb; pro Roscio Def. M 2ª; in Verrem d. a. c. XXXIb, de natura deorum, de divinatione XLIIIIª; pro domo LVIIIb; ohne nähere Angabe Def. Bb, I 4b. Plinius R. h. p. 46. 68. 154. 178. 321. 346. 502. Sueton Def. Gb. Festus R. h. p. 330. 385; Def. A 4b. Mark. Aurel d. a. c. fol. XXXVb. Cato R. h. p. 483. Sulp. Sev. Defensio G 4ª. Sallust d. v. m. eª. Livius d. v. m. d 4ª.

zu veranstalten. Bekanntlich unternahm Erasmus mit dem Buchhändler Amorbach in Basel dieses grosse Werk; Reuchlin gewährte,
auf Aufforderung des letzteren, nur seine Hülfe für Lesung alt-
griechischer Stellen, „wenn er es nicht thäte, verzweifelte er, in
Deutschland Jemanden zu finden"[1]), namentlich aber für das
Hebräische, das bekanntlich Erasmus' starke Seite nicht war[2]).
Ausser Hieronymus werden Afranius, Aurelius Prudentius, Sedulus
Arator, Ambrosius, Thomas von Aquino, Annius von Viterbo, Hila-
rius genannt[3]). Auch neuere fast gleichzeitige Latinisten kennt
Reuchlin, er citirt Hermolaus Barbarus, Angelus Politianus, Johann
Franz Pikus[4]).

Grammatische Schriften hat Reuchlin nicht geschrieben. Er
benutzte die lateinische Sprache zu fast allen seinen Werken, seinen
gelehrten und freundschaftlichen Briefen.

Ein rechter Humanist durfte mit dem einfachen prosaischen
lateinischen Ausdrucke sich nicht begnügen; er musste auch dichten.
Freilich die Sprache eines neulateinischen Dichterlings war von der
klassischen meist sehr weit entfernt, und die Form dieser Dichtungen
war noch durchweg das beste. jedenfalls das, worauf die Humanisten
den vorzüglichsten Werth legten. Der Inhalt kümmerte sie weniger,
und namentlich die Gelegenheitsgedichte der damaligen Zeit sind fast
nur eine unversiegbare Quelle der Lobhudelei ohne jeden geistigen
Schwung. Reuchlin hat sich von der Untugend seiner Genossen
ziemlich fern gehalten; selbst in seiner Jugend scheint er es vermieden zu haben, Werke von Freunden mit einem lobenden Epigramm
zu versehn, in seinem Alter stand er zu hoch, als dass man ihn
um einen solchen literarischen Handlangerdienst angesprochen hätte.
Uns sind nur wenige bekannt, das eine Gedichtchen zeigt mehr eine
wohlwollende Gönnermiene für ein hebräisches Schriftchen eines
Schülers[5]), das andere begleitet ein von Wimpheling herausgegebenes
Werk des Rabanus Maurus *De laudibus sanctae crucis* mit einigen
sich doch einigermaassen auf den Inhalt des Buches beziehenden

---

[1]) Brief Amorbachs an Reuchlin 27. Juni 150).

[2]) Vgl. die in der Briefsammlung zu den angeführten Briefen und „Das
Studium der hebr. Sprache" S. 42 Anm. 2 angegebenen Stellen.

[3]) D. v. m. a 5ª; Def. G 4ᵇ, Hᵇ, H 3ª; d. v. m. g 2ᵇ, k 4ᵇ.

[4]) R. h. p. 303; Defensio Hᵇ, K 4ᵇ; Gutachten fol. XVIᵇ.

[5]) *Isagogicon Joannis Cellarii Gnostopolitani in hebraeas literas* (1519)
A. E.: *Ex neocademia Anshelmiana Hagenoae*; vgl. Briefsammlung 22. Juni 1518.

Worten [1]). Desto mehr wurde ihm, hauptsächlich in den beiden gleich zu besprechenden Schriften, die Ehre zu theil, von Verseschmieden, die zum Theil nur dadurch ihre Namen auf die Nachwelt gebracht haben, angesungen und angepriesen zu werden; mit ihrer Veröffentlichung würde man Seiten füllen. — Reuchlins grössere Werke sind ziemlich fern von solchen Lobeshymnen [2]).

Nach einem Briefe seines Freundes Leontorius hatte Reuchlin eine Anzahl Gedichte geschrieben, ein ganzes Buch von Epigrammen wird dort erwähnt, aus diesem Briefe ist die Mittheilung wahrscheinlich in Tritheims Gelehrtenlexikon übergegangen und hat sich von da weiter verbreitet [3]). Es fehlt uns an Material, um diese Behauptung durch Belege zu stützen, nur ein an Peter Schott gerichtetes Gedichtchen ohne sonderlichen Werth ist uns erhalten [4]).

Aber in einer anderen Dichtungsart hat Reuchlin sich mit Glück versucht, in der er, wie in fast allen Dingen, die er behandelte, ein Erster war, und als erster gepriesen wurde [5]): in der lateinischen Komödie. Richtiger muss man sagen, es war doch die zweite Nachahmung des Terenz in Deutschland. Vor Jahrhunderten schon war eine andere versucht worden. „Die sächsische Nonne Hrotsuitha von Gandersheim unternimmt es im 10. Jahrhundert, lateinische Komödien zu schreiben, wie der Freund Scipio's zweihundert Jahre vor Christus" [6]). Freilich ihre Dichtungen waren wol Reuchlin und seinen Zuhörern unbekannt, erst 1501 gab Celtis die Werke der Hrotsuitha heraus. Der Zweck, den beide Dichter verfolgen, ist ein durchaus verschiedener. Durch die anmuthige Form, den verführerischen Zauber der lateinischen Komödie gefesselt sind sie beide; aber die Nonne verabscheut den Inhalt der heidnischen Dramen; die Verwickelungen des öffentlichen Lasters, die Entweihung der heiligsten Beziehungen mussten ihr ein Greuel sein, sie

----

[1]) Vgl. Briefsammlung 1503. Gedicht an den Drucker Anshelm.

[2]) Nur in dem Werke *De acc. et orth.* findet sich eine, die guten Willen und wenig Fähigkeit zeigt; ebenso zwei Gedichtchen in der kleinen Schrift *De arte praedicandi.* (Briefsammlung 1518 v. 1. Januar 1503.)

[3]) Vgl. Briefsammlung 4. April 1494 und 1495 Anm.

[4]) Vgl. Briefsammlung Anm. zu 27. Januar 1494.

[5]) Hutten, Querelae lib. II. eleg. X.

[6]) Für dies und die folgenden Bemerkungen über Hrotsuitha vgl. R. Köpke, Hrotsuit von Gandersheim. Anm. unter dem Titel: Ottonische Studien zur deutschen Geschichte im 10. Jahrh. II. Berlin 1869. S. 179 fg.

versucht die Komödien dem christlichen Leben dienstbar zu machen, Heiligenstoffe, welche die Legende in Fülle bot, in terenzischer Form darzustellen. Wenn auch zeitlich mehr entfernt, stand Reuchlin dem Geist des Alterthums bei weitem näher. Was Hrotsuit sich zum Vorwurf nimmt ist der Triumph der Tugend, der christlichen Reinheit und Frömmigkeit; statt des Gelächters des Publikums über weibliche Schwäche soll der laute Ruhm von Gottes Grösse und Herrlichkeit erschallen. Reuchlin brauchte in dieser Weise nicht vorzugehn; er selbst war kein Geistlicher, er dichtete nicht für Nonnen. Aber doch will er die schlüpfrige Weise der Poeten des Alterthums nicht nachahmen; er will nicht die Wollust feiern und thörichte Alte verspotten [1].

Die eine Komödie schrieb er, als er aus seinem Vaterlande Wirtemberg entflohen, in Heidelberg eine Zufluchtsstätte gefunden und zu ernsten Studien, zu Beschäftigung mit wissenschaftlichen Arbeiten noch keine Musse und Ruhe erlangt hatte. Noch war sein Herz voll von der, wie er meinte, ihm angethanen Schmach; er sehnte sich danach, Rache zu nehmen an seinem Feinde, da ergriff er gegen ihn die Waffe der Satire. Seine Komödie Sergius ist gegen seinen Feind, den schlechten Rathgeber Eberhards d. Jüng., den Augustinermönch Holzinger gerichtet. Ihr Inhalt ist kurz folgender. Ein Schlemmer und Säufer, Namens Heluo, der sich mit längerer Rede in philosophischen Betrachtungen über die Vortrefflichkeit seines Standes und die Annehmlichkeiten seines liederlichen Lebens ergeht, sieht seine Freunde Lixa, Salax und Aristophorus in lebhaftem Gespräch mit einem Fremden, Buttubatta, daherkommen. Er läuft ihnen entgegen, der Fremde verspricht etwas zu zeigen, will sich aber bei ihrem heftigen Andringen, das zuletzt sogar in gewaltthätiges Schlagen ausartet, nicht dazu verstehn, verlangt, dass sie ihn um das Versprochene bitten, und zeigt, nachdem sie das gethan, einen schmutzigen, stinkenden Kopf vor. Die Freunde rathen ihm, er könnte gute Geschäfte damit machen, wenn er ihn als Heiligenkopf verehren liesse, nur müsste er vorher gereinigt und gesalbt werden. Buttubatta geht gern auf den Gedanken ein, erbittet sich zwei von den Freunden zur Unterstützung, die übrigen wollen unterdess philosophiren; nicht zu sehr, räth ihnen der Fremde. Die letzten Wechselreden hat der Pharisäer gehört, er fährt los gegen

[1] Prolog zum Sergius.

die Handlung, die man mit dem Kopfe vor hat, und gegen die
Verse der Poeten: diese Verachtung der Dichter will Lixa nicht
gelten lassen und vertheidigt sie mit ernsten, kräftigen Worten.
Buttubatta kehrt zurück, zeigt den Freunden den reinlichen, schön
riechenden Kopf und setzt ihnen dessen wunderbare Kraft und Fähigkeiten auseinander, er sei im Stande Alles zu thun, was man von
ihm verlange [1]. Die Freunde, denen die allgemeinen Lobeserhebungen nicht genügen, wünschen weitere Aufklärung. Da enthüllt
er ihnen, es sei der Kopf eines Mannes aus Arabien, Namens Sergius, der ein frecher Schwätzer und elender Gesell sein Leben lang
gewesen sei. Von seinen Klosterbrüdern, die nicht leiden mochten,
dass er auf dem schlechten Wege verharrte, zur Umkehr ermahnt,
entflieht er, der Predigten müde, aus dem Kloster, wird Muhammedaner, erhebt sich unter seinen neuen Brüdern zu Macht und Ansehn, verfolgt nun seine ehemaligen Religionsgenossen aufs eifrigste,
allen Frommen ein Greuel, allen Schlemmern Heil und Segen ver-
leihend, vor allem denen liebreich sich zuneigend, die, wie er, ihre
väterliche Religion verlassen haben. Dabei zeigt er auf den leeren
Schädel, der den Genossen nun, da sie ihn anstarren, Furcht ein-
flösst. sie bereuen, dass sie sich vorher in Verehrung fast vor ihm
geneigt; anstatt Worte des Gebets an ihn zu richten, verfluchen sie
ihn und den der ihn trägt. Ein moralischer Epilog schliesst das
Stück: mit einem leeren Kopf vermöge man nichts auszurichten,
immer müsse man mit Weisheit und Tugend handeln, nichts sei
schlimmer als Meineid.

Geistlos ist das Stück keineswegs; nicht ungeschickt in der Erfindung, aber durchaus arm an scenischer Einrichtung. Die drei
nicht in Scenen getheilten Akte verfliessen ziemlich ohne Leben, das
Stück macht ohne Zweifel im Lesen einen bessern Eindruck, als
beim Spielen. Dramatische Entwickelung fehlt eigentlich ganz, wenn
man nicht gerade den Umstand, dass selbst die Schlemmer, die sich
zuerst vor dem leeren Schädel gebeugt, nun ihn verwerfen, als besonders dramatisches Moment auffassen will: der Triumph des Guten

---

[1]) Vor allem hervorzuheben in der Schilderung sind die Verse:
Et intimis et extimis contra deum
Contraque phas verti! revortit omnia . . . .
Depauperatque et divitat, quae vult facit
Quae vult jubel, quae vult vetat, Capitis caput.
Nach den beiden letzten Worten ist häufig auch das ganze Stück benannt
worden.

von den Schlechten selbst herbeigeführt. Ebenso wenig wie komische Situationen, enthält das Stück Witze, desto reicher ist es an Wortspielen[1]). Die Sprache ist ziemlich verständlich, doch voll von späten, neulateinischen Worten und Redensarten, einzelne Wendungen erinnern an den Gelehrten[2]). Die Verse sind regelmässig gebaute jambische Trimeter.

Es ist ungewiss, ob Reuchlin die Komödie geschrieben, um sie aufführen zu lassen, oder ob man erst an ihre Aufführung gedacht, als das Stück vollendet vorlag; das letztere ist wahrscheinlicher. Dalburg hörte davon, las das Stück, wurde von ihm ergötzt, aber die Aufführung widerrieth er, als gefährlich. Bei dem Pfalzgrafen Philipp lebte ein Franziskaner, der wegen seiner Macht und Schliche den Adligen verhasst war, er konnte den Hieb auf sich beziehen und sich dafür rächen wollen. Reuchlin folgte dem Rathe des freundlichen Gönners und zog das Stück zurück[3]).

Aber die Lust der jungen Leute, Theater zu spielen, war nun rege geworden, sie verlangten von Reuchlin ein anderes Stück. Er

---

[1]) Ich führe eine Anzahl an. *Heluo. Formido formam et ossa mortui horreo*, *Butt. Quam delicatus hic formosulus puer. Lixa. Ligate furcifero manus*, *Butt. ne amice lixa. Hel. et heluor, quare heluo est nomen mihi. Butt. quid rabis, rauce rabula. Salax. vis dicere hanc larvam*, *Butt. dii te larvent*, *Quid larvam? — Testa, testum, testudo. — Manes habere potest et haud manus habet. — Caput, capital, capit — Seu factionis factiosae industriam. — Tureae truces* u. s. w.

[2]) Z. B. wenn Aristophorus sagt: *Nam hac Concinnitate orationis nemo homo Ne Gorgias neque Zeno nec Protagoras Te vincet* oder in Lixa's Vertheidigungsrede der Dichter: *num vox dei Terentium Sprevit? ne ad stimulum inquientis calcitres?* Paulus *Menandrum*, *Aratum Epimenidem invocat;* oder die Stelle: *But. Sergius, an ignoratis illum Sergium? Lix. Grammaticum? eundem qui latina perdocet?*

[3]) So erzählt Melanchthon in der oft angeführten oratio (Briefsammlung 1552). — Die einzelnen Beziehungen des Stücks auf Holzinger anzugeben, ist bei dem Mangel an Quellen schwer, fast unmöglich. Georg Simler hat zu dem Stück einen Commentar geschrieben (Pforzheim 1507), der durchaus grammatisch ist und nichts Historisches enthält. Der Sergius ist allein und zusammen mit dem folgenden Stücke häufig herausgegeben worden. Emser hielt in Erfurt Vorlesungen darüber (Kampschulte, Univ. Erfurt I, S. 66), auch Hutten schreibt, mit Anspielung auf unser Stück, an Nuenaar 3. April 1518: *Ut illud interim silentio transeam Bernense praedicatorum scelus, ac in memoriam non revocem publicam orbis pestem Sergium monachum Mahometis alumnum, et reliqua sileam omnis generis mala.* Hutteni opera ed. Böcking vol. I, p. 166.

Geiger, Johann Reuchlin. 6

schrieb die *Scenica progymnasmata* oder *Henno*, dem kein Hemmniss
entgegentrat; es wurde vor Dalburg aufgeführt, einer der jungen
Leute, Valentin Helfant aus Weissenburg hielt nach Beendigung
eine Lob- und Dankrede auf Verfasser und Gönner, und Dalburg gab den Darstellern goldene Ringe und Goldmünzen zum
Geschenk [1]).

Die *Scenica progymnasmata* hat schon Melanchthon eine *fabula
gallica* genannt, und spätere haben den Maître Pathelin als das
französische Stück bezeichnet, dem das unsrige nachgebildet ist. Wir
müssen daher zuerst dieses der Betrachtung unterziehn.

Der Maître Pathelin ist eine in den 70er Jahren des 15. Jahrhunderts entstandene französische Farce. Verfasser ist wahrscheinlich
Pierre Blanchet, geboren 1459, Advokat in Poitiers, der sich frühzeitig als Verfasser von Gedichten mancherlei Art hervorthat [2]).
Die Farce wurde zuerst gewiss am Wohnorte des Dichters aufgeführt, da mag Reuchlin, der in Poitiers studirte, sie gesehn, und
einzelne Hauptzüge auch für spätere Zeit sich eingeprägt haben.

Der Inhalt des Stückes [3]) ist folgender: Ein Advokat, Maître
Pathelin, beklagt mit seinem treuen Weib den traurigen Zustand
seiner Finanzen. Da er kein Geld hat, so will er ohne dasselbe
versuchen, für sich und sein Weib Kleider zu schaffen. Er geht
auf den Markt, spricht einen Tuchhändler an, überschüttet ihn mit
Lob, erinnert ihn an ihre Verwandtschaft, rühmt seinen eignen
Reichthum, und bringt den Kaufmann dahin, ihm das Tuch einstweilen zu lassen, sich das Geld später selbst zu holen, und dann

---

[1]) Vgl. den Brief Joh. Bergmanns de Olpe 1. Mai 1498.

[2]) Ich stütze mich auf die Forschungen von P. L. Jacob in seinem
Recueil de farces, soties et moralités du XVème siècle. Paris 1859 p. 1 ff.
Nur seine Behauptung, die Komödie sei 1467, spätestens 1470 entstanden,
kann ich nicht billigen. Der in einer Urkunde von 1469 vorkommende
Ausdruck *patheliner* beweist doch nur, dass das Wort, nicht das Stück bereits bestand, und dass (s. S. 53 Anm. 5) 144 sous 6 Thaler oder 9 francs
ausmachten, konnte auch später als Reminiscenz an ältere Zeiten gesagt
werden. Man will doch nicht, dass Blanchet als 8jähriger Knabe diese
Komödie verfasst habe, die das Ergötzen von Jung und Alt Jahrzehnte hindurch geblieben ist.   .

[3]) Abgedruckt bei Jacob p. 19—117 mit, zum Theil sehr werthvollen,
sprachlichen und sachlichen Bemerkungen.

bei dem neu erworbenen Freunde Speise und Trank einzunehmen.
Pathelin eilt nach Hause, erzählt seinem Weibe den gelungenen
Streich, und stellt sich krank, wie er den Kaufmann kommen hört,
der sein Geld haben will. Guillemette (Pathelins Frau) weist den
Tuchhändler Joceaume ab: ihr Mann könne nichts bei ihm gekauft,
noch ihn eingeladen haben, denn er läge schon seit elf Wochen
krank, sie fordert ihn auf, leise zu sprechen und schreit selbst wie
toll. Joceaume, der mit Verstandesgaben nicht zu reich gesegnet
ist, lässt sich übertölpeln und geht ab, nicht wissend, was er denken
und thun soll. Während die Eheleute schon halb triumphiren und
ihren Feldzugsplan weiter berathen, kehrt Joceaume zurück, findet
die Frau in grosser Bestürzung über die Verschlimmerung im
Gesundheitsstand ihres Mannes, und den Advokaten in Fieber-
phantasien. In seinem Delirium spricht dieser alle möglichen Dialekte, — die Frau hat grosse Mühe, dem Kaufmann zu erklären,
woher der Mann sie kenne — endlich auch lateinisch, worin Pathelin
ganz naiv sein Vergehen bekennt, ohne dass natürlich der arme
Händler es versteht. Dieser gibt es auf, zu seinem Gelde zu
kommen und entfernt sich. Zu Hause trifft er seinen Schäfer, der
ihm über neue Unfälle klagt. die seine Heerde getroffen haben, der
entrüstete Kaufmann legt sie dem Schäfer zur Last und will ihn
vor Gericht ziehn. Dagegen sucht der Beschuldigte Schutz bei dem
Advokaten Pathelin, der einem Klienten gegenüber, einer schon seit
lange vergeblich ersehnten Erscheinung, sofort seine Gesundheit
wiedererlangt und dem Schäfer, der sein Verbrechen offen einge-
steht, — er habe in drei Jahren dreissig Schaafe getödtet, — den
Rath gibt, auf alle an ihn gerichtete Fragen nichts Anderes als:
Bee zu antworten, auch ihm, dem Advokaten, keine andere Antwort
zu ertheilen [1]). Der Schäfer dankt, will den Rath befolgen, die
ausgemachte Bezahlung aber erst nach erlangtem Urtheilsspruch
leisten. Bei der Verhandlung vor Gericht entwickelt der Händler
seine Klage, plötzlich erkennt er Pathelin, und will zuerst mit diesem

---

[1]) *Pathelin. . . . A moy-mesme pour quelque chose*
Que je te die, ne propose,
Si ne respondz point autrement.
Bergier: Moy! Nenny, par mon sacrement!
Dictes hardiment que j'affolle,
Se je dy huy autre parolle,
A vous, ne a autre personne . . . p. 92.

seinen Strauss ausfechten, vom Richter daran gehindert [1]) verwirrt er sich immerfort in seinen Reden, er spricht von Tuch und Geld, Pathelin von den Schafen, der Schäfer stösst auf alle Fragen nur den Laut: Bee heraus. Dieser wird vom Richter für verrückt erklärt und freigesprochen, der Händler, der von Pathelin sein Geld haben will, vom Richter wüthend fortgeschickt; er will im Hause Pathelins, der seine Identität mit dem Käufer leugnet, nachsehn, ob er nicht den finde, der ihn um sein Geld betrogen; auf die Aufforderungen Pathelins, den ausgemachten Lohn zu zahlen, antwortet der Schäfer mit „Bee" und entflieht, wie der Advokat ihm droht.

Das Stück, das von einer geschickten scenischen Eintheilung noch durchaus entfernt ist — kaum hat z. B. Pathelin den Tuchhändler verlassen, so spricht er schon in seiner Wohnung, der Tuchhändler hält einen Monolog, nachdem eben erst eine Unterredung der beiden Eheleute geschlossen ist, — enthält viel Geist, die Gerichtsscene namentlich, auch die Scene, in der Pathelin aus dem Delirium spricht, ist von unwiderstehlicher Komik. Man bemerke, dass der Advokat hier die Hauptperson ist, der Kaufmann die zweite Rolle spielt, und der Schäfer, dem freilich der Löwenantheil zufällt, — er betrügt seinen Herrn und den Advokaten — erst zuletzt auftritt. Diese drei Typen entsprechen, wie in geistreicher Weise ein neuerer Kritiker bemerkt hat [2]), drei Gestalten der alten italienischen Komödie, wie sie Goldoni bezeichnet hat, dem Pantalon dem alten Kaufmann, dem Bolognesischen Doktor, und dem Brighella, dem intriguanten, spitzbübischen Bedienten. Aber um die Analogie vollständig zu machen, fehlt noch der vierte, der Harlekin, der tölpische Mann aus dem Volke, ihn hat Reuchlin

----

[1]) Bekanntlich findet sich hier zuerst der Ausspruch — des Richters zum Kaufmann — *revenons à nos moutons* (p. 98). p. 99 Z. 9 v. o. *Le drappier* störender Druckfehler für *Le bergier*.

[2]) Hermann Grimm, Das Luzerner Neujahrspiel und der Henno des Reuchlin, in: Karl Gödeke, Deutsche Wochenschrift. Hannover 1854 Heft 6 S. 161—172. Die Abhandlung berührt die ganze kritische Frage, die ich im Text bespreche. Mir ist sie bekannt geworden, nachdem ich mein Material zur Untersuchung gesammelt und gesichtet hatte. Ich billige seine Schlussfolgerungen nicht und bin auch im Einzelnen mit manchem nicht einverstanden, was sich für den Leser bei Vergleichung beider Darlegungen leicht ergeben wird, ohne dass ich nöthig hätte, die Kleinigkeiten hervorzuheben.

hinzugefügt. Ueberhaupt zeigt seine Komödie von der französischen wichtige Abweichungen, und zwar solche, die unzweifelhaft
zu dem Schlusse berechtigen, dass Reuchlin bei der Abfassung
seines Stückes das französische Original nicht vorgelegen habe. Er
erinnerte sich einzelner Scenen daraus, vor allem des Advokaten-
kniffes, des Tuchkaufs, und nahm auch die Person des Tuchhändlers
mit herüber, aber die beiden köstlichen Scenen, die Gerichtsverhandlung und das vorgebliche Delirium des Advokaten gehen bei
der Anlage seines Stückes durchaus verloren. Der Schwerpunkt der
Komödie ist ein ganz andrer, statt des Advokaten wird der Knecht
oder, wenn man dem Titel nachgehn will, der Herr des Knechts
zur Hauptperson gemacht; beiden in Wirklichkeit eine ziemlich
gleichbedeutende Stelle zugewiesen.

Henno nämlich, so ist kurz der Inhalt des Reuchlinschen
Stückes, hat seiner Frau Elsa 8 Goldstücke gestohlen, die diese
sich mühsam erspart hat. Er trifft sie, während sie sich, ohne von
ihrem Verluste zu wissen, über ihr Loos, einen Trinker und Wüst-
ling zum Manne zu haben beklagt, wünscht ihr guten Abend, und
macht ihr den Vorschlag, ihre Tochter Abra durch den Knecht
Dromo dem Tuchhändler in der Stadt als Magd anbieten zu lassen,
vielleicht liesse sich der Kaufmann dann dazu bestimmen, ihm Tuch
für einen neuen Anzug auf Credit zu überlassen. Die Frau willigt
ein, und indessen sie an ihre Arbeit geht, ruft Henno den Knecht,
erzählt ihm, dass er das Geld gestohlen, und verlangt von ihm,
dafür das Tuch zu besorgen. Dazu erklärt sich der Knecht bereit,
theilt aber dem Publikum seinen Entschluss mit, das Geld für sich
zu behalten, von dem Kaufmann das Tuch herauszulocken und
es Andern zu verkaufen. Die Abwesenheit des Knechts will Elsa
benutzen, um, was sie des Tages oft zwei- oder dreimal thut, sich
an ihrem Schatze, ihrer einzigen Herzensfreude, zu weiden. Wie
gross ist aber ihr Schrecken, als sie den Platz, der ihr zur Aufbewahrung des Kleinods dient, leer erblickt. In ihrem Jammer
ruft sie die Nachbarin Greta herbei, erzählt ihr das geschehene
Unglück; deren Rathe, einen Astrologen in der Stadt nach dem
Diebe zu befragen, will sie gern folgen; die Freundin vergisst nicht
zu erwähnen, dass dazu ein Solidus nöthig sei. Sie gehen ab und
der Chor besingt in schönen Versen den Segen der Armuth. Das
Vergnügen der Menschen schwindet leicht dahin, von einem Wind-
stosse wird es hin und her getrieben. Der Reiche bangt vor ent-

würdigendem Mangel, er fürchtet immer des Geschickes sich
drehendes Rad und führt so ein trauriges, sorgenvolles Leben. Der
Arme fürchtet Nichts, er kann Nichts verlieren [1]), sondern weilt
in froher Hoffnung auf Erwerb und lernt in Tugend Gott zu
verehren [2]).

Der zweite Akt zeigt den Astrologen, wie er seine Fertigkeit
anpreist. Elsa, noch tief in ihren Kummer versenkt, führt sich als
armes, dürftiges Weib ein; Alkabitius will sie fortschicken, denn nur
mit Reichen, nicht mit Armen habe er zu thun. Die muthigere
Greta weiss die Sache wieder ins rechte Gleis zu bringen, und die
Frauen erhalten nun eine ziemlich allgemein gehaltene Schilderung
des Diebes, wie sie auf einen grossen Theil der damaligen Land-
leute passen mochte [3]), die aber Elsa ohne Weiteres auf ihren
Mann bezieht, zuletzt aber doch zu keiner bestimmten Vermuthung
über den Thäter gelangt. Die Frauen bemerken Henno und Dromo
im Streit, denn ersterer behauptet, der Tuchhändler halte Geld und
Tuch zurück, letzterer sagt, der Tuchhändler läugne, Geld bekommen zu haben. Wie sie die Frauen kommen sehn, bittet Henno
den Dromo, vom Gelde zu schweigen, und fragt in ruhigem Tone,
damit wol die Frauen es hören, was der Tuchhändler gesagt habe.
Dromo meldet seinen Gruss und seinen Wunsch, Abra zur Magd
zu haben. Henno gibt seine Einwilligung; Elsa kommt die ganze
Sache doch sonderbar vor, weil, wie sie erklärt, Dromo und Abra
sich lieben, aber, ohne auf die Zwischenrede seiner Frau zu achten,
schliesst Henno die Unterhaltung. Der Chor preist in einigen
Versen die Dichter und ihre göttliche Gabe.

----

[1]) *Qui pauper est nihil timet, nihil potest perdere; sed spe bona laetus
sedet, nam sperat acquirere* schreibt Luther an Wenc. Link (10. oder
15. Juli 1518) de Wette, Luthers Briefe (1825), I, 130: *Canto cum Johanne
Reuchlin;* oder nur den Vers bis *perdere* als *illud Reuchlinianum* (an Joh.
Staupitz 30. Mai 1518 p. 118).

[2]) Der Gesang *(Choraules, Chorus* überschrieben und mit einer Noten-
reihe versehen) ist in drei Strophen, zu je drei gereimten Versen getheilt.

[3]) Bei der Beschreibung „läuft sogar eine leichte Zote mitunter, was
ich bemerke, weil in der Vorrede das Gegentheil versprochen war." Grimm
S. 164. Die ganze Scene ist von gutem Humor, gar hübsch ist das Wort
des Alkabitius, als Elsa sich mit dem Gesagten nicht begnügt: *Astronomicae
leges vetant plus dicere;* und die beständigen Anstrengungen der Greta, die
Elsa, die stets hineinspricht, zum Schweigen zu bewegen.

Dromo und Henno rüsten sich im dritten Akt nach der Stadt zum Markte zu gehn, die Weiber sollen mit verkäuflichen Gegenständen folgen. Die Männer gehen zum Tuchhändler, und in äusserst lebendiger komischer Scene erkennen Henno und der Kaufmann, dass sie beide von dem Knecht betrogen sind [1]. Dieser, statt sein Unrecht einzugestehn, stellt sich beleidigt, da der Händler ihn, nicht einmal mit klaren Worten, einen Dieb nennt [2]), und verlangt gerichtliche Entscheidung, womit die Andern einverstanden sind. Der Chor wendet sich in leichten Versen gegen die Blindheit der Unwissenden, und preist die Macht der Dichtung.

Dromo eilt, so erfahren wir im vierten Akt, zu dem Anwalt Petrucius, dieser ist über die Anrede „Vater und Beschützer der Armen" nicht sonderlich erbaut, er beschützt nur den, der bezahlen kann. Dromo unterhält ihn von dem Unrecht, das er begangen; sie bestimmen 2 Goldgulden als nach dem Urtheilsspruch zu leistende Bezahlung für die Vertheidigung. Der Anwalt will Freisprechung erwirken, wenn Dromo auf alle Fragen des Richters nur „Ble" antworten wolle. So gehen sie vor Gericht. In echt juristischer Weise spricht Richter und Anwalt, höhnisch bemerkt dieser dem Tuchhändler, er möchte doch durch Zeugenbeweis erhärten, was er durch Bekenntniss des taubstummen Angeklagten, der, wie ausgemacht, auf alle Fragen den Laut „Ble" ausstösst, schwerlich werde beweisen können; dem letzteren trägt der Richter alle Warnungen und Bedenken vor und lässt ihn laufen, nachdem auch der Tuchhändler das Vergebliche seiner Klage eingesehn und in das Fallenlassen der Anklage gewilligt. Der Chor mahnt, von Streit und Hader zu lassen, beim Processiren gewinne nur List und Schlauheit, Lüge und Verrath den Sieg; besser und edler sei es, Tag und Nacht Apollo zu dienen und den Musen.

Im fünften Akte will Petrucius den Lohn für seine Bemühung haben, aber dasselbe Mittel, das er gegen den Richter vorgeschlagen,

---

[1]) Ich setze einige Verse hierher.

> *Hen. Juro aureos dedisse qui nil sumpserim.*
> *Danista. Pannumque juro dedisse qui nil sumpserim.*
> *Hen. Veni Dromo, tibi iste pannum tradidit?*
> *Dro. Non. Hen. Ecce. Dan. Tune pecuniam dederis mihi?*
> *Dro. Non. Dan. Ecce. Hen. Tu pannumne prolasti Dromo?*
> *Dro. Non. Hen. Ecce. . . . . .*

[2]) *Non inde sic evaseris trilitere = fur, trium literarum homo.*

wird nun gegen ihn gebraucht, Dromo fertigt ihn mit „Ble" ab.
Unterdess ist Elsa in grosser Angst. Sie hat ihren Mann in der
Stadt mit Dromo zanken sehn, und entdeckt nun ihrer Freundin
die Neigung zwischen ihrer Tochter und dem Knecht; sie will
selbst den Verlust ihres Schatzes verschmerzen, wenn Dromo nur
heil zurückkehrt. Da sieht sie Henno, gewaltig gestikulirend, durch
die Felder daherschreiten, aber wie er kommt, weiss sie, vereint mit
der Freundin, den Mann wieder günstig für Dromo zu stimmen
und ihm die Erlaubniss abzuringen, seine Tochter dem Knechte zur
Frau zu geben, wenn er den wahren Hergang der Sache erzähle.
In dem Bericht, den dieser gibt, stellt er sich als der das Unrecht
bestrafende Engel hin, der den Henno betrogen, weil er seiner Frau
das Geld entwendet, den Tuchhändler, weil er ein Wucherer, den
Anwalt, weil er ein betrügerischer Sophist sei. Zum Lohne erhält
er die Abra zur Frau und die acht Gulden zur Mitgift.

Ein Epilog, der die Moral des Stücks enthält, fehlt, es möchte
auch schwerlich eine Moral daraus zu ziehn sein; in einem Prologe
gab Reuchlin in terenzischer Manier, den Inhalt des Stückes an,
spricht davon und von dem Stil mit bescheidener Einfachheit, erbittet als neu auftretender Dichter ein wohlwollendes Urtheil und
glaubt sich belohnt genug, wenn es ihm gelungen, in Deutschland
Scherze nach griechischer und römischer Weise einzuführen.

Der Dialog des Stückes ist belebt, witzig, die Sprache gut, die
Scenirung weit besser, wie in dem französischen Stücke, schnell auf-
einanderfolgendes Auftreten einer Person an zwei verschiedenen
Orten ohne vermittelnden Uebergang kommt nicht vor. Vergleicht
man die beiden Stücke mit einander, so wird man das Obengesagte nur bestätigt finden: die Quintessenz des Stückes, die Idee
des prellenden und geprellten Advokaten ist aus der französischen
Farce herübergenommen, alles Uebrige ist neu. Den Werth des
einen Stückes gegen den des andern abzuschätzen, will ich nicht
versuchen: weit psychologischer verfährt ohne Zweifel Reuchlin, wenn
er dem Knecht von Anfang an eine bedeutende Rolle zuschreibt
und in diesem Sinne mag man auch die sonst etwas sonderbar in
das Ganze verwebte Heirathsgeschichte von Dromo und Abra
gerechtfertigt finden; das Hereinziehen des Astrologen ist von guter
Wirkung und der Jurist weiss die Gerichtsscene, der das unendlich
Komische der französischen nothwendigerweise abgeht, fesselnd und
interessant zu machen.

Doch dürfen wir wirklich Reuchlin das Verdienst eines komischen Dichters in der Weise zuschreiben, wie wir es gethan haben? Es existirt eine deutsche Komödie, ein sog. Fastnachtsspiel „Der kluge Knecht", die mit der Reuchlinschen im Wesentlichen übereinstimmt. Sie ist nur viel länger, aber das ist kein Zeichen der Orginalität; jedenfalls ein künstlerischer Mangel gegenüber der Reuchlinschen Komödie, die durch ihre elegante Knappheit sehr gewinnt. Einiges ist ausgelassen (das Verhältniss von Dromo und Abra, womit jedenfalls ein wirksamer Schluss verloren geht, für den Ersatz hätte gesucht werden müssen) und verändert; die Rolle des Knechts, nach dem auch das ganze Stück benannt ist, gewinnt an Bedeutung, er ist es, der den Schatz findet, ihn seinem Herrn ausliefert, um ihn dann — wie undenkbar und unnatürlich! — darum zu bringen; für die Scene mit dem Astrologen, die fehlt, ist hier ein Zigeuner eingeführt, der — auch das ist nicht recht psychologisch motivirt — ziemlich zu Anfang des Stücks von dem Herrn um seine Zukunft befragt wird, und günstige Auskunft ertheilt, während die Frau meint, dieser Aberglaube sei doch den Weibern zu überlassen [1]).

Dieses Vorkommen der Zigeuner in unserm deutschen Stücke ist schon aus dem Grunde stärker hervorzuheben, weil es dem ersten Herausgeber desselben, Mone [2]), Veranlassung gegeben hat, dem Stück seinen Platz in der 2. Hälfte des 15. Jahrhunderts einzuräumen, weil in diese Zeit das erste Vorkommen der Zigeuner zu setzen ist; dem gegebenen Beispiel ist Keller [3]) gefolgt. Mone's

___

[1]) Neu sind einige Personen von untergeordneter Bedeutung: ein Läufer, der dem Rudi meldet, der Kaufmann wolle den Process gegen den Knecht beginnen, ein Fürsprecher der klagenden Partei und drei Richter, die nichts thun, als längere Reden halten; der Narr, der am Schluss des Stückes einige Nutzanwendungen macht. Die Scenirung des Stückes ist viel mangelhafter als die des Reuchlinschen; das Stück hat 6 Akte mit der sonderbaren Bezeichnung, dass nach dem *Quartus actus* als 5. der *actus quartus* folgt und als 6. der *septimus actus.*

[2]) Schauspiele des Mittelalters 2. Band. Carlsruhe 1846 S. 378—410. Voraus gehen treffliche einleitende Bemerkungen; für das Stück selbst von Bedeutung sind S. 374 ff. Er sagt S. 375: „Nach diesen Angaben (über das Vorkommen der Zigeuner) scheint obige Beziehung auf die Zigeuner in die Mitte oder in die zweite Hälfte des fünfzehnten Jahrhunderts zu fallen, und da die Beziehung wesentlich zu dem Schauspiele gehört, so kann dieses selbst nicht älter sein."

[3]) Vgl. seine Ausgabe des Neujahrspieles in den „Fastnachtspielen

Behauptung, dass das Stück nicht älter sein kann, als Mitte oder 2. Hälfte des 15. Jahrhunderts ist sicher zuzustimmen, denn dass die Idee aus der französischen Farce geschöpft ist, die erst den 70er Jahren des 15. Jahrhunderts angehört, wird Niemand bezweifeln. Aber könnte sie nicht jünger sein? Sie etwa in die gleiche Zeit, wie die Reuchlinsche Komödie zu versetzen und anzunehmen, beide hätten aus der französischen Farce geschöpft, dünkt unmöglich [1]). Will man die beiden Nachahmungen als gemeinsam aus einer Quelle herstammend betrachten, so müsste als solche ein aus der französischen bearbeitetes Stück gedacht werden, und dieses anzunehmen, ist kein Grund vorhanden. Man darf wol als sicher hinstellen, das Neujahrsspiel und der Henno sind eines aus dem andern abgeleitet, aber welches Stück ist älter? Für den Henno haben wir ein bestimmtes Datum (er wurde 1497 aufgeführt), für das Neujahrsspiel keins [2]); dass in dem letzteren ein, allerdings merkwürdiger, Anklang ans Französische sich findet [3]), ist zum Beweis nicht hinreichend [4]), und schliesst höchstens die Bekanntschaft der Farce nicht aus, — so darf wol die Behauptung ausgesprochen werden, dass der Henno die Quelle für das Neujahrsspiel gewesen ist. Uebrigens hat schon Gödeke [5]) unser Stück ins Jahr 1560 versetzt

---

aus dem XV. Jahrhundert 2. Theil No. 107 S. 820—850. Bibliothek des literarischen Vereins in Stuttgart. Bd. XXIX. Stuttgart 1853.

1) Doch stellt sich so H. Grimm das Verhältniss vor.

2) Oder nur ein negatives, s. oben S. 89 Anm. 2. Die betreffende Stelle (Rudi spricht zu seiner Frau, sie solle alles gut verwahren, „denn die heiden sind in dem land") bietet zu wenig Handhabe zu sicheren Schlüssen.

3) V. 645. 717 „her der richter" für *monsieur le juge*. Schon Mone hat S. 377 darauf hingewiesen.

4) Man könnte sonst dem Maître Pathelin wegen des darin vorkommenden, an das deutsche „verloren" anklingende *frelore* (Jacob p. 65 Anm. 5) deutschen Ursprung zuschreiben.

5) Grundriss zur Geschichte der deutschen Dichtung. Hannover 1859, I, S. 304, No. 87, wo es kurz gegen Mone und H. Grimm heisst: „Das Luzerner Fastnachtsspiel ist nur eine Bearbeitung der *Scenica progymnasmata* des Reuchlin und fällt um das Jahr 1560." Ob innere Gründe, wie wol anzunehmen ist, diese Behauptung veranlasst haben, weiss ich nicht; wahrscheinlich ist auch der Umstand von Bedeutung für die Entscheidung gewesen, dass in der Handschrift, aus der das Neujahrsspiel genommen ist, sich ein anderes Stück befindet, das die Jahreszahl 1560 trägt (vgl. die Beschreibung der Handschrift bei Keller a. a. O. III, S. 1373).

und dieser Ansicht ist später auch Keller [1]) beigetreten. So hätten wir in dem Neujahrsspiel denn nur eine deutsche Nachahmung des Henno, von dem Hans Sachs [2]) die erste gute, Georg Wagner [3]) eine schlechte deutsche Uebersetzung gegeben hat, eine Nachahmung, wie sie zum Theil später noch Jörg Wickram in seinem Rollwagen-büchlein [4]) versuchte, wie denn die Idee des Stücks lange Zeit in Deutschland beliebt geblieben ist [5]).

---

[1]) Nachlese zu den Fastnachtsspielen S. 379 (Bibl. des lit. Vereins Bd. XLVI. Stuttg. 1858).

[2]) 1531. Ein Comedi mit 10 Personen zu recidiren, Doctor Reuchlins im Latein gemacht, der Henno. Hat 5 Actus." Hier heisst es in Ehrenholds Anrede:

> Zu euch komb wir auf gut Vertrauen,
> Ein deutsch Comedi hier zu machen,
> Kurzweilig fein und gut zu lachen,
> Schrieb in Latein der hochgeehrt
> Doctor Reuchlin der Rechten gelehrt.

vgl. J. C. Gottsched, Nöthiger Vorrath zur Geschichte der deutschen dramatischen Dichtkunst. Leipzig 1757. S. 61. Bei Gottsched ist übrigens nicht diese Uebersetzung, sondern der lateinische Text, mit allen Begleit-stücken der ersten Ausgabe abgedruckt (2. Theil. Leipzig 1765. S. 142—165). Nach der Mittheilung des Prologs heisst es: „Was will man artigers, und dem terentianischen Geschmacke ähnlichers haben? Eben so artig sind die andern Verse alle." Ein paar Bemerkungen über die *Scenica progymnasmata* und den Sergius finden sich auch in der Vorrede zum 2. Theil.

[3]) So nach H. Grimm S. 172; Gervinus sagt (Geschichte der deutschen National-Literatur II, 4. Ausg. Leipzig 1853 S. 339): „der Stoff wurde von M. Gregor Wagner Komödie, wie Untreue ihren eignen Herrn schlägt. Frankfurt a O. 1547 kunstfertiger ausgeführt."

[4]) Erste Ausgabe 1555. Die 26. Anekdote ist überschrieben: „Von einem, der ein fürsprechen über listet, und hatt jnder fürsprech das selbs gelert", und sagt durch den Titel schon, welchen Theil der Komödie sie enthält. Der neueste Herausgeber H. Kurz (Deutsche Bibliothek Band 7. Leipzig 1865) Anmerkungen S. 206 meint: „es ist unwahrscheinlich, dass Wickram aus dem französischen oder deutschen Drama geschöpft habe, doch kann ich seine Quelle nicht ermitteln." Mir ist kein Zweifel, dass Wickram die Anekdote aus Reuchlin hat, denn nur bei diesem spricht der Knecht „Blee", wie auch Wickram hat, während er in der französischen „Bee", in der schweizerischen „Weiw" sagt. (Nebenbei sei bemerkt, dass das Bee des Schäfers im Maître Pathelin jedenfalls vom Schrei der Schafe hergenommen ist, Reuchlin, und nach ihm der Schweizer, erinnerten sich nicht mehr an den Ursprung des Lauts und änderten ihn willkürlich um.) Wickram benutzt auch sonst lateinisch geschriebene Quellen: Bebels Facetien, vgl. Kurz S. 212 und Erasmus Colloquia Kurz S. 197.

[5]) Noch von Weise ist es in seiner Grundlage benutzt worden, Ger-

Wir erkennen auch hier Reuchlins Verdienste als nicht gering. Er behandelt in schöner Form mit glücklicher Gabe humoristische Stoffe. Auch die ernste Tendenz fehlt in beiden Komödien nicht. Sergius ist nicht nur eine Satire gegen seinen Feind, sondern überhaupt eine kühne Wendung gegen den Reliquienkram, in dem zweiten Stücke wird der Astrologe mit seinen eingebildeten Wahrsagungen, die er in geheimnissvolle Formen kleidet, der Jurist mit seinen schlau angelegten Chikanen, die ihm selbst zum Verderben gereichen, beide mit ihrer hässlichen Gewinnsucht verspottet.

Was wol aber den Zeitgenossen die Komödien besonders anziehend machte, das war die glückliche und leichte Behandlung der Sprache. Reuchlin schrieb gut und gewandt, klar und verständlich, wenn auch nicht mit der oft gesuchten Eleganz der Erasmianer, der wuchtigen Stärke eines Hutten. Zwar meinte Erasmus, Reuchlins Sprache, ebenso wie die seiner unmittelbaren Zeitgenossen, Wimpheling u. A., zeige noch das Rauhe und Ungeglättete seines Jahrhunderts [1]), aber es geht wol auf das Gezierte und Gekünstelte der Erasmischen Sprache, wenn Reuchlin den Xenophon hochstellt, weil er, im Gegensatz zu den Schriftstellern der gegenwärtigen Zeit, so schreibe, um Allen verständlich zu sein [2]). Das tritt in seinen philosophischen Schriften hervor, die, wie es der Stoff erforderte, in dem ruhigen Tone wissenschaftlicher Auseinandersetzung gehalten sind, wo aber der Stil oft, wenn der Gedanke den Schriftsteller mit sich fortreisst, zu poetischer Schönheit sich erhebt; in seinen Streitschriften steht ihm Lebhaftigkeit der Rede, dialektische Gewandtheit zu Gebote; treue Wiedergabe, schlichter Ausdruck zeichnen ihn in den Uebersetzungen griechischer Schriftsteller ins Lateinische aus.

---

vinus a. a. O., der über Reuchlins Stück sagt (S. 343): „Es ist ganz vortrefflich für die Vermittelung des Alten und des Neuen, denn es behandelt in der klassischen Form und Regelmässigkeit einen durchaus deutschen Stoff." Das Reuchlinsche Stück selbst wurde noch im Anfang des 17. Jahrhunderts zweimal aufgelegt um als Schullektüre zu dienen (Magdeburg 1614, Bautzen 1615).

[1]) *(Bulephorus) Pergam ad reliquos Germanos, quorum princeps fuit Capnion. (Nosoponus). Vir magnus, sed oratio redolebat suum seculum adhuc horridius impolitiusque . qualis et Jacobus Wimphelingus et si qui sunt hujus similes, quorum opera tamen non parum utilitatis accessit Germaniae studiis . . . Bul. Capnionis ergo discipulum agnoscis Philippum Melanchthonem.* Erasmus Ciceronianus Opp. Basil. 1540. tom. I, p. 852.

[2]) Reuchlin an Joh. Secerius 12. April 1520.

Nicht alle dieser Uebersetzungen sind erhalten. Eine grosse Anzahl wird erwähnt, von der ersten Zeit an, dass Reuchlin schriftstellerisch zu wirken begann, bis zu seinen letzten Lebensjahren.

In seinem ganzen geistigen Streben und Wirken liegt diese consequente Treue, die immerhin zulässt, dass der Geist in verschiedenen Richtungen sich bethätige, aber stets verlangt, dass er wieder zu dem Ausgangspunkte zurückkehre. Das ist das Merkmal eines Mannes, der sich seiner Aufgabe bewusst ist, dass er vor keiner Schwierigkeit zurückschreckt, die auf dem einmal betretenen Wege sich zeigt und sich nicht verlocken lässt, wenn auf anderem Pfade äusserlich glänzendere Ziele ihm winken.

Die Uebersetzungen dürfen eigentlich wissenschaftlichen Werth nicht beanspruchen, obwol sie natürlich von grösserer Bedeutung sind, als solche kleine Arbeiten heutzutage sein würden. Denn der griechische Text, den die Uebersetzungen wiedergaben, war zum grossen Theil noch nicht durch den Druck bekannt gemacht: eine Uebersetzung war literarische Entdeckung und Bekanntwerden des Schriftstückes für die Gelehrten und Gebildeten zu gleicher Zeit. Und dann, selbst mit Veröffentlichung des griechischen Textes wäre nur einer kleinen Zahl ein Dienst erwiesen worden; selbst den Gelehrteren jener Zeit, Männern, wie Peutinger, Wimpheling, Zasius war die griechische Sprache ganz oder zum grössten Theile unbekannt. So waren die Uebersetzungen Reuchlins Vielen willkommen. Sie mit Anmerkungen und eigenen Zusätzen zu vermehren, hielt er meist für überflüssig; auf den Werth des einzelnen Stückes wies er in Vorreden hin, die er, der Sitte der Zeit folgend, in Form von Widmungen an einflussreiche oder ihm befreundete Personen abfasste [1]. Er betrachtete keineswegs als Ziel seiner Uebersetzungen, den Urtext überflüssig zu machen; im Gegentheil erklärte er, so oft sich dazu Gelegenheit fand, dass man mit der Wiedergabe in der eignen Sprache sich nicht begnügen dürfe, sondern suchen müsse, sich mit dem ursprünglichen Texte bekannt zu machen. Für sich befolgte er immer diese Regel, der Ueberläufer, sagte er mit Bezug auf die Uebersetzung, gefällt mir nicht; jedes Werk hat in der Sprache, in welcher es abgefasst ist, einen an-

---

[1] In der Widmung der Schrift *De acc. et orth. hebr.* Februar 1518 gibt Reuchlin eine Aufzählung seiner Widmungsschreiben; er hebt hervor, dass er seine Schriften nur Geistlichen, am liebsten *principibus ecclesiae*, zugeeignet.

genehmeren, schöneren Klang; Weine, die von einem Fass in das andere geschüttet werden, verlieren ihren guten Geschmack[1]). Als er einst darum angegangen wurde, das hohe Lied in griechischer Sprache zu verleihen, entschuldigte er sich, er besitze es nicht, denn er pflege Alles, was er kennen lernen wolle, in der Ursprache zu lesen. Uebersetzungen liebe er nicht, denn in ihnen verfahre Jeder nach eigenem Gutdünken, oft in unberechtigter Willkür; in den einzelnen fänden sich oft bedenkliche Fehler[2]). Das war ein bedeutsamer Satz, aus dem sich gewichtige und für jene Zeit keineswegs unbedenkliche Consequenzen auf anderem Gebiete als auf dem eben behandelten ergeben mussten, die Reuchlin zu ziehen kein Bedenken trug.

Von Reuchlins Uebersetzungen aus dem Griechischen ins Lateinische[3]) werden einige angeführt, die, soweit bekannt, weder handschriftlich vorhanden, noch durch den Druck bekannt gemacht worden sind: Xenophons Apologie für Sokrates[4]), die Rede des Cyrillus gegen den Ketzer Nestorius auf dem Concil von Ephesus, Bekenntniss Cyprians, Lucians Todtengespräche und Dialog über eine Versammlung der Götter, Epiphanius über Leben und Tod der Propheten[5]). Handschriftlich vorhanden ist die, nach Reuchlins Tode gedruckte Rede, die der Bischof Proklus in Constantinopel zum Preise der jungfräulichen Mutter Gottes gehalten, eine Rede, die Reuchlin für den Carthäuserprior Jakob Louber in Basel 1488 übersetzte, um eine werthvolle Handschrift zu erlangen[6]), und die er später seinem Freunde und Gönner Gregor Lamparter zueignete; und eine Rede des Platonikers Tyrius Maximus: Woher kommt das Uebel, wenn Gott Schöpfer des Guten ist? durch deren Zusendung Reuchlin seinem berühmten Lehrer, Johann Heynlin vom Stein, ein Zeichen der Verehrung darbringen wollte[7]).

---

[1]) Brief an Jakob Louber, Juli 1488.

[2]) Brief des Leonhard Widemann an Reuchlin 1. August 1513, Reuchlins Antwort vom 5. August.

[3]) Die Uebersetzungen ins Deutsche sind oben S. 67 fg. erwähnt.

[4]) Leontorius an Wimpheling 21. April 1494.

[5]) Nach Tritheim im Catal. ill. vir. 1495, dessen Angaben deshalb nicht zu verwerfen sind, weil die gleichfalls darin erwähnten Uebersetzungen der Schriften des Proklus und Tyrius handschriftlich existiren.

[6]) Handschrift des Basler Bibliothek E. III. 15: *Liber Cartusiensium in Basilea*, vgl. das Nähere in Briefsammlung Juli 1488.

[7]) Widmungsbrief vom 25. December 1521; die Schrift wurde erst

Von den gedruckten Uebersetzungen ist die älteste, unbekannteste und zugleich interessanteste die des homerischen Froschmäusekriegs. Den Homer zu erlangen, war damals sehr schwer und Reuchlin bemühte sich viel darum. Von Bernhard Adelmann erbat er die Uebersetzung des Laurentius Valla, erhielt aber nur Bruchstücke derjenigen des Nikolaus de Valla und wurde auf die vortreffliche des ungarischen Bischofs Johann von Fünfkirchen aufmerksam gemacht[1]). An Gabriel Bossus nach Mantua wendete er sich, um eine vollständige Uebersetzung der homerischen Werke zu erhalten, in Gemeinschaft mit Petrus Jakobi bemühte sich Bossus diesem Auftrage zu entsprechen[2]). Wir haben gesehen[3]), wie Reuchlin bereits 1491 ein Stück aus Homer ins Deutsche übersetzte; aus seinem Heidelberger Aufenthalt hören wir die Nachricht, er habe einige Bücher aus Homer übertragen und nach der ganzen Fassung der Stelle war dies so zu sagen das ihm übertragene Arbeitsfeld[4]). Die in Heidelberg gemachten Uebersetzungen sind nicht bekannt; vielleicht dass sich in dem Stücke, das wir besprechen, ein Theil davon erhalten hat. Diese Uebersetzung ist nicht von Reuchlin herausgegeben, sie ist in Wien erschienen und dort später nochmals aufgelegt worden, wahrscheinlich mit Bewilligung des Verfassers, von Freunden, die später im Reuchlinschen Streite eine Rolle spielten. Es ist die einzige Schrift Reuchlins, die ohne briefliche Vorrede von ihm herausgekommen ist, nur von vier sehr bescheidenen Distichen, wie es in der Aufschrift heisst, eingeleitet wird an einen Beichtvater Erhard, der uns sonst nicht bekannt ist[5]). Reuchlin er-

---

1529 von Hieronymus Lamparter herausgegeben. *SERMO | PROCLI CY-ZICEN | sis Episcopi, habitus Constan- | tinopoli in die natiuitatis Do- | mini, interprete linguarum triu | undecunque doctiss . uiro, Jo- | hanne Reuchlino Pforcen- | si. LL. Doct. etc.* 2 Bogen à 4 Bll. in 4⁰. O. O. und J. A. E.: *Finit Sermo Procli Joanne | Reuchlin interprete.*

[1]) Adelmann an Reuchlin 3. November 1490.
[2]) Bossus an Reuchlin 20. December 1490; 1. April 1491.
[3]) Oben S. 68.
[4]) Vgl. den Brief des Heinrich Spies an Celtis 6. Mai 1496.
[5]) *Capnionis ad Erhartum confessorem epigramma modestissimum.*

> *Muribus et ranis fuerint quae praelia saeva*
> *Hoc translaticium quemque docebit opus.*
> *Calle quidem scabro non laevia verba nitebunt.*
> *Et sine mensura singula iuncta vides.*
> *Non sic graeca sonant, non est ridendus Homerus*
> *Spirat enim vivus, si modo graecus erit.*
> *Sed verbum verbo dum curo cuique referre*
> *Non color ille prior, nec sonus ullus adest.*

wähnt die Schrift niemals, in seinem Briefwechsel wird nie darauf Rücksicht genommen, doch ist an der Echtheit nicht zu zweifeln[1]). Die Uebersetzung ist in Reuchlinscher Manier wörtlich in ziemlich gut gebauten Hexametern ohne Anmerkung und Erklärung.

Auf Homer folgt Hippokrates. Wir sehen, es herrscht in der Wahl der zu übersetzenden Stücke keine Art von System. Eine jede Schrift, die Reuchlin in die Hände fällt, wird für werth genug gehalten, übersetzt zu werden, und sie ist es auch in dem Sinne, dass sie ein Theilchen ist, das aus der Vergessenheit hervorgesucht wird, und mit den übrigen schon aufgerichteten Bausteinen zum Ganzen sich fügt.

Von welchem Hippokrates die Schrift: Von der Vorbereitung des Menschen an den König Ptolemäus ist, wissen wir nicht; auch Reuchlin stellt in der Vorrede an den Ulmer Arzt Johann Stokarus[2]) darüber Untersuchungen an, die nicht zum Ziele führen. Die Vorrede ist auch sonst durch den versuchten Nachweis interessant, dass die Medicin von den Juden ihren Ursprung ableite: Gott habe sie den Engeln, diese den Juden mitgetheilt, dann haben sie Griechen und Römer, endlich die Deutschen empfangen; und durch die damit zusammenhängende Rücksichtnahme auf den Streit, in den Reuchlin bereits damals verwickelt war.

Nach der medicinischen folgt eine historisch-biographische Schrift, das Leben Constantin des Grossen[3]), deren Vorrede schon oben besprochen ist. Die Schrift ist ohne sonderlichen Werth; Reuchlin sagt, er habe in der Eile und in der stürmisch-bewegten Zeit Nichts gefunden, was sich besser zum Geschenke geeignet hätte.

—

1) Joachim Vadianus' Widmungsbrief an Joh. Marius Rhetus: . . *quod a Capnione Phorcensi metaphraste foeliciter est congestum tantae doctrinae insigni philosopho, ut eum nobis cum paucis aliis invideat Italia*, und Petrejus Aperbach sagt im Schlussgedicht an den Leser:

.. *quae tibi Maeonides monstravit carmine lecto*
Et tulit in lactos Capnion deinde modos.

2) November 1512 Briefsammlung — *HIPPOCRATES DE PRAE-PARATIONE | hominis, ad Ptolemaeum regem, nuper e greco in | latinum traductus a Joanne Reuchlin Phorcen | si legum imperialium doctore.* 6 Bll. in 4°. A. E.; *Anno M. D. XII. XIII. kalendas Martias. | Tubingae in aedibus Thomae Anshelmi Badensis.*

3) Vergl. oben S. 44 und 65. — *CONSTANTINUS MAGNUS Romanorum imperator Joanne Reuchlin | Phorcensi interprete.* 3 Bog. in 4°. A. E.: *Tubingae apud Thomam Anshelmum Baden | sem mense Augusto. Anno M. D. XIII.*

Zwei Schriften des Athanasius folgten in verschiedenen Jahren (1515 und 1519), beide theologische Dinge enthaltend. Die erste gibt die Erklärung der Psalmen [1]) ohne eine eigene Bemerkung und Zuthat Reuchlins, wenn man nicht das beigegebene Verzeichniss der von Athanasius angeführten Psalmen als solche bezeichnen will. Um so mehr Eignes bietet die zweite Schrift des Athanasius „über verschiedene Fragen" [2]), wo die Anmerkungen Reuchlins an Umfang weit grösser sind, als der Text der übersetzten Schrift. Die Anmerkungen erklären den Text, grösstentheils in grammatischer, weit weniger in sachlicher Weise, geben lange grammatische, oder besser lexikographische Auseinandersetzungen; Abschweifungen, die irgend etwas Anderes, als streng hierher gehörige Erläuterungen enthalten, kommen fast gar nicht vor: eine Erwähnung des Tübinger Theologen Jakob Lemp [3]) und ein Ausfall gegen Pfefferkorn und die Kölner Mönche [4]).

Schon in diesen Uebersetzungen zeigen sich Reuchlins nicht geringe Kenntnisse im Griechischen; sie erscheinen noch weit grösser, wenn wir das folgende Verzeichniss der Schriftsteller betrachten, die Reuchlin so anführt, dass wir doch fast stets glauben müssen, er habe sie gelesen. Von den Autoren des Alterthums war es natürlicherweise zunächst Aristoteles, den jeder Griechischkundige begierig aufsuchte. Das Mittelalter hatte ihn nur durch lateinische Wiedergabe arabischer Verstümmelungen gekannt; der Humanismus brachte das Original aus dem Schutte hervor. Schon als Student in Basel hatte Reuchlin erkannt, dass man den Aristoteles nur begreifen könnte, wenn man griechisch verstände, und hatte demgemäss

---

[1]) *S. ATHANASIVS IN | LIBRVM PSALMORVM | nuper a Joanne Reuchlin | integre translatus.* 5 Bogen in 4⁰. A. E.: . . *pridie Idus | Sextiles Anno M. D. XV | Tubingae apud Thomam Anshelmum.* |

[2]) *Liber S. Athana | sii de variis | quaestionibus | nuper e graeco in | latinum tradu | ctus, Johanne | Reuchlin in- | terprete.* | (alles mit grossen Buchstaben) A ... P. à 4 Bll. in 4⁰. A. E.: *Hagenoae ex officina Thomae Anshelmi Ba- | densis. Anno Incarnationis M. D. XIX. | Mense Martio.*

[3]) Oᵃ: *Jam volui hoc vocabulum ζωον et scribere per accentum acutum in ultima, et transferre vivum seu vivens. Cui se opponebat eximius in theologia praeceptor et eruditor meus, vir egregius sacrarum literarum et iuris doctor, Jacobus Lempus etc.*

[4]) P 2ᵇ sq.: *Quare supra quam dici queat utile fuit in publicis gymnasiis discere linguas et interpretari libros ac volumina gentium et infidelium non supprimere, non cremare, non comburere, ut theosophistae incendiarii voluerunt.*

Geiger, Johann Reuchlin. 7

gehandelt[1]); dann hatte er sich immer mehr in die Ringschule des Aristoteles begeben und war als Sieger daraus hervorgegangen[2]); stolz weist er darauf hin, dass er die Werke nicht in der lateinischen Uebersetzung kenne, wie seine Gegner, sondern in der Ursprache[3]). Wie die Werke des Meisters[4]), so kennt Reuchlin auch die des Schülers, des arabischen Philosophen Averroes, den er mit seinem eigentlichen Namen Ibn Roschd benennt, und dabei die Unwissenheit der Früheren tadelt[5]). Neben Aristoteles wird wol Plato am häufigsten angeführt[6]). Pythagoras, der die Grundlage seiner philosophischen Lehre bildet, an einer grossen Anzahl von Stellen[7]). Reuchlins Kenntniss des Homer verdient eine etwas eingehendere Besprechung. Sicher war ihm das Original bekannt, obgleich es ihm erst allmählich gelang, es zu erhalten, er pries sich schon glücklich, als ihm sein Freund Peter Jakobi, der in Italien reiste, einzelne Gesänge in lateinischer Uebersetzung zuschickte[8]). Er stellt

---

[1] Vorrede zu de acc. et orth. Februar 1518.

[2] Sidonius in De verbo mirifico a 5 a: *De quo Aristotelem tuum loqui sinas, optime Capnion, in cujus te palaestra plurimum exercuisse atque inde gymnici certaminis exacto tempore insignem tiaram et aureos annulos te tulisse ferunt.*

[3] Defensio K 3 a. — Eine merkwürdige Stelle, die ich nicht erklären kann, soll nicht übergangen werden: *Plato ita summum deum in ignea essentia esse voluit, quem ingratus discipulus Aristoteles, ut saepe alias, ita nunc quoque non sine calumnia reprehendet,* de verb. mirif. f 2 a.

[4] Er citirt: de coelo d. a. c. fol. XXVII b; de mundo XXXII a; de generatione XXXV b; de anima XXV a, LIII a, R. h. p. 4; post naturalia d. a. c. XXIIII a, XXXII a, defensio L 3 b; in elenchis Augensp. fol. IIII b; phys. R. h. p. 75; meteorologica p. 9. 147; de coloribus p. 177; de sensu p. 179; loci d. v. m. a 5 b.

[5] *Ut legimus in arte logica philosophi Abenrusd, qui apud nos propter ignorantiam graecarum literarum dictus est Averrois ob quandam characterum ny et rho similitudinem et intrichationem sigma cum taf. Ita enim graece scribitur: ἀſευϱουζ i. e. Abenrust, quod majores nostri linguarum imperiti legerunt Averroys, sicut in multis quoque aliis paralogizantur. Habeo ego ejusdem philosophi logicen opus proprium hebraicis literis conscriptum.* R. h. p. 115, vgl. auch p. 476.

[6] Timaeus d. a. c. fol. XXIIII a, XXXII a, d. v. m. d 6 a; Phaedo d. a. c. XXXI a; de legibus, convivium, Philebas XLIIII a; de repub. XXXVI a; Cratylus LXIX b, d. v. m. g a; epistolae d. v. m. h b; Plato schlechtweg e 2 a.

[7] Die aurea carmina, z. B. d. a. c. fol. XXXII b XXXV a.

[8] *Homerus sic me interprete scribens.* R. h. p. 178. Anführungen Ilias

Homer ungemein hoch: alle Philosophie sei in ihm enthalten und aus ihm entsprungen, „wiewol er", wie Reuchlin an anderer Stelle hinzufügt, „mit synen lüginen weder got noch der welt hat geschonet"[1]). Neben Homer die Dichter Theognis, Kallimachus und Epimenides, Hesiod, Theokrit, verschiedene Stücke des Aristophanes, Sophokles und Euripides. Pindar und Orpheus an einer grossen Anzahl Stellen[2]). Von klassischen Prosaikern finden sich angeführt Empedokles, Polemon, Jamblichus, Porphyrius, Lucian, Ammonius, Plutarch, Plotin, Timaeus, Philostratus, Alexander Polyhistor und Antiphon, Numenius, Theophrast, Philopomus (Johannes Grammatikus), Tyrius Maximus, Athenagoras, Xenophon, Herodot, Strabo, Stephanus Byzantinus, Suidas, Pausanias, Josephus[3]); von Kirchenvätern und christlichen Schriftstellern, die griechisch schrieben, ist vor allem Gregor von Nazianz zu erwähnen, der freilich nicht die Stellung einnimmt, wie Hieronymus unter den lateinischen, aber immerhin einen bevorzugten Rang hat. Er wird über Homer gestellt, und sehr häufig citirt[4]). Ferner Dionysius Areopagita, Origenes, Eusebius, Laktanz, Athanasius, Cyrillus, Augustinus, Cyprian, Chrysostomus[5]).

---

und Odyssee, R. h. p. 614; d. v. m. c^b, o 5^a; defensio E^b, E 2^b, G3^a, G3^b; d. a. c. fol. XXIV^b.

[1]) d. v. m. fol. c^b und Augenspiegel fol. XI^b.

[2]) d. v. m. c 5^a; defensio g 2^a; defensio vielfach; d. a. c. fol. XLIIII^a; LXXVII^a. R. h. p. 211; Acharner p. 217, Plutus p. 321, Frösche p. 461; R. h. p. 2 61, d. v. m. a 6^b, b 5^a, c 5^a, c 5^b; d. a. c. XXX^b; XXVIII^a u. a. m.

[3]) d. v. m. a 5^a; d 6^a; e 5^a, Def. G 2^a, d. a. c. XLIII^a; Def. E 4^b, G 2^b, d. a. c. XLIIII^a, XLIIII^b, L^a; d. a. c. XXXI^b; fol. XLII^a; XXXVIII^b, XXXIX^a; fol. XLII^a, XLIV^d, LVIII^b, LXXVIII^a; XLII^a; XLIIII^a; fol. XXXIV^a, XXXV^b; XXIII^a; R. h. p. 329; d. a. c. fol. XXIIII^a; XXIIII^b; XXXV^a, XXXVII^b, XLIIII^a, LVII^a; XXV^b, XXVI^a; XXXVI^a, XXXVII^b; R. h. p. 6; R. h. p. 346; R. h. p. 346, 502; p. 297, 298, 303, 309, 317, 354, 396, 454, 455; Def. k 2^b; d. v. m. c 6^a.

[4]) nur einige Stellen sollen hervorgehoben werden: d. v. m. b 2^b, d 2^b; d. a. c. XXI^a, XXVII^b, LXI^a, LXIII^b; Def. C^b, C 2^b, C 3^b, D 3^b, G 2^b, I 3^a und G 4^b, wo es heisst: *cui non solum dulcedine carminis cedit Homerus sed etiam veritatis splendore*. Seine Uebersetzung der griechischen Verse entschuldigt er: *non possum venustatem loquendi suum assequi*.

[5]) d. v. m. f^a, g 4^a; d. a. c. XXVI^a, LXV^b, R. h. p. 130, Def. H^b; d. v. m. c 5^a, f^a, Def. GL^a; d. a. c. XXIII^a, Def. G^b; XXXI^a; Def. G 2^a, H^b, L 3^b; XXV^b, 7 psalmi k 5^b, k 8^b, Def. G 2^b; Def. G^b, L 2^b; F 2^a, I^a fg.; G^b, G 2^a, I 3^b; G 2^a; II^b.

7*

Ueberblickt man diese grosse Reihe der von Reuchlin angeführten Schriftsteller, so wird man unwillkürlich zu der Vermuthung
gedrängt, dass er doch ein Werk geschrieben haben müsse, um
diese staunenswerthe Kenntniss zu verwerthen, da es ja seine Gewohnheit keineswegs war, Gelesenes in sich als todtes Kapital,
oder als Material zu gelegentlicher Verwendung aufzubewahren. Und
doch wird diese Vermuthung nicht bestätigt, wenn man nicht das
zweite Buch der cabbalistischen Kunst, das eine Darstellung der pythagoräischen Philosophie enthält, als solches Werk betrachten will,
was man indess nur zum Theil thun darf. Reuchlin hat eine grössere
Arbeit über die griechische Sprache nicht geliefert. Wir haben gesehn, dass er in dieser Sprache unterrichtete und seinem Unterricht
eine selbstverfasste Grammatik zu Grunde legte, aber diese Grammatik ist nie veröffentlicht worden und nicht zu unserer Kenntniss
gelangt. Erhalten ist nur die kleine, schon von Tritheim erwähnte
Schrift: über die vier Idiome des Griechischen, die aber höchstens
als Zusammenstellung der Ansichten der alten griechischen Schriftsteller eine Bedeutung beanspruchen darf [1]), und die *Colloquia graeca*,
eine Sammlung leichter und einfacher griechischer Gespräche mit
daneben stehender lateinischer Uebersetzung, die wahrscheinlich zum
Einprägen gegebener Regeln bestimmt waren [2]). Alle drei Schriften
aber sind durchaus praktischer Natur, sie mochten Einzelnen gute
Dienste geleistet haben, aber der wissenschaftliche Werth mangelte,
und das hielt auch wol Reuchlin davon ab, sie zu veröffentlichen.

Nichtsdestoweniger, trotz dieses Mangels eines wissenschaftlichen
Lehrgebäudes, hat man Reuchlin als den ersten Verbreiter des Griechischen in Deutschland angesehn und er selbst nimmt für sich
dieses Verdienst in Anspruch. Und nicht mit Unrecht. Er war der
erste Deutsche, der im Auslande von Griechen griechisch lernte; durch
sein Beispiel, durch mündliche Lehre, durch stete Hinweisung auf
dieses Studium in seinen Schriften trug er sehr viel dazu bei, ihm
in den Bildungsgang der Nation Eingang zu verschaffen.

Ob sich Reuchlin des grossen unendlichen Dienstes vollbewusst
war, den er der ganzen Zukunft leistete? Der wissenschaftlich
Strebende schafft und wirkt in sorgloser Ruhe, er kümmert sich

———

[1]) Handschr. in der Stuttg. Bibl.; vergl. den Widmungsbrief an Dalburg 1489.
[2]) s. Anm. 1.

nicht um den Erfolg seines Thuns in der Gegenwart, um die Wirkungen in der Zukunft, er gehorcht nur dem eignen Triebe, dem
innern Zwang, der ihn nöthigt, das zu vollbringen, was er als seine
Aufgabe erkannt. Aber der geniale Mensch wählt sich Aufgaben,
die, ohne dass er sich manchmal selbst dessen inne wird, den Keim
fruchtbarer Bildungen in sich tragen, auf die wissenschaftliche Gestaltung ganzer Generationen bestimmend einwirken.

Bekanntlich giebt es zwei Arten, das Griechische auszusprechen, von
denen die eine noch heute von den Griechen gesprochen, und als Neu-
griechisch bezeichnet wird. Sie besteht darin, dass unter den Vokalen
der *I*-Laut durchaus vorherrscht, und dass das in den Diphthongen
vorkommende *v* consonantisch lautet. Man bezeichnet diese Art der
Aussprache als Reuchlinisch. Reuchlin hat sie nicht willkürlich gemacht, er sprach das Griechische, wie es seine Lehrer, die Griechen,
ihn gelehrt. Wann dieser Aussprache der Name Reuchlinische gegeben wurde, ist nicht bekannt, ohne Zweifel gab man ihn aus dem
Grunde, weil Reuchlin der erste Deutsche war, der Griechisch gelernt hatte. Dagegen ist die Erasmische eine gemachte, nicht etwa
in absichtlichem Gegensatze zu Reuchlin, sondern aus einer Laune
entstanden. Heinrich Loriti besuchte auf einer Reise von Paris den
Erasmus in Löwen, theilte ihm mit, dass er Griechen ihre Sprache
anders habe reden hören, als das bisher in Deutschland üblich gewesen, und sofort machte sich Erasmus ans Werk, um diese neue
Aussprache als eigne Erfindung auszugeben, die als die allein richtige gelten müsse [1]. Es ist hier nicht unsere Aufgabe zu untersuchen, welche Aussprache den Vorzug verdient. Reuchlin hat es
wol noch erlebt, dass man von der durch ihn begründeten Aussprache abging, aber er sprach sich darüber nicht aus; die Folgezeit hat über den Werth oder Unwerth der neuangenommenen viel
hin- und hergestritten, aber im Ganzen hatte schon seit den letzten
Jahrzehnten des sechszehnten Jahrhunderts die Erasmische allein
praktische Geltung [2]; erst in der neuesten Zeit, seitdem das Neu-

---

[1] *Dialogus de recta latini graecique sermonis pronunciatione* (1519). Darin
wird Reuchlins mit keinem Worte erwähnt. Die Erzählung, wie Erasmus
zu dieser Schrift gekommen, s. bei Schreiber: Heinrich Loriti Glareanus
1837 S. 44. A. 105.

[2] Die Literatur der früheren Jahrhunderte ist zusammengestellt bei
Bloch: Aussprache des Altgriechischen. Altona 1826; für das 16. Jahrh.

griechische auch in den Kreis sprachlicher Studien gezogen worden, scheint die Reuchlinische Aussprache wieder in Ehren zu
kommen.

Reuchlin hat keine Schrift über griechische Grammatik hinterlassen; in seinen übrigen Werken fand sich keine Gelegenheit, über
seine Aussprache in zusammenhängender Weise zu reden. Nur auf
eine Anfrage Heinrich Bebels gab er an, dass er in den Diphthongen
εv und αv das v vokalisch spreche, wenn ein Konsonant, konso-
nantisch, wenn ein Vokal darauf folge [1]). Diese Regel, sowie auch
die, dass η und ε, $\varepsilon\iota$ und $o\iota$ wie ι gesprochen werden müssten,
geht aber ausserdem aus einer ganzen Anzahl Stellen hervor, die sich
zerstreut in den Werken finden [2]).

Ausser den drei Sprachen, in denen Reuchlins Bemühungen und
Verdienste im Obigen geschildert sind, kannte er noch andere. Be-
zugnehmend auf ein Spottbild, das die Gegner von ihm veröffentlichten, in dem sie ihn doppelzüngig abbildeten, erklärte er, man
hätte ihn fünfzüngig malen müssen [3]). Unter den fünf Sprachen
nennt er das Französische; dessen Kenntniss hatte er sich bei
seinem mehrjährigen Aufenthalt in Frankreich (Paris, Orleans, Poitiers 1477—1481) erworben; wir dürfen wol Italienisch hinzufügen,
von dem er bei seinen mehrfachen Reisen nach Italien Einiges er-

---

vgl. *Adolphi Meckerchi Brugensis de veteri et recta pronuntiatione linguae Graecae
commentarius, jam auctus et recognitus. Antverpiae MDLXXVI* in 8°, der
durchaus auf Erasmischem Standpunkte steht, s. p. 19, 28 sq.; von Reuchlin
ist gar nicht die Rede.

[1]) Brief Bebels 25. Febr. 1501 und Reuchlins Antwort darauf. In beiden
Briefen sind auch andere grammatische Einzelheiten berührt.

[2]) יַחַדְּךְ *ultima terminatio pronunciatur sicut diphthongus graeca αv,
quasi per digamma aeolicum, non ut au, sed ut af.* 7 psalmi k 2 b. *vau in
fine sive holem vel surek significat digamma aeolicum et facit diphthongum af
vel ef, sicut apud graecos αv et εv.* Rud. hebr. p. 7. — *Sicut David Kamhi
quem nostri appellant Kimhi (sicut alii pronunciant. Rabi et Alemania dicit
Ribi), per facilem vocis a in i conversionem, ut et de graecis ac latinis extat
par iudicium: illi enim grammatiki et logiki, nos (Latini) grammatica et logica;
illi mitir, nos mater etc.* de arte cabb. fol. XIX b. Hauptsächlich in den
Rud. hebr. p. 13. *eurika* ($\varepsilon\ddot{v}\varrho\eta\varkappa\alpha$); p. 177 *phinicum* ($\varphi o\iota\nu\iota\varkappa o\nu$); p. 211 *siso-
pygis* ($\Sigma\varepsilon\nu\sigma\acute{o}\pi\nu\gamma\iota\varsigma$) *p.* 285 *idololatria, p.* 289. *liturgia, p.* 298 *kimos* ($\varkappa\eta\mu\acute{o}\varsigma$),
p. 306 *mastigotisonte* ($\mu\alpha\sigma\tau\iota\gamma\omega\vartheta\acute{\eta}\sigma o\nu\tau\alpha\iota$), p. 313 *terpnotis* ($\tau\varepsilon\varrho\pi\nu\acute{o}\tau\eta\varsigma$).

[3]) R. an Kardinal Albrecht, März 1519.

lernt haben mag [1]). Die Sprache aber, durch deren Studium er epochemachend geworden ist, war das Hebräische [2]).

So lange es Universitäten gab, war die lateinische Sprache, wenn auch in verderbter Gestalt und auf geistlose Art gelehrt worden. Griechisch kannte man seit der Mitte des fünfzehnten Jahrhunderts von herumziehenden Griechen auf den Universitäten des Auslandes und zum Theile auch Deutschlands erlernen, wer Hebräisch mit in den Bereich seiner Universitätsstudien ziehen wollte, dem fehlten dazu durchaus die Mittel. Zwar hatte das Concil zu Vienne von 1312 die ausdrückliche Bestimmung getroffen, dass Lehrstühle für die hebräische Sprache in Paris, Oxford, Salamanka und Bologna — Deutschland kam damals als Boden für gelehrte Studien noch nicht in Betracht — errichtet werden sollten, aber die Bestimmung war nie vollständig zur Ausführung gelangt. Selbst in Paris, wo das ganze Mittelalter hindurch das reichste geistige Leben pulsirte, das schon frühzeitig anfing, der Vereinigungspunkt und der Tummelplatz aller Gelehrten zu sein, kann man keine ununterbrochene Reihe von Lehrern des Hebräischen nachweisen, und wenn es Allen so kümmerlich und elend ergangen ist, wie dem Magister Paul de Bonnefoy i. J. 1421, so muss es kein beneidenswerthes Loos gewesen sein, in der heiligen Sprache zu unterrichten [3]).

Es ist sehr zweifelhaft, ob es einen Lehrer des Hebräischen gegeben hat, als Reuchlin nach Paris kam, fast sicher, dass Reuchlin diese Sprache ebensowenig hier, als auf irgend einer der andern Universitäten, die er besuchte, in den Bereich seiner Studien gezogen hat. Wir besitzen grade aus dieser Zeit eigne ausführliche Berichte über seinen Bildungsgang, es wäre wunderbar, wenn er darin grade von den Studien nicht gesprochen hätte, die sein Herz ganz ausfüllten. In Paris hat er die hebräische Sprache nicht gelernt, Wessel

---

[1]) ‎שׁ‎ *Eum sonum Germani per sch, Itali per sci, Galli per x vel ch significare conantur, unde literam sin Italia scribit scin, Gallia etiam Celtica xin vel chin, et Suevia schin.* Rud. hebr. p. 8. Vgl. auch p. 16, was aber auf die Juden in Italien [und Spanien] sich bezieht. ‎שְׁוָא‎, *Schwa punctus quiescit et silet citra montes, idest in Germania, mussat autem ultra montes. Dicunt enim Germani smoth; Itali et Hispani: semoth.*

[2]) und das Chaldäische, R. rechnet sie zusammen nur als eine Sprache, in d. pag. 102, A. 3 a. St. Für chald. vergl. unten. Reuchlins Kenntniss der übrigen semitischen Sprachen war nicht bedeutend. s. unten.

[3]) Vgl. die kleine Schrift von Ch. Jourdain, De l'enseignement de l'hebreu dans l'université de Paris. 1863. Paris p. 6 ff.

ist sein Lehrer nicht gewesen. Das bezeugt dessen Schüler und Reuchlins Freund, Rudolf Agrikola. Aber Lust zu der Sprache hat er bereits in den ersten Jahren wissenschaftlicher Selbstthätigkeit gehabt: er hat sich allein in dieses schwierige Gebiet gewagt. Schon 1483 werden seine hebräischen Kenntnisse sehr gepriesen: man darf wol sagen, dass von dem Lobe Vieles abgezogen werden muss, was aus der gegenseitigen Beweihräucherung der Humanisten zu erklären ist. Aber in den achtziger Jahren hat er emsig gearbeitet. Zwar viel Hülfsmittel besass er nicht. Wie es scheint, hat er den Pentateuch in der Ursprache gehabt; seinen gelehrten Freund Sebastian Murrho bat er um eine Uebersetzung, wol damit er sich das Verständniss des Textes verschaffen könnte; Murrho konnte seinen Wunsch nur theilweise befriedigen. Die erste hebräische Bibel wurde 1488 in Italien gedruckt. Bis sie nach Deutschland kam, dauerte es noch einige Jahre. Johann Streler, der als Begleiter von Reuchlins Bruder nach Italien gegangen war, suchte für Reuchlin eine Bibel, und es ward ihm' nicht leicht, eine zu finden. Noch 1489 schweigt Conrad Leontorius, der 1494 auf die staunenerregenden hebräischen Kenntnisse Reuchlins einen Dithyrambus sang, gänzlich von denselben [1]).

Das sind Anfänge und mussten solche bleiben, denn es fehlte Reuchlin das, was er später so Vielen geworden ist: ein Lehrer. Und diesen zu finden war nicht leicht. Denn in Wirtemberg gab es kaum eine nennenswerthe Zahl von Juden, von ihnen war keiner im Stande, Reuchlins Sehnsucht zu befriedigen. Und ausserdem hielten sie es einer thalmudischen Bestimmung nach für verboten, einen Christen in ihrer Sprache zu unterrichten [2]). Auch später, als Reuchlin in der Kenntniss des Hebräischen bereits sehr vorgeschritten war, sehnte er sich vergebens danach, an seinem Wohnorte Juden zu haben, von denen er eins oder das andere hätte erfragen, über einzelne Punkte sich Aufklärungen erbitten können [3]).

---

[1]) Für Belegstellen verweise ich auf meine Schrift: Das Studium der hebräischen Sprache in Deutschland vom Ende des 15. bis zur Mitte des 16. Jahrhunderts. Breslau 1870. S. 17. Anm. 1. S. 23—25. Einzelne Stellen aus jener Schrift sind hier und im Folgenden mit Veränderungen aufgenommen. — Die in den folgenden Seiten sich findenden Anmerkungen sind neu hinzugefügt.

[2]) Rud. hebr. p. 621 (Briefs. 7. März 1506 a. E.) vgl. auch unten.

[3]) De acc. et orth. fol. LXXI^a. Die ganze, auch sonst interessante

Der milde Graf Eberhard, jener verständige, thatkräftige, Kunst und Wissenschaften liebende, hochsinnige Mann unterlag in dieser Beziehung durchaus den Vorurtheilen seiner Zeit: in seinem Testament fand sich die dringende Aufforderung an seinen Nachfolger, in seinem Lande keine Juden zu dulden.

Durch einen Zufall wurde Reuchlin das zu Theil, was ihm die äusseren Umstände bisher versagt hatten. Als er im Jahre 1492 vom Grafen Eberhard zum Kaiser Friedrich III. geschickt wurde, fand er dort den Jakob ben Jehiel Loans, den Leibarzt des Kaisers, der bei diesem seiner hohen Kunst wegen in Ansehn stand, aber mit der Kenntniss seines Berufes auch ein gediegenes Wissen in der hebräischen Sprache verband.

Er wurde Reuchlins Lehrer. Es lässt sich nicht läugnen: dieses erste Begegniss Reuchlins mit einem jüdischen Arzt ist ein Moment von welthistorischer Bedeutung. Reuchlin war ein Kind seiner Zeit: er hat sich in vielen Dingen von den Fesseln, die der Zeitgeist einem Jeden auferlegt, nicht freizumachen gewusst, vielleicht nicht einmal zu befreien gesucht. Er hatte bisher wohl Juden gesehen: auf seinen Reisen, vorübergehend auch in seinem Wohnort; zogen sie doch überall in Deutschland und im Auslande umher, wo eine Handelsgelegenheit sie anlockte, wo ein Bedürfniss sie hintrieb. Aber in welcher Gestalt waren sie ihm, waren sie allen Christen erschienen! In sonderbarem Aufzuge, der sie schon äusserlich von der sie umgebenden Welt schied, mit einer eigenthümlich gemischten Sprache, die nur ihnen recht verständlich war, mit einem Geiste, der nur am Irdischen, an Handel und Gewinn zu kleben und für das Höhere keine Empfänglichkeit zu haben schien. Hier trat ihm ein Anderes entgegen, ein Spross desselben Volkes, das ihm so verächtlich erschienen war und seinen bisherigen Erfahrungen nach auch nicht anders hatte erscheinen können, und dabei ein Mann, am Hofe ge-

---

Stelle lautet: *Qua in re* (in der Gewohnheit, Gott Gesänge zu weihen) *ad hanc usque aetatem sequuta est gens Hebraea Moysen suum, qui sacrosanctam scripturam omnem miro modo in synagogis quotidie suis quadam voculatione cantillare dicuntur, multis mihi referentibus, non quod ego ipse in sacris illorum adeo diligens vel spectator vel auditor fuerim, cui plane nulla Judaeorum relicta est conversatio, quippe cum fuerint prope toto vitae meae tempore a mea patria exacti et extorres iudaei, nec in ullo ducis Suevorum territorio habitare audeant, ubi certe mihi annos jam triginta quinque (1482—1517) domicilium contrahitur.* Vgl. auch Erklärung in tutsch (1512) a ij[b].

ehrt, in Wissenschaften unterrichtet und in die Gemeinschaft der Gebildeten willig aufgenommen.

Diesem ersten Lehrer, Loans, der seine Pflicht in emsiger und gewissenhafter Weise erfüllte, von dessen Leben und äusseren Verhältnissen wir sonst wenig wissen — 1506 war er wol todt [1]) — bewahrte Reuchlin treue Zuneigung; mir ist wahrscheinlich, dass er ihn in dem Juden Simon hat zeichnen wollen, dem einen der drei Unterredner in dem Werke über die cabbalistische Kunst, dem er grosse Gelehrsamkeit nachrühmt, unerschöpfliche Freundlichkeit, davon zu spenden, und an dem er nur das Eine auszusetzen hat, dass er ein Jude ist. In einem Briefe, den er ihm acht Jahre nach empfangenem Unterricht zusandte, versicherte er ihn seiner fortdauernden Anhänglichkeit [2]): in seinen Rudimenten (hebr. Grammatik und Lexikon) erwähnt er an manchen Stellen einzelne Lehren, die er von diesem Manne empfangen, er vergisst bei Erwähnung seines Namens niemals hinzuzusetzen: mein Lehrer, und preist sein Wissen in einer den Lehrer und Schüler gleich ehrenden Weise [3]). Es ist ein Zeichen echter Gelehrsamkeit und wahrer Grösse, auf der Spitze des Ruhmes der Vergangenheit eingedenk zu sein, ohne Scham und Scheu sich daran zu erinnern, dass man einst auch Schüler gewesen, und derer rühmend zu gedenken, die den schlummernden Geist zum Leben geweckt haben.

Ueber die Dauer des Unterrichts ist uns Einiges bekannt, was an anderer Stelle erwähnt ist, ebenso über den Unterricht, den er in Rom bei Obadja Sforno aus Cesena genoss. Es wurde gleichfalls schon angedeutet, wie die mehrfachen Reisen nach Italien, namentlich der dritte Aufenthalt zu Rom 1498 auch in anderer Beziehung für Reuchlin von grossem Werthe waren: hier gelang es ihm, hebräische Handschriften und Druckwerke einzukaufen, die ihm für seine Studien unentbehrlich waren, und die er sich in Deutschland

---

[1]) Bei einer Anführung in den Rud. hebr. (s. unten Anm. 3) heisst es p. 619, nach seinem Namen: *Misericordia dei veniat super eum;* eine lateinische Nachbildung einer unter den Juden bei Erwähnung eines Verstorbenen gebräuchlichen Redensart.

[2]) Der hebr. geschriebene Brief 1. Nov. 1500. (Briefs.)

[3]) Rud. hebr. p. 249: *praeceptor meus, mea sententia valde doctus homo Jacobus Jehiel Loans hebraeus;* p. 286: *homo ex Judaeis non parum literatus;* p. 619: *humanissimus praeceptor meus doctor excellens,* andere Anführungen, wo der Name ohne weitere Zusätze steht: p. 291, 387, 417, 450.

nicht hätte verschaffen können. Dass er bereits 1497 (und 98?) wenn auch nur auf kurze Zeit und in verstohlener Weise in Heidelberg als Lehrer des Hebräischen auftrat, ist oben erwähnt [1]).

So war er denn nach einigen Jahren eifriger Arbeit kein Schüler mehr, aber er hörte nicht auf, weiter an sich zu arbeiten, mehr sich zu vervollkommnen, immer Neues von Andern aufzunehmen. So wollte er noch 1516 in Köln Unterricht im Chaldäischen bei Johannes Potken nehmen, der auch der Lehrer Galatins in dieser Sprache gewesen war [2]). Er gedachte deswegen eine Reise zu dem Freunde nach Köln anzutreten; ob aus der Reise und dem Unterrichte etwas geworden ist, lässt sich nicht bestimmen.

Reuchlin hat bis gegen das Ende seines Lebens keine Universitätsstellung bekleidet, er zog es vor, die Zeit, die ihm seine amtliche Stellung übrig liess, der wissenschaftlichen Beschäftigung zu widmen. Aber wie er in den übrigen Fächern viele junge Leute privatim unterrichtete, so auch im Hebräischen. Nachdem Reuchlin einmal die erste Anregung zum Studium dieser Sprache gegeben hatte, stürzten sich viele junge Leute voll Begierde auf das neuerweckte Studium. Aber die geistigen Pflanzstätten, die Universitäten, boten ihnen nichts. Fast ein Jahrzehnt nachdem Reuchlin, zunächst zum Zwecke der Judenbekehrung, hauptsächlich wol aber aus wissenschaftlichem Interesse, den Kaiser „umb gottes und unsers christenliches glaubens willen" gebeten hatte, zu erwirken, dass auf jeder deutschen Universität 10 Jahre lang zwei Professoren angestellt werden sollten, um das Hebräische zu lehren [3]), begann man die bisher vernachlässigte Sprache in den Kreis der Universitätsstudien aufzunehmen. Bis dahin waren alle, die die Sprache gründlich lernen wollten, fast ausschliesslich auf Reuchlin angewiesen. Und es müssen nicht wenige gewesen sein, die zu ihm kamen, wenn wir den Worten Mutians glauben dürfen, dass täglich Jünglinge zu ihm strömten, „denen Reuchlin im Munde und im Herzen lebt", von denen der Eine Unterweisung im Griechischen, der Andere im Hebräischen begehrt [4]). Reuchlin spendete gern von den Geistes-

---

[1]) S. oben S. 45, S. 46 und A. 6.

[2]) Potken an R. 13. Sept. 1516; Galatin an R. Juni 1515.

[3]) Gutachten (1510) fol. XX ª. Die Juden sollten gegen sichere Kaution Bücher dafür herleihen „so lang bis wir durch den truck oder handtgeschrifft aige bücher überkommen möchten."

[4]) Mutian an Reuchlin 13. September 1516.

schätzen die er besass, seine Schüler unterrichtete er unentgeltlich, sein einziger Lohn sollten ihre Fortschritte und ein wenig Anerkennung für seine Bemühung sein; doch vergalten ihm Manche, wie er selbst schreibt, mit Undank [1]). Die Meisten aber werden die Anstrengung des Lehrers geehrt haben, wie sie es verdiente; nach seinem Tode klagt Nikolaus Gerbelius, zum Studium des Hebräischen fehle ihm nichts, als Reuchlins Hülfe [2]).

Unter seinen Schülern ist vor allem Melanchthon zu nennen, mit ihm wol die Jünglinge, in deren Begleitung er oft zum „alten Vater" nach Stuttgart wallfahrtete. Andere kamen manchmal aus weiter Ferne. Christoph Schilling aus Luzern, der dem Lehrer bei einem spätern Werke einen kleinen Dienst erwies; Johannes Oekolampad, der nach Beendigung seiner Studien in Heidelberg nach Stuttgart zur Vervollkommnung seiner theologischen Kenntnisse ging; Johannes Cellarius, der die Verehrung des Meisters durch die Widmung einer spätern Schrift bezeugte; Bartholomäus Caesar, der, mit Empfehlungsschreiben von Lorenz Behaim ausgestattet, zu Reuchlin ging, dürstend nach der Quelle der Erkenntniss.

Denen, die nicht zu ihm kommen konnten, schickte er auf ihr Verlangen Lehrer zur Unterweisung in dieser Sprache; anderen, denen die Sprache nicht ganz unbekannt, die nur über einzelne Punkte im Unklaren waren, hob er die Bedenken, löste die Zweifel. Es ist überaus eigenthümlich, wie auch Soldaten und Mönche, Mitglieder der Stände, die man in jener Zeit oft mit Recht als ungebildet und jeder wissenschaftlichen Neigung fern stehend betrachtet, sich zu der neuen Lehre drängten, wie der Churfürst von Sachsen bittet, Reuchlin möge einen Professor des Hebräischen nach Wittenberg empfehlen, wie der Mönch Nikolaus Ellenbog bei einem getauften Juden, den Reuchlin geschickt, hebräisch lernt.

Wenn man auf dieses bewegte Treiben blickt, so erkennt man den Einfluss der Thätigkeit Reuchlins; man erhält eine richtige Anschauung von deren Werth, wenn man den ebengeschilderten Zustand mit dem vergleicht, welcher in der Zeit unmittelbar vor Reuchlin herrschte. Da gab es keinen Lehrer, der Schüler aus-

---

[1]) Reuchlin an Lemp Vorrede zu 7 ps. poen. August 1512 (Briefsammlung).

[2]) Vgl. Das Studium der hebr. Sprache S. 34, Anm. 1; das. S. 31—34 liegt fast durchgängig den folgenden Bemerkungen zu Grunde.

stellte, nicht Lernbegierige, die einen Meister suchten; es gab höchstens in den letzten Jahrzehnten des 15. Jahrhunderts einige wenige, die hebräisch verstanden, ohne dass sie schriftstellerisch ihre Kenntniss verwerthet hätten. So wird von Conrad Summenhart und Paul Scriptoris, beides theologischen Lehrern in Tübingen, berichtet, dass sie im Hebräischen unterrichteten; Sebastian Murrho aus Colmar ist einer der ersten, der sich rühmt, „dreisprachig" zu sein; Johann Wessel hielt die Kenntniss der hebräischen Sprache nothwendig zu seiner theologischen Ausbildung und unterrichtete seinen befähigten Schüler Rudolf Agrikola darin, der in seinen späteren Jahren in trüber, der Welt abgeneigter Stimmung diesen Studien sich völlig zuwandte und in denselben erst seine eigentliche Lebensarbeit gefunden zu haben glaubte [1]; Conrad Pellikan, später ein Schüler Reuchlins, begann der Zeit nach früher als dieser seine Beschäftigung mit der hebräischen Sprache [2].

Zeitlich sind alle diese Männer als Vorgänger Reuchlins zu betrachten, aber in ihren Leistungen sind sie nicht mit ihm zu vergleichen. Sie sind kaum wie die Wegearbeiter, die die Steine behauen und die Dämme aufrichten, dass Einer komme, und den Weg befahre; der Weg ist noch nicht da, die Richtung noch nicht angegeben, die Arbeiter stehen und warten auf den, der den Pfad finden soll.

Zwanzig Jahre liess Reuchlin seit der ersten Bekanntschaft mit der hebräischen Sprache vergehn, ehe er in ihr schriftstellerisch zu wirken begann. Sein Werk „vom wunderthätigen Wort" (1494) zeigt immerhin Bekanntschaft mit der hebräischen Sprache, wenn auch keine allzu vertraute Kenntniss derselben; die hebräischen Worte sind zwar mit lateinischen Buchstaben gedruckt und an

---

[1] Für Agrikola ist noch die bisher unbeachtete Stelle aus seiner epistola 2 ad Jac. Barbirianum anzuführen (Tresling a. a. O. S. 77 fg.). *Vide ineptiam meam quaeso, vel, ut verius dicem, stultitiam, constitui discere Hebraice, tamquam non satis temporis et operae in pauculis iis graecis, quas scio, mihi perierit. Consecutus sum praeceptorem quendam intra paucos annos ad fidem nostram conversum, cui Hebraei etiam in omni laude eruditionis disciplinarumque suarum primas deferebant et quem praecipue solebant doctoribus nostris opponere, si quando ad disputationem de fide vocarentur. Hunc Episcopus mea causa domi suae alendum suscepit. Experiar, quantum potero; spero fore, ut aliquid efficiam et forte, vel ob id ipsam efficiam aliquid.*

[2] Für das Ebengesagte vgl. meine angef. Schrift S. 18—23.

diesem Mangel hebräischer Typen mag es gelegen haben, dass er
mit Anführung der Worte sparsam ist. Der gewandte und thätige
Buchdrucker Thomas Anshelm in Pforzheim half diesem Mangel ab,
er liess Typen anfertigen; wol nach dem Muster der damals in
Italien üblichen. So finden sich in einer kleinen 1505 erschienenen
deutschen Schrift sogenannte rabbinische Buchstaben [1]), — die angeführten Stellen lassen bereits dieselbe Belesenheit erkennen, von
denen die späteren Werke so rühmliches Zeugniss ablegen, Raschi,
David Kimchi und Moses Maimonides werden neben einer grossen
Anzahl Bibelstellen citirt, — gewöhnliche hebräische Druckschrift
zeigen zuerst unter Reuchlins Werken und überhaupt unter allen
in Deutschland gedruckten Büchern die *Rudimenta hebraica*.

Die Rudimente [2]) enthalten ein vollständiges Lehrgebäude der
hebräischen Sprache: eine, immerhin ziemlich umfangreiche Grammatik und ein vollständiges Wörterbuch; letzteres nimmt die beiden
ersten Bücher ein, der ersteren ist das dritte Buch vollständig und
ein kleiner Theil des ersten gewidmet. Betrachten wir das Lexikon
zuerst. Noch hatte kein Christ versucht, ein solches zusammenzustellen. Wer bedurfte auch dessen? Wer die Bibel lesen wollte,
dem genügte die Vulgata: das Siegel, das die übrigen jüdischen
Bücher verschloss, hatte man zu öffnen sich nicht gesehnt. Aber
jetzt verlangte man nach der Lüftung des Geheimnisses: die Mittel
dazu mussten geboten werden. Wie wäre wol ein Kurzsichtiger
verfahren? Er wäre von dem betretenen Wege nicht abgegangen.
Die hebräische Bibel, die nun einmal aus dem Schutt hervorgekehrt

-----

[1]) In den Rud. hebr. lehrt er, den Zusammenhang unterbrechend,
p. 612, das sogenannte rabbinische Alphabet; der Schüler, meint er, sei jetzt
vorgeschritten genug, um auch diese kleine Schrift zu erlernen.

[2]) Ohne eigentlichen Titel. Am Anfang: *PRINCIPIVM LIBRI* fol. 1 b:
*JOANNIS REVCHLIN PHORCENSIS LL. DOC. AD DIONYSIVM
FRATREM SVVM GERMANVM DE RVDIMENTIS HEBRAICIS.*
621 Seiten in fol. a. E.: *Exegi monumentum ere | perennius Nonis | Martiis
Anno MDVI.* Erstes und zweites Buch Lexikon, 3. Buch Grammatik. Im
Lexikon steht vor den einzelnen Buchstaben ein kleiner Vers, einfacher Segens-
spruch oder Anruf an Gott (fast immer hebräisch, nur einmal griechisch, bei
ἐν ὀνόματι τῷ τετραγραμμάτῳ). — Zu bemerken ist, dass im Buchstaben
ungehörig nach die Worte mit Ableitungen , , folgen (p. 115 fg.),
dass einige Seiten fehlerhaft paginirt und dass im Druck und , und
schwer zu unterscheiden sind.

war, hätte er zu verstehen gesucht vermittelst der Hülfsmittel, die leicht zu beschaffen waren, die sich ihm gleichsam von selbst darboten. Die Vulgata, der die Annahme seitens der Kirche ein Heiligenansehn verlieh, hätte er zu Grunde gelegt, nach ihr die hebräischen Worte erklärt, und wenn eine Deutung auf einfachem Wege nicht möglich gewesen wäre, hätte er sie wol gezwängt und gepresst, nur um keinen Buchstaben des der Kirche heiligen Buches zu opfern. Höchstens die Kirchenväter hätte er zu Rathe gezogen, die denselben Weg vor ihm eingeschlagen hatten.

Es ist das hohe Verdienst Reuchlins und verdient unsere Bewunderung noch heute, dass er diesen Weg verlassen. Er hat damit eine Kunde der hebräischen Sprache, ein wissenschaftliches Verständniss der Bibel erst möglich gemacht. Das heilige Buch war ihm der hebräische Urtext. So hoch er die Uebersetzung ehrte, der man das ganze Mittelalter gefolgt war, so tief er sich vor den Männern beugte, die ihre Anstrengung der Erklärung der Bibel gewidmet hatten, — Gott hatte in hebräischer Zunge geredet, in ihr ruhte die Wahrheit.

Hebräisch war die Sprache der Juden gewesen; nur diese hatten auch damals noch Kunde von ihr, sie aufzusuchen hatte Reuchlin sich nicht gescheut. Und wie er mit den Lebenden Umgang pflog, so war er auch in die geistige Werkstätte der Verstorbenen hinabgestiegen.

Ihre Literatur, ihre Sprache hatten die Juden stets gepflegt. In Spanien, wo sie eine neue Literaturepoche, man kann wol sagen, begründet hatten, oder jedenfalls als kräftige, bedeutende Mitarbeiter eingetreten waren, hatten sie auch begonnen, sich mit der Lexikographie zu beschäftigen. Nach den schwachen Anfängen des Menachem ben Saruk (1. Hälfte des 10. Jahrhunderts) war das bedeutende Werk des R. Jona, des Abulwalid Mervan ben Gannach, wie er mit seinem arabischen Namen heisst, gefolgt; aus ihm hauptsächlich hat David Kimchi (geb. in der Provence c. 1160) geschöpft. Kimchi ist der klassische Lexikograph bei den Juden geblieben, und bis auf die Neuzeit fast ausschliesslich von den Christen benutzt worden [1]). Sein Werk ist frühzeitig gedruckt

---

[1]) Vgl. Gesenius' Abhandlung: Von den Quellen der hebräischen Wortforschung u. s. w. vor den Ausgaben seines Handwörterbuchs. 4. Aufl. Leipzig 1834 S. XI ff.

worden, schon 1480 erschien die erste Ausgabe [1]). Vielleicht ist es
Reuchlin bald nach dem ersten Drucke bekannt geworden, er kann
es von der ersten Reise nach Italien mitgebracht haben, jedenfalls
hat ihn sein Lehrer Loans darauf hingewiesen. .

Eine Controle für dieses Lexikon besass er nicht. Es gab
kein Wörterbuch, das, etwa von andern Grundsätzen ausgehend,
die hebräische Sprache behandelt hätte. Kenntniss der mit dem
Hebräischen verwandten semitischen Sprachen ging ihm ab. So
war er, man könnte sagen willenlos, dem Meister preisgegeben; er
durfte ihm ruhig sich vertrauen. Aber der Leitung sich hinzugeben
war nicht leicht; das Werk war in hebräischer Sprache geschrieben
und zwar in dem rabbinischen Idiom, das selbst für den mit dem
Bibeltexte völlig Vertrauten seine nicht geringen Schwierigkeiten
bietet; die Erklärungen kurz zusammengedrängt: überall fanden sich
grammatische Kunstausdrücke, deren Verständniss schwierig war.
Es muss für Reuchlin ein saures Stück Arbeit gewesen sein, sich
hindurchzuarbeiten: vor der Festung, in die er dringen wollte (die
Bibel), ein tiefer Graben, den er nur schwer zu durchschreiten vermochte. Und doch gelang es: es werden sich höchst wenig Beispiele finden lassen, wo Reuchlin Kimchi's Ausdruck nicht verstanden
oder in seine Worte einen falschen Sinn gelegt hat [2]).

In welcher Weise ist Kimchi nun von Reuchlin benutzt worden?
Vergleichen wir Beider Wörterbücher, so springt etwas Aeusserliches
schon in die Augen. Das Lexikon Kimchi's ist nach Wurzeln geordnet, wie schon sein Titel anzeigt [3]), unter jeder einzelnen Wurzel
sind die Derivate zusammengestellt, ob sie der alphabetischen Ordnung nach dahingehören oder nicht; Reuchlin folgt dieser Methode,
nur dass er auch die Quadrilitera in die Trilitera einreiht, während
sie Kimchi an das Ende der einzelnen Buchstaben verweist. Man

---

[1]) Vgl. die bibliographischen Nachweisungen in Steinschneider,
Catalogus librorum hebraeorum in bibliotheca Bodlejana. Berolini 1852—1860
p. 872 fg. Ich citire im Folgenden nach der Venediger Ausgabe von Daniel
Bomberg 1546.

[2]) Mir ist eines aufgestossen S. v. אבה (3. Buch Mos. 11, 19) gibt
Reuchlin keine sichere Erklärung; am Schlusse sagt er: *Sed David Kimchi
scribit, magistros suo praecipere, quoddam milvi genus esse.* Kimchi sagt: שם
עוף, ואמרו רבותינו ז"ל אנפה זריח רגונית, רגונית == zornig, soll zur Erklärung von
אנפה dienen, denn אף heisst zornig sein.

[3]) ספר השרשים. *Liber radicum.*

gehe dann die Wurzeln durch: unter den von Reuchlin aufgenommenen ist wol keine, die nicht schon vorher bei Kimchi Platz gefunden hätte. Der oberflächliche Beschauer möchte die letztere Behauptung verneinen, aus dem einfachen Grunde, weil Kimchi zusammenzudrängen, Reuchlin auseinanderzuziehn liebt. Aber wenn dieser auch mehrere Artikel bringt, 4 oft 6, wo jener nur einen hat [1]), so ist das keine Bereicherung, die der Wortschatz erfährt, sondern nur eine äusserliche Trennung zusammengehöriger Worte. Zum Verständniss der einzelnen Worte werden bei Kimchi [2]) Bibelstellen angeführt, selbstverständlich auch bei Reuchlin, — hier mit dem grossen Uebelstand, dass sie nur mit Buch und Capitel, ohne Verszahl, lateinisch, nicht hebräisch, citirt werden und dadurch ihr Werth fast illusorisch gemacht wird — [3]). Bei weniger gebräuchlichen Worten begnügt sich Reuchlin mit einer Stelle, sie findet sich bei Kimchi gewöhnlich zu Anfang; bei gebräuchlicheren gibt er mehrere an, wozu er dann aus den von seinem Vorgänger angeführten diejenigen auswählt, die irgend eine Besonderheit enthalten an die sich, sei es für das grade besprochene Wort, oder ein andres, Schwierigkeiten anknüpfen, die zu Erklärungen veranlassen. Nur selten begegnen wir bei Reuchlin Beispielen, die Kimchi nicht gibt [4]), oder Verbesserungen von falschen Citaten, die bei Jenem sich finden [5]). Eigenthümlich ist für Reuchlin die Aufnahme der in der Bibel vorkommenden Eigennamen, die Kimchi nicht hat; ferner stellt er unter die hebräischen Wörter die chaldäischen Ausdrücke aus Esra, Nehemia und Daniel, denen Kimchi einen Platz am Ende des Lexikons anweist.

Die Abhängigkeit beschränkt sich nicht auf die Citate allein;

---

[1]) Beispiele liessen sich in grosser Anzahl vorbringen; schon im ersten Buchstaben vergleiche man אגמה: den zwei Bedeutungen (Hiob 40, 41; Jes. 9) widmet Reuchlin zwei Artikel; אור und איש, wo Reuchlin je sechs Artikel aus dem einen bei Kimchi macht.

[2]) Kimchi gibt ursprünglich nur die Worte des Texts. Für seine Leser, die Juden, die eine grosse Vertrautheit mit der Bibel besassen, war weiter nichts nöthig; erst in späteren Ausgaben ist Buch und Capitel hinzugefügt.

[3]) Nur eine Stelle 2 Mos. 33, 19 wird, man weiss nicht recht aus welchem Grunde, hebräisch citirt, p. 523.

[4]) Z. B. 1 Mos. 29, 3 p. 376; 1 Kön. 10, 16 p. 514.

[5]) Z. B. 1 Mos. 37, 3 für בכ s. v. אתב, 1 Mos. 13, 12 für כי s. v. אהל, 1 Mos. 35, 16 für מה s. v. כברת, 5 Mos. 17, 4 für כי s. v. כון.

Geiger, Johann Reuchlin. 8

eine Reihe von Erklärungen, die zum Theil eine grosse Vertrautheit
mit jüdischen Dingen verrathen, zum Theil durchaus anspruchslos
sind und keine besondere Bedeutung haben, wird wörtlich herübergenommen. Ich begnüge mich, um nicht Seiten zu füllen, mit der
Aufzählung einiger weniger Beispiele.

בול

כתב ר' יונה שהיא כבו עין
ונסמך אל עין בכו אדמת עפר
ומטר גשם.

fol. ט"ג

*Ut autem species ligni, ut sit appo-
sitiva constructio secundum magistrum
Jonam: Palus lignum, quasi diceret
lignum palum adorabo, sicut terram
pulverem (!) et imbrem pluviam.*

p. 77 [1]).

דרש = בקר.

ומן הענין הזה נקרא בקר כי
בבקר יתבקר כל דבי לאור היום

fol. ג"צ

2 Mos. 28, 18.

*Dictum fortasse a querendo, nam
incipimus res quaerere, cum mane
lucescit.*   p. 89.

יהלום

אפשר שתהיה הי"וד נוסבת
והיא אבן יקרה וכתב ההכם ר'
אברהם בן עזרא כי חבם גדול
ספרדי אמר שהוא הנקרא בערבי אלמ"אם
שהוא שובר כל האבנים ונוקב הבדולח והוא
מגזרת הולם פעם.

fol. ב'ק

*Ubi legitur haec dictio per prothe-
sim jod, sed scribit doctissimus Abraham filius Ezra, quod Hispanus quidam in literis excellentissimus dixerit
hunc lapidem esse adamanta, sic no-
minatum, quod frangat et dividat
robustissimas gemmas.   p. 140 sq.*

Zur Vergleichung sei noch auf Einiges Andere hingewiesen.
Man stelle zusammen die Erklärung von בשט Kimchi fol. ה"צ,
Reuchlin p. 93, die von בד K. fol. ד"ז, R. p. 74, בושה K. fol. ס,
R. p. 78; בכור K. fol. ה"ס, R. p. 82, die Bemerkung zu גוי, dass
man nach Joel 1 die Christen so bezeichne (fol. ח"פ, p. 102); über
חבורה K. fol. ק"פ, R. p. 162; die Andeutung über die Zeit der
Abfassung des 5. Psalms (p. 115), die Erklärung von חשבון (p. 196).

Soll man darin ein Plagiat sehn, eine beabsichtigte Täuschung,
soll man glauben, Reuchlin habe sich mit einem Verdienste schmücken
wollen, was nicht ihm, sondern seinem Vorgänger gebührte? Merkwürdigerweise, in den ersten 150 Seiten, bis in den Buchstaben ז
findet sich nirgend der Name des David Kimchi. Da ist wol oft
davon die Rede, dass in dieser Weise auch die hebräischen Lehrer

---

[1]) Es handelt sich um die Stelle Jes. 44, 19: לבול עין אכגור, das Reuchlin übersetzt *Ante truncum ligni procidam.*

erklären, dass die gelehrtesten Juden, ihre Grammatiker diese Deutung vorschreiben [1]), aber der Meister selbst wird nie vorgeführt, obwol man bei allen diesen Anführungen getrost seinen Namen einsetzen dürfte. Aber freilich, sobald einmal das *liber radicum* genannt, der Damm, könnte man sagen, gebrochen ist, kehrt es häufig wieder, wenn auch nicht immer, wo es benutzt ist [2]), kürzer wird auch auf die Autorität Kimchi's [3]), oder des Rabbi David, wie er einmal heisst [4]), hingewiesen.

Auch die übrigen Schriften Kimchi's werden gewissenhaft benutzt. Für die Anführung der Grammatik war im Lexikon nicht gerade der Ort, doch kommt sie auch einmal vor [5]), vor allem lieferten die Bibelcommentare brauchbares Material in Fülle. Zwar weiss man bei solchen Anführungen oft nicht, ob das Wörterbuch nicht wieder als ursprüngliche Quelle zu betrachten ist [6]), aber in vielen Fällen, wir dürfen wol sagen den meisten, sind die angegebenen Notizen wirklich aus den angeführten Commentarien genommen, und nicht aus dem Lexikon entlehnt [7]).

Indess, Reuchlins Kenntniss der Rabbinen, der jüdischen Grammatiker insbesondere, von denen er selbst sagt, sie haben ihm als Hauptquelle gedient [8]), scheint, wenn man sein Lexikon durchgeht, sich nicht auf Kimchi allein zu beschränken, wir begegnen einer

---

[1]) *Secundum magistros Hebraeorum: ut doctissimi Hebr., ut Hebr. grammatici docent*, p. 116.

[2]) Es scheint mir wichtig genug, die Stellen, soweit sie mir aufgestossen sind, zusammenzustellen, der Kürze wegen nur mit Bezeichnung der Seitenzahl der Rudimenta: p. 156. 161. 162. 167. 169. 173. 175. 198. 219. 220. 223. 237. 239. 244. 259. 251. 273. 295. 312. 322. 328. 329. 349. 366. 384. 401. 410. 418. 430. 460. 471. 502.

[3]) *Secundum David Kimchi: D. K. ipsum nominat* u. Aehnl. in einer grossen Zahl Stellen p. 60. 177. 199. 206. 249. 250. 261. 270. 271. 285. 294. 298. 339. 361. 375. 377 u. s. w.

[4]) p. 226.

[5]) p. 159.

[6]) Vgl. p. 86. 93. 114. 126. 142. 192. 308 u. s. w.

[7]) Angeführt ist Kimchi's Commentar zu Jesajas p. 67. 69. 288 u. s. w., zu den zwölf kleinen Propheten *(super duodecim minores)* p. 88. 132. 168. 229. 241. 294 u. s. w.; zu Samuel und den Büchern der Könige *(Commentarii super quatuor sc. regum)* p. 113. 154. 178. 225. 296 u. s. w.

[8]) Vgl. u. a. die Worte: *sed dimissis opinionibus nos sequimur nobilissimos hebraeorum grammaticos*, p. 223.

8*

stattlichen Reihe Anderer. Wir haben schon oben gesehen, dass
Reuchlin den R. Jona anführt, aber wir wissen, dass aus diesem
Kimchi ungemein Vieles geschöpft hat, es wird uns daher nicht
wunderbar erscheinen, wenn alle Stellen, wo Jona vorkommt, und
deren Zahl ist Legion, aus Kimchi entlehnt sind [1]). Weniger oft,
wenn auch häufig genug wird R. Juda citirt, überall stammt die
Kenntniss aus Kimchi [2]); ein beliebter Gewährsmann ist Abraham
Abenesra [3]), den Reuchlin einmal fälschlich Moses nennt [4]), Quelle für
seine Aeusserungen ist stets Kimchi's Wörterbuch. Und darauf ist
die grössere Zahl der Uebrigen zurückzuführen. Joseph Kimchi, der
Vater Davids, der häufig, eigenthümlich genug, *Joseph filius Kimchi*
heisst (Kimchi hier als Familienname betrachtet [5]), der berühmte
Gaon Saadias [6]), und viele Andere, die nur vereinzelt vorkommen:
Jakob Sohn Eleasars, oder Eleasar Sohn Jakobs, wie er einmal
fälschlich heisst [7]), Moses ben Gikatilja, dessen Namen in Gaktilides
verstümmelt wird [8]), der berühmte Arzt R. Isaak Benvenisti [9]). Der
bekannte Geschichtschreiber Josippon, der hier Joseph ben Gorion
heisst, ferner die im Thalmud vorkommenden Lehrer: R. Jochanan,
R. Nachman Sohn Isaaks, R. Akiba und R. Elieser, Simon, Sohn
Gamaliels, R. Simon ben Lakisch [10]). In den Thalmud selbst, dieses
Riesenwerk jüdischer Ueberlieferung, den Christen im Mittelalter nur
vom Hörensagen bekannt, ist Reuchlin nicht eingedrungen. Nur einen

---

[1]) Nur einige seien angeführt zu הגן p. 134, zu זון p. 348; zu הלה
p. 166, zu חבר p. 169 u. s. w.

[2]) Vgl. zu הרה p. 135 zu היה p. 169 u. s. w. R. Juda ist Juda Chajug,
Lehrer und Vorgänger Abulwalid's.

[3]) Zu זהב p. 147, חמת p. 182, חרשם p. 191, ירא p. 225 u. s. w.

[4]) Zu משך p. 297.

[5]) Zu חרך p. 192, ferner p. 262. 298. 301. 312. 328 u. s. w.

[6]) p. 235. 251. 245 u. s. w.

[7]) p. 127. 212. 356. Auch diesen Fehler nimmt er aus Kimchi auf.
Jakob ben Eleasar ist ein nur von Kimchi gekannter Autor, der Jakobs grammatisches Werk ספר השלם mannigfach benutzt. Jakob, wahrscheinlich auch
Dichter, lebte kurze Zeit vor Kimchi. Vgl. die Nachweisungen von A. Geiger
in der Biographie D. K.'s (תולדות הר'דק) in der hebr. Zeitschrift Ozar Nechmad von Ignaz Blumenfeld. Wien 1857. 2. Jahrg. S. 159 ff.

[8]) p. 155.

[9]) הנשיא הרופא ר' יצחק בן בנשת, vgl. A. Geiger a. a. O. S. 155.

[10]) p. 173 fg., p. 181, p. 234, p. 297, p. 412, p. 458, p. 518.

Traktat, den er auch selbst, freilich einige Jahre nach Abfassung der Rudimente, sich erwerben konnte, hat er gelesen [1]).

In Widerspruch mit Kimchi setzt Reuchlin sich nicht oft, und

---

[1]) Da sich hier im Text, sowenig wie an einer andern Stelle, Gelegenheit findet, näher auf diesen Punkt einzugehen, so stelle ich das Hierhergehörige in der Anmerkung zusammen. In seinem ersten grösseren Werke De verbo mirifico (1494), wo bekanntlich hebräische Worte, aber mit lateinischen Buchstaben vorkommen (merkwürdigerweise sind auch in den vielfachen späteren Ausgaben dieses Werkes dieselben nicht durch hebräische Typen ersetzt), wusste Reuchlin noch nicht recht, was „Thalmud" sei und bedeute. Er spricht an vielen Stellen von *Thalmudim* (z. B. ed. 1514, c 4[b]) und sagt (in der Rede des Baruchias: so schwer es ihm falle, wolle er *tam bonae famae apud nostros viris literatissimis (quos a doctrina Thalmudim nominant) carere.* c 6[a]. Bekanntlich entbrannte der Streit zwischen Reuchlin und den Kölnern zunächst in Folge der nicht übereinstimmenden Beantwortung der Frage, ob der Thalmud erhalten werden solle, oder nicht. Es ist wol selten ein Streit geführt worden, wie dieser, wo beide Parteien, die im Kampfe lagen, das Objekt des Streites so wenig kannten. Reuchlin macht aus seiner Unkenntniss kein Hehl. Er sagt (Gutachten 1510 fol. III[b]), er hätte den Thalmud wol zwiefach ˌbezahlen mögen, hätte es aber bis jetzt nicht zu Wege bringen können; und fol. IIII „dann ich hab mangel halb der bücher den Thalmud nicht gelernt"; auch in der Defensio contra calum. Col. M ii[a] spricht er, mit Rücksichtnahme auf die damalige Zeit: *qui thalmud eo tempore nondum legeram.* 1512 verschaffte er sich den Traktat Sanhedrin. Das sehr zerfressene Exemplar in der Karlsruher Bibl. Mscr. Durl. 54, mit der richtigen Bibliotheksbezeichnung auf dem Deckel: *Gemara Talmudis Babylonici,* ist nach Reuchlins Inschrift (Innenseite des Deckels) *Thalmud Hierosolymitanū In libris sanhedrin | quos Joannes Reuchlin Phorcensis sibi diligenter | acquisivit Anno christi MDXII.* Von Reuchlins Hand sind ausserdem auf dem ersten Blatt unten die Worte: *Thalmud Joannis | Reuchlin phorceū.* ˌ *LL. doctoris* ˌ; 'und auf dem letzten Blatte ein Verzeichniss sämmtlicher, in der Bibel vorkommenden, hebräischen Bücher, nach der Ordnung derselben. Interessant ist, dass er das Buch *a quibusdam christianis* gekauft habe, wie er Defensio M 4[a] sagt, woselbst er eine Stelle des Traktats anführt; eine andere: De arte cabbalistica fol. XIX[b]. Sonst kennt er den Talmud nur mittelbar; vgl. d. a. c. fol. LV[b]: *de quo scripsit Rabi Salomon in expositione Thalmud testimonio Gerundensis in Geneseos exordio;* bei der Stelle fol. LVI[a]: *Astipulatur nobis Thalmud in Mechilta, ubi Rabi Natan a Magistro nostro Simone ben Jochai petit solutionem* hat er wol nur seinen Gewährsmann zu nennen vergessen. — Diese offen eingestandene Unkenntniss hindert ihn übrigens nicht, von dem Thalmud zu reden. Die Gründe, die er für seine Erhaltung ausspricht, werden an anderem Orte durchgenommen werden; hier ist nur von etwas Aeusserlichem zu sprechen, von der durchaus falschen Eintheilung, die er von diesem

wenn es der Fall ist, so geschieht es ohne Nennung des Namens[1]); häufiger finden sich eigene Bemerkungen, auch ohne von der Autorität Kimchi's gedeckt zu sein[2]).

So sehr vielleicht das Vorstehende gegen Reuchlins selbständige jüdische Kenntniss spricht, so dürfen wir uns dadurch nicht verleiten lassen, ihm eigene Belesenheit in den Rabbinen, in jüdischen Quellen überhaupt, abzusprechen. Bei näherer Betrachtung ergibt sich auch hier, dass Reuchlin mit einer lobenswerthen Gediegenheit, mit emsigem unermüdlichem Forscherfleisse gearbeitet, sich nicht mit dem ersten bedeutenden Werke begnügt, sondern überall andere aufgesucht hat, aus denen er Belehrung zu schöpfen hoffte, und wirklich in reichem Maasse geschöpft hat. Da citirt er die Massorah[3]), jene auf den Text der Bibel bezüglichen kritischen Bemerkungen, die sich am Rande der Handschriften der Bibel fanden, zunächst zur Bezeichnung der Vokalisation, später zur Feststellung aller Eigenthümlichkeiten des Textes, Bemerkungen, die Reuchlin noch mühsam aus Handschriften sich zusammensuchen musste, die man erst nach seinem Tode begann einer wissenschaftlichen Bearbeitung zu unterwerfen und im Druck zu veröffent-

---

Werke gibt (Gutachten fol. III[a], nachdem. er richtig gesagt, nach Pikus von Mirandula, dass es einen babylonischen und jerusalemitischen Thalmud gebe): „ist in vier tail getailt, wie wir auch alle unsere lernung in vier facultates superiores getailt haben, Theologiam, Leges, Canones und Medicinam. Das ain tail ist von den hailigen dingen, festen unnd cerimonien; das annder tail ist von den kreütern unnd samen; das drit tail ist von der ee und den weibern; das vierdt tail ist von den gerichten und rechten." Naiv genug setzt er hinzu: „wiewol Petrus nigri sechs tail dar uss macht." Dieselbe Eintheilung wiederholt er Defensio K 4[b] und bemerkt dabei: „Et collectionem librorum Thalmud dicunt majorem esse triginta bibliis, sed de quolibet eorum librorum separabilium dicitur: hoc est thalmud." Die Meinung der „dicunt" scheint er anzunehmen; sie war vorher von Pfefferkorn ausgesprochen worden; vgl. Augenspiegel fol. XXXVIII[a].

[1]) צֶלְמוֹן הַר Ps. 68 scheint er mit Hieronymus als *mons excelsus* aufzufassen, während Kimchi es mit „niedriger Berg" erklärt, p.95; er schreibt צַאר und nicht צור wie K. p. 300.

[2]) Die Zusammenstellung von באש mit סרחון p. 73, die Bemerkung über קִן p. 236 und vieles Andere.

[3]) *Masaroth, allegationes in biblia, quas ego annotationes soleo appellare* p. 290; *in uno vetustissimo libro adiuncta est notula quam hebraei massarah appellant* p. 462.

lichen [1]). Da wird jenes grosse Werk: der Führer der Verirrten
des bedeutenden jüdischen Philosophen Moses Maimonides an vielen
Stellen angeführt mit einer Genauigkeit, die den Schluss auf eigene,
nicht etwa abgeleitete Kenntniss desselben nothwendig erscheinen
lässt [2]); auch das Buch Kusari, das Buch des jüdisch-spanischen
Dichters und Philosophen Jehuda ha Levi [3]); neben den philosophischen die cabbalistischen: das Werk des Joseph Gikatilja: der Nuss-
garten [4]), und eine Schrift des Juda Charisi [5]). Waren die Commentare des David Kimchi vielfach benutzt worden, so blieb er auch
dabei nicht stehen; wenn es ihm auch um Sinn- und Sacherklärung
wenig oder gar nicht zu thun war, so suchte er fleissig nach, was
er zur Deutung der einzelnen Worte und Formen, gar zur Lösung
grammatischer Schwierigkeiten in den ausführlichen Commentaren
der alten Rabbinen finden könnte: für den Pentateuch bediente er
sich des Moses Nachmanides Gerundensis [6]), für Daniel des R. Levi
ben Gerson [7]). Aber für alle Bücher der Bibel, diente ihm wie
Früheren und Späteren, „der gewöhnliche Erklärer der Bibel"

---

[1]) Zuerst Jakob ben Chajim in der von ihm besorgten Ausgabe zur
zweiten rabbinischen Bomberg'schen Bibel 1525. Vgl. A. Geiger, Zur Geschichte der Massorah, in: Jüdische Zeitschrift für Wissenschaft und Leben
III (1864—65) S. 105.

[2]) Einleitung zu dem Werke p. 283, lib. I, p. 55, cap. 1. p. 454, cap. 2.
p. 425, cap. 49, p. 103. 115, cap. 71, p. 202, lib. III, cap. 20, p. 43. Der
Verfasser wird stets R. Moyses Aegyptius genannt (nur p. 454 heisst er
fälschlich Salomo A.); bekanntlich hat Maimonides (geb. in Cordova 30. März
1135) den grössten Theil seines Lebens in Afrika zugebracht (er starb in
Cairo 13. December 1204). Sein Werk nennt Reuchlin gewöhnlich perplexorum liber; auch kommt vor: dux neutrorum vel monstrator oberrantium.
Der hebräische Titel ist נבכים מורה. Das Werk, ursprünglich arabisch geschrieben (vgl. die neue Ausgabe mit französischer Uebersetzung von S.
Munk. 3 vol. Paris), war Reuchlin gewiss nur in der hebräischen Uebersetzung des Samuel ibn Tibbon bekannt. (Sie findet sich bereits vor 1480
gedruckt: vgl. Steinschneider, Catalogus p. 1894.)

[3]) Einfach citirt als liber Cozar vol. IV; p. 202.

[4]) גן אגוז; hortus nucum, p. 193. 202. 262. 305.

[5]) R. Juda Harisi in libro de geomanticis quaestionibus, p. 305. 472.
Gemeint ist vielleicht R. Juda Cohen ben Salomo, mit dem Charisi auch
sonst verwechselt wurde, der eine hebräische Uebersetzung von Aristoteles'
De scientia naturali und ein eigenes Werk De scientia Astronomica geschrieben hat; vgl. Wolf, Bibliotheca hebraea vol. III, Hamburg 1727 p. 321.

[6]) p. 171. 283. 284. 286. 318. 321. 432. 528.

[7]) p. 233. 419. 444.

(ordinarius scripturae interpres) Raschi, Rabi Salomo Jizchaki, von Reuchlin kurzweg R. Salomo, nur mit dem Beinamen der Franzose genannt. Ihm verdankt Reuchlin viel), an unzähligen Stellen führt er ihn an [1]), gern nimmt er seine Erklärungen auf.

Häufig zwar wird R. Salomo mit dem christlichen Bibelerklärer Nikolaus von Lira zusammengenannt [2]), aber es wäre ein Irrthum zu glauben, die Kenntniss jenes sei erst aus diesem geflossen. Denn Lira erklärt zwar in der Einleitung, „dass er die philologische Richtung seiner Exegese von Raschi empfangen habe", aber er verweist keineswegs bei allen einzelnen Erklärungen auf den Meister [3]). Gewiss hätte Reuchlin ohne originelle Kenntniss dieses es nicht gewagt, zwar einige Jahre nach dem Zeitpunkte, an dem wir jetzt stehen, aber schwerlich mit mehr Kenntnissen ausgerüstet, als damals, das Wort auszusprechen: „Und wann die wörter und reden Rabi Salomonis, der über die bibel geschriben hat, uss unserm Nikolao de Lyra, der auch über die bibel geschriben hat, cantzelirt und ausgethan weren, so wölt ich das überig, so derselb Nikolaus de Lyra uss seinem aygen haupt über die bibel gemacht hatte, gar inn wenig bletter comprehendiern und begreiffen" [4]).

In diesem Tone, voll Selbstbewusstseins, das aber in der ausserordentlichen Mühe, die er selbst für seine Studien aufgewendet hatte, seine Erklärung und theilweise Rechtfertigung findet, sprach er über den Kirchenlehrer, den man als ein Wunder der Gelehrsamkeit anzustaunen gewohnt war. Auch an einzelnen Stellen tadelt er ihn, wirft ihm mangelndes Verständniss vor, und berichtigt seine Ansicht [5]), im Allgemeinen gibt er der hebräischen Gelehrsamkeit des Paul von Burgos den Vorzug [6]), er nennt ihn mit grosser

---

[1]) Nur ein paar seien erwähnt: p. 98. 123. 131. 136. 171. 184 u. s. w.

[2]) *Testatur hoc post suum Rabi Salomonem Lyra* p. 225, ähnlich p. 275. 310 u. a. m.

[3]) Vgl. die Abhandlung von Prof. Siegfried, Raschi's Einfluss auf Nikolaus von Lira und Luther in der Auslegung der Genesis in Marx' Archiv für wissenschaftliche Erforschung des Alten Testaments. 1. Band 4. Heft 1869 S. 428—456. Für Luther ist es überaus interessant, dass er seine Kenntniss Raschi's und jüdischer Ausleger überhaupt aus Lira schöpft.

[4]) Gutachten 1510 im Augenspiegel fol. XIII [b].

[5]) p. 134. 422.

[6]) p. 207: *sed Paulus Burgensis plus quam ille (Lyra) in lingua Hebraica doctus.*

144

Ehrfurcht und ist über das Wagniss entrüstet, diesen Gelehrten tadelnd anzugreifen [1]). Trotz des ungemeinen Lobes, das Reuchlin dem Bischof von Burgos spendet, citirt er ihn nur sehr selten, desto häufiger den Mann, der ihm nicht blos in Bezug auf hebräische Dinge und Bibelerklärung, sondern in den meisten wissenschaftlichen Fragen, selbst in der Bildung eigener Ansichten Richtschnur war, den h. Hieronymus. Fast kein Artikel des Wörterbuches, bei dem Reuchlin ausser der Angabe der Bedeutung des Wortes und der Hinzufügung einiger Parallelstellen Etwas vorbringt, ist ohne Erwähnung des Hieronymus. Meist stimmt er ihm bei; wenn er aber andrer Meinung ist, so scheut er sich nicht, seinen Widerspruch offen zu bekennen, seine Verwunderung auszusprechen, wieso Hieronymus zu solchem Irrthum gekommen [2]). Nicht besser wie Hieronymus ergeht es auch einmal dem h. Augustinus [3]).

Aber was bedeuteten diese Plänkeleien? Der Hauptschlag war der, dass er an der heilig gehaltenen Uebersetzung rührte, sich von ihr keine Schranken in der Erklärung des Einzelnen auferlegen liess, sondern nur an den hebräischen Text sich band, und aus ihm die Wahrheit zu erforschen bestrebt war. Jeden einzelnen Vers, den er anzuführen hatte, citirte er zunächst nach der lateinischen Uebersetzung, aber, sowie er nur ein kleines Bedenken fand, hielt er ein. „Unser Text liest so, die hebräische Wahrheit aber enthält anders", „richtiger müsste so übersetzt werden", „unsere Wiedergabe ist schlecht", „ich weiss nicht, was unsere Interpreten hier geträumt haben, was sie hier schwatzen" [4]). Aber das ist nicht

---

[1]) p. 322: *de quo si velis erudiri clarius, lege ea quae venerabilis magister Paulus episcopus Burgensis, sacrarum literarum expositor mea sententia literatissimus et doctor doctissimus .. dicit.* Worauf sich die Worte p. 123: *quamvis non quidam frater audaculus non intelligens neque hebraicum neque graecum, sicut saepe alias, ita in hac quoque expositione* (1 Chr. 21, 27) *multum temere reprehendat* beziehen, vermag ich nicht anzugeben. — Burgos' (geb. als Jude 1350, getauft 21. Juni 1390, gest. 29. August 1435) Werk ist *Dialogus (Sauli et Pauli contra Judaeos) qui vocatur Scrutinium Scripturarum.* Mantua 1475, dann Mainz 1478, vgl. Steinschneider, Catalogus p. 2087 fg.

[2]) p. 44 zu Jerem. 36, 22; p. 149 zu 1 Kön. 22; p. 163 zu 1 Mos. 41, 49; p. 263 zu Jes. 42, 3; p. 364 zu Obad. 1, 21; p. 438 zu Ps. 17, 4.

[3]) p. 523. Ps. 141, 6 beziehe man auf Moses und Aaron; *beatus vero Augustinus hunc versum de Aristotele intelligens, nescio quo somno motus, scribit eum tremere apud inferos.*

[4]) Für das letztere: *nescio quid blacterat* p. 523, *ubi nescio quid nostra translatio somniavit* p. 571.

das Stärkste. Den Lira, von dem wir gesehen haben, welchen Platz er ihm einräumt, stellt er an Ansehn über die alte Uebersetzung [1]; spielend anknüpfend an die falsche Deutung einer Bibelstelle spricht er in klagendem Tone von den unzähligen Mängeln, die sich in die Uebersetzung eingeschlichen [2]. Wie bedeutend in dieser Beziehung seine Thätigkeit war, wenn auch, was allerdings anerkannt werden muss, seine Verbesserungen nicht an jeder Stelle zu billigen sind, mag aus der in der Anmerkung versuchten Zusammenstellung hervorgehen, die wol alle Stellen enthalten wird, bei denen die Vulgata, nach Reuchlin, mehr oder minder bedeutenden Verbesserungen im Sinne, nicht blos Abänderungen einzelner nicht ganz passend gesetzter Worte unterworfen werden muss [3].

---

[1] *Et profecto non tantum miror translationem, quantum commentatorem nostrum de Lyra, qui pene semper transit perfunctorie, fortasse quod tantum honoris detulit sanctis doctoribus. Sed laudo Aristotelis sententiam: Amicus Plato, major amica veritas* . . p. 124.

[2] Koh. I, 15 (והסרון לא יוכל להמנות) war übersetzt worden *et stultorum infinitis est numerus: Quod sic omnes aetate nostra theologi hactenus allegaverunt. Sed nusquam haec sententia reperitur. Est enim recitatus textus ita de verbo ad verbum in linguam latinam traducendus: et defectus non poterit reparari. Consyderabis aliquando caeca noc vocabulum defectus nostros in scriptura sacra, ut hyperbolice loquar infinitos defectus, de quibus utinam deus misericors largiatur tempus copiosius disserendi.* p. 186.

[3] 1 Mos. 1, 7 p. 81; 3, 16 p. 512; 6, 3 p. 123; 9, 15 p. 397; 11, 7 p. 83; 15, 2 p. 298; 18, 6 p. 344, 12 p. 373; 23, 16 p. 353; 24, 53 p. 276 29, 3 p. 376; 30, 20 p. 146; 33, 14 p. 261; 34, 21 p. 521; 35, 16 p. 234; 36, 24 p. 216; 37, 2 p. 117; 38, 5. 19 p. 455. 571; 40, 50 p. 336; 41, 48 p. 462; 43, 43 p. 337; 44, 3 p. 42; 45, 26 p. 419; 47, 7 p. 92; 48, 7 p. 91; 49, 3. 10. 13. 25 p. 232. 187. 227. 71 fg. 2 B. Mos. 1, 13 p. 436; 14, 3 p. 77; 15, 2 p. 311; 18, 25 p. 57; 20, 21 p. 395; 21, 3. 10 p. 102. 379; 26, 1. 7 p. 196. 227; 28, 6 p. 196; 32, 16 p. 258. 3 B. Mos. 1, 14 p. 39; 5, 23 p. 104; 16, 22 p. 105; 19, 20 p. 193; 26, 37 p. 465. 4 B. Mos. 4, 14 p. 248; 5, 15 p. 105; 14, 20 p. 41; 15, 34 p. 439; 17, 7 p. 464; 21, 8 p. 318; 25, 17 p. 324; 27, 7 p. 238. 5 B. Mos. 8, 4 p. 88; 11, 10 p. 227; 12, 5 p. 40; 16, 18 p. 517; 17, 4 p. 238; 21, 4 p. 369; 22, 12 p. 248; 32, 24. 27. 42 p. 293. 104. 438; 33, 25 p. 118; 34, 7 p. 313. Josua 8, 6. 18 p. 313. 241; 14, 6 p. 40. Richter 5, 10. 14. 20 p. 277. 505. 282; 6, 2 p. 383; 7, 14 p. 51; 20, 40 p. 242. 1 Samuel 2, 4 p. 44; 5, 9 p. 368; 15, 32 p. 376; 28, 21 p. 75. 2 Samuel 6, 6 p. 522; 17, 20 p. 214; 22, 37. 46 p. 290. 163. 1 Kön. 2, 28 p. 319; 7. 9 p. 111; 10, 10 p. 514. Jesajas 28, 28 p. 141; 34, 13 p. 450; 38, 17 p. 197; 44, 19 p. 451; 47, 13 p. 418; 66, 11 p. 292. Jeremias 2, 2 p. 242; 5, 8 p. 212; 7, 18 p. 261; 22, 14 p. 277. Ezechiel 2, 6 p. 357; 7, 18 p. 163; 16, 16 p. 304; 24, 7 p. 449;

146

Natürlicherweise beugt sich Reuchlin, der der Vulgata keine unbedingte Autorität beimisst, nicht vor dem Ansehn der andern Uebersetzungen. Aber er ist weit davon entfernt, sie ganz zu verwerfen, er bedient sich ihrer gern als brauchbarer Handhaben zur Erklärung schwieriger Bibelstellen. Mit der Septuaginta begnügt er sich nicht, er zieht auch die übrigen griechischen Uebersetzungen: Symmachus, Theodotion, Aquila, einzeln oder, wie es oft geschieht, zusammen hinzu; möglich ist immerhin, dass er hier, namentlich in Bezug auf die Letzteren, viel aus Hieronymus geschöpft hat [1]). Ein ähnliches Verhältniss findet unzweifelhaft mit den chaldäischen Uebersetzungen und Kimchi statt, oft werden jene gradezu aus diesem herübergenommen, meist sind sie allerdings selbständig benutzt,

---

27, 18 p. 453. Hosea 10. 7 p. 129; Micha 4, 7 p. 140; 5, 13 p. 389; 6, 6 p. 250. Zephanja 3, 8 p. 177. Nah. 3, 14 p. 262. Habak. 1, 11 p. 470. Amos 6, 10 p. 367; 9, 13 p. 278. Maleachi 1, 12 p. 311; 3, 20 p. 420. Psalm 2, 12 p. 341; 4, 7 p. 337; 5, 4 p. 456; 16, 12 p. 328; 17, 12 p. 250; 18, 31. 47 p. 459. 118; 21, 4 p. 386; 31, 16 p. 382; 32, 4 p. 190; 37, 35 p. 409; 38, 13. 19 p. 335. 452; 42, 5 p. 359; 49, 3 p. 51; 51, 8 p. 202; 54, 7 p. 575; 68, 16 p. 93; 69, 21 p. 315; 72, 16 p. 90; 80, 13 p. 67, 16 p. 238; 81, 8 p. 368; 88, 10 p. 36; 107. 30 p. 285; 119, 20 (zweimal), 61 (zweimal) p. 113. 359. 16. 377: 132, 17 p. 315; 139, 11 p. 42; 141, 5. 6 p. 310. 523; 150, 4 p. 283. Klagel. 1, 17. 22 p. 294. 390; 3, 19. 20. 41. 47 p. 294. 581. 251. 538; 4, 6. 7. 9. 15 p. 37, 429. 310. 331. Ruth 1, 13 p. 372. Hiob 5, 5. 6 p. 309. 173; 7, 1. 3. 14 p. 444. 288. 337; 11, 17 p. 280; 12, 21 p. 64; 21, 24 p. 385; 25, 4 p. 375; 26, 12. p. 484; 28, 18 p. 98; 29, 19 p. 475; 30, 7 p. 309; 31, 15. 24 p. 237. 249; 36, 17 p. 124, 37, 2 p. 43; 41, 15 p. 124. Hohes Lied 2, 11 p. 367; 4, 1. 13 p. 276. 109; 5, 1. 10 p. 167. 219. Esther 2, 1 p. 105; 4, 16 p. 447; 8, 10 p. 492. Koheleth 1, 15 p. 186; 2, 22 p. 136. Sprüche 12, 25. 26 p. 232. 192; 16, 21 p. 299; 17, 14 p. 108; 20, 19 p. 441; 24, 4 p. 327; 26, 7 p. 127; 31, 2 p. 30. 1 Chronik 4, 5 p. 213; 25, 8 p. 270. Nehemias 5, 14 p. 423. Daniel 8, 9 p. 445. — In den übrigen Reuchlinschen Schriften finden sich auch Zurechtweisungen der Vulgata, aber bei weitem nicht in so grosser Anzahl. Aus De arte cabb. hebe ich eins hervor fol. LVIa 2 B. Mos. 14, 19, wo ein cabbalistischer Lehrsatz Reuchlins Schuld an der Verschiedenheit der Uebersetzung trägt, vgl. auch fol. IXa. Selbst in De verbo mir. kommen einige vor: *Esajas ad urbem Babylonem scribens: Sapientia tua et scientia tua ea ipsa decepit te. Solvent te Astrologi coelorum* (b 6b); vgl. auch K 3b über Ps. 83. 10.

[1]) Es würde zu weit führen, die einzelnen Stellen anzugeben; hervorgehoben sei, dass bei בצע p. 88 der Sept. der Vorzug vor Kimchi gegeben wird; Symmachus, Theodotion. Aquila werden s. v. פוש־א, חו erwähnt u. s. w.

vor Allem Onkelos, daneben auch Jonathan, das jerusalemische
Targum; ohne Unterscheidung wird manchmal von *chaldaeus*, der
chaldaica translatio gesprochen [1]).

Andere Uebersetzungen zieht Reuchlin nicht zu Rathe, die
übrigen semitischen Sprachen sind ihm fremd. Zwar wird auf das
Arabische manchmal Rücksicht genommen, aber ein Blick auf
Kimchi lehrt, woher die Weisheit stammt. Man vergleiche K. fol.
קמה, R. p. 167 s. v. הור:

(l. יָבִנֵים) התרים והגדולים יבנום	*significantur enim principes, capitanei,*
— בלשון ישמעאל בלשון לובן	*magnates — qui apud Arabes loben*
	(quasi candidati), dicuntur.

ferner s. v. חמור, הנט, לאב. Den Koran hat Reuchlin später in
einer lateinischen Uebersetzung kennen gelernt, möglich, dass er
zuletzt noch arabisch studirt [2]), syrisch kannte er nicht [3]).

Ueberaus interessant ist es, zu sehn, wie Reuchlin auch hier,
wohin es eigentlich so wenig gehört, sein reiches klassisch philologisches Wissen vorzubringen bemüht ist. Die grosse Anzahl von
Stellen aus griechischen und römischen Autoren, die er mitten

---

[1]) Auch hier will ich die Beispiele nicht häufen; aus Kimchi ist die
Anführung des Tharg. Jon. zu רב p. 74. des Tharg. Jerus. zu בבוב p. 80
u. s. w.

[2]) In d. v. m. sagt er noch (b 2 b): *penes librum*, *qui Alcoran apud
suos inscriptus est* ohne weitere ' Angabe der Stelle; dagegen führt er in der
Defensio H b *Azoara* (Sure) 6 an, nach denen welche die 2. Sure in 2 Theile
theilen, *in meo autem codice*, *ubi non dividitur*, *capite quinto.* In d. a. c.
citirt er *Azoara* 26 u. 43 fol. XXXVI b, 1 und 51 fol. XLI b; das. Sure 64.
Die lateinische Uebersetzung, die R. kannte, ist wol die des Petrus Abbas
Cluniacensis, die Bibliander 1543 im Drucke herausgab. Vgl. G. Weil:
Historisch-kritische Einleitung in den Koran. Bielefeld 1844. S. XVIII.
Dass Reuchlin zuletzt auch arabisch gelernt hat, ist möglich. In den Anmerkungen zu der Uebersetzung der *variae quaestiones* des Athanasius (1519)
s. o. S. 97 ist unter den Bezeichnungen der verschiedenen Völker für Gott auch
die arabische: Allahan gegeben, und ein ziemlich verunglückter Versuch gemacht,
das Wort durch den Druck wiederzugeben; in den Anmerkungen zu der
übersetzten Rede des Proklus (Briefs. 25. Dec. 1521) wird eine Stelle aus
der 74. Sure angeführt.

[3]) De acc. et orth. fol. XV a bemerkt R. zu בנרת (4 Mos. 34, 11. R.
sagt fälschlich 33): *hoc est quod apud Lucam invenitur stagnum Genesareth
Syriace, qua lingua usi sunt Galilaei apostoli et evangelistae: Ginosar.* Der
Ausdruck ist aber ebensogut thalmudisch und targumisch.

unter Rabbinen vorbringt, ist an anderm Orte berührt, auch früher bereits Rechenschaft gegeben von den vielen gelegentlichen Bemerkungen, aus denen sich sein System der griechischen Aussprache herstellen lässt. Erwähnt sei ein Beispiel, wie er etymologische Deutungen zu geben versucht [1]), und darauf hingewiesen, dass er in eigenthümlicher Weise auch auf das Deutsche Rücksicht nimmt [2]). Auch kritische Bemerkungen fehlen nicht. Reuchlin besass kritischen Sinn und Takt, wenn er auch nicht im eminenten Sinne ein Kritiker, gar ein Bibelkritiker genannt werden darf. Aus kritischen Gründen schien er geneigt, einen Hymnus des Orpheus dem Proklus zuzuschreiben [3]), er entschied sich nicht über die Frage, ob Salomo oder Jesajas den sog. Prediger Salomonis geschrieben [4]); aber wie unkritisch verfuhr er darin, dass er ohne Bedenken untergeschobene und gefälschte Bücher als echt citirte. Häufig findet sich eine Verweisung auf Handschriften; er macht darauf aufmerksam, wie die älteren vor den jüngeren, und namentlich den Drucken den Vorzug verdienten; er weist nach, wie aus Unkenntniss, aus Verwechselung einzelner Buchstaben, Irrthümer, oft der gröbsten Art, entstanden seien [5]).

So erkennen wir auch in dem Lexikon wieder denselben genauen gründlichen Gelehrten, der mit Fleiss und Sorgsamkeit ungeheures Material zusammenträgt und verarbeitet, willig von

---

[1]) אהלי *graece traduxerunt* ὄφελον, *quod ab utili utinam dicimus, quasi utile nam p.* 45.

[2]) Bei חמור, *quod nostrates Judaei vocant:* Gempsen p. 181. האם ..
Male igitur apostolum Thomam aliqui non satis literati asseverant vocari didymum ob id quod dici volunt incredulum. Nam Thoma hebraice et didymos graece idem est quod geminus latine. Oritur autem error inter germanos quod eodem vocabulo teutonico dicimus incredulum et geminum: zwifling p. 536.

[3]) *Quamquam hunc hymnum quidem Procli putaverunt, eo quod patriae suae meminerit. De verbo mirifico c.* 3ª.

[4]) *Quisquis tandem ille fuit qui ecclesiasten conscripserit, sive Salomon seu, quod multi famant, Esajas ipse?* l. c. b2ª.

[5]) z. B. R. h. p. 289 zu I Sam. 17, 7: כמור *et scribi debet ultima per literam res secundum antiquos et castigatos libros, quamvis in plurimis juniorum voluminibus, maxime autem impressis per daleth scriptum reperiam;* p. 98 zu Hiob 28, 18: *Error autem interpreti accidit hic propter incuriam et negligentiam orthographiae, quae multos saepe decepit.* Aehnliche Stellen s. p. 94, 120, 163, 243, 248, 282, 363, 554.

Andern aufnehmend, die er für seine Lehrmeister anerkennt, und
reichen Stoff Späteren zur Benutzung, zum weitern Ausbau überlassend.

Reuchlin scheint ein Freund der etwas eigenthümlichen und
für junge Leute schwerlich passenden Methode gewesen zu sein,
das Lexikon nicht als Nachschlagebuch bei der Lektüre zu betrachten, sondern dasselbe in gleicher Weise wie die Grammatik
als eine Vorbedingung zur Lektüre aufzufassen. Das geht schon
aus der äusseren Einrichtung des Werkes hervor. Die Rudimenta
sind nicht nur Wörterbuch, sondern auch Grammatik, beides in der
Weise von einander getrennt, dass dem Lexikon nur der ganz
elementare Theil der Grammatik vorhergeht, durch den weiter nichts
erzielt werden soll, als den Lernenden zu befähigen, hebräisch
lesen, sich über die Bestandtheile, die Zusammensetzung der einzelnen
Worte Rechenschaft geben zu können. Dann folgt das Lexikon,
das keinerlei andere grammatische Kenntnisse voraussetzt, bei etwa
eintretenden Schwierigkeiten auf die folgende *ars grammatica* ver-
tröstet [1]), die Eigenthümlichkeit der Phrasen, der Wort- und Satz-
verbindungen nur vorläufig angibt, erst durch das Lesen der Bibel
sollen sie voll in das Gedächtniss eingeprägt werden [2]).

Betrachten wir die Grammatik etwas näher. Für wen ist sie
bestimmt, was bezweckt sie? Sie ist die erste in ihrer Art. Ob
Schüler, ob Gelehrter, ob Jüngling, ob Mann, ein Jeder, der die
Sprache erlernen wollte, musste, wie Reuchlin dies ja selbst gethan,
in die tiefsten Regionen hinabsteigen. Sie ist für jeden Gebildeten,
der die Mühe nicht scheut, einen neuen Weg voll Klippen und
Mühsalen zu betreten, der Weg ist weit, der Pfad ist beschwerlich,
aber das Ziel ist herrlich und wird die Anstrengung lohnen. Gelehrte Hebräer wollte Reuchlin nicht ausstellen; selbst wenn man
sein Buch durchgegangen hätte, fehlte noch viel zur vollständigen
Kenntniss der Sprache, das wusste er wol. Hebräisch schreiben
werde man nicht können, es sei genug, wenn man im Stande sei,
Geschriebenes zu lesen; er werde zufrieden sein, wenn er durch

---

[1]) Vgl. Aeusserungen wie p. 80 s. v. נבה: *multas et diversissimas habet
derivatorum variationes, quas ex arte grammatica quaerere oportet;* oder kurz
wie p. 210: *et caetera, de quibus in arte,* s. auch p. 88. 285 u. a. m.

[2]) Z. B. p. 183 s. v. הרבן *Inde veniunt diversae formae verborum deri-
vativorum quas legendo bibliam experieris;* p. 240: *quod quisque crebra lectione
bibliae ipsemet experietur.* Vgl. auch die Empfehlung des Bibellesens in der
Grammatik p. 593. 613.

seine Darlegungen erreicht habe, dass man über grammatische Schwierigkeiten leicht hinwegkäme; Alles geben könne er nicht, beständige, tägliche Uebung müsse das Ihrige thun [1]).

Elementar genug ist das Werk, man sieht bei jedem Schritt. Reuchlin hat sich ein Publikum vorgestellt, wie er sich es in der That denken musste, dem diese Sprache eine wunderbare, eine durchaus unbekannte und räthselhafte war. Schon der Kanop, den er ans Ende des von rechts nach links gehenden Buches setzte, der aber dem Beschauer, der das Buch in gewohnter Weise aufschlug. zuerst ins Auge fallen musste, lehrt das: Man müsse dies Buch von andrer Seite wie die übrigen beginnen, die hebräischen Worte seien von rechts nach links zu lesen [2]); eine jede Regel der Grammatik zeigt das aufs Neue.

Sie beginnt mit den Buchstaben, mit der Durchnahme der Konsonanten und ihrer Eigenthümlichkeiten, der Vokalzeichen, die zum Theile Diphthonge werden können, des Schwa, und seiner Eintheilung in ruhendes und bewegliches. Diese Regeln werden in der grössten Ausführlichkeit gegeben, nach einigen Seiten folgt eine kurze Wiederholung des Gesagten, gar häufig begegnet man Ausdrücken der Ermunterung, das Gelehrte einzuprägen, das Einzelne nochmals durchzunehmen, denn am Anfang müsse man die Kräfte üben, um den Schüler zu Weiterem zu befähigen [3]). Zur Uebung der gegebenen Regeln wird dann ein Lesestück gegeben, und um dem Lernenden womöglich jede Selbstthätigkeit zu ersparen, von jedem darin vorkommenden Wörte Buchstabe für Buchstabe, Silbe für Silbe durchgenommen. Es ist für Reuchlin bezeichnend, welches Stück er wählt: nicht einen beliebigen Passus aus der Bibel, sondern

---

[1]) p. 18. 552. 612. Die erste Stelle lautet: *Quapropter de legendo tantum praecepta polliceor, non de scribendo. In hoc enim rudimentorum libro saltem hoc unum te docebo, ut scripta legas, non ut legenda scribas.*

[2]) *CANON.*

> *Non est liber legendus hic cen ceteri*
> *Faciem sinistra dextera dorsum tene*
> *Et de sinistra paginas ad dexteram*
> *Quascumque verte. Quae latina videris*
> *Legito latine, hebraea si sint insita,*
> *A dextera legenda sint sinistrorsum.*

[3]) p. 11; vgl. Ausdrücke wie p. 10: *Complectamur brevibus, quae hucusque docuimus, ut cito dicta percipiant animi dociles, teneantque fideles.* p. 13: *Ut autem ad ulteriora facilior tibi pateat aditus, oportebit primo tentare vires, praeparare os et calamum.*

die Genealogie der Maria, der Mutter Gottes. Die Genealogie nichts Anderes, als die von Lukas in umgekehrter Reihenfolge für Joseph, den Vater Jesu, gegebene, die statt Josephs Vater Eli, einen andern Sohn des Mattath: Jojakim setzt, der nach andern Nachrichten Vater der Maria war [1]), setzte den gelehrten Bischof von Rochester, Johannes Fischer, in grosses Staunen, er liess Reuchlin durch Erasmus anfragen, woher er das wisse [2]).

Die angeführte Stelle ist eine der wenigen des ganzen Werkes, in denen Reuchlins christlicher Standpunkt hervortritt. Zu erwähnen ist ausserdem das Gebet an Christus, unsern König, Messias, mit dem er das Lexikon abschliesst, seinem Gott den Dank dafür darbringt, dass er ihn die zwei Bücher habe vollenden lassen, und ihn um Kraft bittet, das dritte zu beginnen [3]); dann zwei zerstreute Notizen: das Wort Messe leitet er von מִסָּה ab, 5. Mos. 16, 10 und legt Gewicht darauf, dass es weder aus dem Griechischen noch aus dem Lateinischen, sondern aus dem Hebräischen stamme [4]); die abergläubischen Juden tadelt er, dass sie aus einem Bibelverse das Verbot entnehmen, mit den Christen Wein zu trinken, und dadurch sich vielen Schaden bereiten [5]).

---

[1]) Ev. Luc. Cap. 3. V. 23—38. Vgl. Winer, Biblisches Realwörterbuch. 3. Aufl. 1. Band. Lpz. 1841, S. 563; 2. Band, 1848, S. 57.

[2]) Vgl. den Brief des Erasmus an Reuchlin 1. März 1510. Die Idee Reuchlins fand Anklang. Sein Schüler und Nachfolger, Johann Böschenstein, gab gleichfalls in einem kleinen hebr. Uebungsbuch diese Genealogie als Lehrstück. Vgl. das Studium der hebr. Sprache S. 54. — Bei Reuchlin steht sie Rud. hebr. p. 19—31 u. d. T.: *Incipit Genealogia Mariae Virginis, ex qua homo natus est rex regum Jesus Deus Opt. Max.*, mit grossen Buchstaben.

[3]) *Habetur optimo jure gratia regi nostro Messiae maximo, cujus nomine excellentissimo, quod est Jesu, hunc tantum et tam negociosum laborem in conquirendis hebraicorum vocabulorum primitivis noctu et interdiu vigili studio adhibitam dedicamus. Orantes piis suppliciis ac jugi voto, ut post completos hactenus duos libros manum meam ad tertium opus instituat, quod cum suo foelici afflatu perfectum fuerit.* p. 545.

[4]) p. 289; dagegen bestreitet er, dass *missa* von מַצָּא komme. p. 337.

[5]) 5 Mos. 32, 38. יָיִן מִסֵּבֶם ·יׁׁׁ·. *Ex quo versiculo Judaei Alemanorum superstitiose plus quam caeterarum nationum nolunt cum Christianis vinum bibere, contra tamen mentem versiculi, quod eis gravem hactenus concitavit inimicitiam et maxima damna.* p. 326. — Auch ein anderes nicht uninteressantes Moment soll nicht übergangen werden. Die Evangelien citirt Reuchlin manchmal, so gut wie Kirchenväter und griechische Schriftsteller, aber er scheut sich nicht, sie zu berichtigen. Statt Golgatha müsse man Gulgatha sagen, bemerkt er p. 107; Jes. 9, sei נִגּיֹל von den 70 und, wahrscheinlich

Doch kehren wir zu der Grammatik zurück. Der Wortschatz ist erworben: das Material ist da, nun gilt es, dasselbe zu verwerthen, Reuchlin gibt zunächst die Eintheilung der Wörter mit ihren hebräischen Namen, handelt von dem Nomen [1]), seinem Geschlecht, seiner Deklination, von dem Pronomen, das auch als Affix gebraucht werden kann, den Cardinal- und Ordinalzahlen [2]). Als Eigenthümlichkeiten sind hervorzuheben, dass das Pronomen als „zweiter Artikel" bezeichnet wird, dass als Ablativ der Personalpronomina die Präposition מ mit Suffixen dient; ein noch so zusammengesetztes Wort müsse man suchen von allem Zufälligen zu entkleiden und den reinen Stamm finden [3]). Darauf folgt das Verbum. Nur kurz werden die aus der lateinischen und griechischen Grammatik bekannten Dinge berührt, länger bei den dem Hebräischen eigenthümlichen verweilt. Als Paradigmen gelten פעל und פקד [4]). Die Bezeichnungen: Kal, Niphal kennt er nicht, er sagt: Prima conjugatio, Passivum, so dass er mit der passivisch gebrauchten Form des Hithpael 4 volle Conjugationen mit Passiven erhält. Nach den regelmässigen werden die, einfach und doppelt, unregelmässigen Verben betrachtet, den Triliteris folgen die Quadrilitera und eine Tabelle der einzelnen Verbformen mit Suffixen. Den Schluss machen

im Anschluss an sie, von Matthäus mit Galiläa wiedergegeben, Symmachus übersetze es mit Grenze *et mea sententia multo melius traduxit Symmachus* p. 108. Dagegen ändert er auch dem Evangelium zu Gefallen. (5 Mos. 21, 23) כי קללת אלהים תלוי. *Docti Hebraeorum exponunt; despectus a deo est qui pendet in ligno.* . . . *Paulus autem apostolus legisperitissimus traduxit:* ἐπικατάρατος [πᾶς ὁ κρεμάμενος ἐπὶ ξύλου. Gal. 3, 13], *quem nos rectius sequimur praeceptorem nostrum supra quam dici queat fidelem.* p. 469. (Ueber den dogmatischen Werth der einzelnen Ansichten vgl. A. Geigers Abhandlung: Symmachus in der Jüd. Ztschr. für Wissensch. und Leben I, 1862. S. 52.) Von der Verehrung, die Reuchlin grade vor dem Apostel Paulus hegte, ist an anderer Stelle zu sprechen. —

[1]) נקבה, פעל, שם, *nomen, verbum, consignificativum.*

[2]) Hier macht er die etymologisch unrichtige Bemerkung: ספירה, *i. e. numerationes quas nos siphras ad imitationem illorum vel cifras vocamus.* p. 566. —

[3]) Als Analogon wird das Lateinische gewählt: *hae inhonorificabilitudines* p. 582.

[4]) Die Regel für das Praeteritum p. 586: *In omni conjugatione praeteriti temporis prima persona et tertia utriusque numeri sunt generis communis* ist falsch, wie schon aus der vorherstehenden Tabelle klar wird; R. verbessert sie ausdrücklich in einer späteren Schrift s. u. S. 134 Anm. 6.

Geiger, Johann Reuchlin. 9

kurze Regeln über Construktion der Wörter, über Satzbildung, über
Präpositionen, von denen eine grosse Menge in verschiedenen Gruppen:
des Ortes, der Zeit, Bejahung, Verneinung, Aehnlichkeit, des Wunsches,
Schwurs, Zweifels, Lobes und Tadels u. s. w. aufgezählt wird.
Ganz am Ende steht eine Bemerkung über die verschiedene Be-
deutung, die das Waw dem Praeteritum und dem Futurum, vor
dem es steht, zu geben vermag; eine Bemerkung, die er von seinem
Lehrer Loans gelernt hatte [1]).

Und wie von Loans, so hatte er auch sonst aus jüdischen
Quellen geschöpft, nur an einer Stelle betont er, dass er etwas
ganz Neues vorbringe, was auch die Rabbinen nicht behandelt
hätten [2]); seine Hauptquelle ist auch hier David Kimchi, vor Allem
dessen Grammatik: Sefer Michlol, Buch der Vollkommenheit,
wenn er sie auch nur einmal erwähnt [3]). Andre Rabbinen citirt er
nur wenig: den Moses Kimchi und dessen Einleitung [4]), Aben Esra,
den R. Marinus, Moses Zejag [5]), irrthümlich sagt er Moses ben

---

[1]) p. 619.

[2]) *Cum igitur de hac materia (sc. pronomine) neque ipsos hebraeos invenio
tractavisse, oportebit nihilominus rudibus ostendere modum, quo possint ejus-
cemodi dictiones constructionesque in sermone judaico intelligere.* p. 574.

[3]) כפי מכלול. (Ich citire nach der Bomberg'schen Ausgabe, Venedig
1545 in 8°). Die Stelle, um die es sich handelt, ist p. 616. Reuchlin bemerkt, er habe schon früher die Buchstaben erwähnt, die als Artikel oder
Präposition vor ein Nomen treten können, und nach denen der erste
Buchstabe desselben ein Dagesch erhalte: ותשבל בם, *quas ego ita soleo memoriae causa comprehendere, sed R. David Kimhi collegit sic:* משה ובלי. Freilich
hat Reuchlin hier den Kimchi falsch verstanden; Kimchi sagt ausdrücklich fol. 2[b]: משה מפיק ובל"ב לא מפיק.

[4]) p. 8. 596. 597.

[5]) Ueber Aben Esra vgl. oben S. 116 Anm. 3; Marinus, von den Rab-
binen häufig gebraucht für Mervan, ist Abulvalid s. o. S. 111; Reuchlin
nennt ihn *R. Marinus inter Judaeos grammaticos valde doctus* p. 615. Mit
Moyses Zejag in libro intellectus boni p. 597 verhält es sich folgendermaassen:
Ein grammatisches Buch שכל טוב findet sich nebst einer Handschrift von
Kimchi's Sefer Michlol (1282) in einem der Reuchlin'schen Manuscripte zu
Carlsruhe (Msc. Darl. Nro 58). Als Verfasser hat zuerst Abraham de Balmes
den Moses Kimchi genannt; aus dem Einleitungsgedicht, in dem der Name
Moses vorkommt, ist höchstens zu entnehmen, dass der Verfasser Moses
geheissen. Der Name Moses Zejag (צייאג) findet sich in einer von Nisim
Chasan Cairo, 5. Elul 1466 ausgestellten Zeugenurkunde als Käufer der
Handschrift: מורה אני שמכרתי זה . . . . וכפי אחד בדקדוק הנקרא שכל טוב לר' משה
המבונה צייאג בסך ארבעה זהובים. Reuchlin hat diese Worte nicht verstanden,

Gabirol für Salomo [1]). Nur ein Theil derselben war ihm aus selbständigen Studien bekannt.

Sein Werk widmete Reuchlin seinem Bruder Dionysius. In der Einleitung, die eine schöne Schilderung seines Lebens und Bildungsganges enthält [2]), wies er darauf hin, dass, um die Grundlagen der christlichen Lehre zu verstehen, die Kenntniss des Hebräischen nothwendig sei. Keiner der Hochgelehrten habe bisher der Kirche diesen grossen Dienst leisten wollen, Manche, weil sie die Arbeit für zu schwer gehalten, die Andern, weil sie es ihrer für unwürdig erachtet hätten, mit den Anfangsgründen der Sprache sich abzugeben. Er habe den Vorwurf nicht gescheut, der Mühe nicht geachtet. Es sei höchste Zeit, dass die hebräische Sprache bekannt werde, aus allen Ländern werden die Juden vertrieben, man müsse fürchten, dass mit ihnen die Kenntniss ihrer Sprache verschwinde. Aber die Christen dürfen nicht länger zögern, Keiner sei zu alt, haben doch alle die Früheren, die durch Kenntniss des Hebräischen sich Ruhm erworben, die Sprache erst in späten Lebensjahren erlernt. Von den Juden wolle man nicht lernen, und diese meinen, Unterricht an Christen zu ertheilen, sei ihnen durch ein thalmudisches Gesetz verboten; so wolle er denn dem Bruder, dem christlichen Priester, das übertragen, was er selbst mit Fleiss gesammelt, vielleicht dass von ihm die christlichen Theologen mit grösserem Eifer lernen möchten. Reuchlin war auf seine Leistung stolz, wiederholt betont er, dass er der Erste sei, der auf diesem Gebiete arbeite, mit Horaz' volltönenden Worten sprach er von sich: *Exegi monumentum aere perennius.*

---

indem er die Worte מ‍יש‍ה ‍ל‍י auf כוב ‍ל‍‍‍‍כש bezog, statt sie mit ‍‍‍מברת‍י zu verbinden. Vgl. Kontros Hamassoreth, hrsg. von Leopold Dukes. Tübingen gedruckt bei Fues 1846 (nicht im Buchhandel), auch mit hebr. Titel. S. 66 fg, und A. Geiger (Biographie von Moses Kimchi) in der hebr. Zeitschrift Ozar Nechmad hrg. von Ignaz Blumenfeld. Wien 1857. 2. Jahrg. S. 19. fg.

[1]) p. 8. Die Anführung aus Kimchi fol. ‍ל‍‍‍קב. Gabirol hat die *literae accidentales*, enthalten in den Worten: ‍אני ‍שיל‍מה ‍בוזה, in einem Gedicht von 400 Versen beschrieben, von dem nur 97 aufbewahrt sind. Schwerlich hat Reuchlin eine Handschrift des Gedichtes gesehen; gedruckt ist es erst 1844 von S. F. Stern in der Ausgabe des Wörterbuchs von Salomo Parchon. Vgl. A. Geiger: Gabirol. Leipzig 1867. S. 65, Anm. 58 S. 133 und die dort angeführten Stellen.

[2]) 7. März 1506, in der Briefsammlung. Sie ist oben schon häufig benutzt worden.

9*

Der äussere Erfolg war keineswegs glänzend. Reuchlin selbst sagt oft, er habe aus seinen Studien überhaupt, namentlich aber den hebräischen, keinen Vortheil und Geldgewinn gezogen. Die Rudimente hatte er, wahrscheinlich 1000 Exemplare, bei Anshelm in Pforzheim auf eigne Kosten drucken lassen, 1510 lagen noch 750 auf Lager und Anshelm wollte bezahlt sein. Da wendete sich Reuchlin (1510) an den Buchhändler Amorbach in Basel, bot ihm 3 Exemplare der Rudimente für 1 Fl. an. Amorbach entschliesst sich endlich zur Uebernahme, klagt aber bald über Mangel an Absatz, er würde sie um den 3. Theil erlassen. Da schreibt Reuchlin wieder, er habe selbst schon viel daran verloren, aber Amorbach könne warten, und wenn er warte, viel Geld lösen: „Denn soll ich leben, so muss die hebräische Sprach herfür, mit Gottes Hilf. Sterb ich dann, so han ich doch einen Anfang gemacht, der nit leichtlich wird zergen [1]." Aber eine zweite Auflage wurde erst 1537 nöthig; Sebastian Münster, der Herausgeber, unterzog dabei das Werk mannigfachen und bedeutenden Veränderungen [2].

Aber wenn der klingende Lohn, der äussere Erfolg fehlte, so war die lobende, rühmende Anerkennung der Zeitgenossen eine allgemeine. Er hatte die Grundlage gelegt zu einem ganz neuen Studium: die Folgezeit blickte zu ihm als Meister auf, und Melanchthon gab nur einem allgemeinen Gefühl Ausdruck, wenn er sagte, es mögen wol später Manche reichhaltigere Schriften herausgegeben haben, aber Alle, die sich mit Hebräisch beschäftigt, bekennen, von

---

[1] Das Letzte wörtlich aus Heyd: Melanchthon und Tübingen in der Tübinger Zeitschrift für Theologie 1839 S. 49. Er fügt hinzu: Handschr. in der Basel. Bibl. Doch findet sich daselbst, wie ich auf wiederholte Anfragen erfahren habe, Nichts mehr. Nach den Worten Heyds müsste man 6 Briefe denken:

    1. Reuchlin an Amorbach (Anerbieten),
    2. Amorb. an R. (Bedenklichkeiten, Verlangen von Dienstleistungen),
    3. R. an Amorb. (Bewilligung des Geforderten),
    4. A. an R. (Annahme),
    5. A. an R. (Klage über den schlechten Absatz),
    6. R. an A. (aus dem Heyd ein Bruchstück mittheilt).
Woher Heyd seine Angaben hatte, ist unbekannt; jedenfalls scheint der Briefwechsel vor 1510 stattgefunden zu haben, denn 27. Juni 1509 schreibt Amorb. schon, wenn der Hieronymus vollendet sein wird *spero quod rudimenta hebraea pluribus venduntur.*

[2] Vergl. das Stud. d. hebr. Sprache. S. 78. fg.

ihm als Lehrer gefördert worden zu sein[1]). Die Zeitgenossen gingen noch weiter; sie mochten nicht leiden, dass irgend Einer über ihn gestellt würde, und als Erasmus den Capito für gelehrter ausgab, brauste Hutten auf[2]).

Wir haben an anderen Orten zu zeigen versucht, wie sich die lernbegierige Jugend an den Meister anschloss, wie die ganze spätere Entwickelung immer wieder auf Reuchlin zurückgeht, und können hier dabei nicht verweilen: erwähnt sei nur, wie Schüler dem Meister ihre Schriften widmeten, Johann Böschenstein und Johann Cellarius[3]).

Zur praktischen Erlernung der in den Rudimenta gegebenen Regeln, zur allmäligen Aneignung des dort aufgespeicherten Wortschatzes gab Reuchlin die 7 Busspsalmen (Psalm 6. 32. 38. 51. 102. 130. 143), den hebräischen Text mit lateinischer Uebersetzung und einer, wie er sie nannte, grammatischen Erklärung heraus[4]). Dieselbe war so elementar gehalten, dass Sebastian Münster wol mit Recht sagen

---

[1]) In der oft angeführten Rede 1552. — Wie sehr das Werk auch von Männern, die nicht eigentlich Hebraisten waren, beachtet wurde, zeige Folgendes: Die Reuchlinische Komödie Sergius gab G. Simler mit einem ausführlichen Kommentar heraus. Zu dem Verse: *quod Moyses vates tuus tibi suggerit* gibt er eine lange Erklärung des Namens Mose, wo es am Schluss heisst: *Mose a verbo hebraeo Maschah, quod educere, extrahere, efferre, praeceptor meus Jo. Reuchlin, caput et columen salutiferae sapientiae interpretatus est, in opere quod fratri Dyonisio (!) nuncupavit, quo libro Phoenix non est rarior ante paucos annos sed ingenue Horatius: virtutem, inquit praesendem odimus, sublatam ex oculis querimur. Ego vero cum domo reconditam, velut in larario plausibiliter interviso, speciosam a praeceptore meo editam foeturam diem mihi lucemque exortam reputo (Phorcae* 1507 g a b*.)*

[2]) Erasmus hatte das behauptet in dem Briefe an Joh. Fischer, Bischof v. Rochester 5. Juni 1517; Hutten hatte ihn deswegen angegriffen in der *Expostulatio* (Böcking, *Hutteni opera* II, p. 199 sq.), Erasmus vertheidigte sich dagegen in den *Spongia* (Böcking II, p. 278 sq.). Interessant ist nun, dass alle Ausgaben der Erasmischen Briefe statt der verhängnissvollen Worte: *longe doctior Reuchlino* haben: *Hebraice longe doctissimus.*

[3]) Vgl. Briefs. 2. Juni 1514 und 22. Jan. 1518.

[4]) *JOANNES REUCHLIN PHOR- | censis U. doctoris in septem psalmos | poenitetiales hebraicos interpretatio | de verbo ad verbum et super | eisdem commentarioli sui, ad | discendum linguam hebrai- | cam ex rudimentis* a . . l. à 8 Bl. in 12° a. E.: *Tubingae apud Thomam Anshelmum Badensem M.D.XII,* angehängt 10 Bll. lat. und hebr., den ersten in Deutschland gedruckten Text enthaltend.

konnte, ein siebenjähriger Knabe könnte daraus hebräisch lernen[1]). Jedes Wort nahm er einzeln durch, zerlegte es in seine Bestandtheile, gab Rechenschaft über jeden Buchstaben. Aber schon das Aeussere zeigt, dass das Werkchen gleichsam nur ein Anhang, eine nothwendige Ergänzung zu den Rudimenta ist. Wie schon im Titel, so wird gleich bei den ersten Worten auf sie hingewiesen[2]); bei jedem angeführten Wort findet sich eine Verweisung mit der Bemerkung *in arte nostra, in arte* schlechtweg mit Angabe der Seitenzahl. Die Hinweisungen sind indess nicht derart, dass das Aufstellen selbständiger Regeln vermieden würde; im Gegentheil finden sich sehr häufig allgemeine, von dem einzelnen vorliegenden Beispiele hergeleitete Grundsätze, oft mit den Worten der Rudimente' oft in eigenem Ausdrucke, wie er sich passender an den gegebenen Fall anschliesst[3]), manchmal ziemlich weit ausgesponnene Auseinandersetzungen[4]). Aber Alles will er nicht wiederholen, er verweist von einer Stelle des Büchleins auf die andere, oder kurz auf eine Stelle des grossen Werkes, aus Scheu zu breit und ausgedehnt zu werden. Wo es nöthig ist, verbessert er auch Fehler, die sich in die Rudimente eingeschlichen. Er bittet ausdrücklich solche Aenderungen vorzunehmen, wenn man seine Ehre als Lehrer wahren wolle[5]). Die Verbesserungen sind allerdings nur geringer Art: nicht die erste und dritte Person beider Zahlen im Praeteritum sei *generis communis* sondern nur die erste, die dritte blos im Plural[6]); sonst ist wol nur ein Druckfehler der berichtigt wird[7]). Auch einzelne Ergänzungen zu den Rudimenten werden gegeben, entweder Beispiele aus dem erklärten Texte, die ihm nicht so geläufig waren, als er die Grammatik schrieb, oder kleinere Be-

---

[1]) Vgl. Das Studium der hebr. Sprache S. 81.

[2]) *Ut in rudimentis nostris facie* 575; *et sic semper quaelibet facies uniuscujusque paginae rudimentorum consimili numero notabitur.* b 2ᵃ.

[3]) Häufig findet sich hier das Wort: Canon.

[4]) Z. B. über das Wort השכיל und Verwandtes. c 7ᵃ ff.

[5]) *Hanc castigationem notabis diligenter, si me praeceptorem tuum cupias honore prosequi; fuit enim mendum quorundam vesperi hallucinatum.* cᵇ.

[6]) A. a. O.; Rudimenta p. 587.

[7]) Gen. XXVI für Gen. VI; g 6ᵃ Rudimenta p. 402; c 2ᵃ Rud. p. 514, *et ibi emenda punctum supra sin literam positum cum enim per incuriam sit signatum in dextera debuit locari in sinistra, ut legatur non sin spumans sed acutum sive sinistrum.*

merkungen, auf die er durch erneutes Studium der Quellen geführt wurde [1]).

Der Quellen: das sind und bleiben für ihn die jüdischen Grammatiker und Commentatoren. Er folgt ihnen nicht blindlings, er wägt wol ab, was sie sagen, und doch fliesst aus ihnen und fast aus ihnen allein die richtige Erkenntniss. Wir begegnen unter diesen durchweg alten Bekannten: Rabi Salomo (Raschi), dem hochweisen Abenesra [2]), dem sehr gelehrten Joseph Kimchi, dem Vater der berühmten Söhne „Moses und David" [3]) die gleichfalls angeführt werden, letzterer in seinen Commentaren und der Grammatik [4]), Moses Gerundensis, Moses Maimonides [5]). Auch die Targuminen führt er an: das babylonische und das des Jonathan; ebenso die Massorah [6]). Wie er die Autorität des David Kimchi höher stellt, als die des Moses Zejag, so erhält Aben Esra Recht, der den Buchstaben Lamed in einem Worte als Grundbuchstaben erklärt, wo ihn „unsere Uebersetzer" als Artikel betrachtet haben [7]).

Denn gegen die christlichen Erklärer wagt er eher einen Tadel. Er scheut sich nicht, anders zu übersetzen, als Hieronymus es gethan, aber Unkenntniss gibt er ihm nicht Schuld, sondern nur zu enges Anlehnen an die Gewohnheit der Propheten [8]); er spricht seine Verwunderung aus, dass Lira etwas übersehen habe, was deutlich im hebräischen Texte stehe [9]); er trägt kein Bedenken an Stelle der alten Uebersetzung eine andere zu setzen und von dem Irrthum jener zu sprechen [10]). Die wörtliche Uebersetzung der Stelle nach dem he-

---

[1]) g^a *Reliquum* (pag.) 419, *cui loco addas hanc meam translationem (debilitatus sum), quamvis rabi Salomon exposuerit mutatus sum.* Vgl. auch k 2^b.

[2]) *sapientissimus d* 3^b.

[3]) i 8^b fg.

[4]) c 7^b, f 3^a, g 3^a, wo eine Regel aus der Grammatik mit den hebräischen Worten angegeben wird; u. a. m. Moses Kimchi i 4^a.

[5]) g 8^b, c 3, 1 2^a, wo genau citirt wird: *liber perplexorum* (Führer der Verirrten) lib. II cap. 25.

[6]) c 8^b, c 2^b, i 6^b, k 8^a.

[7]) g 6^b, d 7^a. Ueber Zejag vgl. oben S. 140 Anm. 5.

[8]) [*stabunt*]. *Quod vero S. Hieronymus in hebraica veritate hoc verbum in praeterito transtulit, non est ignorantia grammaticae, sed consuetudo prophetarum, ubi saepe capitur futurum pro praeterito et econverso.* g 2^b.

[9]) *Quare miror Nicolaum de Lyra in literali sensu laborantem hoc non vidisse . . .* k 4^a.

[10]) *nos legimus: scelera mea; rectius sic legi deberet: scelus meum,* e^b; *non Bersabea, ut communiter erramus legendo, sed Bathsaba,* g 8^b; vgl. h 8^a fg.

bräischen Texte unbekümmert um Alles, was Andere gesagt haben
mögen, steht ihm am höchsten; er möchte diese Uebersetzung selbst
gegen die Autorität des Apostels Paulus vertheidigen, wenn ihn
nicht Hieronymus erinnerte, dass Apostel und Evangelisten die
Stellen des alten Testamentes oft ganz anders citirten, als sie uns
vorlägen [1]).

Wie gesagt, die gegebene Erklärung soll nur eine grammatische sein, sie lässt sich auf eine Deutung von Stellen, die
ihrem Sinne nach streitig sind, nicht ein.   Manchmal wird nach
dem Beispiel Anderer (des R. Salomo und Hieronymus) bemerkt,
dass man es hier mit schweren, unklaren Worten zu thun habe,
ohne dass der Versuch gemacht wird, das Dunkel zu lichten;
an anderer Stelle wird wol angegeben, worin die Schwierigkeit bestehe, aber die Entscheidung über den Streit, der von Hillel und
Schammai darüber geführt, ob Himmel oder Erde früher oder später geschaffen sei, dem Leser überlassen [2]).   Gelegentlich werden
einige neue Bemerkungen gemacht: dass den 70 Bibelübersetzern
kein hebräischer Text vorgelegen habe, dass die Psalmenzählung
der Juden und Christen darum von einander abweiche, weil diese
die von jenen als 9 und 10 aufgeführten Psalmen in einen zusam-
menziehen [3]).   Auch Kritik wird geübt.   Wo sich verschiedene Les-
arten finden, wird die, welche sich in den ältesten und am meisten
verbesserten Handschriften findet, vorgezogen, namentlich wenn durch
ihre Annahme ein besserer Sinn hergestellt wird und frühere gute
Grammatiker sich dafür ausgesprochen haben [4]).

---

[1]) Es ist die Rede von Ps. 51, 6. צדק בדברך, was Reuchlin übersetzt: *justificabis in verbo tuo*, und dann fortfährt; *Et nisi S. Paulus ad
Romanos* (3, 4) *exponeret: sicut justificeris in sermonibus tuis, ego sequerer
proprietatem linguae dicens: Iccirco justificabis in verbo tuo ita sane, quod
David praevidisse mihi videretur quod S. Paulus scribit* (I Cor. 6 11): *Justi-
ficati estis in nomine domini nostri Jesu Christi, scilicet qui aspersus erat
sanguine et vocabatur nomen ejus verbum dei* (Apocalypseos 18, 13). *Attamen
consolatur me S. Hieronymus scribens in epistolam ad Ephesios cap.* 5 *his
verbis: Quod frequenter annotavimus apostolos et evangelistas non iisdem verbis
usos esse in testamenti veteris exemplis, quibus in propriis voluminibus continentur. Hoc et hic probamus. Haec ille.* h. 2 b. Es ist übrigens das die
einzige Stelle des Werkchens, wo der christliche Standpunkt des Verfassers,
wenn auch schwach genug, hervortritt.

[2]) h 3 b, k 4 b.

[3]) G 8 a, k 3 b.

[4]) *Et licet aliqui libri habeant ibi notam zere, tamen antiquissimi et*

Die Uebersetzung, die er gibt, ist wörtlich und gut. Sein Hauptstreben ist auch hier weit mehr, die einzelnen Ausdrücke grammatisch richtig wiederzugeben, als die poetische Schönheit der übersetzten Stücke durch eleganten lateinischen Ausdruck zu zeigen. Zwang will er der lateinischen Sprache nicht anthun, denn die Regeln derselben weichen von der des Hebräischen ab[1]). Zur Erklärung einzelner Ausdrücke wird eine grosse Anzahl von Parallelstellen aus der Bibel angeführt, oft mit hebräischen, oft aber auch nur mit lateinischem Text, oft ist nur der Ort angegeben, wo sie stehn. Gewährsmänner fehlen nicht, wie Hieronymus, Athanasius, Plinius, Laktantius Firmianus, Priscianus, selbst Homer, Virgil und Terenz, um eine ausgesprochene Meinung zu bekräftigen, namentlich zu dem Nachweis, dass Eigenthümlichkeiten des Ausdrucks sich in ähnlicher Weise auch im Lateinischen und Griechischen finden[2]).

In der Vorrede zu dem Schriftchen an Jakob Lemp[3]) bemerkte

---

emendatissimi codices, quos vocant grammaticatos, hoc est artificioso judicio castigatos, subscriptum tenent solum hirek, idque doctioribus grammaticis magis placet. b 7[b], ähnlich i 3[b].

[1]) Für תתהדר wörtlich: *fies gloriari* setzt er: *gloriosus appareas. Non enim congrue dicitur in romanorum grammatica: Fies gloriari. Sed scriptura sacra veteris testamenti non est ligata neque coartando latinis sive graecis, sed potius hebraicis regulis, quam iudaeorum sermone primario spiritus sanctus dictavit.* e 2[b].

[2]) Es wird am besten sein, wenn ich so, nach Durchnahme der Schrift, ein paar aufs Gerathewohl herausgehobene Stellen abschreibe. (Ps. 38 V. 11 fg.) עזבני *reliquit me. Appendix: ni consueta, reliquum* 383. ברי *virus mea, iod affixum et punctus holem per synopem vau.* ארי *lumen vel lux.* 42. אתי *mecum.* 72. אוהבי *dilectores mei, pluralis numeri, quia ultima per patha vel kamez profertur juncta hirek, quod servabis tenaci memoria, ne idem tibi cum fastidio saepius dicendum sit.* g 2[a]. und (Ps. 102 V. 20) הביט *aspexit. He et iod significant conjugationem tertiam, sed non est transitivum in tertium quia non habet primam conjugationem, et secunda conjugatio est absoluta vel transitiva in primum et ideo hic non significat: facio facere* (d. h. es hat nicht die Bedeutung des Hiphil: sehen lassen). Canon: *Quando verbum habet primam conjugationem transitivam, tunc secunda conjugatio est transitiva in secundum, et tertia transitiva in tertium; si autem non habeat primam conjugationem, aut prima conjugatio sit intransitiva, tunc secunda est transitiva in primum et tertia transitiva in secundum. Sic intelliges canonem a me latum in libro III rudimentorum facie* 585. *Beth habet punctum dagges, qui denotat defectum antecedentis literae; quaere igitur inter literas defectivas in principio et invenies: mm.* 302; *verbum secundae conjugationis.* k a[b].

[3]) Stuttgart 1. August 1512, vgl. die Briefsammlung.

er, dass ihm früher der gewählte, seltene Ausdruck einer Sprache besonders gefallen habe, lange Ueberlegung habe ihm aber gezeigt, dass das Schönste sei, ungesucht, regelrecht zu sprechen. Rhetorenkünste, wie sie von den Römern verboten, von den grossen Schriftstellern als nicht nachahmungswürdig gezeigt worden, habe er verachten gelernt. So habe er sich den ernsten Wissenschaften ergeben, Jurisprudenz eifrig getrieben, dann seine Zeitgenossen griechisch gelehrt und nun hebräisch. Seine Rudimente aber, die wol ein ganzes Lehrgebäude dieser Sprache enthielten, könnten erst dann von grossem Nutzen sein, wenn man mit deren Studium das Lesen einiger Bücher der Bibel verbände. „Nun hoffte ich, dass aus Italien eine grosse Anzahl Bibeln oder sonstiger hebräischer Bücher zu uns kommen würden[1]), da das aber durch den Krieg unsers Kaisers Maximilian in Italien verhindert wird und eitle Prahlhänse ein grosses Werk zwar ankündigen, aber nicht erscheinen lassen[2]), so muss ich selbst die Arbeit unternehmen und lege zunächst die 7 Busspsalmen vor". In einem Schlussworte machte er darauf aufmerksam, dass die Sprache nicht aus Regeln bestehe, sondern dass man aus dem erworbenen Sprachschatz die erworbenen Regeln herleiten könne. Denn die Regeln seien nichts Unumstössliches, Ausnahmen seien häufig, oft häufiger als die Regeln selbst, der Gebrauch sei der einzige Lehrmeister. Und dann theile sich eine Sprache in eine Anzahl Dialekte, das Hebräisch, das man von Juden lerne, sei sehr verschieden von dem, was .er darlege. Er lehre die Schriftsprache, er wolle seine Schüler befähigen, die Bibel, die Commentare der Rabbinen zu verstehen, sich in die erhabenen Betrachtungen der Cabbalah zu vertiefen[3]). Die Rudimente seien nur die Grundlage, aber wenn man sie mit vorliegendem Werkchen ver-

---

[1]) Schon in der Einleitung zu den Rud. hebr. hatte er gesagt, hebr. Bibeln *quas sibi quisque pauco aere mercari facile queat.*

[2]) Das bezieht sich auf Pfefferkorns angekündigte, aber wol nicht erschienene Uebersetzung der Evangelien ins Hebräische; vgl. Anm. zu unserem Briefe.

[3]) Um nicht das Ganze abzuschreiben, sei hier nur eine Stelle erwähnt 16ᵃ: *sed eo conabimur me auctore hanc sanctam linguam apprehendere, quod facilius et lucidius quae scripta sunt, intelligimus, primo in sacratissimarum literarum contextu, deinde in variorum doctorum explanatione, postremo in cabalae excelsa contemplatione, in quibus educari nemo solide poterit, nisi a nutrice omnium linguarum hebraica grammatica.*

binde und die Bibel fleissig lese, so werde man ohne fremde Hülfe ein tüchtiger Kenner der hebräischen Sprache werden [1]).

Ein Schriftchen ähnlicher Art, das aber durch den Druck nicht veröffentlicht worden und nur handschriftlich ohne Angabe der Abfassungszeit erhalten ist, enthält die Uebersetzung und Erklärung von Ps. 110—114 [2]). Für die Uebersetzung mag das Obengesagte genügen, nur dass hier bei Stellen, die mehrere Uebersetzungen zulassen, diese sämmtlich angegeben werden; die Erklärung weicht von der ebenbesprochenen ab. Sie ist lange nicht so ausführlich, wie diese, und durchaus nicht so elementar. Ihr Zweck scheint ein ganz andrer gewesen zu sein: sie mochte für solche bestimmt sein, die, mit der hebräischen Sprache schon etwas vertraut, eine wörtliche Uebersetzung und eine wissenschaftliche Besprechung einzelner Schwierigkeiten, keine Auseinandersetzung der einfachsten grammatischen Fragen verlangten [3]). Anhaltspunkte, wann Reuchlin die Schrift geschrieben, ob er sie einem Freunde zugeschickt, oder zur Veröffentlichung bestimmt hat, fehlen durchaus; ob vielleicht das ganze nur aus dem Collegienhefte eines Studenten ist, der Reuchlin zu Ingolstadt oder Tübingen hörte?

Kurz vor der Erklärung der Busspsalmen war ein anderes Schriftchen erschienen, die Uebersetzung der silbernen Schüssel, eines Hochzeitsgedichtes des Joseph Ezobi an seinen Sohn [4]). Das Gedicht war

---

[1]) l. 6ᵇ fg. *quaequidem* (rudim.) *tria volumina, si huic opusculo meo coniunxeris, et bibliam hebraicam adhibueris, potes tuopte ingenio absque alio praeceptore in virum hebraicae linguae conscium evadere.*

[2]) *Sequitur interpretatio Joannis Reuchlin phorcensis super vespertinos psalmos dominicae diei de hebraico verbum e verbo transferens.* In Cod. lat. 7455 (der kais. Bibl. in Paris) aus dem 16. Jahrhundert, unbekannt von wem, Auszüge aus der hebräischen Grammatik und den cabbalistischen Werken Reuchlins, verschiedenen Schriften des Pikus von Mirandula, Wimphelings u. A. enthaltend.

[3]) Auch hier mag ein Stück als Probe angeführt werden (zu Ps. 110): *Nedibe sunt principes, inde hoc loco nediboth transtulerunt principium. Sed nediba est oblatio spontanea, unde alii transtulerunt nediboth spontaneum vel voluntarium a nadab, id est abtulit. Item propter similitudinem apud hebraeos d et r legunt quidam be hadre i. e. in splendoribus, alii beharre i. e. in montibus. Schachar i. e. aurora, a quo ducunt quidam mischhar i. e. proiectus vel productus. Et ita nunc sensus secundum Hebraeos hic est: Populi tui erant tibi benivoli eo tempore quo exibas cum potentia tua etc.*

[4]) *RABI JOSEPH HYSSOPAEUS PARPI nianensis iudaeorum poeta dulcissimus ex he | braica lingua in latina traductus a Joanne | Reuchlin Phor-*

Reuchlin aus einer der hebräischen Handschriften bekannt geworden, die er besass, schon in seinen Rudimenten hatte er gelegentlich darauf hinge- wiesen[1]). Es hat poetischen Werth und ist auch nach Reuchlin von Johann Mercerus übersetzt[2]), der hebräische Text nebst der Reuchlinschen Uebersetzung von Wolf abgedruckt worden[3]). Schon Wolf hat der- selben ziemliche Treue verbunden mit elegantem Ausdrucke nach- gerühmt, einige Nachlässigkeiten, absichtliche oder unabsichtliche Aenderung des Textes gerügt, und an einer ganzen Anzahl von Stellen der Erklärung des Mercerus den Vorzug gegeben, ist aber im Ganzen der Reuchlins gefolgt, und hat oft ausdrücklich sie über die seines Nachfolgers gestellt. Dem hier gegebenen Urtheile kann man sich im Ganzen nur anschliessen, nur müssen noch einige an- dere Irrthümer und Missverständnisse Reuchlins hervorgehoben werden[4]).

In der Einleitung[5]) spricht Reuchlin, beginnend mit der von Lucius Apulejus herrührenden Dreitheilung der Wissenschaften, von den drei Sekten der Juden, Sadducäer, Pharisäer, Essäer, deren Namen er hebräisch gibt, und daran die Wiederholung einer Regel aus seiner Grammatik knüpft. Er hätte zuerst gelernt, die hebräische Sprache sei zu leichten dichterischen Werken durchaus unbrauchbar, nachdem er dies Gedicht gesehen, sei er von seiner Meinung zu- rückgekommen. Den gefundenen Schatz wolle er den Lesern nicht vorenthalten, er gebe ihnen denselben in lateinischer Sprache, wenn er auch wisse, wie schwer es sei, aus einer Sprache in die andere zu übertragen, namentlich wenn man sich zum Gesetze gemacht habe, den Wortlaut soviel als möglich beizubehalten.

Doch dieses Schriftchen war nur etwas Nebensächliches, das

_____

censi legum impe | rialium doctore. 8 Bll. in 4⁰. A. E.: *Tubingae in aedibus Thome Anshelmi | Badensis, mense Martio* (1512).

[1]) R. h. p. 354 s. v. נב.

[2]) Paris 1561 in 8⁰ vgl. Wolf, IV. p. 1139.

[3]) J. C. Wolfii Bibliotheca hebraea vol. IV. Hamburg 1733. 1136—1167.

[4]) וחברת הכסיל העזוב הלא מוב עמודך עם צביעים במאורה wird wiedergegeben mit: *Stulti sodalitas tibi exprobranda est. Num quid bonum? in numero esse doctiorum*, während עם etc. heisst: mit Hyänen in der Höhle; ומא אין ישיבה במזרה übersetzt Reuchl.: *Ob id nec est crepidini sedile*, statt: Seitdem im Tempelvorhofe kein Sitz mehr ist; die Worte או יעקב באניה בהורה versteht er gar nicht. Sie bedeuten: Hat ja Gott umschrieben (das Wort צצר un- rein) mit אינם טהורה (nicht rein); Reuchlin sagt dafür: *Nam saepe fortis scurrili movetur.*

[5]) Lectoribus. 25. Febr. 1512 s. in der Briefs.

zu den beiden vorhergehenden Werken nicht als ebenbürtig treten durfte. Noch fehlte etwas, um den Lernenden zu befähigen, ohne Lehrer, durch das Studium der Reuchlinschen Werke allein, den ganzen Reichthum der hebräischen Sprache sich anzueignen: die Regeln über Orthographie, Prosodie und Accente. Reuchlin wollte selbst darüber ein eigenes Werk schreiben, seinen Plan dazu kündigte er schon in der Erklärung der Busspsalmen an, aber erst müssten, meinte er, die früheren Werke recht fest im Gedächtniss haften[1]. Einige Jahre vergingen noch, bis das Werk Febr. 1518 erschien, äussere Umstände, die grosse Aufregung, in die Reuchlin durch seinen Streit versetzt wurde, vielleicht auch finanzielle Bedenken des Verlegers[2] mögen die Verzögerung veranlasst haben.

Das Werk über Accente und Orthographie[3], seinem alten Gönner dem Cardinal Hadrian gewidmet, mit einer Einleitung, die in vielen Beziehungen von grossem Interesse ist, handelt in drei Büchern über die Aussprache in gewöhnlicher Rede, den rhetorischen und musikalischen Accent, oder, wie die hebräischen Ausdrücke lauten, מקרא טעם, טעם. Er, der alte Mann, so spricht Reuchlin zum Cardinal, er der am Rande des Grabes stehe, könnte eigentlich bald aufhören, die Anfangsgründe der Grammatik, die nur für Kinder und junge Leute passten, zu lehren, indess sein Eifer für die Ausbildung des hebräischen Studiums überwindet alle Zweifel und Bedenklichkeiten. •

Der Inhalt des Werkes ist in Kürze folgender. Zunächst wird der gewöhnliche Accent, die einfache Wortbetonung besprochen, die sämmtlichen möglichen Formen des Stammworts פעל werden durchgenommen und mit den ihnen zustehenden Accenten versehen. Die Anführung der Bibelstellen, die hier buntdurcheinandergemischt hebräisch und lateinisch citirt werden, meist doch so, dass die einzel-

---

[1] Vgl. 7 ps. poen. F 8b: *prosodiam .. de qua intendimus deo adjuvante postea singulari volumine studiosis perscribere, si prius rudimenta nostra diligenter nocturna diurnaque manu versaverint:* dass er bereits damals an dem Werk arbeitete, sagt er a. a. O. l. 7a.

[2] l. 7a schreibt Reuchl. sein Werk werde bald erscheinen, *si haud frustra speraverit impressor emptores invenire.*

[3] *DE ACCEN | TIBUS. ET ORTHOGRA PHIA LINGVAE HE- BRAI- | cae à Johanne Reuchlin Phorcensi | LL. Doctore Libri Tres Car | dinali Adriano dicati. | 84 Bll. in Fol. A. E.: Hagenoae in aedibus Thomae Anshelmi Badensis | Anno M. D. XVIII. Mense Februario.*

nen Worte, auf die besonderer Nachdruck gelegt werden soll, im
Urtext gegeben sind, gibt auch hier wieder Anlass zu manchen
grammatischen Bemerkungen und zum Feststellen der richtigen
Uebersetzung, oft gegen jüdische und christliche Erklärer und die
alten Versionen [1]). Auch kritische Bemerkungen finden sich nach
der Massorah oder alten Handschriften, deren Einsicht Reuchlin zu
Gebote stand [2]).

Nach den dreibuchstabigen Formen kommen die Quadriliteren,
zunächst die von den dreibuchstabigen mit einer Endung, wie ו, י,
ה, נ abgeleiteten (fol. XI.ᵇ) dann die wirklich vier — oder mehr-
buchstabigen Wörter; endlich diejenigen die vor den eigentlichen
Stamm eine Vorschlagssilbe setzen, und die, denen ein Stamm-
buchstabe fehlt (fol. XIXᵃ).

Die Ordnung der Grammatik wird auch darin beibehalten,
dass auf die Nomina die Zahlwörter folgen (fol. XXIVᵃ), das Nomen
mit allen Suffixen, die an dasselbe gehängt werden können, die Präpositionen und einige Pronomina, dann das Verbum, dessen Behandlung mehr als ein Drittel des ganzen Werkes einnimmt (fol. XXVIIIᵇ—
LIXᵃ), wo unter der Form des einfachen regelmässigen Verbums
auch die unregelmässigen mit der Betrachtung unterzogen werden [3]);
für das Verbum mit Suffixen wird, ebenso wie in den Rudimenten,
statt פעל, פקד gewählt, dasselbe Paradigma dient auch zur Bezeichnung der Accentuation bei den verschiedenen Conjugationen. Wir
sehen, die Rudimente nimmt er sich zum Muster, er citirt sie bei
mancher Gelegenheit, namentlich zur Erklärung grammatischer

---

[1]) Hier sagt er geradezu: *Sane inepta est haec paraphrasis* und fügt dem
bei: *Ego plane in hoc libro* (näml. Hiob, von dem 30, 12: פרחה angeführt
wird) *et quandoque in aliis translationes negligo dummodo loci pateant bibliae,
ubi vocabula inveniantur.* Fol. XVIIIᵃ.

[2]) Fol. IX.ᵇ. Wieviel Bibelhandschriften ihm zur Vergleichung vorgelegen
haben, kann man nicht sagen; er spricht meist nur unbestimmt von *vetus-
tissimi codices.* Bestimmter sagt er fol. VIIIᵇ: *liber meus quem Roma mecum attuli supra quam pervetustum* und *alterum quoque antiquissimum et valde
mendatum* Fol. IXᵃ., oder *in antiquissimis Hispaniarum bibliis quae vidi reperitur.* Fol. XIᵇ.

3) Wiederholungen sind hier unvermeidlich; so werden bei der Durchnahme des Particips פעיל und פעולה Fol. XXXVIIᵇ. mit grosser Ausführlichkeit besprochen; von ihnen war schon bei der Betrachtung der Nomina
Fol. IXᵇ, XIVᵇ die Rede gewesen.

Schwierigkeiten [1]), er bittet auch hier kleinere Irrthümer derselben zu berichtigen [2]).

Der erste Theil nimmt den bei weitem grösseren Raum des ganzen Werkes ein, vielleicht hatte Reuchlin die Absicht, auch die andern Theile ausgedehnter zu machen, als sie in der That geworden sind. Aber wenn er auch schon lange an dem Werke arbeitete, mit dem eigentlichen Abschluss kam er nicht so schnell zu Stande; der Drucker drängte, die Messe stand vor der Thür [3]). Möglich, dass er auch gewillt war, wenigstens die Ausführlichkeit des ersten Theils, die für unsern Begriff sicher ermüdend ist, nicht für die andern beizubehalten, den Schülern auch etwas zum Selbststudium zu überlassen, und nicht jede eigne Thätigkeit ihnen zu ersparen [4]).

Wirkliche Versmaasse und Reime, so lehrt der zweite Theil des Werkes, gebe es zwar im Hebräischen nicht, man könne in der Bibel kaum drei Hexameter finden, aber es existire ein sogenanntes rednerisches Maass, das aus langen und kurzen Silben bestehe, und mehr nach rhetorischen als grammatischen Principien sich bestimme. So wenig wie im Lateinischen brauche auf der von Natur langen Silbe der Accent zu ruhen, wenn sie auch stets betont werden müsse, auf kurze ist kein Gewicht zu legen. Für die Setzung des rednerischen Accents, des Metheg, gibt er 27 Regeln, auf die hier nicht einzeln eingegangen werden kann, dann spricht er vom Dagesch, den verschiedenen Gründen, die sein Eintreten oft verhindern, endlich von den beiden Punkten, rechts und links, die aus dem Zeichen (ש) zwei verschiedene Buchstaben machen und gibt dafür eine grosse Anzahl von Beispielen (fol. LIX[a]—LXX[a].)

Der dritte Theil führt aus, dass es eine alte Gewohnheit der

---

[1]) Vgl. fol. XIII[b], XVI[a], XXVIII[b], XLV[b], LXV[b], an letzterer Stelle wie an manchen andern, wird auch auf die 7 Busspsalmen Rücksicht genommen.

[2]) S. fol. XVIII[a].

[3]) *Relicta vero adhuc supersunt quaedam signa et notae in literis biblicis, de quibus admirationi studiosorum nondum satisfecimus et fortasse in his libris, propter urgentem chalcographi necessitatem, et imminentem nundinarum praesentiam satisfacere nequimus.* fol. LXV[b].

[4]) *Sed modo praestat, in iis quae ad hunc librum illustrandum amplius attinere viderentur, etiam discipulis relinquere ad singularem studiorum suorum consequendam laudem cogitandi et inveniendi locum, ne metentes totum agrum absumamus usque ad solum, ut remanentes spicas non invenient peregrini quod lege vetitum est. Satis fuerit erudiendis ansam praebuisse.* Fol. LXX[a].

Hebräer sei, Gott Lieder und Gesänge zu weihen [1]) und sei es auch
jetzt noch geblieben durch tägliche Uebung in den Synagogen. Die
musikalische Betonung (Neginoth) tritt an Stelle des grammatischen
und rhetorischen Accents, aber er trifft zum grössten Theile auf die
Silbe, auf der jener geruht hat. Die musikalischen Zeichen haben
sehr verschiedene Namen, die Reuchlin alle einzeln aufzählt und
mit den hebräischen Namen die lateinische Uebersetzung verbindet,
wodurch die Ausdrücke statt verständlicher oft noch wunderlicher erscheinen. Nach der Aufzählung werden die einzelnen durchgenommen
und durch zahlreiche Beispiele erläutert. Am Schluss stehen einige
Verse der Bibel [2]), darüber mit rothem Druck die Accente, die in
ihnen vorkommen.

Es ist selbstverständlich, dass Reuchlin die hier vorgebrachten
Lehren aus der Quelle schöpfte, die er stets benutzte; aus den
Rabbinen. Uebrigens sagt er auch selbst, dass er sein Buch nach
der Lehre der Juden vorbringe, wie sie dieselbe in ihren grammatischen
und musikalischen Büchern vortragen [3]). Aber er maasst sich nicht
an, seine Vorbilder erreicht oder gar übertroffen zu haben, er ist
bescheiden genug, anzuerkennen, dass seine Lehrer eben auch seine
Meister geblieben sind [4]). Ausser „kundigen Lehrern der Grammatik"
citirt er David Kimchi, seine Grammatik, den Kommentar zu
Jesajas [5]), auch Joseph Kimchi, R. Jona, und R. Juda, die uns von
früher her bekannt sind, deren Kenntniss, wie wir dort sagten, bei
Reuchlin nur eine abgeleitete war, was wir hier nur nochmals be-

---

[1]) Nachdem er dies mit den Worten Mosis nach dem Durchzug des
Volkes Israel durch das rothe Meer bewiesen [2. Mos. 15, 1], gibt er nach
der Autorität des Athenäus und Plutarch eine kleine Abschweifung, um zu
zeigen, dass auch die Griechen die Musik gepflegt. Fol. LXX[b].

[2]) Reuchlin gibt nicht an, wo sie stehn, es sind die folgenden; aus
manchen freilich nicht mehr als drei bis vier Worte: 2 Chron. 24, 5;
1 Kön. 8, 17; 2 Mos. 33, 14; 4 Mos. 32, 42; 1 Mos. 5, 29; 1 Mos. 19, 16;
1 Mos. 27, 25; Spr. 6, 22; 3 Mos, 8, 23.

[3]) *Universa haec justa Hebraeorum doctrinam scripsimus eo modo quo illi
in suis libris tam quam musicis grammaticis sparsim de hac materia tracta-
vere . . . .*Fol. LXXX[b].

[4]) *Ac simul id quicquid est quod in hebraicis sum consecutus (Hercle quod
comparatione doctissimorum Judaeorum exile nimium judico).* Fol. LX[a].

[5]) *Magistri artis grammaticae peritiores* Fol. XL[a] u. a. David Kimchi
Fol. XXXV[a]; Sefer Michlol Fol. XXX[a], XLIV[b]; Comm. zu Jes. Fol. XL[b].

stätigen können [1]). Gelegenheit zur Entfaltung philologischer Kenntnisse war hier nicht geboten, doch zieht er zur Vergleichung
manchmal das Lateinische herbei [2]).

Durch Beschäftigung mit dem Hebräischen griff er nothwendig
in das Gebiet der Theologie hinein. Reuchlins erstes Interesse,
als er die Studien begann, in denen er so Bedeutendes geleistet hat,
war, wie wir gesehen haben, kein theologisches, mehr ein streng
philologisches, ein allgemein wissenschaftliches, könnte man sagen.
Er ist der Vater der hebräischen Sprachwissenschaft unter den
Christen, und doch ist seine Richtung, wenigstens unter seinen
unmittelbaren Nachfolgern, nicht die maassgebende geblieben. Ihm
war es um wissenschaftliche Erkenntniss der Sprache zu thun; seine
Nachfolger, vor Allem die Anhänger Luthers, und, wenn auch in
geringerem Grade, die der katholischen Kirche treu gebliebenen,
sahen in dem Hebräischen nur eine Stütze ihrer Theologie, eine
Waffe, mit der sie ihre Gegner bekämpften. Man hat nur nöthig,
das Lexikon des späteren Wittenberger Professors Johann Forster
mit den Rudimenten Reuchlins zu vergleichen, um sich von der
Richtigkeit dieser Behauptung zu überzeugen [3]). Der Nachfolger
steht durchaus auf den Schultern des Vorgängers, er ist sein persönlicher Schüler und hat aus seinen Werken das Beste von dem
gelernt, was er weiss, und doch, welche Verschiedenheit! Während
Jener aus jeder Quelle schöpft, die sich ihm darbietet, die lebenden
Juden aufsucht, um aus ihrem Munde die Traditionen der Vergangenheit zu hören, die alten Rabbinen durchforscht, weil sie Meister
in ihrer Sprache waren, Uebersetzungen und Kirchenväter durchgeht,
soweit ihre Wiedergabe des Textes und ihre Erklärung mit der
„hebräischen Wahrheit" übereinstimmt, beschränkt sich dieser in
eingebildeter Hartnäckigkeit auf sich selbst. Zwar hat er die
Synagogen besucht, wie er sagt, aber von ihnen sich abgewendet,
die Rabbinen verachtet er mit ihren Mährchen und Träumereien,
die Kirchenväter verlacht er zum Theil, weil sie die reine Lehre

---

[1]) Zu קֹבֶץ (Ez. 23, 24) führt er fol. X[b] R. Juda an; er findet sich
nicht bei Kimchi s. v., aber in Sefer Michlol fol. ז' ד[b]; R. Jona zu הה
ומשׁ I Mos. 1, 2 fol. XII[b] und R. Jos. Kimchi zu חֹבֶרֶת Pred. 3, 18 fol.
XXII[b], in S. M. fol. גז'''ה.

[2]) Vgl. auch S. 144 Anm. 1.

[3]) Das Stud. der hebr. Spr. S. 99 ff.

Geiger, Johann Reuchlin. 10

nicht gekannt. Mit einem Worte: sein Verfahren zeigt von theologischer Enge, das Reuchlins von wissenschaftlicher Weite.

Den Autoritätsglauben der alten Kirche hat Luther vernichtet: die Lehrsätze der mittelalterlichen Scholastiker waren ihm keine Orakel. Sie verdunkelten nach ihm die heilige Schrift. Er übersetzte diese, wie es seine Lehre erforderte, oft nach dem hebräischen Text, oft mit Anschluss an die Vulgata, mit Zurückstossung der Rabbinen, die er nur aus zweiter Hand kannte, wenn sie ihm nicht gefielen, mit deren Annahme, wenn sie ihm passend dünkten. Reuchlin war weiter gegangen und consequenter verfahren. Für ihn galt keine Autorität, als die Bibel allein. Was liegt nicht Alles in dem oft angeführten, schönen Worte, welches die Bedeutung des Mannes und seiner Leistungen so trefflich schildert: Den heiligen Hieronymus verehre ich wie einen Engel, Lira schätze ich wie einen Meister, aber die Wahrheit bete ich an als Gott [1]).

Damit war aller Autoritätsglaube gebrochen, waren alle Schranken niedergerissen, die eine freie, von Rücksichten unbeirrte Erklärung der Bibel hinderten. Aber Reuchlin begnügte sich damit, zog daraus keine Konsequenzen, baute darauf kein System. Er war kein Theologe und wollte niemals dafür gehalten sein. In seinen hebräischen Werken begegnen uns Ausdrücke, wie: „Ueber den Sinn der Stelle will ich nicht wie ein Theologe, sondern über die Worte wie ein Grammatiker reden [2]); die verschiedenen Erklärungen lasse ich ausser Acht; ich folge der Meinung der Rabbinen" [3]). Als er vom Kaiser Maximilian aufgefordert wurde, ein Gutachten über die Zulässigkeit der jüdischen Bücher abzugeben — darüber ist an anderer Stelle ausführlicher zu handeln — und ihm, nachdem er es ertheilt hatte, der Vorwurf gemacht wurde, er hätte sich in theologische Dinge gemischt, verwahrte er sich sehr entschieden dagegen.

Erwägt man einzelne seiner Aeusserungen, so kann man sagen, fast dünkte er sich zu niedrig, ein Theologe zu sein. Die Theologie stand in seiner Idee hoch, erhaben, nur als ihr Diener wollte er

---

[1]) Rud. hebr. Einl. z. 3. Buch.

[2]) R. h. p. 123. *Sed ego non de sententia ut theologus sed de vocabulis ut grammaticus disputo.*

[3]) Vgl. die oben S. 115 A. 8 mitgetheilte Aeusserung.

gelten. Denn das nahm er allerdings für sich in Anspruch: der
Theologie, der Kirche habe er durch seine hebräischen Schriften
genützt, zu ihrem Wachsthum, zu ihrer reineren Erkenntniss, zu ihrer
geistigen Durchdringung beigetragen [1]); nicht ohne seine Absicht:
denn er wollte als treuer Sohn seiner Mutter hülfreich zur Seite
stehn. Er war ein Diener der Kirche, ihr Untergebener. So hoch
ihm wissenschaftliche Forschung, ungehinderte Freiheit im Aussprechen
der gewonnenen Resultate stand, er unterwarf doch seine einzelnen
Schriften, sein gesammtes Lehrgebäude dem Urtheil der Kirche, er
war bereit, das zurückzuziehen, worin er geirrt [2]).

Die Anhänger einer neuen Richtung, hauptsächlich einer
theologischen, haben immer das Bestreben, die Berechtigung ihres
Daseins aus dem Alter ihres Bestehens zu erweisen, aus der
historischen Kontinuität ihrer Ansicht deren Richtigkeit darzulegen.
Die katholische Kirche knüpft unmittelbar an Jesus und seine
Schüler an, sie betrachtet sich und hat Jahrhunderte hindurch un-
bestritten diese Betrachtungsweise festhalten können, als direkte
Fortsetzerin des von den Aposteln geschaffenen Werkes. Die
protestantische Kirche nimmt dieselbe bevorzugte Stellung für sich
in Anspruch. Es genügt ihr nicht, dass sie das gewähre, was die
Vernunft von ihr verlange, dass sie wahre Religiosität, freie geistige
Erhebung möglich mache ohne einzwängende Fesseln veralteter
Ceremonien, sie beruft sich auf Paulus, schilt die Schwesterkirche
entartet, und wirft ihr vor, durch sie sei die reine Lehre verdunkelt
worden.

Aber auch damit hat sie noch nicht genug gethan. Es erscheint ihr nicht nur nicht als Schmälerung ihres Verdienstes, sondern
als eine Erhöhung desselben, wenn sie nachweist, dass das, was
sie lehre, ebensowenig etwas ursprünglich Neues, wie durch Jahrhunderte Vergessenes sei; das ist ihr Ruhm, dass es immer, selbst
in den dunkelsten Zeiten Männer gegeben habe, die die Wahrheit
erkannt hätten. Wer denkt nicht hier an Flacius' Katalog der
Zeugen der Wahrheit, ein Buch, das zuerst diesem Gedanken in

---

[1]) Vgl. die Vorreden zu den R. h. 7. März 1506 und viele Aeusserungen in den Schriften gegen Pfefferkorn und die Kölner.

[2]) Vgl. das Nachwort zu der Ars cabb. März 1517 und den Briefwechsel mit den Kölnern (unten 3. Buch 3. Kap.)

10 *

historischer Weise Ausdruck verlieh. Der Gedanke blieb in späterer
Zeit mächtig und herrschend.

Unter den vielen andern geisteskräftigen Männern namentlich
des ausgehenden Mittelalters, die man als Vorläufer der Reformation
bezeichnet, hat man auch Reuchlin genannt. Er verdient diesen
Namen nicht. Das erste Auftreten Luthers hat er noch mit angesehn, die ungemein rasche Entwickelung, welche die von dem
kühnen Wittenberger Mönche gepredigten Lehren nahmen, noch
5 Jahre betrachten können. Und was that er? Wenn der Ausspruch,
den man ihm zuschreibt: Gottlob, dass nun die Mönche einen Andern
gefunden haben, der ihnen mehr zu schaffen machen wird, als ich,
wirklich von ihm gethan wurde, so ist es das Frohlocken eines
alten Mannes, der, längst des Kampfes müde, sich nach Ruhe sehnt,
nicht ein Beifallsruf, ein Ermunterungszeichen, das dem neuen Streiter
gegeben wird. Wenn man anführen möchte, dass er 1520 zu
Ingolstadt, als er in Johann Ecks Hause lebte, diesen verhinderte,
die Bücher Luthers zu verbrennen, so ist dies nur ein schönes Zeichen
der Ehrfurcht vor wissenschaftlicher Forschung, der unbedingten
Anerkennung freier Meinungsäusserung, nicht ein Beweis von Uebereinstimmung mit Luthers Lehren. Als fast am Beginne seines
Auftretens, wenn auch von der Begeisterung seiner Zeitgenossen
schon hoch emporgetragen, Luther sich an Reuchlin wandte, in
schönen Worten seine Verdienste pries, ihn seinen Meister, seinen
Führer, seinen direkten Vorgänger im Kampfe gegen die Mönche
nannte, blieb Reuchlin die Antwort schuldig. Grosse Dienste, um
einen landläufigen Ausdruck zu gebrauchen, hat Reuchlin allerdings
der Reformation geleistet. Seiner Bemühung ist es zuzuschreiben,
dass sein Grossneffe, Philipp Melanchthon, damals noch ein Jüngling,
der den bedeutenden Mann erst ahnen liess, 1518 als Professor nach
Wittenberg kam. Aber geschah es, im Sinne des Alten, wenn der
junge Mann sich rasch dem kühnen Fluge des Reformators anschloss?
Sicherlich nicht. Reuchlin hatte ihm seine Bibliothek versprochen
und zog sie wieder zurück, als Melanchthon sich ganz von der
alten Kirche entfernt hatte; in den letzten Jahren seines Lebens bat
er ihn, ihm nicht zu schreiben. War es nur die Angst des alten
Mannes, der den Rest der Tage unbehelligt von den Aufregungen
der neuen Zeit verleben wollte, von den Anschuldigungen und Verfolgungen, denen die Anhänger der neuen Lehre nicht entgehen
konnten? Oder war es nicht vielmehr ein tiefer liegender, bewusster

Gegensatz gegen das, was die Reformation als ihr Evangelium ausgibt [1])?

Der deutsche Humanismus — denn was wir hier zu sagen haben, gilt nicht blos von Reuchlin, sondern ebenso von seinen gleichgesinnten Mitstreitern — war weder irreligiös noch frivol, der italienische beides. Die Vertreter dieses glaubten an nichts, tiefe Ueberzeugungen waren ihnen im besten Falle gleichgültig, die Vertreter jenes nahmen wol auch zur Waffe des Spottes ihre Zuflucht, aber der Spott war nur ein Erzeugniss tiefinnersten Durchdrungenseins von einer heiligen Wahrheit. Sie kämpften gegen die Vertreter des alten Glaubens und ihre Laster; die Dogmen desselben liessen sie meist unangetastet. Was ihnen vor Allem am Herzen lag, das waren die Wissenschaften. Sie zu pflegen, sie von dem Schutte zu befreien, der sich Jahrhunderte auf sie gelagert hatte, eine reinere Erkenntniss zu fördern, in Literatur und Poesie, in allen Wissenschaften, in Theologie und Philosophie, das war ihr Streben, ihre Aufgabe. Der Humanismus kümmerte sich wenig um einzelne theologische Streitigkeiten, sein Blick war ein weiter. Der Humanismus war nicht ein blosser Vorläufer der Reformation, er gab nicht blos Anregungen, die diese zur Ausführung brachte. Humanismus und Reformation sind zwei Faktoren des Fortschritts in der geistigen Entwicklung des 16. Jahrhunderts, aber die Consequenzen des ersteren hätten viel weiter geführt, als sie in der letzteren zum Ausdruck gekommen sind. Jener grosse Grundsatz der freien Forschung, nicht eingeengt durch wirkliche Grenzen und Schranken, nicht gehemmt durch Autoritäten, der für Deutschland erst durch den Humanismus ins Leben gerufen war, ward theilweise durch die Reformation geläugnet [2]).

---

[1]) Belege für das Gesagte, sowie nähere Ausführungen werden in Buch 4, Kap. 1 gegeben. Vgl. auch Mel. or. S. 12—15.

[2]) Ich kann an diesem Orte auf das im Texte und in aller Kürze Angedeutete nicht näher eingehen, und hoffe später darauf zurückkommen zu können. — Für das letzte führe ich ein Wort Böhmers an (Leben und Briefe, hgg. von Janssen II. S. 427. Brief an Remling, 22. März 1846) „Bei allen Urtheilen und Arbeiten über die Reformationszeit ist immer das am schwierigsten, dass diejenigen Neuprotestanten, ohne es selbst zu wissen, auf einem ganz andern Grunde stehen, als die Reformatoren. Freie Forschung und Fortschritt, wovon man jetzt so fest überzeugt ist, dass das die Grundsätze des Protestantismus sind, würden Luthern ein Greuel gewesen sein. Aber das wird nun nicht mehr beachtet, dass Luther seinen Glauben

Die wahren und befreienden Grundsätze des Humanismus hat die Reformation zum Theil in sich aufgenommen; ausgezeichnet ist sie nur durch den einen wahrhaft grossartigen Zug, die Wendung zum Volk. Der Humanismus grenzte sich ab in vornehmer Abgeschlossenheit, Luther redete die Sprache des gemeinen Mannes und gewann so Aller Herzen. Wäre dem Humanismus eine längere ruhige Entwicklung vergönnt gewesen, er hätte es auch gethan. Es ist ein missliches Ding für den Historiker, der sich mit dem Gewordenen und dem Werden eines Vorhandenen zu beschäftigen hat, von dem zu reden, was hätte werden können. Aber hier liegen die Bedingungen vor, die zu der verlangten Entwicklung erforderlich waren. Der deutsche Humanismus war durchaus national. Er trat gegen die Franzosen auf, als sie ihre Ansprüche auf den Rhein vorbrachten, die sie in folgenden Jahrhunderten immer wiederholt haben; seine Wendung gegen Rom erfolgte aus patriotischen Gründen viel früher, als aus religiösen. Die Humanisten waren deutsch und wollten deutsch heissen, ihr Streben war, nun die andern Länder, die bisher mit Verachtung auf das verdummte Deutschland geblickt hatten, durch wissenschaftlichen Ruhm und Geistesgrösse zu beschämen, sie feierten Maximilian, eben weil er ihr Kaiser war, als Herrscher der Welt. Sie hätten gar bald auch die Sprache des Volks geredet. Seinen Augenspiegel gab Reuchlin lateinisch heraus, aber er fügte deutsche Erklärungen den zuerst nur lateinisch gegebenen bei, um auch den gemeinen Mann über seine wahre Ansicht nicht im Ungewissen zu lassen. In dieser Weise mag man Reuchlin an dem Ruhme theilnehmen lassen, den man der Reformation spendet, einen Vorläufer der Reformation nennen darf man ihn nicht.

Reuchlin stand auf dem Standpunkte der alten Kirche. Als er sein Ende herannahen fühlte, liess er, wie es scheint, nach dem Tode seiner Frau, sich in den Augustinerorden aufnehmen [1]; er billigte es nicht, dass die jungen der Reformation ergebenen Mönche das Kloster verliessen. Oekolampad, der dies gethan hatte, soll sich gleich nachher mit einer Rechtfertigung des Geschehenen an Reuchlin gewandt haben [2]. Die Reformation hat versucht, den

---

eben so unentweglich für den allein wahren hielt, wie die alte Kirche den ihrigen."

[1] Brief des Aegidius von Viterbo an Reuchlin 1516.

[2] Herzog, Leben Joh. Oekolampads Basel 1843 I, S. 186 und A. 1

Hieronymus Savanarola, jenen kühnen florentinischen Mönch, der in unermüdlichem Eifer mit strafenden, mahnenden Worten die Fehler und Laster seiner Zeit geisselte, die Mängel der damaligen Kirche und Theologie aufdeckte und der seinen begeisterten Muth mit dem Tode büsste, als den ihrigen in Anspruch zu nehmen; Reuchlin billigt, dass er verbrannt worden [1]). Er verdammt ebenso das Treiben des Hans Böhme, jenes einfachen Bauern, der fast ein halbes Jahrhundert vor Luther reformatorische und revolutionäre Lehren predigte, und seine schwärmerischen Lehren mit dem Tode büsste [2]).

sagt, der Brief angegebenen Inhalts *amico N.* in *Oecol. et Zwinglii epistolarum libri IV.* 1536 sei an Reuchlin und schliesst dies daraus, dass Oekol. in der sog. *responsio* schreibt, „er habe sich über seinen Austritt aus dem Kloster in einem Briefe an Reuchlin in den ersten Tagen gerechtfertigt."

[1]) R. an Pirkheimer, 5. April 1518 (Briefsammlung). Für die Auffassung Savanarola's seitens der Protestanten brauchte ich nur auf das Lutherdenkmal in Worms und die s. Z. in allen protestantischen Blättern stehenden Aeusserungen hinzuweisen. Anführen will ich noch aus früher reformatorischer Zeit das Schriftchen von Cyriakus Spangenberg: „Historia Vom Leben, Lere und Tode Hieronymi Sauonarole, Anno 1498 zu Florentz verbrand." Darunter das Bild von Hier. Savan. Wittenberg 1556. 8 Bogen à 8 Bll. in 12., namentlich die Darstellung seiner Lehre E a — E 8 b, und die Vertheidigung wegen einzelner Vorwürfe, die man ihm gemacht hat B 2 a fg. B 7 b, D 4 a, D 7 fg., F 2 b.

[2]) Defensio contra calumniatores Colonienses B 3 b (der Gedankengang unserer, gegen Pfefferkorn gerichteten Stelle ist der, ein getaufter Jude, der noch dazu Laie sei, dürfe an heiliger Stätte nicht das Wort Gottes verkünden): *Et audet professorum Coloniensium antesignanus in album ac pro rostris affigere suam praedicationem, propter quale crimen nostra memoria et aetate agrestis et simplex quidam opilio in Niclashausen per judicum sententiam igne combustus est, deceptus licet primo in agris nocturna visione, posterius autem paris avaritiae stellionatu notatus.* Dieser Schafhirt, nach Andern Sackpfeifer, ist Hans Böhm, ein junger, ungebildeter Mensch, der durch eine Erscheinung Marias, die er erhalten zu haben meint, bewogen, (1476) Volksprediger wird. Er fand ungemeinen Anklang, weniger durch seine Mahnungen zur Busse, als durch seine socialistischen Lehren, und wurde zuletzt verbrannt. Gleichzeitige Chroniken und Gedichte sprechen über das Ereigniss, noch Sebastian Brant im Narrenschiff, Kap. 11, V. 18. vgl. Zarncke's Kommentar (Leipzig 1854) S. 319 fg. Ueber das Einzelne Ulmann, Reformatoren vor der Reformation I. Hamburg 1841. Beilage 1. Hans Böheim v. Niklashausen — ein Vorläufer des Bauernkrieges, S. 419—446, und die mir in einem Ausschnitt (108 SS. in 8º) vorliegende Abhandlung von K. A. Barack. Hans Böhm und die Wallfahrt nach Niklashausen im Jahre 1476.

Wenn er aber auch bis an sein Ende auf dem Standpunkte
der alten Kirche verharrte, so verschloss er sein Auge nicht vor den
Uebelständen, die in ihr herrschten. Er billigte ihre Meinungen,
betheiligte sich an ihren Gebräuchen, ohne ihren Irrthümern, ihren
Missbräuchen sich anzuschliessen. Den Reliquienkram geisselte er
in satirischer Weise in seiner Komödie Sergius [1]); er wusste, wenn
er dabei auch immer nur im Namen von Fürsten sprach, deren
Bevollmächtigter er war, das Recht der geistlichen und weltlichen
Macht von einander zu trennen, vor Uebergriffen jener in diese
zurückzuhalten [2]). Als er vor Papst Alexander VI. im Namen des
Pfalzgrafen Philipp stand, wie wusste er da so beredt dem geistlichen Machthaber die Milde zu empfehlen, die Christus geübt, die
grossen Verdienste zu rühmen, die Philipp um den päpstlichen Stuhl
sich erworben, die Ruhe und den Frieden zu schildern, in dem
jener bisher mit Allen gelebt. Nun sei gegen ihn ein Mönch aufgetreten, Abt Heinrich von Weissenburg, wenn man einen solchen
Mann mit dem heiligen Namen Mönch bezeichnen darf, der mit
lästigen Klagen und erdichtetem Wehgeschrei gegen den Fürsten
Papst und weltliche Machthaber bestürmt, und wirklich erreicht
hätte, dass Philipp, der sich gegen das Kloster immer freigebig und
gnädig, gegen den zänkischen Abt selbst als Retter und Vertheidiger
bewiesen, vom Papste gebannt worden sei, obwohl es sich um eine
rein weltliche Sache handle. Das habe freilich, fügt Reuchlin mit
geschickter Schmeichelei hinzu, nicht der Papst gethan — er könne
nicht grausam sein —, sondern seine Beamten; nicht er sei Schuld,
sondern die Mönche, die es gewagt, über die Alpen den unschuldigen
und verdienten Fürsten vor Gericht zu ziehn. Und dabei erkühnen
sie sich zu behaupten, ihnen sei Gerechtigkeit verweigert worden,
sprechen sie das aus in einem Lande, wo ein gerechter Kaiser
walte, gegen einen Fürsten, der Reichsvikar sei und den ersten
Platz unter den weltlichen Grossen einnehme. „Die Strafe, die Du
Philipp ertheilt hast, ist also viel zu schwer. Das sage ich nicht,
um Dich zu tadeln, oder um Deine Autorität zu verringern, es ist
nur ein neues Lob Deiner Güte. Du kannst dringenden Bitten,
und seien sie selbst von Mönchen ausgesprochen und auf Meineid
gegründet, nicht widerstehn." Aber ein solches Urtheil könne

---

[1]) Vgl. oben S. 79 flg.
[2]) Vgl. oben. S. 25.

schlimme Folgen haben, das Volk könne dadurch gegen den Klerus aufgereizt werden. Möge der Papst selbst entscheiden, ihm sei Philipp bekannt, seine Verdienste und seine Ahnen, die Art der Rechtsprechung, die Philipps Stellung erheische, die seine Unschuld gebieterisch fordere. Denn er sei fromm und milde, lieber erleide er Unrecht, als dass er es zufüge, er lasse sich von streitsüchtigen Mönchen quälen und plagen, aber er hüte sich, Gleiches mit Gleichem zu vergelten. „Von Dir verlangt er nur sein Recht, er bittet Dich, dem Rathe derer nicht zu folgen, welche, von menschlicher Schwäche besiegt, sich nicht scheuen, eher Kriege und Aergernisse in der Kirche hervorzurufen als den Frieden der grössten Nation zu pflegen."

Das war eine kühne, männliche Rede, zugleich in einer kräftigen, schwungvollen Sprache. Seine Freunde meinten, eine göttliche Beredsamkeit sei darin enthalten; nun könne Niemand mehr an die Schuld Philipps glauben, nachdem er einen solchen Vertheidiger gefunden [1]). Uns ist sie ein Beweis, wie Reuchlin nicht bangte, die strengen Grundsätze des Rechts vor dem Papste zu vertheidigen, wie er sich nicht scheute, Mönche der Lüge und des Truges zu beschuldigen.

Schlechte Handlungsweise der Menschen, welchem Stande sie auch angehören mochten, war seinem rechtlichen Sinne zuwider. Ueber einzelne kirchliche Vorschriften setzte er sich wol im Nothfalle einmal hinweg. Als ein junger Edler aus dem Geschlechte der Späte an Stelle des verstorbenen Ludwig Vergenhans (15. Oktober 1512) Propst der Stiftskirche zu Stuttgart geworden war, vergass dieser, der nobeln Passion der Jagd mehr hingegeben als seinem Beruf, die Erlaubniss für die Sakramentsaustheilung vom Bischof von Konstanz sich geben zu lassen. Die daraus entstehende Frage, ob die, denen in der Zwischenzeit das Sakrament ausgetheilt worden, es in rechter Weihe genossen, wurde von Reuchlin bejaht, denn das Göttliche erleide keine Veränderung, wenn auch eine menschliche

---

[1]) Questemberg, der, da er keinen Schreiber fand, die Rede mit eigener Hand abschrieb, an Reuchlin 1498, anf.: *Cum in tanta hominum:* Petrus Jakobi an Reuchlin (1458) anf.: *Legi summa cum voluptate:* einen Ausdruck fand darin zu tadeln und knüpfte eine längere Auseinandersetzung daran Mutian an Urban (i. J. 1498) anf.: *Omniparens mater nostra* (alle 3 Briefe in der Briefsammlung).

Ueberlieferung, zumal ohne die Absicht der Verachtung, dabei vernachlässigt worden sei [1]).

Aber was ihn vor Allem gegen die zeitgenössischen Theologen einnehmen musste, das war ihre Unwissenschaftlichkeit. Zwar ehrte und achtete auch er die Philosophen des Mittelalters, rühmte die Bedeutung des Albertus Magnus [2]), aber er wollte nicht, dass die Theologen sich mit der Lektüre der Scholastiker und ihrer Glossen begnügten; bei einem Studium der Bibel fänden sich über viele Punkte — er machte vor Allem die Rechtfertigung namhaft — ganz andere Ansichten, als in jenen Glossen [3]).

In seinem späteren Leben hatte er Gelegenheit genug mit Mönchen zusammenzustossen, die noch ganz der alten Richtung angehörten, und die gegen ihn Front machten, zum Theil gewiss deshalb, weil sie in ihm den begeisterten Prediger einer neuen Zeit erkannten. Da brauste er wol auf und wollte in seiner leidenschaftlichen Erregtheit seine Gegner nicht mit dem Ehrennamen Theologen genannt sehn, er schalt sie Theologisten [4]). Kindische Sophismen in theologischen Dingen waren ihm nach dem Beispiele des h. Athanasius verhasst [5]). Die mangelnde Bildung, die schlechte Erziehung gab er den Mönchen schuld; statt den Geist der Jugend durch die Humanitätsstudien zu erheben, beschweren sie denselben mit schmutzigen Sophistereien, mit philosophischem Formelkram. Dazu erhebe man die jungen Leute, nachdem sie nur ganz kurze Zeit studirt, zu höheren Graden, entehre so die Würden und mache die Erhobenen übermüthig. Die Theologie selbst sei nicht leicht, im Gegentheil schwer, fast unmöglich zu erlernen, denn der menschliche Geist könne sie sich nicht aneignen, wenn der göttliche ihm nicht innewohne. So gebe es wenig Theologen, denn nicht die

---

[1]) Manlius, locorum communium collectio p. 100, vgl. Heyd, Ulrich, Herzog zu Würtemberg I, S. 198.

[2]) De verbo mirifico (ed. 1514) a 3ᵃ. Reuchlin lässt Sidonius reden: *commemorantes Ratispontanum quondam antistitem graeca lingua Poliphemum gentilitia vero Albrechtum cognomento magnum, qui non tantum Aristotelem, sed et alios peripateticae philosophiae sectatores primarios superare visus sit, tamen in Suevia et ortum et alitum. Quod ego ipse ita fuisse cognovi.*

[3]) Manlius a. a. O. p. 73.

[4]) Defensio contra calumniatores Colonienses 1513 s. unt. Buch 3. Kap. 3.

[5]) *Athanas. de variis quaestionibus* an Kard. Albrecht. März 1519.

verdienen den Namen, die unwissenschaftlich schwatzen, und mit Lastern sich beflecken, statt sich mit Tugenden zu schmücken [1]).

Die Wissenschaft bedarf des Abwägens der einen Meinung gegen die andere, der Prüfung, sie steigt allmählich auf von der geringeren Kenntniss zur weiter entwickelten, von der niedrigen zur höheren Stufe. Da sind keine Schlüsse nöthig, keine Folgerungen, kein Streit, für die einzelnen Lehren bedarf es nur des Glaubens, der fester hält, als alles Wissen [2]). Es ist eine unbedingte Unterwerfung unter das, was einmal als Glaubensnorm festgesetzt ist, die Reuchlin verlangt. Innerhalb einer Religion soll Frieden herrschen, mit den ausserhalb Stehenden mag man die Kräfte messen. „Wan wir nieman fremds usserhalb mer hetten, es were juden oder haiden, mit denen wir um der schrifft zanckten, — dieweil dan das des menschen gemütt nit feyrt — so wurden wir under uns selbs inn unsern schülen unains, und nüwe opiniones anfahen, oder die altten zenck erwecken, als yetzo geschehen ist mit unser lieben frawen empfengknus [3]), und ob sanct Pauls ein eewyb gehapt hab, und ob sanct Augustin ein münch sei gewesen [4]); und vil ander narrenwerck, das geschicht, so wir nieman haben, der wider uns gedar reden, mit dem

---

[1]) Die ganze Stelle, die auch auf Reuchlins Ansichten über Erziehung ein helles Licht wirft, ist zu lang, um ganz mitgetheilt zu werden. Der letzte Passus lautet: *Iccirco velim credat omnium nemo, quod ii sint veri theologi quantumcumque senes quacumque praediti contentiosa loquacitate qui vitiorum quolibet genere foedati superbia, hypocrisi, avaritia, odio, invidia et saepe tecta religione luxuria, neglecto mentis lumine affectiones sequuntur animales.* De arte cabb. fol. V a b.

[2]) De verbo mirifico c 4 a. Die Stelle (in einer Rede des Sidonius), aus der im Text nur einiges in den Zusammenhang Gehöriges genommen ist, lautet: *Scio ego idemque Baruchias hic in sacris ediscendis longe alia via gradiendum, ut quam mathematici physicique solent. Hi enim prius cornupetere atque contendere inter se putant commodissimum et in utranque partem dimicare, deinde per quaedam antecedentia sive axiomata, quae tu refellere nequis, mox certae combinationes artificio concludere, quo ipse stare compellaris. At contra in divinis silentium desyderatur, contentio respuitur, syllogismus irridetur. Nam divinitatis nullum est principium, nihil eam antecedit. Igitur quodcunque concludendum fuerit, eisdem confestim acquiescendum est multo superiore conditione quam scientia.*

[3]) Der bekannte Streit, in dem Wigand Wirth eine Hauptrolle spielte, und als dessen Ausläufer der Berner Skandalprocess zu betrachten ist, 1507—1509.

[4]) Streit Wimphelings mit Paul Lange.

wir die horn abstossen"[1]). An seinem Grundsatz hielt Reuchlin selbst
nicht allzu streng. Eine der eben berührten Fragen, ob Paulus verheirathet gewesen sei, erwog er kurze Zeit, nachdem er diese Zeilen
geschrieben und möglicherweise in Folge derselben, in einem gelehrten Briefwechsel mit seinen Freunden Conrad Peutinger und
Michael Hummelburg [2]). Dieselbe bildet ebensowenig wie die übrigen
ein Fundament der christlichen Lehre, aber man kann aus dem Tone
Reuchlins entnehmen, dass, wie ihm Streitigkeiten über diese unbe-
deutenderen Lehrsätze der Kirche zuwider waren, er gewiss einem
Zank über die Grundlagen des Glaubens sich entgegengestellt haben
würde.

Ein Lehrgebäude der Theologie hat Reuchlin nicht hinterlassen,
auch über einzelne Fragen seine Stimme nicht freiwillig abgegeben;
er hielt das nicht für seine Aufgabe, denn er war kein Theologe.
Allerdings schien es eine Zeit lang, als wollte er sich mehr den
theologischen Studien zuwenden. Von seinem Aufenthalte in Basel
her wusste er, dass sich bei den dortigen Dominikanern eine Zahl
griechischer Handschriften fände, die der Cardinal Nikolaus von
Ragusa zur Zeit des Basler Concils dorthin gebracht hatte. Eine
davon enthielt das Neue Testament mit Ausnahme der Apokalypse.
Reuchlin wünschte diese auf einige Zeit zu leihen. Er wandte sich
zu diesem Zwecke an den Carthäuserprior Jakob Louber, der ihm
wol während seiner Studienzeit in Basel bekannt geworden war,
einen Mann, der sich mehr durch Fleiss und ernstes Streben, als
durch Geist auszeichnete [3]). Der Dominikanerprovincial Jakob
Sprenger gewährte die Bitte in edelster und grossmüthigster Weise
Man wolle lieber die Handschrift entbehren, als Reuchlins Gunst
sich verscherzen; er möge sie, so lange er lebe, für sich behalten
und als sein eigen betrachten; nach seinem Tode solle sie dem
Convent zurückerstattet werden [4]). Reuchlin behielt die Handschrift,
und verlieh sie weiter, Erasmus benutzte sie wahrscheinlich zur Aus-

---

[1]) Gutachten (1510) fol. XIX a.

[2]) Vgl. die Briefe Reuchlins an Peutinger vor 1. Juni 1512, Hummel-
burg an P.: 1. Juni 1512, Peutinger an Hummelb. 3. Mai 1513. (Briefsammlung) —
Ohne weiter auf die Frage einzugehen, bemerke ich, dass auch der neueste
Biograph des Apostels auf dieselbe keine bestimmte Antwort ertheilt. Vgl.
E. Renan, Saint-Paul. Paris 1869, p. 148 fg. und deutsche Uebersetzung.
Leipzig 1869 S. 165 fg.

[3]) Vgl. die beiden Briefe Reuchlins an Louber 24. Juli 1488.

[4]) Jakob Sprenger an Reuchlin 31. August 1488.

gabe seines Neuen Testaments[1]). Die Handschrift existirt noch jetzt in der Basler Bibliothek und spielt in der Evangelienkritik unter dem Namen Codex Reuchlin eine nicht unwichtige Rolle; in der Handschrift selbst finden sich viele Bemerkungen von Reuchlins Hand[2]). Auch für die Apokalypse, die in diesem Codex fehlte, wusste sich Reuchlin eine werthvolle Handschrift zu verschaffen, die gleichfalls von Erasmus, freilich in durchaus unkritischer Weise, benutzt und von Froben unberechtigterweise weiter verschenkt wurde, dann eine Zeit lang verborgen blieb und erst neuerdings wieder aufgefunden worden ist[3]). Die Zeit, in der Reuchlin sich die erste und vielleicht auch die zweite dieser Handschriften zu verschaffen wusste, ist die Periode der Vorbereitung für das Werk vom wunderthätigen Wort, das einen durchaus christlich-theologischen Charakter an sich trägt, und durch dessen Bearbeitung Reuchlin leicht ganz zur Betreibung neutestamentlicher Studien hätte geführt werden können. Das geschah nicht, weil die Neigung zu philosophischen, speciell hebräischen Studien Reuchlin davon zurückhielt. Indess sprach er damals den Entschluss aus, den heilbringenden Denkmalen des neuen Gesetzes sich zuzuwenden, und alle andern Schriftsteller, Historiker, Dichter, Redner, Philosophen hintanzusetzen, denn ein Christ müsse sich vor Allem mit den Schriften beschäftigen, die von den ersten Anhängern Christi gleichsam mit göttlichem Geiste geschrieben seien[4]). Wenn dieser Entschluss auch nicht ausgeführt wurde, so bewahrte

---

[1]) Erasmus bittet Reuchlin darum August 1514; darauf hat sie ihm Reuchlin woi zukommen lassen und Froben schickte die Handschrift Reuchlin wieder zurück, ohne dass Erasmus es wusste, weswegen sich dieser entschuldigt (29. September 1516).

[2]) Die Beschreibung der Handschrift in den Bemerkungen zu dem oben S. 156 Anm. 3 angeführten Briefe. Diese Handschrift trug Reuchlin woi häufig bei sich; vgl. die von Manlius, loc. comm. (Briefs.) erzählte Anekdote.

[3]) Franz Delitzsch (der die Handschrift in der Fürstl. Oettingen-Wallersteinschen Bibliothek entdeckt hat), Handschriftliche Funde. Leipzig 1861. 1. Heft. S. 6 ff. — Eine dritte ähnliche Handschrift erwähnt Melanchthon: *Cum adolescens essem, multum utebar libro, qui Graece scriptus erat de historiis Apostolorum et aliorum quorundam sanctorum. Habebat illum in bibliotheca sua Capnion. Neque meliorem vidi. Erat manu scriptus, et prae se ferebat antiquitatem. Vidi postea alium apud Birckemarum, et alium apud Langum, sed isti erant recentiores, et magis fabulosi. Fortassis adhuc extat liber ille, de quo dixi, in Pfortzheim, ubi relicta est bibliotheca Capnionis.* Postilla Melanchthoniana, s. Manlius in C. R. XXIV, col. 150.

[4]) Brief an Louber 24. Juli 1488.

Reuchlin doch stets vor den Evangelien eine hohe Verehrung, namentlich vor den Schriften des Paulus, er ist ihm Führer, Leuchte Sonne, heilig, Muster der Wahrheit [1]).

Bei zunehmendem Alter schwindet, man kann nicht sagen, das theologische Interesse, aber die Neigung, selbstthätig in theologischen Dingen aufzutreten, zumal seitdem in dem Streite ihm von seinen Gegnern stets der Satz entgegengehalten wird, der Jurist habe sich nicht mit theologischen Sachen abzugeben und in noch höherem Maasse wendet er sich von der Theologie in den letzten Lebensjahren ab, wo die Reformation mit den theologischen Streitigkeiten in ihrem Gefolge alle Gemüther gefangen nimmt.

Die stille, wissenschaftliche Beschäftigung, der er sich dann hingab, achtete er für das Höchste; er hielt es für seine Pflicht, auch an die Theologen den Mahnruf ergehen zu lassen, sich von den Banden der Unwissenschaftlichkeit zu befreien, und unterzog sich, wenn es nöthig war, der Aufgabe, auch für die Jugend praktische Anweisungen zu geben.

Seine Schrift von der Kunst zu predigen [2]) gehört hierher. Mit dieser Kunst war es in Schwaben nicht eben sonderlich bestellt. Wenn es uns auch nicht so schlimm erscheint, was Wimpheling bitter kränkte, dass die schwäbischen Prediger, die nach dem Rhein kamen, — und in ihrer Heimath wird ihnen wol keine bessere Erleuchtung zur Seite gestanden haben — auf der Kanzel die lateinischen Ausdrücke: *ibat, ambulabat, sanabat* mit: er was gan, er was wandelen, er was gesunt machen, übersetzten, eine Unsitte, die der wackere Pädagog als Verderb für das ganze Volk und der eifrige Vaterlandsfreund als eine Schmach für Deutschland ansah [3]), so

[1]) Vgl. Defensio contra cal. Col. C 2ᵃ, E ᵇ, H 3 ᵃ, K 3 ᵇ.

[2]) *Joannis Reuchlin (Phorcensis. LL. doctoris Liber Congesto-)rum de arte predicandi.* 15 Bll. in 4°. A. E.: *Impressus (Phorce)* MD. IIII.

[3]) *Epistola Ja. whi mphelinghi (de inepta et superflua verborum resolucione | in cancellis et de abusu exempcionis in fauo- rem omniu episcoporū et archiepiscoporum.* Dann noch 10 Zeilen Titel, darunter ein Bild. 4 Bll. in 4° ohne Ort und Jahr. Unten auf der Rückseite des 4. Bl. ein andres Bild. Bl. 3ᵃ schliesst unser Brief, der an *Jacobus Bollus ecclesiae divae reginae coeli extra muros larenses decanus* gerichtet ist, mit der Unterschrift: *Ex aula mansuetissimi pientissimique antistitis basiliensis octavo idus octobris anni salutis nostrae millesimi quingentesimi tercii.* Neben dem im Text erwähnten macht Wimph. den schwäbischen Predigern auch den Vorwurf, dass sie sich, während sie das Zeichen des Kreuzes machen, Spielereien erlauben. Der übrige Inhalt des Briefes und des Schriftchens gehört nicht hierher;

könnten wir doch schon aus diesem einen Beispiel ersehen, was uns
auch sonst genugsam bezeugt ist, dass es mit der wissenschaftlichen
Begabung der Prediger, namentlich in Schwaben, nicht sehr glänzend
stand. Die Traditionen eines Berthold von Regensburg, eines Johann
Tauler waren in Vergessenheit gerathen; einsam wie ein Felsen im
Meere, ragte unter seinen Zeit- und Berufsgenossen der unermüdliche, sprach- und gedankenmächtige Geiler von Keisersperg in
Strassburg hervor, dem vielleicht nur Pallas Spangel in Heidelberg,
der Lehrer Melanchthons, zur Seite gestellt werden kann [1]).

Das Schriftchen Reuchlins hat eine äussere Veranlassung. Während der Pest hatte Reuchlin Stuttgart verlassen; von dem Probst
von Denckendorf Peter (Siber?) [2]) war er mit seiner Frau gastfreundlich
aufgenommen worden; um sich für die erwiesene Liebenswürdigkeit
dankbar zu erweisen, verfasste er dieses Schriftchen, das zwar ohne
Hülfe eines Buches entstehen musste, aber doch manchem älteren
und jüngeren Bruder nützlich war, und darum gedruckt wurde. Die
Predigtkunst, nach Reuchlin die Fähigkeit, die Menschen zur Tugend,
zu religiöser Betrachtung durch Hinweisung aus der heiligen Schrift
anzuregen, ist eine schwierige. Die Rede müsse Kunst zeigen, nicht
Künstelei, der Redner müsse mit äusserem Anstand und Würde
auftreten. Das Werkchen gibt nun eine genaue, einfach und
schmucklos geschriebene Eintheilung der Predigten, beschreibt die
einzelnen Erfordernisse derselben, bestimmt so den Begriff, der zu
einer wohlgeordneten und vollendeten Rede nöthig ist, und gibt
nach diesen für die innere Ausarbeitung einer Predigt wichtigen und

interessant ist die Bemerkung: es würde viel leichter sein, eine Reformation
durchzuführen, wenn die Bischöfe mehr Gewalt hätten und nicht jeder unbedeutende Pastor sich vom Papst direkt und von ihm allein abhängig
glaubte.

[1]) Ueber Keiserspergs Verhalten zu Reuchlin vgl. oben S. 55; Spangel
nennt Wimph. in der angeführten Schrift Bl. 2ᵃ: *saepe et multum id detestatus
est pallas et Jo. keiserspergius, uterque et praestantissimus theologus et con-
cionator . . quorum sentenciae plus tribuo quam illis ineptis insulsis deprava-
toribus latinae et germanicae linguae.*

[2]) Widmungsbrief vom 1. Januar 1503 an Peter, praepositus in Deneken-
dorf; hier ohne weiteren Namen, aber mit dem Titel: *Ordinis sancti Domini
sepulchri per Germaniam vicarius et visitator generalis.* In der Briefsammlung begegnet ein Peter Siber *ordinis Praedicatorum provincialis* (17. April
1504), der Reuchlin *amicus charissimus* nennt und den ich mit dem unserigen
identificirt habe. Heyd (Tübinger Zeitschrift für Theologie 1839 S. 60
Anm. 3) nennt als Propst in Denckendorf Peter Wolf.

nöthigen Vorschriften, Bestimmungen über das Aeussere, über die Aussprache, Handbewegungen, Mienenspiel. Den Schluss macht die für den Redner wichtige Bestimmung, Nachahmung guter Vorbilder und unaufhörliche Uebung. Beispiele, vorzüglich aus dem neuen Testament sind sehr häufig, aus dem alten seltener, klassische Schriftsteller werden wenige citirt [1]). Interessant ist es, wie Reuchlin Kenntniss der griechischen und hebräischen Sprache stillschweigend voraussetzt [2]); bemerkt sei noch, wie er von der Kanzel jedes Profane als den heiligen Ort entweihend verbannt wissen will [3]).

Das Schriftchen kann keine grosse Bedeutung beanspruchen, aber es war als Handbüchlein beliebt, es erschienen noch mehrere Ausgaben davon. Wurde es beherzigt, so konnte es gute Früchte tragen: wenn es auch den Inhalt der Predigten nicht berührte, so bemühte es sich doch, eine schönere, reinere Form zur allgemeinen Geltung zu bringen und es wäre ein immerhin nicht unbedeutender Erfolg gewesen, wenn dieser erreicht worden wäre. Für uns ist die angeführte Schrift schon deshalb wichtig, weil sie uns zeigt, in welcher Weise Reuchlin für die Weckung und Hebung des theologischen Standes bemüht war.

Vor Allem aber war es ihm darum zu thun, den Theologen die Nothwendigkeit des Studiums der hebräischen Sprache zu zeigen. Unsere Theologen, so klagt er, üben sich weit mehr in den dialektischen Sophismen des Aristoteles, als in den Worten der heiligen Schrift. Dem Erzeugniss des menschlichen Geistes forscht man nach, und vernachlässigt die himmlische Ueberlieferung; durch Geschwätzigkeit der Menschen wird Gottes Rede vernichtet; durch Unkenntniss der Sprache die Bibel an unzähligen Stellen missverstanden und verderbt [4]). Er wird nicht müde,

---

[1]) Cicero a 5ᵃ, dessen liber partitionum a 5ᵇ, a 6ᵇ, dessen lib. III ad Herennium c 2ᵇ; Aristoteles topic. lib. VI a 5ᵇ.

[2]) Er sagt cᵇ Etymologia: *ut Philippus amator equorum; Jacobus supplantator.*

[3]) a 4ᵇ unter dem Worte *lectio.*

[4]) De verbo mirifico (ed. 1514) c 4ᵃ. *Talia in multis sacrae scripturae locis ab indoctioribus corrupta invenietis, dum hac aetate plus solent theologi Aristotelis dialectica sophismata quam divinae inspirationis et sancti spiritus animadvertere verba. Unde studio humanae inventionis ipsa coelestis traditio negligitur et loquacitas hominum extinguit dei sermonem.* — Vgl. auch Gutachten fol. XIIIᵇ: Dann ich wil das mit urlaub unnd züchten geredt haben, das man inn unsserm christenlichen glauben gar vil doctores findt, die do

darauf hinzuweisen, dass mancherlei Unzuträglichkeiten durch die Unkenntniss des Hebräischen entstehen: irrthümlicher Gebrauch einzelner
Worte, aber auch grosser Schade im Allgemeinen: die Sprachunkun-
digen werden zu Sophistereien und magischen Spielereien verleitet [1]).
Für barbarisch werde die hebräische Sprache erklärt. Freilich schöne
Phrasen, gedrechselte Redewendungen findet man nicht in ihr. Aber
danach verlangen nur Neugierige, nicht wissenschaftlich strebende
Männer. Die hebräische Sprache ist unverfälscht und rein, kurz
und heilig. Es ist die Sprache, in der Gott mit den Menschen,
die Menschen mit den Engeln geredet, von Angesicht zu Angesicht:
sie bedarf keines kastalischen Quells, nicht des dodonischen Baumes [2]).
Alt ist sie, wie keine andere: ausser den in ihr geschriebenen gibt
es keine Denkmäler vor dem trojanischen Kriege: erst 150 Jahre
nach diesem singen Homer und Hesiod. Und trotz ihres Alters ist
sie die reichste der Sprachen, die andern arm und dürftig schöpfen
aus ihr, als aus ihrem Urquelle [3]).

Freilich schwierig ist sie, wie alle anderen Sprachen auch. Irrthümer sind leicht möglich, ja unvermeidlich, weil fast in jedem
Jahrhundert ein Volk neue Worte erfindet und mit den Worten zugleich die Begriffe sich ändern [4]). Aber die Schwierigkeit darf von
dem Studium nicht zurückschrecken. Sei es ihm doch selbst so

---

mangel halb der zwaier Sprachen (hier griechisch und hebräisch) die hailgen
geschrifft nit recht auslegen, unnd werden gar dick zu spott darab.

[1]) אם העשׂיה werde zu *osannah* corrumpirt, Rud. hebr. p. 231; פסח zu
pascha p. 431; *Quare imperiti linguarum magici immo sophistae nostri temporis . . . p. 369.*

[2]) *Barbara vero dicuntur hebraica vel proxime inde derivata. Flosculi
namque sermonis et venustas elegantiarum post Hebrum et linguarum distinctio-
nem a curiosis potius quam sinceris hominibus est excogitata. Simplex autem
sermo purus, incorruptus, sanctus, brevis et constans Hebraeorum est quo deus
cum homine, et homines cum angelis locuti perhibentur coram et non per inter-
pretem, facie ad faciem, non per Castaliae rivum nec antrum Trophonii, nec
arborem Dodonae, nec Delphorum Tripodem, sed sicut solet amicus loqui cum
amico. De verbo mir. c 5 b.*

[3]) *. . aliarum linguarum inopiam quae ad hebraeam tamquam
omnium linguarum fontem comparatae pauperes sunt et egestatis suae
impatientes ut qui et reliquarum nationum asciscant idiomata. De arte cabb.*
fol. LXVIIIa.

[4]) *Sic in omni lingua tantus est error in vocabulis rerum, . . ., cum
quaelibet natio rebus suis novo saeculo imponat nomina et res etiam simul cum
suis nominibus quotidie mutentur. Rud. hebr. p. 231, vgl. auch p. 295.*

Geiger, Johann Reuchlin. 11

gegangen, dass man ihn zurückzuhalten, ihm abzurathen versucht habe, aber je mehr man das gethan, um so eifriger habe er geforscht, soweit seine Zeit es gestattet und seine Fassungskraft [1]).

Durch seine Beschäftigung mit dem Hebräischen, wurde Reuchlin nothwendigerweise zu einer Betrachtung des Volkes gedrängt, das diese Sprache gesprochen hatte. Dieses Volk waren die Juden. Bei jedem Schritte wurde Reuchlin zu ihnen geführt. Die Lehrer, bei denen er Unterweisung erhielt, waren Juden, die Bücher, deren er sich als Quellen bediente, waren von Juden geschrieben. Und dieses Volk, das einst heilige, gotterwählte, wie es sich selbst nannte, das einst über mächtige Reiche geherrscht hatte, zu welch elender Lage war es herabgesunken, in wie grosse Verachtung war es gerathen. Vertrieben und verfolgt aus allen Orten, wo es sich aufhielt, nur mit Widerwillen geduldet, gehetzt wie ein Wild, wie ein unreines Thier, und selbst scheu geworden, abgeschlossen, feindselig gegen Alle.

Schon dass er sich der Unterweisung einiger Juden bedient hatte, wurde Reuchlin übel ausgelegt, dass er das jüdische Schriftthum, das ihm so fest ans Herz gewachsen war, gegen böswillige Angriffe vertheidigte, ihm als Judenbegünstigung vorgeworfen. Aber wenn ein Vorwurf unbegründet war, so war es dieser: mit dem von ihm gleichfalls angenommenen Worte des Hieronymus, dass er das Volk der Beschnittenen hasse, konnte Reuchlin sich vertheidigen. Er hasste das Volk, als den Christen feindlich entgegengesetzt, aber er ehrte in ihm den Träger der heiligen Ueberlieferung: er achtete die Juden, weil sie die Bibel unverletzt und unverfälscht durch die Jahrhunderte hindurch erhalten hätten [2]). Da sein Hauptfeind, der ihm Jahre seines Lebens vergällte, ihn zu dem wissenschaftlichen Stilleben, der Ruhe des Alters, nach der er sich sehnte, nicht kommen liess, ein getaufter Jude war, so war schon seine Abstammung in Reuchlins Augen ein Verbrechen; er war nicht vorurtheilsfrei genug, die Fehler seines Feindes nur diesem Schuld zu geben, er musste das ganze Volk, von dem er stammte, damit belasten [3]).

[1]) . . *Sed feci quod solent avidi; et quanto deterrerer amplius tanto haurirem ferventius, pro circumstantiarum opportunitate, pro tempore et pro meo captu tamen.* De verbo mir. b 1ª.

[2]) Vgl. Gutachten (1510) fol. XVIª.

[3]) An vielen Stellen des Augenspiegels; nur eine sei angeführt: der taufft iud Pfefferkorn . . zu ainer unnottürfftigen muttwilligen rach und von

Auch gegen die Gelehrtesten unter ihnen hatte er von vornherein ihres Glaubens und Stammes wegen eine Abneigung, die erst schwand, wenn der Makel der Geburt durch die wissenschaftliche Bedeutung getilgt war [1]. Wie er in ihrer Sprache den Gottesgeist empfand, so hielt er auch ihre Religion, wie sie ursprünglich aufgetreten war, für die reine Gottesverehrung [2]. Es war doch etwas Ungewohntes und konnte gefährlich werden, wenn er es ungescheut aussprach, was sich damals, wo eine Kunde des egyptischen und indischen Alterthums so gut wie gar nicht vorhanden war, dem Forscher ergeben musste: von den Juden haben wir unsere Philosophie, von den Juden unsere Medicin. Aber wenn er diese Behauptung ausspricht, kann er den Zusatz nicht unterdrücken, er wolle damit den gegenwärtig lebenden Juden keine Ehre anthun [3]. In seiner Angabe der Mittel, die man gegen die noch lebenden Juden anwenden sollte, war er nicht fanatisch, sondern bewies auch hier die Milde seines Charakters. Grausamkeiten war er entschieden abgeneigt. Arnold von Tungern hatte aus der biblischen Vorschrift, keinen Uebelthäter leben zu lassen, den Schluss gezogen, alle Juden müssten vernichtet werden, das nennt Reuchlin einen Ausdruck, unwürdig eines Theologen; unwürdig sei es eines Priesters, dass er nach Menschenblut dürste [4]. Er ist wol auch der Meinung, dass die Juden bereit seien, die Christen zu bekriegen, offen gegen sie aufzutreten, wie die übrigen Ungläubigen; aber ohne z. B. den Wucher, den sie treiben, in Schutz zu nehmen, sagt er doch, dass sie dies nur auf der Christen Wunsch thun [5], und ist verständig genug, die Juden

seiner geittigen art ab seinen altern den iuden bis uff in kommen. Augenspiegel fol. XXXII[b].

[1] Nach der Schilderung des Baruchias: *Post hac mihi pro consuetudine gentis et professionis non valde amicum, nisi quantum nos iam literae conciliant.* De verbo mir. b 5[b].

[2] *Iam ego serio studiosis vobis assentior Hebraeos non nihil facultati nostrae contulisse, quos et imitamur saepe rectius quam caeteras gentes quorum quidem religionem constat patrum memoria plurimam divinitatem habuisse deumque rite coluisse.* De verbo mirifico d 4[b].

[3] An Joh. Stokarus November 1512.

[4] *Indigna vox theologi, indigna sacerdotis sanguinem humanum sitientis.* Def. I. 4[b].

[5] . . *Et quod nocent per usuras, hoc fortasse non est secundum eorum opinionem quod faciant ex proposito nocendi . . . et ipsi faciunt talia ad petitionem nostram* . . . Augenspiegel fol. XXIX[b].

11*

wegen ihres entsetzlichen Gewerbes nicht durchaus zu verdammen, das sie nur ergriffen hatten, weil die kurzsichtige Grausamkeit ihrer Gegner ihnen kein anderes gestattete. Er stellt einmal die kirchlichen Gebote über die Juden zusammen; er will für sie nicht mehr, aber auch nicht weniger thun, als das Gesetz gestattet. Die Aufzählung schliesst er mit dem bezeichnenden Satze: Die Juden sind unsere Nebenmenschen, wir müssen sie lieben [1]).

So spricht er das Princip einer milden Duldung der Juden mit klaren Worten aus, am deutlichsten in einer kleinen Schrift, die besser an anderm Orte einer Betrachtung unterzogen werden soll [2]), die er einem Edelmann verfasste, der nicht wusste, wie er mit seinen Juden verfahren solle. Man müsste die Juden milde, gütig und freundlich behandeln, denn so werde es am besten gelingen, sie zu bekehren. Das war der Hauptzweck. Zu der Idee der Gegenwart, der Idee der Gleichberechtigung für jede Meinung, ob sie viele, ob wenig Bekenner zähle, hatte Reuchlin sich so wenig aufgeschwungen, wie seine Zeitgenossen; die Juden sollten bestehen, theils zum deutlichen Beweise der Strafe des Herrn, theils um ihnen Zeit zu lassen, das Heil und die Wahrheit des Christenthums zu erkennen.

Reuchlin war Christ. Wir haben seine wissenschaftliche Laufbahn zum guten Theil durchlaufen; mancher Orten haben wir erkennen können, wie wenig vorurtheilsvoll er war; aber der eine Gedanke verliess ihn nie, dass Alles, was er that und schrieb, zum Wohle und zur Erhöhung des Christenthums dienen sollte. Und das sollte vor Allem bei den Werken stattfinden, denen er unter

------

[1]) Die Stelle ist interessant genug, um ganz mitgetheilt zu werden. *Permittit nobis (sc. ecclesia) cum eis disputare, publice colloqui cum eis tamen caute, quod ex caritate cum eis agendum sit et non ex furore quia ipsi hoc praestatur qui corrigitur, ne gehennae ignibus tradatur; item eis negandum non esse quod ius humanae societatis concedit; item quod sine illorum consortio ipsos deo lucrari non possumus; item quod blandimentis non asperitatibus debemus eos ad fidem rectam perducere; item quod suadendi sunt, non impellendi, et agendum cum eis, ut potius ratione et mansuetudine provocati sequi nos velint, non fugere, ut eos ex eorum codicibus ostendentes quae dicimus ad sinum matris ecclesiae deo possimus auxiliante convertere; item quod in scholis nostris debeant haberi praeceptores et magistri qui linguam judaicam doceant; item quod libros judaeorum transferant. Denique summa summarum in iure scriptum est quod iudaei tanquam proximi nostri a nobis diligendi sunt.* Def c. c. C. H 4^b.

[2]) Vgl. unten Buch 3 Kap. 1.

seinen wissenschaftlichen Leistungen den ersten Rang zuschrieb: denen über Philosophie.

Der damalige Zustand der Philosophie stellt sich am besten durch eine Betrachtung der platonischen Akademie dar, die sich um Cosmo und später um Lorenz von Medici geschaart hatte. Marsilius Ficinus hielt es für seine Aufgabe, die platonische Philosophie, die er als philosophische Fassung der christlichen Theologie betrachtete, zu verbreiten; sein ganzes Leben ist mit der Bearbeitung, Uebersetzung und Beschäftigung mit dieser Lehre erfüllt, aber seine Philosophie ist unklar und verwirrt.

Johann Pikus von Mirandula begnügte sich nicht damit, Plato zu benutzen, um in ihm die christliche Lehre zu sehn, sondern hatte neben dem griechischen Philosophen auch die jüdische Cabbalah mit hineingezogen [1]).

Was ist die Cabbalah? Statt darauf in kurzen Worten eine bestimmte Antwort zu geben, scheint es besser, einen Blick auf die vorhergegangene Entwickelung zu werfen [2]).

Den Juden war die Bibel ein heiliges Buch; sie schöpften daraus ihre Religion und Philosophie. So viel Seltsames die Bibel aber auch enthielt: wunderbare Erzählungen, prophetische Weissagungen, der Inhalt genügte nicht für den grübelnden Verstand. Ungelöste Räthsel waren hier in Fülle gegeben, Geheimnissvolles genug zu erforschen; vor Allem regten zwei Fragen mit stets sich erneuernder Kraft den Geist an: das Wesen der Gottheit und die Geschichte der Schöpfung. Die Vision Ezechiels bot für das erstere, die ersten Capitel der Genesis boten' für die letztere genügenden Stoff zu Betrachtungen. Die in beiden gegebenen Andeutungen wurden frühzeitig ausgebildet, von den jüdischen Philosophen in Alexandrien, von den Weisen in Palästina und Babylon. Eine Literatur darüber entstand aber, selbst in den ersten nachchristlichen Jahrhunderten, noch nicht. Sie konnte nicht entstehen, denn es war ein heiliges Thema, über das nur vor erlesenen Schülern, nicht in Gegenwart Mehrerer, niemals vor der Menge gesprochen werden durfte. Erst mit der

---

[1]) Vgl. Ritter, Gesch. der Philosophie Bd. 9 S. 268 ff.

[2]) Für das Folgende vgl. Zunz, Die gottesdienstlichen Vorträge der Juden. Berlin 1832 S. 157—170, 403—410. Abraham Geiger, Melo Chofnajim. Berlin 1840 S. IX—XXII und A. Gellineks vermehrte und verbesserte Uebersetzung von Ad. Franck, Die Kabbala. Leipzig 1844 S. 1—11.

zweiten Hälfte der sogenannten gäonischen Epoche (etwa von 780 an) traten eigene Schriften auf, die, gleichsam als Commentare des biblischen Inhalts eine Schilderung der göttlichen Majestät geben wollen. Als erste ist das Buch Jezirah zu nennen, dem man, dadurch dass man es dem Erzvater Abraham zuschrieb, höhere Weihe zu geben, fast den Stempel der Göttlichkeit aufzudrücken versuchte; in den nächsten Jahrhunderten folgten andere.

Ein umfassender Name für diese heilige Wissenschaft existirte noch nicht; erst mit dem Ende des 12. Jahrhunderts gelangt die Bezeichnung Cabbalah zu allgemeiner Geltung. Cabbalah heist Ueberlieferung; ein Jeder, der in diesem Gebiete schriftstellerisch thätig war, so verschieden er auch von dem Andern dachte und schrieb, glaubte seine Lehre durch eine auf Gott zurückgeführte Tradition empfangen zu haben. Neu erscheinende Bücher schmückten sich mit dem Namen alter, fast mythischer Persönlichkeiten: neben dem Buch Jezirah ist vor allem der Sohar zu nennen, ein als Midrasch an die Pentateuchabschnitte sich anlehnendes Compendium cabbalistischer Weisheit, das seit seinem Erscheinen die Rüstkammer für Geisteskämpfe dieser Art geworden und geblieben ist, das man dem thalmudischen Lehrer Simon ben Jochai zuschrieb, das aber wol dem Moses de Leon, jedenfalls einem Gelehrten des 13. Jahrhunderts, angehört.

In Bezug auf die Geheimlehre herrschte im jüdischen Lager keineswegs volle Uebereinstimmung. Frühzeitig drängte sich an sie, was nicht eigentlich ein nothwendiges Anhängsel war, der Glaube an Wunderthätigkeit und Astrologie; diese Künste suchten in ihr die Gründe für ihre Berechtigung, ja für ihre Nothwendigkeit. Dagegen eiferten frühzeitig tieferblickende jüdische Lehrer, ein Moses Maimonides u. A., aber zum Theil verhallte ihre Stimme wirkungslos in der Wüste.

Die Cabbalah war ein theosophischer Versuch, der durch den jüdischen Geist seine eigenthümliche Färbung erhalten hatte: man hätte glauben sollen, dass sie auch in Zukunft nur in jüdischen Kreisen ihre Stätte hätte finden können. Aber dem war nicht so; schon frühzeitig, am Beginn des 14. Jahrhunderts hatte sich Raimund Lullus in das Studium der Geheimwissenschaft der Hebräer versenkt, „sie als eine göttliche Wissenschaft betrachtet, als eine wahrhafte Offenbarung, deren Licht der vernünftigen Seele sich zuwendet."

Lullus war ein Christ; er fand kein Arg darin, sich mit der jüdischen Geheimlehre zu befassen. Einen weiteren Schritt that er nicht. Der blieb der mystischen Richtung der Folgezeit überlassen. Im 14. und 15. Jahrhundert ging das Christenthum immer mehr in bedeutungslosen, äusseren Formen und scholastischen Spitzfindigkeiten auf, statt sich innerlich zu vertiefen. Es gab denkende Geister genug, die mit dem Aeusseren, mit dem unverrückbaren Glauben an abgelebte Normen, an starrgewordene Satzungen sich nicht begnügen wollten. Die Cabbala bot Stoff genug zum Denken und Grübeln. Aber mit der Annahme der jüdischen Wissenschaft wollte man seine Religion nicht aufgeben; so suchte man denn Beides zu vereinigen, es gelang und die Cabbalah ward eine Stütze, des Christenthums.

Lullus hatte, wie es scheint, diesen Schritt noch nicht gewagt der erste, der ihn that, war Johann Pikus, Graf von Mirandula (geb. 1462, gest. 1494). Es war ein junger Mann von bedeutenden Anlagen, von hohem Geistesschwung. Lernbegierig, nach Wahrheit dürstend, hatte er die früher vergessenen Sprachen, griechisch und hebräisch, sich zu eigen gemacht, war er in die Tiefen der alten Philosophie eingedrungen. Er hatte die Unterweisung jüdischer Meister nicht verschmäht. Eliah del Medigo (auch unter dem Namen Eliah Cretensis bekannt), der jüdische Philosoph, der in Padua und Florenz öffentlich lehrte, und vom Rathe zu Venedig einmal zum Schiedsrichter in einem philosophischen Streite gewählt wurde [1]); Jehuda oder Leo Abarbanel, der Verfasser der göttlichen Dialoge über die Liebe [2]); Jochanan Aleman, ein aus Constantinopel nach Italien gewanderter Jude [3]) waren seine Lehrer im Hebräischen und zum Theil auch in der Cabbalah gewesen.

---

[1]) Vgl. A. Geiger, Melo Chofnajim S. XXIV.

[2]) Die Worte des Arztes Amatus Lusitanus, aus denen die Verbindung Leo's mit Pikus hervorgeht, sind zuerst mitgetheilt von A. Geiger in der hebr. Zeitschrift Ozar Nachmad. 2. Jahrgang. Wien 1857 S. 225 Anm.

[3]) Vgl. Grätz, Geschichte der Juden. VIII. Band. Leipzig 1864 S. 254 fg. Merkwürdigerweise wird in dem Leben des Pikus, das von seinem Neffen Joh. Franz Pikus geschrieben ist, keiner dieser drei Männer erwähnt. Dort heisst es nur: *Non illum certe universae philosophiae peritia, non hebraeae, non chaldaeae, arabicaeque linguae tumidum reddiderant.* A 7a. Ich citire die Werke des Pikus nach der mir bekannten ersten, von seinem Neffen herausgegebenen Ausgabe, Venet. 1498 in fol. In dieser Ausgabe ist für

Aber sie hatten ihm nur die positiven Grundlagen seines
Wissens geben können; die philosophischen Folgerungen, die er
daraus zog, gehören ihm allein an.   Es war sein Verdienst, wenn
man diesen Ausdruck hier gebrauchen darf, in der Cabbalah die
christlichen Lehren, wie die Dreieinigkeit, die Fleischwerdung des
Wortes, die Ankunft des Messias, die Erbsünde wiederzufinden; ihm
ist es als erstem gelungen, wie Plato mit Aristoteles, so die
griechische Philosophie mit den jüdischen Lehren in Einklang zu
bringen.

Die Beschäftigung mit der Geheimlehre der Juden brachte ihn
indess nicht dahin, deren Meinungen auch sonst zu theilen, das
Volk mehr zu begünstigen, als es die Kirche erlaubte, der er angehörte.   Da ihm die Cabbalah die Wahrheit des Christenthums
bestätigt, so sucht er im Gegentheil in ihr die Mittel zur Bekämpfung irriger Meinungen, die die Juden hegen [1]).

Den Inbegriff seiner Philosophie fasste er in 46 Sätzen zusammen, die, fast alle in gleicher Weise, grossen Anstoss erregten,
und ihm zahlreiche Gegner verschafften.   Gegen die gegnerischen
Anschuldigungen vertheidigte er sich in seiner berühmt gewordenen
Apologie, nach deren Anhörung der Papst Alexander VI. ihn am
18. Juni 1493 von allen Anschuldigungen freisprach.   Diese Ent-
lastung, die, wenn auch nur in geringem Maasse, gleichfalls der
Cabbalah galt, beförderte ihre Verbreitung ungemein, jetzt erschien
sie durch päpstlichen Schutz nicht nur erlaubt, sondern gleichsam geheiligt und geweiht.   Schon aus diesem Grunde, mehr
aber noch wegen ihrer Einwirkung auf die Werke, deren Betrachtung uns im Folgenden beschäftigen wird, müssen wir bei dieser
Apologie einen Augenblick verweilen.   Sie zerfällt in eine allgemeine und specielle.   Die erstere richtet sich überhaupt gegen seine
Gegner, welche seine wissenschaftliche Beschäftigung angreifen, zum
Theil aus dem Grunde, weil er zu jung und unerfahren sei, zum
Theil, weil solche Kenntniss der Kirche nicht noth thue.   Man

---

hebräische, chaldäische, auch für alle irgendwie grössere griechische Stellen
ein leerer Raum gelassen.

[1]) Sein Neffe und Biograph sagt: *Adversus impios philosophos qui nullae
religionis jugo colla depressi nulliqui addicti numini naturales tantum rationes
adorant, eisdem rationibus dimicabat, veteris testamenti sententiis propriisque
judaicae scholae auctoramentis validissime contra hebraeos praeliabatur cum
maumethanis Alcorano nixus pedem contulerat.* A. 4 [b].

nenne ihn einen Ketzer; dagegen wolle er zunächst erklären, dass
er ein rechtschaffener Christ sei, kein Jude [1]). Er sei ein Philosoph,
wie viele seiner Vorgänger und Zeitgenossen; was ihn auszeichne,
das sei, dass er keiner Schule angehöre, sondern alle Systeme
kennen lernen wolle. Mit denen, die gewöhnlich gelehrt würden,
dem platonischen und aristotelischen nicht zufrieden, habe er die
chaldäischen und pythagoräischen Lehren, die Mysterien der Hebräer
vorgenommen [2]). Aber das Geschriebene genüge nicht; die grossen
Lehrer der Vorzeit haben nur wenig von dem aufgezeichnet, was
ihnen zu Theil geworden sei, so Pythagoras, so auch Moses; die
Ueberlieferung, die Gott diesem nur mündlich mitgetheilt habe, sei
die Cabbalah [3]). Keine Wissenschaft, so führt er in der 5. Untersuchung der speciellen Apologie den Satz aus, gegen den die
Gegner hauptsächlich geeifert hatten, keine Wissenschaft macht uns
gewisser über die Göttlichkeit Christi, als Cabbalah und Magie [4]).
Unter natürlicher Magie versteht er die Kenntniss der Eigenschaften
der himmlischen Körper, wie es auch viele christliche Lehrer vor
ihm verstanden hätten. Das sei keine verbotene Kunst im Gegensatze zu jener andern Magie, die durch Zauberkräfte Wunderwerke
zu schaffen suchte [5]). Aber es gebe Geheimnisse in der Bibel, in
der jüdischen Philosophie überhaupt, die nur durch eine besondere
Wissenschaft aufgeklärt werden könnten, vor allem die Geheimnisse
der Zahlen, Geheimnisse, die in der Zwei- und Drei-, namentlich
in der Zehnzahl sich finden. Ueber die Cabbalah, die darüber
Aufschluss gewähre, sei vor den Gegnern zu sprechen kein leichtes
Ding; denn sie maassen sich bereits ein Urtheil über diesen Gegen-

---

[1]) Opp. F b. *Patiantur, inquam, ut qui christianus de christianis sum
parentibus natus, qui vexillum Christi Jesu in fronte gero ... Non magus,
non Judaeus sum, non ysmaelita, non haereticus, sed Jesum colo et Jesu cru-
cem in corpore meo porto ...* Die ganze Apologie fol. F a—N 6 b.

[2]) F 3 a.

[3]) F 4 a.

[4]) Quaestio V: *De magia naturali et Cabala Hebraeorum.* fol. I 2 b—K b:
*Nulla est scientia, quae nos magis certificet de divinitate Christi quam magia
et Cabala.*

[5]) Gegen letztere wendet er sich in schärfster Weise: *Tota magia quae
in usu est apud modernos, et quam merito exterminat ecclesia, nullam habet
firmitatem, nullam veritatem, nullum firmamentum, quia pendet ex manu
hostium primae veritatis, potestatem harum tenebrarum quae tenebras falsitatis
male dispositis intellectibus offendunt.*

stand an, ohne auch nur eine Ahnung davon zu besitzen [1]). Sie
brauchten freilich, um sich Kenntniss darüber zu verschaffen, nur
die Rabbinen zu fragen, von denen Pikus Maimonides, R. Simon,
Ismael, Jodam (!) [2]) Nachinan (!) anführt, da würden sie wenigstens
erfahren können, dass Cabbalah nichts Anderes als die mündliche,
dem Moses von Gott gewordene Lehre bezeichne. Die Cabbalah
stimme mit der christlichen Religion überein, die Bücher, in denen
ihre Sätze niedergelegt sind, wären von den Juden in einer Zeit
geschrieben, als sie noch durch nichts hätten bewogen werden
können, ihren Glauben zu fälschen [3]). Von Moses wurde die Lehre
den 70 Aeltesten mitgetheilt, — deren Stellung vergleicht Pikus mit
der der Cardinäle in der christlichen Kirche —, von diesen dann
in ununterbrochener Folge auf die Nachwelt gebracht. Vor allem
sei sie in der Bibelerklärung anzuwenden [4]); sie gebe vorzügliche
Waffen gegen die Juden, die zwar in ihrer Weise die Cabbalah
ehren, aber doch ohne die rechte Einsicht darin zu haben. Das
tiefere Eindringen in diese Wissenschaft sei den Christen vorbehalten, er sei der erste, der die echte und wahre Cabbalah lehre [5]).

------

[1]) Hier findet sich die oft ohne Angabe des Orts benutzte Stelle:
*Quinimo audi rem ridiculam, cum semel quidam ex eis interrogaretur quid
esset ista Cabala, respondit ille fuisse perfidum quendam hominem et diabolicum, qui dictus est cabala, et hunc multum contra Christum scripsisse, inde
sequaces ejus dictos cabalistas.*

[2]) Richtiger Judan, wie, für Juda, die Erwähnung im Sohar vorkommt.

[3]) *Libri cabalae, in quibus libris multa, immo paene omnia inveniuntur
consona fidei nostrae. Fuerunt enim et ab ore dei traditi et a Judaeis ante
Christum scripti, quo tempore nulla passione moveri poterant ad viciandam vel
corrumpendam ipsam veritatem.* — Seine Annahme, dass es überhaupt eine
Cabbalah gäbe, stützt er durch Aussprüche von Esra und durch Sätze von
Kirchenvätern; im Folgenden ist dann für die Worte פֶם שְׁבִיעִל תורה ein leerer
Raum gelassen.

[4]) Neben קַבְּלָה nennt er als Arten der Bibelerklärung: שֵׁכַל, מִדְרָשׁ, פְּשָׁט.
Auf diese drei Arten, שֵׂכַל bedeutet ihm Cabbalah, erklärte Bechai b. Ascher,
der am Ende d. 13. Jahrh. schrieb, in seinem cabbalistischen Pentateuch-
commentar jeden einzelnen Vers. Dass Pikus ihn gekannt, ist schon darum
wahrscheinlich, weil er bereits 1492 im Druck erschien. Vgl. Steinschn.
p. 777.

[5]) Weitere Bemerkungen, in denen Pikus über das Fehlen hebräischer
Kenntniss klagt, das sich namentlich darin documentire, dass die Christen,
wenn sie überhaupt auf Juden Rücksicht nehmen, höchstens sagen: *sic di-*

Der unmittelbare Nachfolger des Pikus, der aber weit mehr als dieser für die Verbreitung und Verallgemeinerung cabbalistischer Ideen gethan hat, ist Reuchlin. Es ist eine seit langer Zeit häufig ausgesprochene Behauptung, dass Reuchlin zu seiner Beschäftigung mit der Cabbalah durch Pikus veranlasst worden ist. Es fehlt uns an Quellen, dies zu läugnen oder zu bestätigen. Der innere Entwicklungsgang eines Mannes liegt selten, wenn er nicht selbst darüber Rechenschaft gegeben, uns so klar vor Augen, dass wir nach Jahrhunderten die verschlungenen Pfade entwirren könnten. Reuchlin war eine beschauliche Natur, er hatte Hang zum mystischen Grübeln. Die griechischen Philosophen hatte er fleissig studirt, dann war eine Zeit lang das Studium der Philosophie durch die Beschäftigung mit der hebräischen Sprache verdrängt worden, aber durch diese Sprache wurden ihm nur neue Quellen eröffnet zur Befriedigung seiner spekulativen Sehnsucht. Man kann wol nicht sagen, dass er das Studium der Sprache begann, um die Cabbalah zu erforschen, denn auch das Sprachgebäude interessirte ihn lebhaft; wir sahen, wie er in seiner Grammatik und in seinem Wörterbuch oft in gar zu ausgedehnter Weise das Aeusserliche, das Grammatische berührte, und auf das Innere wenig Rücksicht nahm. Aber je mehr er in der Kenntniss der Sprache voranschritt, umsomehr ward ihm die Sprache nur eine Handhabe, ein Schlüssel, mit dem er in das wunderbare Gebiet der Geheimlehre einzudringen hoffte.

Wir können Reuchlins cabbalistische Neigungen frühestens in das Ende der 80er Jahre setzen; vielleicht ist auch in dieser Beziehung, wie in so vielen andern, seine zweite Reise nach Italien 1490 von entscheidender Bedeutung gewesen. Sicher ist, dass Reuchlin damals den Grafen Pikus, der an Alter ihm etwas nachstand, an Höhe des Ruhmes ihn aber zu jener Zeit weit überragte, aufgesucht, und sich mit ihm über nicht grade bedeutende Gegenstände unterredet hat, sonst hat er ihn weder vorher noch nachher gesehn, zu keiner Zeit mit ihm Briefe gewechselt [1]). Aber wenn auch keine nähere persönliche Verbindung zwischen beiden Männern stattgefunden hat, die grösste Einwirkung für sein ganzes Leben

---

cunt Hebraei, haec est sententia Hebraeorum, aber nicht einzelne anführen, können nur hier beiläufig angegeben werden. — Dass er sich kurz gefasst, sagt er selbst: *Haec sufficiant de praesenti conclusione quae specialem librum exigeret.* —

[1]) Vgl. Mel. or. S. 65 fg.

hat Reuchlin von dem gelehrten Italiener empfangen. Schon die
drei cabbalistischen Werke, die auf Pikus Bemühung Sixtus IV.
hatte übersetzen lassen, mögen für Reuchlin von grossem Nutzen
gewesen sein [1]); denn er scharrte und grub emsig nach Büchern, die
ihm eine Enthüllung der Räthsel gewähren könnten, nach der er
verlangte. Auch den Hochmeister der Juden in Regensburg, Jakob
Margolith, einen nicht unbedeutenden Mann, hatte Reuchlin um
einige Bücher gebeten (1495); der konnte dem Verlangen nicht entsprechen und rieth Reuchlin überhaupt von der Beschäftigung mit
der Cabbalah ab [2]). Aber die Mahnung kam zu spät; Reuchlin
war schon zu tief in den Banden der Cabbalah verstrickt, als dass
es noch an ihm gelegen hätte, sich aus ihnen zu befreien.

Wer waren seine Führer auf diesen Wegen? die oberste
Leitung gebührt, wie wir sahen, dem Pikus; Reuchlin hat seine
Werke fleissig studirt. Doch führt er sie nicht allzu häufig an; er
war sich doch bewusst, über sie hinweggeschritten zu sein [3]). Aber
wenn er Pikus anführt, so nennt er ihn mit gebührender Achtung:
„der weise Graf," „der gelehrteste unsers Zeitalters;" mit Stolz stellt
er ihn als seinen Vorgänger in die Reihe derer, die gleich ihm,
von Neidern Verfolgungen zu erdulden gehabt hätten [4]). Aber
Pikus hatte seine Kenntniss nicht aus sich geschöpft, er bediente
sich der Hülfe jüdischer Gelehrten, er erholte sich Raths bei Rabbinen, bei cabbalistischen Schriftstellern der früheren Zeit. Reuchlin
war kein blosser Nachtreter seines Führers; selbständig ging er an
die Quellen, die auch diesem zu Gebote gestanden hatten, zum

---

[1]) Nach Grätz a. a. O. S. 254. A. 1. sind es folgende 3 Bücher: Menachem Recanatis cabbalistischer Commentar zum Pentateuch; de scientia
animae, angeblich von Elieser Katon; Schem-Tob Falqueras הנפש ס׳. Indess finde ich nur das erste von Reuchlin erwähnt, s. u.

[2]) Der Brief, hebr. und lat. (1495) in der Briefsammlung.

[3]) De arte cabb. fol. LIIᵃ. Simon spricht: er wage kaum seine Genossen zu belehren in re tam perplexa, nondum extraneis cognita, praesertim
romane doctis, praeter admodum pauca, quae annis superioribus Joannes
Picus Mirandulae comes et Paulus Ricius, quondam noster (Ricius war ein getaufter Jude, s. u.) ediderunt, etiam usque ad hodiernum diem Latinis non
satis intellecta.

[4]) Das Letzterwähnte Defensio c. c. C. fol. Cᵇ; andere Stellen De verb.
mir. e 3ᵇ; De a. cab. fol. XIIII, LIIᵇ, LVIIᵃ, LXIVᵃ, LXXIVᵇ; vgl. Rud.
hebr. p. 124 s. v. רין; 461 s. v. קבל. Dass Pikus zuerst der Cabbalah unter
den Gelehrten Eingang verschafft habe, sagt Reuchl. De a. cab. fol. XIIIᵃ.

grossen Theil benutzte er neue, von denen dieser noch nichts gewusst. Wir haben von seiner Rabbinenkenntniss schon mannigfach zu sprechen Gelegenheit gehabt; wir müssen hier nochmals darauf zurückkommen. Wieder sehen wir hier Raschi mit Vorliebe angeführt [1]), Ramban, Moses Maimonides und Jehuda Halevi [2]), alle zur Stütze cabbalistischer Behauptungen, oft gradezu als Cabbalisten genannt, mit einem Namen, den sie durchaus nicht verdienen. Er führt einmal selbst in seinem Werke über cabbalistische Kunst, (fol. XIV), nachdem er eine stattliche Reihe derer citirt, die von den Früheren als Quellen benutzt, nun aber verloren gegangen seien, die er wenigstens trotz Aufwand vielen Geldes und vieler Mühe sich nicht hätte verschaffen können, als seine Gewährsmänner folgende an: das Buch Jezirah, als dessen Autor er nicht ganz bestimmt den Erzvater Abraham hinstellen will [3]), den Sohar, als dessen Verfasser er Simon ben Jochai annimmt — der Unterredner Simon soll ein Abkömmling desselben sein — [4]), ein Buch, das er vielleicht seiner schwer verständlichen chaldäischen Sprache wegen mehr rühmte als las; das Buch Habochir, das man irrthümlich dem Nechunja ben Hakana zuschreibt [5]). Zu dem Buche Jezirah sind ihm auch Commentare bekannt; was mit dem des Jakob Cohn

---

[1]) De a. cab. LIIIIª, LIIIᵇ, LXXVᵇ. An diese letzte Stelle ist eine interessante Bemerkung anzuknüpfen. Die von Reuchlin angeführten Worte Raschi's finden sich nicht in den Raschiausgaben, selbst nicht in der neuesten kritischen von A. Berliner herausgegebenen (Berlin 1866), wo sie S. 251 zu 4. B. M. 7, 23 stehen sollten. Dagegen finden sie sich in dem Raschimanuscript meines Vaters (vom Jahre 1488). Dort beginnen sie: מדרש אגדה אומר, d. h. Tanchumah z. St. vgl. מדרש תנחומא ed. Dan. Bomberg 1545 fol. צ:ᵇ. (Diesen Midrasch scheint Reuchlin übrigens nicht zu kennen; er führt zwar einmal eine Stelle daraus an, aber nach der Citation des *R. Asse in sua collectura* d. a. cab. fol. LXXVIIª).

[2]) LIᵇ, LIIª; aus Maimonides Werk I, 78 fol. LXXIIIª; II, 26, 29 fol. LIIIᵃᵇ, lib. III. fol. LVIIᵇ; Juda ha Levis Kusari wird als *Alcoser* u. *Alcosder* fol. IIIIª, XIIᵇ citirt.

[3]) An unsrer Stelle sagt er: *libro Abrahae patris nostri .., quem non parum literate quidam assignant Magistro Akiba;* und de v. mir. 64, nennt er unter der Aufzählung von Cabbalisten als ersten: *Abraham quisquis tandem is fuerit.* — Jezirah wird sonst angeführt De a. cab. fol. IIIᵇ, XXIª.

[4]) *Simon Eleazaris filius ex antiqua Jochaicorum prosapia* de a. c. fol. Iᵇ.

[5]) Vgl. Steinschneider, Catalogus librorum hebraeorum p. 523 fg. Nr. 3423. Reuchlin meint wol dieselbe Schrift, wenn er fol. 71ᵇ anführt: *lib. Habochir ubi sedit R. Amorai et disputavit.*

gemeint ist, lässt sich nicht angeben [1]), der Commentator Isaak ist
vielleicht Isaak, Sohn Jekutiels oder Isaak b. Abraham, b. David
(der Blinde) [2]). Der berüchtigte Lügencommentar des Moses Botarel [3])
scheint Reuchlin unbekannt geblieben zu sein, wenigstens ist keine
der von jenem erfundenen Autoritäten bei diesem angeführt. Von
einem Werk des Rabbi Saadias Gaon (st. 942) kennt er wol nur die
hebräische Uebersetzung Juda ben Tibbon's (1186) [4]); ein Werk Aben
Esra's ist ihm bekannt [5]); dem R. Amai, Sohn Hanina's schreibt
er fälschlich ein Buch zu, das ein mystisches Gebet nach der Ordnung des sogenannten 18. Gebetes enthält und achtet den Verfasser
sehr hoch [6]); ebenso irrthümlich nennt er den R. Akiba als Autor
einer Erklärung des Alphabets [7]). Er citirt ferner den R. Azariel
bar Geronensis [8]), und ein Werk des Albo gegen Maimonides, das
freilich ebenso sehr gegen das Christenthum gerichtet ist, ohne dass
Reuchlin sich dessen bewusst geworden [9]). Zwei Werke des
R. Todros Levi werden citirt, aber bei dem einen ist der Name
des Verfassers corrumpirt, bei dem andern ein ganz falscher Autor
genannt [10]); mit „Abubachar" ist wol Abu Bekr ben Tebrizi ge-

---

[1]) D. a. c. fol. XIIII. *Utimur denique commentariis in* הרי״ צ״ *R. Jacobi
Kohen.*

[2]) Vgl. Steinschn. p. 553, 1074. Reuchl. nennt a. a. O. Is.'s Schrift:
explanatio nominis sancti und fol. 71[b] פירוש השם הקדוש.

[3]) Steinschn. p. 1780 fg. Nr. 6441.

[4]) ספר האמונות [citirt als *liber credulitatum*] fol. XIIII, LXXVI[a], vgl.
Steinschn. p. 2172 ff.

[5]) יסוד התורה, das vollständiger heisst: יסוד מורא וסוד התורה de mysterio
legis fol. LXXII[a] Steinschn. 684.

[6]) ספר העיון Reuchl. übersetzt *liber speculationis*, richtiger *intuitionis*, Steinschneider p. 679, vgl. fol. XXI[a], LXIV[a], LXV[b], LXXIII[b]. An letzter
Stelle führt er Worte Amai's an, in denen dieser sich auf einen Gewährsmann beruft und sagt: *quamquam vir tam integer testimonio non eguisset.*

[7]) ספר הציאות של רבי עקיבא fol. LIII[b], Steinschn. p. 519 Nro. 3395.

[8]) fol. VI[a], XXI[a] Cabbalist des 13. Jahrh. Der von Reuchl. sogen. פירוש
קהלת ist wol der bei Steinschn. p. 756 angeführte פירוש עשר ספירות; was
der *liber Cabale* sein soll, kann ich nicht bestimmen.

[9]) Jos. Albo (geb. 1360, gest. 1450) *liber radicum* [besser *fundamen-
torum*] העיקרים bereits gedruckt Soncino 1485, Steinschn. p. 1443 fg.

[10]) Der Verf. heisst mit seinem ganzen Namen: Todros (Theodoros)
Levi b. Josef b. Todros b. Jehuda) von R. als *Tedacus Levi* corrumpirt;
sein Werk *de decem numerationibus*, richtiger *Expositio 10 Sefirot*, fol. LXII[a];
LXXVII[a]; die cabbalistische Erklärung zum 19. Ps., als deren Verf. Reuchl.,

meint [1]); andre Schriften werden ohne Namen des Verfassers, manchmal nur der Verfasser, und kein Titel der Schrift citirt, nur zum Theil lässt sich bei ihnen erkennen, welche gemeint sein soll [2]). Ein Hauptgewährsmann ist Joseph Gikatilia, den er* als den hervorragendsten cabbalistischen Schriftsteller preist, dessen Namen er stark verstümmelt, und so seine einzelnen Werke verschiedenen Autoren zuschreibt [3]). Das eine Werk dieses Mannes wurde kurz vor dem Erscheinen der cabbalistischen Kunst von Paul Ricius lateinisch übersetzt [4]). Reuchlin hat es jedenfalls im Original benutzt, die lateinische Ausgabe erhielt er vom Sohne des · Uebersetzers [5]).

---

wie schon Galatin, den Sopher Ama nennt; das Werk heisst ‏ספר הרוי‎ oder ‏ספר עיר‎ fol. Ll[b], vgl. Steinschn. p. 2678.

[1]) *Abubachar in suis scriptis* fol. V[b], vermuthlich *Expositio* 25 *propositorum lib. Doctor. perplexorum Maimonidis.* Steinschn. p. 2671.

[2]) *Liber hacadma* fol. XVIII[b]; ‏רוח ין‎ von Serachja Levi Anatoli Kasani vgl. Steinschn. p. 2591, Berichtigung nach A. Geiger, zu p. 638 ... Das. *R. Juda* ‏בשם כזי‎ *liber de spe* fol. LXXIII[b], vielleicht gemeint das dem Moses Nachmanides, der auch sonst als grosser Cabbalist gerühmt wird, zugeschriebene Werk ‏האמונה והבטחון‎ c vgl. Steinschneider p. 1949. 1964. R. Menachem Recanat fol. XX[a], p. 1736; R. Hakados ‏אגרת הסודה‎ ‏כף‎ [*ad quaestionem Antonini de sacrosanctis nominibus*] fol. LXXV[a], *R. Asse' in sua collectura* oder ‏היהיר‎ c *singulari unionum seu collectorum* fol. LXXVI[a], LXXVIII[a], das *liber* ‏שבות‎ und ‏דרך הכפרה ודרך האמונה‎, *de fide et expiatione* fol. XIIII, XX[a].

[3]) Gikatilia (das Lob Gikatilia's fol. XIIII.) ist zu verstehen unter *Castiliensis* fol. IV[a], LIII[a], unter Carnitol X[b], LV[b], LXVI[b], unt. R. Joseph. b. Abraham Salemitanus XX[a], LXIV[a], LXXVI[a]. Joseph Cato heisst er Rud. hebr. p. 16. Von seinen Werken sind citirt: *hortus nucis* (‏אגנ‎), die *portae justitiae* (‏שערי צדק‎), die *portae lucis* (‏שערי אורה‎), vgl. Steinschn. p. 1461 ff. Das Werk ‏גנת אגז‎ hat Reuchl. in einer Handschr. besessen, die er von Dalburg geschenkt erhalten. Das sagt Wolf Bibl. hebr. III. p. 390 sq., der hinzufügt das Manuscript *cum variis doctorum virorum epistolis et animadversionibus* sei später in den Besitz des Joh. Braun gelangt. Wohin es von da gekommen, ist unbekannt.

[4]) *PORTAE LVCIS* | *Hec est porta Tetragrämaton iusti intrabut p cam* | ‏זה השער ליהוה צדיקים יבאו בו‎: | Der Titel ganz mit rothem Druck. A 2[a]: *Ad serenissimum Maximilianum Caesarem Pauli Ricii humilimi Maiestatis suae phisici epistolium* (mit grossen Buchstaben). A . . N à 4 Bll. in 4°. nur A à 8, das letzte Bl. leer. A. E.: *Excusa in officina Millerana Augustae Vindelico-* | *rü, quinto Idus Junias. Anno salutis humane* | *MDXVI.*

[5]) Hieronymus Ricius an Reuchlin 20. August 1516 (Briefsammlung).

Das ist das Quellengebiet Reuchlins; er durchforschte es emsig, er erwarb sich eine grosse Kenntniss des Einzelnen, und statt dadurch Abscheu und Unlust vor dem Vernunftwidrigen zu empfinden, das ihm, hier oft entgegentreten musste, empfand er immer grössere Liebe, grössere Verehrung des Geheimnissvollen, das ihn umgab. Er schliesst sich vollständig der Auseinandersetzung des Pikus an, die wir oben betrachtet haben, jetzt sollten, meint er, die Unwissenden, die Sophisten wol erkennen, „was doch Cabala für ain tiere wäre", und nicht mehr den Herrn Cabbalah für einen Teufel, die Cabbalisten sammt und sonders für Ketzer halten [1]). Einen Gedanken, den Pikus nur angedeutet hatte, führte er, wie wir sehen werden, weiter aus, dass die Lehre des Pythagoras und der Cabbalah übereinstimme, natürlich, denn Jener hatte ja bei jüdischen Weisen Unterricht genossen. Und was ist beider Lehren Ziel? Nichts Anderes, als den Menschengeist zu Gott emporzuheben, ihm vollkommene Glückseligkeit zu bereiten [2]). Schon in diesem Leben bereitet sich der Mensch, wenn er diese Wissenschaft betreibt, Seligkeit, ewige Freude aber in jenem [3]).

Eine heilige Scheu beherrscht Reuchlin, wenn er von der Cabbalah spricht, mit Ehrfurcht betritt er die geweihte Stätte. Es ist daher wol selbstverständlich, dass er die Schlingpflanzen, die sich fast jederzeit an die Cabbalah angelehnt haben: Mantik, Alchymie und Astrologie von sich wirft. In dem Gutachten, in dem er die Cabbalah mit aller Macht schützt, gibt er die Zauberbücher preis. Auch hier, wie in allen Dingen, über die er geurtheilt, spricht er aus eigner Kenntniss, er hat viele Bücher über Alchymie

---

[1]) Vgl. Gutachten im Augenspiegel fol. XII[b]; in d. a. c. fol. VII[a] sagt Simon: die Zuhörer mögen nicht irren *sicut sophistarum quidam irrisione digni propria temeritate vel si malueritis negligentia dicendi falso asseruerunt Cabalam fuisse hominem diabolicum, unde Cabalisticos haereticos esse omneis.*

[2]) De a. c. fol. L[a]. *Nam quid aliud intendit vel Cabala vel Pythagoras, nisi animos hominum in deos referre, hoc est ad perfectam beatitudinem promovere.*

[3]) De a. c. fol. LII[a]. (Die Cabbalisten) *omne studium suum et universam operam uni huic proposito impendere curant, ut in hac vita foelicitatem et futuri aevi pro captu quique suo perpetuam beatitudinem consequantur.*

und verwandte Künste gelesen¹), er hat wol, gelockt durch viel-
versprechende Titel, Wunderbares erwartet, aber er fand sich ge-
täuscht²). Recht zum Gegensatz gegen die Magie hebt er den
Werth der Cabbalah hervor. Während das Gift jener auf den
Wegen der Finsterniss und der Teufel zum Verderben führe, so
leite diese zum Heil durch die Namen des Lichts und der seligen
Engel³). Auf derselben Stufe wie die Magie steht ihm die Astrologie; Capnion freut sich, dass die Genossen, mit denen er sich
vom wunderthätigen Wort unterredet, diese verderbliche Kunst von
sich geworfen haben⁴). Er verlacht die Astrologie mit ihren trüge-
rischen Versprechungen, mit ihren leeren Zeichen, mit ihrem An-
spruche, übernatürliche Kräfte auf irdische Dinge anzuwenden. Es
gebe viele Astrologen, jeder glaube die Wahrheit zu lehren und
doch weichen sie sehr von einander ab. Schon das sei ein Zeichen
ihrer Unwahrheit: durch Uebereinstimmung dokumentire sich die
Wahrheit, durch Zwietracht die Lüge. Der Mensch könne nicht
lehren, Wunder zu wirken. Die Astronomie berührt sein Tadel
nicht, er kennt nichts Sichereres, als die Messung der Gestirne, er

---

¹) Im Gutachten fol. XI citirt er, freilich ohne weiter dabei zu verweilen, folgende Bücher: *Summa perfectionis magisterii: Arnoldus de villa
nova rosarium; Lullius, codicillus; ejusd. liber vademecum; ejusd. de inten-
tione alkimistarum; ejusd. liber experimentorum; Johannes stirus Anglicus
rosarium; Arcturus in arte.*

²) Freilich sind es Worte des Sidonius (d. v. m. c 6ᵃ): *Fuit enim mihi
aliquando par studium in quibusdam nugatoribus, de arte magica scribentibus
haud dignis quibus ad calamum charta suppetat. Cogitavi librorum indice
motus mira quaedam artificia me istic repertum ire ... sed nihil aliud quam
„parturiunt montes“.* Nach der Aufzählung der cabbalistischen Bücher, die er
benutzt (vgl. oben), sagt er: *Nolo addere librum Salomonis sub nomine Ra-
zielis inscriptum quae est fictio magica.*

³) De a. c. fol. XXIᵇ fg.: *Semper enim ad hominum salutem tendit
Cabalae artificium, contra vero semper ad perditionem vergit magicae vanitatis
veneficium, hoc per nomina tenebrarum et cacodaemonum, illud per nomina
lucis et beatorum angelorum ...* Er unterscheidet den Wunderglauben der
Cabbalisten und den der Wunderthäter ex professo (d. a. c. fol. LXXVIIIᵇ):
*Dicunt enim atque credunt quod oratio fidei salvabit infirmum, neque aliter
idonei Cabalistae sentiunt: qui pariter affirmant operationes miraculosas ex
solo Deo et ab hominis fide pendere. Mendaces igitur et stultos esse illos pronunciant, qui soli figurae, soli scripturae, solis lineamentis, solis vocibus aëre
fracto natis, tantam miraculorum vim et potestatem concedant.*

⁴) De verbo mir. d 2ᵇ.

Geiger, Johann Reuchlin. 12

verwirft nur, dass man daraus Schicksale der Menschen und Ver-
hängnisse bestimmen will und sich dadurch zu Trug und Unwahrheit verleiten lässt [1]). Freilich war damals die Grenze zwischen
Astronomie und Astrologie noch nicht so streng gezogen, wie jetzt;
jene wurde selbst in hellen Köpfen gar oft von dieser überwuchert.
Johannes Stöffler aus Justingen glänzte in beiden, er war ein
Freund von Reuchlin. Ein von Stöffler gefertigtes Instrument, das
die Sonne- (!) und Mondbewegungen darstellte, hatte Reuchlin zum
Geschenk erhalten; Stöffler stellte ihm seine Nativität [2]). Ob da
nicht doch aus dem Stand der Gestirne bei der Geburt Schlüsse gezogen wurden auf freudige oder traurige, ruhige oder bewegte Zukunft?!

Nach diesen wenigen Worten über Reuchlins Auffassung der
Cabbalah im Allgemeinen müssen wir den Inhalt seiner beiden
Werke, „vom wunderthätigen Wort" und „von der cabbalistischen
Kunst" etwas näher betrachten. Die Werke liegen zeitlich um fast
ein Vierteljahrhundert auseinander; zwischen ihnen steht die ganze
grossartige Beschäftigung Reuchlins mit der hebräischen Sprache und
die Bekanntschaft mit all den Hülfsmitteln für cabbalistische Studien, die er vermöge dieser Kenntniss sich erwerben konnte. Doch
scheint es gerathen, beide Werke, die ihren Gedanken und ihrem
ganzen Zwecke nach in engem Zusammenhang mit einander stehen,
nicht getrennt zu behandeln. Auch in der äusseren Einkleidung
sind beide gleich, jedes ist in drei Bücher getheilt, in jedem unterreden sich drei Personen über den Gegenstand, dem das Werk gewidmet ist. Dass diese dramatische Form, wenn man so sagen
darf, der Entwicklung des Gedankens Eintrag thue, oder gar für
die ernsten Dinge, die besprochen werden, nicht passe [3]), möchte ich

---

[1]) De verbo mir. d^a sq. Die ganze Stelle ist zu lang, um mitgetheilt
zu werden; ich führe nur die letzten Worte an: *Non de astrorum mensura
loquor, qua nil certius esse et mathematici et peritia ipsa indicat, sed de con-
cepto ex iis judicio, cuius universa fallax est semita et stulta opinio.* — Ohne
gerade einen Tadel auszusprechen, sagt er bei der Aufzählung der einzelnen
Buchstabenzeichen in ihrer Bedeutung als Sternbilder u. s. w.: *cuncta haec
facultati astrologicae committimus.* De a. c. fol. LXXI^a.

[2]) Vgl. die Briefe Stöfflers 8. April 1502, 8. März 1504 (Briefsamml.).

[3]) Dieses Bedenken hat A. Frank erhoben a. a. O. S. 7, dessen ausführliche Analyse des Werks „vom wunderthätigen Wort" S. 8—11 für das
Folgende zu vergleichen ist.

nicht behaupten. Denn was in den beiden Werken vorherrscht, ist keineswegs die lebendige dialogische Form, sondern der lehrhafte Vortrag des einen Unterredners, unterbrochen von kurzen Fragen und Einwänden der Andern.

Die Unterredner des Werkes vom wunderthätigen Wort[1], die zufällig in Pforzheim zusammentreffen, sind Baruchias, ein Jude, Sidonius, ein Philosoph, ehemals ein Epikuräer, nun Kenner verschiedener Systeme, ohne Anhänger eines bestimmten zu sein und Reuchlin selbst, unter dem Namen Capnion. Sidonius, der von fremden Landen hergereist ist, beginnt mit einer Beschreibung der Gründung Pforzheims, die freilich geschichtlich ohne Werth ist, mit einem Lobe der Gegend, die geeignet scheine zur Ausbildung geistiger Fähigkeiten[2]. Er habe beschlossen, sein Leben mit der Erforschung der Wunder der Natur zuzubringen; er habe zu dem Zwecke eine Reise nach Indien gemacht, doch haben sich nicht alle seltsamen Erzählungen, die man davon mache, bewahrheitet. Baruchias gibt zu, dass über die Probleme noch viel zu sagen sei, aber er glaubt nicht, dass es eine feststehende, bestimmte Wissenschaft davon gebe[3]. Von Urstoffen haben die alten Philosophen alles Bestehende abgeleitet, Thales aus dem Wasser, Epikur aus dem leeren Raum, Empedokles aus den vier Elementen, Aristoteles aus der formlosen Materie. Wem solle man Glauben schenken? Nichts sei bleibend, nichts bestimmt, kennen wir doch nicht einmal unsere Seele, durch die wir leben. Verständige Ansichten seien über alle diese Punkte schon aufgestellt worden, Sokrates war ein weiser Mann, aber der weiseste Aller war Moses. Weise nicht durch eigene Geisteskraft, sondern durch den Gottesgeist, der in ihm lebendig war. Nur dieser Geist, der durch Mittheilung von einem Geschlecht zum andern übergehe (Cabbalah) mache fähig, in die

---

[1] Das Originalmanuscript befindet sich in der Baseler Bibliothek; die erste Ausgabe o. O. u. J. (Basel 1494): *De Verbo Mirifico* a . . g abwechselnd à 6 u. 8 Bll. in fol. A. E.: *JOANNIS REVCHLIN PHORCENSIS CAPNION VEL DE | VERBO MIRIFICO LIBER TERTIVS FINIT FOELICITER.*

[2] Vgl. oben Buch 1 Cap. 1 S. 2 fg.

[3] *Sed quod constans et perpetua de iis scientia queat subsistere, id quidem pernego.* b 1ᵃ. Um nicht ganze Seiten mit Citaten zu füllen, kann ich nur einzelne besonders wichtige Stellen im Original hersetzen, oder auf interessante Einzelheiten hinweisen.

12*

Geheimnisse der Natur einzudringen [1]). Das will Sidonius nicht zugeben, sinnliche Wahrnehmung mache doch auch urtheilsfähig, aber den von ihm angeführten Gewährsmann Lukretius will Baruchias nicht gelten lassen. Capnion legt sich ins Mittel und vindicirt jeder Sphäre, der sinnlichen und der geistigen, ihre besondere Fähigkeit. Der eine Sinn erkenne, dass ein Gegenstand ein Edelstein sei, der andere unterscheide, zu welcher Art er gehöre. In der äusserlichen Welt erkenne man die Dinge, die man mit Augen sehen, mit Händen greifen könne, in geistigen Dingen gebe es ein Wissen, das man nur durch göttliche Enthüllung erhalte. Der Mensch besitze es sehr wenig, er stehe darin den Dämonen ebenso sehr nach, wie im Uebrigen das Thier dem Menschen. Die göttliche Enthüllung, die nöthig sei, zeige schon das Wesen Gottes als eines allweisen und gütigen Schöpfers, es sei ein Verbrechen, viele Herrscher der Welt anzunehmen, oder dem Einen nicht alle Eigenschaften der Vollkommenheit beizulegen. Das Band zwischen Gott und dem Menschen sei der Glaube, Gott die Liebe, der Mensch die Hoffnung. Gott sei unendlich, der Mensch endlich, doch können beide Naturen verbunden werden [2]). Diese Verbindung geschehe durch ein wunderbares Wort.

Mit grosser Feierlichkeit beginnt Reuchlin auf die Bitten beider Unterredner eine Belehrung über dieses Wort, aber zuvor müssen sie einen Gott anerkennen als Schöpfer, die andern Mächte als Diener [3]). Sidonius unterwirft sich jeder Formel, er ist es von den Egyptern und Indiern her gewohnt; auch Baruchias thut es, ohne zwingenden Grund, nur zufolge einer göttlichen Eingebung; selbst den Thalmud will er verwerfen, um Gott besser zu erkennen [4]).

---

[1]) b 3b.

[2]) *Deus amor est, homo spes est, vinculum utriusque fides est. Poterunt autem inenarrabili unione conjungi, ut unus idemque et humanus deus et divinus homo censendus sit.* C 2a.

[3]) Die Stelle beginnt; *Lavamini, mundi estote. Unum deum omnium effectorem, caeteras potestates ministras habetote. Ad primum vota precesque, ad inferiores hymni sunto.* C 4a fg.

[4]) *Spero item deo rem effecturum me fore haud ingratam, si quod animo meo gratissimum fuit (sc. Thalmudim) sui gratia repellam.* c 6a. — Eigenthümlich interessant ist, dass der Jude Baruchias mit klassischer Gelehrsamkeit in derselben Weise prunkt, wie seine Genossen. Es werden ihm auch Regeln für das Lateinische in den Mund gelegt: *Nam ut solent latini saepe futurum indicativi pro imperativo usurpare.* e 4a. Freilich sagt er, sich

Aber der Tag ist schon zu weit vorgerückt; die Enthüllung des Worts wird auf den folgenden Morgen verschoben.

Im zweiten Buch wünscht Sidonius vor allem den wunderbaren Namen zu hören, aber Capnion begnügt sich mit einem Hymnus auf den Schöpfer der ganzen Welt, Herr der Oberen, Licht des Geistes, Hoffnung der Menschen, Schrecken der Unterwelt, auf den einigen, sich ewig gleichbleibenden, erhabenen Gott, und Baruchias weist den Ungeduldigen zurecht. Er will dann die geheimen Worte seiner Stammesgenossen auseinandersetzen. Sie sind in hebräischer Sprache, das gibt ihm Gelegenheit, das Alter dieser Sprache zu preisen. Aber nicht nur das Alter schmücke sie, sondern namentlich die reine und hohe Lehre, die in ihr verkündet worden, die heiligen Geheimnisse, die in ihr ausgedrückt werden. Der grösste Lehrer sei Moses, von seinem Lobe seien schon die alten Völker voll, weit übertreffe er die Meister der Egyptier, die mit den Händen ihre Götter machten. Wenn Moses schon so hoch stehe, wie hoch erst sein Gott; schon sein Name sei heilig, geweiht [1]).

Freilich die Namen Gottes seien sehr verschieden. Hieronymus erwähne 19, Dionysius Areopagita 45, Andere 72. Den einen, der das ewige Sein bedeutet: *ehieh* bezeichnet Plato, der die jüdische Theologie bei den Egyptern gelernt hat, mit *τὸ ὄν*, den zweiten: *hu*, das Zeichen des Unveränderlichen, in sich Beharrenden, geben die Griechen mit *ταὐτόν* wieder; die dritte Bezeichnung: *esch* Feuer

---

gleichsam erinnernd, dass er ausserhalb des Gelehrtenstandes stehe: *Vereor hic, ne in transferendis graecis aures doctas male offendam*, f b.

[1]) Daher, so fährt der Redner in grossen, den Zusammenhang unterbrechenden Abschweifungen (e 3 a—e 5 a) fort, *vulgo linguam sanctam Judaeorum dicimus et sacras literas digito dei conscriptas et nomina sacra non ab hominibus inventa, sed ab ipso deo instituta.* — Das Geheimnissvolle der hebr. Sprache zeige sich manchmal darin, dass die Uebersetzungen einzelne Worte unübersetzt liessen. Auch die Evangelisten brauchten hebräische Ausdrücke, so Markus bei dem Wunder der Auferweckung: *tabiti, kumi;* (daran reiht sich eine nicht richtige Apostrophe [denn שליטא ist entweder Eigenname, oder liebkosender Ausdruck für Mädchen] gegen diejenigen, die gemeint haben, tabita sei der Name eines Mädchens; dass es „blicke" bedeutet, wird durch eine grosse Zahl nur lateinisch angeführter Bibelstellen erwiesen); derselbe bei der Vorführung des Taubstummen: *hiphatah;* oder die Worte Christi am Kreuze, *eli, eli, lama sabathani.* Auch daran knüpft sich eine neue Abschweifung: das Leben Christi sei in 30 Psalmen beschrieben, im 30. nehme er den Namen *maskil.* i. e. *intellectus, notitia seu eruditio* an.

gleiche dem Aether in den Hymnen des Orpheus. In diesen drei
Namen sei eine Art Dreieinigkeit ausgesprochen, die anderen Namen,
von übrigen mit Gott nothwendig verbundenen Eigenschaften hergeleitet, seien zwar auch geweiht, aber ohne die Kraft jener drei
ersten [1]). Der vorzüglichste Name aber sei das unaussprechliche
Tetragrammaton *Jhvh* (die Konsonanten des Namens Jehovah), ähnlich der Tetraktys des Pythagoras, „jene unvergleichliche Bezeichnung,
von keinem Menschen erfunden, nur von Gott anvertraut, ein heiliger und hochzuverehrender Name, womit Gott allein in der väter-
lichen Religion zu ehren ist, der allmächtige, den die Oberen an-
beten, die Unteren beachten, die Natur des Weltalls küsst.“ Den
Erzvätern sei wol der Name bekannt gewesen, aber nicht die wunderbare Kraft und Eigenschaften desselben, die seien erst Moses enthüllt worden. Die vier Buchstaben erinnern an die Elemente, an
die vier geometrischen Hauptbestandtheile (Punkt, Linie, Fläche,
Körper) u. s. w., aber jeder Buchstabe habe seine geheimnissvolle
Bedeutung. Der erste Buchstabe (י) ein Punkt, zugleich die Zehnzahl, deute Anfang und Ende aller Dinge an; der zweite (ה) = 5,
die Vereinigung Gottes (Dreieinigkeit) mit der Natur (Zweiheit nach
Plato und Pythagoras); der dritte (ו) = 6, das Produkt der Einheit,
Zweiheit, Dreiheit; der vierte (ה) bedeute hier die Seele, die das
Medium zwischen Himmel und Erde, wie die Fünf Mitte der Zehn-
zahl sei.

Die Aufgabe des dritten Buchs, wo Capnion allein das Wort
führt, besteht darin, nach vollzogener Vereinigung der jüdischen und
heidnischen Philosophie, das Produkt beider mit den christlichen
Dogmen zu verschmelzen.

Gott ist der Urquell aller Dinge, $\lambda\acute{o}\gamma o\varsigma$, Vernunft und Wort
zugleich. Das Wort ist der Sohn Gottes; ausser von diesem Sohne,
gleichsam dem lebenden Abbilde des Vaters, wird Gott von Niemandem erkannt. Dieser Sohn, von einer Jungfrau geboren, ist
das Fleisch gewordene Wort, geschmückt mit der Krone der Weisheit Gottes, verehrt als Gottes Sohn von aller Welt. Diese geheim-

---

[1]) f 2a fg.: *ineffabilis una trinitas et trina unitas.* Die andern Namen
sind: *Binah, Nezach, Tiferet, Malchut, Geburah, Chesed, Pachad,* welche
von den jüdischen Cabbalisten bereits als Namen der Sefirot angegeben
werden. Am Schluss des 2. Buchs werden noch kurz erwähnt: *Jah, Na*
(Bittformel) *Adonai, El, Sadai.*

nissvolle Verbindung von Vater und Sohn trete schon in der hebräischen Sprache hervor: אבן [1]) sei eine Zusammensetzung von אב und
בן. Noch bedeutsamer sei, dass in dieser Sprache, in den ersten
Worten der Genesis das Mysterium der Dreieinigkeit ausgedrückt
sei (ב'ר'א' = רוּחַ בֵּן, אָב); der Wohnsitz, den ihm der Vater angewiesen, zeige schon durch seinen Ausdruck die Bestandtheile,
das glühende Feuer und das belebende Wasser (שמים = אֵשׁ מַיִם).
Was Alles von dem Namen des Vaters gesagt worden sei, gelte
in noch erhöhtem Grade von dem des Sohnes; Gott selbst habe,
indem er von ihm sprach, ihm den Stempel der Ewigkeit auf-
gedrückt; erhaben werde er durch die Doppelnatur des Gottes und
Menschen, die in ihm lebe [2]). Christus sei nicht der rechte Name,
er drücke nur eine Eigenschaft aus, die Schrift selbst müsse man
durchforschen, um die echte Bezeichnung zu erhalten. Die Evangelien
erzählen: Zu Maria sei der Engel Gabriel getreten und habe ihr
gesagt, sie werde einen Sohn gebären *Ihsvh*. Das sei der geheimnissvolle Name, der heilige, geehrte, wunderbare, wunderwirkende,
nun fünfbuchstabig, um das Tetragrammaton aussprechbar zu
machen [3]). Es bestehe fast nur aus Vokalen, die Gottheit selbst werde
durch Vokale bezeichnet[4]). Nur ein Consonant (שׁ) sei darunter, bedeutend
das heilige Feuer, den heiligen Namen, das geweihte Oel [5]). Schon
in den ältesten Zeiten in den verschiedenen Ländern habe dieser
Name Wunder gewirkt, in Gefahren beschützt, Verderben aufgehal-

---

[1]) Angespielt wird dabei auf Ps. 118, 22.

2) Dieses Doppelwesen wird durch sein ganzes Leben hindurch verfolgt; darunter viel Gesuchtes, aber auch einige Stellen von grosser Schönheit,
z. B.: *Fugit in Aegyptum, sed Aegyptorum idola fugavit . . Baptizatus ut
homo, peccata dimittens ut deus, non indigens ut aquis mundaretur, sed ut
aquas mundaret. Tentatus ut homo sed victor ut deus et confidere iubens quoniam vicerit mundum. Esuriit sed pavit multa milia panisque de coelo vivus
descendit. Sitivit sed et exclamavit: Si quis sitit, veniat ad me ut bibat et
cuicunque in se credenti est pollicitus, quoniam flumina de ventre ejus fluent
aquae vivae . . Flevit, sed abstersit omnem lachrimam* fol. 14ᵃ.

3) 15ᵃ: *nomen summum et exuperantissimum, nomen religiosum, sanctum
et honorandum, nomen in quod omnia sancta nomina sunt referenda quod est
super omne nomen quod nominatur in coelo et in terra, etiam in futuro saeculo. Nomen miraculosum et mirificum, nomen sono vocis enunciabile, non
ultra ineffabile, non tetragrammaton, sed pentagrammaton.*

4) *Quia divinitas ipsis vocalibus designatur.*

5) שמן, שם, אש. — Demnach die abschweifende Bemerkung, man dürfe
den Namen nicht *Ihs* abkürzen.

ten[1]); das Kreuz sei das Symbol dieses wunderbaren Namens. Das
Wort des Kreuzes aber ist das grösste Geheimniss, es wird den
Genossen nur in das Ohr geflüstert, unhörbar den Andern.

———

Das Werk wurde im Jahr 1494 veröffentlicht, voranging ein
Brief des Conrad Leontorius an Jakob Wimpheling, worin Reuchlins
sonstige wissenschaftliche Thätigkeit, hauptsächlich aber die Treff-
lichkeit dieses Werkes gepriesen wurde; nun sei kein Philosoph,
weder Christ noch Jude dem Verfasser vorzuziehen[2]). Reuchlin
selbst widmete es seinem Gönner, der ihm auch später noch treu
zur Seite stand, dem Johann von Dalburg[3]). Das Interesse an der
Betrachtung mystischer, geheimnissvoller Dinge schwinde immer
mehr, zum grossen Theil deswegen, weil die Zeitgenossen die
Quellen, aus denen man jene Kenntniss schöpfen könnte, nicht mehr
verständen. Vor allem aus Liebe zu Johannes a Lapide, Sebastian
Brant und Johann Amorbach habe er sich in dieses Gewirre gestürzt,
versuche er die wunderbaren Namen, deren sich in gleicher Weise
Pythagoräer und Hebräer bedient, zu enthüllen. Erst zwanzig Jahre
nach Erscheinen des Werkes wurde es zum zweiten Male aufgelegt,
für Reuchlins Ruhm und Preis unter den Zeitgenossen bildete es
die erste sichere Grundlage.

Aber Reuchlin hatte mit sich noch nicht abgeschlossen. Was er
in dem besprochenen Werke geschrieben hatte, bildete für ihn den
Ausgangspunkt, er verweist gern darauf[4]); aber nun begann er
ernstere, tiefer in das Wesen der Cabbalah eindringende Forschungen,
wozu ihn seine hebräischen Studien befähigten. Da weist er in
seinem Lexikon bei einzelnen Wörtern, neben der grammatischen
auch auf die cabbalistische Bedeutung hin[5]), aber lange dabei stehen

———

1) Auch hieran reiht sich eine Abschweifung, die von der Anlage des
Werks überhaupt einen Begriff gibt: den Paulus, wird erzählt, habe der
Name Jesus vor dem Tod durch die Schlange bewahrt; das sei auf der Insel
Meleta, nicht Mytilene gewesen. Um das zu beweisen, werden die Namen
aller Städte und Orte aufgezählt, die Paulus bei seiner Reise berührt hat.

2) Speier 21. Apr. 1494 Briefsamml.

3) Der Brief in der Briefs. gleich nach dem obenerwähnten.

4) R. h. p. 231, 349, 465; 7 ps. fol. b 4a, k 2b.

5) p. 349: כס, *Cabalistae mysterium et sacramentum interpretantur*; das.
כס *velamen, unde propter facilem transitum samech in sin literam, cabalistae
nostri temporis nomen Jhesuh salvatoris interpretantur deum velatum*; p. 417:
הלאשנ, *est unum de decem numerationibus in Cabalah.*

bleiben will er nicht, er fühlt sich hier zu sehr als Grammatiker, und dessen Aufgabe ist es nicht, solch hohe Dinge zu entscheiden [1]. So verweilt er nur kurz bei einer jener geheimnissvollen 10 Sefirot. die näher auszuführen Aufgabe des folgenden Werkes sein musste [2]), indess bei der Durchnahme des Wortes Cabbalah kann er sich nicht enthalten, den rechten Begriff desselben festzustellen, das Wirken von Wundern, das Manche damit verbinden möchten, davon zu trennen, und auf sein späteres Werk über diese Dinge hinzuweisen [3]). Denn mit den seltsamen Lehren der Cabbalistik sein Leben zuzubringen, sei ein Genuss [4]).

So unternahm er nach jahrelangem emsigem Forschen, die Resultate seiner Geistesarbeit der gelehrten Welt vorzulegen. Das that er in seinem Werke von der cabbalistischen Kunst [5]). Auch dies Werk ist in Form einer Unterredung zwischen 3 Männern geschrieben: dem Juden Simon, einem gelehrten, cabbalahkundigen. von seinen Schätzen gern mittheilenden Mann, an dem Alles gefällt, das Wissen, die Sprache und das Benehmen, und an dem nur Eines auszusetzen ist, nämlich, dass er Jude ist [6]); dem Muhammedaner Marranus, der an Stelle des Sidonius im „wunderthätigen Wort" steht, denn erst nach Abfassung des letzteren Werks hatte Reuchlin den Koran kennen gelernt [7]); und dem Pythagoräer Philolaus. Die Unterredner treffen in Frankfurt, dem Wohnorte des Juden, zusammen.

---

[1]) p. 231 s. v. ישו et quamvis ab hoc derivetur nostri salvatoris sacratissimum nomen proprium, tamen cum tot assumat literarum administrationes merito non grammaticis, sed contemplantissimis (!) viris judicandum relinquam.

[2]) תבונה p. 80.

[3]) p. 561: ... ex qua quidem arte multi putant arcanas operationes oriri, fuit autem nulla unquam arcanorum operatio quae non aliquando ab aliis bona, et ab aliis mala diceretur praesertim ignorantibus ... Sed deo adiuvante hac ipsa de arte post hanc eos faciemus certiores quos experiemur legendis nostris in lingua hebraica sudare. Vgl. auch p. 31.

[4]) 7 ps. hª. Ueber den Namen פלאי: mirabilia de hoc nomine cabalistae docent, in quibus iucundum est vitam agere philosophicam.

[5]) JOANNIS | REVCHLIN | PHORCENSIS LL DOC. | DE ARTE CABALISTICA | LIBRI TRES LEONI | X DICATI | 80 Bll. in fol. A. E.: Hagenau apud Thomam Anshelmum Mense Martio M.D.XVII.

[6]) Vgl. die in: Das Studium der hebr. Sprache S. 14 Anm. 1 angeführte Stelle. — Simon entschuldigt sich einmal, thalmudischem Gebot nach dürfte er Andersgläubige nicht lehren. d. a. c. fol. VIIIᵇ.

[7]) S. oben S. 124 Anm. 2.

Sich selbst redend im Werke einzuführen, trug Reuchlin wol deshalb Bedenken, weil er einige Andeutungen über seinen Streit, einige Ausfälle gegen seine Gegner anbringen wollte, die sich besser von Andern als von ihm gesprochen ausnahmen [1]. Der Gegenstand wird in den drei Büchern derart behandelt, dass das 1. und 3. vollständig cabbalistischen Auseinandersetzungen, das 2. der Darstellung der pythagoräischen Philosophie gewidmet ist.

Simon beginnt damit zu zeigen, dass das Studium der Cabbalah etwas Göttliches sei; die Fähigkeit, die Gottheit zu begreifen, das höchste dem Menschen verliehene Gut. Die Wissenschaft der Cabbalah sei uralt, zum ersten Male trete sie auf in der Verkündung eines Sühners, die Gott dem Adam durch den Engel Raziel sendet [2]. Dann sei diese Kenntniss in ununterbrochener Reihe weitergegangen, Sem habe sie von Johiel, Abraham von Zadkiel empfangen, Moses' Lehrer sei Metattron gewesen. Von Moses empfingen sie die Aeltesten, Esra und die Männer der grossen Synagoge, von Antigonus sei sie auf Zadok und Bethus vererbt worden, die Thalmudlehrer seien deren direkte Nachfolger [3]. Viele von diesen haben Schriften hinterlassen, eine grosse Anzahl derselben sei verloren, aber dennoch sei eine reiche Literatur erhalten [4].

Dass es eine sinnliche und eine geistige Welt gebe, darin stimmen Cabbalisten und Talmudisten überein, aber während letztere ihre Betrachtung auf die sinnliche beschränken, erheben sich die ersteren zum Schauen der geistigen [5]. Schon in der Erklärung der Schöpfungsgeschichte weichen sie von einander ab; die Thalmudisten glauben, in den ersten Versen der Genesis sei von der Erschaffung der dem menschlichen Auge sich darbietenden Welt gesprochen, die Cabbalisten verstehen darunter die Schöpfung einer oberen und un-

---

[1]) S. unten S. 201 fg.

[2]) Fol. IV a: *Haec fuit omnium prima Cabala, primordialis salutis nuncia.*

[3]) Als letzte in der Reihe der Tanaim werden *Juda filius Thoma* und *Josua filius Levi* genannt. fol. XII b.

[4]) Darauf folgt fol. XIIII die Aufzählung der von ihm benutzten Werke; vgl. oben S. 173 fg.

[5]) *Hac distinguuntur deputationis ordinatione, quod omne studium, omnem operam, omne consilium, laborem et diligentiam universam quoque mentis suae intentionem Cabalista foelix ille atque beatus a mundo sensibili finaliter ad mundum intellectualem transfert et traducit; Thalmudista vero in mundo sensibili permanet ac animam universi hujus mundi non transcendit.* fol. XV a.

teren, körperlichen und unkörperlichen Welt [1]). Wie von zwei Welten, so sprechen sie auch von zwei Paradiesen, zwei Höllen, die eine zur Plage der Körper, die andere zur Peinigung der Seelen. Dasselbe Doppelwesen trete bereits im Messiasglauben hervor. In diesem seien zwar die jüdischen Lehrer einig, aber die Thalmudisten fassen das Werk des Messias auf als Befreiung aus der körperlichen Gefangenschaft, kriegerische Führung in die Schlacht zum Sieg, die Cabbalisten meinen, der Messias werde kommen, um die elenden Sterblichen aus den Banden der Erbsünde zu erlösen; nicht in prächtigem Aufzuge werde er erscheinen, sondern in Demuth, in freiwilliger Opferung für die Menschheit werde er sterben durch heldenmüthigen Tod. Schon Jesajas sage das, aber die jüdischen Ausleger (Raschi, D. Kimchi) verstehen seine Worte nicht. Was der Messias thue, geschehe durch die vier heiligen Buchstaben: *j. h. v. h.* So schaffe der Messias gleichsam eine dritte Welt, zwischen der unteren und der rein göttlichen, der dreimal heiligen, in der ausser Gott nur die Seraphim Platz finden, eine messianische. In dieser Weise bilde der Cabbalist sich seine Weltanschauung, trotz seiner menschlichen Schwäche erhebe er sich zu dem Himmlischen. Er stehe mit den Engeln in Verkehr, durch sie lerne er die Namen Gottes erkennen und jene Thaten verrichten, die das Volk Wunder nenne. Aber Zauberer dürfe deswegen der Cabbalist nicht genannt werden, denn was von ihm auch Aussergewöhnliches geschehe, sei zum Heile der Menschen gewesen, die Zauberei aber führe zum Uebel.

Das zweite Buch, in dem Philolaus und Marranus allein das Gespräch führen — Simon ist durch den eingetretenen Sabbath verhindert, daran Theil zu nehmen — ist dazu bestimmt, die Identität der Pythagoräischen Philosophie, als deren Jünger sich Philolaus bereits im Anfang bekannt hat, und der Cabbalah nachzuweisen. Die einzelnen Lehren Simons werden kurz wiederholt, und durch Belege griechischer Philosophen als, freilich von den Juden hergeleitetes, Eigenthum dieser erkannt. Die Verwandtschaft des Pythagoras mit der Cabbalah zeige sich schon in Aeusserlichem [2]), sie

---

[1]) Hier macht er die sprachliche Bemerkung, dass השמים את anzeige, es sei von zwei Dingen die Rede; sollte von dem ganzen Weltall gesprochen werden, so hätte את und ה wegfallen müssen.

[2]) Die Cabbalisten beginnen ihre Darlegungen mit הכמים אמרו, Pythagoras mit αὐτὸς ἔφα, fol. XXIII[a].

gehe noch mehr aus der Vergleichung ihrer Lehren von den zwei
Welten, von dem Messias, von der sogenannten Seelenwanderung
hervor, die nichts Anderes sei, als die Geistesmittheilung (Cabbalah).
So weit und allgemein sich auch die Darstellung ausdehnt, und ihren
eigentlichen Zweck oft ganz zu verlassen scheint, oft kehrt der Hinweis darauf zurück, dass alles Vorgetragene von Pythagoras, und
dass dessen Lehre aus den Werken der Egypter, Hebräer, Perser
geschöpft sei [1]). Pythagoras wird hochgepriesen; der dankbare
Jünger will keinen Makel auf dem Meister haften lassen. Wer
dessen reine Lehre oder den göttlichen Mann selbst schmäht, wird
für einen schimpflichen Verläumder erklärt, ungerechte Vorwürfe,
wie die, Pythagoras habe an eine Wanderung der menschlichen
Seelen in Thierleiber gedacht, mit Unwillen zurückgewiesen; für
nicht allgemein anerkannte Lehren, wie das Verbot des Fleischessens
die Gründe gesucht, womit sie vertheidigt werden können [2]).

Was sich aus seinen Darlegungen pythagoräischer Philosophie
ergibt, ist etwa Folgendes: Der Glaube dürfe keiner logischen Ope-
ration unterworfen werden; durch Nachdenken werde dem Menschen
nie etwas von den Grundsätzen der Religion klar, letztere habe sich
daher auch nicht als Erzeugniss menschlicher Spekulation, sondern
göttlicher Offenbarung ausgegeben. Alle Wesen, die irdischen und
himmlischen, die Bewohner der oberen und unteren Welt, seien
Ausflüsse aus Gottes Geist. Gott, die Einheit, sei der Anfang der
Zahl, die zwei Welten die erste Zahl, beide zusammen bilden die
Dreiheit, dann folge die Tetraktys, die heilige Vierzahl. Der Messias sei Erretter und Erlöser der Menschheit, nicht wie Herkules,
der mit seiner gewaltigen Kraft einzelne staunenswerthe Thaten ver-
richtete, nicht wie Ptolemäus, der Egypten beschützte; das wahre Heil

---

[1]) *Omnia haec ad nos ex Pythagora fluxerunt, quae ipse partim ab
Egyptiis, partim ab Hebraeis atque Chaldaeis et apud Persarum sapientissimos
magos didicit atque posteris tradidit.* fol. XLIII[a].

[2]) Fol. XXXVII[a]. Ueber die *transanimatio* fol. XXXIII[a] sagt er:
*Rumorem autem de illo passim divulgant, hanc ejus fuisse opinionem quod
anima humana quorundam post mortem corpora brutorum informet, quod viris
ratione utentibus incredibile videri debet de tam excellenti philosophiae autore
et abundantissimo scientiarum fonte, unde ad nos emanavit divinarum et hu-
manarum rerum cognitio. Quin potius ea suspicio transanimationis ex hominibus Pythagoricorum mysteriorum partim ignaris, partim ob invidiam perosis
orta est.*

sei das beständige Beharren in Gott[1]. Kein Mensch sei glücklich zu preisen bevor er sein Leben geendet. Im Leben herrsche der Körper zu sehr vor, der Geist trete zurück. Nach dem Tode erfreue sich die Seele ewigen Lebens, nicht dass sie nun aus einem Leibe in den andern fahre, sie drücke nur den Menschen verschiedenes Gepräge auf, lasse von Zeit zu Zeit gewisse Eigenthümlichkeiten wieder erscheinen.

Die pythagoräische Philosophie besitze, wie auch die Cabbalah, gewisse Mysterien, besonders in den Zahlen, vor allem heilig sei die Zehnzahl, das Zusammenfassen der Gesammtheit: der Mensch habe 10 Finger, die Welt bewege sich in 10 Sphären, Aristoteles habe in Nachahmung des Pythagoras 10 Arten des Seins nachgewiesen, die Zehnzahl sei der wahre Inbegriff des Daseins[2].

Von den Griechen werde die Einheit Zeus-Jupiter, die Zweiheit Hera-Juno genannt; wenn sie daher sagen: Jupiter und Juno weilen im Olymp, so sei damit Einheit und Zweiheit gemeint. Das sei rechte Bezeichnung für ein göttliches Wesen, es sei ein einiges, ungetheiltes, rein, ohne Zulassung eines unlautern Elementes; nicht Dämonen, selbst nicht Engel dürfen Götter genannt werden. Sie seien nur Diener Gottes, nur als seine Gehülfen dürfen sie angerufen werden. Sie, mit den Geistern der Gestorbenen führen ein glückseliges Leben in einer Stadt, deren Mauer aus Jaspis gebaut, deren Grund aus Edelstein zusammengefügt sei, in der Mitte ein Tempel des ewigen Gottes, aus ihm strömet der Fluss lebendigen Wassers wie heller Krystall. Unter ihnen stehen die Seelen, so lange sie noch in den Körpern der Menschen sind; sie werden gute Dämonen, wenn sie den Körper ohne Laster verlassen, böse, wenn sie dem Körper mit Lastern befleckt entweichen. Was in der geistigen Welt sich finde, enthalte auch die körperliche in Nachahmung. Die Welt werde durch Nothwendigkeit und Zufall regiert[3], deren Ursachen

---

[1] (Hercules u. A.) *nihil ad hunc locum, ubi de vera hominum salute agitur, quam illi non praestiterunt, vera namque salus est sempiterna permanentia quae in deo est et a deo tribuitur.* fol. XXXII[a].

[2] *Fontem perpetuae naturae quae nihil aliud est quam cognitio rerum in mente divina rationabiliter operante.* fol. XXXIX[a].

[3] *Necessitatem incumbere mundo et quaedam de necessitate fieri, quaedam ex fato, quaedam electione, quaedam a fortuna, quaedam casu, horum causam esse humanae rationi occultam.* fol. XLIIII[b].

seien dem Menschen, obwol er, ausgezeichnet vor dem Thiere, mit Vernunft und Sprache begabt sei, verborgen.

Dem Menschen erwachsen Pflichten durch sein Leben in der Gesellschaft. Vor allem sei die Tugend zu üben. Gewohnheit thue hier viel; der Weg des Guten, von Jugend an betreten, biete sich fast von selbst dar, einmal verlassen, sei er schwer wieder zu erreichen. Die menschlichen Pflichten lassen sich, nach Pythagoras, in drei Kategorien sondern : Verehrung Gottes, Achtung vor sich selbst, Liebe zu den Menschen. Die Verehrung Gottes sei durch Opfer zu bezeugen nicht erlaubt. Die Selbstachtung zeige sich im Besiegen der eigenen Leidenschaften, selbst Trauer und Schmerz, Freude und Genuss, in maassvollem Handeln, im Abstreifen von Irrthümern[1]. Gegen die Andern sei Freundschaft die erste Tugend, Wahrheit die erste Pflicht. Niemandem solle man schaden, Allen nützen, selbst gegen den Gegner milde sein; nicht Stolz, nicht falscher Ehrgeiz sei das Zeichen des Weisen, sondern wahre Bescheidenheit.

Eine wirkliche Darstellung der cabbalistischen Lehre enthält das dritte Buch. Anknüpfend an den oben von ihm gefeierten Sabbath, erklärt Simon das Wesen des cabbalistischen Sabbaths, jener heiligen Ruhe nicht des Körpers, sondern der Seele, im ewigen Streben nach dem Göttlichen und Reinen[2]. Von den beiden Welten könne der Mensch die obere nicht schauen, nur ihren Strahl sei er fähig zu erblicken[3]. Nur bevorzugte Geister können sich zur ganzen Weisheit erheben, wie Moses und Salomon es gethan, so hoch erheben sich die Uebrigen nicht, aber auch ihr Geist ist stark, von den 50 Thoren der Erkenntniss sind ihm die meisten geöffnet. Die erkennbaren Dinge theilen sich in fünf Klassen: Elemente, von Elementen belebte, geistige, himmlische Körper, überhimmlische un-

---

[1] Das Ganze wird mit kurzen Sätzen des Pythagoras erläutert: *Stateram ne transilias* (Mässigung), *Salem apponito* (Zähmung der Leidenschaften), *Per viam publicam ne ambules* (Nichtannahme fremder Fehler). fol. XLVI ᵃ.

[2] *Sane illud ipsum quidem est sabbathum Cabalistarum omni tempore sanctificandum in quo non carnis sed animae sequimur voluntatem et meditemur divina, nihil contra deum intendentes quod pro lege omnibus gentibus extat, quoniam ex ipsa natura pullulavit.* fol. LIᵇ.

[3] *Solem comprehendimus per lumen solare, ita divina comprehendimus per lumen divinum.*

körperliche[1]). Jedes in diesen fünf Klassen enthaltene Ding lasse
sich auf 10 Arten erkennen, daraus ergeben sich 50 Pforten.
Die höchste sei Gott, das unaussprechliche Tetragrammaton, die einzige Pforte, die Moses zu schauen verwehrt war, und die nur von
dem Messias erkannt worden[2]), die zweite der in der Weisheit
Gottes geschaffene Himmel, die dritte die Erde, die vierte die Materie, die fünfte der Weltenraum; die übrigen werden gebildet durch
die einzelnen Weltkörper, die Sterne u. s. w.

Der Weg zur Wahrheit führe auf 32 Pfaden von der Spitze
bis hinab in die Tiefe: Licht, Glaube, vollkommene Erkenntniss,
reine Einsicht[3]). Die Zahl der Pfade sei gebildet aus der Zehnzahl
und der Zahl der Buchstaben; letztere zusammen mit der der Pforten, bilden die der 72 Engel, richtiger der 70 Engel und der beiden
Vorsitzenden, des Erzengels und des Feuers. Ihre Namen findet er
aus Bibelversen[4]), und wie er sie gefunden, bricht er in grosse
Freude aus[5]). Sie seien zwar unaussprechlich, aber durch An-
hängung des Gottesnamens אל oder יה werden sie aussprechbar[6]);
durch diese Zeichen und Namen rufen wir die Gottheit an, die Engel
vertheilen sich zu je 8 in die 9 Himmelssphären. Ihre Zahl sei

---

[1]) *Nam aut elementa sunt, aut elementata, aut animae, aut coelestia corpora, aut supercoelestia incorporea.*

[2]) *A nullo homine nisi a Messiha plane cognitus, quoniam ipse est lux
dei et lux gentium, ideoque et cognoscit deum et deus cognoscitur per eum.*
fol. LIII b.

[3]) Reuchlin führt sämmtliche 32 an; man höre einige: 1. *Intelligentia
munda*, 5. *I. fulgida*, 6. *I. resplendens*, 7. *I. inductiva*, 8. *I. radicata*, 9. *I.
triumphalis*, 10. *I. dispositiva*, 31. *I. imaginaria*, 32. *I. naturalis*.

[4]) 2 B. Mos. 14, 19. 20. 21, nämlich so, dass die drei Verse in drei
Reihen unter einander geschrieben werden, und der erste Buchstabe der
ersten mit dem letzten der zweiten und mit dem ersten der dritten verbunden
wird. Die Namen der Engel sind nur dreibuchstabig, vielleicht um dem
Gottes nachzustehen? Die vier ersten sind: עלי, כוי, ירי, הוו; die vier letzten:
מום, הי, יבם, ראה.

[5]) Fol. LVI b: *Eia videte, considerate, contemplamini bene, num hoc
ipsum summa laeticia est, omne huius saeculi gaudium excellens, recordari
sanctos nutus Dei, et divinos vultus quos Hebraei מלאכים, Graeci ἀγγέλους,
Latini Deos nominant, tractare animo et manibus tam puras, tam pias, tam
consecratas res, conversari studiose cum illis candidissimis speciebus, quarum
splendor non nisi perspicacibus generosarum mentium oculis illucescit.*

[6]) Dass das geschehen müsse, folgert er aus dem Verse 2 B. Mos.
23, 21 כי שמי בקרבו.

aber nicht blos eine zufällige durch die Anzahl der Buchstaben und
Pforten gebildete, sie erinnere an den Zahlenwerth des Tetragrammaton [1]); die Engelsnamen setzen endlich den überaus heiligen Gottesnamen zusammen [2]), zu dessen würdigem Preise die Cabbalisten
72 Psalmverse ausgewählt haben [3]).

Grosses Geheimniss ruhe auch in der Zehnzahl (ספירות), 10
Namen für Gott, deren jeder besondere Heiligkeit und Weihe besitze,
jeder ein besonderes Merkzeichen an sich trage. Die drei ersten
seien Vater, Sohn und heiliger Geist [4]).

Bei der Engellehre, zu deren Erschöpfung kaum Bände aus-
reichen würden, wolle er nicht länger verweilen, sondern zur Betrachtung der formellen Cabbalah, jener seit Moses unter den Juden,
selten aber unter den Christen bekannt gewordenen Kunst[5]) übergehen.
Sie zerfalle in drei Theile, 1) in die Umstellung der Buchstaben
innerhalb eines Wortes, um einen tieferen Sinn zu erhalten (Gi-
matria), 2) die Auffassung der Buchstaben eines Wortes, als Anfänge
verschiedener anderer Worte (Notarikon), 3) die Vertauschung der
Buchstaben eines Wortes, so dass für den ersten des Alphabets der
letzte zu stehen kommt u. s. w. (Temurah)[6]).

---

[1]) יהוה. Auf folgende Weise י = 10 + ה = 15 + יהי = 21 + יהיה
= 26 = 72.

[2]) Fol. LIX a: *Haec autem septuaginta duo dicuntur unum nomen sym-
bolicum eo quod intentio illorum sit, unum Deum Opt. Max. significare, licet
per multas et varias rationes Angelorum.*

[3]) Die Verse mitgetheilt hebräisch und lateinisch fol. LIX b, LXI b.
Lateinisch hatten sie schon in De verbo mir. f 5 a fg. gestanden.

[4]) אב, בן und ביה (eigentlich ה, בן). 4. אל die Güte, 5. אלהים Strenge,
6. אתהה geistige Erleuchtung. Auch die übrigen haben besondere Merkzeichen, besondere Mysterien; vgl. *Octavae conveniunt Elohe Sabaoth, Mysterium columnae ac pedis sinistri et Booz, et inde trahitur serpens antiquus,
disciplina Domini, ramus Aharon, Cherub filii Regis, molae molentes et alia.*
fol. LXIII a.

[5]) Bezeichnend ist die Aeusserung im Munde des Juden fol. LXIII b:
*Nonnihil astipulantur etiam sapientissimi Christianorum doctores, quorum plu-
rimos ego, quanquam Judaeus, tamen libenter in aliena castra tanquam ex-
plorator irrepens, legi.*

[6]) גימטריאה (Geometrie) z. B. נישיה für ישייה Ps. 21, 2; מיבאל für מיאבי
2 B. Mos. 23, 23; נישריקק z. B. אבן Jes. 65, 16 = נאבן מיל אדוני. תמורה nach
der sogen. Methode des א' ב' ר' ש'; so מצפץ = יהוה. Nach den Anfangsbuch-
staben der Bezeichnungen für diese drei Methoden hätte Gikatilja sein eines
Werk גנ genannt, was man freilich gewöhnlich mit Garten übersetze. fol.
LXIV a—LXVI a.

I. Nach diesen Methoden ergeben sich allerlei wunderbare
Aufschlüsse: Gott sei der Eine, Unbegreifliche, Unerfassbare, stelle
man die Buchstaben seines Namens um, so erhalte man „den Scien-
den"; betrachte man den Zahlenwerth, so ergebe sich die Frage,
die stets auf Antwort warte: was?[1]). Das Tetragrammaton, das, als
der höchste Name Gottes, auch erst nach vollendetem Schöpfungs-
werke erscheine, und sich manchmal mit andern Gottesnamen verbinde, um diesen höhere Weihe zu verleihen[2]) — Namen, die auch
wieder aus jenem ersten als dem Urquelle abgeleitet seien[3]) —
bleibe heilig, auch wenn es in seine einzelnen Bestandtheile zerlegt
werde: יה, das ist Stärke, Kraft, יהי es war, ויהי es ward; und
könne in verschiedenster Weise umgestellt werden, ohne seine Heiligkeit einzubüssen, wie es schon durch die Bibel bestätigt sei[4]). Die
Umtausch- und Versetzungs-Theorie gebe auf die Frage (Jes. 40, 26)
מי ברא אלה gleich die Antwort, indem es יה (umgestellt für מי) an
אלה setze; zeige, dass Noah der Begnadete sei (נח, חן Gen. 6, 8);
lehre, wie bei dem Schwangerwerden der Rebekka bereits die Pro-
phezeiung des Obadja ausgedrückt sei u. A.[5]).

II. Gegen Antiochus Epiphanes[6]) sei Judas der Sohn des Mat-
tathias aufgetreten, sein Name Makkabi sagte: Wer ist wie Du unter
den Mächtigen, o Herr; zeige doch der Zahlenwerth schon an, dass
der Gottesname darin vorkommen müsse[7]); die Erzählung von Beendigung des Schöpfungswerks schliesse das Tetragrammaton ein u. A.[8]).

---

[1]) היה statt יהוה; מה = 45; יהוה besteht aus יה = 20 + הא = 6 +
ואו = 13 + הא = 6 = 45. fol. LXVIa.

[2]) Vorher heisse Gott אלהים; יהוה צבאות u. a. m.

[3]) אל = 31 d. h. יהוה = 26 + 4 (Zahl der Buchstaben des Gottesnamens) + 1 (der Einheit); durch Zusetzung von ה entstände אלהה, dessen
Plural sei אלהים.

[4]) חיה, היה, ההוה im ganzen 12 Arten. היה wird bezeugt durch 5 B.
Mos. 27, 9 הסכת ושמע ישראל היום fol. LXVIIa.

[5]) Gen. 25, 21: ותהר רבקה אשתו. אשתו = 707 = אש וקש ignis et sti-
pula; nach Obadja V. 18; es heisse ferner, die Lehre sei gegeben in חבמה
= ח׳י, מ׳ם, ב׳ן, ה׳ה = 613 (thalmudisch bestimmte Anzahl der Gebote).
fol. LXVIIb sq.

[6]) Reuchlin sagt fälschlich Eupator. fol. LXVIIIa.

[7]) מכבי = מי כמוך באלים יהוה; מכבי = מ = 40 + כ = 20 + ב = 2 + י = 10
= 72.

[8]) 1 Mos. 1, 31 und 2, 1: יום הששי ויכלו השמים = יהוה; Ps. 1, 4:
רימים בבלים, יונס, מדיום = רבים (קמים עלי) Ps. 3, 1. אמן. לא כן הרשעים (Ro-

Um das Folgende verständlich zu machen, wird eine Tabelle der Buchstaben gegeben mit ihrem Zahlenwerth, jeder Buchstabe habe seine eigene Bedeutung.

III. Jeder der 22 Buchstaben könne ein neues Alphabet beginnen, so gebe es also 22 Arten, wie ein Buchstabe umgetauscht werden könne. Schon diese 22 Alphabete seien Moses von Gott verkündet worden [1]. Das seien die Grundlagen des Glaubens, die heiligsten Zeichen, die daher den Fremden nicht so leicht mitgetheilt werden sollen [2]. So gebe es im Ganzen 242 Buchstabencombinationen, auch diese seien bereits in der Bibel bezeichnet [3]. Durch diese Combinationen erhalte man ausser dem schon besprochenen 72-buchstabigen Namen Gottes, einen von 42, eine Zahl, die aus dem Tetragrammaton hergeleitet werden könnte [4], ein heilig gepriesener Name, der Wunder wirke, wie schon der Prophet Jeremias erprobt habe [5].

Bei anderen Dingen wolle er nicht lange verweilen. Wie er früher die Auseinandersetzung der Engellehre von sich abgewiesen, so wendet er hier sich von der Beschäftigung mit den unheilbringenden Dämonen ab: die Cabbalah ist zu rein und zu erhaben, um bei dem, das Verderben bringt, stehen zu bleiben.

Zuletzt fehlt die Hinweisung auf das Christenthum nicht. Dieselbe Kraft, führt Philolaus aus, die früher nur dem Tetragramma-

---

mani, Babylonii, Jones, Medi). Bei Reuchlin finden sich noch eine ganze Anzahl Beispiele, nur lateinisch, die aber ohne Zuhülfenahme des hebräischen Textes durchaus unverständlich sind; ferner eine Aufzählung dessen, was die einzelnen Buchstaben bedeuten: א = *institutio* (אֹפֶן), ב = *retributio* (בֶּצַע), ג ═ *aquae* (גַּיְם) u. s. w.

[1] Das wird aus בכ geschlossen, 2 Mos. 19, 9, dessen Zahlenwerth = 22.

[2] *Statutum nobis est, arcana legis non dari peregrinis* . . . mit dem interessanten Zusatz: *Sed spero vos haec et alia nostrae gentis boni consulere.* fol. LXXIIIᵃ.

[3] Durch das Wort ברם Ps. 12, 9; unglücklicherweise steht in unseren Bibelausgaben בֹרם, was den Zahlenwerth 260 hat.

[4] יהוה. יוד = 20, + ה ═ 5, + וו ═ 12, + ה ═ 5 ═ 42.

[5] Der 42buchstabige heisst so: תרל גנב תרל לאק גבל בקנ כנב צלב קלד וצק לרו קנו קבק צצה. fol. LXXIVᵇ; daneben ist noch ein einfacher 12buchstabiger zu erwähnen: אב בן וזוה הקודש, der zur Ableitung des 42buchstabigen aussprechbaren dient: אב אלהים בן אלהים רוה הקדש אלהים שלשה באדר אחד ביצלישה. Fol. LXXIVᵇ findet sich die Uebersetzung der schönen thalmudischen Erzählung von der Gotteserscheinung, die dem Propheten Elias geworden.

ton beigewohnt habe, sei nun auf den heiligen Namen: *Jhsvh* übergegangen, und ruhe in seinem Zeichen, dem Kreuze. Simon erinnert
daran, dass der hebräische Ausdruck für Kreuz denselben Zahlenwerth habe, wie das Holz der ehernen Schlange in der Wüste[1]).
Ist es nicht bezeichnend für die richtigere Anschauung, die Reuchlin
im Laufe seines Lebens von der Lebensfähigkeit des Judenthums
gewonnen hat, dass während Baruchias im wunderthätigen Wort
den Thalmud von sich wirft, Simon treuer Jude bis zuletzt bleibt[2])?

Das Werk von der cabbalistischen Kunst schliesst mit einem
Hymnus auf die Cabbalah: es seien in ihr ernste und heilige Dinge
enthalten, nicht ohne Vorbereitung solle man an sie herangehn, mit
würdiger Gesinnung in ihre Wirrnisse einzudringen versuchen. Er
kommt oft darauf zu sprechen, so seltsam diese Dinge auch erscheinen mögen, nicht zieme sich, mit Spott und Hohn ihnen entgegen-
zutreten[3]).

Denn ernst war Reuchlins Streben, Reuchlins Arbeit. Wir
dürfen nicht den Maasstab unserer Zeit an ihn anlegen; wir müssen
versuchen, jene Zeit zu begreifen, in der er lebte. Nicht mit über-
legenem Lächeln sollen wir auf ihn herabsehn. Er ist sehr oft
wol als Schwärmer bespöttelt, gar als Zauberer verhöhnt worden.
Von Zauberei wollte er durchaus nichts wissen; ein Schwärmer war
er. Unklar und mystisch waren seine Gedanken, ihm fehlte die
rechte Durchbildung, zu philosophischer Höhe erhob er sich nicht.

Wieland hat ein schönes Wort über Reuchlin gebraucht: „Er
sprach (zur orientalischen Literatur) das Machtwort: „Stehe auf!
komme herauf, Todter!" Der Todte kam, wie er war, mit Rabbinischen Grabtüchern umwunden, und sein Haupt mit dem Schweiss-
tuch der Cabbalah verhüllet; das zweite Wort war und ist ungleich

---

[1]) צלב = 90 + 30 + 40 ⎫
   עץ = 70 + 90 ⎬ = 160.

[2]) Er scheidet von den Freunden, weil er fortreisen muss, *quoniam
patruus uxorem Ratisponte duxit.*

[3]) Vgl. fol. LXX[a]: *ne sint futuri aliquando qui hanc artem ut tenuem
ac jejunam cavillentur,* oder LXXII[b]: *Elementorum haec viginti duorum
commixtio, nequaquam erit rustice ac indocte intelligenda; omnia enim spiritus
sunt.* Aehnlich LXXIV[a]: *non idcirco despicienda, quod dura sunt et barbara. Nemo enim tam lippis oculis in aspectu sacrorum utatur, ut recondita
contemnat.*

13*

leichter: „Löset ihn auf und lasst ihn gehen!" Und das ist das gelobte Verdienst der Folgezeiten Reuchlins gewesen" [1].

Die Reformation lenkte die Geister in andere Bahnen. Luther, wenn er Reuchlins Werk auch gelesen hatte und benutzte [2]), sprach sich doch sonst in leidenschaftlichster Weise gegen die cabbalistischen Thorheiten aus [3]), und Melanchthons mildestes Wort ist, dass in der Cabbalah neben vielem Phantastischen manches Gute sich finde [4]). Indess auch die ganze jüngere Generation der Humanisten, alle diejenigen, die zu Erasmus' Fahne schworen, beherzigten wol sein Wort, dass ihm niemals Cabbalah oder Thalmud beifällig geschienen [5]) und zogen sich zur Pflege der klassischen Studien zurück. Der gelehrte Johann Trithemius hatte von der Cabbalah nichts gewusst und hatte sich in eigner Weise ein mystisch-philosophisches System gestaltet, der getaufte Jude Ricius, der viele Kenntnisse in der Cabbalah besass, versuchte sie hauptsächlich durch Uebersetzung.

---

[1]) Zu Reuchlins Bilde. In: Der Teutsche Merkur vom Jahr 1777. Erstes Vierteljahr. S. 185. Der ganze Aufsatz S. 177—185 enthält eine schöne Würdigung von Reuchlins Werken.

[2]) In *Duo D. Martini Lutheri Fragmenta philologico-exegetica* hat Joh. Justus von Einem, Helmstädt 1730 aus dem Handexemplar Luthers dessen Randbemerkungen zu De arte cabbalistica abdrucken lassen. Sie sind kaum 3 Seiten gross und ganz unbedeutend, z. B. zur Vorrede: *Laurentius Medices, pater Leonis Pontificis Maximi; in Italiam profectus, Italia primum dicebatur major Graecia. Val. Max. lib. VIII de studio et industria Pythagoraeorum Philosophorum;* nach Val. Max. gleichfalls eine Bemerkung über Pythagoras. Interessant ist die Bemerkung zu fol. 7: *Magistri nostri, Monachi, praedicatores, et inquisitores haereticae pravitatis,* oder fol. 14: *maligni sophistae muscae morientes;* zu fol. 11: ‏תושב‎ .. *habitacula tua,* Dies sind nicht die rechten Cabalae. Zu fol. 50 wird bemerkt, dass der Augenspiegel, zu fol. 67, dass De verbo mir. gemeint sei; vgl. auch de Wette, Luthers Briefe, Sendschreiben und Bedenken, Berlin 1825, I, S. 127.

3) Vgl. namentlich die Schrift: Vom Schem- | hamphoras: Vnd | vom Geschlecht Christi. | Matthei am 1. Capitel. | Wittemberg | MD.XLIIII, wo er sich namentlich über den 72 buchstabigen Namen Gottes, die Zahl der Engel lustig macht. D 2ᵃ, E ᵇ. Dabei verweist er aber nicht auf Reuchlin, sondern auf Antonius Margaritha (gemeint ist wol dessen: Der gantze jüdisch glaub. Leipzig 1531).

4) *Ita inter Cabalas multae sunt bonae sententiae, traditae a majoribus posteritati, sed saepe sunt additi ab aliis sententiae phantasticae.* Postilla Melanthoniana in Corpus Reformatorum ed. Bretschneider vol. XXIV col. 224.

5) *Nunquam mihi neque Talmud, neque Cabala arrisit.* Vgl. auch den in „Das Studium der hebr. Sprache" S. 140 angeführten Ausspruch.

cabbalistischer Schriften zu verwerthen, soweit seine sonstige Beschäftigung — er war Leibarzt des Kaisers Maximilian — es zuliess, — die übrigen Anhänger Reuchlins, speciell die, welche durch ihn zu eigener Beschäftigung mit der Cabbalah angeregt worden sind, lassen sich zählen. Es ist eine eigenthümliche Erscheinung, dass nach Reuchlin und Agrippa von Nettesheim mehr als ein Jahrhundert vergeht, bis unter den Christen die Beschäftigung mit der Cabbalah rege wird, während grade im 16. und 17. Jahrh. dieses Studium unter den Juden eifrig, für die freie geistige Entwickelung leider zu eifrig gepflegt worden.

Denn es war doch wol nur eine absichtliche oder unabsichtliche Täuschung wenn Paul Ricius von der Verbreitung der Cabbalah nach allen Seiten hin sprach, von der Begierde nach ihrer Erkenntniss, die sich aller Gemüther bemächtigt habe, zu deren Befriedigung er nach seinen Kräften auch sein Scherflein beitragen wolle [1]. Es war ein enger Kreis von Männern, in denen die Neigung zu diesen Studien lebte, ohne dass sie selbst produktiv sein wollten oder sein konnten. Der setzte dann wohl, wie Mutian es aussprach, auf Reuchlin seine Hoffnung, er werde das leisten, was Pikus versprochen [2]; oder die Mitglieder des Kreises waren stille Klosterbrüder, Männer, deren eifriges Streben grösser war als ihre Geisteskraft, ein Johannes Quonus, der französische Karthäuserprior, der bitter beklagte, dass er der cabbalistischen Unterredung zwischen Reuchlin und Faber nicht habe beiwohnen können [3]; ein Nikolaus Ellenbog, dem schon der Name Reuchlin genügte, um ihn für seine wissenschaftlichen Arbeiten und Bestrebungen zu gewinnen [4]; der Prior Kilian Leib von Rebdorf [5]. Nur wenige waren bereit, für die Verbreitung der Lehre etwas zu thun, wie Andreas Carlstadt, der

---

[1] P. Ricius in der Vorrede zur Uebersetzung von Joseph Gikatilja's Portae lucis.

[2] Mutian an Reuchlin 1. Oktober 1503. Bemerkenswerth ist, dass Paulus Gireandar in einem Briefe an Reuchlin (1517) nur schreibt: *Expectantur ab omnibus Pythagorica tua.*

[3] Johannes Quonus an Jakob Faber 24. Juli 1514 (Briefsammlung).

[4] Vgl. die Briefe Ellenbogs in der Briefsammlung.

[5] Kilian Leib an Pirckh. 14. Oktober 1519 bei Böcking, Opera Hutteni I, p. 307.

zu Wittenberg über Reuchlins Cabbalistik Vorlesungen halten
wollte [1]); die meisten begnügten sich damit, Reuchlin anzustaunen,
dass er versucht, das geheimnissvolle Dunkel aufzuhellen, und unerschrocken an diese schwierigen Fragen heranzugehn [2]).

Es gab wol Leute, welche die Bücher studirten und dann
bedenklich das Haupt schüttelten. „Beim Lesen schien mir, schreibt
Johann Colet an Erasmus, als wenn die Wunder mehr in den
Worten lägen, als in den Sachen; in den hebräischen Ausdrücken
und Zeichen sollen gar seltsame Dinge enthalten sein. Ach, Erasmus,
der Bücher und Wissenschaft ist kein Ende; nichts besseres gibt es
für dieses kurze Leben, als heilig und rein zu leben, täglich nach
Vervollkommnung und Erleuchtung zu streben, wie uns jene Bücher
lehren"; aber, meint der fromme Mann, das könne doch auf keine
andre Weise geschehn, als durch glühende Liebe und Nachahmung
Jesu [3]).

Wir haben gesehn, die Veredlung, die sittliche Reinigung des
Menschen, war auch das Ziel, das Reuchlin zu erreichen strebte;
das Ziel ist so hoch und rein, dass wir über Dornen und Gestrüpp
am Wege hinwegsehen. Und eben dieses Zieles wegen hätte er
auch zu seiner Zeit Beachtung und Anerkennung namentlich bei
denen verdient, die, als Theologen, die Menschheit zu immer höherer
Stufe heranzuführen als ihre Aufgabe ansahen. Aber zum Theil
trat gerade das Entgegengesetzte ein; statt Anerkennung traf ihn
Anfeindung. Schon sein erstes Werk „vom wunderthätigen Wort"
fand einen Widersacher an Johannes Catalinetus, der vor Margaretha,
Herzogin von Burgund, gegen Reuchlins Werk auftrat. Aber Heinrich
Cornelius Agrippa verstand, es gegen die Angriffe glänzend zu
vertheidigen. Freilich der Angriff hatte mehr dem Agrippa gegolten,

---

[1]) Carlstadt an Spalatin nach 21. Juli 1516.

[2]) Vgl. z. B. den Brief Peter Mosellans Januar 1518 und die viel-
fachen, in Erasmus' Briefen erwähnten Aeusserungen Joh. Fischers auch die
Verse Spalatins, die er in das dem Kloster Posau bestimmte Exemplar der
Cabbalistik schrieb (aus Veesenmeyer bei Mayerhoff S. 214 Anm. angeführt).

[3]) Colet an Erasmus (vor 8. September) 1517 Opp. Er. III, p. 1660
epist. app. CCXLII. Die letzte Stelle sei angeführt: *Erasme, librorum et
scientiae non est finis; nihil melius pro hac brevi vita, quam ut sancte et pure
vivamus, ac quotidie dare operam ut purificemur, et illuminemur, et perficia-
mus, quae promittunt ista Reuchlini Pythagorica et Cabbalistica, sed meo judicio, nulla via assequemur, quam ardenti amore et imitatione Jesu.*

ihn sollte der Vorwurf treffen, dass er die Kirchenlehre verachte,
die Schrift verdrehe, den Rabbinen den Vorzug gebe, ein Judengönner sei, und es klingt, wenn man die Folgezeit erwägt, gar
seltsam, wenn Agrippa sich vertheidigt, er lehre nur aus dem
christlichen und katholischen Buche des christlichen Lehrers Johann
Reuchlin. Freilich damals standen die Gegner noch vereinzelt, und
zu den Vorlesungen über „das Buch vom wunderthätigen Wort"
fehlten nicht Leute von hohem Rang, von grosser Würde und
Gelehrsamkeit [1]).

Wie das Buch „vom wunderthätigen Wort" in seinem Erklärer
mit angegriffen wurde, so erfuhr auch die „cabbalistische Kunst"
eine geharnischte Widerlegung. Der Kämpe, der dagegen auftrat, war
der Ketzermeister Jakob Hochstraten, ein Mann, der, wie wir
später noch erkennen werden, wissenschaftliches Verdienstes nicht
sich rühmen konnte, dessen Hauptcharakterzug der Stolz war, wie
er in dem Titel seiner Schrift schon hervortritt: „Zerstörung der
Cabbalah" [2]). Zuerst habe ihm, gesteht der Verfasser, das Mysteriöse

---

[1]) Vgl. den Brief des Corn. Agrippa an Joannes Catalinetus, London
1510 in H. C. Agr. Opera ed. Lugd. Bat. 1739 II, p. 508—512. Den Brief
Agrippa's in die Briefsammlung aufzunehmen, trage ich Bedenken, weil er
zu lang ist und Reuchlin doch nur mittelbar berührt. Eine Stelle führe
ich hier an: *Artes haereticas Judaeorumque errores non docui, sed christiani
doctoris Joannis Reuchlin Phorcensis christianum atque catholicum librum de
Verbo mirifico inscriptum exposui . . . nec defuerunt auditorio meo viri et gra-
vissimi et doctissimi, tam Dolani parlamenti senatorii ordinis patres venerandi,
quam ejus studii magistri et doctores auditissimi ordinariique lectores . . .*

[2]) *Destructio Ca- | bale . seu Cabalistice perfidie ab | Joanne Reuchlin
Capnione iampridem in lucem | edite. Sactissimo duo nostro Leoni pape de-
cimo | per Reverendu patrem Jacobū Hochstraten , ar- | tiu sacre Theologie
Professorē eximiū . et here- | tice prauitatis . per Coloniā Magūtiū . Treueren. |
prouincias Inquisitore aequissimū . vigilātissimūque ad totius ecclie honorē re-
uerenter dedicata. |*

Opus nouū.
Anno a natali christiano M.CCCCC.XIX.
Editio prima.
aa, dd, ff, hh,kk, mm, oo, qq à 6
bb, cc, ee, gg, ii, ll, nn, pp à 4 Bll.

A. E.: *Impressum è hoc clarissimū . ac vere catholic | opus contra caba-
listicā perfidiī . a Joāne Reuchlin | in luce editū Colonie in edibus Quetelianis.
Anno a natali christiano . M ccccc xix in Aprili.*

und Geheimnissvolle an der Cabbalah gefallen, dann habe er die
jüdischen Irrthümer erkannt und die Gefahr, durch die Cabbalah
zur Annahme des jüdischen Glaubens veranlasst zu werden; da habe
er das Wort: „Wache in allen Dingen und erfülle dein Amt" auf
sich bezogen. Mit einer Uebersicht der Grundsätze des christlichen
Glaubens, die das erste Buch enthält, beginnt das Werk; erst müssen
diese eingeprägt werden, damit Reuchlins Abweichungen davon
besser erkannt werden können. Diese aufzuzählen ist die Aufgabe
der folgenden Bücher (des 2., 3., 4.), in denen zwar auch Wendungen
gegen Andre als Reuchlin vorkommen, und lange Stellen, die dem
eigentlichen Gegenstande ganz fern liegende Dinge berühren [1]). Die
einzelnen Capitel der Bücher enthalten Widerlegungen einzelner
wörtlich angeführter Sätze Reuchlins, dass Adam vor der Erbsünde
keine Offenbarung über die Ehe gehabt habe, dass ihm über die
Verbindung Christi mit der Kirche keine göttliche Willensmeinung
zu Theil geworden sei; in andern wird im Allgemeinen von der
Cabbalah ausgesagt, dass sie die christlichen Glaubenssätze nicht
stärke, sondern deren Wahrheit läugne. Reuchlin wird als ein
Mann bezeichnet, der unter den berühmten sich Sitz und Namen
verschaffen wolle, aber Schmähungen und Ketzerei vorbringe [2]).
Denn geradezu als ketzerisch werden seine Aeusserungen an unzähligen Stellen bezeichnet, es genügt nicht, sie als spitzfindig,
lächerlich und durchaus thöricht an den Pranger zu stellen. Vorwürfe, die uns später noch begegnen werden, macht Hochstraten
auch hier; Reuchlin fälsche die heilige Schrift, um Nutzen für seine
Thorheiten zu gewinnen, fälsche Aristoteles; wende des Hieronymus,
des Dionysius Worte in betrügerischer Weise an; seine cabbala
würde besser eine cacologia genannt [3]).

---

[1]) Z. B. lib. II cap. 5: *contra quendam doctorem, cui plus tum eloquen-
tiae, tum theologicae doctrinae atque Capnioni tribuunt.* Das. Cap. 6—12 enthalten Dinge, die durchaus nichts mit Reuchlin zu thun haben, wie der
Verfasser selbst einsieht. Am Ende des 12. Cap. sagt er: *nunc ergo tempus
est referre pedes ad id a quo digressi sumus instituto, ulteriora detecturi
Reuchlinicae cabalae deliramenta.*

[2]) *Vir quispiam inter claros sedem ac nomen suum collocans viros,
blasphemas, haereses in lucem edens.* aa 4ᵃ.

[3]) Vgl. ff 6ᵇ; mm 5ᵇ; nnᵇ; cc 4ᵇ. Auch auf das Buch De verbo
mirifico wird Rücksicht genommen. gg 4ʰ. — Nur beiläufig sei erwähnt,
dass auch die Dunkelmännerbriefe II, 69 (nach Erscheinen der ars cabbalistica) von der Cabbalah handeln. Der Briefschreiber sagt, er könne in

Der Schrift Hochstratens antwortete Reuchlin nicht. Nur die „offenbaren Lügen derselben" stellte er zusammen und schickte sie einem Freunde zu, wol handschriftlich; wenigstens hat sich im Drucke davon nichts erhalten [1].

Man kann, wenn man die folgenden Ereignisse in Erwägung zieht, als sicher annehmen, dass Hochstraten seine Widerlegung nicht aus wissenschaftlichen Gründen unternahm, sondern dass es ihm nur darum zu thun war, den auf ganz anderem Gebiete begonnenen Streit hierher fortzusetzen. Möglich auch, dass er sich von Reuchlin gereizt glaubte. Allerdings hatte dieser nicht ganz vermocht, in seinem Werke den Gleichmuth völlig zu wahren, wie er echter Wissenschaft ziemt. Er hatte da, mit deutlichem Hinweis auf seine Gegner, von Leuten gesprochen die aussen weiss, aber innen schwarz seien [2]; von Bücherverbrennern, die, nicht damit zufrieden, dass durch Ungunst der Zeiten eine Masse Schriften zu Grunde gegangen sei, in schändlichem Hass und Neid das Wenige, das noch bestände, verderben wollten [3]; von Thoren, die, unbekümmert um den Inhalt, Reden aus eines Juden Mund (es handelt sich um Worte Simons) für verderblich halten, und sich zu hoch dünken, ihnen Aufmerksamkeit zu schenken [4]. Oder thäten sie das wirklich, so geschähe es nur in hässlicher, übelwollender Weise, in ihrer teuflischen Absicht, Aufruhr in der Christenheit zu erregen, gegen friedlich lebende Menschen Schmähungen und Verläumdungen auszustossen [5].

---

keinem Lexikon finden, was „*Gabala vel Gabellistica*" bedeuten solle; aber seine Collegen hätten das Reuchlinsche Buch geprüft, und viele Irrthümer, Zauberei und Ketzerei darin erkannt.

[1]) Reuchlin an Mich. Hummelburg 29. Juni 1519.

[2]) D. a. c. fol. XLVI[b].

[3]) Fol. XIII[b].

[4]) Fol. XXIII[b].

[5]) Den Anlass zu der unten angeführten Apostrophe findet Reuchlin in der von den Gegnern zu 1 Mos. 2, 23 gegebenen, aus Raschi angenommenen Erklärung, dass Adam vor der Verbindung mit Eva sich mit allen Thieren vermischt habe, während Reuchlin diese Erklärung nicht gelten lassen und auch Raschi's Worten nicht diesen Sinn geben will. Dass aber Raschi dies wirklich gemeint hat, ist sicher; vgl. Geiger, Jüdische Zeitschrift, V, S. 58 fg. — Reuchlin bemerkt (fol. VII[b]): *Quibus e verbis proh hominum fidem obtortum scelus malignitate perversorum hominum contigit, si modo sint homines ac non magis diaboli incarnati et larvae furiales existimandi, qui seditia non Christianitatis adversum nos, quamvis secundum*

Schon diese Aeusserungen zeigen uns, dass es Reuchlin nicht vergönnt war, in wissenschaftlicher Musse, wie er es ersehnte, sein Leben zuzubringen. Der friedliche Mann musste zum Krieger werden; die Feder, die nur bestimmt war, wissenschaftlichen Darlegungen zu dienen, zum Schwerte. Dass trotz Kampf und Streit, der seinen Geist mit bangen Sorgen und trüben Gedanken erfüllte, Reuchlin doch sich zu wissenschaftlichen Arbeiten bis an sein Lebensende aufraffte, erhöht bei uns seinen Ruhm. Raubten ihm auch die Mühen und Quälereien der Gegner den Lebensmuth, die frische Heiterkeit, die zur Erfüllung einer grossen Aufgabe so nöthig ist, — sein Name ist glänzender und reiner durch den mannhaften Muth, die unermüdliche Kraft, die edle Gesinnung, die er in diesem welthistorischen Streite bewiesen.

---

leges imperatorum innocenter et pacifice viventes, tamen quolibet genere injuriarum excitare parati, cum saepe alias, tum nuper in ista urbe dicta Magistrorum nostrorum falso interpretati sic exposuerunt (folgt die Erklärung).

DRITTES BUCH.

DER STREIT MIT DEN KÖLNERN.

ERSTES KAPITEL.

DER KAMPF UM DIE BÜCHER DER JUDEN.

Während des Mittelalters waren die Juden in Deutschland wie Parias betrachtet und behandelt. Sie waren rechtlos, der Willkür der einzelnen Kaiser und Landesherrn unterworfen.

Aber selbst beim Ausgange des Mittelalters hatte sich dieses Verhältniss nicht wesentlich geändert. Noch unter Maximilian I. finden sich Judenverfolgungen, die er zwar nicht veranlasste, aber doch nicht verbot. Wie in seinem ganzen Wesen, so war er auch den Juden gegenüber milder, als es seine Vorgänger gewesen [1]); aber ganz der Richtung einer neuen Zeit zu folgen, lag zu wenig in seinem Charakter.

Vor gewaltsamen Maassregeln indess war die nun hereingebrochene Zeit etwas entfernt. Man versuchte die Bekämpfung der Juden mehr auf schriftlichem, auf, wenn man so sagen darf, wissenschaftlichem Wege. Es kann unsere Aufgabe hier nicht sein, alle Bemühungen zu schildern, die von Seiten der Christen gemacht wurden, um die Juden von der Unrichtigkeit ihres Glaubens zu überzeugen, und sie zu bewegen, das Christenthum anzunehmen. Nur die Schriften einiger Männer sollen berührt werden, die uns auch für die Folge von Wichtigkeit sind.

---

[1]) Vgl. meine Abhandlung: Maximilian I. in seinem Verh. zum Reuchlinschen Streit in den Forschungen zur deutschen Gesch. 1869 S. 205—207 und die dort angeführten Stellen.

Reuchlin wurde zum Aussprechen seiner Ansichten über die Juden durch eine praktische Veranlassung bewogen. Ein Edelmann, in dessen Gebiet sich viele Juden aufhalten mochten, hatte sich an ihn gewandt, als an einen Mann, der mit hebräischen Dingen vertraut sei, daher ihm wol auch in seinen Angelegenheiten rathen könne. Seine Bitte ging dahin, Reuchlin möge ihm etwas aufschreiben, „dar inn ir euch zu müssigen zyten mitt ewern Juden möchten ersprachen dar uss kein ergernüss, sunder merklich besserung entstünde."

Das that Reuchlin in einem Schriftchen: „Docter johanns Reuchlins tütsch missive, warumb die Juden so lang im ellend sind"[1]. Darin erklärt er sich gern zur Beantwortung bereit und erbietet sich sogar, aller derer sich anzunehmen, die im rechten Glauben unterwiesen werden wollten, und ihnen zu helfen, dass sie um ihre zeitliche Nahrung keine Sorge zu haben brauchten.

Seine Aufforderung an den Edelmann geht dahin, die Juden an die lange Zeit der Verbannung, in der sie jetzt leben „ob den 1300 jarn" mahnend zu erinnern. Der Grund für diese Strafe, die alle ihnen früher zu Theil gewordenen an Länge und Härte weit überträfe, liege

1. in den Sünden und Missethaten, die schwerer seien als die, durch die ihre früheren Strafen hervorgerufen worden;

2. darin, dass das zu sühnende Verbrechen nicht das Einzelner sei, die Gott nur bis ins dritte oder vierte Geschlecht strafe, sondern die gemeinsame Sünde eines ganzen Volkes „mit allen iren glidern unnd sammlungen, die alle mitt dem willen unnd gunst anhangen der selbigenn sünd, die got an inen straffend ist"[2]);

3. darin, dass die Juden, trotz aller überzeugenden Reden, mit denen man versucht habe, sie von ihrem Irrthume abzubringen, nicht glauben, dass sie gesündigt.

Diese Sünde ist keine andere, als dass die Juden den zu ihnen gesandten Messias, Christus, nicht als solchen anerkannt, sondern

---

[1] Pforzheim bei Thomas Anshelm 1505. 6 Bll. in 4°, zum Theil paginirt, Rückseite des letzten und ersten Blattes leer. Exemplare dieses Schriftchens, das früher als unauftreibbar galt, habe ich in Göttingen, Carlsruhe, Stuttgart gesehen; Weller, Repertorium typographicum, Nördlingen 1864 S. 38 berichtet, dass solche sich auch in Zürich, Neustift und Leipzig befinden. Es ist typographisch genau abgedruckt bei Böcking, Opera Hutteni VI, p. 177—179 mit Auslassung der hebräischen Stellen.

[2] Missive a 2ᵇ.

ihn auf alle Weise mit Lästerungen überhäuft, verspottet, und zuletzt getödtet haben. Zu dieser einmaligen Sünde der Tödtung kommen aber noch die weiteren hinzu, dass sie Christus täglich verspotten, ebenso Gott den Vater, als hätte er keinen Sohn zeugen können und die Jungfrau Maria. Diesen Lästerungen haben sie Ausdruck gegeben in Büchern gegen die Christen, namentlich in dem Buche Nizachon [1]) und in einem gegen die Christen gerichteten Gebete, das sie in ihren Synagogen sprechen [2]).

[1]) Das Buch Nizachon (= Sieg, nämlich des Judenthums) verfasst von Jomtob Lipman, am Ende des 14. oder Anfang des 15. Jahrhunderts setzte sich zur Aufgabe, alle Stellen der Bibel durchzugehen, welche irgend einen Anstoss boten, sei es, dass sie zur Begründung des Christenthums gebraucht wurden, sei es, dass sie Ketzern und Schriftverächtern zum Spott Anlass gaben. Eine Angriffsschrift gegen das Christenthum, wie es Reuchlin hier auffasst, und wie es nach ihm meist aufgefasst worden ist, ist es daher nicht, sondern nur eine Vertheidigung gegen frühere, dem Judenthum geltende Angriffe. In seinem (1510 geschriebenen) Gutachten sagt Reuchlin ausdrücklich, er habe das Buch gelesen, und an dieser Angabe ist schon deshalb nicht zu zweifeln, weil er anderwärts (Defensio contra calumniatores Colonienses 1513 M [b]) eine Stelle daraus citirt. Er mag es in einer Abschrift gesehen haben; zum ersten Male gedrückt wurde es von Prof. Hackspan in Altorf 1644, der sich mit List eine Abschrift des Werkes von einem Rabbiner zu verschaffen wusste; vgl. Wolf, Bibliotheca hebraea (Hamburg und Leipzig 1715) I p. 734 ff. Abraham Geiger, Proben jüdischer Vertheidigung gegen christliche Angriffe im Mittelalter im Deutschen Volkskalender für Israeliten. 3. Jahrg. S. 9 ff. Grätz, Geschichte der Juden VIII S. 76 fg. — Das im Text des Reuchlinschen Schriftchens hinter dem Worte „Nizachon" stehende „und Bruder fol" bezeichnet die Schrift, welche die zwischen Nachmanides und Frater Paulus (Paolo) stattgefundene Disputation 1263 beschrieb. Ueber diese Disputation und die Schrift vgl. Wolf a. a. O. p. 881. Wie wenig man verstand, was Reuchlin hatte sagen wollen, zeigt Pfefferkorn, der, diese Aeusserung in seinem „Handspiegel" (1511) A 4 [b] abdruckend, dafür „und brüderfal" sagt.

[2]) Das Gebet, das mit dem Worte *welameschumodim* anfängt und das Reuchlin hier nennt, war gegen die Ketzer gerichtet, wurde aber von den Christen schon früh als gegen sie bestimmt betrachtet. Die Stelle Reuchlins, auf die viel Gewicht zu legen ist, weil seine Gegner später oft darauf zurückkamen, lautet: „Das ander stuck, das all Juden zu diser zyt, so lang sy Juden sind an sölcher gotzlesterung teilhafftig syen und ein sonder freüd darin haben, als sye etwas zu schand und laster künden erdencken und erdichten ... ist offenbar an allen irem tun und lassen und an irem gewonlichen gebet, auch an iren büchern, die sye wider uns schriben und lesen, alles uss dem buch Nizachon und Bruder fol, auch in dem gebet vleschumadim wol zu merken ist."

Aus diesen Vorwürfen zieht Reuchlin aber nicht die Forderung, die Juden müssten vertrieben oder getödtet werden; er will sie mit Sanftmuth und Milde bekehren. „Ich bitt got, sagt er am Schluss des Schriftchens, er wöll sye erlüchten und bekern zu dem rechten glauben, das sye von der gefencknüs des düfels erledigt werden, als die gemeinschafft der Christenlichen kirchen an dem karfreitag andechtiglich für sye bitt. Und wan sye Jhesuh den rechten Messiah erkennen, so würdt all ir sach gut hie in diser welt und dort ewiglichen amen.“

Die schlimmsten Gegner der Juden waren von jeher diejenigen gewesen, die, als Juden geboren, ihren angestammten Glauben aus irgendwelchem Grunde verliessen, und nun als eifrige Feinde desselben auftraten. Waren sie einigermaassen unterrichtet, so bemühte man sich von Seiten ihrer neuen Glaubensgenossen, sie zum Schreiben zu bewegen; das von ihnen, als genauen Kennern des Judenthums, herrührende Material nahm man gern als untrüglich und unfehlbar an.

Ein solcher Mann am Beginn des 16. Jahrhunderts war Viktor von Karben [1]). Erst im fünfzigsten Jahre war er zum Christenthume übergetreten [2]) und schrieb eine eigene Schrift gegen die Juden, nachdem er schon vorher in einem Religionsgespräch, das der Churfürst Hermann von Köln zur Prüfung seiner Festigkeit im neuen Glauben veranstaltet, die Juden sehr geschmäht hatte. In dieser Schrift tadelte er ihre Anhänglichkeit an das Judenthum als

---

[1]) Er lebte noch 42 Jahre als Christ und starb, 92 Jahre alt, am 2. Februar 1515, s. seine Grabschrift bei Hartzheim, Bibliotheca Coloniensis (Köln 1747) p. 313. Vgl. über Karben Grätz, Geschichte der Juden, IX (Leipzig 1866) S. 77 fg. und die dort angeführten Stellen. Grätz schildert ihn als einen im Talmudischen und auch sonst ziemlich unwissenden Menschen.

[2]) Aus gewinnsüchtigen Motiven hat seine Taufe schwerlich stattgefunden. Wenigstens beziehe ich auf ihn folgendes ziemlich klägliche Bittgesuch an den Kaiser Maximilian: „Ich byn fur ein arme priester, den Uwer k. Mt. hern Bruschenk fur tzehen jaren zu Wurms befolen hait mit eynem gotzlehen zu versehen; ist noch nit geendt. Bidden umb gotzwillen und umb des kristen glauben willen Uwer k. Mt. so ich aller oitmoitlichste kan mich armen priester noch gnediglichen zu versehen; will ich allzyt mit mynen ynnigen gebete gerne verdienen. Victor modo sacerdos olim Judeus.“ O. O. und J. in Chmel: Urkunden, Briefe und Aktenstücke zur Geschichte Maximilians I. (Bibl. des Stuttg. lit. Vereins 1845. X, p. 503.

Wahnsinn, ihre Standhaftigkeit im Glauben als Verbrechen. Dass sie die Christen verfolgen, die getauften Juden verfluchen, den abergläubischsten Gebräuchen und Vorstellungen sich hingeben, setzte er ausführlich auseinander und schilderte die ganze verderbliche Sinnesart zumeist als Folge des Thalmud, den sie als heilig verehrten.

Viktor von Karben fehlte der Fanatismus eines Neophyten nicht, aber er besass nicht Frische genug, um in der Polemik gegen Juden brauchbare Dienste zu leisten. Nachdem er das, wozu ihn sein Fanatismus drängte, veröffentlicht hatte, verstummte er [1]. Aber sein Platz wurde bald wieder ausgefüllt: an seine Stelle trat Johannes Pfefferkorn.

Pfefferkorn war als Jude geboren. Der Ort seiner Geburt ist nicht bekannt, auch was er als Jude gewesen, wissen wir nicht; die Taufe nahm er 1506 oder 1507 in Köln an, wo er seinen ständigen Aufenthalt als Spitalmeister nahm. Er war nicht ohne Fähigkeiten, wenn auch kein Gelehrter. Lateinisch verstand er nicht, aber hebräisch wusste er gewiss soviel, als damals alle Juden kannten, die, welchem Stande sie auch angehörten, von Kindheit an zum Lesen der heiligen Lehre und der ausserbiblischen Schriften in der Ursprache angehalten wurden. Er sagt, er habe die Evangelien ins Hebräische übersetzt, und wenn die Uebersetzung auch nicht mehr vorhanden und wahrscheinlich niemals veröffentlicht

---

[1] Diese — im Folgenden noch mehr zum Ausdruck kommende — Auffassung und Darstellung richtet sich in bewusster Weise gegen die bisher übliche. Karben und Pfefferkorn sind bei sämmtlichen Biographen Reuchlins und in allen Erzählungen seines Streites, vor allem in der letzten — bei Grätz, Geschichte der Juden, Bd. IX — Werkzeuge der Dominikaner. Diese haben den Plan, die Juden aus Deutschland zu vertreiben, ihr Vermögen sich anzueignen; um die Fürsten und alle Einflussreichen für ihren Plan zu gewinnen, suchen sie die Welt durch getaufte Juden zu überzeugen, dass deren frühere Glaubensgenossen für das Verderben reif seien. Man bedenkt bei dieser Auffassung nicht, dass ein Grund für die besondere Feindseligkeit der Dominikaner gegen die Juden durchaus fehlt, dass ferner nicht einzusehen ist, weshalb sie sich der Hülfe solcher Menschen bedienten, deren Stimme doch ohne Zweifel bedeutungsloser sein musste, als wenn gelehrte, in hohen Würden stehende Ordensbrüder gesprochen hätten, und dass endlich getaufte Juden nie einer Partei bedurft haben, die sie vorschob und benutzte, um diejenigen zu verläumden, die sie früher geliebt hatten.

Geiger, Johann Reuchlin. 14

worden ist, so haben wir doch kein Recht, die Angabe ganz zu
verwerfen [1]).

Man hat ihm später viele Schandthaten angedichtet, die er begangen haben sollte, man erzählte, er sei wegen eines gemeinen
Verbrechens in Halle verbrannt worden, und machte Zeichnungen
und Gedichte darüber; da man sah, man habe sich getäuscht,
wünschte man ihm ähnliches Schicksal für die Zukunft, man gab
seiner Frau unzüchtigen Umgang mit den Kölner Dominikanern schuld.

Von diesen Anschuldigungen hat man keine erwiesen, wie so
kam man darauf sie zu erfinden? Er wählte in seiner Streitweise
schlechte Mittel: Verläumdung und Lüge scheute er nicht. Ruhm
galt ihm gleich, er griff schonungslos Gelehrte an, deren Namen
von Deutschland nur mit ehrfurchtsvoller Scheu genannt wurden, er
war ein Fanatiker in des Wortes schlimmster Bedeutung. Und
dann: er war ein Jude; das Odium seiner Geburt klebte ihm trotz
seiner Taufe stets an. So hat man allen Hass, den man gegen
seine Partei empfand, alle Missachtung, die man gegen seinen
Plan hegte, auf seine Person gewälzt, und hat aus ihm ein Scheusal gemacht, dessen Anblick schon erschreckt.

Pfefferkorn hatte sich zur Lebensaufgabe gewählt, die Juden
zu bekehren. Von 1507 an begann er seine schriftstellerische Thätigkeit zu diesem Zwecke. Man hat gemeint, die Autorschaft an
den unter seinem Namen veröffentlichten Schriften ihm absprechen
zu dürfen, — das ist ein Irrthum. Was man zur Stütze dieser Be-

---

[1]) Vgl. über Pfefferkorn überhaupt meine Abhandlung in Geiger,
Jüdische Zeitschrift für Wissenschaft und Leben. VII. Band. S. 293—307,
speciell über die Evangelienübersetzung die Notiz im Serapeum 1868
S. 193—197. — In einem ganz zusammenhangslosen Buche von N. Müller,
Die sieben letzten Churfürsten von Mainz und ihre Zeit, Mainz 1846, wird
S. 77 fg. ein „Ermunterungsgedicht des Abtes von Schönau, Honoratus
Barth, an den papistischen Polemiker, den Pater Pfefferkorn, gegen Martin
Luther", mitgetheilt, von dem als Curiosum die Anfangs- und Endstrophen
hier stehen mögen:

> Flicker, Flecker Pfefferkorn,
> Christus in der Kron' von Dorn,
> Und des heil'gen Vaters Schmerz
> Leuchten Dir ins Heldenherz ...
> Flicker, Flecker Pfefferkorn
> Thut er (Luther) in der Hölle schmorn,
> Rufen wir in Gloria:
> Gott ist stark, Victoria!

hauptung aus seiner Unkenntniss des Lateinischen gefolgert hat, ist nicht stichhaltig, denn, was man bei früherer unzulänglicher Kenntniss des Materials nicht gewusst hat, alle seine Schriften sind in deutscher Fassung und einige nur in dieser vorhanden.

Seine erste Schrift: Der Judenspiegel[1]) soll den Juden ihre Irrthümer zeigen und die Wahrheit des Christenthums erweisen. Die Aufgabe sei nicht leicht, denn es gebe unter den Juden zu viele, die fest an ihrem Glauben hangen, die darum die Evangelien nicht als wahr anerkennen wollen, die in diesen erzählten Wunder für Werke des Teufels halten, die Göttlichkeit Christi, die Jungfräulichkeit Mariä läugnen. Andere hängen an der jüdischen Lehre nur aus Gewohnheit. Sie glauben, dass die Zeit, in der ihr Messias erwartet werden könne, vorüber sei, aber um von ihrer alten Gewohnheit nicht zu lassen, dichten sie den Christen Falsches an. Nur durch schlechte Beweggründe veranlasst, verharren die Dritten in ihrem angestammten Glauben. Da meinen Einige in ihrer Einbildung, nur sie führen ein gottgefälliges Leben, Andere bestimme die Feigheit, einen entscheidenden Schritt zu unterlassen.

Gegen diese Halsstarrigkeit sei eine Abwehr nur darin zu finden, dass man den Juden den Wucher verbiete, sie zwinge, christliche Predigten zu besuchen und ihnen ihre Bücher nehme, die der hauptsächliche Grund ihrer Verstocktheit seien[2]).

Das war Pfefferkorns Programm, das die von ihm angegebenen Mittel, die er später immer ausführlicher beschrieb, immer eindring-

---

[1]) Eine oberdeutsche Ausgabe Nürnberg 1507 (Panzer, Annalen der deutschen Literatur Zusatz S. 106 No. 581 b), eine niederdeutsche Köln 1507 (Weller, Repertorium typographicum Nördlingen 1864 S. 42 No. 369), eine andere daselbst 1508 (Panzer, Annalen I S. 292 No. 611), die mir nicht zugänglich waren. Ich citire nach der lateinischen Ausgabe: *Speculum adhortationis Judaicae ad Christum* a. E.: *Editum Coloniae per Joannem pfefferkorn olim Judeum modo Christianum MCCCCCVII feria tertia post decollationem Joannis baptiste.* 5 Bogen à 4 Bll.; jedes Blatt hat 4 Columnen. Eine zweite lateinische Ausgabe Köln 1508, mit engerem Druck 14 Bll. in 4°.

[2]) Ueber letztere heisst es in der lateinischen Uebersetzung der Schrift: *qui libri ecclesiae christianae magnum et grave damnum et iniuriam attulere, qui adversus Christum Jesum, matrem ejus Mariam virginem, omnes sanctos Dei et secundum carnem et ad temporalia bona appetenda, quaerenda et fruenda omnimodo compositi et ordinati sunt . . . Ac eis modo textum sacrae bibliae quae eis a dco ad salutem animarum tradita est legendum discendumque reliquere.* C 4 col. 2.

14*

licher empfahl, zu denen, nachdem er sah, dass er sie ziemlich erfolglos predigte, noch das vierte Radikalmittel kam: Die Juden zu
vertreiben.

Im folgenden Jahre 1508 erschien seine zweite Schrift: Die Ju-
denbeichte[1]. Sie enthält eine Verspottung der jüdischen Gebräuche an den zehn Busstagen des Herbstmonats (Tischri). Pfefferkorn zählt in ihr alle Ceremonien auf, die absurdesten mit grösstem
Behagen, er will den Christen zeigen, welch lächerlichen Vorstellungen die Juden sich hingeben, die Juden veranlassen das abzulegen,
was den Spott der Gegner hervorruft.

Seine drei Mittel bringt er auch hier wieder vor, am mildesten
ist er in Bezug auf die Bücher[2] am härtesten tritt er gegen den
Wucher auf: er beschwört die Landesherrn, die Juden zu vertreiben,
wenn sie davon nicht lassen wollen.

Er warnt vor der Feindseligkeit der Juden, vor ihren Schlichen:
sie gingen oft zum Christenthum über des Vortheils wegen, und um den
Christen zu schaden; dieselbe Procedur wiederholten sie in verschiedenen Ländern, um endlich doch wieder zu den Juden zurückzukehren.

Neben den Ceremonien der Juden an den Busstagen waren
hauptsächlich ihre Gebräuche an den Ostertagen bemerkenswerth.
Diese zu schildern ist das Osternbuch bestimmt[3]. In langen Aus-

---

[1] Ich haiss ein büchlin der juden peicht. Nürnberg, Hans Weissenburger 1508. 2 Bogen und 2 Bll. in 4°, daselbst auch eine lateinische
Uebersetzung. Eine oberdeutsche, zwei niederdeutsche und eine zweite lateinische Ausgabe erschienen in demselben Jahre in Köln, die lateinischen sind
freie Uebertragungen der wesentlich unter einander übereinstimmenden
deutschen. Die Schriftchen enthalten Bilder, die die Gebräuche der Juden
verspottend darstellen.

[2] warumb war mein getrewer rat nach meinem kleynen verstant,
sulch bücher der flüche von ynnen zunemen in dy nit lassen . . . Und wer
auch den juden nutz, das sy die bücher nit merr hetten, sy wurden der
bösen gewonhait mit der zeit vergessen. A 4ª.

3) In disem buchlein vindet Ier ain entlichenn furtrag, wie die blinden
Juden yr Ostern halten unnd besunderlich wie das Abentmal wirt,
Weiter würdt aussgetruckt, das die Juden ketzer seyn des alten vnd newenn
testaments, Desshalb sye schuldig seyn des gerichts nach dem gesatz Moysi.
'Am Schluss: Diss büchlin hat gemacht vnd geordiniert Johannes pfeffer-
korn vormals ain Jud nun ain crist in dem funfften iar meiner widergeburt.
Aussgangen zu Coln am Rhein Im iar M. cccc vnd ix auf den dritten tag
im Januario. Getruckt zu Augspurg. 14 Bll. in 4°. Ueber die lateinische
Uebersetzung vgl. Wolf: Bibliotheca hebraea III p. 941.

einandersetzungen führt er den Nachweis, dass die Ceremonien geistlich gedeutet nichts sind, als ein Spiegel der christlichen Gebräuche, und ein Zeichen für die Wahrheit des Christenthums [1]). Davon wollen die Juden natürlich nichts wissen, die in eigensinniger Beschränktheit bei ihrem Glauben beharren und gegen die Christen in einer möglichst feindseligen Weise auftreten.

Der in demselben Jahre erschienene Judenfeind [2]) zeigt schon die nähere Verbindung Pfefferkorns mit den Kölner Dominikanern. Ein Epigramm geht voran des Kölner Humanisten Ortuin Gratius aus dem Münsterschen, der sich aus Deventer nannte, zur Erinnerung daran, dass er dort seit seiner frühesten Jugend gelebt hatte und in der trefflichen Schule des Alexander Hegius erzogen worden war [3]). Gratius war ein nicht ganz ungebildeter Mann, der sich in der äussern Form seiner Schriften und dem gelehrten Aussehen, das er denselben zu geben versuchte, durchaus als Humanisten gerirte, aber in seinen Ideen noch nicht über den Scholasticismus des Mittelalters sich erhoben hatte, und der eben als Eindringling in den exclusiven humanistischen Bund von den Gliedern desselben später in erbarmungsloser Weise angegriffen werden sollte. Er ist uns als besonderer Feind der Juden, als welchen er sich hier in seinem Gedicht „über die Hartnäckigkeit der Juden" kundgibt, auch sonst bekannt, Pfefferkorn sagt es in dem Widmungsschreiben der uns vorliegenden Schrift [4]); einige Gedichte Ortuins die gegen die Juden gerichtet sind u. A. werden später zu betrachten sein.

---

[1]) Schon in der Einleitung sagt er: Dan der Juden Ostern ist anderst nit, dan ein figur und anzaygung unser ostern, gibt auch dem christlichen glauben gezeugnis (A 1 b).

[2]) Deutsch erschienen Januar 1509, s. Panzer I S. 303; dasselbe in lateinischer Uebersetzung, unter dem Titel: *Hostis iudeorum hic liber inscribitur qui declarat nequicias eorum circa usuras et dolos etiam varios qui in hunc usque diem noti christianis non fuerunt. Habet etiam in se hebraicas sententias, ut ceci et maledicti iudei tanto apertius vel ex suis scripturis confundantur.* Köln.*Mense Martii* 1509. 3 Bogen in 4°.

[3]) *Ortuini Gratii Epistola apologetica* nach den *Lamentationes obscurorum virorum* (ed. Böcking. Leipzig 1864) p. 342 sq.

[4]) An den Erzbischof Philipp von Köln *tertio kal. Martius* 1509: *qui* (Ortuin) *etiam multa contra Judaeos et maxime in tuum honorem alio in loco conscripsit.* Grätz, der (IX, Noten S. XI) auf diese Stelle bereits aufmerksam gemacht hat, bezieht dies auf die judenfeindliche Schrift von Viktor von

Auch an den Erzbischof von Köln wendet sich Pfefferkorn in
dieser Schrift, er bittet ihn um Schutz gegen die Juden: sie seien
durch seine Schriften im höchsten Grade gereizt, stellen ihm auf
jede Weise nach und suchen ihn aus dem Wege zu räumen.

Das Schriftchen bemüht sich, die Schlechtigkeiten der Juden
gegen die Christen herzuzählen; ihre tägliche Beschimpfung Christi,
die Anrede: Teufel willkommen, den sie gegen die Christen brauchen [1]),
der Wucher, mit dem sie dieselben aussaugen, ihre Beschäftigung
mit der Arzneikunst, wodurch sie absichtlich die Christen zu Grunde
richten, die leichtsinnig genug sind, ihren Händen sich anzuvertraun,
obwohl sie doch wissen könnten, dass die Juden geschworene Feinde
der Christen sind [2]).   Denn sie versuchen, nicht nur die Christen

---

Karben, „die eigentlich Ortuin Gratius zum Verfasser hat", richtiger geht es
wol auf den Brief des Ortuin an den Erzbischof von Köln (8. Februar
1509), der allerdings in Karbens *Opus aureum* zu finden ist.

[1]) *Si quando Christianus Judeum adeat ille, cum eum excipit, specie
benivola inquit ancipiti verbo teutonico. Seth wilcom, quod est: sathanas venisti
bene et grate, quum seth significet diabolum, quamvis vox alludat ad „sis"
verbum* (A 4ᵃ). Gegen diese Beschuldigung mag es wol am Platze sein,
einige Worte Reuchlins aus dem Augenspiegel anzuführen (C 1ᵇ): Ich ge-
schweig ietzund anderer wörter in dem selben büchlin, die villeicht uss
unverstentnus nit recht geteutst sind, als so sy wölten ainen cristen zu haus
oder uff der gassen empfahen, und sagten: Seit wilkum, sagt der buchlichter:
sie sprechent, Sed wilkum, alls solt es bedeutten deüfel wilkum. Das kan
nach rechter grammatica der hebraischen sprach nit sein, dan שׂד, so es
ainen teüfel haisst, hat es ainen puncten uff der rechten seitten des buchstaben S (also so שׂד), darumb wirt es für sch gelesen: sched. Das kan ain
iegklicher bawer mercken, wann sie sprechen: Sched wilkum, das es nit sei
alls seit wilkum, dan sched ist dem seid gantz nit gleich, darumb sind es
entten beding, des gleichen ander kindswerck dienet nit zu disem ratschlag.

[2]) Zwar gibt auch Pfefferkorn zu, dass *nonnulli inter iudeos fuere qui
multa in ea (sc. medicina) calluere, qui et doctrine sue documenta libris ad
posteros tradidere, ut rabi Moyses et Isaac et si qui sunt alii* (B 3ᵃ), aber sein
Gesammturtheil wird dadurch nicht gemildert. R. Moses ist die gewöhnliche Abkürzung für Moses Maimonides (1135—1204), als Philosoph, Sprach-
kenner und Arzt berühmt. Seine medicinischen Schriften sind zusammengestellt bei Steinschneider, Catalog. libr. hebr. S. 1917—1932. Isaak ist
die übliche Bezeichnung für Isaak ben Salomo Israeli, der im 10. Jahrhundert blühte; über seine medicinischen Schriften vgl. Steinschneider
a. a. O. S. 1113—1124 No. 5354. Pfefferkorns Urtheil über diesen Punkt
hat sich später etwas gemildert; er betont wenigstens mehr die Schädigung
der geistigen, als eine Vernichtung der körperlichen Gesundheit: Also ist
es auch myt den selben Christen, die sich an die Juden schlahen, is sey mit

körperlich zu verderben, sondern auch geistig zu schädigen, die Kinder durch Schmeicheleien vom Christenthum abzuziehn und die Aelteren durch gelehrte Disputationen zu überzeugen, dass ihr Messiasglaube ein unrechter sei. Sein flehentlicher Wunsch sei, die Juden möchten zur Einsicht kommen, und, wie er es gethan, einen Irrglauben ablegen, aus dem ihnen nur Verderben erwachsen könne.

Aber Pfefferkorn sah wohl ein, dass er mit dieser schriftstellerischen Thätigkeit, so fruchtbar sie auch war, schwerlich zu einem Ziele gelangen würde. Wir haben schon in seiner letzten, eben besprochenen Schrift seine Annäherung an die Kölner bemerkt; wie sie zu Stande gekommen ist, lässt sich nicht entscheiden, vielleicht hat ihn das Gefühl seiner Isolirtheit, das Bewusstsein, so lange er allein stände, seine Pläne nicht verwirklichen zu können, bewogen, diese verhängnissvoll gewordene Verbindung einzugehn.

Die Dominikaner witterten von jeher in Handlungen und Schriften Ketzerei, in Deutschland beanspruchten sie seit dem Ende des 15. Jahrhunderts das ihnen durch päpstliche Vollmacht übertragene oberste Censurrecht; jedes auf Unterdrückung einer ihnen entgegengesetzten Meinung, einer ihnen feindlichen religiösen Partei gerichtete Unternehmen mochte von vornherein auf ihren Beifall rechnen. Pfefferkorns Bestreben, die Juden zu bekehren, mögen sie gleich, als dasselbe begann, ebenso gebilligt haben, als die Mittel, die er vorschlug, unter denen die Unterdrückung der Bücher eins der wesentlichen war und jedenfalls das, was am leichtesten ausführbar erschien.

Freilich auch dem geistlichen Orden war es nicht möglich, selbstständig in dieser Angelegenheit vorzugehn. Dazu bedurfte es weltlicher Hülfe. Die Juden des deutschen Reiches waren noch vom Mittelalter her kaiserliche Kammerknechte, der Kaiser hatte über ihr Eigenthum zu verfügen: er musste gefragt werden.

Kaiser war damals Maximilian I. Wir haben gesehn, wie er, leicht zugänglich den Einflüsterungen von Jedermann, in seinen Gesinnungen und seinem Verfahren gegen Juden schwankend war. Pfefferkorn reiste zu ihm hin. Auf dem Wege machte er

---

Ertzenie oder sunst; und wiewol, vyllicht, des Juden kunst und ertzenie suss und guth ist, doch sein natur, wie er den Christen tzu nechst glauben raytzen mag, und also machen sie manichen an den lieb gesunt und an der sele toten sie ynn des ewigen todes. (In lob und eer etc. [1510] F 1ᵇ fg.)

Halt.   Er gewann für seinen Plan Kunigunde[1]), die Schwester
Maximilians, die Wittwe Herzog Albrechts IV. von Baiern, zu der
er, da sie sich nach dem Tode ihres Gemahls einer frommen
kirchlichen Richtung ergeben hatte und Nonne geworden war, durch
Briefe der Predigerklöster von Mainz, Oppenheim, Heidelberg,
Ulm und München leichten Zutritt erhielt[2]), wurde von ihr mit
Empfehlungsbriefen an ihren Bruder ausgerüstet, und glaubte sich
so von vornherein eines guten Empfanges gewiss.   .

Darin täuschte er sich nicht: es gelang ihm bald das zu erreichen, weswegen er zum Kaiser gekommen war.   Er erhielt eine
Urkunde[3]), ausgestellt „in unserm kayserlichen Heer bey Badua" —
der Kaiser lag im Krieg gegen Venedig — 19. August 1509 und
gerichtet an alle Juden des Reichs.   Sie befiehlt ihnen, alle ihre
Bücher, die gegen den christlichen Glauben gerichtet seien oder
auch ihrem eigenen Gesetze zuwiderliefen „unserm diener unnd des
Reichs getreuwen Johansen Pfefferkorn — als aynem wolgegrundten
unnd erfarn Eurs glaubens" vorzuzeigen, diesem wird das Recht
gegeben, „dieselben alle, doch an yedem ort mit wyssen, rat, unnd
in geghenwertigkait des pastors oder pfarrers, auch twayer vom Rat
oder der Oberkait, von euch zu nemen und zu undertrucken."
Allerdings, es war ein Zugeständniss der grössten Art, denn die

[1]) Auf diesen Punkt hat zuerst Grätz aufmerksam gemacht IX, S. 86 fg.
und Noten S. XXIII ff.   Pfefferkorn sagt: als ihr Gemahl Albrecht Todes
halber abgegangen ist, sie in die dritte Regel Sanctae Francissin eingetreten
ist.   In lob und eer dem kayser. B 1a.   *Wilhelmi ducis Bavariae mater, filia
Friderici quondam Imperatoris IIII, soror Maximiliani Caesaris, mulier Christo
devotissima, duce Alberto marito, anno Nicolai abbatis II (1508) mortuo religionem sororum de III regula S. Francisci Monacensi oppido intravit, habitum
griseum petiit, in quo et manet deincepsque manebit.*   Trithemius, Chronicon
Sponheimense zum Jahre 1510.   Freher II, p. 453 sq.

[2]) Streydtpuechlyn f 2b.

[3]) Sie ist erhalten in Pfefferkorns Schrift: In lob und eer dem kayser
Maximilian (1510) Cap. 3, in seinem Streydtpuechlyn (1516) A 3b—A 4b;
daraus abgedruckt in Weislinger, *Huttenus delarvatus* p. 18—22; eine
lateinische Fassung gibt Pfefferkorn in der Uebersetzung der erstgenannten
Schrift.   Es ist kein Zweifel, dass in dieser und allen folgenden kaiserlichen
und erzbischöflichen Urkunden die deutsche Fassung die originale, die
lateinische die Uebersetzung war.   Reuchlin legt auf diesen Umstand besonderes Gewicht an vielen Stellen seiner Briefe, seines Augenspiegels und
seiner Defensio.   Es ist übrigens auch sonst bekannt, dass das Deutsche
damals schon die officielle Kanzleisprache geworden war.

beiden beschränkenden Bedingungen, die der Vollmacht für Pfefferkorn, beigefügt waren, bedeuteten so gut wie nichts. Die verlangte
Gegenwart der geistlichen und Rathspersonen konnte höchstens
Gewaltthätigkeiten und formale Unregelmässigkeiten verhindern;
unter die Rubrik von christenfeindlichen Büchern und solchen, die
dem jüdischen Gesetz im Ganzen oder einzelnen seiner Lehren zuwiderliefen, konnte Pfefferkorn, dem die Entscheidung hierüber allein
überlassen war, Alles setzen, was ihm beliebte.

Von der ihm gegebenen Vollmacht suchte Pfefferkorn aus-
giebigen Gebrauch zu machen. Doch bemühte er sich Hülfe dazu
zu gewinnen. Bei seiner Rückkehr zeigte er seiner Gönnerin
Kunigunde das erhaltene Mandat „dar ynne sie sunderliche freudt
entpfangen hat[1]), und sprach bei Reuchlin in Stuttgart vor. Eine
Ermächtigung vom Kaiser, letzteres zu thun, hatte er nicht, möglich, dass er ihn zum Rechtsbeistand haben wollte, — als solcher
hatte ja Reuchlin lange bei den Dominikanern fungirt, — möglich, dass
er durch die Zuziehung des Gelehrten, der die Kenntniss der
hebräischen Sprache wiedererweckt hatte, seiner Sache ein wissenschaftliches Gepräge verleihen wollte.

Aber er konnte von Reuchlin nicht erlangen, dass dieser ihn
bei seiner zur Konfiskation der jüdischen Bücher bestimmten Reise
begleitete[2]). Es sei zwar nützlich und löblich, gegen die Schmach-

---

[1]) In lob und eer . . . dem kayser Max. B 3ᵈ.

[2]) Reuchlin sagt ausdrücklich (Augenspiegel Aᵇ), nach Analyse des
ersten kaiserlichen Mandats, Pfefferkorn habe ihm dasselbe ins Haus gebracht „mit bit und begern . . . das ich dann wölt mit im hinab ann den
Rein reitten, im das helffen wider die Juden volstrecken", was sich nur auf
die Rückreise vom Kaiser nach Erlangung des ersten Mandats beziehen kann, also Ende August oder Anfang September 1509. Dem Berichte
Reuchlins aus dem Jahre 1511 steht ein 5 Jahre späterer Bericht Pfefferkorns entgegen, wonach er bei der zweiten Hinreise zum Kaiser Reuchlin gesprochen hätte: *Et illo tempore erat Caesarea Maiestas in Italia, cuius
absentia cogebar per Sueviam proficisci, et inter proficiscendum contuli me ad
Stutgardianam civitatem, in qua doctor ille Reuchlin habitat, volens ab eo
audire et experiri ipsius consilium, quid ad hoc negotium diceret.* Defensio
contra famosas O. v. epistolas (1516) ed. Böcking 1864 p. 13. Aber dem
Berichte ist nicht zu folgen, auch was ihm Reuchlin gesagt, verdreht er
absichtlich. An einer andern Stelle sagt Pfefferkorn: *Quo cum venissem me
humanissime tractavit et de meo adventu gavisus fuit et quod amplius est, me
instruxit, quidnam facere deberem apud imperatorem sicut ipsius chirographo
probare possum* (a. a. O. p. 71). Das entspricht dem Reuchlinschen Bericht

bücher vorzugehn, meinte Reuchlin, das Pfefferkorn gegebene Mandat
habe aber etliche rechtliche Mängel und Gebrechen. Die zeichnete
Reuchlin ihm nach Verlangen auf.

Pfefferkorn liess sich durch die Weigerung nicht abschrecken
und ging nach Frankfurt[1]. Diese Stadt besass zu jener Zeit
vielleicht die wohlhabendste und zahlreichste Judengemeinde Deutschlands, hier war gewiss auch für jüdische Bücher, soweit daraus
schon damals ein Gegenstand des Handels gemacht wurde, der
Hauptverkehrsplatz. Durch den Rath, der ihm, als kaiserlichen
Bevollmächtigten, die gebührende Ehre erwies, erlangte er leicht
die Konfiskation vieler Bücher trotz des Widerspruchs der Juden,
die, das Gefährliche der Maassregel von Anfang an wohl erkennend,
sich gleich damals' beschwerend an den Rath und den Kaiser
wandten. Dieser Widerspruch bezog sich ohne Zweifel darauf, dass
Pfefferkorn alle Bücher ohne Unterschied konfisciren wollte, während
das Mandat, das er als Autorisation dafür vorzeigte, nur auf
Schmachbücher lautete. Den Vorstellungen der Juden gab freilich
der Rath kein Gehör.

Noch ehe die Frankfurter Angelegenheit beendet war, die von
vornherein sich etwas in die Länge zu ziehen schien, hatte Pfefferkorn sich nach andern Städten gewandt und eine Konfiskation der
Bücher in Mainz, Bingen, Lorch, Lahnstein und Deutz vorgenommen[2]. Dann kehrte er nach Frankfurt zurück. Da fand er
eine Einsprache vor, die er schwerlich erwartet hatte. Der Mainzer
Erzbischof Uriel von Gemmingen hatte seiner Geistlichkeit ver-

---

(Augenspiegel A b): „da schrib ich im die selben stuck uff ain zedelin ab
ainem bappier gerissen", der hinzufügt: „dar durch er nit gedechte, ich wölt
inn uffsetzlich vom gemeltem kaiserlichen mandat abzeston als ainen unver-
stendigen gern uber reden, unnd uff das er mir hinderwerts nit möcht nach
reden, ich het annders mit im geredt, dann an im selber war were." Ueber
diese Zusammenkunft sagt Reuchlin an einer andern Stelle (Augenspiegel
fol. XXXIX b): „so hab ich in dannoch inn meinem huss gütlich gewarnet,
zu lügen, das er selbs ain guter crist sei."

[1] Die Thätigkeit Pfefferkorns in Frankfurt habe ich nach den Quellen,
namentlich nach den Frankfurter Bürgermeisterbüchern im Frankfurter Archiv,
behandelt im Archiv für Frankfurts Geschichte und Kunst 1869 S. 208—217.
Dort finden sich Belegstellen und nähere Ausführungen des im Text
Gesagten.

[2] Pfefferkorns handschriftl. Brief an Geistliche und Weltliche (1510) s. u.

boten, sich mit der Angelegenheit weiter zu befassen, bevor sie nicht dazu von ihm besondern Befehl erhalten hätte.

Der Erzbischof Uriel von Gemmingen war ein nicht ungebildeter Mann, er hatte studirt, war Doktor der Rechte geworden, hatte Geschmack an der Literatur, stand mit Gelehrten in Verbindung; als er starb, beklagte Mutian seinen Tod[1]. In Ernst und Strenge verwaltete er sein Amt (26. Sept. 1508—11. Febr. 1514), sah auf Ordnung in seinem Sprengel, erwirkte für seine Geistlichen eine Bulle gegen die Häufung der Pfründen, nahm Prüfungen vor über Leben und Lehre seiner untergebenen Priester. Milde scheint er gegen die Juden gewesen zu sein. Sie durften im Mainzer Gebiet seit einiger Zeit nicht wohnen, er nahm sie wieder auf, ernannte den jüdischen Arzt Beifuss, dem er seinen Wohnsitz in Wiesenau anwies, zum Richter über sie[2]. Aber er, der in seinen Grundsätzen so ruhige Mann, liess sich hinreissen, konnte jähzornig werden. In Aschaffenburg, seinem gewöhnlichen Aufenthaltsort, ertappte er seinen Kellermeister beim Weinstehlen, da schlug er ihn nieder. Dann eilte er von dannen, liess sich, von Gewissenspein gefoltert, in Sturm und Wetter über den Rhein setzen und starb in Folge davon[3].

So war der Mann, der in unserer Angelegenheit noch eine ziemlich bedeutende Rolle zu spielen hat. Um seine thätige Mitwirkung zu erlangen, reiste Pfefferkorn zu ihm. Er mochte, wie die Zukunft lehrte, mit den Plänen Pfefferkorns wol in Uebereinstimmung sein, aber er wollte nicht, dass in seinem Sprengel mit Umgehung seiner Autorität ein wichtiger Schritt vorgenommen würde[4]. Auch mochte die Formlosigkeit, mit der Pfefferkorn zu

---

[1] Mutians Brief in Tentzel Supplementum historiae Gothanae p. 174: *Deflevi fatum repentinum Pontificis prudentissimi.*

[2] Zum-Rabi, Hofmeister und Corrigiereren, er soll Recht sprechen allen und ieden Juden, mann und fraw, in unserm Cresam und Stift, so weit der langet. Vgl. (neben dem Werk von Johannes, s. u.) Gudenus, Codex diplomaticus IV p. 580 (Grätz IX S. 153).

[3] Ueber Uriel vgl. Ge. Christ. Joannis Rerum Moguntiacarum Tomus I (in fol. Frankfurt 1724) p. 818—823. Hennes, Bilder, aus der Mainzer Geschichte. Mainz 1857. S. 296 fg.

[4] Nach der im Text auf Grund des Frankfurter urkundlichen Materials gegebenen Darstellung ist die Erzählung Pfefferkorns, der Erzbischof habe ihn nach Aschaffenburg rufen lassen und ihn auf einen Formfehler

Werke ging, dem Erzbischof nicht behagen. Ein Geschäft von
solcher Wichtigkeit und Tragweite in die Hände eines Mannes zu
legen, der auch selbst gar wohl wusste, dass er an Gelehrsamkeit
den Meistern bei weitem nachstand, war ein starkes Stück, vielleicht
sprach der Erzbischof, im Gegensatz zu der beabsichtigten summarischen
Verfahrungsweise, von einem auf regelmässigem Wege herbeizu-
führenden Urtheil und der Zuziehung gelehrter Männer. Pfefferkorn nannte Reuchlin, der Erzbischof verlangte als dritten Viktor
von Karben [1]).

Um diese Privatübereinkunft zum Beschlusse zu erheben, musste
ein neues Mandat vom Kaiser erwirkt werden. Dem Frankfurter
Rath wurden die konfiscirten Bücher zur einstweiligen sicheren
Aufbewahrung übergeben, Pfefferkorn reiste zu Maximilian [2]). Der
kaiserliche Befehl, den er erwirkte und mit dessen Abfassung der
Kaiser seine Räthe Hans Reinhart und Gabriel Vogt betraute [3]) —
datirt Roveredo 10. Nov. 1509 [4]) — war an den Erzbischof von
Mainz gerichtet. Er rekapitulirt den Inhalt des ersten Mandats, billigt die auf Grund desselben erfolgte Thätigkeit Pfefferkorns in Frankfurt, trotz des Widerspruchs der Juden, „dairumb
wyr uns darin yn unser straff geghen ynen vorbehalten wollen“,
und will nur die durch den Wortlaut des Mandats nicht gerecht-
fertigten Ausschreitungen rückgängig gemacht wissen. Damit die
Juden keinen ferneren Grund zur Beschwerde haben, in ihren
Rechten und Privilegien nicht gekränkt werden sollen, übergibt der

---

aufmerksam gemacht, Def. p. 12, dem Grätz in seiner Darstellung gefolgt
ist S. 88, zu berichtigen.

[1]) Defensio p. 12.

[2]) Im Gegensatz zu der im Text gegebenen unzweifelhaft richtigen
Erzählung steht ein anderer Bericht Pfefferkorns (Ein mitleydliche claeg
1521 C 4ª): Und als darumb, so bin ich uff Dein (Reuchlins) begert und
unterweysung zu dem Kayser in Italien gereysst.

[3]) Streydtpuechlyn B ij b.

[4]) Das Mandat ist in seiner deutschen Originalfassung erhalten in
Pfefferkorn, Zu lob und eer dem kayser Maximilian A 5 b, 6ª und Beschyrmung B 2 b—B 4 b, die unter einander nur geringfügige dialektische
Verschiedenheiten bieten; die lateinische Fassung in den Uebersetzungen
beider Schriften schliesst sich dem Sinne nach ganz getreu der deutschen
an, und findet sich in der letzteren (Defensio p. 14 .. 18) der Passus: Was
bucher aber erfarn, die weyter sulcher gestalt und ueber unser mandat
genomen warn, oder dar uff nach angezeygt unnd furgenomen wurdt, das selb
abstellest“ unübersetzt, allerdings eine, wie es scheint, tendenziöse Auslassung.

Kaiser dem Erzbischof die Leitung der ganzen Angelegenheit. Zur
Entkräftung der Einrede der Juden „die zo uns gesant, als ob
Johannes Pfefferkorn der sachen niet verstendig (sei)", wird der
Erzbischof beauftragt, auf einen bestimmten Tag Gelehrte von den
Universitäten in Mainz, Köln, Erfurt und Heidelberg, ferner den
Ketzermeister Jakob Hochstraten von Köln, den Priester Viktor von
Karben und Johann Reuchlin aus Stuttgart zu sich zu berufen.
— von einem Einholen von Gutachten ist hier also nicht die Rede
— „daruff die Judischeit von Frankfurt fur dich und die selben
erfordest. die bucher, so ynen in nechster handelung genomen syn,
auch die jhen dar Pfefferkorn uff nach anzeygen thun wurdet, er-
kundest und erfarest"[1], und die als rechtmässig erfundenen Konfiskationen Pfefferkorns zu bestätigen.

Einen unmittelbaren Erfolg hatte dieser kaiserliche Befehl nicht;
die Gelehrten wurden nicht zusammenberufen. Bemerken wir, dass
ausser den zwischen Pfefferkorn und dem Erzbischof vereinbarten noch
Gelehrte von vier Universitäten sich befanden und der Ketzermeister
Jakob Hochstraten von Köln. Hochstraten war kein Deutscher.
Aus dem Städtchen Hoogstrat in Brabant gebürtig, woher er seinen
durch die Nachlässigkeit oder Absichtlichkeit der gerade in der
Namensschreibung sehr willkürlichen Zeitgenossen viel veränderten
und verstümmelten Namen ableitete, war er erst, nachdem er in
Löwen studirt hatte und 1485 daselbst Magister der freien Künste
geworden war, nach Köln gekommen, war in den Dominikanerorden
getreten und hatte sich der Theologie ganz zugewendet. 1507 war
er Ketzermeister geworden, die ersten Sporen in seinem neuen Amt
hatte er sich gegen den italienischen Rechtsgelehrten Petrus Ravennas verdient, der bei seinen mannigfachen Fahrten durch Deutschland auch nach Köln gekommen war und die ungemessene Begeisterung, die ihm bei seiner Ankunft gezollt worden war, bald

---

[1] Dasselbe gibt auch die lateinische Uebersetzung wieder: *insuper
Judaeos de Franckfordia ad te . . accersus, ut libros . . evolvas et perpendas.*
Der Sinn ist ganz klar: die Juden sollten nur das thun, was ein geschrie-
bener Catalog der Bücher auch hätte leisten können; nicht etwa, was Grätz
meint, Noten S. 26: „Die Juden sollten also in der sie so tief berührenden
Frage wenigstens auch gehört werden." Das geht auch aus dem vierten
Mandat hervor, wo dem Erzbischof gestattet wird, ausser den genannten
Gelehrten noch andere nach seinem Gutdünken hinzuzuziehen, nur mit der
Beschränkung: die nit Jüden sind.

mit heftiger Verfolgung hatte vertauschen müssen [1]). Dann gab er in seiner neuen Amtsthätigkeit in dem Vorgehen gegen Reuchlin und später gegen Luther noch mannigfache Proben seines Eifers. Er war nicht ohne geistige Gaben, von ziemlicher dialektischer Schärfe und klarem Verstande, seine Kühnheit, die man so bezeichnete, „dass er vor einem Fürsten nicht zurückschreckte und von keinem Worte sich besiegen liess“, machte ihn leicht zum verehrten Haupte seiner Gesinnungsgenossen, wurde von seinen Gegnern aber als Frechheit und Unverschämtheit gebrandmarkt [2]).

Es ist nicht erkennbar, ob die Hereinziehung dieses Mannes und der übrigen Gelehrten aus der Initiative des Kaisers hervorging oder auf den Rath Pfefferkorns erfolgte. Der Erzbischof hatte jedenfalls von ihnen nicht gesprochen, man darf aber deshalb die Maassregel nicht als eine gegen ihn gerichtete ansehn. Die Juden freilich waren mit ihren Klagen abgewiesen worden, die Gesandten, welche sie gleich nach Beginn der Konfiskation an den kaiserlichen Hof geschickt hatten, will Pfefferkorn daselbst getroffen und ihre Bemühungen vereitelt haben [3]). Nun verdoppelten sie beim Frankfurter Rath ihre Anstrengungen, der, nachdem das zweite kaiserliche Mandat bei ihm eingelaufen war (27. December 1509), sich gern der ganzen Sache entledigt hätte, aber er hielt sich, wenn auch in humaner Gesinnung, doch streng an die erhaltenen Befehle gegenüber den Anforderungen der Juden und fremder Landesherrn [4]). (Januar, Februar 1510).

Da zeigte sich Pfefferkorn wieder in Frankfurt. Mit dem Delegirten des Erzbischofs von Mainz, Herman Ortlieb [5]) nahm er

---

[1]) Ueber Petrus Ravennas, den Reuchlin später als seinen Vorgänger im Hasse der Kölner oft bezeichnete, vgl. Muther, Aus dem Universitäts- und Gelehrtenleben im Zeitalter der Reformation. Erlangen 1866 S. 95—128 und die Aufzählung seiner Schriften das. S. 371—395.

[2]) „*In diebus suis non pertimuit principem nec superavit illum verbum aliquod*“, angeführt bei E c h a r d, Scriptores ordinis Praedicatorum, dessen werthvolle Biographie Hochstratens vol. II p. 67—72 auch sonst zu vergleichen ist. Die jüngst erschienene Schrift: H. C r e m a n s, De Jacobi Hochstrati vita et scriptis. Bonn 1869 bringt für das Ende unseres Streites neue Materialien.

[3]) Streydtpuechlyn B ii[a].

[4]) Vgl. Archiv für Frankfurts Geschichte a. a. O. S. 214 und die Anmm.

[5]) So nennt ihn das Frankfurter Bürgermeisterbuch, Pfefferkorn (Defensio p. 18) sagt dafür Hermann Hess.

neue Konfiskationen vor (9. April), und der Rath, an den sich die Juden von Neuem mit Beschwerden wandten, kam zu keiner rechten Entschliessung [1]).

Aber Pfefferkorn begnügte sich nicht mit dieser Thätigkeit, zu der er durch kaiserlichen Befehl autorisirt war, er ging noch auf eigne Hand vor. Um seine Bemühungen in der Bücherangelegenheit öffentlich zu vertheidigen, und um den Kaiser noch vollständiger, als es ihm bisher gelungen war, für seine Pläne zu gewinnen, gab er ein neues, dem Kaiser gewidmetes Schriftchen heraus [2]).

Was für uns darin von Wichtigkeit ist, sind nicht die grösstentheils aus früheren Schriften wiederholten Schmähungen gegen die Juden, die Geisselung einiger lächerlichen Gebräuche, die bei ihnen in grossen Ehren stehen [3]), die Angabe der Mittel zu ihrer Bekehrung, sondern die Beziehung auf die Bücherangelegenheit. Er berichtet die uns bekannten Ereignisse bis zur Erlangung des zweiten Mandats, zählt die jüdischen Bücher auf, die er in Frankfurt konfiscirt hat: die Bücher der Bibel, thalmudische Traktate und einige spätere rabbinische Werke. Er will die Fürsten bewegen, dem kaiserlichen Befehle streng nachzukommen, durch Fasten und Eidschwüre von den Juden die Herausgabe der Bücher zu erzwingen [4]).

Einzelne Bedenken, die dem begonnenen Unternehmen entgegengestellt werden können, geht er durch und zeigt ihre Nichtigkeit. Allerdings seien die Juden im Reiche mehr zugelassen, als andre Ungläubige, aber dieses Vorrecht zu erkennen hinderten sie die falschen Bücher, die darum fortgeschafft werden müssten [5]). Er ereifert sich gegen die Theilnahmlosigkeit der Fürsten, die in einer

---

[1]) Vgl. Archiv für Frankfurts Geschichte a. a. O. S. 214 fg.

[2]) Der Titel lautet: In lob und eer dem Allerdurchleuchtigsten Grossmechtigsten Fursten und herren hern Maximilian ... hat Johannes Pfefferkorn vormals ein Jud und nun ein Cryst dyss buchlyn auffgericht und in XVI capitel getaylt. Am Schluss: Item diss buchlein ist aussgangen durch den obgeschriebene J. Pf. furmals ein Jud nun ein Crist in dem VII jar seyner wydergeburt. Und ist gedruckt in der kayserlicher stat Colne am Rein, bey mir Henrich von Nuss. Anno M.cccc.x. Sie ist am Anfang des Jahres erschienen, da die von Andreas Kanter Frisius besorgte lateinische Uebersetzung bereits 8. März datirt.

[3]) Dem ist ein grosser Theil der Schrift gewidmet C 1--D 4.

[4]) In lob und eer .. f^a.

[5]) f 2^a fg.

Angelegenheit nicht eingreifen wollten, um die sich auch die früheren nicht bekümmert hätten und erhebt sich gegen die Gleichgültigkeit derer, die sprechen, was schaden uns die Flüche der Juden [1])? Die Ansicht, dass die Privilegien der Juden im Reiche, die ihr Leben und Gut beschützten, durch die Wegnahme ihrer Bücher verletzt würden, bekämpft Pfefferkorn, denn was der Kaiser in dieser Beziehung in seinen Mandaten verordnet, sei nicht aus Hass oder Missgunst geschehen, sondern aus Mitleid, um die Juden zum rechten Glauben zu führen. Er übe nicht einmal sein Recht, die Juden, wie dies anderwärts geschehen, aus dem Lande zu treiben [2]), er lasse ihre Bücher durch „weise, wolgelerte, datzu der hebraischen spraach erfarne" Männer untersuchen, um die, die strafwürdig befunden würden, zu unterdrücken. Es sei verlorne Arbeit, sagen wieder Andre, den Juden die Bücher fortzunehmen, denn, habe man ihre Exemplare konfiscirt, so würden sie sich aus andern Ländern schon andre zu verschaffen wissen. Aber auch hier könne man, meint Pfefferkorn, durch einen Eid die Juden schwören lassen, dass dies nicht geschehe [3]).

Endlich stosse man sich an Pfefferkorns Persönlichkeit. Wie komme er dazu, solch gewichtige Rathschläge zu ertheilen? „Iss er heylig oder so wol gelert, oder iss er ein propheet, was sollen wyr auss ym machen"? Dass gelehrtere und bessere Juden schon vor ihm den christlichen Glauben angenommen hätten, gibt Pfefferkorn gerne zu, Gott nehme auch oft unwürdige Werkzeuge, um seinen Willen durch sie geschehen zu lassen, so habe Er auch ihn vor Andern auserwählt.

Als Schlussbegründung fügte er der Schrift hinzu: „Darumb yst dyser handel gotlich und nit auss neyde oder hass furgefasst; wer aber ymant, der anderst vermyrckt oder vernomen hat, der mag tzeugnus dar von geben" [4]).

---

[1]) f 3ᵃ.

[2]) Derohalb geschicht yn den Juden keyn gewalt in solicher handlung, dan sein kays. Maj. hat wol macht, fug und glimpff soliche und andere bucher von yn sunder erfarung der warheit tzu nemen und sie auss dem reich (gleicherweiss in Franckreich geschehen ist) tzu jagen; das aber sein k. M. nit thut. f 3ᵇ.

[3]) f 4ᵃ.

[4]) f 4ᵇ fg.

Das mag man Pfefferkorn gerne glauben. Er war ein fanatischer verfolgungssüchtiger Anhänger des Glaubens geworden, den er neu angenommen hatte, aber schlechte Motive: Habsucht, niedere Lust an Gewinn leiteten ihn gewiss nicht.

Um dieselbe Zeit, wie die grössere Schrift an den Kaiser, schrieb Pfefferkorn einen kleinen Brief an alle Geistlichen und Weltlichen, der wahrscheinlich dazu bestimmt war, nach allen Gegenden Deutschlands versendet zu werden. In ihm fordert er Fürsten und Städte auf, in ihren Territorien die vom Kaiser angeordnete Konfiskation der Judenbücher ungesäumt vorzunehmen [1]).

Einen augenblicklichen Erfolg erzielten diese Schriften freilich nicht. Der Erzbischof that trotz des erhaltenen kaiserlichen Befehles nichts, er machte keine Anstalt, die Männer zu berufen, deren Urtheil er befragen sollte. Die Bücher der Juden lagen wohlverwahrt beim Frankfurter Rath; dem Gebrauche der Juden waren sie entzogen, aber Niemand versuchte ihre Schädlichkeit zu prüfen. Vielleicht hat dieser Umstand, der das Gerechtigkeitsgefühl rege machte, vereinigt mit den Bemühungen der Judengönner am kaiserlichen Hofe Maximilian veranlasst, den Juden ihre Bücher „bis auf weiteren Befehl" zurückzugeben [2]).

Diese Maassregel war human, änderte aber an dem Beschlossenen

---

[1]) Der Brief — vier Quartseiten gross — befindet sich handschriftlich in der Wolfenbüttler Bibliothek, aus der ich auch die meisten der bisher erwähnten Pfefferkornschen Schriften benutzen konnte. Einen fehlerhaften und unvollständigen Abdruck des Briefes gibt Grätz IX, Noten S. XIII fg. Der Brief ist jedenfalls nach dem zweiten Mandat geschrieben, aber nicht, wie Grätz S. XXVII meint, nachdem die Juden ihre Bücher zurückerhalten hatten. Es hiesse doch Pfefferkorn die Frechheit zu weit treiben lassen, wenn man meint, er habe in offenkundiger Verletzung eines kaiserlichen Befehls dem Fürsten etwas zu thun angerathen, was der Kaiser soeben wenigstens indirekt verboten hatte. Der Brief enthält keinen Gedanken, der nicht in der früheren Schrift des Weiteren ausgeführt wäre, nur die eine bemerkenswerthe Notiz über die Bücher in den Rheinstädten, s. o., S. 218.

[2]) Die Urkunde selbst ist uns nicht erhalten; Nachricht davon gibt Pfefferkorn in der Defensio contra famosas p. 21 und der Kaiser selbst am Anfang des vierten Mandats. Vgl. Grätz, Noten S. XXVI, der zuerst auf den ganzen Umstand aufmerksam gemacht hat. Dem Frankfurter Rath kam der kaiserliche Befehl am 9. Juni 1510 zu, was den Erlass desselben bis höchstens Anfang Mai heruntersetzt; s. Archiv für Frankfurts Geschichte a. a. O. S. 215 Anm. 6, woselbst auch die interessante Stelle des Extrakts aus den Rathsprotokollen zu vergleichen ist.

Geiger, Johann Reuchlin. 15

Nichts: der Erzbischof von Mainz wäre nach wie vor berechtigt gewesen, das auszuführen, womit ihn das zweite kaiserliche Mandat betraut hatte. Aber dagegen scheint er ein Bedenken gehabt und geglaubt zu haben, er bedürfe eines nochmaligen Auftrags [1]. Pfefferkorn wurde nochmals zum Kaiser geschickt und erlangte, nach ungeheurer Mühe, wie er selbst erzählt [2], ein neues Mandat. Dasselbe — Füssen 6. Juli 1510 [3]) — war an den Erzbischof von Mainz gerichtet und weiter nichts als eine Wiederholung der bereits im zweiten Mandat an denselben ergangenen Forderung, von den vier Universitäten und den dort genannten Privatpersonen Gutachten einzuholen; nur mit dem Unterschied, dass hier von einer Einholung die Rede ist, während früher eine Zusammenberufung der Gelehrten in Aussicht gestellt war. Die Gutachten sollten durch Pfefferkorn als bestellten Sollicitator des Handels dem Kaiser überbracht werden.

Diesem Befehle kam der Erzbischof gewissenhaft nach. Der Kaiser hatte ihm, nach dem für ihn bestimmten Befehle, auch ein Mandat an diejenigen geschickt, die aufgefordert werden sollten, ein Gutachten abzugeben — 26. Juli — [4]), am 12. August schickte er

---

[1] Der Erzbischof meinte, durch die Zurückgabe der Bücher habe die ganze Sache beendet werden sollen. Pfefferkorn sagt (Def. p. 22): *fuit . . Reverentia ipsius maxime perturbata. Putabat enim satius esse, tale negocium non incepisse quam male terminasse. Propterea cogitabat optimus ille princeps hoc nullo pacto esse admittendum . . .*

[2] *Ingenti labore* . . Defensio contra famosas a. a. O.

[3] Deutsch in Reuchlins Augenspiegel A. ij und Pfefferkorns Beschyrmung C ij[b] ff., Streydtpuechlyn B 3[b] fg., die unter einander fast nur geringfügige dialektische Abweichungen bieten. Sonst finde ich nur, dass in der Stelle: Nun haben wir . . . den Juden ire bucher wider zu geben verschaffen, das „wider“, ferner die Adresse „dem erwirdigen Urieln“ ausgelassen und der kaiserliche Sekretär Sernteiner = Serteyer genannt wird. Aus dem Augenspiegel ist es aufgenommen in Weislinger, Huttenus delarvatus S. 24—26. Die lateinische Fassung in Pepericorni defensio p. 22—24 ist eine im Ganzen wortgetreue Uebersetzung, nur fügt sie nach der Erwähnung des Viktor von Karben „*olim Judaeo*“ hinzu und lässt die Worte: „und (ob nämlich die Vernichtung der Judenbücher) zu merung und gutt kommen mög“, sowie die Schlussforderung an den Erzbischof „unnd dich daran kainerlai annder bevelch irren oder verhindern lassest, sunder dem also nach kommest“ unübersetzt. Die beiden letzteren erscheinen allerdings als tendenziöse Auslassungen.

[4] Es ist erhalten in Reuchlins Augenspiegel A ij[b] fg.; von da abgedruckt in Weislinger, Huttenus delarvatus p. 27—29.

dieses mit einer besonderen Commission an Reuchlin [1]), vermuthlich auch an die übrigen Betheiligten.

So sollten nun in einer Angelegenheit, die bisher durch die Thätigkeit eines Einzigen geführt worden war, und fast zum Ende gebracht schien, die Stimme eines Gelehrten gehört werden, der in allen Dingen als Autorität galt, zweier Fanatiker, die ihr mangelndes Wissen durch Glaubenseifer ersetzten und einiger Universitäten, unter ihnen das durch Pfalzgraf Philipp zu neuem Aufschwung gebrachte Heidelberg und Erfurt, das schon angefangen hatte, der Sitz eines neuen wissenschaftlichen Geschlechts zu werden.

ZWEITES KAPITEL.

REUCHLINS GUTACHTEN.

Am 6. Oktober [2]) hatte Reuchlin sein Gutachten vollendet [3]). Er hatte 'das kaiserliche Mandat, wie er selbst bekennt, „uss schuldiger undertenigkait mit aller reverentz und eere empfangen, gehorsamlich angenommen und nach meiner besten verstentnis, als ainem Doktor inn den rechten wol gezimpt, erberlich und on als verziehen fleisslich vollenbracht, allain umb der gehorsame willen, dero ich mich hab gemaint von got unnd dem rechten unterworffen zu sein" [4]).

Er machte von vornherein unter den Büchern der Juden eine strenge Scheidung: in offenbare Schmachbücher und die übrigen. Erstere, von denen er nur zwei namhaft macht: Nizachon

---

[1]) Augenspiegel A ij[a]; Weislinger p. 29 fg. — Von der erzbischöflichen und kaiserlichen Urkunde findet sich eine lateinische gleichzeitige Fassung (wörtliche Uebersetzung) im Stuttgarter Archiv (Rubrik „Ordensleute").

[2]) Datum am Ende desselben: Augenspiegel fol. XX[b]; nicht wie Strauss, Ulrich von Hutten I, S. 196 Anm. 1 angibt: 6. November.

[3]) Es ist nie besonders erschienen, sondern bildet den wesentlichsten Bestandtheil aller Ausgaben des Augenspiegels, in der ersten fol. I—XX. Es führt den Titel: Ratschlag, ob man den Juden alle ire bücher nemmen, abthun und verbrennen soll.

[4]) Augenspiegel A 5[b].

und Toldoth Jeschu [1]), die aber von den Juden selbst als verbotene Lektüre angesehen werden [2]), sollten vernichtet und ihre
Besitzer bestraft werden, aber allerdings erst nach vorheriger genügender Untersuchung und rechtmässig ergangenem Urtheil [3]); alle
übrigen sollten erhalten bleiben. Diese theilt er, die Bibel abgerechnet,
denn über sie hatte er keine Meinung abzugeben, da sie ja selbst
noch dem kaiserlichen Mandat geschützt sein sollte [4]), in 6 Klassen.

    1. Der Thalmud sei ein schwer zu verstehendes Werk. Er
selbst habe seine Kenntniss davon nur aus den Büchern geschöpft,
die von christlicher Seite dagegen geschrieben seien [5]), aber er habe

---

   [1]) Ueber Nizachon vgl. oben S. 207 Anm. 1.   Toldoth Jeschu (die
Geburtsgeschichte Jesu) ist eine spätere rabbinische Schrift, die, nach einer
älteren jüdischen Tradition, Jesus als ein uneheliches Kind der, nach einer
Version ihrem Mann Pappus entlaufenen, nach einer andern ihrem Ver-
lobten Jochanan untreu gewordenen, Maria und des Joseph Pandira
hinstellt. Die eine Version ist lateinisch herausgegeben von Huldrich,
Leyden 1705, die andere von Wagenseil, Altorf 1681, in der Schrift: *Tela
ignea Satanae* veröffentlicht, beide deutsch von Clemens, Die geheim gehaltenen oder sogenannten apokryphischen Evangelien. Stuttgart 1850. Eine
genaue Besprechung beider mit Wiedergabe von Stücken des Textes findet
sich bei Richard von der Alm, Die Urtheile heidnischer und jüdischer
Schriftsteller der vier ersten christlichen Jahrhunderte über Jesus und die
ersten Christen. Leipzig 1864. S. 137—161.

   [2]) Tolduth Jeschu, das auch von den iuden selbs für apocrypho gehalten wirt, .. wie wol ich vor zeytten ann kayser Friderichs des dritten,
unssers aller gnedigsten herrn vatters löblicher gedechtnus hofe, von den
iuden da selbst nach vil reden zwischen unns gehalten, hab gehört, das
solliche bücher von inen abgethon, vertillckt unnd allen den iren verbotten
sey, dessgleichen nymmer mer zeschreiben oder zereden. Ratschlag fol. II a.

   [3]) Das möcht mann durch kaisserlichen bevelch nemmen unnd verbrennen, und denselben iuden darumb straffen, das er es nit selbs zerrissen,
verbrannt oder undergetruckt hat. a. a. O. ... Doch nit anders dan nach gnüg-
samer verhörung, und rechtmessiger ergangner urtail. fol. II b.

   [4]) Nach dem Wortlaut des Mandats: ob solliche bücher, so sie über
die bücher der zehen gebot Moysi, der propheten unnd psalter des alten
testaments gebrauchen, abzethon göttlich unnd loblich, unnd userm hailigen
glauben nützlichen sei, und zu merung und gutt kommen mög. Augenspiegel
A ii a fg. Es war daher ein unberechtigter Einwand, bei dem es kaum
zweifelhaft sein kann, ob er aus Unkenntniss oder aus absichtlicher Ver-
drehung der Sache entstanden ist, wenn Pfefferkorn und die übrigen Gegner
Reuchlin beständig vorwarfen, er hätte nach der kaiserlichen Aufforderung
nur über Schmachbücher sein Urtheil abgeben sollen.

   [5]) Und wie wol ich uss unlydelichen mangel desselben Thalmuds, den
ich bisher gern hett wöllen zwifach bezalen, das er mir zu lesen worden

nie gelesen, dass in früherer Zeit ein Thalmudkundiger die Verbrennung des Thalmud gefordert habe [1]), jetzt werde diese Forderung
von zwei getauften Juden ausgesprochen, Petrus Nigri und Johannes
Pfefferkorn, die, ebensowenig wie andre zum Christenthum über-
getretene Juden, das Werk verständen [2]). Die Schwierigkeit des
Verständnisses des Thalmud liege in der Vermischung verschiedener
Sprachen, in den Abbreviaturen, aber diese Schwierigkeit müsste für
die Christen nur ein Sporn sein, sich die Kenntniss der Sprache
anzueignen. Im Thalmud mögen seltsame Dinge vorkommen, aber
das berechtige nicht zu einer Vernichtung des Werkes. Denn

1. müsse mit der menschlichen Vernunft Aberglauben und
Irrthum verbunden sein, damit die Rechtgläubigen daran erstarken.
Je ungeschickter der Thalmud sei, desto geschickter mache er die
Christen, dagegen zu schreiben. Die Schwierigkeit der Sprache sei
recht gut, um die Trägheit der Geistlichen, die sich mit der heiligen
Schrift beschäftigen, zu besiegen. Wäre die Kenntniss derselben
verbreiteter, so würde es nicht mehr vorkommen, dass man ein
Gebet der Juden als gegen die Christen und das römische Reich
gerichtet ansehe [3]), das sich weder sprachlich, noch sachlich darauf

---

wäre, ich hab es aber nie mögen zewegen bringen, deshalb kain verstentnus
des thalmuds hab, dan allain uss unssern bächlin, die wider sie geschriben
synd, fol. III b; vgl. oben S. 117 Anm. 1.

[1]) Ich hon aber der halben nie kainen gelessen myns gedenckens, die
dar wider geschriben sind, das sie begert oder gewünst hetten, das der
Thalmudt verbrennt wer gewessen, allain ausgenommen die zwen obgemellt
brüder Petrus Nigri, prediger ordenns, unnd Johann Pfefferkorn, der new
getaufft, die by mynen tagen gewessen sind . . . fol. VI a. Ueber Petrus
Nigri und seine gegen die Juden, namentlich ihre falsche Messiashoffnung
gerichtete Schrift: Stern des Messias vgl. Wolf, Bibliotheca hebraea II,
S. 1037. 1117. IV, S. 525.

[2]) So ist by mynen lebtagen dhain iud in teutschen landen nie getaufft
worden, der den Tahlmud (!) hab kinden weder verston noch gar lesen. fol. IIII a.

[3]) Ueber dieses Gebet vgl. oben S. 117 Anm. 2. Reuchlin sagt hier
(fol. IV b fg.): Kurtzlich ist ain buchlin getruckt wider die iuden, unnd darin
angezaigt ain gebet in irem betbüchlin verlypt, als sie das soltend betten
sunderlich wider unns cristen, hebt also an: *welammeschummadim*. Das
selbig wirt gar hoch und schwer wider sie angezogen, als ob sie die hailigen
aposteln und ihre nachvolger, die den tauff empfangen haben, und die
gemain cristenlich kirchen und das römisch reich aus bessem vergifften willen
verfluchten.“ Das bezog Pfefferkorn auf eine seiner Schriften und versuchte
Reuchlins Beweisführung zu widerlegen und als ketzerisch darzustellen
(Handt Spiegel A 2 fg.); Reuchlin behauptete sein Buch gar nicht gemeint

beziehen könne [1]), und dass man einer Begrüssungsformel der Juden
feindliche Gesinnung gegen die Christen unterschiebe, ohne sie doch
beweisen zu können; „denn ob sie im Herzen feindlich gegen uns
gesinnt sind, das weiss nur Gott" [2]).

2. habe Christus selbst den Thalmud (resp. die damals schon
vorhandenen rabbinischen Schriften) zu bewahren geboten. Seine
Worte: „Erfragent, suchent, oder erforschent die schriften, so vil
ir wenen, in den selben das ewig leben zu haben, und die selbigen
synd von mir zeugknus gebende" [3]) wollen nichts Anderes bedeuten,
als dass die thalmudischen Schriften, weil aus ihnen auch Zeugnisse für die Wahrheit des christlichen Glaubens genommen werden könnten, nicht verbrannt werden sollen [4]).
Aber auch ausser den Beweisen für die Wahrheit des Christenthums
finde sich im Thalmud viel Gutes [5]).

3. sei es von Gott verboten, das, was man für schlecht halte,
auszurotten, um sich den Kampf dagegen zu ersparen; vielmehr
sei grade im Kampfe gegen das Böse das Gute zu erlangen. Das
haben auch alle Früheren, die gegen die Juden geschrieben, erkannt und auszuführen gesucht.

II. Die Vertheidigung der Cabbalah sei unnöthig; Sixtus IV.
habe sie bereits anerkannt, und Pikus' Apologie habe überzeugend
dargethan, wie man ihre Lehren zur Stützung des christlichen Glau-

zu haben (Augenspiegel Bl. XXXIIII die erst unwarhait): Da hab ich den
Pfefferkorn nit genent, dan es hatt vor im auch ainer ain büchlin zu teutsch
wider die iuden lassen trucken genannt Petrus Nigri (s. vor. S. Anm. 1), der
hat das selbig gebet auch also geteutst, darauss es Pfefferkorn villeicht hat
genommen.

[1]) So man es aber am liecht besiht, so findet man kain wort darin,
das weder die taufften, noch aposteln, noch cristen, noch das römisch reich
bedeut oder haisst.   fol. V a.   •

[2]) Fol. V b.   Ueber die Begrüssungsformel Seth willkomm, die Pfefferkorn erklärte: Teufel willkomm -. o. S. 214 Anm. 1.

[3]) Fol. VII a.

[4]) Die schrifften ewer schreiber und gelerten, darauss der Thalmud gesamlet
und gemacht ist, die geben auch zeugknus von mir (Christus wird redend gedacht),
als wol als die bibel. Und das ist die warhait: dann, ye mer der Thalmud
wider uns gemacht ist, so vil besser unnd hefftiger synd die gezeugknus,
die für uns unnd unssern christenlichen glauben darin erfunden werden.
Darumb hat Christus bevolhen, das man die selben schrifftenn in der schul
soll fleisslich ersuchen, dar von disputirn, und nit verbrennen. fol. VII b.

[5]) Fol. IX a.

bens brauchen könne. Daraus sei zu schliessen, „das sollichen cabalisten bücher nit sollent, noch von rechtswegen mögen undergetruckt noch verbrent werden" [1]).

III. Die Glossen und Commentarien zur Bibel (Raschi, Levi ben Gerson, die Kimchis u. A.) dürfe man ebensowenig vernichten, wie Priskus, Donatus, Eustatius und andre Commentatoren der alten Schriftsteller. Ihren Werth haben die früheren christlichen Exegeten zu schätzen gewusst, und von ihnen Vieles in ihre Werke herübergenommen [2]), auch die jetzigen sollten mit ihrer Hülfe die Bibel verstehen lernen, um nicht falsche Erklärungen anzunehmen [3]).

IV. Die Predigt- und Gesangbücher der Juden seien unantastbar, nach den Bestimmungen der Kaiser und Päpste, „das mann sie in iren Synagogen, cerimonieen, ridus, gewonhaitten, sitten und andachten rüwigklichen sol beleiben lassen" [4]).

V. und VI. Philosophische, naturwissenschaftliche, poetische und satirische Schriften böten, wenn sie nicht offenbare Schmachbücher wären, keinen Grund zur Verfolgung [5]).

Keines dieser Bücher habe, wie man vorgebe, eine feindliche Tendenz gegen die Christen, sie seien nur zur Kräftigung der Juden in ihrem Glauben, nicht zur Bekämpfung der christlichen Lehre geschrieben [6]), daher werde man in ihnen keine Schmähungen gegen Christus, Maria und die Heiligen antreffen. Dass sie Christus nicht als Gott anerkennen, sei selbstverständlich, „das ist ir glaub und wöllent dar mit nieman geschmecht haben" [7]). Die christliche Kirche habe das 14 Jahrhunderte geduldet und nie für eine Schmach gehalten, warum sollte man jetzt dagegen einschreiten, während man heidnische Bücher, die durchaus gegen den christlichen Glauben ge-

---

[1]) Fol. XIIIa.

[2]) Fol. XIIIb, s. o. S. 120.

[3]) A. a. O.

[4]) Fol. XIIIIa.

[5]) Fol. IIa und XIIIIb.

[6]) Dan die iuden habent ire bücher inen selbs zu gutt unnd zu beschirmung irs glaubens gemacht, ob sie angefochten würden, von yemants, er sei haid, datter (Tartar), soldanisch (Muhammedaner) oder crist, und susst nieman zu laid, schand oder schaden. fol. XIIIIb.

[7]) Fol. XVb.

richtet seien, unbeachtet liesse ¹). Eine Fälschung der heiligen
Schrift durch die Juden anzunehmen, womit sie gegen die Christen
hätten argumentiren wollen, sei ungerechtfertigt, denn kein Volk
halte wol seine Bücher, namentlich die Bibel, so heilig und unver-
sehrt, als die Juden ²). Auch seien die Bücher nicht die Veranlassung, dass die Juden an ihrem Glauben festhielten, das sehe
man deutlich an den vielen getauften Juden, die, trotz oder vielleicht
grade wegen ihrer Bücher den christlichen Glauben angenommen
hätten ³).

Aber selbst, wenn diese Bücher Anlass dazu seien, wer gebe
den Christen denn das Recht, gegen diese Bücher einzuschreiten ⁴)?
Nur der Ungelehrte lasse diese Frage ausser Acht, er schlage mit
den Fäusten drein, wenn ihm bei seinem Streite die Gründe fehlen ⁵).
Die Juden seien Gott unterworfen, so gut wie die Christen, handeln
sie unrecht, so werde Gott sie bestrafen ⁶). Ueber den Glauben
der Juden habe, da sie nicht Christen seien, kein Christ zu entscheiden ⁷). Sie dürfen nicht Ketzer genannt werden ⁸), denn Ketzer

---

¹) man sicht, das die christenlich kirch andere bücher nit verbrent, die
mit uffsatz und stracks mit uffgeworffen tittel wider uns geschriben sind,
uns dar mit an rucken zu werffen, als die bücher Porphyrij, Celsi, Juliani
apostate und ander.   fol. XV ª.

²) Fol. XVI.

³) Fol. XVII ª fg.

⁴) Es sei verboten, die Kinder der Juden mit Gewalt zu taufen:
„Daruss verstanden mag werden, das man ire bücher auch nit sol on iren
willen nemen, dan bücher sind manichem als lieb als kind“.   fol. XX ª. —
Zu bemerken ist, dass nur wenige Jahre vorher einer der berühmtesten
Rechtsgelehrten jener Zeit, Ulrich Zasius, in seiner Schrift: De Judaeis
parvulis baptizandis Quaestiones III. 1508, gerade das Gegentheil behauptet
hatte: bei der Taufe jüdischer Kinder genüge der Wille des Taufpathen,
die Taufe dürfe vorgenommen werden selbst gegen den ausgesprochenen Willen
des Vaters des Täuflings. Vgl. Stintzing, Ulrich Zasius. Basel 1857 S. 115 fg.

⁵) Fol. IV ᵇ.

⁶) Der iud ist unsers herr gots alls wol als ich, stat er, so stat er
seinem herrn, fallt er, so fallet er seinem herrn, ain yeglicher wurdt für sich
selbs müssen rechnung geben. Was wöllen wir aines andern seelen urtailn,
got ist wol so mechtig, das er in mag uffrichten (fol. XVIII ª).

⁷) Aber die iuden inn den Dingen, die iren glauben antreffen, sindt
sie allain inen selbs und susst kainem richter underworffen, sol auch darüber
kain crist mögen erkennen . . . Dan sie sind kain glid der cristenlichen
kirchen und gat uns ir glaub nichtz an.   fol. XII ᵇ.

⁸) Die iuden seien nit heretici, dan sy sind nit ab dem cristen glauben

sei nur derjenige, der von der christlichen Kirche abfalle, und sie
mögen sich mit Recht beschweren, wenn die christliche Kirche sie
alljährlich am Charfreitag treulose Juden, das ist „nach rechtem
teutsch, die weder trawen noch glauben halten“ nennt [1]). Aber
auch das weltliche Recht verbiete ein solches Einschreiten, denn
die Juden seien Glieder und Mitbürger des deutschen Reichs [2]).
So stehe es mit der Berechtigung des ganzen Unternehmens,
was werden die Folgen sein? Glaube man denn wirklich, mit
dieser Maassregel alle Bücher der Juden zu vernichten? Die Juden
würden sich schon aus andern Ländern neue Exemplare zu verschaffen wissen [3]). Ebensowenig würde eine Ausrottung des jüdischen
Glaubens dadurch erreicht werden, die Juden würden im Gegentheil
desto eifriger bei ihren Meinungen beharren [4]).

Gerechtfertigt sei nur eins, den Versuch zu machen, die Juden
zur Annahme des christlichen Glaubens zu bewegen. Das
müsse indess in freundlicher Weise geschehn, nicht mit Gewalt.
Durch Anstellungen von Professoren der hebräischen Sprache an den
Universitäten würde die Kenntniss derselben verbreitet und die
Gelehrten so in den Stand gesetzt werden, aus den jüdischen
Schriften sich die richtigen Meinungen zu verschaffen [5]).

Das war Reuchlins Gutachten „ein schönes Denkmal reiner
Gesinnung und überlegener Einsicht“ [6]). Manches mag noch darin
sein, was mit den Anforderungen völliger religiöser Gleichberechtigung nicht ganz harmonirt, aber im Ganzen zeigt es reine und

---

gefallen, die nie darinn gewesen synd. Darumb sie auch nit mögen, noch
sollen ketzer, noch ir handel ketzerei genent werden. fol. IIII a.

[1]) *perfidi Judaei* fol. XV a.

[2]) Dar inn (nämlich gegen die Schmähschriften) nit anders gehandelt
wirt, dan wie mit ainem-yeden cristen in der gleichen sach gehandelt soll
werden, nach dem bayd secten on mittel gelider des hailigen reichs unnd
des kaysserthumss burger synd, wir cristen durch unser churfürsten wal und
kur, und die iuden durch ir verwilligung unnd offen bekanntnus, als sy gesprochen hond: wir haben kainen künig, dan den kaysser fol. II b, und
V a: ich hab sie oben warhafftigklich angezaigt, das wir und sie ains ainigen
römischen reichs mitburger synd, und in ainem burgerrecht und burckfriden
sitzen.

[3]) Fol. XIX a.
[4]) A. a. O.
[5]) Fol. XX a.
[6]) Ranke, Deutsche Geschichte im Zeitalter der Reformation. 4. Aufl.
1. Band S. 185.

tolerante Grundsätze, milde und schöne Auffassung. Einiges von
dem hier etwas kühn Behaupteten hat Reuchlin zwar später gemildert, ganz zurückgenommen; die Menge, meinte er wol, sei
für die Auffassung noch nicht reif, er hatte sie nur für Kaiser und
Erzbischof niedergeschrieben. Doch was er auch daran änderte, im
Wesentlichen hielt er die Behauptungen fest, um derenwillen er bei
den Finsterlingen stets für einen Ketzer würde gegolten haben: die
Juden sind unsere Mitbürger; was sie gegen die Christen denken,
haben diese nicht zu prüfen; die Obrigkeit hat kein Recht, ihnen
ihre Bücher fortzunehmen; und machte stets den falschen, aber für
seine Zeit sehr anstössigen Zusatz: aus den jüdischen Schriften lässt
sich die Wahrheit des Christenthums erweisen.

Von durchaus andern Gesichtspunkten gingen die übrigen Gutachten aus [1]).

Am weitesten ging das der Mainzer [2]). Die thalmudischen
Bücher, die das grösste Hinderniss der Bekehrung der Juden seien [3]),

---

[1]) Quelle für das Folgende ist fast nur Pfefferkorns Defensio a. a. O.
p. 28—60. Dieselbe ist unter den früheren Darstellern nur von Grätz benutzt worden; es wird daher nothwendig sein, einige von ihm gemachte
Missverständnisse zurückzuweisen.

[2]) *Frid. cal. Nov.* 1510 def. p. 31—37. Das nach der *consultatio universitatis Moguntinae* folgende Schreiben des *decanus et doctores facultatis
iuridicae* enthält nur eine Empfehlung Pfefferkorns.

[3]) Als einen andern Grund, der die Bekehrung der Juden verhindere,
machte die theologische Fakultät die den Juden gewährte Erlaubniss, wuche-
rische Geschäfte treiben zu dürfen, und das Verbot, sich andern Beschäftigungen hinzugeben, geltend, und schlägt in recht vernünftiger Weise vor,
die Juden zu erlaubten Beschäftigungen zuzulassen: *Tandem inter alia Judaeorum conversionem impedientia illud cognoscitur non esse minimum, quod
impune permittuntur usurariam exercere pravitatem, et ab artibus, operatio-
nibus et laboribus licitis prohibentur, vel saltem ad illas non permittantur.
Maxime pro republica Romana et Christiana videretur expedire et plurimorum
Judaeorum conversionem promovere, si ab usura tanquam a re licita prohibiti
ad alias artes, operationes et labores saltem licitas admitterentur.* Grätz, der
den ganzen Passus irrthümlich als ein Stück des Kölner Gutachtens bezeichnet (IX, Noten S. XXIX) sagt, mit Beziehung auf diese Worte: „Die
Kölner Fakultät fügt hinzu: dass die Juden im Zinsnehmen beschränkt,
Handwerke zu betreiben, ein Judenabzeichen zu tragen und christliche Predigten anzuhören gezwungen sein sollten"; (!) und ferner
S. 115 mit Rücksicht auf vorliegendes und die übrigen Gutachten: „Die
meisten Gutachten erweisen sich auch in einem andern Punkte als Echo der
Pfefferkornschen Gehässigkeit, indem sie damit (!) das Gesuch an den Kaiser

müssten sämmtlich den Juden fortgenommen werden. Aber man habe Grund vorauszusetzen, dass auch ihre übrigen Bücher Schädliches enthalten, hauptsächlich an den Stellen verderbt seien, die Zeugniss für das Christenthum ablegten; es seien daher alle Bücher, die Bibel eingeschlossen[1]), vorläufig wegzunehmen und zu prüfen. Diese Prüfung sei von dem Diöcesanbischof und dem Ketzermeister mit Zuziehung hebräischkundiger Männer vorzunehmen.

So viel verlangten die Kölner nicht[2]). Die Bibel sollte den Juden gelassen, aber die thalmudischen Bücher ihnen genommen werden. Schon frühere Päpste Gregor IX. und Innocenz IV. hätten diese Schriften dem Feuer preisgegeben[3]), eine nochmalige, strenge Prüfung der aus denselben auszuziehenden Artikel werde zeigen, wie

---

verbanden: den Juden Geldgeschäfte auf Zins zu verbieten und sie zu harten Arbeiten anzuhalten."

[1]) Das Gutachten spricht von *textus originales, in certis passibus et praecipue, ubi maxime faciunt pro fide nostra Christiana, corrupti et depravati.* Dass darunter die Bibel verstanden ist, wird durch das Folgende erwiesen: die *perfidi Judaei* sollten alle Bücher abgeben, *non modo libros veteris testamenti etc.*

[2]) Das Datum ihres Gutachtens *quinta id. nov.* p. 27—29 — an demselben Tage eine Empfehlung Pfefferkorns an den Kaiser p. 29 sq. — muss unrichtig sein. Der Erzbischof schickt die Gutachten an den Kaiser bereits am 29. Oktober. Wahrscheinlich ist *nov.* für *oct.* verschrieben oder verdruckt; auch Hochstraten (s. unten) schickt sein Gutachten am 9. Oktober. Weniger auffallend ist das Datum des Mainzer: 30. October; der Erzbischof mochte von ihm, auch vor seiner Absendung, Kenntniss haben.

[3]) Diese Fakta, die im Verlaufe des Streites noch mehrfach berührt werden, verdienen eine kurze Besprechung: Auf Veranlassung eines ehemaligen französischen Juden Donin, der als Christ den Namen Nikolaus annahm und als Ankläger des Thalmuds bei Gregor IX. auftrat (1239), erwirkte dieser bei Ludwig dem Heiligen, dass, nach einer zwischen jüdischen und christlichen Gelehrten gehaltenen Disputation, der Thalmud verurtheilt und verbrannt wurde (1242). Innocenz IV., der Nachfolger Gregors, ermahnte den König von Frankreich (1244), die etwa übrig gebliebenen Exemplare aufsuchen zu lassen. Vgl. Grätz, Geschichte der Juden VII, S. 112—117. 119 und die zum Theil berichtigende Darstellung das. Note 5 S. 462—567. S. auch die ausführliche Darstellung über dieses Ereigniss von Lewin in Grätz' Monatsschrift für Geschichte und Wissenschaft des Judenthums XVIII. 1869 S. 97 ff., 143 ff., 193 ff. Donin (Nikolaus) disputirte (1240) öffentlich mit dem R. Jobiel, Sohn Josephs. Die Disputation (vgl. Steinschneider, Catalogus p. 1280 No. 5662) kennt Reuchlin; er führt Defensio contra cal. Colon. M 2b, M 3b Stellen daraus an. Statt Innocenz IV. sagt die Defensio Georgii Benigni (1517 s. unten Cap. 4) Cb: Innocenz III.

recht jene gehandelt, und dass man, ihrem Beispiele folgend, eine neue Verbrennung vornehmen müsse.

Hochstratens Gutachten [1]) schliesst sich in der Sache ganz, in den Worten zumeist, dem an, was seine Fakultät gesagt hatte [2]); ebenso das Viktors von Karben [3]), der überhaupt als durchaus abhängig von den Kölnern erscheint.

Die beiden übrigen Universitäten, Erfurt und Heidelberg stimmten weit mehr mit der Ansicht Reuchlins überein. Die Erfurter, die durch innere Unruhen in Anspruch genommen, ihr Gutachten erst sehr spät hatten schicken können [4]), meinten: der Kaiser und die übrigen Fürsten — ein Jeder in seinem Gebiete —, solle den Juden die Bücher wegnehmen, die den christlichen Glauben schmähen und fälschen; von einer Wegnahme aller Bücher ausser der Bibel, oder gar dieser selbst, war daher keine Rede. Die Heidelberger, die am frühesten ihre Antwort einschickten (6. Sept.), waren zu keinem festen Beschlusse gekommen; sie hielten es für das An-

---

[1]) 9. Oktober Pfefferkorns Defensio p. 39—43.

[2]) So sind seine Worte: ... *et institueretur contra Judaeos solemnis inquisitio, et super articulis extractis mature examinarentur* (p. 4) kein neuer Gedanke, sondern dasselbe, was die Kölner sagen: *vocentur publice Judaei et super his (articulis) audiantur mature et examinentur* p. 28, und bedeuten gewiss nicht, was Grätz (Noten S. XXIX) gemeint hat „die Statuirung eines Inquisitionsgerichts gegen die Juden", sondern eine im Ganzen nicht inhumane Maassregel, die Juden zu fragen, was sie unter den inkriminirten Stellen verständen.

[3]) Pfefferkorn sagt, das Gutachten Karbens *qui cum universitate Coloniensi conclusit*, habe er *propter prolixitatem* ausgelassen, p. 43.

[4]) Der Erzbischof konnte es erst am 23. April 1511 dem Kaiser zusenden (s. unten). Das Gutachten selbst ist nicht erhalten; die Erfurter rekapituliren es später in ihrem Urtheil über den Reuchlinschen Augenspiegel (3. September 1513): *nobis visum fuerat. . . Caesaream maiestatem ac ita quemvis alium principem per terminos sui dominii teneri, nedum decere, ut a Judaeis libros falsitate ac blasphemiis christiani nominis notatos, . . . quicumque illi sint, prorsus tollat.* Ob Kampschulte, Die Universität Erfurt in ihrem Verh. zum Hum. und Ref. 1858, Recht hat, wenn er sagt I S. 153 Anm. 2: „Der eigentliche Gegenstand der Frage, ob überhaupt die hebräische Literatur mit alleiniger Ausnahme der Bibel zu vernichten sei, scheint umgangen zu sein", könnte man erst entscheiden, wenn das ausführliche Gutachten über die Judenbücher „*quemadmodum plenius in nostra consultatione continetur*" vorläge. Jedenfalls ist Pfefferkorns Behauptung unwahr; *quae quidem consultatio cum consiliis praedictarum universitatum* (Mainz und Köln) *conformis est.* Defensio p. 37 sq.

gemessenste, dass zur reiflichen Berathung und Entscheidung der Sache zwei Abgesandte von jeder der vier Universitäten, ferner Hochstraten, Reuchlin und Karben vom Erzbischof zusammengerufen werden sollten[1]. Obwol nicht ausdrücklich ausgesprochen, liegt doch in diesem Gutachten eine gewisse günstige Stimmung für die jüdischen Bücher, das Streben, einen gewichtigen, verhängnissvollen Beschluss entweder ganz zu verhüten, oder, wenn er gefasst werden musste, ihn aus genauer, persönlicher Berathung unter den damit betrauten Männern hervorgehen zu lassen. Dass auch die Kölner in dieser Weise das Gutachten auffassten, lehrt schon der Umstand, dass, als Hochstraten einen andern Beschluss durch die Autorität von Universitäten bekräftigt haben wollte, er sich wol wieder an Mainz, Köln, selbst an Erfurt wandte, aber an die Stelle Heidelbergs trat Löwen.

Diese Gutachten schickte der Erzbischof Uriel mit einem Briefe an den Kaiser (29. Okt. 1510)[2]. Er schloss sich in seinem Urtheil dem der Kölner und Mainzer Fakultät an, auch den Text des alten Testaments rieth er zu untersuchen, weil er durch die Rabbinen gefälscht und zum Nachtheil des christlichen Glaubens ausgelegt sei. Auf Grund dieser Erkenntniss sollten die Juden selbst über ihre Bücher examinirt werden; wollten sie freiwillig auf deren Gebrauch verzichten, so wäre es gut, blieben sie verstockt, so sollten ihnen die Bücher weggenommen, die werthvollen christlichen Prälaten übergeben, die werthlosen verbrannt werden. Ein besonderes Empfehlungsschreiben an den Kaiser gab der Erzbischof Pfefferkorn

---

[1] Das Gutachten — in deutscher Sprache abgefasst: frydags nach Egidii — findet sich deutsch in Pfefferkorns Beschyrmung D 3 a. b; in der Defensio wird nur der Inhalt angegeben.

[2] Deutsch in Pfefferkorns Beschyrmung f ij b — f 4 a, lateinisch in Defensio p. 47—49. Das lateinische ist eine ziemlich sinngetreue Uebersetzung, nur gegen Ende finden sich einige, wie es scheint willkürliche Kürzungen und Auslassungen. So werden die Worte: „und also ausfindig und an dag bracht, was bucher ynen zu haben und in welcher form und gestaltt leydlich und gut sy, und welich ynen zu haben oder zu lesen nit gezaumen will" wiedergegeben mit: *laborandum est, quales libri eis sint dimittendi vel auferendi*, und nach den Worten: *Possunt etiam Judaei vocari et de hoc examinari*, die auch kürzer sind, als das deutsche Original, die in diesem folgenden Worte: „und wo sy die selben bucher selbst yrrig und untzymlich erkennen werden, sie sich der selben nyt zu gebruchen leichtlich zu unterwysen syn" ausgelassen.

mit, der den Brief Uriels mit den verschiedenen Gutachten zu überbringen hatte [1]).

Die ziemlich umfangreichen Aktenstücke durchzulesen hatte der Kaiser, der sich damals in Freiburg aufhielt, keine Zeit, er gab sie zur Berichterstattung einer Commission, bestehend aus Hieronymus Baldung, Professor der Theologie, Angelus, Doktor der Theologie, und dem Carthäuserprior Gregor. Der letztere, Gregor Reisch, der gefeierte Verfasser der Margarita philosophica, kannte Reuchlin von früher [2]), aber jetzt stellte er sich ganz auf Pfefferkorns Seite, missbilligte Reuchlins Ansicht, und warf Reuchlin vor bestochen zu sein, der nun sich auch nicht scheute, den Carthäuserprior [3]) anzugreifen. Baldung, ein Freund des berühmten Rechtsgelehrten Zasius, ein angesehener Mann, auch sonst mit dem Kaiser in naher geschäftlicher Beziehung stehend, wurde später ein Gönner Reuchlins [4]); von Angelus ist nichts weiter bekannt. Ihr Gutachten [5]) schloss sich im Ganzen dem resumirenden Urtheile des Erzbischofs an, auch sie betrachteten die Wegnahme der jüdischen Bücher als ein göttliches, löbliches, dem christlichen Glauben und auch den Juden nutzbringendes Werk. Nur in dem einen Punkte, der allerdings ein wesentlicher war, wich es von dem erzbischöflichen ab [6]), dass es rieth, die 24 Bücher der Bibel den Juden mit Nutzen, ohne jede Gefahr zu lassen. Auch praktische Maassregeln gab das Gutachten an, wie die Wegnahme ins Werk gesetzt werden solle. Durch das ganze Reich sollen von den Erzbischöfen, Bischöfen u. s. w. mit Unterstützung

---

[1]) 30. Oktober 1510 in Pfefferkorns Streydtpuechlyn F 3ª.

[2]) Beatus Rhenanus an Reuchlin 10. November 1509.

[3]) Reuchlin spricht Augenspiegel fol. XLª über die Verdächtigung, dass er von den Juden bestochen sei: wer das von ihm behaupte, der lüge, und ob er gleich hette so ain frummen gestalt, als were er ain Cartheüser. Gregor nämlich hatte, wie Pfefferkorn (Mitleydliche claeg 1521 Fᵇ) berichtet, gesagt: Du (Reuchlin) hast den Rathschlag mit rother Farb oder Tynten geschrieben. Vgl. Grätz, Noten S. XXXI. Pfefferkorn wirft Reuchlin diesen Angriff vor Def. p. 86, vgl. p. 57.

[4]) Sebastianus Sperantius an Reuchlin 22. Mai 1513.

[5]) In lateinischer Sprache Pfefferkorns Beschyrmung E 4ᵇ—F 2 und gleichlautend in Defensio p. 50—55. Es ist undatirt, aber da es früher ist, als das gleich zu erwähnende kaiserliche Schreiben, so muss es noch im December 1510 abgefasst sein.

[6]) Pfefferkorn hätte daher nicht sagen dürfen (p. 50): *hi doctores . . . archiepiscopo . . . penitus adhaeserunt.*

weltlicher Beamten die Bücher gesammelt und ein Verzeichniss derselben dem Kaiser zugeschickt werden. Um den Klagen der Juden
vorzubeugen, sollten durch latein- und hebräischkundige Männer die
Bücher untersucht und falls sich unschädliche darunter fänden, diese
den Juden zurückgegeben werden. Unter den verurtheilten Büchern
sollten die schön auf Pergament geschriebenen in christliche Bibliotheken vertheilt werden, um zum Studium zu dienen, die übrigen
sollten verbrannt werden [1]).

Aber auch mit diesem Gutachten begnügte sich der Kaiser
nicht, schwerlich wegen seiner für die Juden günstiger gewordenen
Stimmung, sondern in Folge seiner Gewissenhaftigkeit, eine Sache,
über deren Beurtheilung doch unter den zur Begutachtung aufgefor-
derten Kreisen verschiedene Auffassung obwaltete, ganz reiflich zu
überlegen. Er schrieb an den Erzbischof, sein und der Universitäten,
auch anderer Gelehrten Gutachten habe ihm wohlgefallen; „damit aber in solchem allen gruntlichen behandelt werden mocht, die
wyle die sachen treflich und gewiss syn, so wollen wir mit dyner
lyebde und den anderen stenden des rychs wyder dar von
handelen und entlich besliessen.“ (11. Jan. 1511) [2]).

Bei dieser Ankündigung ist es freilich geblieben, auf den
Reichstagen ist die Sache nicht verhandelt worden [3]). Mit den
Büchern der Juden geschah nichts. Sie waren schon vor dem 4.

---

[1]) Diese allerdings nur durch Pfefferkorn beglaubigte Nachricht wird
von Grätz S. 117 und Noten S. XXXI ohne Grund verdächtigt.

[2]) Beschyrmung F 2 b; Defensio p. 57 sq. — Eine andere Nachricht hat
das Frankfurter Bürgermeisterbuch 1510 fol. 54 (21. Oktober), die sich aber
schwerlich auf unsere Angelegenheit bezieht: „Als die key. mat Eyn mandat
ussgeen laissen, und sex Juddencommissarien macht geben hat, die gemeyn Juden
versamlung zu beschriben.“ Ist damit die Rabbinerversammlung zu Worms
gemeint, von der Grätz IX S. 155 ohne Quellenangabe Einiges zu berichten
weiss? Dass sie stattgefunden hat, berichtet Pfefferkorn Def. p. 124 sq., der
auch berichtet, Reuchlin wäre dort gewesen, hätte *apud doctorem Werner*
gewohnt und mit den Rabbinen conferirt. Vgl. auch Pfefferkorns Beschyrmung K b fg. Dr. Werner ist vielleicht der *prior conventus praedicatorum
Basiliensis*, der den zweiten Theil der auf das *Bernense facinus* bezüglichen
Schrift: *Defensorium impiae falsitatis* schreibt.

[3]) Pfefferkorn sagt (Defensio p. 59): *Sed tunc temporis nullus fuit conventus principum, quapropter res illa fuit protracta.*

Mandat des Kaisers in den Händen der Juden, dass sie dieselben wieder haben hergeben müssen, ist nicht berichtet[1]).

Damit war die Bücherangelegenheit beendigt. Der geistige Kampf, der sich an diese kleine, dem deutschen Geiste, wie es schien, so fern liegende Angelegenheit anknüpfte, aber, obwol aus ihr entsprungen, sofort einen veränderten Charakter, eine wesentlich andere Gestalt annahm, begann erst jetzt. Von den Büchern der Juden war in ihm gar nicht, von den Juden kaum mehr die Rede: worum es sich handelte, das war die Berechtigung der freien Meinungsäusserung gegenüber inquisitorischer Verketzerungssucht.

Diesen Kampf, der Deutschland in zwei Lager spaltete, an dem die Gebildeten ganz Europa's Antheil nahmen, der noch für ferne Zeiten seine Bedeutung bewahrt hat, wollen wir im Folgenden betrachten.

DRITTES KAPITEL.

DER AUGENSPIEGEL UND SEINE FOLGEN.

Als Reuchlin dem Erzbischof von Mainz sein Gutachten zustellte, in deutscher Sprache, wolversiegelt und verschlossen, wie auch ihm der Auftrag zugekommen war, da ahnte er wol schwerlich, welchen gewaltigen Sturm er mit seiner einfach, pflichtschuldigst abgegebenen Meinung heraufbeschwören würde.

Und doch konnte es nicht wol anders sein. Er hatte durch sein Gutachten den Plan Pfefferkorns, der das jüdische Schriftthum

---

[1]) Der Befehl, den Juden die Bücher zurückzugeben, kam dem Frankfurter Rath am 9. Juni 1510 zu (vgl. Frankf. Arch. a. a. O. S. 215 Anm. 6). Reuchlins Erzählung, einige noch zurückgehaltene Bücher habe der Kaiser nach Durchlesung seines Gutachtens auszuliefern befohlen (hebräischer Brief an den päpstlichen Leibarzt Bonet de Lates, September 1513, vgl. die übertreibende Nachricht in Melanchthons Oratio continens historiam Capnioni 1552: *Haec (Reuchlini) sententia aequior cum Imperatori magis placuisset libri in curiam Francfordianam translati, Judaeis restituuntur)* müsste sich, wenn sie überhaupt wahr ist, auf die in den übrigen Städten konfiscirten Bücher beziehen.

vernichten wollte, zu zerstören gesucht, der Anregung sich widersetzt, die von jenem ausgegangen war, und der sich der Ketzermeister Hochstraten, Karben, die Mainzer und Kölner Universität, der Erzbischof von Mainz angeschlossen hatten. In ihren Augen musste das als Verbrechen gelten, das der Sühne nicht entgehen konnte.

Von dem Gutachten hatte Pfefferkorn auf sehr natürliche Weise Kenntniss erhalten. Er war Sollicitator des ganzen Handels, kein gewöhnlicher Bote, der Erzbischof sollte ihm alle eingelaufenen Gutachten übergeben, dass er sie zum Kaiser bringe. Die Anklage Reuchlins und seiner Freunde. Pfefferkorn habe sich auf heimliche. unerlaubte Weise Kenntniss von diesem Aktenstücke verschafft. ist ungerechtfertigt[1]). Es war nur eine Vergeltung, die freilich plumper war, als die Anklage, die gegen ihn geschleudert wurde, wenn Pfefferkorn behauptete, er habe Reuchlins Gutachten in der Kanzlei des Erzbischofs gefunden, wo sich die Schreiberjungen damit erlustigten[2]). So hatte er Reuchlins Gutachten gelesen. er war scharfsinnig genug einzusehen, dass hieran sein Plan scheiterte.

Wäre er nicht in seinem beschränkten Fanatismus verblendet gewesen, so hätte Pfefferkorn vielleicht einfach den ihm unbequemen Rathschlag verschwiegen. Aber er nahm den hingeworfenen Handschuh auf.

Reuchlin hat später gesagt. er sei der Angegriffene. Er habe nur seine Pflicht gethan, indem er der Aufforderung des Erzbischofs zufolge sein Gutachten schrieb, dann sei er von Pfefferkorn gereizt.

---

[1]) Im Augenspiegel A 3b sagt Reuchlin nur: „Wie aber der selb myn ratschlag in des yetz gedachten Pfefferkorns handt kommen sei, kan ich noch nicht wissen", in der Defensio contra calumniatores Colonienses A 4b wiederholt er, dass er den wohlversiegelten kaiserlichen Befehl auch mit einem versiegelten und verschlossenen Gutachten beantwortet habe: *Pepericornus, nescio quomodo, qua fraude, quo astu, quo ingenio malo, qua hominum perfidia te* (den Kaiser) *praeveniens, in suam potestatem redegit et furia percitus quod me videret, non omnia Judaeorum cremanda decrevisse, in publicum per plurima transsumpta prodidit atque renunciavit.* Das werde nach kaiserlichen Gesetzen entweder mit lebendiger Verbrennung oder mit Hängen bestraft.

[2]) Pepericorni defensio contra famosas p. 45: *Ivi ad cancellariam et inveni consultationem ipsius in scamnis iacentem, quam scribarum pueri saepius legerant pro ridiculo habentes.*

Geiger, Johann Reuchlin. 16

beschimpft und zur Vertheidigung gezwungen wurden. Aber allerdings indirekt war Reuchlin an einigen Stellen seines Gutachtens
gegen Pfefferkorn losgegangen [1], wenn er ihm, der gegen die Schädlichkeit der jüdischen Bücher, namentlich des Thalmud geeifert,
Kenntniss desselben abspricht [2], wenn er von einem „biffel oder
esel" redet, der von alchymistischen Büchern nichts verstehe und
beim Kaiser um deren Vernichtung bitte [3], und vielleicht auch,
wenn er heftig gegen diejenigen apostrophirt, die aus niedrigen
Motiven das Christenthum annehmen [4].

Aber diese Angriffe, und wären sie noch zehnmal stärker gewesen, rechtfertigen keineswegs, dass Pfefferkorn nun öffentlich gegen
das Gutachten sich erhob. Er hatte es als Beamter mitgetheilt
bekommen, er hatte kein Recht, als gekränkte Privatperson dagegen aufzutreten; da er es doch that, so liess er sich eine Frechheit zu Schulden kommen, die allerdings nicht genug gebrandmarkt
werden kann [5].

---

[1] Einmal hatte er ihn sogar ausdrücklich genannt: Petrus Nigri . .,
auch Johann Pfefferkorn, der sollicitator dis hanndels, schreibent, das die
lere des Thalmuds sei wüst unnd unrayn . . Gutachten fol. VI[a]. Weiter
unten werden dieselben nochmals genannt, als die Einzigen, die die Verbrennung des Thalmuds gefordert.

[2] Zu seinen Lebzeiten sei kein Jude zum Christenthum übergetreten,
„der den Thalmud hab kinden weder verston noch gar lesen." Gutachten
fol. IV[a].

[3] Gutachten a. a. O. fol. XI[b].

[4] Das. fol. XVII[b] „. . von denen, die aus neid, hass, forcht der straff,
armut, rach, eergeitigkait, liebe der welt, schlechter ainfeltigkait, und andern
dergleichen ursachen zu uns kommen . . . und wan es inen uff diser seitten
nit nach irem willen gat, so lauffen sie hin in die türckei und werden wider
iuden; von denselben schalachs (!) büben will ich hie nit geredt haben."
Ob mit dieser Stelle, auf die, wie auf die vorige, bereits Grätz IX
S. 110 fg. aufmerksam gemacht hat, auch Pfefferkorn gemeint ist, will ich
nicht entscheiden. Möglich ist es immerhin, denn später wurden ganz allgemein von Reuchlin und seinen Freunden Pfefferkorns Taufe schlechte
Motive untergeschoben. Zu bemerken ist, dass Pfefferkorn schon vorher oft
die reinen Absichten, die ihn zur Taufe bestimmt hätten, hervorhob und
seine neuen Glaubensgenossen vor der Schlechtigkeit jener falschen Ueberläufer warnt; vgl. Judenbeicht 1508 C 1[b] und Handspiegel 1511 f 3[b] fg.

[5] Pfefferkorn hat dagegen sich vertheidigend bemerkt, er habe in
seinem Handspiegel Reuchlins Gutachten nie angeführt (Defensio p. 60), er
habe diese Schrift nur zur Wahrung seiner Ehre herausgegeben: *de consultatione Joannis Reuchlin nullam faciens mentionem*, oder wie er an einer

Die Schrift, in der Pfefferkorn sich gegen Reuchlin wandte, der **Handspiegel**, fällt Pfefferkorn allein zur Last. Es ist kein Manifest der Kölner, wie andere Schriften, die wir später noch werden zu betrachten haben, ganz feierlich beschwört Pfefferkorn, der Handspiegel sei weder in Köln geschrieben, noch gedruckt worden, sondern in Mainz erschienen [1]), die in ihm angeführten Stellen aus fremden Autoren — mit Ausnahme der Bibel, von der er erklärt, jeden Vers auswendig zu wissen — hätten ihm die drei Mitglieder der Kommission nachgewiesen, die der Kaiser zur Prüfung aller eingelaufenen Gutachten in der Bücherangelegenheit ernannt habe. Noch 1518 lehnt Ortuin Gratius, ein Haupt der Kölner, die Verantwortlichkeit für den Handspiegel ab: Pfefferkorn sei im Jahre 1511 von Köln abwesend und in Mainz gewesen, da habe er zur April-Messe 1511 den Handspiegel erscheinen lassen [2]).

Seinem Titel [3]) nach könnte man vermuthen, der Handspiegel

---

andern Stelle sagt, den Rathschlag habe er nie angeführt, sondern nur Reuchlin selbst. Das ist eine Sophistik. Unwahr aber ist es, wenn er behauptet, im Handspiegel nur gegen die Sätze Reuchlins geschrieben zu haben, *quae me dumtaxat concernebant.*

[1]) *Nam ut omnia probem rationibus, testor deum et conscientiam et adiuro deum vivum, quod manuale meum speculum . . neque compositum sit Coloniae neque impressum. Ubi ergo? me quis roget. Moguntiae inquam.* Defensio p. 138, vgl. auch p. 178.

[2]) *Nec est quod mihi quis de manuali speculo Joannis Pepricorni neophiti (hominis profecto christiani et viri boni) quicquam obiiciat, quum anno domini M. cccc. xi (!) Colonia ad annum absens, in superiore illud Alemania nobis ignorantibus composuerit, sitque Moguntiae . . per chalcographum illic habitantem nundinis aprilibus impressum.* Ortwini Gratii epistola apologetica (ed. Böcking 1864) p. 355.

[3]) Handt-Spiegel Johannis Pfefferkorn wider und gegen die Jüden und Judischen Thalmudischen schrifften, so sie uber das Christenlich Regiment singen und lesen, Welche pillich Gots lesterer, ketzer und aberglauber des alten Newen und des Naturlichen gesetzen gezelt, geheissen, verthumbten abgethan werden mögen. Darumb sich etliche cristen wider mich setzen, anfechten, Solliche artickel zu widerlegen, Dargegen ich antwurdt und mit bescheidenen reden uffgelöst hab.

Welcher dass püchlein lesen will, der thu nit wie der hann, so er über die glüenden kolen fleucht. Vill gelesen und wenig verstanden, ist besser unterlassen.

6 Bogen à 4 Bll. Rückseite des Titels und die beiden letzten Seiten sind leer. Vorangeht ein Brief Pfefferkorns an Arnold v. Tungern über den

16*

sei eine Fortsetzung der Pfefferkorn'schen Schriften gegen die Juden.
Aber freilich, die gegen Reuchlin gekehrte Spitze zeigt sich von An-
fang an. Der Hass der Juden gegen die Christen sei allbekannt,
alle, die das Judenthum verlassen, wüssten davon zu erzählen, da
treten nun einige Christen, „besunders Johannes Reuchling von
Stuckarten" auf, läugnen den Hass, wollen nicht zugeben, dass ein
Gebet, das die Juden sprechen, gegen die Christen gerichtet sei.
Wer eine solche Behauptung wagen könne, verstehe die jüdischen
Schriften nicht, da Reuchlin es thue, so zeige er dadurch, dass die
unter seinem Namen ausgegangenen Schriften nicht von
ihm gemacht sind[1]). Zwar werde seine Kenntniss von den Juden
gerühmt, aber das sei natürlich: Jeder der für sie spreche, empfange
grosses Lob, namentlich wenn sie merken, das Gesprochene richte
sich gegen die christliche Kirche[2]).

Reuchlin spreche über den Thalmud, stelle ihn als unschädlich und ungefährlich dar, und doch sage er, er habe ihn nicht gelesen. Er aber, der Kenntniss davon habe, wolle ihn eines Besseren
belehren: Nach der Stiftung des Christenthums entstanden, sei der
Thalmud recht eigentlich als Bollwerk gegen die neue Religion
aufgeführt. Deren Richtigkeit habe man erschreckend erkannt, aber
in Trotz und Eigensinn habe man sich davor verschliessen wollen,
habe Lug und Trug gehäuft, um die aufkeimende Wahrheit zu er-
sticken[3]). Und ein solches Buch sollte man bestehen lassen!? So

---

langsamen Fortgang seines nun schon vor etlicher Zeit angefangenen Handels, dem nun auch einige Christen widerständen.

[1]) (wer solches sage) derselbige ist nit gegründt, noch erfaren in dem
Judischen gesetze, und schriften (a 2[b]) ... Reuchlin habe eine Grammatik
drucken lassen: ist wol ware getruckt, aber nit gemacht, das will ich mit
jme selber beweisen. a 3[b].

[2]) Was bedeüt aber, das die Juden doctor Reuchlin jn der hebrayschen
schrifft, das er doch nit gegründt, so hoch uffwerffen, sprechend, doctor
Reuchlin ist erfarn jn unsern schrifften? Dasselbig nympt mich aber nit
wunder von den juden, Dann wer sy berümpt, den berümen sie wider, und
wer jn dient, dem dienen sie wider, besunderlichen, so es etwas wider die
Christenlich kirchen zu nachteil kommen, oder reichen mag. Daruff künden
die jüden besunderlich praktika mit subtiligen hinderschlagen, wort, weise,
wandel und geberd, wie sie die Christen abweisen unnd zu juen lockenn
sollen. c 2[b].

[3]) Also namen sie den obgemeldten Talmudt und vermischten ju mit
vil schentlichen worten, gifft und gall, was sie erdichten und erdenncken

seien dies Werk und alle späteren rabbinischen Schriften zu den Schmachbüchern zu zählen, und es gebe nicht nur zwei, wie Reuchlin gesagt. Und diese seien nicht, wie er meine, von den Juden selbst abgethan, im Gegentheil, die Juden lesen das Büchlein Toldoth Jeschu jedes Jahr in der Weihnachtszeit, in dem Glauben, dadurch Gott zu veranlassen, Jesus wegen seiner falschen Lehre zu strafen [1]). Waren schon diese Ansichten Reuchlins in den Augen Pfefferkorns unrecht, so mussten ihm natürlich die Behauptungen, dass die Juden keine Ketzer seien, dass sie im Läugnen von Christi und Mariä Gottheit kein Verbrechen begehen, dass sie Mitbürger des römischen Reichs seien, als arge Greuel und kaum zu sühnende Verbrechen erscheinen und er wehrt sich mit aller Macht dagegen.

Sein dialektischer Kampf gegen Reuchlin wurde ihm durch den Umstand erleichtert, dass dieser die Ansichten, die er in seinem Rathschlag aussprach, nicht immer vertreten, ja dass er sich in seinem vor fünf Jahren erschienenen Missive zu ähnlichen, freilich minder schroff ausgesprochenen Anschauungen bekannt hatte, wie sie Pfefferkorn jetzt predigte. Pfefferkorn frohlockte, wenn ihm ein Gegenüberstellen krasser Widersprüche, die leicht aufzufinden waren, gelang. Er übersah, und musste bei seiner Geistesrichtung übersehen, dass es niemals ein Fehler sein könnte, Irrthümer abzulegen, dass das Bekenntniss, zu richtigeren Ansichten gelangt zu sein, einen ehrlichen Mann nur adle [2]).

Der heftige, hämische, leidenschaftliche [3]) Ton dieses Schriftchens, in welchem Pfefferkorn Reuchlins Ansichten, die er nicht

---

möchten wider die jünger und lere Cristi und auch wider das jüdische Gesetz, grossmechtig lügen und andere artickel, dye der menschlich vernünfft nit underworffen sein. e 2ª.

[1]) b 2ᵇ. Unter ־ע־ (Jesus), meint Pfefferkorn, verständen die Juden ־ע־ ־ע־ (sein Name werde ausgelöscht).

[2]) In dieser Analyse sind nur diejenigen Punkte berührt, die für den Verfolg des Streites auch einige Bedeutung haben. So sind die Geschichten von dem Arzte Thomas und der Roman mit dem Mönche in Erfurt (C 2ᵇ—D 4ᵇ), die Rücksichtnahme auf die den Juden schuld gegebene Hostienschändung in Berlin (1509/10) A 4ª übergangen.

[3]) Vgl. wenn er am Schluss sagt: man solle sich an die Juden, oder „an jre günner, den selbigen oren blaser, stubenstencker, plippenplapper, beutelfeger, hinterschuetzer, seitenstecher, nitt keren, noch jrenn worten kein statt vergönnen."

veröffentlichen durfte, der allgemeinen Verachtung preisgeben wollte, in dem er Reuchlins Ehrlichkeit bezweifelte, sein Wissen als nichtig, seine Schriften als von andern denn ihm herrührend darstellte, seine Meinung als ketzerisch verfolgte, sein geliebtes jüdisches Schriftthum mit neuen Anklagen bedrängte, musste Reuchlin erbittern. Er, der stille Mann, der ruhig seinem Amt und seiner Wissenschaft gelebt, der sich an seinen Studien ergötzt und wegen dieser überall Lob und Anerkennung seiner Freunde und Bewunderer erhalten hatte, war plötzlich, weil er eine Ansicht wissenschaftlich, ohne jeden Hintergedanken und Nebenabsicht vertreten hatte, Gegenstand eines maasslosen Angriffs geworden.

Pfefferkorn schickte, wie er erzählt, Reuchlin seine Schrift zu [1]. Er hatte am Schlusse derselben gesagt, wenn Reuchlin verlange, so „erbeut ich mich, zu kommen für unsern aller durchleuchtigsten Grossmechtigsten fursten und herren, hern Maximilian, Römischen keyser, unsern aller gnedigsten herren, als ein brünnen, darauss dann flewst gericht und gerechtigkeit" oder vor den Erzbischof von Mainz, die Universitäten Köln, Mainz, Freiburg, Erfurt, Heidelberg oder den Ketzermeister „der in solchen sachen besunderlich Schultheiss und richter ist" [2].

Reuchlin war auch dieser rechtlichen Form nicht abgeneigt. Das war ein arger Missgriff. Die ganze Sache erhielt dadurch eine unheilvolle Wendung, ein, wenn man so sagen darf, unedles, dem Idealen entfremdetes Aussehen. Ein geistiger Kampf lässt sich mit richterlichen Sprüchen nicht entscheiden, ein auf Erringen der Freiheit gerichtetes geistiges Streben darf den weltlichen Arm nicht zum Schutze anflehen.

Mit dem giftigen Pamphlete in der Hand, das ihm eine so schwere Wunde versetzt hatte, ging Reuchlin zum Kaiser. Er traf Maximilian in Reutlingen [3]. Wir haben gesehen, dass die Erfurter

---

[1] Defensio p. 60: *quod quidem speculum manuale nisi Joanni Reuchlin.* Dagegen sagt Reuchlin Defensio contra calumniatores B[b]: *quae cum a mercatoribus propter longiquitatem loci peregre ad me allata fuisset.*

[2] f 3.

[3] Das war am 29. April 1511, s. Stälin, Aufenthaltsorte Maximilian I. 1493—1519 in: Forschungen zur deutschen Geschichte 1. Band. Göttingen 1862 S. 373. Der Aufenthalt daselbst kann nur einen, höchstens zwei Tage gedauert haben.

Universität mit ihrem Gutachten in der Bücherangelegenheit zurück-
geblieben war wegen innerer Unruhen, wie Pfefferkorn sagt[1]), jetzt
hatten sie dasselbe geschickt und Pfefferkorn war wieder die ihm
durch das kaiserliche Mandat gebührende Rolle zu Theil geworden,
dasselbe mit einem Briefe des Erzbischofs Uriel[2]) dem Kaiser zu
überbringen.

Schon waren die literarisch Gebildeten am kaiserlichen Hofe
von dem Angriffe unterrichtet, den einer aus ihrer Mitte erlitten
hatte, und als Pfefferkorn aus dem Pallast des Kaisers gehen wollte,
fuhren ihn der Propst Zobel[3]) und Conrad Peutinger[4]), der
kaiserliche Geschäftsfreund und wissenschaftliche Rathgeber, ein
eifriger Humanist, und seit lange mit Reuchlin befreundet[5]), mit
heftigen Worten an. Aber Zobel machte die öffentliche Schmähung
durch Freundlichkeit im privaten Verkehr wieder gut. Der Kaiser,
der durch Reuchlin vom Handspiegel erfahren und „auf sein Be-
gehr" ein Exemplar desselben erhalten hatte, war durch andere Geschäfte an einer genauen Betrachtung der Sache verhindert, daher
liess der Hofrath beiden Parteien die Meldung zukommen, dass die
Angelegenheit dem Bischof von Augsburg[6]) zur Entscheidung übertragen sei[7]).

---

[1]) *quam quidem consultationem Erphordenses propter publicas sedi-
tiones et intestina bella citius mittere non potuissent.* Pfefferkorns Defensio
p. 61, vgl. Kampschulte, Die Universität Erfurt. I S. 152 und oben
S. 236 Anm. 4.

[2]) 23. April 1511 Pfefferkorns Defensio p. 61.

[3]) Pfefferkorn nennt ihn p. 62 *praepositus in Nurmarck.* Er ist nicht
zu verwechseln mit Theodorich Zobel, Kanonikus der Mainzer Kirche und
Vikar des Erzbischofs, dem Graf Hermann von Nuenaar (26. August 1517)
eine längere Auseinandersetzung über den Reuchlinschen Streit schickt, denn
Pfefferkorn nennt ihn in seiner 1516 erschienenen Defensio: *bonae memoriae.*

[4]) Dass Peutinger damals am kaiserlichen Hofe war, sagt Herberger,
Conrad Peutinger in seinem Verhältniss zu Maximilian I. Augsburg 1851 S. 17.

[5]) Vgl. oben S. 55 und Anm. 3.

[6]) Heinrich von Liechtenau 1. Mai 1505 — 12. April 1517.

[7]) Das im Text Erzählte ergibt sich deutlich aus den Berichten beider
Parteien: Reuchlins Augenspiegel A 4ᵃ, Defensio contra Calumniatores Bᵇ
und Pfefferkorns Defensio p. 62—64. Dass sie zusammen beim Kaiser
waren, sagt Pfefferkorn p. 72: *cum una essemus coram Caesarea majestate.*
Diese Uebereinstimmung beider Quellen, auf die keiner der Biographen
bisher aufmerksam gemacht hat, zeigt deutlich genug, wie ungerecht es ist,

Reuchlin hatte für diese Wendung der Dinge die Initiative ergriffen; nun hätte er auch ihre Lösung abwarten müssen. Denn
sowie eine richterliche Entscheidung angerufen war, mussten die
Parteien sich einer jeden Meinungsäusserung ausserhalb des Gerichts
enthalten [1]. Aber Reuchlin that das nicht. Sollte er dazu ein
Recht gehabt haben? Nach seiner Erzählung ja. Denn als er den
Bischof bitten liess, nun seines Amtes eingedenk zu sein, erklärte
dieser, er habe keinen Auftrag erhalten, und könne in dieser Sache
nichts thun [2]. So meinte Reuchlin, selbständig vorgehen zu dürfen.
In der Aprilmesse 1511 war Pfefferkorns Handspiegel erschienen, nun
rückte die Herbstmesse an, noch war keine Widerlegung da; Reuchlin,
in seiner Bangigkeit, von fremden Leuten für einen leichtfertigen
ehrlosen Mann gehalten zu werden [3], wie ihn Pfefferkorn dargestellt
hatte, rüstete sich zur Vertheidigung.

So entstand der Augenspiegel [4]. Wie der Handspiegel kein
Programm einer Partei, sondern ein Pamphlet Pfefferkorns, so ist
der Augenspiegel durchaus Eigenthum Reuchlins: eine Rechtfertigung
des von ihm geliebten jüdischen Schriftthums gegenüber ungerechtfertigten Angriffen, die dagegen versucht worden, eine Vertheidigung
seiner Mannesehre, die auf gemeine Weise beschimpft worden war.

Der Augenspiegel besteht aus den Urkunden des Kaisers und
Erzbischofs und der Erzählung des Handels vor dem Erscheinen des
Augenspiegels, aus dem Gutachten, aus einer scholastischen Disputation über die in demselben enthaltenen Ansichten und aus der

---

stets von der Unglaubwürdigkeit der Zeugnisse Pfefferkorns und seiner Partei
zu reden.

[1] *Imperator* .. *silentium utrique nostrum indixit, et ad tempus ab eo
sive a suis nobis constituendum, pacem ab utraque parte inter nos duos servari voluit.* Pfefferkorns Defensio p. 72.

[2] Defensio contra calumniatores B b: *Cum autem molesta mihi esset
omnis cunctatio per amicos sollicite reverendissimum episcopum commonebam, ut
imperiali delegatione fungens innocentiam meam audiret. Qui respondit se
nullam recepisse commissionem, quapropter in causa mea procedere nequiret.*

[3] Augenspiegel A 4 a.

[4] Doctor Johannsen Reuchlins | der K. M. als Ertzhertzogen zu Osterreich auch Chur | fürsten vnd fürsten gemainen bundtrichters inn | Schwaben
warhafftige entschuldigung | gegen und wider ains getaufften iuden | genant
Pfefferkorn vormals ge | truckt vssgangen vnwarhafftigs schmachbüchlin
Augenspiegel. (Darunter eine Brille.) 42 Bll. in 4° u. O. u. J.

Aufdeckung von 34 Unwahrheiten, die Pfefferkorn sich in seinem Handspiegel erlaubt hatte[1]). Reuchlin hat auf diese Verbindung, namentlich auf die Zusammengehörigkeit von Gutachten und Deklaration immer grosses Gewicht gelegt, er wollte das eine ohne das andere nicht beurtheilt wissen. Es ist daher nöthig, dass wir die Beschränkungen und weiteren Ausführungen, die diese Erklärung zu den im Gutachten ausgesprochenen Sätzen gibt, etwas näher betrachten. Dass durch eine solche Erklärung, zumal in dieser Form das Gutachten viel von seiner Frische und Kraft einbüssen musste, war natürlich. Aber es büsste mehr ein, als im Interesse der Sache, im Interesse der Anerkennung, die man Reuchlins Freisinn gewöhnlich zollt, wünschenswerth ist: in dieser Erklärung steckt zu viel Klügelndes, zu viel Sophistisches.

Das Verdienst des Gutachtens war die unbedingte Vertheidigung des jüdischen Schriftthums; nach dieser Erklärung unterscheidet Reuchlin von seinen Gegnern nur das eine, dass diese die Literatur bedingungslos vernichten wollen, er vor einer allgemeinen Verurtheilung zurückschreckt, und nur das Ketzerische dem Untergang weihen will. Aber in dem Gutachten hatte er nur zwei ketzerische Schriften namhaft gemacht, hier spricht er von ketzerischen Theilen des Thalmud. Für ihn in seiner Integrität hatte er früher hauptsächlich plaidirt, jetzt meinte er, man solle nur in ihm das Richtige von dem Falschen zu unterscheiden suchen. Die Bücher, welche die Juden zu ihrer Rechtfertigung gegen die Christen geschrieben, waren, seiner frühern Meinung nach, unantastbar, jetzt wollte er nur noch sie nicht unterschiedslos verbrannt wissen. Gegen seine Vertheidigung des Thalmud war eingeworfen worden, dass zwei Päpste ihn doch verurtheilt hätten, dagegen bringt er nur die sophistische Nothlüge vor, die Päpste hätten gewisse Bücher verurtheilt, aus denen die Juden Ketzereien lehrten[2]).

---

[1]) Die Erzählung 5 Bll., der Rathschlag fol. I—XX, die *argumenta quae possunt scholastice in contrarium obiici* fol. XXI—XXXII^a und die Unwahrheiten fol. XXXII^b—XLI^a. Am Schluss: Correctur der wörtter im teutschen und *Correctorium foliorum latinorum* fol. XLII^a. Letzte Seite leer.

[2]) *Et ita fecerunt illi summi pontifices Gregorius et Innocentius, qui certos libros Thalmud, ex quibus Judaei docuerunt haeresim, combusserunt.* Augenspiegel fol. XXV^b. Aehnlich ist, wenn er seine Behauptung im

Die Sophistik zeigt er hauptsächlich darin, dass er die Verantwortlichkeit für manches im Gutachten ausgesprochene Wort ab-
lehnt: das habe er nicht als gültigen Schluss vorgebracht, sondern
als Erwägung, die man darbieten dürfe, um die Sache klarer zu
machen [1]. Er hatte gesagt, selbst wenn die Juden absichtlich Bücher
gegen die Christen geschrieben hätten, dürfte man sie entschuldigen — das könnte wol Einer versuchen wollen, lautet jetzt der
Zusatz [2]. Dass die Juden von der Göttlichkeit Christi nichts wüssten, war ihm natürlich erschienen; nun bekräftigt er feierlich, diese
Unwissenheit sei nicht entschuldbar, sondern ewig verdammenswerth [3].
Wirklich kühne Behauptungen schrumpfen zu Wortstreitigkeiten
zusammen. Die Juden dürfen nicht Ketzer genannt werden, denn
Ketzer kann nur einer sein, der seine angestammte Religion verlassen hat [4]; die Juden sind Mitbürger des römischen Reichs wird
dahin erklärt, dass sie der römischen Herrschaft unterworfen sind, geduldet werden, während sie Sklaven sein müssten [5]; ob sich das Gebet,
das Pfefferkorn als christenfeindlich denuncirt hatte, gegen die Christen
richte, sei nicht zu entscheiden, hatte das Gutachten gesagt, denn
in's Herz sehen könne nur Gott, jetzt heisst es nur, grammatisch
müsse es nicht bedeuten, was ihm schuld gegeben würde [6].

Gutachten, Papst Alexander VI. habe Pikus' Apologie der Cabbalah gebilligt,
dahin abschwächt. der Papst habe die Cabbalah wenigstens nicht als unerlaubt
hingestellt. fol. XXIX b.

[1] *Talia argumenta ante initium decisionis pro et contra posui, non ut
omnino concludant tanquam probationes efficaces, sed more consultorum, ut faciant, causam dubiam et viam parent pro intelligentia dicendorum quae ex his
clarior apparebit, prout etiam doctores in aliis materiis faciunt.* fol. XXII b.

[2] *Non dixi, nec dico, quod sint excusandi, sed quod aliquis posset eos
velle excusare.* fol. XXX b.

[3] *Non volui Judaeos excusare, quasi ignorantiam probabilem haberent
de Christo et fide nostra, quoniam protestor, me hoc munquam sensisse, neque
hodie sentire, sed hoc teneo firmiter et credo, quod eorum ignorantia sit culpa-
bilis et eam illos minime excusare a culpa mortali, verum cum ea aeternaliter
damnabuntur.* fol. XXXI b.

[4] Fol. XXIII b.

[5] *Quamvis enim esse deberent servi, tamen eos patimur nobiscum communi
romano iure uti in libertate ... volui eos esse cives nobiscum i. e. subiectos
romano imperio.* fol. XXII a.

[6] *Has persuasiones solum adduxi, ut ostenderem de virtute sermonis
hanc orationem secundum linguae proprietatem et grammaticaliter non necessario
nos christianos significare.* fol. XXIIII b.

Aber das Schlimmste ist wohl, wenn er einmal gelegentlich ausspricht, er habe ja gar nicht gesagt, man solle den Thalmud den Juden lassen, man solle ihn nur nicht unterschiedslos verbrennen, sondern einige Exemplare den Christen zur treuen Aufbewahrung übergeben [1]).

Nimmt man das Alles zusammen, so sieht man den Ungrund der Anschuldigung ein, Reuchlin sei ein Judengönner, ein Freund des Thalmud gewesen. Weit gefehlt. Reuchlin wollte die jüdischen Schriften für sich und die Gelehrten retten, weil sie Gegenstand seiner wissenschaftlichen Beschäftigung, weil die Sprache ihm lieb und werth geworden war, es war, so lange Reuchlin ihn allein zu bekämpfen hatte, lediglich ein Kampf redlicher wissenschaftlicher Forschung gegen Fanatismus.

Hält man das fest, so begreift man leicht, dass unter den Vorwürfen, die Pfefferkorn Reuchlin machte, zwei hauptsächlich den letzteren erbittern mussten. er sei von den Juden bestochen und er habe die unter seinem Namen ausgegangenen Werke nicht selbst verfasst.

Auf seine hebräische Grammatik hatte er stets mit gerechtem Stolze geblickt, jetzt betheuert er, er habe sie gemacht und kein anderer „zu nutz und uffgang der hailigen geschrifft, und unsern studenten zu lust und übung die zu der wirdigen ler der bibel und zu andern frembden künsten sundern lieb und begierd tragen" [2]). Um diese Sprache aus der ersten Quelle zu erlernen, habe er Umgang mit den Juden gehabt, sonst nicht [3]). Aber mit dem ganzen Gewicht sittlicher Entrüstung wies er den Vorwurf zurück, dass er von den Juden bestochen worden sei: „Fürwar nun hab ich inen nie kainen dienst gethon besunder wider die christenlich kirch, und daruff sag ich by dem höchsten glauben, das ich all mein leptagen von meinen kindtlichen zeitten biss uff dise stund von den iuden noch von irentwegen weder heller noch pfennig, weder gold, noch silber, weder crütz noch müntz nie empfangen, genommen noch verhofft hab.

---

[1]) *Non volui quod (thalmud) nullo modo possit Judaeis auferri, si haereses aut blasphemias continet . . . sed volui quod non debeat comburi generaliter, sed quod aliquis debeat conservari apud nos sub fida custodia.*

[2]) Fol. XXXVI[a].

[3]) Fol. XL[b].

Mir hat auch alle meine leptagen kain iud nye dehain gab ver-
haissenn oder versprochenn, umb was sachen es wölle, unnd inn
sunnderhait auch betreffend dissen ratschlag, hat mir kain iud weder myet, noch diennst, noch belonung erbottenn, noch dero
mich verwenet noch geben inn dehain wyss noch wege. Und welcher von mir zu verletzung meiner eern anderst geschriben oder
geredt hat, oder anderst noch redt, der selbig lügt alls ain leicht-
vertiger eerloser bösswicht [1]).

In diesem kräftigen Tone gegen Pfefferkorn geht die ganze
Schrift fort, wenn dem „taufft jud" ein Beiwort gegeben wird, so
ist es selten ein schwächeres, als das „gemeiner und ehrloser Böse-
wicht". Auch andere Schimpfwörter fehlen nicht, so wenn Reuchlin, Pfefferkornsche Schmähungen gegen ihn selbst kehrend, ihn
mit einem Esel vergleicht [2]) oder ihm, als einem Juden, teuflische
Natur zuschreibt [3]).

Aber solche Redeweise fällt dem Einzelnen nicht zur Last, sie
ist ein gemeinsamer Fehler der · Zeit, die in einer jeden Polemik
mit der Verwerfung der gegnerischen Ansicht auch die Beschimpfung
der Person des Gegners verbinden zu müssen glaubte.

Der Augenspiegel erschien in der Frankfurter Ostermesse 1511 [4]).
Da strömten die Händler aller Orte zusammen, eine Streitschrift
eines hochangesehenen Gelehrten, kaiserlichen Rathes und Bundes-
richters in Schwaben gegen einen getauften Juden mochte Piquan-
tes genug haben; dass sie in deutscher Sprache abgefasst war,
schaffte ihr leichter Eingang bei den Gebildeten. So mag sie in
wenig Wochen in alle Gegenden Deutschlands gebracht, überall gelesen und beurtheilt worden sein; was sie für Wirkungen hervorgerufen, wird später betrachtet werden.

Dass sie auch bei den Juden Erfolg gehabt, ist schwer zu

---

[1]) Fol. XL a.

[2]) Fol. XXXIII b.

[3]) 29. unwarhait fol. XLI a.

[4]) Sept. Die *argumenta* waren vom 18. August datirt. Oskar Hase,
Die Koburger, Nürnberger Buchhändlerfamilie. Leipzig 1869 S. 68 fg. hat
richtig bemerkt, dass erst mit dem Erscheinen der Schriften im Reuchlinschen Streite die Bedeutung der Frankfurter Messe für den Buchhandel beginnt.

glauben. Zwar erzählt Pfefferkorn, kaum hätten die Juden gehört, dass ein Buch zu ihren Gunsten erschienen sei, so seien sie darauf losgestürzt, um es zu kaufen und sich mit ihm gegen die Christen zu wappnen. Das Buch in der Hand seien sie in ihre Synagoge gegangen, haben dort zwei Bilder errichtet, das eine Reuchlin darstellend in Engelgestalt, das andere Pfefferkorn als Teufel, haben sich vor dem einen in Demuth geneigt und das andere mit Messern zerstochen und zerschlagen[1]. Die letztere Ausschmückung ist gewiss Pfefferkorns Erfindung, aber auch die Nachricht, die Juden hätten den Augenspiegel gekauft und gelesen, ist, obwol sie Pfefferkorn noch sonst vorbringt[2], und diese schreckliche Wirkung Reuchlin auch von anderer Seite[3] schuld gegeben wird, schwerlich zu glauben.

Nachdem die Juden ihre Bücher zurückerhalten hatten — zwischen März und Juli 1510 — war für sie die Angelegenheit zu Ende, vielleicht wussten sie kaum, dass Gutachten über die Zulässigkeit ihrer Schriften eingeholt wurden, und ob sie eine Ahnung von der literarischen Fehde hatten, die über eines dieser Gutachten entbrannte, welche in einer für die meisten unter ihnen damals doch fast ganz unverständlichen Sprache, nämlich der deutschen, geführt wurde, ist höchst ungewiss. Von Juden ist in jener Zeit das Lob Reuchlins nicht gesungen worden, nirgends in jüdischen ganz gleichzeitigen Quellen[4] von seinem Streit die Rede, was der Fall sein müsste,

---

[1] Pfefferkorn, Defensio p. 64 sq.
[2] Ein mitleydliche claeg G 3b.
[3] Die Kölner Fakultät an Reuchlin 2. Januar 1512.
[4] Ein zeitgenössisches jüdisches Geschichtswerk besitzen wir freilich nicht. Aber das noch am Ende des 16. Jahrhunderts (Prag 1592) erschienene Zemach David von David Gans weiss von Reuchlin nichts. — Nur in einer zuerst Krakau 1593 erschienenen Schrift des 1588 gestorbenen Chajim ben Bezalel, Rabbiners in Friedberg (vgl. Steinschneider, Catalogus librorum hebraeorum vol. I col. 824 sq.): ספר החיים, die Auseinandersetzungen über ethische und asketische Gegenstände enthält, findet sich nach einer ganz kurzen Bemerkung (ed. Amsterdam 1713 fol. 2a) folgende längere Stelle über den Thalmudstreit (fol. 2b); וכבר שמעתי וזקני הארץ כי בימים יעברו
עמדו אויבי רשעי בני עמינו ושלחו ידם ולשונם בכל המדה זו וחשבו לרת אותנו לשיסף איש
כפני לעג הברים התמוהות שנמצאו (!) בו לפי ביונם שכלם· ובכולם שגברו מולמתם הרעה עד
שהעיר ה' רוח הנם ניצרי אהד שעמד כפני הטירים והעמים ילדד זבות על הספר הקדוש הזה·
באברו שהאגדות התמוהות שנמצאו בו הן דוגמת העשבים הטרים והכמים הממיתי שנמצאו
בתוכת הרוכלים עם שער בל בשמים יאוש· יוגם הב להועילת גדול לרפואת האדם . . . רק שאון

wenn das Erscheinen des Augenspiegels jene freudige Aufregung
unter den Juden hervorgerufen hätte. Schon diese einfache Thatsache könnte die grosse Verkennung lehren, die darin liegt, den
Reuchlinschen Streit als einen Kampf für den Thalmud aufzufassen,
wie man neuerdings [1]) versucht hat.

בוכרין דבריה הללו רק לרופאים המומחים ליבים שוודעים להיטתמש בהם במקום הראוי· כך כל
בליעי הכבים זבריגם זבריגע לברכת והודתם הן ליודעים חן· והן גם כן כות ובבשול לכסיים ההולבים
בהוסך· ובעבו רברי החכם הנוצדי הזה הבליון בוב בעיני הבלך והסירים ועאו הבלשיגים בפחי
:בבכ „Ich habe von Alten erzählen hören, dass in früheren Jahren einige
getaufte Juden aufgetreten sind, und mit Wort und That sich angestrengt
haben gegen dieses göttliche Geräth (den Thalmud) und sich bemüht haben,
es dem Feuer preiszugeben, aus Spott und Hass gegen die darin enthaltenen
Dinge wegen der Kleinheit ihres Verstandes. Und beinahe hätten sie ihren
bösen Plan ausgeführt, da erweckte Gott den Geist eines weisen Christen, der vor
Fürsten und Völker hintrat und Achtung vor diesem heiligen Buche lehrte.
Er sagte: die seltsamen Erzählungen, die darin gefunden werden, sind wie
die bitteren Kräuter und tödtlichen Gifte, die neben köstlichen Gewürzen
in den Apotheken verkauft werden. Auch sie werden gebraucht zur Hei-
lung von Krankheiten, . . . aber ihr Werth ist nur bedeutenden Aerzten
bekannt, die wissen, sich ihrer am rechten Orte zu bedienen. So werden
auch die köstlichen Worte unserer Weisen und ihre Verborgenheiten nur
von den Verständigen erkannt, aber den Thoren, die in der Finsterniss
wandeln, sind sie Tod und Verderben. — Die Vertheidigungsrede dieses
weisen Christen gefiel dem Könige und den Fürsten; die Verläumder aber
gingen beschämt davon.‟ Auf eine Kritik dieser, schon ihres Alleinstehens
wegen höchst interessanten Nachricht, die aber wol 70 Jahre nach dem
Streite und in Friedberg — also sehr in der Nähe Frankfurts — geschrieben
ist, soll hier nicht eingegangen werden. Zu bemerken ist, dass der Name
Reuchlins nicht erwähnt ist; Pfefferkorns Name mag absichtlich verschwiegen worden sein. (Ich verdanke diese Notiz der gütigen Mittheilung
des Herrn Carmoly in Frankfurt a/M.)

[1]) Dieses Streben tritt in der Darstellung von Grätz an unzähligen
Stellen hervor. Ueber den Augenspiegel sagt er S. 126: „Die Juden griffen
noch gieriger nach der Schrift, weil zum ersten Male ein Ehrenmann mit
gewichtiger Stimme für sie in die Schranken trat und die so oft wiederholte
Anschuldigung gegen sie als Verläumdung brandmarkte. Sie jubelten, dass
sie endlich einmal einen Annehmer gefunden, und dankten Gott, dass er sie
in ihrer Noth nicht verlassen. Wer will es ihnen verargen, dass sie für
Verbreitung der Reuchlinschen Schrift geschäftig waren?‟ Grätz stützt sich
dabei auf die oben (S. 224 und 252) angeführten Stellen Pfefferkorns, den er
hier, wo seine Erfindung nur in plumper Absichtlichkeit hervortritt, als sicheren
Gewährsmann annimmt, während er sonst von ihm berichtete Fakta, die
auch anderwärts beglaubigt sind, Urkunden und Aktenstücke, die er mittheilt, als unecht und lügenhaft verwirft!

Aber allerdings, wo die Schrift treffen sollte, da hat sie getroffen. Pfefferkorn und sein Anhang hatten eine solche Sprache, ein solches Auftreten nicht erwartet. Während der Messe, wol noch zum Vertriebe seines Handspiegels [1]), war Pfefferkorn in Frankfurt anwesend, da kam zugleich mit seiner Schrift der Augenspiegel auf den Markt, er hielt es vielleicht für das Wirksamste, wenn er dagegen öffentlich auftrete.

Einem getauften, verheiratheten Juden war es nach kirchenrechtlichen Bestimmungen verboten, an geweihter Stelle zu predigen [2]); vielleicht um diesem Verbote nicht entgegenzuhandeln, hatte der Stadtpfarrer Peter Meyer, ein fanatischer, zanksüchtiger Mensch, der den Streit des Streites wegen suchte, und dem es wenig darauf ankam, ob er mit der Stadt, dem Bartholomäusstift, dem Erzbischof von Mainz, Reuchlin oder Luther in Hader lag [3]), Pfefferkorn gestattet, vor der Kirche zum Volke zu reden (7. September 1511) [4]). Da predigte er vor den Haufen gegen die Juden, man sollte ihnen keinen Wucher gestatten, sie zum Predigtanhören zwingen und ihnen ihre Bücher nicht mehr lassen, wahrscheinlich benutzte er die Gelegenheit, um gegen die Judengönner sich auszusprechen, und die Schändlichkeit derselben an dem eben erschienenen Buche Reuchlins nachzuweisen [5]).

[1]) Reuchlin sagt (Augenspiegel A 4a): Pfefferkorn habe den Handspiegel inn nechst verschiner Frankfurter mess selbs umb getragenn, verkaufft, und durch sein weib in offem grempelkraum yederman faill gebotten.

[2]) Das betont namentlich Reuchlin in der Defensio contra calumniatores Colonienses B iiib sq.

[3]) Vgl. die Frankfurter Bürgermeisterbücher (Frankf. Archiv) und Lersner, Frankfurter Chronik das ganze erste Viertel des 16. Jahrhunderts hindurch.

[4]) Profesto beatissimae virginis Mariae, Reuchlins Defensio B iiia; das. sagt Reuchlin: ascendit ante templum. Auch Pfefferkorn sagt: quod ego ante templum . . verba habuerim, Defensio (ed. Böcking. Leipzig 1864) p. 192. Dass Meyer es erlaubt hatte, sagt Reuchlin ausdrücklich: sed tantum a plebano permissus, B iiib.

[5]) So lassen sich die beiden Berichte vereinigen: Pfefferkorn a. a. O. spricht nur von dem gegen die Juden gerichteten Theile; Reuchlin sagt: in mei contumeliam, in odium mihi parandum . . sub colore sanctae praedicationis audientium simultates adversum me conflare nitebatur. — Pfefferkorns frühere und gegenwärtige Anstrengungen haben bei dem Frankfurter Rathe einen nicht ganz unfruchtbaren Boden gefunden. Schon am 3. September (sabbatho in die Annae) 1511 heisst es in dem Rathschlagungsprotokoll (1510—1517.

Aber gefährlich begann die Sache für Reuchlin zu werden, als der Stadtpfarrer Meyer sich nicht damit begnügte, seinen Schützling gegen den Augenspiegel reden zu lassen, sondern gewaltsam gegen das Buch vorging. Er behauptete einen Befehl des Erzbischofs von Mainz erhalten zu haben, der, auf den gefährlichen Inhalt der Schrift aufmerksam gemacht, von dem Pfarrer verlangt hatte, eine genaue Durchsicht derselben vorzunehmen [1]). Sein Anspruch als erzbischöflicher Commissar zu fungiren, ist freilich keineswegs unbestritten. Reuchlin behauptet, er sei dazu in keiner Weise berechtigt gewesen. Im Gegentheil habe der Erzbischof sich entschieden geweigert, die Vertheidigung Reuchlins (den Augenspiegel) zu verbieten, während er den Angriff gegen ihn, (den Handspiegel) ruhig hätte durchgehen lassen. Dadurch sei der Augenspiegel wieder frei gegeben, und nur desto eifriger gekauft worden [2]). Jedenfalls nahm Meyer eine Durchsicht

---

tom. II im Frankf. Archiv): Etlich zuverordenen, die der Juden halwer ratslagen sollen, zu bliben oder zu vertriben; und am 7. Oktober *(sexta post Francisci)* beschliesst die Rathscommission, deren Verhandlungen in diesen Rathschlagungsprotokollen mitgetheilt werden: der Juden halwer by key. mat arbeiten dem fiscal gebieten, stil zu stehn (p. 146 und 149). So oft später die Juden um Erneuerung ihrer Stettigkeit, oder gar um Gewährung neuer Freiheiten einkamen, beginnt man über eine etwaige Vertreibung zu berathen. Z. B. 19. Juli 1513 (Bürgermeisterbuch 1513 fol. 45a): Als die Judden bitten umb die Stettigkeit, sie wie von alter ufzunemen, ein Jar uf nemen, und hernachmals bedencken, wie sie zu vertriben syn u. a. m.; auch Rathschlagungsprotokoll a. a. O. p. 213 (15. März 1514). Der Plackereien Pfefferkorns müde; denuncirten die Frankfurter Juden dessen Anstrengungen durch ihren Hochmeister (Joseph Loans aus Rossheim?) beim Kaiser: Als der Judden hohemeister, so in keyserlichem hoiff liget, ein privilegium erlangt, dar In gemelt wirt, die Juden In keyr mat schirm syn sollen, und fur Pfefferkorn zu beschirmen etc., wie die werbung geluth hat, welche privilegium sie one willen eines Erbarn Rats nit annemen wollen. 25. Oktober *(feria tertia post undec. mil. virg.)* 1515. Bürgermeisterbuch fol. 90a. Die Vorschrift, sich in dieser Weise gegen jedes ihnen gewährte Privilegium zu verhalten, wird ihnen nochmals eingeschärft. 15. November fol. 102a.

[1]) Pfefferkorn, Defensio p. 65b sq.

[2]) Reuchlins Defensio contra calumniatores Colonienses 1513. B iib fg.: *illustrissimus princeps, cui iam constaret mihi fieri gravem iniuriam* (das ist freilich aus dem früheren Benehmen Uriels in der ganzen Angelegenheit nicht recht ersichtlich), *ut qui non prohibuisset detractionem, noluit prohibere defensionem, immo refutavit confirmare prohibitionem, quam sciebat esse tam iniustam quam insidiosam. Igitur concedente magistratu* (der Frankfurter Rath: in dem Bürgermeisterbuche findet sich davon nichts, was allerdings

der Schrift vor, und kaum hatte er ein paar Bogen in derselben gelesen, da war sein Urtheil fertig; er schrie laut aus: an den Galgen, an den Galgen mit diesem Buch. Sofort inhibirte er den Verkauf
desselben und schickte ein Exemplar an die Kölner theologische
Fakultät.

In ihr sassen damals neben Andern Jakob Hochstraten, Ketzermeister, Arnold von Tungern, Conrad Collin. Tungern, der uns im
Verlaufe noch mehrfach beschäftigen wird, wurde mit der Prüfung
des Buches beauftragt, Collin war ein Bekannter Reuchlins von
früher, vielleicht von Heidelberg her. Dort hatte er Vorlesungen
über den Thomas von Aquino gehalten, sie auf Verlangen seiner
Freunde und früheren Collegen herausgegeben; in Köln spielte er
eine untergeordnete Rolle, erst als er 1527 Ketzermeister an Stelle
Hochstratens wurde, trat er mit Schriften gegen Luther hervor [1]).

ein wenig verdächtig ist) *apologiae meae speculum oculare ab universis multo
uberius emptum fuit.* Es ist unmöglich zu entscheiden, ob diese oder Pfefferkorns Erzählung auf Wahrheit beruht; beides sind blosse Berichte, beiden
fehlt jede urkundliche Grundlage. Was in Reuchlins Erzählung folgt, Meyer
habe, da er die Erfolglosigkeit seines Schrittes eingesehen, angekündigt,
Pfefferkorn werde gegen den Augenspiegel predigen, ist schwerlich anzunehmen. Logischer ist, wie ich nach Pfefferkorns Bericht die Sache dargestellt habe: Er war der Hauptanstifter, er bat um die Erlaubniss, gegen
seinen Gegner zu predigen, und erhielt sie; durch diese Predigt, durch Privat-
gespräche mochte er den Pfarrer bewegen, gegen das verderbliche Buch vorzugehen. — Es sei hier eine allgemeine Bemerkung gestattet: In keiner Erzählung des Reuchlinschen Streites hat man sich die Mühe genommen, bei
jeder einzelnen Thatsache kritisch vorzugehen, einander entgegenstehende
Berichte, falls solche vorhanden sind, gegen einander abzuwägen. Hat man
überhaupt die Berichte der Gegner Reuchlins beachtet, so ist man in solchen
Fällen mit dem Urtheile leicht fertig gewesen und hat ihre Glaubwürdigkeit
gegenüber den Reuchlinschen durchaus verdächtigt. So sehr man aber auch
anerkennen muss, dass das Bestreben Reuchlins ein edleres war, dass er
redlicher in der Wahl seiner Mittel, wahrhafter in seinen Berichten war, so
darf man nie vergessen, dass seine Schriften, die uns hier als Quelle dienen,
eben auch Streitschriften sind, in denen manches Wort in der Erregung des
Augenblicks unabsichtlich geschrieben wurde und hie und da Thatsachen
falsche Ausprägung gegen besseres Wissen erhielten. Man täuscht sich,
wenn man glaubt, durch Herabsetzung der Gegner die Sache Reuchlins zu
verherrlichen; es ist nicht historisch und darum nicht gerecht, den Einen mit
anderem Maassstabe zu richten, als die Andern.

[1]) Er starb am 26. August 1536, vgl. Echard, Scriptores ordinis Praedicatorum II p. 100a.

Das war allerdings von vornherein klar: ein bei dem Ketzermeister und einer Universität, der er angehörte, anhängig gemachter Prozess war mit Verurtheilung ziemlich gleichbedeutend. In einem Gutachten, für das bei einer schwierigen Materie, die es behandelte, doch nicht sehr lange Zeit zur Abfassung gelassen worden war, in einer Vertheidigungsschrift, die äusserer Umstände halber in kürzester Frist hatte beendet sein müssen, liessen sich gewiss Irrthümer, vielleicht offenbare Fehler finden, die in der Sprache jener Zeit nach Ketzerei schmeckten. Es war keineswegs etwas noch nicht Dagewesenes, dass eine Fakultät einen Gelehrten wegen mündlich oder schriftlich gethaner Aeusserungen vor ihr Tribunal lud, und zum Widerruf zwang, es war selbst mit Männern geschehen, die bisher in Leben und Lehre fleckenlos dagestanden, deren wissenschaftliche Bedeutung unbestritten war und Rücksichtsnahme verdiente, aber ungewöhnlich war es, dass eine Universität gegen einen Mann vorging, der in keiner Beziehung zu ihr stand. Freilich die Kölner behaupteten, das oberste Censurrecht in Deutschland durch päpstliche Autorität zu besitzen: eine jede Schrift, wenn sie verdächtig erschien, war der Untersuchung des Ketzermeisters verfallen.

Von dem drohenden Unwetter erhielt Reuchlin zeitig genug Kenntniss. Eine officielle Anzeige brauchte ihm nicht gemacht zu werden, ein vorgeblicher Freund, Prediger Ulrich in Steinheim, theilte ihm mit, gewiss in der Absicht, ihn zu sofortiger Unterwerfung und Widerruf zu bewegen [1]), dass man ziemlich verächtlich in Köln und Mainz über ihn rede, dass sein Buch dem Arnold von Tungern zur Untersuchung übergeben sei. Man spräche schon davon, dass der Verfasser peinlich gefragt, dass die Schrift verbrannt werden sollte [2]).

Hätte Reuchlin die richtige Erkenntniss von der Bedeutung seiner Schrift und seines ganzen Auftretens gehabt, so hätte er diese Drohung, in so freundliche Worte sie sich auch einkleidete, einfach verlacht. In dem Rechte seine durch freies Nachdenken gewonnene, und durch redliche wissenschaftliche Forschung gefestigte Ueberzeugung aussprechen zu dürfen, wie es ihm beliebte, hätte er ruhig erwartet,

---

[1]) In der Auffassung dieses Briefes theile ich die Ansicht von Grätz IX S. 131 Anm. 1.

[2]) 26. Oktober 1511. Was die Stelle in dem Briefe: *Scripsi alias ex Moguntia Procuratrici, ut Dominationem vestram avisatam redderet, sicut credo fecit* bedeutet, kann ich nicht sagen.

was man dagegen für Schritte versuchen würde. Aber weder seine
Natur, noch die ganze geistige Richtung der Zeit trieben zu einem
solchen moralischen Heroismus: schon hörte er das Ketzergericht
die Entscheidung fällen, da suchte er dem Ausbruch des Sturmes
wenn möglich zuvorzukommen.

Er wandte sich in einem fast demüthigen, unterwürfigen Schreiben an Tungern [1]). Er halte es für ein Glück, dass gerade er
ihm als Richter gegeben sei, er, der vor Gelehrsamkeit Achtung,
mit menschlicher Schwäche Nachsicht habe. Bei der Abfassung
seines Gutachtens habe er keinen Menschen verletzen, keiner Universität zu nahe treten wollen. Sein ganzes Leben habe er unbescholten zugebracht in Verehrung der Wissenschaft, selbst ihr manch
kleines Scherflein zuführen wollen, wie seine vor kurzem veröffentlichte
hebräische Grammatik zeige; er habe in Achtung vor ihren Vertretern gelebt, zu denen auch die Kölner Universität gehöre. Wie sie
in der Sache, über die auch er sein Gutachten abgegeben, geurtheilt, wisse er noch jetzt nicht; er habe, da eine gesetzliche Vorschrift über die Judenbücher nicht vorgelegen, darüber ungehindert
reden können. Als Nichttheologe habe er theologische Stellen angeführt, etwa so, wie ein Landgeistlicher von Medicin rede. Aber in
Allem habe er sich den Vorschriften der Kirche angeschlossen, was
sie glaube, glaube auch er. Habe er einmal dagegen gefehlt, was
er nicht wisse, so sei er bereit, das zu verbessern. Habe er eine
Person verletzt, so möge man ihm das vorher anzeigen. „Habe Geduld mit mir, so will ich Dir Alles bezahlen. Befiehl, so stecke ich
mein Schwert ein; es krähe mir der Hahn, so will ich weinen,
donnere erst, bevor Du blitzest."

Den Conrad Collin [2]) erinnert er an ihre alte Freundschaft, an
ihre gegenseitige Werthschätzung und erzählt ihm den Hergang des
Handels. Er habe sich in dem ihm vom Kaiser abverlangten Gut-

---

[1]) 1. November 1511. Die Datirung des Briefes in Pfefferkorns Defensio p. 74—78 *quinto Cal. Nov.* ist kaum möglich anzunehmen. In zwei
Tagen, vom 26.—28. Oktober, konnte nicht ein Brief von Köln (Steinheim?)
Stuttgart erreichen, und gar so früh ankommen, um an demselben Tage
beantwortet werden zu können. Sonst ist gerade der bei Pfefferkorn gegebene Text der originale, die in den Epp. ill. vir. mitgetheilte Fassung die
des Concepts.

[2]) Ohne Datum, wahrscheinlich an demselben Tage, wie der Brief an
Tungern.

17*

achten für die mildere Entscheidung ausgesprochen, die Schmachbücher verworfen, und bei dem Thalmud nur vor Vernichtung abgerathen, weil er neben dem Thörichten und Schädlichen auch
Nützliches enthalte. Da habe Pfefferkorn, dessen ganzes Streben
es von jeher gewesen, durch den Bücherhandel von den Juden Geld
zu erpressen, gegen ihn eine Schmähschrift herausgegeben, bei der, wie
Viele meinen, Hochstraten geholfen habe. Das würde ein schlimmer
Lohn sein für die Freundlichkeit, die er immer gegen ihren Orden
und seine einzelnen Glieder gehegt, für die Anwaltsdienste, die er
ihnen viele Jahre hindurch unentgeltlich geleistet, wenn sie nun das,
was ein Schurke gegen ihn gethan, gut hiessen, oder gar schon vorher unter seinem Namen gegen ihn aufgetreten wären.

Dieser offenen Aussprache begegnete Collin in seinem Antwortschreiben [1]) mit ziemlicher Rückhaltlosigkeit. Es sei nicht wunderbar, wenn ein Jurist theologische Dinge nicht begreife, aber darum
müsste der Laie nur um so vorsichtiger zu Werke gehn. Seine
Freundschaft habe die Fakultät bewogen, von strengerem Vorgehn
Abstand zu nehmen, schon werfe man ihr vor, dass sie so säumig
sei, und verlange unverweilt eine Verurtheilung der schädlichen
Schrift, Weltliche und Geistliche erwarten die Entscheidung und seien
bereit gegen den Verfasser loszugehn; er aber habe veranlasst, dass
man Reuchlin die anstössigen Stellen sende, und ihm angebe, was
daran zu ändern sei.

Letzteres führte die Fakultät, die naturgemäss den Brief Reuchlins
an Tungern als indirekt an sie gerichtet, und nicht als einen Privat-
brief ansah, weiter aus [2]). Er habe durch sein Gutachten das Unternehmen des Kaisers gegen die jüdischen Bücher vereitelt, habe
durch die in demselben ausgesprochenen Ansichten sich der Begünstigung des jüdischen Unglaubens verdächtig gemacht, und die
Juden in ihrem Kampfe gegen das Christenthum bestärkt. Zur
Stütze seiner Ansicht habe er Schriftstellen angeführt und aus ihnen
eine Bestätigung seiner falschen Meinungen herzuleiten sich bemüht,
dadurch und durch das Einstreuen einiger anstössigen, übelklingen-
den und für fromme Ohren ärgerlichen Behauptungen habe er seine
Rechtgläubigkeit verdächtigt. Das Mitleid, das sie ohnehin mit ihm,
als einem kranken Gliede gehabt, hätte sich noch gesteigert, als sie

---

[1]) 2. Januar 1512.
[2]) Von demselben Datum.

seine unterwürfigen Briefe an Collin und Tungern gelesen und darin freudig seine Bereitwilligkeit erkannt hätten, zu verbessern, worin er geirrt. Daher schicken sie ihm ein Verzeichniss [1]) seiner unrichtigen Behauptungen und der von ihm falsch angewendeten Stellen, über die er sich genügender, als in der seinem Rathschlag folgenden Disputation aussprechen, oder nach dem Beispiele des demüthigen und weisen Augustinus einen Widerruf leisten solle.

Dieses Schreiben charakterisirt sich als das Manifest einer selbstbewussten Macht, die von dem übermüthigen Gefühle beseelt ist, Anderer Irrthümer aufzudecken und zu strafen, aber selbst nie zu irren. Einem solchen Auftreten gegenüber konnten nur zwei Wege zum Ziele führen: stolze Zurückweisung der erlassenen Forderung oder bedingungslose Unterwerfung. Den letzteren einzuschlagen, war Reuchlin zu edel, zum ersteren fehlte ihm der Muth. Er antwortete [2]) der Fakultät in dem höflichen, ergebenen Tone eines Mannes, der gern bereit ist, ein Uebereinkommen einzugehen, wenn es nur irgend mit seiner Würde vereinbar ist.

Er lobt ihre Frömmigkeit und dankt ihnen, dass sie, die tapferen, ungebeugten, reine Blüthen unter den sie umgebenden Dornen, ihn, ihren Knecht, nicht verurtheilten, ohne ihn, wie Gott den Adam, verhört zu haben. Aber was sie unter näheren Erklärungen und Ausführungen meinten, die sie von ihm verlangten, verstehe er nicht; er würde die Erklärungen, die er seinem Gutachten beigefügt, auch deutsch gegeben haben, um solche, die kein lateinisch könnten, über seine wahre Ansicht aufzuklären, hätte ihn nicht die Kürze der Zeit daran verhindert, aber er sei noch jetzt bereit dazu. Verlangten sie Weiteres, so möchten sie ihm bestimmt formulirte Forderungen zuschicken, und nicht eher gegen ihn vorgehen, bis seine Antwort darauf eingetroffen sei.

Mehr liess er sich in der Antwort an Collin [3]) gehn. Zunächst bat er ihn ironisch, ihn doch mit Du, statt mit Ihr anzureden, da die lateinische Sitte das so erfordere [4]); dann dankte er ihm für seine

---

[1]) Dieses Verzeichniss ist in dem Briefe nicht erhalten, es sind ohne Zweifel die 44 *propositiones*, die die Kölner später in dem Schriftchen: *Propositiones vel articuli* drucken liessen, s. u.

[2]) 27. Januar 1512. Den Brief der Kölner vom 2. Januar erhielt er erst am 16. (*XVII Kal. Febr.*), s. oben S. 259 Anm. 1.

[3]) Von demselben Datum.

[4]) Das hat schon Strauss hervorgehoben I S. 203 Anm. 2.

Freundschaft, die er ihm vergelten wolle, und für seine Rathschläge, die er gern befolgen würde. Ausserhalb der Kirche gebe es kein Heil; er wolle in der Kirche verharren als getreuer Sohn. Mit dem Worte könne ein Jeder irren und so habe er gewiss manche Ausdrücke gebraucht, die er nun nicht gesagt wünsche. Aber auch die ehrenwerthen Kölner hätten ein Wort gebraucht, das ihn verletzt hätte, nämlich dass er den Plan des Kaisers, die Judenbücher zu vernichten, zerstört hätte: von einem solchen Plane wisse er nichts, nur von einer Untersuchung, die über jene Bücher geführt werden sollte. Ein Judengönner sei er nicht; wie der h. Hieronymus hasse er die Beschnittenen. Dass er in deutscher Sprache geschrieben, sei ihm nicht zum Vorwurf anzurechnen, denn der kaiserliche und erzbischöfliche Befehl seien in derselben Sprache gewesen. Das Aergerniss habe nicht er erregt, sondern Pfefferkorn, der sein Gutachten sich durch Verrath verschafft habe und dagegen aufgetreten sei, während er aus freien Stücken seinem Gutachten Erläuterungen beigegeben habe. Damit meine er, wie vielen andern gelehrten Männern, auch den Kölnern genug gethan zu haben; seien sie nicht damit zufrieden, so liege es an ihnen, nun deutlich zu sagen, was sie verlangen. Sie seien die Geistlichen, die in diesen Sachen das Rechte wüssten, er ein Weltlicher mit beschränktem Verstande.

Es war jetzt an den Kölnern, bestimmte Forderungen zu formuliren. Sie verlangten [1]), Reuchlin solle alle noch vorhandenen Exemplare seines Augenspiegels vernichten, die Besitzer desselben um Zurückgabe bitten und sie in einer öffentlichen Erklärung ersuchen, ihn für einen frommen rechtgläubigen Mann, einen Feind der Juden und namentlich des Thalmud zu halten. Geschehe das nicht, so werde man ihn, in christlicher Liebe zwar, aber mit dem der Sache gebührenden Ernste, vorladen müssen, denn das Briefwechseln führe zu keinem Ende und eine Glaubensangelegenheit dulde keinen Aufschub. Ziehe sich die Sache in die Länge, dann werde man einst, wenn er nicht mehr antworten könne, den todten Löwen am Barte rupfen. Er solle bedenken, um was es sich handele: gebe er nach, so erringe er den höchsten Ruhm, Sieger zu sein über sich selbst.

---

[1]) 29. Februar 1512. Die Briefe Reuchlins an Collin waren keineswegs für diesen allein bestimmt; er vergisst am Schluss nicht hinzuzufügen: *hanc epistolam cum egregio Dn. Jacobo, eximioque Dn. Arnoldo, caeterisque tuis communicato*; oder ähnliches.

Collin[1]) versuchte wieder seine freundschaftlich drohende Mahnung: Er habe für ihn geredet und gehandelt, seine Behauptungen, namentlich die anstössigste, Christus sei rechtmässig von den Juden getödtet worden, anders zu deuten gesucht, sich fast für ihn verbürgt, so dass man, darauf vertrauend, den Beschluss gefasst habe, ihm die Meinung der Fakultät zu melden, ehe man gegen ihn vorgehe. Er müsse noch für die nächste Messe ein Schriftchen machen, um in ihm die gewünschte Erklärung zu geben, die Nächte solle er schlaflos zubringen, damit er sich und seine Freunde von allen Uebeln befreie.

Aber nun war Reuchlins Geduld erschöpft. Er hätte, schrieb er an die Kölner Fakultät[2]), Anderes von ihrer Milde und Einsicht erwartet. Durch seine Erklärungen zum Gutachten habe er den gelehrtesten Männern Genüge gethan, sie, die Kölner, gäben beständig an, sie seien noch nicht zufriedengestellt, ohne bestimmt zu sagen, welche Zugeständnisse sie verlangten. Er sei aus freiem Antriebe bereit, seine Erklärungen nun deutsch zu veröffentlichen, um den Uebelwollenden jede Handhabe gegen ihn zu entwinden bei seinen Lebzeiten und nach seinem Tode. Von dem Augenspiegel sei eine neue Auflage nicht erschienen, die früher veröffentlichte gehöre dem Buchhändler, und nur dieser habe darüber zu verfügen.

Das war ein Absagebrief ziemlich höflicher Art, seine wahre Meinung drückte er in dem beigeschickten Briefe an Collin[3]) aus. Er habe recht daran gethan, den Ketzermeister und die Fakultät von Gewaltschritten gegen ihn abzuhalten, denn diese hätten ihnen nur schlimm bekommen können. Er stehe fest und gesichert da, er fürchte weder rechtliche Verfolgung noch Ungerechtigkeit. Er wünschte allerdings lieber mit den Kölnern in Freundschaft zu verkehren, als in Hader sein Leben zu verbringen. Aber dass Streitigkeiten, die schnell angefacht worden, mühsam zu Ende geführt würden, dass übermüthiges Geberden oft den Tod vieler Unschuldigen herbeiführe, möchten auch sie bedenken. Denn angefangen hätten sie, oder vielmehr der von ihnen angestachelte getaufte Jude[4]), er

---

[1]) 23. Februar. Die Belehrung Reuchlins hatte gefruchtet; er schreibt jetzt: *tua fides, tu* etc.

[2]) 11. März 1512.

[3]) 11. März 1512.

[4]) Neben den andern gewöhnlichen Vorwürfen gegen Pfefferkorn heisst es hier: *cum suspitione reditus ad vomitum*, was wol nichts Anderes bedeutet»

sei unschuldig verrathen und verkauft. Aber sie mögen nicht glauben, ihn zu fangen und zu überrumpeln. „Welche Bewegung[1]) müsste es verursachen, unter den Kriegsleuten von Adel und Unadel, auch jenen, welche die Brust ohne Harnisch, aber voller Narben haben, wenn ein Redner mit der Kraft eines Demosthenes ihnen Anfang, Mitte und Ende dieses Handels entwickeln, und zeigen würde, wem es dabei um Christus, und wem um den Beutel zu thun gewesen . . . Und glaube nur, zu jener Zahl der Starken würden sich auch die Poeten und Historiker gesellen, von denen in dieser Zeit eine grosse Anzahl lebt, die mich als ihren ehemaligen Lehrer, wie billig, ehren; sie würden ein so grosses Unrecht, von meinen Feinden an mir verübt, ewigem Andenken übergeben und mein unschuldiges Leiden schildern, zu eurer hohen Schule unvergänglicher Schmach."

Damit waren die Unterhandlungen zu Ende; auf den letzten Brief, ein wahres Manifest, wie es stärker einem so gefürchteten Gegner gegenüber nicht geschrieben werden konnte, blieben die Kölner die Antwort schuldig. Durch das Abbrechen der Verhandlungen war die Sache wieder in ihre rechte Bahn gelenkt, in die des literarischen Kampfes, in dem der Sieg nicht demjenigen sich neigte, welcher über grössere Gewaltmittel gebot, sondern der die Waffen des Geistes kräftiger zu führen verstand.

Seinem Versprechen gemäss gab Reuchlin, wenige Tage nach Absendung seines Briefes an die Kölner, die Erklärungen, die er im Augenspiegel seinem Gutachten in lateinischer Sprache angehängt hatte, in deutscher Sprache heraus[2]). Er erzählte darin, wie er vom Kaiser aufgefordert worden, ein Gutachten zu schreiben, wie Pfefferkorn in verrätherischer Weise dasselbe bekannt gemacht und wie er sich dagegen vertheidigt habe. Kleinmüthiger Menschen wegen habe er Erklärungen seiner Behauptungen hinzugesetzt, die gebe er jetzt

---

als „auf dem der Verdacht ruht, zu dem verlassenen Glauben [dem Judenthum] zurückzukehren." Bekanntlich war später unter den Humanisten der Glaube allgemein verbreitet, Pfefferkorn sei wieder Jude geworden.

[1]) Diese Stelle nach der Uebersetzung, die Strauss I S. 205 fg. gibt.

[2]) Ain clare verstentnus in tütsch vff | Doctor Johannsen Reüchlins ratschlag von den iuden büchern vor-;mals auch zu latein inm Augenspiegel vssgangen. | A .. C à 4 Bll., und 2 unpag. Bll. in 4°. A. E.: Geben amm xxij. tag des mertz|en im fünffzehen hundert vnnd zwölfften iar. Letzte Seite und Hälfte der vorletzten leer. O. O.

deutsch, „frywilliglich und on bezwungen allain umb der liebe gottes,
myns selbs und myns nechsten willen." Es käme ihm vor allem
darauf an, für einen ehrlichen rechtgläubigen Christen gehalten zu
werden, dann für einen unbescholtenen Mann, der nie für die Juden
gewesen, „so sie unrecht thuen oder nit recht haben und wider die
Cristen zu raten oder zu schreiben; dann by mynen höchsten eern
und aiden, so hat nie kain iud mit mir dar von geredt noch reden
lassen, weder vor dem ratschlag, noch darnach, mir hat auch nieman darumb gedanckt, weder mit worten, noch mit wercken, weder
cristen noch iuden." Seine Entscheidung sei ganz unparteiisch,
er habe die Bücher verurtheilt, die verdammenswerth gewesen
seien, namentlich alle, welche den christlichen Glauben schmähten,
die aber ausgenommen, die ohne Schaden gelesen werden
könnten. Diese Scheidung habe er auch im Thalmud vornehmen zu
müssen geglaubt. Darauf folgen die deutschen Erklärungen, die sich
von den lateinischen schon wesentlich dadurch unterscheiden, dass
sie nicht wie jene in der ermüdenden Form einer Disputation gehalten sind, sondern kurz die Stelle des Gutachtens angeben und
daran die Erläuterungen anfügen. Sie sind nicht in derselben
Reihenfolge, wie die lateinischen, aber nur unwesentlich vermehrt.
Eine directe Erwähnung des Briefwechsels mit den Kölnern findet
sich nicht. Den ihm von jenen gemachten Vorwurf, die Juden
hätten über den Augenspiegel frohlockt, weist er in kurzen Worten
zurück (C 3ᵃ); bemerkenswerth sind noch die spitzen, indirect gegen die Kölner und Pfefferkorn gerichteten Bemerkungen: die jüdischen Bücher seien noch nicht verbrannt, „ob es aber dennoch ge-
schech oder nit, das will ich nit für war, sunder warnungs wysse
geredt haben" (C 4ᵇ) und die energische Verwahrung dagegen,
dass er in seinem Missive und seinem Gutachten sich widersprochen
habe, die mit den Worten schliesst: „darumb mag von mir kain
frummer, noch sunst kain mensch mit warhait sagen, dass ich vor
inn der missive mit schwarzer dinten und doch yetzt imm ratschlag
mit güldener dintten geschriben hab" (C 2ᵃ). Der Schluss des
Schriftchens wendet sich nochmals gegen Pfefferkorn, mit ausdrück-
licher Nennung seines Namens. Er bittet alle, diesem keinen Glauben
zu schenken, „dann ich hab vor unnd yetzt mit gantzer warhait
offenlich an tag gelegt, was er für ain man ist, nemlich der ainen
sundern lust hat zu liegen."
Es ist bezeichnend für Reuchlins ganze Auffassung, dass er

auch nun, nach seinen letzten Briefen und nach Veröffentlichung
dieser Erklärung meinte, der friedliche Ausgleich sei nicht unmöglich
und dass er ziemlich erstaunt war, als er statt eines solchen Anerbietens,
statt der gerichtlichen Vorladung, auf die er noch immer wartete[1]),
eine gegnerische Schrift von ziemlicher Heftigkeit zugeschickt erhielt.
Schon der Titel[2]), auf dem sich Arnold von Tungern als Verfasser
nannte, zeigte, dass der Streit aufgehört hatte, eine Privatfehde zu
sein, dass die Kölner entschlossen waren, den, der sich ihrer Autorität nicht gutwillig beugen mochte, mit allen Mitteln der Gewalt
zu vernichten. Tungern widmete seine Schrift dem Kaiser: Er habe
gegen Reuchlin geschrieben, weil dessen jüngst erschienener Augenspiegel voll sei von unrechter Begünstigung der Juden, durch die
diese in ihrer Widersetzlichkeit gegen die Christen bestärkt worden seien; weil Reuchlin der Ermahnung der Kölner, anstössige Behauptungen zurückzunehmen, nicht habe Folge leisten, sondern sie
mit der Drohung habe zurückschrecken wollen, hinter ihm stehen
Viele, die bereit seien, ihn zu schützen. Aber sie, die durch Drohungen
nicht so leicht besiegt werden könnten, wollten nun das Unrecht
Reuchlins auf diese Weise strafen. Heftiger gegen Reuchlin tritt
ein dem Schriftchen beigegebenes Gedicht des Ortuin Gratius auf:
Ein ungeheures Verbrechen ist begangen, die Mächte der Unterwelt
freuen sich und triumphiren und bereiten den Himmlischen unend-
liche Trauer: Maria (Jesus erhabene Mutter) weint, und Jesus
schmerzen seine Wunden aufs Neue[3]). Möge sammt den jüdischen

---

[1]) Dass er das that, schreibt Reuchlin an Johann Hiltebrant 1. Oktober 1512.

[2]) *Articuli siue | propositiones de iudaico fauore nimis | suspecte ex libello
theutonico domini Joannis Reuchlin legum Doctoris | (cui speculi ocularis titu-
lus inscriptus est) extracte. cum annotationibus et im- | probationibus venerabilis
ac zelosi viri magistri nostri Arnoldi de Tun- | geri artium et sacre theologie
professoris profundissimi. et Collegii quod vul- | go bursam Laurentij vocant
regentis primarii semperque honorandi.*

Alpha beta eiusdem sacre theologie professoris in maledi- cos iudeos et thalmud.

*Responsiones ad argumenta quinquaginta quibus dictus legum doctor | in
suprafato speculo visus est iudeis suum thalmud saluare voluisse | diuersis scri-
pture et sacrorum doctorum auctoritatibus roborate sequuntur.*

Darunter die Verse Busch's, a b Gratius' und Gouda's Gedichte A à 2,
B, D, F, H à 6, C, E, G, I, K à 4 Bll. in 4°. O. O. u. J.

[3]) Nachdem er vorher von *Plutonia conjunx*, *Thesiphone*, *Megera* gesprochen, sagt er:

*Flet Jovis alma parens, repetit sua vulnera Jesus
Ossibus et venis multus amaror inest.*

Büchern die er vertheidigt, der Urheber einer so grausigen Verwirrung, Reuchlin, untergehen [1]).

Das Buch Tungerns zerfällt in drei Theile: 1) die falschen Behauptungen, die sich in Reuchlins Augenspiegel finden, 2) eine Reihe Schmähungen gegen Juden, die, um bequemer übersehen zu werden, alphabetisch geordnet sind, 3) Widerlegung der Erklärungen, die Reuchlin lateinisch seinem Gutachten angehängt und später deutsch wiederholt hatte.

Die Anklagen gegen Reuchlin lassen sich in Folgendem zusammenfassen: er habe über Dinge sein Urtheil abgegeben, die er nicht gründlich genug kenne, da er kein Theologe sei. Dass er darin geirrt habe, sei selbstverständlich, aber er habe es mit einer gewissen Freude gethan, habe das Gute der Juden laut gerühmt und ihre Schlechtigkeiten zu vertuschen gesucht; er habe über fromme kirchliche Schriftsteller aus früherer und gegenwärtiger Zeit nicht mit der gebührenden Achtung und Ehrerbietung gesprochen, habe Schriftstellen verdreht, Falsches und Verkehrtes, das manchmal an Ketzerei streife, hineingedeutet; er habe in den angehängten Erklärungen seine Behauptungen nur weiter ausgeführt, statt sie zu schwächen oder zurückzunehmen; er habe, obwohl sich seines Irrthums bewusst [2]), trotzdem seine Schrift weiter zum Verkaufe ausgeboten. Die von Reuchlin gegen diese, im Wesentlichen schon von Pfefferkorn vorgetragenen [3]) Anklagen, vorgebrachten Entschuldigungen, seien nicht stichhaltig, es fänden sich in ihnen nicht weniger als 44 übelklingende, anstössige Behauptungen [4]).

Auf die einzelnen einzugehn, möchte schwerlich lohnen, wir haben sie in grösserer Vollständigkeit und in mehr geordneter Form

[1]) Am Schlusse:

Ah, pereat tantae cladis nequissimus auctor.
Scriptaque gens narrat quae recutita suis.
Dispereant tua nunc stygiis, Reuchline, sub undis
Quae maternus habet verba nefanda liber.

[2]) *posteaquam sensit se errare.*

[3]) Wie Pfefferkorn, so bemüht sich auch Tungern, frühere und spätere Aeusserungen Reuchlins mit einander in Widerspruch zu setzen, vgl. B 2b.

[4]) Reuchlin hat bald nach Empfang der vom 28. August 1512 datirten Schrift — Brief an Joh. Hiltebrant 1. Oktober 1512 — sich die Mühe genommen, die Stellen seiner Erklärungen anzugeben, aus denen die Kölner diese 44 *propositiones* gezogen, zugleich den Ort, wo er ihre Vorwürfe widerlegt zu haben glaubte.

schon bei der Besprechung von Reuchlins Augenspiegel kennen gelernt; ebenso wenig auf die in dem letzten Theil folgenden Antworten auf Reuchlins Argumente, denn das in ihnen Vorgebrachte
ist nur nähere Ausführung der oben erwähnten allgemeinen Vorwürfe. Das endlich in dieser Schrift folgende Alphabet gegen die
Juden und den Thalmud ist ein höchst einfältiges Machwerk, schon
seiner Form nach; der Inhalt bezieht sich keineswegs auf das, was
der Titel angibt, sondern stellt in bunter Reihe dem Stoffe nach
Passendes und Ungehöriges zusammen.

Als Reuchlin das Schriftchen sah, erzählt er einem Freunde[1]),
wäre er zuerst erschrocken, dann als er es von Neuem durchgelesen
und erkannt hätte, wie arge Thoren doch diejenigen wären, welche
von dem' grossen Haufen für weise gehalten würden, welch schändliche Heuchelei, welch unerträgliche Schlechtigkeit sie besässen, da
habe ihn neuer Muth beseelt, und die Lust ihn ergriffen, ihnen zu
widerstehn. Er hatte vorher einen Angriff nicht im mindesten erwartet. Zwar finden sich wenig Briefe von ihm aus jener Zeit, aber
aus keinem geht im geringsten die Befürchtung hervor, es möchte
ein ernstlicher Streit aus dem mit den Kölnern geführten Briefwechsel hervorgehn. Nur ein paar Schmähworte gegen Pfefferkorn
finden sich einmal[2]), ein andermal die Notiz, dass ein paar freche
Buben gegen ihn aufgetreten seien[3]), was sich recht gut auf die
früheren Pfefferkornschen Schriften beziehen kann, als deren Miturheber
Reuchlin ja die Kölner ansah, und das Bekenntniss an Peutinger,
der sich von Mönchen angegriffen glaubte, ihm sei bis jetzt etwas
Aehnliches nicht widerfahren[4]). — Jetzt stand es bei Reuchlin fest,
die Antwort nicht schuldig zu bleiben, aber es dauerte noch ein
paar Monate, ehe er damit zu Ende kam.

Mit der Veröffentlichung ihrer Schrift gegen den Augenspiegel
hatten sich die Kölner keineswegs des, wie sie glaubten, ihnen zustehenden Rechtes begeben, Reuchlin auch gerichtlich zu Leibe zu
gehn. Aber dazu schien ihnen der Zeitpunkt noch nicht gekommen.

---

[1]) An Hiltebrant, 1. Oktober 1512.

[2]) Einleitung zu *Rabi Hissopaeus lanx argentea* (25. Februar 1512).

[3]) An Cuspinian (nach 6. April 1512).

[4]) An Peutinger (vor 1. Juni 1512): *Iniuriis a quodam monacho af-
fectum te suspicaris, et id tecum quoque caeteri putant. Ego vero eiuscemodi
tunc haud interfui.*

Zunächst wollten sie der gelehrten Welt [1]) das Unrecht desjenigen beweisen, den sie angriffen: das meinten sie, wäre durch die eben veröffentlichte Schrift geschehen, dann suchten sie sich der Hülfe der weltlichen Macht zu versichern. Von dem Kaiser, der das Reuchlin gegebene Versprechen, den Verfasser des Handspiegels vor Gericht zu ziehn, längst vergessen hatte und gewiss nicht mehr wusste, worum es sich handelte, erlangten sie einen an alle Reichsangehörigen, hauptsächlich aber an Bürgermeister und Rath der Stadt Frankfurt, wo ja der Hauptverkaufsplatz des Augenspiegels gewesen war, gerichteten Befehl gegen Reuchlins Buch: es sollte überall, wo man es anträfe, bei Vermeidung strenger Bestrafung konfiscirt werden [2]). Der am 7. October gegebene kaiserliche Befehl wurde von dem Erzbischof von Köln erst am 27. November publicirt[3]), und ist dem Frankfurter Rath, den er ja vornehmlich anging, wie es scheint erst am 28. März 1513 [4]) zugegangen. Von den Folgen des Befehles ist nichts bekannt [5]).

———

[1]) Dass dies des Zweck der Schrift ist, zeigt schon die lateinische Sprache, in der sie abgefasst ist. Es ist etwas kleinlich von Reuchlin, wenn er es den Kölnern als Verbrechen vorwirft, dass sie lateinisch geschrieben hätten, sie hätten sich der deutschen Sprache bedienen müssen, in der bisher in dieser Angelegenheit verhandelt worden sei. Defensio contra calumniatores B 4ª sq.

[2]) Die Urkunde vom 7. Oktober 1512, deutsch in Pfefferkorns Brandtspiegell B ij fg. und Beschyrmung H ijᵇ fg., lateinisch in Defensio p. 99 sq. Die Uebersetzung ist wörtlich, und sind die Worte „gentzlichen gemeint ist" und „in unsern" vor „und uwern fustenthumben" ausgelassen, und die Phrase: „by der penen und straffen, die wir zo yedes messigung und gut beduncken stellen, uff das allerstrengst zu thun verfugt", kurz und ungenau mit *per cautionem nostrae penae* wiedergegeben.

[3]) Brandtspiegel B ij — B iijᵇ.

[4]) In dem Frankfurter „Rathschlagungs-Protocoll" (Frankf. Archiv), in dem die Beschlüsse der die Rathsangelegenheiten vorberathenden Commission zusammengestellt sind, findet sich Tom. II p. 181 zum 28. März *(secunda post pasce)* die fragmentarische Notiz: „Als Johannes pefferkorn ein mandat", zu der sich weder an einer andern Stelle desselben Buches, noch in den Bürgermeisterbüchern eine Ergänzung findet. Auf eine andere kaiserliche Urkunde in unserer Angelegenheit kann sich die Notiz nicht beziehen, und dass sie mit unserem Streit nichts zu thun haben sollte, ist höchst unwahrscheinlich.

[5]) Ortuin Gratius in den Prenotamenta (1514) aa 4ª erzählt, dass die Konfiskation des Augenspiegels von den Erzbischöfen von Mainz und Köln und den Bischöfen von Worms und Würzburg ausgeführt worden sei.

Auch Pfefferkorn blieb nicht müssig. Grund genug zum Reden
hatte er allerdings, wenn er sich von den 34 Unwahrheiten reinigen
wollte, die Reuchlin ihm schuld gegeben hatte, wenn er die Schimpfwörter nicht auf sich sitzen lassen wollte, die dieser ihm allzureich-
lich gespendet hatte. Sein Brandspiegel [1]) ist ein giftiges Pamphlet,
heftiger und wüthender gegen die Juden, denen er den Untergang
geschworen hatte, als irgend eine frühere Schrift, und im höchsten
Grade leidenschaftlich und erbittert gegen Reuchlin.

Es war ihm hauptsächlich darum zu thun, seine Unschuld klar
an den Tag zu bringen, wie recht er darin handele, gegen die Juden
aufzutreten, die die geschworenen Feinde der Christen seien. Auf
gütlichem Wege sei mit ihnen nicht mehr auszukommen, es fruchte
kein Mittel mehr, selbst nicht das härteste. Die alten Juden möge
man aussetzen an einsamen Flecken, „wie die schebigen hunt“, die
Kinder müsse man ihnen entreissen, sie mit Gewalt zur Taufe
schleppen „und die also tzu der ere gots und yrer sielen selickait
in den hailgen glauben uffpflantzen“, aber die Erwachsenen, die müsse
man von überall, wo man sie fände, namentlich aus den drei grossen
Gemeinden Deutschlands, Worms, Frankfurt, Regensburg wegjagen
für ewige Zeit, „und man sol nit warten heut, morgen oder uber-
morgen, sondern von stunt an, so must es geschehen“ [2]).

Für das Haupthinderniss der Bekehrung der Juden habe er von
Anfang an ihre verderblichen Schriften erkannt und habe sich bemüht, sie zu vernichten [3]), aber das sei ihm einstweilen nicht gelungen, vielmehr statt den erwünschten Erfolg zu erzielen, habe er

---

[1]) Abzotraiben und auszuleschen eines ungegrunten laster buechleyn
mit namen Augenspiegell, So Joh. Raichlein, lerer der rechten, gegen und
wyder mich Joh. Pfefferkorn erdicht, gedruckt und offentlich vormals ussgeen hat lassen. Dar gegen ich meyn unschult allen menschen gruntlich tzu
vernehmen und tzu vercleren in desez gegenwyrdigen Buechgelgyn genannt
Brantspiegell gethan hab. Am Ende: Alhie hat eyn ende das buechleyn
Brantspiegel gnant. Und ist gedruckt in der erlicher löblicher stat Collen
von Herman Gutschaiff in der Schmerstrass Anno etc. (vor dem Ende 1512
nach S. 269 Anm. 3).

[2]) D 3ª ff.

[3]) Sehr bemerkenswerth ist, was er da hinzufügt (A 2ª fg.): doch all-
molss hyndan gesetz, das man sy die iuden bey den schrifften der V. buecher
moyse, psalter und der propheten und ander puecher, so in der heil-
gen kyrchen leidlich tzo gedulden, uff alle weg unverruckt bleiben
loss nach laut keyserlichen mandatt und bevelch desshalben ussgangen.

ein Lästerbüchlein Reuchlins erhalten „des ich mich tzo dez genannten doctor als crist tzo crist alsmals eynes beserns versehen und
geacht hett"[1]. Reuchlin behaupte, sein Buch nur zur Wahrung
seiner Ehre geschrieben zu haben, aber von ihm (Pf.) sei er gar
nicht angegriffen worden; sein Handspiegel sei gegen die Juden
gerichtet gewesen und nicht gegen Reuchlin. „Ich hab auch den
tzank tzwischen ym und myr nit erweckt, sundern er ist der hader-
mann, der den tzanck uffgeblossen und sein christenliche trew an
mir tzo bruchen hat"[2]. Der Kaiser habe den Auftrag ertheilt, ein
Urtheil über die Judenbücher abzugeben, aber die Schmähungen
gegen Pfefferkorn, die Reuchlin in sein Gutachten gemischt, die Vertheidigung der Juden und ihres Unglaubens habe der Kaiser nicht
verlangt.

Dass er so spät mit seiner Rechtfertigung auftrete[3], habe seine
guten Gründe. Er habe Reuchlin nicht so bald wieder Gelegenheit
geben wollen ein Buch mit vermeintlichen Unwahrheiten anzufüllen,
die er aus seinen Schriften gezogen, er habe erst die Gewissheit
erlangen wollen, dass viele gelehrte Männer und jetzt auch der
Kaiser, wie man aus dessen Urkund ersehen könne, die Schmähungen
Reuchlins missbilligten; und habe es zunächst Tungern überlassen
wollen, eine Widerlegung desselben zu schreiben.

Was er Thatsächliches gegen Reuchlin vorbringt, ist der Erwähnung nicht werth. Neu ist höchstens, dass er mit höhnischem
Behagen die demüthige Sprache hervorhebt, mit der sich Reuchlin
zuerst an Tungern und die Kölner gewandt, sonst finden sich nur
die alten Anklagen der Judenbegünstigung, das kleinliche Aufzeigen
des Widerspruchs zwischen dem Schreiben an einen Edelmann und
dem Gutachten, und die böswillige Verlogenheit, mit der er trotz
aller Widerlegungen dabei beharrte, Reuchlin verstände kein Hebräisch und sei mit jüdischem Gelde bestochen.

Mit solchen Gegnern, die gegen eine jede Widerlegung, so gut
die Gründe auch sein mochten, taub waren, denen jede wissenschaftliche Kenntniss ein Greuel und jede neue Idee, die nicht durch
scholastisches Rüstzeug gestützt war, ein Verbrechen schien, war
kaum zu streiten. Es hätte nun, nachdem eine einfache friedliche
Auseinandersetzung in den Briefen unternommen, aber nicht gelungen

---

[1] A 2b.
[2] A 3a.
[3] Ende 1512; der Augenspiegel war Herbst 1511 erschienen.

war, der Versuch noch einmal gewagt werden können, in ernster, ruhiger, wissenschaftlicher Weise den Angriffen der Gegner gegenüber zu treten, die, so wenig wissenschaftlich sie auch sein mochten, doch in ihrer officiellen Schrift (*articuli sive propositiones*) sich in dem äusserlichen Ausdrucke ziemlich in den Grenzen des Anstandes gehalten hatten.   Aber Reuchlin war zu erbittert, um der Stimme der Vernunft zu gehorchen, es drängte ihn, seinem Zorne Luft zu machen und seinen Verläumdern gegenüber — so nannte er die Kölner — in dem Tone Pfefferkorns zu reden.

Reuchlins Defensio [2]) wendet sich an den Kaiser.   Ihm, dem Herrscher des Reichs, dem Bewahrer des Friedens, ihm, seinem persönlichen Gönner, der ihn zum Range eines Rathes erhoben und mit seinem Vertrauen geehrt habe, ihm, der durch seine Befehle in die Judenbücherangelegenheit eingegriffen und sie zum vorläufigen Abschluss gebracht hätte, unterwerfe er sich.   Der Kaiser habe sein Gutachten in der Angelegenheit verlangt, er habe es abgegeben, schlicht und einfach, wie ihm geheissen worden.   Aber er habe nicht vorhersehen können, welches Geschrei sich darüber erheben würde, dass man es ihm entreissen und verbreiten, ketzerisch finden und deswegen gegen ihn vorgehen werde.   Hätte man etwas Anstössiges gefunden, so wäre der einzige, von der Kirche gestattete, Weg gewesen, ihn vor der gesammten Kirche oder vor seinem Bischofe zu verklagen [2]).   Da sei seine Autorität, dort seine Gerichtsstätte.   Mögen sich die Kölner immerhin rühmen, in ihrer Mitte den Ketzermeister zu besitzen, er wolle kein Urtheil abgeben über den Werth ihres Anspruchs.   Aber das müsse er sagen, dass der Ketzermeister über eine Streitfrage innerhalb der katholischen Kirche, und selbst über ein Buch, auf dem der Verdacht ruhe, anstössige, der Ketzerei verdächtige Lehren zu enthalten, keinerlei Entscheidung besitze, sondern nur da zu wirken habe, wo eine ausdrückliche und geradezu verurtheilte Ketzerei enthalten sei [3]).   Aber

---

[1]) *Defensio Joannis Reuchlin | PHORCENSIS LL. DOCTORIS | CONTRA CALVMNIATO RES SVOS COLO | NIENSES.*   A . . K à 4 Bll. in 4°. A. E.: *Tubingae apud Thomam Anshelmum | Badensem.   Anno . M.D.XIII.*

[2]) D 3[b].

[3]) D 4[a].   *Palam constat, quod nullus inquisitor haereticae pravitatis de iure communi autoritatem aliquam, maioritatem, iurisdictionem aut cognoscendi potestatem habeat in negocio fidei catholicae, super haeresi (!) suspicione, receptatione, defensione aut fautoria, ubi est quando non est manifestum quod sit haeresis expressa et explicite condemnata.   Multo minus pertinet ad inquisi-*

selbst gegen diejenigen, welche man für Ketzer halte, müsse man
mit Milde und Schonung vorgehen, man müsse sie mit brüderlicher
Liebe belehren und ermahnen, ohne Verminderung ihrer Ehre ihnen
auf den besseren Weg helfen. Das sei von jeher die Art gewesen,
wie Päpste und Concile verfahren seien [1]).

Freilich solchen edlen Beispielen zu folgen, seien die Kölner
nicht geneigt. Denn es sei nicht Eifer für den Glauben, der sie
veranlasst habe, gegen ihn aufzutreten, sondern die Lust, ihm zu
schaden, das Streben, ihn zu vernichten [2]). Wahrer Theologen Sache
sei das allerdings nicht: schiene diesen eine Meinung unrichtig, eine
Ansicht ketzerisch und verderblich, so stellten sie eine Gegenansicht
auf, stritten für sie mit Gründen in wissenschaftlichem Kampfe, nicht
mit Schmähreden [3]). Aber seien denn die Kölner wahre Theologen?
„Theologen, das sind Träger göttlicher Wissenschaft, durch deren
himmlische Weisheit die Welt erleuchtet wird, durch deren Frömmigkeit die brüderliche Liebe entzündet wird und in ihrem wärmenden
Strahle erhalten bleibt, die durch ihre Natur zu Ehrsamkeit, Ernst,
Mässigung und Gerechtigkeit, durch ihre Bildung zu Menschlichkeit
geleitet werden, durch deren Ansehn und Beispiel die menschliche
Gesellschaft in guter Lebensart gestärkt und der Frieden in Christi
Körper und Gliedern ungelöst erhalten wird, der Eine den Andern
liebt, unterstützt und erhebt“. In dieser Art fassten seine Gegner
ihren Beruf nicht auf, sie seien nicht Theologen zu nennen, sondern
Theologisten, Leute, die statt der Erforschung des Wahren mit
leeren Wortstreitigkeiten sich abgeben, statt nach sittlicher Reinheit
zu streben, sich mit Verbrechen und Schändlichkeiten aller Art
beflecken [4]).

Es sei eine alte Erfahrung: die Guten werden von den

torem de his quae non sunt haeretica, sed tantum piarum aurium offensiva,
seu etiam scandalosa.

[1]) F ii.

[2]) *Unde perspicis, Caesar . . . illos non esse motos zelo fidei . . . sed
magis emulatione perfidiae, ac opprimendi mei desyderio et nocendi voluntate
. . . F ii.*

[3]) *Si essent . . . veri theologi, decebat eos contra meas positiones . . . vel
de cathedra, vel in pulvere magistraliter arguere, pugnare rationibus, non con-
tumeliis, certare sententiis pro consuetudine honesta omnium aliarum universitatum, atque moribus laude dignis Galliae, Italiae et Germanorum.* E 3[b].

[4]) C iii a b.

Geiger, Johann Reuchlin.   18

Schlechten verfolgt und verlästert. Schon Homer habe gegen einen
unwürdigen Gegner zu kämpfen gehabt, und so hätten sich Verläumder an jedes bedeutenden Mannes Fersen gehängt. Um der
alten Beispiele zu geschweigen, so sei in der neuesten Zeit Pikus
von Mirandula von Gegnern auf das Schmachvollste behandelt, Sebastian Brant von Wigand Wirth gelästert und von denselben Kölnern, die nun auch ihm nachstellen, Petrus Ravennas aufs heftigste
verhöhnt worden [1]. Aber was habe er gethan, um Hass und Verfolgung zu verdienen? Er habe sein Gutachten abgegeben nach
dem Auftrage des Kaisers, in der Absicht, die möglichen Meinungen
zu erwägen, zur Prüfung vorzulegen, aber dem Kaiser die Entscheidung zu überlassen. Er habe nie bezweckt, der kaiserlichen
Entschliessung vorzugreifen, und sei gern bereit gewesen, sich eines
Bessern belehren zu lassen, wenn er geirrt, eine Ansicht zurückzunehmen, wenn sie der kirchlichen Lehre widerstreite. Aber dass er
solche Meinungen aufgestellt habe, dessen sei er sich nicht bewusst,
und noch habe ihn Niemand davon überzeugt [2].

Was die Kölner ihm vorwerfen, sei falsch. Denn sie, die den
Handel gegen die jüdischen Bücher nur angefangen hätten, um
Geld von den Juden zu erpressen, hätten es nicht vertragen können,
dass er, auf den strengen Rechtsstandpunkt sich stellend, behauptet
hätte, die Juden wären Bürger des deutschen Reiches und dürften
nicht Ketzer genannt werden. Das hätte er leise sagen, wol ganz
verheimlichen müssen, um ihnen nicht zu missfallen, ihr Vorhaben
nicht zu vereiteln. „Sie verlangen nach jüdischem Gelde, möge es
ihnen gewährt werden, sie mögen die Juden vertreiben und verbrennen, dass ich nur Ruhe und Frieden erlange" [3]. Die Gegner
schelten ihn einen Judengönner. Aber diesen Namen verdiene er

---

[1] C a b. Von Schriftstellern des Alterthums werden angeführt: Demo-
krit, Empedokles, Demosthenes, Terenz, Cicero, Virgil; aus den ersten
Zeiten des Christenthums: Dionysius Areopagita, Athanasius, Hieronymus,
Cyprian u. A.

[2] E — E ii a.

[3] F iii b. Die Stelle, die wie eine an Feigheit gränzende Schwäche
erscheint und Reuchlins Schrift schändet, lautet: *Orandus igitur, o Caesar,
et implorandus mihi es, ut istis hominum pestibus et avaritiae barathris per-
mittas saltem aut certe mandes, comminatione incendii Judaeos concutere, ut
eas imperii tibi oves gluhant non tondant. Sumant, auferant, habeant sibi aurum
iudaicum, et ego pacem habebo . . .*

höchstens in der Art, wie Paulus, Hieronymus, Thomas von Aquino,
wie die Päpste Gregor, Clemens III., wie die Kaiser Honorius,
Arkadius, Theodosius, Otto III., überhaupt alle diejenigen Kaiser,
die die Juden durch gewisse rechtliche Bestimmungen vertheidigt,
ihr Leben durch gesetzliche Regelungen geschützt haben[1]). Ja nicht
nur die Kaiser haben dies gethan, sondern, wie die Kölner, die
sich Theologen nennen, sich doch erinnern mögen, auch die Kirche.
Das kanonische Recht habe Verfügungen für die Juden getroffen,
dass man sie in menschlicher Weise behandele, in Milde sie bekehre
und ihre Sprache sich aneigne, statt sie mit Verachtung von sich
zu weisen[2]). „Ich begünstige die Juden so, dass sie kein Unrecht
thun, aber auch kein Unrecht leiden. Die Pflichten einfacher
menschlicher Vereinigung, gesellschaftlichen Verkehres verlangen, dass
man selbst den Verbrecher nicht für rechtlos erkläre und so behandele. Ungerechtigkeit ist Rohheit, die alle Menschlichkeit verläugnet, und den, der ihr nachstrebt, zum wilden Thiere macht"[3]).
Diese Unmenschlichkeit habe er stets von sich fern zu halten gesucht, aber ebensoweit habe er es immer von sich gewiesen, der
Ketzerei und Treulosigkeit der Juden irgend welchen Vorschub zu
leisten, nur ein Verläumder könne ihn beschuldigen, in dieser
Beziehung mehr gethan zu haben, als die Gesetze gestatten[4]).

Ebensowenig gerechtfertigt wie dieser sei ein andrer Vorwurf,
den ihm die Kölner machten: er habe Stellen der Bibel und
klassischer Schriftsteller in falschem Sinne erklärt. Aber es sei
erlaubt, dieselben anders aufzufassen, als sie geschrieben und von
ihren Verfassern verstanden worden seien, sie umzudeuten soweit
als der natürliche Sinn dadurch nicht gezwungen erscheine. So sei
es kein Verbrechen, wenn er die Christen eine Sekte nenne, wenn
dies auch nach dem einfachen Sprachgebrauche nicht üblich sei[5]).
Sonderbar klinge namentlich dieser Vorwurf im Munde seiner Gegner,
die doch weder die Bibel noch die klassischen Schriftsteller zu verstehen und zu würdigen wüssten[6]). Aber abgesehen von den

---

[1]) H 3b fg.
[2]) H 4a.
[3]) H 4b fg.
[4]) Ib.
[5]) I 3b.
[6]) Dass sie die hebräischen Gebete unrichtig wiedergeben, weist er ihnen
nach Nb.

18*

Kenntnissen, einfaches Denken sei ihnen ungewöhnt, sie verständen keine Logik, könnten seinen Schlüssen nicht folgen und verdrehen dieselbe, indem sie sie widerlegen wollen[1]). Nicht nur die Fähigkeit, ihn zu verstehn, gehe ihnen ab, sondern es mangle ihnen auch gänzlich der Wille dazu. Sie hätten aus seinem Augenspiegel gemacht, was sie gewollt hätten, verschwiegen, was sie hätten billigen und anerkennen müssen, verstümmelt und zugesetzt, um besser angreifen zu können, mit einem Worte gefälscht[2]).

So hatte Reuchlin in der eigentlichen Widerlegung seiner Gegner seiner Erbitterung völlig die Zügel schiessen lassen. Aber daran schien ihm nicht genug, er versuchte auch den persönlichen Angriff. Zwar hatte er seinen Gegnern zugerufen, dass es keine Kunst sei, zu schimpfen und zu schmähen, dass das Weiberart heisse und Gewohnheit von Schurken, deren Leben keine lobeswürdige Handlung aufweise[3]); aber nichtsdestoweniger setzte er ein ganzes Schimpfregister gegen seine Gegner zusammen. Er nennt sie Schafe, Böcke, Säue, Schweine, unmenschlicher als wilde Thiere, Pferden und Mauleseln nicht unähnlich[4]), oder, wenn er sie würdigt ihnen menschenähnliche Gestalt zu geben, Schüler des Teufels, Genossen der Unterwelt, deren Sinn teuflischer Hochmuth beseelt[5]), die ohne jede wissenschaftliche Kenntniss Verketzerungssucht für das ihrer würdige Ziel halten, statt Gründen mit Geschwätzigkeit den Gegner niederzuschlagen meinen und niedrigen Possenreissern nachahmen[6]). Sie verachten das Evangelium und betragen sich wie Heiden, sie lügen und betrügen, grösster Genuss sei ihnen, die Ehre eines Andern zu vernichten[7]). Ihre Fakultät sei leichtsinnig, ihre Professoren Verderber und Untergraber, ihre Universität alt und kindisch geworden, wie ein Greis[8]). Auch Invektiven gegen einzelne Personen

---

[1]) K 3 fg.

[2]) L ii.

[3]) *Non est artis neque doctrinae conviciari, obloqui, detrahere honori et famae, mordere nomen et invectivas scribere aut dicere. Fecerunt et faciunt hoc mulieres, fecerunt evirati et effoeminati furciferi et blacterones et quorum omnis vita laude caret.* C[a].

[4]) D 2[b], C 4[a].

[5]) I 4[b], D 2[b].

[6]) E 3[b], 4[a].

[7]) D 3[a], F[b], I[b].

[8]) Eigentl. *facultas theologiae Coloniensium, quae forte ut annosis occidit, senio desipere incipit delirare ac dementare.* F ii[b]. Andere Stellen: E 4,

werden nicht gespart. Pfefferkorn wird mehr als der Handlanger
betrachtet, der Höheren Platz macht, sein Verbrechen, das Gutachten
verrathen zu haben, wird mehrfach erwähnt, er mit dem Titel:
wahnsinnigster Taugenichts, feiger Mensch oder vielmehr giftiges
Thier bedacht, auch Anspielungen versucht auf ein Verhältniss seiner
Frau mit den Kölnern, die dem ernsten Reuchlin sehr wenig anstehn [1]).
Gegen Ortuin Gratius geht er schon kräftiger vor: er sei ein un-
wissender Mensch, ohne Kenntniss des Griechischen und Lateinischen,
aber dass er Maria mit „*alma Jovis mater*" bezeichnet, sei eine
Ketzerei, wie sie nicht greulicher gedacht, ein Verbrechen, das nicht
hart genug bestraft werden könne [2]). Der Hauptfeind aber, den es
galt in dieser Schrift anzugreifen und niederzuwerfen, war der Verfasser der Articuli, war Arnold von Tungern. Einen Doktor nenne
er sich, so sagt er von demselben, den er vor etwa einem Jahre in
den unterwürfigsten Ausdrücken angeredet und mit übertriebenen
Lobsprüchen seiner Gelehrsamkeit wegen überhäuft hatte, aber
Doktor der Philosophie und Theologie könne er nicht sein, vielleicht
ein Doktor von Nichts; denn auch solche Doktoren gäbe es [3]).
Aber was er ihm hauptsächlich vorwirft, das ist, seine Behauptungen
wissentlich falsch verstanden und ausgelegt zu haben, ihm irrige
Meinungen zugeschrieben und angedichtet zu haben.

G a, F iii; dabei die Wortwitze „im Ungeschmacke jener Zeit": *facultas fa-
cilitas; professor, perfossor, perversor.*

[1]) A 4 b, D iii a, B ii b.

[2]) Gegen diese unschuldige alterthümelnde Bezeichnung Ortuins richtet
sich bekanntlich ein nicht unbeträchtlicher Theil der Schrift G b — H a; in
einem Tone, der die Vermuthung, es solle etwa eine scherzhafte Wendung sein,
nicht im mindesten aufkommen lässt. Die Bezeichnung *fex omnis sceleris et perfidiae* gegen den *semipaganus* Ortuin (in Analogie zu dem *semiiudaeus* Pfefferkorn), von dessen Namen schon gesagt wird: *nomen barbarum quod ipsum
hominem barbarum esse designat, si nomina sint consona rebus,* ist noch nicht
das Schlimmste. Reuchlin, der sich empört, dass man ihn Ketzer nennt,
klagt seinen Gegner der Ketzerei an. — Neben diesem ganzen Abschnitt,
der Reuchlins Schrift verunstaltet, seien zwei gleichfalls ziemlich lächerliche
Behauptungen erwähnt. Es käme gar nicht darauf an, ob man den Juden
ihre Bücher liesse, Leben besässen sie doch keines nach dem Ausspruch:
Nur wer Christus hat, hat das Leben. (K 1). Und: sein Name Johannes
sei ein gesegneter *(gratificatus)*, der Kaiser möge ihn dazu machen (F 4 a).
Und Johannes Pfefferkorn!?

[3]) L a. — Beiläufig mag erwähnt sein die ungegründete und geistlose
Schmähung, er nenne sich *de Tungaris* und nicht *Tungarensis*, weil er eines
Verbrechens wegen aus seiner Vaterstadt geflohen sei. F 4 b.

In Schmähungen hatte Reuchlin seine Gegner erreicht, wenn
nicht übertroffen. Danach musste es einen mindestens komischen
Eindruck machen, wenn er am Schluss sagte: Man werde sich
wundern, dass er so milde gegen seine Feinde auftrete und aufgetreten sei, dass er ihre Schmähungen ertrage ohne jede Wieder-
vergeltung, ihre Wuth nicht mit Wuth, ihre Verdächtigung nicht
mit Verdächtigung, ihre Verläumdung nicht mit Gleichem erwidert,
aber er wolle nicht denselben Weg gehen, wie jene. Er bitte Gott,
sie von den Qualen der Hölle zu erlösen. Seine einzige Rache
solle sein, den Namen seines Gegners in Marmor eingehaun der
Nachwelt zu überliefern: Arnold von Tungern, Fälscher und
Verläumder [1]).

Das war Reuchlins Antwort gegen die Kölner: eine Schrift,
voll von den bittersten Invektiven und Schmähungen, zugleich an
vielen Stellen angefüllt mit tiefer Gelehrsamkeit, und oft die Entrüstung eines in seiner Ehre gewaltig Gekränkten gegen seine
Verläumder treu wiedergebend. Aber mit dieser an den Kaiser
gerichteten Vertheidigungsschrift begnügte er sich nicht, er wollte
noch in andrer Weise auf Maximilian einwirken. In wiederholten
Briefen [2]) wandte er sich an Matthäus Lang, Erzbischof von Gurk,
den Gönner und Beschützer der Humanisten, den beim Kaiser
vielvermögenden Rath, und flehte um seine Hülfe. Er verlangte
einen kaiserlichen Befehl, durch welchen den Streitigkeiten ein
baldiges Ende gesetzt würde [3]). Freunde waren für Reuchlin am
Hofe thätig: Sebastian Sperantius, späterer Bischof von Brixen,
Sekretär des Kaisers und des Cardinals, Hieronymus Baldung, ein
tüchtiger Jurist, der schon seit längerer Zeit in der Umgebung des
Kaisers lebte und mit hohem Vertrauen von ihm geehrt wurde.
Namentlich der Letztere bemühte sich, das Gewünschte zu erreichen; es wäre ihm bald gelungen, wenn nicht der Kanzler

---

[1]) Am Schluss: *Tungarus Arnoldus Calumniator Falsarius per omnia
secula seculorum.*

[2]) *Binas literas* sagt Sebastian Sperantius in dem gleich anzuführenden
Briefe.

[3]) Die Briefe Reuchlins sind nicht vorhanden; Nachricht von diesem
Zwischenfall besitzen wir in dem Briefe des Seb. Sperantius an Reuchlin
22. Mai 1513: *ut negocium ex sententia tua brevi conficiatur, atque Maiestas
Caesarea autoritate sua omnes illas dissensiones extinguat ac tollat.*

durch Krankheit an der Ausfertigung des Briefes verhindert gewesen wäre [1]).

Da gelang es Reuchlin zum zweiten Male, dem Kaiser persönlich gegenüberzutreten, in Geislingen nach beendigtem Gottesdienste in Gegenwart der Hofleute ihm seine Vertheidigungsschrift zu überreichen, mit der Bitte, ihn zu beschützen [2]). Pfefferkorn war nach Empfang der Defensio zu Reuchlin gereist, er wollte ihm vor seinem Fürsten, dem Herzog zu Wirtemberg und dessen Räthen zu Gericht stehen, falls es verlangt würde, aber er traf seinen Gegner nicht [3]). Der hatte beim Kaiser unterdessen erwirkt, was er wünschte, einen Befehl, der beiden Parteien d. h. Reuchlin, Tungern und Pfefferkorn Stillschweigen auferlegte (Juni 1513) [4]). Es ist nicht ersichtlich, ob mit diesem Befehl eine gewaltsame Unterdrückung des ganzen Streites bewirkt werden sollte, die Reuchlin, der zuletzt auf dem Kampfplatz aufgetreten war, natürlich ganz erwünscht hätte sein müssen, oder ob der Befehl, wie der ähnliche vor zwei Jahren

---

[1]) Seb. Sperantius sagt: *Hier. Bald. polliceri et quod omnino brevi eas literas a D. Cancellario extorquebit, quas forte iamdudum extorsisset, nisi gravis aegritudo illa quae multis diebus Cancellarium oppressit, obstetisset.* Ich hebe den Ausdruck *extorquere* hervor, weil Reuchlin dasselbe den Kölnern bei einem von ihnen erlangten Befehle zum Verbrechen anrechnete.

[2]) Jakob Spiegel an Reuchlin Ende 1513. Nach Stälin, Aufenthaltsorte Maximilians I. in Forschungen zur deutschen Geschichte 1. Band 1862 S. 375 war der Kaiser 5.—9. Juni in Ulm, am 13. in Esslingen; Geislingen liegt auf dem Wege zwischen beiden.

[3]) Pfefferkorns Defensio p. 158: *His libellis . . . acceptis profectus sum Stutgardiam ad Joannem Reuchlin, volens ibidem coram ipsius principe aut consiliariis eiusdem stare iuri.*

[4]) Das Mandat ist nicht erhalten. Den Monat gibt Pfefferkorn an: *silentii mandatum quod anno decimotertio in mense Junio emanavit* (Defensio p. 159). Zwischen 9. und 13. Juni nach Stälin a. a. O. Dass das Mandat nur Pfefferkorn, Tungern und Reuchlin betraf, ist aus dem im Text Folgenden zu schliessen und aus der Notiz im Frankfurter Bürgermeisterbuch 1513 fol. 70^a: *feria quinta in die nativitatis marie* (8. September). Das Mandat von key^r ma^t betreffen Doctor Johan Reuchlin und Johan pefferkorn, anslagen lassen. — Spiegel spricht in dem oben (Anm. 2) angeführten Briefe: *. . . sis satis superque consolatus Caesareis literis quae te plane eximunt a labyrinthiis spiris in qua illi superbissimi hypocritae . . . innodaverunt.* Dass das kein „beruhigender Brief" ist, wie Grätz meint (Noten S. XXXII), sondern das kaiserl. Mandat, wird schon daraus klar, dass Reuchlin an Abt Leonhard Widemann von Ottenbeuren schreibt in Beziehung auf dieses Mandat: *Ut his literis patet quas hic ad te mitto.* 5. August 1513.

ergangene, nur eine gerichtliche Entscheidung sollte vorbereiten
helfen [1]). Aber auch damit war Reuchlin nicht zufrieden. Er wollte,
dass dieser Befehl überall bekannt würde, in Frankfurt wurde er
veröffentlicht, schwerlich aber auf seine Veranlassung; an Mutian
und die übrigen Erfurter schickte er ihn, mit der Bitte, ihn öffentlich verkündigen zu lassen [2]).

Er wandte sich an den Churfürsten Friedrich von Sachsen, um
ihn, der des Kaisers ganzes Vertrauen besass, und den man als
den mächtigsten Fürsten des Reiches ansah, der sich schon
mannigfach günstig für Reuchlin ausgesprochen hatte, um Vermittlung beim Kaiser anzugehn [3]). Was Reuchlin beunruhigte, das war,
dass in dem kaiserlichen Befehle nur die drei Führer angegeben
waren, er wünschte, der Kaiser möchte eine ausdrückliche Erklärung
hinzufügen, dass nicht nur die genannten, sondern alle Anhänger
beider Parteien in dem Befehle mit einbegriffen seien [4]). Ob eine
solche erfolgt ist, ist nicht bekannt.

---

[1]) Letzteres ist wahrscheinlicher; schon Peutinger vermuthet es (an
Mutian 17. Juli 1513): *Et si mihi recte relatum est injuria ut omni sublata
iure manus consererent. Hac vero an emissae fuerint, nondum compertum
habui.*

[2]) Z. B. Reuchlin an Urban 22. August 1513: *Tu hoc Caesaris mandatum fac, ut pro rostris publicum fiat.* Dem Wunsche konnte doch nicht
so rasch entsprochen werden und ist vielleicht gar nicht willfahrt worden.
Wenn Mutian an Urban schreibt (Anfang Oktober?): *Ad Capnionem ideo
nihil in praesentia scribam, quod nondum expeditum sit quod conor et ille
desiderat,* so beziehen sich diese Worte wahrscheinlich auf dieses Verlangen und nicht, wie Kampschulte (Universität Erfurt I S. 166 und Anm. 4)
gemeint hat, „auf irgend ein grosses Unternehmen, das er für Reuchlin
beabsichtigte."

[3]) 13. August 1513. Widmung der Uebersetzung des *Constantinus
magnus* s. oben.

[4]) S. vor. S. Anm. 4. Reuchlin ist ungenau, wenn er an Abt Leonhard schreibt 5. August: *Caes. Maiestas post porrectum ei librum latinum nuper-
rimae defensionis meae nobis universis ex omnibus partibus mandavit
et perpetuum silentium imposuit.* Ausdrücklich schreibt er dem Mutian
22. August 1513: *Omnibus enim partibus Imperator pacem mandavit expri-
mendo nomina ductorum belli,* und noch genauer an Spalatin, den er
bat, den Fürsten zu veranlassen, vom Kaiser die Erfüllung seiner Bitte zu
erlangen (31. August): *At quum soli ductores belli expressis in eodem verbis
nominantur: Pfefferkorn, Arnoldus et Reuchlin, oro ut diligenter apud ducem
instes, sua magnificentissima Dominatio dignetur apud Imperatorem super eo
mandato declarationem impetrare, scilicet quid intentio Maiestatis suae fuerit*

Die Kölner nahten sich nun ihrerseits dem Kaiser. Gegen Reuchlin zu schreiben war den beiden, die bisher in Schriften aufgetreten waren, verboten, so suchten sie die Angriffe und Schmähungen, die sie unerwidert lassen mussten, durch die kaiserliche Verdammung zu entkräften. Sie erlangten vom Kaiser einen Befehl gegen Reuchlins Defensio: Aus Anlass der Bücherangelegenheit, die er, der Kaiser, begonnen und drängender Geschäfte halber habe unbeendet lassen müssen, seien von Reuchlin einige, dem kaiserlichen Vorhaben feindliche Schriften erschienen, in letzter Zeit namentlich eine, die die Kölner Fakultät, vor allem Arnold von Tungern, mit Schmähungen überhäufe. Da diese Schrift geeignet sei, Aergerniss unter dem Volke hervorzurufen, so werden die Erzbischöfe von Köln, Mainz und Trier, sowie der Ketzermeister aufgefordert, diese Schrift, wo sie sich fände, wegzunehmen und zu unterdrücken und nirgends sie feil zu haben zu gestatten (Coblenz, 9. Juli 1513.) [1]). Das Mandat wurde auch in Vollzug gesetzt, dem Rathe von Frankfurt in der Messzeit übergeben, der am 6. Oktober beschliesst, die von ihm konfiscirten „Bücher, Doktor Reichlin gemacht", abzuschicken [2]).

---

etiam de adhaerentibus et quibuslibet sua vel alterius interesse putantibus, quare hoc mandatum non solum ad nominatos, sed etiam ad universos et singulos adhaerentes fautores et sua vel alterius cuiusque interesse putantes extendendum et extentum esse Caes. Mai. velit declaret et decernat. Bemerkenswerth ist auch eine Stelle Pfefferkorns (Sturmglock 1514 b 4 a): Du west wol das du unrecht hast, und kanst kein recht liden. Unnd das hastu auch zeigt do ich dir von Cöllen gen Stuttgarten in dienen heimwesen hab nachgevolgt und vor deinen lantfursten dir zurecht sten wollen. Als aber zu der selbigen zeit die k. M. durch schwobenlant gereist (zu Stugarten nider gelassen) de bistu durch fleyssliche ubung, anruffung deiner frund an den kaiser gefallen, und hast ein Mandat ussgebetelt in den sachen zu schweigen, und silentium zu haben. Solcher mandat ist dir und nit mir zugeschickt, den du in dem Romischen reich an allen orten verkundet und ufgeschlagen hast.

[1]) Deutsch in Pfefferkorns Sturmglock A 3 a b. Beschyrmung II 4 fg. lateinisch, durchaus treu übersetzt in Pfefferkorns Defensio p. 103 sq. Es war daher ein — vielleicht unabsichtlicher Irrthum Reuchlins, wenn er sagt (an Caspar Wirt 25. April 1514), das Mandat habe nicht gelautet: *de supprimendo multo minus comburendo . . . sed de arrestando et non vendendo . . .*, denn das *supprimere* war ausdrücklich geboten. Für seine Behauptung: *fratres, expressa falsitate et tacita veritate extorserunt mandatum* fehlt der Beweis, s. oben S. 279 Anm. 1.

[2]) Frankfurter Bürgermeisterbuch 1513 fol. 82 b.

Der weltlichen Autorität, die ja auch früher den Augenspiegel verdammt,
wollten die Kölner nun die wissenschaftliche hinzufügen [1]), durch Gutachten der Universitäten die Schädlichkeit von Reuchlins Schriften,
speciell des Augenspiegels, erhärten, wie sie durch solche die Verderblichkeit der Judenbücher hatten nachweisen wollen. Denn um
die Vernichtung des Augenspiegels war es ihnen hauptsächlich zu
thun. Reuchlins Defensio war ein Pamphlet, dem sie gewachsen
zu sein meinten, dem sie mit Schmähungen erwidern konnten, die
wissenschaftlichen, freisinnigen Erklärungen des Augenspiegels waren
es, gegen die sie kein Mittel kannten, als gewaltsame, von den
Autoritäten gebilligte Vernichtung. Aber allerdings Heidelberg, das
sich damals bereits mit den Plänen der Kölner nicht übereinstimmend
genug gezeigt hatte, wurde übergangen, an seine Stelle trat Löwen[2]).

Die Universität Löwen war durch eine Bulle Papst Martins V.,
9. December 1425 ins Leben gerufen, am 7. September 1426 feierlich
eingeweiht worden. Sie hatte ursprünglich keinen theologischen
Charakter; die theologische Fakultät trat zu den übrigen seit Gründung
bestehenden erst 1451 hinzu[3]). Grade dieses Allumfassende, (uni-
versitas) wurde an ihr gerühmt: nach Paris, meinte Adrianus Bar-
landus, gebe es keine Universität, reicher an Zahl, grösser an
Schmuck. Der Humanismus stand in üppiger Blüthe, noch 1518
preist es deswegen Eoban Hesse; in Löwen fand die hebräische
Sprache ihre erste sichere Stätte, bevor sie noch auf irgend einer
deutschen Universität aufgenommen worden war. Aber wie der
erste Lehrer dieser Sprache, Matthäus Adrianus, den Angriffen der
Gegner weichen musste, so hatten früher und später die Anhänger
des Scholasticismus an dieser Universität die Oberhand; gewappnete
Feinde entstanden hier der neuen Richtung der Zeit; Köln und
Löwen galten als die zwei Hauptcentren der antilutherischen Bewegung. Die theologische Fakultät trat oft als Glaubenswächterin
auf; eine nicht geringe Anzahl Bücher wurden von ihr verdammt,

------

[1]) Pfefferkorn gibt an Defensio p. 110, dass für das Folgende hauptsächlich der Ketzermeister thätig war.

[2]) Dass Heidelberg gar nicht aufgefordert wurde, ist aus Pfefferkorns
Defensio p. 110 zu entnehmen.

[3]) Für das Folgende vgl. *Fasti academici studii generalis Lovaniensis,
edente Valerio Andrea. Lovanii MDCL* in 4° S. 6, 41, 283 fg. und *Mém.
cour. de l'académie de Bruxelles* tom. XXIII p. 121.

aber des Reuchlinschen that man keine Erwähnung [1]). 1513 waren Johannes Nikolai de Palude und Gabriel de Mera, beides Juristen, Rektoren, von beiden ist nichts bekannt; auch wer in der theologischen Fakultät gesessen, wissen wir nicht.

Schon am 28. Juli 1513 war die Löwener Fakultät mit ihrem Urtheil fertig: das Büchlein (ohne Nennung des Namens der Schrift und des Verfassers) enthalte verschiedene Irrthümer, die die Rechtgläubigkeit des Verfassers verdächtig erscheinen liessen, und bringe für die Juden allerlei Günstiges vor, man müsse es konfisciren und verbrennen [2]). Diesen Vorwürfen fügte die Kölner Fakultät (16. August 1513) noch den hinzu, dass der Augenspiegel (der Name des Verfassers wurde nicht genannt) nach Ketzerei schmecke und schloss sich in der Verurtheilung der Löwener Fakultät an [3]). Ebenso die Mainzer (mit Nennung des Verfassers und des Titels der Schrift), die in ihrem sehr spät (13. Oktober 1513) eingelaufenen Gutachten ausfindig gemacht hatte, dass der Augenspiegel gegen die Gelehrten unehrerbietig auftrete [4]). Alle drei stimmten darin überein, über den Verfasser kein Wort zu sagen, ihn kaum oder gar nicht zu nennen, sein Buch sei ein schädliches, es müsse vernichtet werden.

Ganz anders sprachen die Erfurter Theologen (3. September 1513) [5]). Man merkte ihrer Sprache und ihren Ideen an, dass in Erfurt seit Jahrzehnten der Humanismus wirkte, dass hier eine ganze Schaar junger, lebendiger, geistesfrischer Männer den Wust des Alten von sich abgeschüttelt hatte und neuen Zielen nachstrebte. Ein freisprechendes Urtheil erzielten freilich die Vertreter der neuen Richtung nicht. Obwol deren Führer, Mutian, von seiner Zurückgezogenheit in Gotha aus, sich die Namen des Rektors und der vier Dekane mittheilen liess,

---

[1]) *Sylloge rerum aliquot memorabilium, in et ab universitate Lovaniensi gestarum* p. 333—397, wo vieler Verurtheilungen gedacht wird, aber nicht der Reuchlinschen.

[2]) Das Gutachten (lateinisch) in *Ortwini Gratii praenotamenta* aa 6 b sq. Pfefferkorns Beschyrmung I b fg.; Defensio p. 111—113.

[3]) Praenotamenta bb 1 b sq. Beschyrmung I 2 fg. Defensio p. 113 · 116.

[4]) Praenotamenta bb 2 b. Beschyrmung I 4 a b. Defensio p. 120 sq.

[5]) Praenotamenta bb 1 sq., Beschyrmung I 3 fg., Defensio p. 116—120; Tentzel, Supplementum historiae Gothanae p. 98—100, vgl. Kampschulte, die Universität Erfurt I S. 164 fg. Den Kölner Abgesandten, der ihnen die Aufforderung überbracht hatte, sich zu äussern, nennt das Gutachten *Bernhardus de Lutzenburgo* ("Jochenberg" sagt Kampschulte a. a. O.)

und sie mahnte und warnte, obwol er es für ein schmerzliches
Ereigniss erklärte, wenn sie den Kölnern beistimmten, geschah das
Gefürchtete doch[1]). Der Verfasser, sagten sie, sei ein Mann von
hervorragender, ausgezeichneter Gelehrsamkeit, erfahren in den drei
Sprachen: lateinisch, griechisch, hebräisch, ein Mann unbefleckten
Lebenswandels und reiner Sitten, ein guter und frommer Christ.
Er habe geirrt, aber seine Irrthümer seien zu entschuldigen, denn
er habe die Veröffentlichung seines Gutachtens nicht voraussehn
können und daher selbst Niemandem Anlass zu Irrthum oder Aergerniss geboten. Dieser Irrthümer wegen, z. B. der geringen Ehrfurcht,
die den Kirchenvätern bezeigt, und des Vorzugs, der vor ihnen
den hebräischen Schriftstellern manchmal gegeben würde, namentlich
um verderbliche Folgen daraus nicht entstehen zu lassen, die Christen
nicht zu verwirren und die Juden in ihrem Unglauben nicht zu bestär-
ken, verurtheilte zwar die Erfurter Fakultät in förmlichster Weise
den Augenspiegel, aber unbeschadet der Ehre des Verfassers.

Die Fakultäten haben nicht nach gedruckten Exemplaren
den Augenspiegel verurtheilt, sondern nach Abschriften, die ihnen
von den Kölnern, beziehungsweise von Hochstraten zugeschickt worden waren. Das ist bei der feindlichen Tendenz dieser gegen
Reuchlin und in Anbetracht, dass sie sich später erwiesenermaassen
grosse Fälschungen mit dem Augenspiegel zu Schulden kommen
liessen, sehr verdächtig, und das Bekenntniss der Löwener, sie hätten
ein Exemplar von 16, der Erfurter, sie hätten eins von 19 Blättern
erhalten und der Kölner, sie hätten nach einem von 20 geurtheilt.
hat Reuchlin[2]) und später seinen Freunden[3]) Veranlassung gegeben,
ihnen eine Fälschung vorzuwerfen, wogegen Pfefferkorn seine Freunde
vertheidigt hat[4]). Um einem etwaigen Betruge zuvorzukommen,
schickte Reuchlin seine Schriften nebst dem kaiserlichen Befehle,

---

[1]) Brief des Mutian an Urban 12. September 1513. Der Brief ist
Kampschulte unbekannt geblieben, der aber darauf hinweist, I S. 165, dass
vermuthlich die übrigen Fakultäten, ausser der theologischen, ihre Zustimmung verweigerten.

[2]) An Caspar Wirt 25. April 1514: *obtulerunt quibusdam facultatibus
sui similibus quaedam excerpta ex oculari speculo truncata, divisa, diminuta.*

[3]) Epistolae obscurorum virorum an vielen Stellen.

[4]) Defensio p. 132: *in exscribendis exemplaribus non posse neque etiam
necessarium esse (maxime ubi diversi sunt scriptores) numerum foliorum ob-
servare.*

Ruhe zu halten, an die Universität, die die Kölner beschlossen hatten in Mitleidenschaft zu ziehn, die Universität, die den im Mittelalter erlangten Ruhm, Mittelpunkt und Quell alles Wissens zu sein, bis auf diese Zeit bewahrt hatte, von der aus unmittelbar oder wenigstens mittelbar nach ihrem Muster fast alle deutsche Universitäten gestiftet worden waren, und die von ihnen gleichsam als Mutter verehrt wurde, nach Paris. Ein Verdikt von Paris würde, meinten die Kölner, entscheidend, vernichtend wirken, auch Reuchlin bangte vor einer Niederlage, die er hier erleiden könnte.

Reuchlin scheint von dem Plane der Kölner bereits ziemlich früh Kenntniss erhalten zu haben. Schon am 31. August 1513 [1]) wandte er sich an den ihm von früher her bekannten Jakob Faber, den berühmten Theologen und Philosophen, der in Paris lebte. Er erinnert ihn daran, dass beide neue Wissenschaftsgebiete eröffnet haben, jener die aristotelische Philosophie, er die Kenntniss der hebräischen Sprache, und dass er ferner als erster die griechische Sprache, die er in Paris erlernt, in Deutschland weiter verbreitet habe. Das sei den scholastischen Theologen ein Gräuel, sie verfolgen das neu Aufstrebende, „aus Furcht, die Nachwelt, die besseren Kenntnissen nachgehe, möchte ihre kindischen Studien und einfältigen Lehren verlassen". Deshalb werde ihm von den Kölnern nachgestellt, er habe sich dagegen vertheidigt; mit Mässigung zwar, mit einfachen Worten, ohne Redeschmuck, wie es den Starken zieme, aber eine Vertheidigung habe er gegen die Verläumdung ergreifen müssen, denn Verläumdung sei schlimmer als der Tod [2]). —

Faber hat sich gewiss mannigfach für seinen Freund bemüht, aber dennoch wurde eine Untersuchung begonnen. Die Kölner schickten einen eignen Abgesandten Dietrich von Gouda nach Paris 17. April 1514, der am 29. April dort ankam und am 1. Mai in einer Versammlung der Fakultät sein Begehren entwickelte [3]). Er

---

[1]) Reuchlin an Faber *prid. cal. Sept.* 1513.

[2]) Oder wie Reuchlin sagt: *Moriendum enim semel, infamiam patiendum nunquam.*

[3]) Dies und das Folgende nach der Schrift: *Acta Doctorum | Parrhisiensium de sacratissima fa- | cultate theologica ad honorem dumtaxat Jesu Christi et ecclesie salutem | Contra Speculum Oculare Joannis reuchlin Phorcensis unacum sententia | eiusdem libelli contemnativa ad ignem* ... 10 Bll. in 4°. letzte Seite leer. A. E.: *Impressa sunt hec ... in celebri officina ingenuorum liberorum Quentell Anno quo statim supra* (1514 in Köln)

brachte die Schriften Reuchlins — die deutschen in einer von den
Kölnern angefertigten Uebersetzung —, die Gegenschrift Tungerns
und die von den 4 Universitäten abgegebenen Gutachten über den
Augenspiegel mit, um dadurch den Parisern, die bisher nur Reuchlins
Defensio gelesen hatten, die daraus geschöpfte irrige Meinung aus-
zutreiben, dass er ungerechter Weise angegriffen worden sei. Von
den 80 versammelten Vätern wurde sofort zur Untersuchung des
Augenspiegels eine Commission niedergesetzt, die, um keine Seite
mehr zu begünstigen, den Text des Augenspiegels (d. h. wol die
gemachte lateinische Uebersetzung) und die Kölner Artikel als
Commentar vornahm. Langsam, aber in reiflichen Erwägungen,
die in vielfachen von einer grossen Anzahl zwischen 20 und 60
Magister 'besuchten Sitzungen gepflogen wurden, ging die Untersuchung vorwärts, da die Fakultät noch durch andere innere Streitigkeiten in Anspruch genommen war; die Speierer für Reuchlin
günstige Sentenz, die unterdessen einlief, rief keinen Eindruck
hervor.

Auch der König Ludwig XII. nahm an der Frage, die seine
erste Hochschule beschäftigte, grossen Antheil. Schon am 2. Mai [1])
erinnerte er sie, dass zur Zeit Ludwigs des Heiligen in Frankreich
der Thalmud verbrannt worden sei [2]), dass die Herrscher und Gelehrten von Frankreich es stets für ihren grössten Ruhm gehalten,
Beschützer der Kirche zu sein, und jedes gegen die Kirche gerichtete
Unternehmen unnachsichtlich zu strafen. Sie mögen das ihnen
vorgelegte Buch genau prüfen und falls sich, wie behauptet werde,
Ketzereien darin fänden, mit gebührender Strenge dagegen vorgehen.
Und als er hörte, es fänden sich Männer, die für das Buch
Reuchlins aufträten, schrieb er nochmals an die Fakultät [3]) und er-
mahnte sie, in dem angefangenen Werke standhaft zu sein.

Um die Sinnesart des Königs zu bestimmen, und die Fakultät
im Eifer zu erhalten, war hauptsächlich Guillaume Petit [4]) bemüht.
Er war ein verdienstvoller, kenntnissreicher Mann, den Gelehrten

---

Nonis decembribus. Die ganze Schrift in Form eines Briefes des Kölner
Abgesandten Theodoricus de Gouda an den Carmelitenprior in Köln Henricus de Geleen, Paris 13. August 1514 (vgl. die Briefsammlung).

[1]) Ludwig an Dekan und Magister der theol. Fakultät 2. Mai 1514.

[2]) Vgl. oben S. 235 Anm. 3.

[3]) 6. Juni 1514.

[4]) Guiliermus Parvi nennt ihn unsere Quelle.

nicht abgeneigt [1]), in Wissenschaften gebildet und für ihre Verbreitung eifrig thätig: namentlich Geschichte war seine Liebhaberei und
eine grosse Anzahl mittelalterlicher Historiker [2]) verdanken ihm erste
Herausgabe. Aber auch dem Hebräischen, dessen erstem Förderer
er hier so wenig Sympathie zeigte, wandte er später Interesse zu
und veranlasste den König Franz I., den hebräischkundigen Bischof
von Cordova, Augustin Justiniani, nach Paris zu berufen [3]). Er
war ein höchst einflussreicher Mann, Beichtvater beim König und
Hofprediger, seit einigen Jahren (1508) war er oberster Glaubens-
richter für Frankreich. Dazu war er Dominikaner, und die von
seinen deutschen Brüdern ausgegangene Verurtheilung mochte von
vornherein auch seine Ansicht bestimmen, die, vermöge seiner
Autorität, nicht ohne gewichtigen Einfluss auf die übrigen Mitglieder
der Fakultät bleiben konnte. Aber eine schnelle Entscheidung wurde
durch die Peinlichkeit, mit der man die Untersuchung betrieb, verhindert, ein an die Kölner Fakultät abgesandter Brief [4]) sollte diese
über die Verzögerung trösten. Bei einer nochmaligen Versammlung
der Fakultät [5]) traf ein Schreiben Reuchlins ein, begleitet von einem
Empfehlungsschreiben Herzog Ulrichs für seinen Rath [6]), das die
Aufmerksamkeit in Anspruch nahm.

Der Brief Reuchlins ist in dem Tone eines Mannes abgefasst,
der in dem festen Bewusstsein, in einer heiligen Sache Recht zu
haben, sich an einen hohen Richter wendet. Er habe immer,
schreibt er der Fakultät, danach gestrebt, den Guten zu gefallen,
Keines Ehre zu kränken. Mit Niemanden sei er fester in Freundschaft verbunden gewesen, als mit den Predigermönchen, deren
Anwalt er für ganz Deutschland 29 Jahre lang gewesen. Er habe
hoffen zu dürfen geglaubt, dass das Verhältniss ein gegenseitiges

---

[1]) So verehrte er z. B. den Erasmus. Copus an Er. Lutetia 6. Februar
1516. Er. Opp. ed. Lugd. Bat. 1706 vol. III col. 171 nro. CXCVIII. Er.
freut sich darüber, bemerkt freilich, das hätte er nicht gedacht, an Budaeus
21. Februar a. a. O. col. 184 nro. CCIII.

[2]) Aimo, Liutprant, Gregor v. Tours, Sigbert v. Gembloux. Das Nähere
darüber und über Petit überhaupt bei Echard, Scriptores ordinum Praedicatorum II, p. 100b—102b.

[3]) Siehe Grätz, Geschichte der Juden IX, S. 227.

[4]) 16. Juni 1514.

[5]) *festum divisionis Apostolorum* = 15. Juli.

[6]) Beide vom 19. Juni 1514.

sei, und als er gehört, dass er mit ihnen zu gleicher Zeit über die Angelegenheit der Judenbücher im Auftrage des Kaisers ein Gutachten abgeben sollte, habe er sich gern dazu bereit finden lassen, denn mit den Guten sei gut zu leben. Aber er habe sich getäuscht: Da sei ein getaufter Jude gegen ihn losgegangen, den die Kölner Dominikaner vorgeschoben, dann seien sie selbst aufgetreten mit Schimpf und Verspottung, zuletzt mit Gewalt. Er schicke ihnen seine und die gegnerischen Schriften, sie werden daraus ersehen, ein wie grosses Unrecht die Kölner ihm durch ihre Verläumdungen und thätlichen Angriffe bereiten. Sie mögen sich erinnern, dass er ein alter Schüler ihrer Universität sei, und sich durch seine Schriften und Leistungen dieser Ehre nicht unwürdig gezeigt habe. Auch gehöre die ganze Angelegenheit nicht mehr vor sie, von denen die Kölner doch nur eine Beitrittserklärung, wie von den andern Universitäten wünschten, sondern vor einen andern Richter, den Papst. Der Herzog fügte hinzu, dass die Fakultät ihm einen grossen Dienst erweisen würde, wenn sie diese Angelegenheit, die ihm mehr eine Sache des Neides, als des Glaubens schiene, von sich abwiese, und die Entscheidung der päpstlichen Commission gelten liesse, der sich Reuchlin stets unterworfen.

Aber die versammelten Väter meinten, man müsse das begonnene Werk vollenden, um nicht die anerkannte göttliche Wahrheit zu verletzen. Man fuhr in der Prüfung der Artikel des Augenspiegels fort, wobei übrigens nicht das gedruckte, sondern das von den Kölnern zugeschickte, geschriebene Exemplar zu Grunde gelegt wurde [1]; eine neuernannte, aus acht Mitgliedern bestehende Commission, brachte die schwere Arbeit in neun Sitzungen zu Ende. Darauf berief der Dekan eine Versammlung der ganzen Fakultät, am 1. und 2. August wurden für die, denen noch nicht alle Einzelheiten bekannt waren, alle Argumente nochmals verlesen. So wurde von den 80 versammelten Vätern, nach 47 (3 allgemeinen und 44 Commissions-) Sitzungen das Urtheil gefällt [2], stärker als irgend

---

[1]) In dem Verdammungsurtheil heisst es: *libellum praefatum, chartis sex decim papyreis manu conscriptum.*

[2]) 2. August 1514 *Acta doct. Parrh.* b 4 sq., Pfefferkorns Defensio p. 126—129; Argentreus, Collectio Judiciorum de erroribus, vol. I, p. 350; deutsche Uebersetzung in Pfefferkorns Sturmglock b 1 fg., Beschyrmung k ijb fg.; Ein mitleydliche claeg F ij iij. Melanchthon irrt, wenn er sagt (Adversus theologorum Parisinorum decretum pro Luthero apologia, Juni

eines der bisherigen Verdammungsurtheile: Wie der Thurm Davids
seine Diener ausschicke, um Vertheidiger für sich zu holen, so habe
die heilige Theologie ihre Dienerinnen, die Fakultäten, um sich
versammelt, um den heiligen Glauben zu schützen gegen den
jüdischen Unglauben und den Augenspiegel, der diesen befördere.
Die Kölner haben von ihnen in wiederholten Briefen eine Betheili-
gung an dem Gericht über Reuchlins Buch gefordert, sie haben
sich diesem Verlangen nicht entziehen zu können gemeint. Sie
haben alle einzelnen Artikel des Buches erwogen, vieles Anstössige
darin gefunden, Beleidigungen und Schmähungen gegen die heilige
Lehre der Kirche, Behauptungen, die der Ketzerei dringend verdächtig wären, viele, die nach Ketzerei schmeckten, und andere,
die ganz ketzerisch wären [1]. Daher sei das Buch wegzunehmen
und zu verbrennen, der Verfasser zum Widerruf zu zwingen, auch
der Thalmud, den es beschütze, werde am besten vernichtet.

Der Beschluss gegen Reuchlin wurde fast einstimmig gefasst,
nur wenige fanden sich, die für ihn eintraten: Der Kanzler von
Paris, der Beichtvater Castalius, der Erzdiakon von Tours, Martialis
Masurius [2]. Selbst bis vor den König ging der Streit. Als man
einmal im Palaste Reuchlin mit Schmähworten überhäufte, trat des
Königs Leibarzt, Wilhelm Copus, dagegen auf, rühmte Reuchlins
hohe wissenschaftliche Verdienste und seinen bisher unbefleckten
Namen. Der Gegner konnte ihm Nichts erwidern, als er judaisire
gleichfalls [3]. Reuchlin war über die Entscheidung sehr erbittert,
er wollte nun die Verehrung, die er der Pariser Universität als

---

1521): *Quis nescit enim, in Capnionia caussa per quas larvas res acta sit, cum
facultas etiam diceretur decrevisse. Septem, ni fallor, ad summum, et in
his monachi aliquot convenerant, qui sicut ipsi loquuntur, repraesentabant facultatem.* Corpus Reformatorum ed. Bretschneider vol. I col. 401. — Als
Zahl der stattgehabten Sitzungen gibt Hochstraten (Apologia secunda 1519
A 2 b) 40 an.

[1] *assertionibus ... de haeresi vehementer suspectis plerisque haeresim
sapientibus, et haereticis nonnullis.*

[2] Das meldet Faber an Reuchlin 30. August 1514.

[3] Wilhelm Copus an Reuchlin 25. August 1514. — Die Nachricht,
die unsere Quelle, die Acta doctorum Parrhis, bringt: im Momente der Entscheidung *supervenerunt duo Almani Joannis Reuchlin fortasse conterranei
cum notario et testibus animo proponentes impedire sententiam ferendam*, die
aber erfolglos unter Spott und Hohn abzogen, klingt mir zu unwahrscheinlich.

Geiger, Johann Reuchlin. 19

einer Mutter gezollt hatte, in Hass umwandeln, den eine ungerechte
Stiefmutter verdiene.   Der König und die theologische Fakultät
seien nur getäuscht und verlockt durch den königlichen Beichtvater
(Petit) und dieser wieder in den Banden seiner Brüder, der Kölner
Dominikaner [1]). Dagegen legten die Pariser die Entscheidung als
einen Triumph der guten Sache aus, voll Freude theilten sie das
Resultat den Kölnern mit und überreichten frohlockend dem Könige
ihr Urtheil.

In den Gesinnungen der Gelehrten, die wir später studiren
werden, brachte das Urtheil keine Veränderung hervor; die einzige
Antwort, deren sie würdig erachtet wurde, war Verspottung.

Unterdessen aber hatten die Kölner die Angelegenheit für
reif genug gehalten, um sie durch richterlichen Spruch entscheiden
zu lassen.

VIERTES KAPITEL.

DER PROZESS: MAINZ, SPEIER, ROM.

Kaum hatte die Kölner theologische Fakultät, deren Dekan
Hochstraten war, ihr Verdammungsurtheil gegen Reuchlins Augen-
spiegel abgegeben, so glaubte nun Hochstraten sein Amt als
Ketzermeister ausüben zu dürfen [2]): den 9. September forderte er

---

[1]) Reuchlin an Wilhelm Copus (Ende Januar 1515).

[2]) Für dieses und das Folgende sind Haupt- und leider an vielen
Stellen einzige Quelle die *Acta Judiciorum inter | F. Jacobum Hochstraten
Inquisito- | rem Coloniensium & Johan- | nem Reuchlin LL. Doc. | ex Registro
publico, | autentico & sigil- | lato.* Am Ende: *Hagenoae in aedibus Thomae
Anshelmi Anno MDXVIII Mense Februario. | Judicent Presentes | et
Posteri.* 9 Bogen: A, B, D, E, G, H à 4, I à 6, C, F à 8 Bll. Schon
Druckort und Verleger zeigen, dass die Sammlung von Reuchlin (oder seinen
Freunden?) herrührt. Was wir hier vor uns haben, sind nicht die Original-
akten des Prozesses; fast bei Mittheilung eines jeden Aktenstückes heisst
es: *ex registro actorum primae (secundae) instantiae fol.* ... Ob sie sich in
Rom befinden, was die natürlichste Annahme zu sein scheint, ist mir un-
bekannt; ich habe in Mainz, Speier und in Carlsruhe, wohin das Speierer

Reuchlin auf, am 15. September vor seinem Tribunal in Mainz zu erscheinen [1]). Ob er das Recht dazu hatte, ist sehr bestritten und Reuchlin hat den Mangel der Berechtigung an vielen Orten darzu-

Archiv zum grössten Theile gekommen ist, vergeblich angefragt. Den Acta iudiciorum sollten noch weitere Publicationen folgen; bei Gelegenheit der in Rom niedergesetzten Commission heisst es (letztes Blatt), sie hätte aus trefflichen Männern bestanden, *quorum nomina, dignitates et merita cum aliis rebus gestis cito prodibunt in lucem.* Eine solche Veröffentlichung ist nicht erfolgt. — Die Acta enthalten aber ausser den vorzüglichsten Urkunden und Aktenstücken andere Dinge, z. B. einen Brief eines Privatmannes an die Kölner, doch von dem Prozesse, der sich nicht rechtfertigen lasse, abzustehen (C 8ᵇ—Dᵇ), die Erzählung der Ereignisse, auf die sich die mitgetheilten Urkunden beziehen, und Bemerkungen, die nur von Reuchlin selbst oder einem seiner Anhänger herrühren können, z. B. es sei eine ungesetzliche Handlung des Ketzermeisters gewesen, Reuchlin von Stuttgart nach Mainz zu berufen, und namentliah einen so nahen Termin für das Erscheinen zu bestimmen (A 2, C 4); Hochstraten habe trotz seiner Appellation keinen Schritt gethan, Reuchlin habe gefürchtet, man speculire auf seinen Tod, um ihn dann desto besser lästern zu können (F 7ᵃ); auch nachdem der Prozess nun wirklich in Rom anhängig gewesen sei, haben die *Jacobini* nicht geruht und Schriften veröffentlicht gegen Reuchlin *profecto ut patet modeste quiescentem et omnia molesta sine repercussione tolerantem, quibus tamen libellis nullam fidem adhibent probi viri, scientes illos authore iudaeo quodam tincto editos esse qui crucifer ante aliquot annos a duabus crucibus patebularibus data pecunia ut publica fama fert et notorium extat, liberatus est* (I 5ᵇ. Ueber diese Anschuldigung gegen Pfefferkorn vgl. unten Cap. 6). — Diese Beispiele zeigen die Tendenz der erzählenden Theile der Schrift und berechtigen uns, das Urtheil Echards (Scriptores ordinis Praedicatorum II, p. 71ᵃ.) zu unterschreiben, der zwischen Urkunden und Erzählung unterscheidend, von letzterer sagt: *suspecta est in pluribus, cum sit opus vel Reuchlini vel amicorum qui acta in huius favorem narrare studuerunt.* Wenn er aber meint, auch die Freunde Reuchlins hätten zuerst an der Wahrheit der Acta gezweifelt und dafür die Worte Buschs an Nuenaar: *si acta non mentiuntur* (13. Apr. 1518 in Epistolae trium illustrium virorum ad Hermanum comitem de Neuenaar 1518 Cᵇ.) anführt, so geht aus dem Zusammenhang der ganzen Stelle hervor, dass dieselbe ironisch auf die Sinnesweise der Gegner eingehn soll. — Zur wirklichen Kritik der Acta würde ein Bericht seitens Hochstratens oder seiner Freunde dienen, aber dieser fehlt. Sie, die über die ganze Angelegenheit bis zur richterlichen Entscheidung so werthvolle Mittheilungen gemacht haben, bieten hier fast Nichts als Widerlegung einzelner Behauptungen. Dieser Umstand ist bei der ganzen folgenden Darstellung wol im Auge zu behalten.

[1]) Acta iudiciorum A. 2. Gewiss irrt Reuchlin (Brief an Wimpheling *die S. Andreae* [30. Nov.] 1513), wenn er angibt, die Ladung sei 17. *Kal.*

thun versucht. Aber die einfache Consequenz, die aus dieser
Ueberzeugung zu ziehn war, Hochstratens Ladung, die ihm noch
dazu in Form eines einfachen Briefes durch einen nicht geschworenen
Boten überbracht wurde, als nicht geschehen zu betrachten, zog er
nicht. Er folgte ihr und erkannte sie so formell an, um später
gegen sie als ungerecht und unbillig zu protestiren.

Er selbst traute sich nicht zu, die weite Reise in der ihm
gegönnten kurzen Frist zu unternehmen, er sandte an seiner Statt
den Prokurator Peter Staffel von Nürtingen.   Am 15. September
wurde vor den 4 Commissarien des Erzbischofs von Mainz, und einem
Gesandten des Kölner Erzbischofs, die Hochstraten als Mitrichter
erhalten hatte [1]), die Verhandlung begonnen.   Die Namen der
Richter sind uns nicht bekannt.   Der eine von ihnen war Rektor
Magnifikus der Mainzer Universität, der andere Suffragan in Mainz;
von den fünf waren zwei Doktoren der Theologie, drei Doktoren
des päpstlichen Rechtes [2]).   Zunächst wurde die Anklageschrift

---

Octobres ergangen; es ist eine Verwechselung des Tages der Ladung und des
Termines. Der hier angeführte Brief Reuchlins enthält eine Schilderung des
Mainzer Prozesses. Aktenstücke bietet er nicht, ebensowenig eine unpar-
teiische Erzählung. Im Gegentheil hat der Brief einen ganz bestimmten
Zweck, Wimpheling und die ganze Partei der süddeutschen Humanisten für
Reuchlins Angelegenheit zu gewinnen. Es ist schon aus diesem Grunde
natürlich, dass die Gegner mit allen nur erdenklichen Fehlern geschildert
werden, dass Reuchlin seiner Erbitterung den heftigsten Ausdruck verleiht.
Wesentlich Neues bietet der Brief nicht, das Meiste hat erst Werth durch
die Bestätigung und Ergänzung, die es durch die Acta erhält, einzelne Uebertreibungen z. B. die Entfernung von Stuttgart nach Mainz sei *plus quam
centum et decem leucas legales* gewesen (die Acta sagen: *prope nonaginta*) sind
zu bemerken.

[1]) Reuchlin nennt in seinem Brief an Wimpheling das kaiserliche
Mandat *subrepticium;* die Delegirten *omnes Thomistas et mihi quam suspectis-
simos,* stellt aber die Sache so dar, als wenn Hochstraten erst später Mainzer
Commissarien angenommen hätte. Dass dies falsch ist, zeigt schon der Anfang des (von Reuchlins und seiner Anhänger Seite veröffentlichten
vgl. Anm. 2) *libellus accusatorius: coram vobis reverendis, venerabilibus et
eximiis . . . principis electoris sanctae Moguntinensis sedis archipraesulis . . . . .
dominis Commissariis,* ebenso die

[2]) *Historia et vera enarratio Juridici processus habiti in Maguntia contra
libellum eiusdem hereticas sapientem pravitates* in Ortuin Gratius' *Praenotamenta aa* 4ᵃ fg., aus der die wahre Nachricht über die Richter. Die Schrift
gibt keine Aktenstücke; und die in den Acta angegebenen Fakta kurz in

Hochstratens [1]), der hier in allerdings unerhörter Weise als Ankläger und Richter fungirte, verlesen. Sie enthält 16 uns durch Pfefferkorns und Tungerns Schriften bekannte Anklagen gegen Reuchlin: er wolle die Juden nicht Ketzer nennen, ihr Gebet nicht gegen die Christen gerichtet sein lassen, den Thalmud erhalten trotz der Schmähungen gegen das Christenthum, habe keine Ehrfurcht vor den Kirchenvätern und fehle in einzelnen Behauptungen gegen die angenommene Lehre der Kirche. Um die in dem Augenspiegel enthaltenen Irrthümer, Ketzereien und Aergernisse von Grund aus zu vertilgen, und nie wieder erstehen zu lassen, werden die Richter gebeten, die Verbreitung des Buches zu verbieten, die vorgefundenen Exemplare zu unterdrücken und zu verbrennen. Als Antwort darauf weigerte sich der Prokurator Reuchlins, Hochstraten, der Hauptankläger sei, als Richter anzuerkennen [2]). Er sei ein Feind Reuchlins und schon deshalb verdächtig. Er habe die Angelegenheit der Judenbücher angefangen, habe in derselben selbst ein Gutachten abgegeben, sei durch die Nichtübereinstimmung des Reuchlinschen mit dem seinigen gereizt worden, habe sich in den Namens der Kölner an Reuchlin geschickten Briefen bereits diesem feindselig gezeigt [3]), seine und Anderer Schmähungen haben Reuchlin gezwungen, in seiner Defensio gegen sie aufzutreten. Aber Hochstraten habe sich nicht mit eignen Schmähungen begnügt, sondern seinem Ordensbruder Jakob Magdalius erlaubt, ein Schmähgedicht gegen Reuchlin zu dichten und zu veröffentlichen [4]). Ausserdem sei

---

derselben Folge, — aber ohne Datum. (Ueber die Praenotamenta s. u.) Die einzelnen Angaben würzen sie mit heftigen Ausfällen auf Reuchlin.

[1]) Acta iudiciorum A ii — B; Epistolae trium illustrium virorum e[b] -- e 4[b]. —

[2]) Acta iudic. B[a] fg.

[3]) Als ein Zeichen der Feindseligkeit gibt der Procurator komisch genug an: *quod contra morem suum erga alios doctores hactenus observatum cum nullam habuisset antea cum Jo. Reuchlin conversationem, neque familiaritatem appellavit eum singulari numero tibizando ut vulgo dicitur.* vgl. dagegen oben S. 261, A. 4 u. S. 263, A. 1.

[4]) Acta iud. B ii [a]: *Item quod praefatus Jacobus est prior ordinis Praedicatorum Coloniae et permisit fratri suo Jacobo Magdalio ejusdem ordinis sibi subdito et de domo suo carmen famosum contra jus et fas et contra ordinis regulam et constitutiones contra eundem Jo. Reuchlin scribere ubilibet per artem impressoriam publicatum.*

Hochstraten von Nieder-, Reuchlin von Oberdeutschland, jener verstände daher die Sprache dieses nicht [1]).

Diese Verdachtsgründe wollte der Sachwalter Reuchlins vor Schiedsrichtern weiter ausführen und beweisen, für seinen Theil wählte er den alten Freund und Genossen seines Clienten aus Heidelberg Johann Wacker, den Delegirten des Bischofs von Worms. Hochstraten wollte aber nicht so leicht die für ihn höchst günstige Wendung fahren lassen, sondern entgegnete dem Prokurator Reuchlins, es sei keine persönliche Angelegenheit, sondern eine allgemeine Sache des Glaubens, er werde weiter, wie er angefangen, mit den Delegirten des Erzbischofs von Mainz verfahren [2]). Darauf appellirt Reuchlins Prokurator an den Papst. Hochstraten, um seinem Gegner den Hauptvorwand, weswegen er ihn nicht anerkennen will, zu nehmen [3]), will von nun an nur noch Kläger sein und überträgt die ganze Entscheidung den Commissarien des Mainzer Erzbischofs (27. September). Und so würde trotz der Abwesenheit von Reuchlins Anwalt die Sache ihren weiteren Verlauf genommen haben, wenn nicht Dekan und Capitel der Hauptkirche zu Mainz, sei es aus Interesse für Reuchlin, sei es aus Sinn für Billigkeit, um eine übereilte Entscheidung zu verhüten, eine 15tägige Frist erlangt hätten, in der man versuchen sollte, die begonnene Angelegenheit in friedlicher Weise beizulegen. Würde das nicht gelingen, so sollte nach Ablauf der Frist am 12. Oktober das Urtheil gesprochen werden. Das erlangte Resultat zeigten die Mainzer noch an demselben Tage (27. September) Reuchlin an [4]), aber ihr Brief kam erst am 3. Oktober in seine Hände. Er sah wol ein, dass per-

---

[1]) Dieser Einwand bezog sich natürlich auf den Augenspiegel, nicht auf den gegenwärtigen Prozess, der ja in lateinischer Sprache geführt wurde.

[2]) B ii[b].

[3]) oder, wie es in seiner Sprache heisst: *ut frivolis praecludatur via subterfugiis* B iii[a]. — Die Praenotamenta (s. o. S. 292 Anm. 2) stellen die Sache wol unrichtig so dar, als hätte Hochstraten, nach den ersten *frivolis motivis* des Reuchlinschen Prokurators *ab officio cognoscendi, iudicandi ac definiendi sese sapienter exonerans officio dumtaxat accusationis est usus.* Dennoch habe der Prokurator *puerilem quandam et plane ineptam appellationem* an den Papst vorgebracht aa 4[b].

[4]) Zwar sagen die Acta a. a. O. der Brief sei vom XXII. Sept. datirt gewesen, aber die Verwechselung mit XXVII., wie es heissen muss, springt in die Augen. Auch so schon war die Zeit zwischen Abgang und Ankunft des Briefes lang genug.

sönliches Erscheinen für einen Vergleich von grösstem Werthe sein
würde und war nun sofort bereit, die weite Reise, die ihm vor kaum
einem Monat zu beschwerlich erschienen war, anzutreten. Im Auftrage des Herzogs von Wirtemberg wurde er dabei von dessen
Amtmann (*praefectus?*) in Vaihingen Heinrich Schilling und dem
berühmten Tübinger Theologen Jakob Lemp, einem seiner alten
Freunde, begleitet und langte am 8. Oktober in Mainz an.

Am selben Tage erliess Hochstraten ein Edikt an alle Pfarrer,
sie sollten auf der Kanzel den von den Mainzer Commissarien ergangenen Befehl vorlesen, dass Juden und Christen alle Exemplare
des Augenspiegels bei Vermeidung von Strafe abzuliefern hätten.
Diese Maassregel, von der es ungewiss ist, ob sie durch das Erscheinen Reuchlins provocirt oder ein Gegengewicht gegen dasselbe
zu geben bestimmt war, mochte Reuchlin lehren, dass eine Hoffnung
auf gütliche Vermittlung nicht vorhanden war, und so appellirte er
nochmals feierlich an den Papst. Das würde Hochstraten nicht
gehindert haben, dennoch das Urtheil sprechen zu lassen, wenn
nicht kurz vor Ablauf des Termins (11. Oktober) Erzbischof Uriel
von Mainz, dessen Eingreifen in unsre Angelegenheit wir schon so
oft bemerkt haben, sich auch hier wieder ins Mittel gelegt hätte,
nachdem ihm Dekan und Capitel der Mainzer Kirche noch in
der letzten Stunde durch einen eilenden Boten den Stand der Sache
hatten vorstellen lassen. Er schickte aus Aschaffenburg, wo er sich
damals aufhielt, einen Brief an Hochstraten, der das Verlangen
enthielt, die Urtheilssprechung auf einen Monat zu vertagen, willige
Hochstraten nicht ein, so sollten die erzbischöflichen Delegirten
sich sofort zurückziehn; geschehe in der Zwischenzeit etwas, so
sollte es nichtig und ungültig sein. Noch war, so erzählt Reuchlin [1])
— und vielleicht sind die Farben seines Gemäldes etwas zu stark
aufgetragen — der Bote, der dieses Schreiben bringen sollte, nicht
eingetroffen, da versammelten sich „die Säulen der Kirche, unter
deren Füssen die Erde erzittert", die Dominikaner aus Mainz, nebst
Abgesandten der theologischen Fakultäten von Köln, Erfurt, Löwen,

---

[1]) Brief an Wimpheling 30. Nov. 1513; die im Text bis hierher gegebene
Erzählung ist durchweg nach den Akten. — Den gleichen Inhalt des erzbischöflichen Briefes geben auch Ortuins Praenotamenta an (aa 5ª). — Möglich, dass
der Erzbischof zu dieser Handlungsweise auch durch seinen Rathgeber Lorenz
Truchsess bewogen wurde, wie der satirische Dialog *Hochstratus ovans* angibt bei Böcking Supplementum vol. I, p. 475, §. 37 s. u. Kap. 5.

umringt von einer grossen Menschenmenge, die durch das Versprechen eines 300tägigen Ablasses herangelockt war. Kaum waren sie beisammen, so langte der Bote an, verlas den erzbischöflichen Befehl und verursachte unter dem Volke laute Freude, bei den Anklägern grossen Schrecken. Hochstraten schäumte vor Wuth: Gerechtigkeit werde ihm verweigert, er wolle beim apostolischen Stuhle sich sein Recht holen. Neues erreichte er nicht durch diese Appellation, die er, wie es scheint, gar nicht aufrecht erhielt [1]) — denn Reuchlin hatte bereits an den Papst appellirt — nur soviel, dass der Erzbischof froh war, der Angelegenheit, der er sich bisher mehr aus Rechtsgefühl, denn aus Interesse zugewandt hatte, nun gänzlich enthoben zu sein. Reuchlin jubelte. Gott habe seinen Engel geschickt und ihn aus den Händen seines Feindes befreit [2]). Reuchlin verliess bald darauf die Stadt, ob sein Begleiter Lemp vorher für Reuchlin hatte disputiren wollen und keiner der Gegner sich gemeldet, oder ob die Mainzer sich erboten, gegen Reuchlin zu disputiren und dieser sich nicht bereit finden liess [3]), bleibe dahingestellt.

Reuchlin zeigte seine Appellation beim Papste an. Leo X. hatte vor wenigen Monaten erst den päpstlichen Thron bestiegen [4]), und gleich in dem Beginne seiner Regierungszeit trat eine Glaubenssache an ihn heran, wie sie ihn, grösser nur und folgenreicher, sein ganzes Leben hindurch beschäftigen sollten. Es ist eine Ironie des Schicksals, dass dieser Papst, dessen Sinn das mediceische Erbtheil, eine zum Theil freilich ziemlich äusserliche Liebe zu Kunst und Wissenschaft erfüllte, der, als Zögling italienischer Humanisten gewohnt war, mit Scherz und Spott religiöse Dinge von sich abzu-

---

[1]) Acta iud. B 4b. *Inquisitor cum magna indignatione appellavit ad sedem apostolicam . . . sed habito consilio iurisperitorum appellationem deseruit.*

[2]) Reuchlin an Wimpheling: *eripuit me de manu Inquinatoris,* schmähender Witz für *inquisitoris.*

[3]) Praenotamenta 1514 aa 6a.: *Cum met auctor met ipse ea quae imprudentius scripsisset defendere in Maguntia non fuerit ausus. Cuius etiam libelli defensionem procurator eius et eo nomine publica protestatione assumere penitus recusavit, sed dumtaxat . . . pro subvertendo et impediendo inquisitoris processu ambo contra omnem aequitatem laborarunt.* Aehnlich Pfefferkorn *defensio* (1516) a. a. O. p. 131. Die Angabe ist, wie man aus dem Datum der angeführten Schriften ersehen kann, nicht etwa zur Entkräftung der Mittheilung der 1518 erschienenen Acta geschrieben.

[4]) gewählt 15. März, gekrönt 11. Apr. 1513.

weisen, und an Stelle eines ernsten Nachdenkens heidnisch-philo-
sophische Spielereien zu setzen, dass dieser Papst von religiösen
Fragen so zu sagen verfolgt wurde. Aber als die Reuchlinsche
Angelegenheit zum ersten Male an ihn herantrat, hatte sie noch
kein besonderes Ansehn. Ein Buch war erschienen, der Ketzer-
richter hatte Verdächtiges darin gewittert, seine Entscheidung, die
gleich bedeutend mit Verurtheilung gewesen wäre, wollte der An-
geschuldigte nicht annehmen und wandte sich an den Papst.

Ob Leo zu dieser Angelegenheit schon eine Stellung eingenommen hatte, ist zweifelhaft. Noch war Reuchlins Angelegenheit
keine allgemeine geworden, noch nicht einmal eine solche, die alle
Humanistenkreise in Bewegung setzte, und nach Italien war wol
der Ruf des deutschen Humanisten gedrungen, aber nicht sein
gegenwärtiger Streit. Was Reuchlin dem Papste schrieb, um ihn
für sich günstig zu stimmen, ist nicht erhalten. Aber um den
Papst zu gewinnen, schrieb er an dessen Leibarzt, einen Juden,
Bonet de Lates [1]), einen gelehrten und einflussreichen Mann, in
hebräischer Sprache. Hätten die Kölner den Brief gelesen, dann
hätten sie neuen Stoff zu ihren Anklagen wegen Judenbegünstigung
daraus sammeln können, denn in solcher den jüdischen Gelehrten
anerkennenden, und noch überschwänglicher feiernden Weise, als der
schon an sich überladene hebräische Briefstyl erfordert, hatte wol
bisher noch kein deutscher Christ einem Juden geschrieben. Er
schildert ihm sehr ausführlich die Anstrengungen der Kölner,
namentlich Pfefferkorns, die Judenbücher zu vernichten, erzählt, dass
er ihnen gegenüber in einem vom Kaiser verlangten Gutachten
die Nützlichkeit der Bücher verfochten und sich dadurch den Hass
der Kölner zugezogen habe. Sie seien in einem Buche schimpfend
gegen ihn aufgetreten, er habe sich dagegen vertheidigt, und sie ihn
darauf gerichtlich belangt. Er habe nun an den Papst appellirt
und bitte ihn, den Arzt, „der sich täglich in den Gemächern des
Papstes bewege, und dem der heilige Leib des Papstes anvertraut
sei" bei diesem für ihn thätig zu sein. Er fürchte nur, die Kölner
möchten ihn nach Köln oder vor ein ihnen nahes Gericht laden lassen
und seinen ordentlichen Richtern entziehn, vor diesen sei er bereit
zu stehn, ihren oder des Papstes Urtheilsspruch scheue er nicht [2]).

---

[1]) nach 12. Okt. 1513.

[2]) Sein ordentlicher kirchlicher Richter ist der Bischof von Speier,

Leo X. übertrug (17. 21. Nov.)[1]) die Entscheidung den Bischöfen
von Speier und Worms, oder einem von beiden. Aber der letztere
hat sich nie um die Angelegenheit gekümmert[2]), und so fiel dem
ersteren die ganze Last des Geschäftes zu. Persönlich hat sich
freilich auch dieser, der erst 27-jährige Pfalzgraf Georg[3]), der·
erst vor wenig Monaten zum Bischof gewählt war, nicht damit beschäftigt[4]), wenn auch seine Delegirten Thomas Truchsess und
Georg von Schwalbach in seinem Namen die Befehle erliessen.
Aber doch mochte die Sinnesart des Bischofs, sein angemessener
Ernst, seine freundliche Milde, seine herzliche Frömmigkeit auch das
Vorgehen seiner Beamten bestimmen und es ist zu erwarten, dass
er, der später gegen die neue Lehre und ihre Bekenner nachsichtig
auftrat, der neuen wissenschaftlichen Richtung, die sich unter den
Humanisten erhob, nicht schroff gegenüberstand[5]).

Dürfen wir einer spätern Nachricht trauen, so hat Georg von
Schwalbach, der übrigens ein tüchtiger Jurist war, und nie müde zu
lernen, sein Amt bald aufgegeben, aus Furcht vor den Mönchen[6]),

----

denn das Dechanat Pforzheim gehörte zum Archidiakonat der Propstei des
Collegiatstiftes zum h. Johannes und zum h.Guido, vgl. Remling, Geschichte
der Bischöfe von Speier I, S. 139 fg.

[1]) Acta iudiciorum C ᵃ, C 2ᵃ.

[2]) Da in den betreffenden päpstlichen Urkunden immer ausdrücklich
gesagt ist: beide, oder einer von beiden, so hat Pfefferkorn (Defensio p. 153)
keinen Grund zu sagen: *Sententia etiam Spirensium parum ipse aut nihil
triumphare potest, cum alter iudicum pro tribunali sese abdicaverit ac plane
exoneraverit.*

[3]) geb. 10. Februar 1486, gewählt 12. Februar 1513.

[4]) In einer der Urkunden heisst es einmal gradezu die Delegirten
hätten den Prozess geführt, weil wir, der Bischof *aliis arduis ecclesiae Spirensis praepediti negociis causae et causarum huiusmodi personaliter intendere
aut illis interesse non valuimus.* Acta iud. F iiiᵃ.

[5]) Ueber Georgs Charakter und Thätigkeit vgl. F. X. Remling, Geschichte der Bischöfe zu Speier. Mainz 1854. 2. Band S. 231—266, der aber
der Reuchlinschen Angelegenheit weder hier, noch in dem dazu gehörigen
Urkundenband mit einem Worte gedenkt. Für das im Text Behauptete
spricht z. B., dass Herrm. vom Busche ihm bei einer festlichen Gelegenheit
ein Gedicht widmet, angeführt bei Erhard, Gesch. des Wiederaufblühens
wissenschaftlicher Bildung in Teutschland. III. Band, Magdeburg 1832. S. 105.

[6]) In der 1519 erschienenen Satire: *Hochstratus ovans, dialogus,* die
unten zu besprechen ist, heisst es (ed. Böcking, Supplementum I, p. 479): *nam
hic* (Schwalbach) *magnam iuris peritiam se praeceptore hausit, ille* (Truchsess) *ab*

Thomas Truchsess aber, ein gelehrter und gebildeter Mann, der in Italien studirt und die seltene Kenntniss des Griechischen sich angeeignet hatte, verwaltete treu das ihm übertragene Amt. Es ist leicht anzunehmen, dass er auf die Entschliessungen des Bischofs in einer für Reuchlin günstigen Weise eingewirkt [1]). Er wird Reuchlins Schüler genannt [2]), die Theilnahme für den Lehrer verliess ihn während seines ganzen Lebens nicht. Vielleicht hat Reuchlin in Speier bei ihm gewohnt, auch nach Ausgang des Prozesses erhielt sich die Correspondenz und Truchsess blieb ein eifriger Anhänger des verfolgten Mannes [3]).

Auf Grund der ihm gegebenen päpstlichen Vollmacht citirt der Bischof am 20. December die beiden Parteien, am 30. Tage nach Ueberreichung der Citation vor ihm zu erscheinen [4]). Dieselbe wird Hochstraten am 27. übergeben und am bestimmten Tage (26. Jan.?)[5]) erscheint Reuchlin persönlich und sein Prokurator Johann Greiff, während Hochstraten sich durch seinen Ordensbruder Johann Horst von Romberg[6]), einen Theologen, als Prokurator vertreten lässt.

Italia rediens auctus elegantia dicendi et sapientia juris nemine praeeunte graece etiamnum discit tot undis negotiorum obrutus. Hi duo praefecti cognitioni, quanquam Georgius de Schwalbach onus mox a se rejecit metuens a nobis sycophantias . . . . . In den Acta findet sich keine Bestätigung dieser Nachricht.

[1]) Hutten schreibt an Albrecht von Mainz (März 1519) Böcking I, p. 251.: *Laurentius Truchsess* .. *anno abhinc sexto* (also 1513) *ab atroci crudelissimorum hominum theologistarum injuria quodam suo divino consilio magnum virum Joannem Capnionem nobis servavit ac tutum praestitit.* Hutten hat vielleicht Lorenz mit Thomas Tr. verwechselt; vgl. indess S. 295, A. 1.

[2]) Jodokus Gallus an Reuchl. 9. Sept. 1499.

[3]) *Ubi Spiram veneris, decanatus non ignotas tibi aedes, tuum putato diversorium* schreibt Tr. an R. 21. Jan. 1518. In diesem Briefe spricht er auch von einem nicht erhaltenen Schreiben R.'s.

[4]) Acta iud. C ii^a — iii^a.

[5]) Die Acta iud. C 4^a. geben kein Datum an, das im Text gegebene ist nur Berechnung.

[6]) *alias Kerspe* nennen ihn die Acta a. a. O., d. h. *Kyrspensis* aus Kyrspen in Westphalen; er war c. 1500 Dominikaner in Köln geworden, hatte in Italien studirt, wurde später Magister, lehrte seit 1523 in Köln und trat heftig gegen Luther auf. Er starb wahrscheinlich 1533. Nach seinem Tode kam er als Lutheraner auf den Index! vgl. Echard, Scriptores ordinis Praedicatorum II, p. 88^a. und Krafft: Aufzeichnungen des schweiz. Reformators Hch. Bullinger. Elberfeld 1870 S. 49, 87 A. 1. 127 A. 1.

Doch hatte er ihm zu dem bestimmten Zweck kein genaues beglaubigtes Mandat mitgegeben, und dass er überhaupt Prokurator sei, konnte Horst durch kein Schriftstück beweisen, er meinte auch, dieses Amt nicht immer, sondern nur in diesem Falle zu übernehmen [1]). Dagegen protestirt Reuchlins Anwalt, Horst sei ein Geistlicher und könne nicht Prokurator sein, auch einen Empfehlungsbrief Hochstratens, den Horst vorbringt, will Greiff nicht als glaubwürdig und nicht zu seinem Amte als Prokurator gehörig gelten lassen. Da auch Horst die verlangte Caution nicht zahlen will, aus dem seltsamen Grunde, weder er noch sein Patron könne dazu angehalten werden, weil sie Bettelbrüder seien, wird er von den Richtern ausgeschlossen.

In einem neuen auf den 20. Februar 1514 [2]) festgesetzten Termine erscheint Reuchlins Anwalt und begründet, nachdem er sich über die Frechheit beklagt, die die Gegner durch ihr Nichterscheinen an den Tag gelegt, seine Appellation: Bei dem Mainzer Prozess sei Reuchlin nicht genügende Zeit gelassen worden, zu erscheinen, Hochstraten habe sich in seinem Verfahren ungerecht erwiesen, er habe Reuchlins Appellation an den Papst sofort verworfen und den Prozess weiter geführt. Und das Alles ohne jede Berechtigung, denn nicht Hochstraten habe ein Recht gegen Reuchlin, sondern nur der Erzbischof von Mainz und zwar nicht gegen den Augenspiegel, sondern gegen die Defensio und auch nur das Recht, das Buch zu vernichten, nicht darüber einen Prozess zu beginnen [3]). Ausserdem sei es unzweifelhaft [4]), dass das fragliche Mandat dem Kaiser entrissen worden sei. Das dadurch begangene Verbrechen habe Hochstraten noch damit vergrössert, dass er den ungerecht begonnenen Mainzer Prozess in übereilter Schnelligkeit und mit allzu geringer Oeffentlich-

---

[1]) Das bedeutet wol die Stelle: *procuratorii, quod protestabatur se non velle acceptare in toto sed solum in parte.*

[2]) In den Acta iud. C 4b steht irrthümlich: 1513.

[3]) Bei diesen Behauptungen stützt sich Reuchlin darauf, dass das Mandat gegen den Augenspiegel 7. Oktober 1512 nur vom Wegnehmen, der Befehl gegen die Defensio 9. Juli 1513 auch von der Vernichtung des Buches spricht. Aber in seiner Behauptung von der Berechtigung des Erzbischofs im Gegensatz zum Ketzermeister irrt R., vielleicht absichtlich; denn im Mandat wird ausdrücklich neben den Erzbischöfen von Mainz, Köln und Trier „der ketzermeister und inquisitor des unglaubens" genannt.

[4]) *Praeterea nemo dubitat . . .* Acta iud. C 6a.

keit geführt habe. Die Richter werden daher gebeten, die Nichtigkeit des in Mainz geführten Prozesses auszusprechen. — Nach Verlesung dieser Schrift erscheint Horst mit einer neuen gehörig beglaubigten von dem Prior Paulus in Worms bestätigten Vollmacht als Prokurator Hochstratens, Reuchlins Anwalt erneuert dagegen seine schon gemachten Einwendungen, die er gern dem Urtheil der Richter unterwerfen will, und diese, bei ihrer früheren Entscheidung beharrend, setzen beiden Parteien einen neuen Termin auf den 13. März an [1]).

Schon vor dem zuletzt abgehaltenen Termine hatten die Kölner Theologen (10. Febr.), sich stützend auf die eingelaufenen Gutachten der Universitäten über die Verderblichkeit des Augenspiegels, auf das Mandat des Kaisers und mit Billigung des Kölner Erzbischofs, den Augenspiegel zum Feuer verurtheilt und verbrannt. Auch ein Nichtketzer könnte sich bisweilen in seinen Schriften Ketzereien zu Schulden kommen lassen, so werde Reuchlin, den man wegen seiner demüthigen Ergebung und seiner löblichen Schriften für einen frommen Mann halten müsse, nicht geschändet, wenn man seinen Augenspiegel als ein verderbliches, den Juden unerlaubt günstiges, die Kirche schmähendes, gegen die Kirchenlehrer unehrerbietiges, und für einfältige Christen anstössiges Buch verbiete, vernichte, verbrenne [2]). Dieser von einem andern Ketzerinquisitor, Johann de Colle, den die in Nürnberg versammelten Dominikaner erwählt hatten [3]), erlassene Befehl wurde in Köln ausgeführt, aber die Kölner nicht zufrieden, diesen gänzlich ungerechtfertigten Schritt begangen zu haben, fügten zu dem Ungehorsam gegen das faktisch von ihnen anerkannte Speierer Gericht noch die Frechheit hinzu, Pfefferkorn nach Speier zu senden und dort den Befehl öffentlich anheften zu

---

[1]) feriam secundam post dominicam Reminiscere. Das im Text Gesagte stützt sich auf die Acta iud. C. 7a: iudices, inhaerentes priori sententiae. — Dagegen sagt Echard (a. a. O. p. 68b) nach der ersten Zurückweisung erschienen Joh. Horst et F. Albertus lector conventus nostri Wormatiensis ambo novis literis procuratoriis authenticis muniti comparuerunt, quo factum est . . ., dass der neue Termin angesetzt wird.

[2]) 10. Febr. (die scholastice virginis) 1514. Die Urkunde findet sich in Praenotamenta Ortuini Gratii ac fb; Pfefferkorns Beschyrmung R. fg. und defensio p. 123 sq. Acta iudiciorum C 7b 8a. Maius, vita Reuchlini p. 408 sq.

[3]) Die nähern Angaben nach dem Briefe Reuchlins an Caspar Wirt, 25. April 1514. Schon die Aufschrift der Urkunde bei Pfefferkorn lautet: Sententia alterius haereticae pravitatis inquisitoris.

lassen, was ihm von den Richtern streng verwiesen wurde [1]). Reuchlin war durch die Kölner Maassregel tief gekränkt. Schon das bisherige Auftreten hatte ihn mannigfach erbittert, aber die frühere Kränkung hatte er mit vielen Anderen getheilt; Verbrennung seiner Schriften hatte seit einer langen Reihe von Jahren kein deutscher Gelehrter erfahren; dagegen suchte sich Reuchlin zu vertheidigen. Er reiste nach Frankfurt, um die von den Kölnern versuchte Veröffentlichung ihres Verdammungsdekrets zu hindern [2]). Die deutsche Schrift [3]), die er zu seinem Schutze veröffentlichte, ist vermuthlich nur eine Protestation, die auf einem gedruckten Blatt an eben dem Orte verbreitet wurde, wo der Angriff bekannt gemacht worden war, wenigstens wird sie niemals später von Seiten Reuchlins oder seiner Gegner erwähnt und ist keinem Biographen und Bibliographen bekannt geworden. Reuchlin führte hauptsächlich darin aus, dass dem Inquisitor jetzt, wo die gesammte Entscheidung dem Speierer Bischofe übertragen sei, kein Recht zustehe, eine Verurtheilung vorzunehmen, dass es aber überhaupt ausserhalb seiner Amtsbefugniss liege, zu urtheilen, wo nicht eine offenbare Ketzerei vorhanden sei, und ein Buch zu verbrennen: das habe der weltliche Arm zu thun.

Am festgesetzten Termine (13. März) erscheint Reuchlin und überreicht seine Beschwerdeschrift [4]). In ihr wird nochmals sehr ausführlich die Entstehungsgeschichte des ganzen Streites geschildert, dann die einzelnen Rechtseinwendungen gegen Hochstraten dargelegt, die uns zum Theile schon bekannt sind. Es sei den Bestimmungen der Predigermönche zuwider, dass Jemand Ketzermeister über eine Sache sei, wo er die Sprache, in der das zu Beurtheilende geschrieben sei, nicht recht verstehe. Hochstraten stütze sich auf das Verdammungsurtheil der Universitäten, aber er habe diesen verstümmelte Exemplare, der Erfurter eins von 19, der Löwener eins von 16 Blättern geschickt [5]), und auch Hochstraten habe stets nur abgerissene Bruchstücke des Augenspiegels vorgenommen, nie die Schrift im Zusammenhang; ferner gehöre die von ihm erhobene An-

---

[1]) Acta iudiciorum C 7[b].

[2]) Das schreibt Reuchl. an Magister Caspar nach Rom. 18. Okt. 1514.

[3]) Acta iud. C 8[a. b].

[4]) D[b] — E 4[b].

[5]) Diese neue Kenntniss hatte Reuchlin aus den im Februar erschienenen Praenotamenta Ortwini Gratii 1514 geschöpft, in der die Gutachten veröffentlicht waren, vgl. oben S. 248. u. 288. A. 1.

klage nicht in das Gebiet eines Inquisitors, denn ob man die Juden
Mitbürger des deutschen Reiches nenne, sei eine Rechtsfrage, ob
das jüdische Gebet, das man als christenfeindlich bezeichne, sich auf
die Christen beziehe, eine grammatische Frage, ebenso wie der Streit,
ob man jüdische Commentare brauchen solle, oder nicht, in das
Gebiet der Grammatik gehöre. Aus diesen Gründen sei die Bitte
gerechtfertigt, Hochstraten, der in jeder Beziehung seine Amtsbefugniss überschritten habe, ein weiteres Vorgehen zu verbieten, den
beiden Parteien ein ewiges Stillschweigen aufzuerlegen und zu erklären, dass der Augenspiegel keinerlei Ketzerei enthalte. Hochstraten erschien nicht, und liess seinen Prokurator nur die Erklärung
abgeben, er wolle vor diesem Gericht seinen Oberen nicht vertheidigen und appellirte an das höchste Tribunal nach Rom [1]).

Die Verhandlungen waren geschlossen, die Entscheidung hatte
zu folgen. Der Bischof Georg (oder seine Delegirten) nahm die
Streitschriften, und vor allem den Augenspiegel, um den sich die
ganze Sache drehte, in Gemeinschaft vieler seiner eigenen Räthe
und einiger Juristen und Theologen aus fremden Universitäten in
genauer Prüfung vor [2]), am 29. März erliess er das endgültige Urtheil [3]):
Der in der Streitsache zwischen Reuchlin und Hochstraten um den
Augenspiegel Reuchlins vor anderm Tribunale geführte Prozess sei
nichtig. Als Entscheidung werde ausgesprochen, dass die gegen den
Augenspiegel gemachten Anschuldigungen, als sei er der Ketzerei
und anderer Verbrechen verdächtig, unverdient, unbedacht, ungerecht und mit Verschweigung der Wahrheit erhoben
seien, dass es Hochstraten und seinen Anhängern nie zugestanden
habe, solche Verläumdungen zu verbreiten, und dass, um dieses für künftig
zu vermeiden, ihnen in dieser Sache ein ewiges Stillschweigen auferlegt sei. Der Augenspiegel enthalte keine Ketzerei und keine von
der Kirche öffentlich verdammte Irrlehre, er sei den Juden nicht in
unerlaubter Weise günstig, gegen die Kirche und ihre Lehre nicht

---

[1]) Acta iud. E 4*b*: *se non velle principalem suum in hoc iudicio
defendere, sed a praesentia iudicum recedendo appellans.*

[2]) Die acta jud. a. a. O. berichten: „*cum multorum tam suorum con-
siliariorum quam ex aliis universitatibus et alienis locis accitorum theologiae
atque juris peritorum diligenti examine.*"

[3]) Das Datum ist aus den bekanntesten Drucken allerdings nicht ersichtlich, aber geht aus den ältesten deutlich hervor (vgl. die Briefsammlung
u. dems. Dat.).

unehrerbietig, er dürfe überall verbreitet und gelesen werden [1]).
Hochstraten wird in die Kosten des Mainzer und Speierer Prozesses
verurtheilt, die später (24. April) auf 111 rheinische Gulden festgesetzt werden; falls er die Zahlung in dreissig Tagen nicht leistet, soll
er excommunicirt sein [2]). Aber als der Notar Andreas Gudel dem
Hochstraten in dem Dominikanerkloster in Heidelberg in Gegenwart
des Johann Obrell aus Marbach und Kaspar Durck aus Stuttgart
dieses Urtheil notificirte [3]), erklärte ihm Hochstraten, dass er bereits
nach Rom appellirt habe [4]).

Das hatte Hochstraten, allerdings in ungerichtlicher Weise, wie
Reuchlin behauptet [5]), bereits in Speier durch seinen Prokurator erklären lassen. Seine Appellation hatte er, wol gleich nachdem die
Speierer Entscheidung gefällt war, veröffentlicht und an den Papst
gesandt. Er betonte darin [6]), er habe zum Speierer Prozess sofort
einen Anwalt mit ausreichender Vollmacht geschickt, habe nach
Reuchlins Appellation an den Papst sich keinerlei Gerichtsbarkeit
angemaasst, habe, so lange er als Richter fungirt, dies nur auf Grund
eines kaiserlichen Befehls gethan, der auch ihm Befugniss über den
Augenspiegel eingeräumt, sei in seinem Vorgehn durch die öffentliche Meinung gestützt gewesen, die Reuchlins Schrift verdammungs-
würdig gefunden, und durch Reuchlins eigene Weigerung, seine
Schrift zu vertheidigen; die in Köln vorgenommene Verbrennung des
Augenspiegels sei nach Recht und Billigkeit erfolgt.

Man ist nicht berechtigt, daran zu zweifeln, dass es Hochstraten
mit dieser Appellation Ernst war, und wenn nach seiner Appellation
kein weiterer Schritt erfolgte, so wird das mehr an der langsamen
Verfahrungsweise gelegen haben, die an der römischen Curie Sitte
geworden war, als an seinem Streben, die Sache lange hinauszu-

---

[1]) Reuchlin sorgte dafür, dass diese *Sententia diffinitiva* in der Frankfurter Messe bekannt gemacht würde. Brief an Caspar Wirt 25. April 1514.

[2]) Acta iudic. F 4 ff.

[3]) 18. Mai a. a. O. F 6[b] 7[a].

[4]) Echard a. a. O. p. 68[b].

[5]) *extrajudicialiter*. Reuchlin an C. Wirt 25. April 1514, oder wie es,
meiner Auffassung nach ungerechtfertigt, in den Acta jud. F 7[a] heisst: *quod*
(die Appellation) *tamen legitime nesciebatur et adhuc nescitur, quia neque parti
nec judici, ut debuerat, est insinuatum.*

[6]) Reuchlin gibt in dem Briefe an Caspar Wirt, 25. April 1514, eine
Analyse der Appellation mit Widerlegung der einzelnen Punkte.

ziehn, damit der alte und kranke Reuchlin vorher sterbe und man den todten Gegner leicht verspotten könne [1]). Wenigstens geschah es wohl mit seinem Wissen, vielleicht auf seine Veranlassung, dass Adrian von Utrecht, der spätere Papst, der damals in Löwen war, sich an Bernardinus Cardinal Sanctae Crucis in Rom wandte, den die Dominikaner als Ordensbruder und Gesinnungsgenossen kennen mochten, um ihm die Speiersche Entscheidung mitzutheilen, und ihn aufzufordern, nun mit allen Kräften beim Papste dahin zu wirken, diese krebsartige Krankheit schleunigst zu heilen [2]). Kurz darauf schrieben auch die Kölner an denselben. Sie, vor allem der Inquisitor, seien, ihrer Pflicht getreu, gegen den ketzerischen Augenspiegel vorgegangen und haben ihn, unterstützt von Gutachten verschiedener Universitäten verurtheilt und verbrannt. Da habe der Verfasser des Augenspiegels auf Grund einer lügenhaften Erzählung einen andern Richter in Speier erhalten, „der, dem Laster mehr zugeneigt, als der katholischen ‘Wahrheit, der heiligen Theologie und der Mysterien des Glaubens unkundig“, gewagt habe, dieses Buch freizusprechen „zum Schaden der katholischen Kirche. zur Freude der Juden, zum Nachtheil der Universitäten und Gelehrten, zum schweren und verderblichen Aergerniss des gemeinen Volkes“. Nun habe Hochstraten an den heiligen Stuhl appellirt, er, Bernardinus, werde ihm helfen und dadurch den heiligen Glauben unterstützen; „denn wenn der Leichtsinn der Poeten in dieser den Glauben befleckenden Angelegenheit nicht unterdrückt wird, so werden sie sich immer weniger scheuen, gegen die theologische Wahrheit anzukämpfen“ [3]).

Aber auch Reuchlin blieb nicht müssig. Er wandte sich an seinen alten, erprobten Freund Jakob Questemberg, der an dem päpstlichen Hofe eine hohe und einflussreiche Stellung einnahm. klagte ihm sein Leid, schilderte ihm das Unrecht, das ihm die Kölner durch die Verbrennung des Augenspiegels zugefügt hätten. Zwar „habe die Wahrheit triumphirt“, er habe eine günstige Entscheidung des Speierer Gerichts erlangt, aber was helfe ihm das? Aufs neue haben seine Gegner an den Papst appellirt, in der Hoffnung, ihn durch die vielen Kosten zur drückendsten Armuth zu

---

[1]) Letzteres imputiren die Acta F 7ᵃ.
[2]) 21. April 1514. Der Brief ist aus Mecheln datirt.
[3]) 25. April 1514.

bringen, seine bisher der Wissenschaft gewidmete Musse durch diesen Streit zu absorbiren. Questemberg möge den Papst an seine Werke, an die Gunst, in der er bei seinen Vorfahren und bei den früheren italienischen Gelehrten gestanden habe, erinnern, er möge bewirken, dass sein Streit am päpstlichen Hofe ausgemacht und die Entscheidung einigen vorurtheilslosen Cardinälen, nicht befangenen Gesinnungsgenossen seiner Gegner übertragen werde [1]); namentlich der Hülfe des Cardinals Hadrian, „des Liebhabers philosophischer Wissenschaften", möchte er sich vergewissern [2]).

Aber neben freundschaftlicher Unterstützung suchte er sich auch juristischen Beistand zu verschaffen. Er schrieb an Kaspar Wirt, der ihm bereits bei seiner, der Speierer Entscheidung vorangehenden, Appellation an den Papst, als Anwalt gedient hatte. Er widerlegte darin die in Hochstratens Appellation geltend gemachten Gründe, ernannte Wirt zu seinem Bevollmächtigten und beauftragte ihn, namentlich dahin zu wirken, dass der Prozess nicht wieder ausserhalb Roms verschleppt würde und forderte ihn auf, bei seiner Thätigkeit sich der Hülfe seiner Gönner: des Cardinals Hadrian, des Matthäus Lang, Cardinals von Gurk, des gelehrten Augustinergenerals Aegidius von Viterbo, den mit Reuchlin die gleiche Liebe für das Studium der hebräischen Sprache verband, sowie seiner Freunde Questemberg und des Propstes Christoph Welser, des Schwagers Peutingers zu bedienen. Leo möge mit ihm verfahren, wie sein Vorgänger Alexander VI. mit Pikus von Mirandula, er möge ihm Ruhe schaffen und ihm Zeit gönnen, um durch wissenschaftliche Arbeit die Kirche zu kräftigen und der Nachwelt Segen zu bringen [3]).

Wirt entsprach alsbald dem ihm gewordenen Auftrage. In einem an den Papst gerichteten Bittschreiben [4]), in dem er Reuchlin als „Redner der päpstlichen Heiligkeit" bezeichnete, überreichte er die Akten der Mainzer und Speierer Instanz, erzählte den bisherigen Verlauf des Streites, bemühte sich, demselben ein rein wissenschaftliches Gepräge zu geben [5]), hob hervor, dass in dem Augenspiegel

---

[1]) Reuchlin an Questemberg, 20. April 1514.

[2]) Ders. an dens., 25. April 1514.

[3]) Der schon mehrfach angeführte Brief Reuchlins an Caspar Wirt. 25. April 1514. — Böcking setzt in diesen Zusammenhang auch den oben (S. 207) erwähnten Brief R.'s an den päpstlichen Leibarzt Bonet de Lates.

[4]) Acta iudiciorum F 8ᵃ ff.

[5]) so z. B. wenn er verschweigt, dass Reuchlin sein Gutachten im Auf-

Stellen in den drei Sprachen citirt würden, und dass das Werk daher an keinem Orte gerichtet werden könnte, als am päpstlichen
Hofe, an dem sich eine Anzahl in diesen Sprachen gelehrter Männer
befände, und begründete damit seine Forderung, der Papst möge die
Sache einigen Cardinälen unterbreiten, und den Dominikus Grimanus, Cardinal von St. Markus, zum Richter in dieser Angelegenheit ernennen. Dem Letzteren entsprach der Papst; Griman
wurde zum Richter ernannt und berief am 8. Juni 1514 die Parteien
auf den 6. Tag nach Ueberreichung der Citation: Hochstraten sollte
in Person erscheinen, Reuchlin sollte es seines Alters wegen gestattet
sein, sich durch einen Sachwalter vertreten zu lassen. Hochstraten
entsprach sofort dieser Aufforderung, er langte in Rom an mit
Empfehlungsbriefen der Kölner und anderer Universitäten, mit
Schreiben von Fürsten und Herren [1], — die Gegner behaupteten:
auch in glänzendem Aufzug, und mit reichlichen Geldmitteln versehen, um mit diesen Waffen Reuchlin zu unterdrücken [2]). Der
Papst ernannte als zweiten Richter den Petrus Ankonitanus, Cardinal von St. Eusebius, der mit Griman in der zur Entscheidung
der Glaubenssachen niedergesetzten Commission des Lateranensischen
Concils sass [3]). Vor beiden reichte Hochstraten seine Appellations-
schrift ein [4]): Reuchlin habe den Augenspiegel herausgegeben, der
sei auf Befehl des Kaisers unterdrückt worden, zum Schutze gegen
vermeintliche Angriffe sei nachher seine Defensio erschienen, auch

---

trage des Kaisers abgegeben, sondern sagt: *Quum .... edidisset, per quod
Christi fideles ad dandam operam sacris, hoc est hebraicis literis invitare nitebatur ac hebraeorum libros passim igni cremandos non esse inter alia dicebat.*

[1]) Wann die Ankunft Hochstratens in Rom erfolgte, lässt sich nicht
genau bestimmen; gewiss vor Ende September, wenn es wahr ist, was Hermann Busch aus Köln 30. Sept. 1514 an Reuchlin schreibt, dass die Dominikaner ihm aufs neue 1500 Goldgulden nach Rom geschickt hätten. Auch
die Daten der im Folgenden besprochenen Schreiben Hochstratens, der
Kölner sind nicht angegeben, sie müssen vor Reuchlins Replik, die man
sich Anfang November geschrieben denken muss, nicht vor Anfang Oktober,
eingereicht worden sein.

[2]) Acta iudic. G 3ª *pulchro equitatu comitatus, iactando se pecuniis
sufficientibus ... Joannem Reuchlin ... supprimere posse.*

[3]) Das geht aus einer späteren Einrede Hochstratens und aus der Notiz
der Acta iudiciorum H b hervor: *Cardinalis S. Marci et S. Eusebii, qui sunt
in deputatione sacri Lateranensis concilii in negociis fidei deputati.*

[4]) Acta iudic. G 4ª ff.

20*

die habe das gleiche Schicksal getroffen. Hochstraten, als vom
päpstlichen Stuhle eingesetzter, von der Kölner Fakultät zu dieser
Angelegenheit besonders abgeordneter Ketzermeister [1]), habe Reuchlin
nach Mainz vorgeladen. Dort habe er nur als Angeber und Ankläger [2]) auftreten, die Entscheidung den Delegirten des Mainzer Erzbischofs überlassen wollen, aber Uriel habe sie zurückgerufen und
der Prozess sei in Folge eines auf hinterlistige und trügerische Weise
erlangten päpstlichen Mandats [3]) dem Bischof von Speier übertragen
worden. Gegen das von diesem gefällte Urtheil lege er Appellation
ein; der Papst möge die ganze Sache untersuchen und die Nichtigkeit dieses Urtheils aussprechen lassen. Die beiden ernannten
Richter nehme er gern an, aber er bitte den Bernhardinus, Cardinal S. Crucis, ihnen zuzugesellen: denn die Sache erheische grosse
Aufmerksamkeit und die beiden Mitglieder der vom Concil ernannten Commission seien durch anderweitige Geschäfte zu sehr in Anspruch genommen.

Es war allerdings eine eigenthümliche Selbsttäuschung, wenn
Hochstraten meinte, den Papst veranlassen zu können, Bernhardinus
zum Mitrichter zu ernennen, von dem alle Welt wusste, dass er
Hochstraten von dem Banne, in den er seit der Nichtzahlung der
vom Speierer Gericht bestimmten Strafe gefallen war, befreit hatte [4]),
und dass er in jeder Beziehung ein Freund und Gesinnungsgenosse
der Kölner Dominikaner war [5]). Aber eine noch ärgere war es, wenn
er die Würde des Gerichtes verletzend, von einem erschlichenen
Mandat desselben päpstlichen Hofes sprach, dessen Urtheil er jetzt
für sich verlangte. Soweit gingen die Kölner, die sich gleichfalls
mit einem Schreiben an den Papst wandten, nicht. Sie begnügten
sich mit den alten abgebrauchten, falschen Beschuldigungen gegen
Reuchlin, dass er sich rühme, der hebräischen Sprache kundig zu
sein und keine Kenntniss derselben besitze, dass er durch Bestechungen der Juden in unerlaubten Besitz von Reichthümern ge-

---

[1]) *inquisitor a sede apostolica, specialiter deputatus a collegio theologic
acultatis Coloniensis, ut . . . contra dictum libellum procederet.*

[2]) *delator et accusator* Acta a. a. O.

[3]) *subreptitio et obreptitio extortae.* Acta a. a. O.

[4]) Acta iudic. G 3ª.

[5]) Schon 1511 hatte Hochstraten ihm sein *Protectorium principum Ale-
manniae de maleficis non sepeliendis contra Petrum Ravennatem* gewidmet.
vgl. Jos. Hartzheim, Bibliotheca Coloniensis, Köln 1747 p. 144.

kommen sei. Auf diesen Reichthum vertrauend komme er nach Rom, durch ihn gestützt habe er sich die Speierer Sentenz verschafft, es sei daher nöthig, die Sache nochmals gründlich und unparteiisch zu untersuchen.

Die Prokuratoren Reuchlins blieben die Antwort nicht schuldig. Indess schon vorher hatte Reuchlin, um seiner Sache mehr äussern Glanz zu verleihen, sich aus Deutschland Empfehlungsschreiben verschafft, die allmählich zu einer stattlichen Anzahl anwuchsen. Erasmus redete dem Papste gegenüber in warmen Worten für seinen Freund, schrieb herzliche, von Lob überströmende Briefe über Reuchlin an Griman, um ihn in seiner günstigen Stimmung zu erhalten und an Raphael, Cardinal von St. Georg, um ihn neu zu gewinnen [1]. Reuchlins alter Gönner, der Herzog Friedrich von Sachsen, sein Fürst, Ulrich von Würtemberg, der Markgraf von Baden, in dessen Gebiete er geboren war, Herzog Ludwig von Baiern, der Meister des deutschen Ordens [2], Bischof Wilhelm III. von Strassburg und Hugo 1. von Constanz, 15 Aebte und 53 schwäbische Städte, deren Namen nicht einmal bekannt sind, empfahlen Reuchlin der Gerechtigkeit und Milde des Papstes [3].

Von Wichtigkeit war es namentlich, dass auch der Kaiser Maximilian sich für seinen Rath verwandte [4]. Er habe gehört, dass der Streit zwischen Reuchlin und den Kölnern noch nicht beendigt sei, obwohl er beiden Parteien Stillschweigen geboten habe, und Reuchlin durch das vom Papste eingesetzte Speierer Gericht frei-

---

[1] Diese Briefe, zwei vom 31. März, einer vom 28. April 1515 sind in anderm Zusammenhang näher zu betrachten.

[2] *magister ordinum Teutonicorum*, wahrscheinlich der alte, Frühling 1515 gestorbene, Deutschordensmeister Johann Adelmann von Adelmannsfelden (mit Reuchlins gleichnamigem Freund in Augsburg verwandt?) und nicht der 1511 zum Hochmeister erwählte Markgraf Albrecht von Brandenburg. vgl. Voigt, Geschichte Preussens IX, Königsberg 1839 S. 390ff. S.474.

[3] Keiner dieser Briefe ist, wie es scheint, erhalten. Dass sie alle im Jahre 1514 geschrieben sind, sagt Reuchlin an Papst Leo X. 13. Juni 1515 einen Theil derselben schickt Reuchlin an Wirt bereits am 14. Juli 1514). Aus ersterem Briefe ist auch die im Text gegebene Aufzählung entnommen, welche die in einer andern Aufzählung (Acta iudic. F 7b) enthaltenen Abweichungen nur zum Theil berücksichtigt; dort werden die zwei Bischöfe nicht namentlich aufgeführt, statt dessen von *Germaniae superioris deo amabiles episcopi quinque* gesprochen und statt 15 nur 13 *Abbates infulati* erwähnt.

[4] Der Brief ist erhalten Inspruck 23. Okt. 1514.

gesprochen worden.   Die Kölner bemühen sich nun beim Papste
in einer auf nicht rechtmässige Weise begründeten Appellation vorzugehn.   „Sie bemühen sich überhaupt nur den Streit in die Länge
zu ziehn, und diesen unbescholtenen, guten, gelehrten, von der katholischen Lehre nicht abweichenden Mann zu quälen[1]).   Seine
Schriften sind auf unsern Antrieb verfasst, und bezwecken den
Nutzen und das Wohl der ganzen Christenheit.   So ist es unsere
Pflicht, einen so unbescholtenen, unschuldigen und um uns wohlverdienten Mann zu beschützen.   Eure Heiligkeit möge diese Angelegenheit, die uns gar sehr am Herzen liegt, eifrig erfassen, den
streitsüchtigen Theologen, die es sogar gewagt haben, Uns und
andere Fürsten des Reichs zu schmähen, ein ewiges Stillschweigen
gebieten, die Streitsache völlig unterdrücken, damit jener durchaus unschuldige Mann, von ungerechten Quälereien befreit, in um
so grösserer Ruhe seine letzten Lebensjahre verbringen und seinen
zum Heile der ganzen Christenheit dienenden Studien nachgehen
kann"[2]).

So sprach derselbe Kaiser, der Reuchlins Augenspiegel verdammt, der die Defensio verboten, der, wenn Pfefferkorn recht berichtet[3]), einst zu ihm gesprochen hatte: Getreuer, gedulde dich ein
wenig, bald wird die Sache zu löblichem Ende geführt sein.   Die
Wandlung ist gross, aber sie kann nicht Wunder nehmen.   Fast
seitdem der Streit vor einem rechtmässigen Tribunal (in Speier)
geführt wurde, seitdem die Kölner ihre Schliche vor aller Welt offenbaren mussten, waren die Gelehrten in Deutschland und überall
inne geworden, worum es sich bei diesem Streit handelte.   Die jüdischen Bücher waren Maximilian gleichgültig, da folgte er dem, der
zuletzt sein Ohr besass; sowie es sich um das Wohl und Wehe des
Hauptes der deutschen Gelehrten handelte, die auch er begünstigte,
in einem Kampfe des Humanismus mit den Vertretern der Scholastik,

---

[1]) Die Worte „zu quälen" fehlen im Text des Briefes.

[2]) Zur näheren Erforschung seiner Meinung verwies der Kaiser den
Papst an den Cardinal Quatuor Sanctorum Coronatorum (Lorenz Pucci), der
uns im Verlaufe noch mehrfach als Gönner Reuchlins begegnen wird.

[3]) Pfefferkorn defensio p. 176 sq. Der Kaiser habe diesen Ausspruch
gethan, *cum ego* (Pfefferkorn) *te dominum servus sequerer, ex Brussel Spiram
versus cum summa maiestate proficiscentem*, d. h. nach Stälin, Aufenthaltsorte
Maximilian I. in Forschungen zur deutschen Geschichte I, S. 376: zwischen
Juli und September 1513.

da war ihm sein Platz von vornherein angewiesen, den er, nachdem er ihn einmal eingenommen hatte, nicht wieder verliess.

Während so Maximilian für seinen alten Sachwalter Reuchlin thätig war, verwandte sich sein Enkel, der spätere Kaiser Karl V. für dessen Gegner. Weil die Menschen das Irdische mehr berücksichtigen als das Göttliche, so schreibt Karl an den Papst[1]), strafe sie Gott; so sei es den Juden geschehn, die sich Häuser erbaut, aber es vernachlässigt haben, Gott einen Tempel zu errichten. Wer die Juden begünstige, ziehe sich daher Gottes Strafe zu; das zu ihren Gunsten geschriebene Büchlein[2]) sei, wie das Urtheil vieler Universitäten beweise, verderblich. Das Verderben wachse, je länger man die Entscheidung verzögere. So streite man in Rom, wo der Prozess gegenwärtig schwebe, über die Formfrage und vernachlässige den Inhalt, beauftrage einige Cardinäle mit der Untersuchung, statt, wie die Wichtigkeit der Angelegenheit erheische, sie dem gesammten Concil vorzulegen[3]). Möge der Streit bald entschieden, der grausame Wolf verhindert werden, seinen Rachen mit dem unschuldigen Blute der Schafe zu röthen, und den Schwachen jeder Anstoss aus dem Wege geräumt werden! Auch Franz I., König von Frankreich[4]), ermahnte den Papst in dieser Sache[5]) eine glückliche und schnelle Entscheidung zu treffen, sich anschliessend an die von den deutschen und „unserer Pariser Universität" ergangenen Verurtheilungen. Die Löwener Universität betrachtete es in einem

---

[1]) *Ex oppido nostro Middelburgo XVI mensis Maii Anno MDXV.* Pfefferkorns Beschyrmung I. fg.; defensio p. 146 sq.

[2]) Es heisst nicht: der Augenspiegel Reuchlins, sondern *libellus quidam impius.*

[3]) *Cumque de disceptandi forma ac modo procedendi contenditur, causa ipsa interim negligi videtur. Accepimus causae cognitionem delegatam esse non quidem sacro concilio eiusve diffinitoribus, sed Cardinalibus quibusdam seorsum, quasi vero de re levi et vulgari controversia sit quaeque longe minoris sit momenti quam multae causae prophanae quarum decisio concilio reservatur.*

[4]) Der Brief, Pfefferkorns Beschyrmung k ꝗᵇ fg.; defensio p. 144 sq., ist undatirt. Der König sagt: *Insuper et scivimus quod qui fuit rex noster charissimus dominus et pater quem deus salvet de his avisatus antehac scripserit vestrae Sanctitati de ista materia.* Ein Brief Ludwigs XII. in der Reuchlinschen Angelegenheit an den Papst ist nicht bekannt.

[5]) hier heisst es gar: *processus . . inter univ. Colon. et quosdam qui fecerunt et composuerunt certos libros . . .*

an den Papst gerichteten Schreiben[1]) als ihre heilige Pflicht, auf
Wahrung der Ordnung und Zucht innerhalb der katholischen Kirche
bedacht zu sein.   In der Verwerfung von Reuchlins Buch[2]) hätten
sie mit den übrigen Fakultäten, namentlich der Pariser übereinge-
stimmt, „einmüthig hätten sie alle, im Hause Gottes wandelnd, geredet“.   Statt aber mit dieser Entscheidung Jubel zu erregen und
freudige Anerkennung zu finden, seien die Juden in ihrem Trotze
gestärkt und darin von einigen Christen, „die Bücher voll von hün-
dischem Witz und Viperbissigkeit zur Schmähung der theologischen
Fakultät und ihrer Lehrer verfasst hätten“[3]), unterstützt worden.
Das einzige Mittel, die verderblichen Folgen solcher Widersetzlichkeit zu unterdrücken, sei eine schnelle und energische Entscheidung.
Adrian von Utrecht nahm in einem neuen Briefe[4]) an den Cardinal Bernhardinus auf sein früheres Schreiben[5]) Bezug, bedauerte,
dass wider Hoffen und Erwarten ihm, dem Cardinal, die Urtheil-
sprechung nicht übertragen worden sei und bat ihn von neuem,
wie eine Mauer den Anstrengungen derer gegenüber zu stehn, die
eine so heilige Sache dem Concil entziehn und einigen Privaten zur
Entscheidung übertragen wollen.

Unterdessen wandte sich auch Reuchlin selbst in wiederholten
Briefen an Freunde und Gönner in Rom.   Er war nach Augsburg
gereist, um von dort durch das Haus Welser etwas Geld nach Rom
gelangen zu lassen, schickte es an Questemberg[6]) und dankte ihm
für seine treue Freundschaft, die er auch in dieser Angelegenheit
wieder beweise, einem Anwalt[7]) sandte er die Vollmacht, das Ver-

---

[1]) *Lovanio decimo kalendas Junias* (1515) Beschyrmung 1b fg.; defensio
p. 148—150.

[2]) Den Augenspiegel nennen sie *libellus quidam qui cuiusdam Reuchlin
Phorcensis foetura esse dicebatur.*

[3]) *nonnulli Christiani eis (Judaeis) manus porrigunt, libellos canino
lepore ac viperea mordacitate plenos componendo, quibus et theologicam
facultatem et ipsius professores lacerant, eludunt ac floccifaciunt et populis
rudibus invisam reddunt.* Mit den *libelli* ist wahrscheinlich die satirische
Schrift: *Contra Sentimentum Parrhisiense* gemeint. S. unten.

[4]) *Ex Middelburgo* 16. Mai 1515. (Beschyrmung L. ijb fg.; defensio
p. 151 sq.) Pfefferkorn nennt ihn *Cancellarius academiae Lovaniensis.*

[5]) 25. April 1514 s. o. S. 305 A. 2.

[6]) Augsburg 18. Oktober 1514.

[7]) Dasselbe Datum. Reuchlin an *dominus Magister Caspar.* Wer derselbe ist, weiss ich nicht: Wirt keinesfalls, denn von ihm wird in dem Briefe

zeichniss der Kosten, die er nach Beendigung des Speierer Prozesses bereits gehabt habe, und Judenprivilegien, aus denen hervorgehn sollte, dass die Juden in Deutschland durch die Päpste im ungestörten Besitze ihrer Bücher geschützt seien [1]). Dem Cardinal Hadrian, der sich Reuchlin oder der Wahrheit, wie dieser selbst sagt, in jeder Weise günstig zeigte, nahte sich Reuchlin mit Dank und Bitte. Die Gegner bemühten sich, den Cardinal Bernhardinus zu ihrem Richter zu gewinnen, der, wie sie wähnen, mit seiner Weisheit alle Cardinäle besiegen und den Papst bestricken werde. Dann rühmen sie sich ihrer Schätze: mit dem Gelde, das sie von Nonnen und frommen Beichtkindern erpresst, wollen sie die römischen Beamten bestechen. Er habe keine Schätze, aber er stütze sich auf Gott, auf die Gesetze, und auf die Cardinäle, die Säulen der Kirche, er hoffe, dass diese Waffen bei dem Stellvertreter Gottes mehr vermögen, als irdisches Gut [2]). Mit dem Briefe erreichte Reuchlin vollkommen seinen Zweck: nach Lesung desselben wurde Hadrian mit neuer Bewunderung für den Schreiber erfüllt [3]). Reuchlins Anwälte erliessen eine kurze Antwort auf Hochstratens und der Kölner Anklagen [4]). Nicht von Reuchlin gehe der Streit aus, sondern von seinen Gegnern, sein Augenspiegel sei eine Abwehr von Pfefferkorns Angriffen, seine Defensio eine Vertheidigung gegen die Anschuldigungen Tungerns. Der Mainzer Prozess sei unredlich und ungesetzlich gewesen, man hätte Reuchlin nur ermüden, hetzen und verletzen wollen. Jetzt seien zu seiner Empfehlung und um die schnelle Erledigung seines Streits herbeizuführen der Kaiser, der Cardinal von Gurk und viele andere für ihn in die Schranken getreten, auch sonst bürge für ihn das fleckenlose, fromme, katholische Leben, das er bisher geführt, die redliche, der Kirche nutzbringende Gesinnung, die er in seinem Werke vom wunderthätigen Wort und in seinen übrigen Schriften gezeigt habe.

Nach Verlesung aller dieser Schriften erliessen die beiden Richter in Gegenwart der Anwälte beider Theile, Johann van der

---

gesprochen, vielleicht der sonst ganz unbekannte Caspar Vaingensis, den Galatin an Reuchlin (vor 1. Juli 1515) erwähnt.

[1]) Gemeint sind zwei Bullen Papst Martin V. v. 31. Januar 1419. vgl. Grätz, Geschichte der Juden VIII. S. 140 und 13. Februar 1428. vgl. Steinschneider, Hebräische Bibliographie V. Band. Berlin 1862 S. 73.

[2]) Stuttgart. 29. Decbr. 1514.

[3]) Christ. Welser an Conrad Peutinger. Rom, 27. Januar 1515.

[4]) Acta iudic. I fg.

Wick seitens Reuchlins und Johann Koetenbruer seitens Hochstratens, gegen die Kölner, von denen Arnold von Tungern besonders genannt wurde, ein strenges Verbot, so lange der Streit schwebe, irgend etwas „öffentlich oder geheim, direkt oder indirekt, zur Schmähung des Streites oder unserer, der päpstlichen Gerichtsbarkeit, oder zum Nachtheil Reuchlins zu beginnen" (19. Jan. 1515) [1]).

Schon einige Tage vorher (13. Jan.) war eine andere wichtige Bestimmung getroffen worden. Der Augenspiegel, um den es sich ja noch immer handelte, war zum Theil in deutscher Sprache geschrieben. Das hatte nichts ausgemacht, so lange der Prozess in Deutschland geführt wurde, auch in Paris hatte man wenig Rücksicht auf diesen Umstand genommen, und sich stillschweigend der von Köln aus vorgelegten Uebersetzung bedient. Bei einer neuen unparteiischen Prüfung der ganzen Angelegenheit, konnte so nicht verfahren werden. Die Richter forderten daher die Parteien auf, Uebersetzungen anzufertigen und vorzulegen. Für Reuchlin wurde ein Jurist Martin Groning aus Bremen gewonnen, der — vielleicht mit Hülfe einiger andern Deutschen [2]) — sich alsbald ans Werk machte. Reuchlin ermahnte ihn noch ausdrücklich der Schwierigkeit der Arbeit eingedenk zu sein, bat ihn namentlich, die angeführten Worte von Schriftstellern nach dem Sinne, den er mit ihnen hätte verbinden wollen, wiederzugeben, und schickte ihm zur Erleichterung der Arbeit eine Uebersetzung, die er selbst angefertigt hatte [3]), die aber schwerlich rechtzeitig genug eintraf.

Als die Uebersetzungen eingereicht wurden, versuchte zwar der Sachwalter Hochstratens in der seitens Reuchlin übergebenen 8 Fehler nachzuweisen, aber Groning zeigte in der gegnerischen nicht weniger als 300 Fehler auf, seine Uebersetzung wurde daher als die richtige angenommen und der ferneren Untersuchung zu Grunde gelegt. Selbst Hochstraten berief sich in seinem späteren literarischen Kampfe gegen Reuchlin immer auf diese Uebersetzung, um wie er sagt, die Verleumdungen zanksüch-

---

[1]) Acta iudic. I 3ᵃ—I 5ᵃ. Maius, vita Reuchlini, p. 467—470. Reuchlin erhielt von diesem wichtigen Aktenstück sofort (Rom, 25. Jan. 1515) Nachricht durch Johannes Potken.

[2]) Christoh Welser an Peutinger aus Rom, 27. Januar 1515.

[3]) Reuchlin an Martin Groning, Stuttgart, 23. Febr. 1515. — Schon nach der Verurtheilung in Paris hatte Faber dem Reuchlin gerathen, eine Uebersetzung des Augenspiegels zu machen, um etwaige Betrügereien zu verhindern. 30. Aug. 1514.

tiger und übelwollender Menschen zu vermeiden [1]), und nur Pfefferkorn wagte die freche Behauptung, dass die in Rom angenommene Uebersetzung des Augenspiegels dem Wesen nach vollständig mit der Kölner übereinstimme [2]). In der Vorrede, die Groning seiner (in Rom veröffentlichten?) Uebersetzung voranschickte, hob er hervor, dass er nicht nach schönem Style gestrebt, sondern dem richterlichen Auftrag, Wort für Wort wiederzugeben, getreu habe nachkommen wollen. Für die Uebersetzung übernehme er die Verantwortung, es könne in ihr manches dunkel erscheinen, was im Original klar sei, manches holprig und schleppend, was im Deutschen einfach und schlicht laute, — Mängel, die sich bei der Uebertragung einer Sprache in die andere nicht vermeiden liessen. Aber das werde ihm Keiner vorwerfen können, dass er Worte ausgelassen oder falsch übersetzt habe, an 8 Stellen, wo ihn die Gegner angegriffen haben, habe er sich, wie die Akten beweisen können, glänzend gerechtfertigt.

Während so langsam die Vorbereitungen zu einer endlichen Entscheidung des Handels getroffen wurden, war Reuchlin in mannichfacher Weise thätig. Zuerst schrieb er an seine Richter. Dem Cardinal Petrus Ankonitanus zeigte er, dass ihn der Angriff seiner Gegner nicht in Erstaunen setzen könne, von Alters her seien viel bedeutendere Männer als er von ihren Feinden gehetzt und verfolgt worden. Viele davon haben ungerecht gelitten, ein solch trauriges Schicksal werde ihm hoffentlich nicht widerfahren, da der Papst ihm, dem Cardinal, und seinem Collegen Grimanus die Rechtsprechung übertragen, die von dem Kölnischen Golde sich nicht werden blenden lassen. Er aber schwöre ihm zu für sein Gutachten nie Geld erhalten, nun aber durch den ihm von seinen Gegnern erregten Prozess mehr als 400 Gulden, die ihm als Stütze seines heranna-

---

[1]) *ad evadendas captiosorum malivolorumque hominum calumnias.* Vorrede zur *Apologia secunda* 1519. Schon in der ersten Apologie (1518) bedient er sich mehrfach dieser Uebersetzung, z. B. *tuus Romae interpres utitur verbo* (Dd 3 b) oder *tuae translationis utimur verbis* (Aa 2 b). Was aber mit den a. a. O. stehenden Worten: *ut secunda nostra Romae iudicialiter exhibita editione clare ostendimus* oder *in nostra editione tertia etc.*, wie es Ff 4 b, Kk 3 a, und C 5 b heisst, gemeint sein soll, weiss ich nicht.

[2]) .. *liber suus Romae iterum ex germanico in latinum transpositus omnino in singulis concordaverit cum traductione universitatis nostrae Coloniensis :* mit dem späteren Zusatze *intellige: traductiones ocularis speculi convenire quoad materiam.* Pfefferkorns defensio p. 130, ähnlich p. 131.

henden Alters hätten dienen sollen, ausgegeben zu haben [1]). Dem Griman stellte er kurz die Rechtsfrage dar, und unterhielt ihn dann von cabbalistisch-philosophischen Fragen, mit denen dieser sich gern beschäftigte. „Nun ist es Dein Amt", so schloss er, „wie ein zweiter Herkules mir Ruhe zu schaffen von so vielen Widersachern. Ich ermahne Dich, sei stark und muthig; lass Dich durch des Meeres Wellen nicht von Deinem Platze forttreiben, es sind Wasser, sie rauschen vorüber, Du aber bleibst uns als Retter von den Göttern gesandt, ohne Dich ist für unsere Angelegenheit kein Heil" [2]). — Auch dem Papst Leo nahte sich Reuchlin mit einem Schreiben. Reich und mächtig seien die Kölner, trotzig sich verlassend auf ihre Stärke, ungehorsam den päpstlichen Befehlen, er sei arm und allein. „Meine einzige Hoffnung ruht auf Dir, Stellvertreter Christi, der Du nach dem Dir von Christus gewordenen Auftrage das zu Bindende sorgsam bindest, das zu Lösende väterlich lösest, mit Gerechtigkeit Dein Amt erfüllst und weder Personen noch Sachen ungerecht begünstigst". Sein Feind, der dem Papst weinend zu Füssen liege, denn er presse manchmal eine Thräne heraus nach Weiberart, hoffe durch Geld zu siegen, er möge bedenken, wie Krösus, der Aehnliches versucht, sich und die Seinen dadurch verderbt habe. „Ich fürchte sein Beginnen nicht, wenn Du mein Beschützer bist." Wie Papst Damasus den Hieronymus, Julius den Athanasius aus den Händen ihrer Widersacher gerettet haben und durch deren Werke noch in später Nachwelt gerühmt worden seien, so werde auch Leo unvergänglichen Ruhm und Preis erhalten, wenn er ihm seine Ruhe wieder verschaffe und seinen Frieden [3]).

Mit seinen Freunden in Rom blieb Reuchlin in ununterbrochenem Verkehr, eine neu erschienene Schrift [4]) widmete er dem Questemberg: so sehr sein Geist auch von dem Streite in Anspruch genommen sei, er könne und wolle nicht aufhören, der Wissenschaft stets von neuem sein Scherflein darzubringen. Er möchte etwas veröffentlichen, und sollte er damit Freunden und Feinden auch nur ein Zeichen geben, dass er noch lebe, jenen zur Freude, diesen zum Schmerz [5]). Und dass er Freunde hatte, das bewies sich hier

---

[1]) Reuchlin an Petrus Ankonitanus Cardinalis S. Eusebii 10. Febr. 1515.
[2]) Reuchlin an Griman, 1. Juli 1515.
[3]) Reuchlin an Papst Leo, 13. Juni 1515, vgl. S. 309 A. 3.
[4]) *Athanasius in librum psalmorum.* Widmung vom 12. Aug. 1515.
[5]) Brief an Questemberg 13. September 1515, mit dem er ihm Exemplare

recht deutlich; da suchte Andreas Carlstadt in Wittenberg den Capellan des Cardinal Griman, den Doktor der Philosophie und Theologie Garganus aus Siena in Reuchlins Interesse zu ziehen[1]); da zeigte sich Cardinal Hadrian immer aufs neue als freundlicher Gönner; da unterrichtete ihn Potken, der aus Köln nach Rom gekommen war, über den Gang des Prozesses und theilte ihm freudig mit, dass zu seiner Vertheidigung ein Schriftchen geschrieben sei und bald erscheinen werde[2]); da meldete ihm Petrejus Aperbach, der Freund aus dem Erfurter Kreise, dass Galatin mit einem grossen Werke ihm zu Ehren beschäftigt sei[3]); da schrieb Galatin selbst ihm, versicherte ihn seiner und seines Kollegen Peter Stella Freundschaft und des regen Interesses, das sein Herr, der Cardinal Lorenz Pucci, an ihm nehme, wenn er überhaupt dessen bedürfte, und nicht durch seine tiefe Weisheit und Gelehrsamkeit sich selbst Vertheidiger genug sei[4]). Da wirkte Stephan Rosinus, der kaiserliche Geschäftsträger in Rom, in Reuchlins Interesse[5]), den Bernhard Trebatius in seinem Eifer und seiner Verehrung bestärkte[6]), und der, als er eine Zeit lang von Rom abwesend sein musste, sich über die etwa vorkommenden Ereignisse Bericht erstatten liess[7]). Er hat auch den Kaiser Maximilian der, wie wir gesehen haben, nun ganz auf Reuchlins Seite stand[8]), und bereits vorher Pfefferkorn wegen einer neuen Schmähschrift vor sich hatte citiren lassen[9]), veranlasst, sich mit einem eigenen Schreiben an Galatin zu wenden, seine Freude auszudrücken, dass er an einem Werke zu Ehren Reuchlins arbeite, und ihn zu ermahnen, das Werk bald zu vollenden und in seiner Gesinnung zu beharren[10]).

des Werkchens für sich, Potken, die Cardinäle Griman und Adrian, überschickt.

[1]) vgl. die Briefe Carlstadts an Spal. 21. Juni und 21. Juli 1516.

[2]) Brief Potkens vom 25. Januar 1515; das Schriftchen ist die *Defensio Georgii Benigni.*

[3]) Aperbach an Reuchlin 25. Aug. 1515.

[4]) Galatin an Reuchlin (undatirt; vor 1. Juli 1515.)

[5]) Potken an Reuchlin 25. Januar 1515.

[6]) Brief des Trebatius an Rosinus 12. Februar 1515.

[7]) vgl. die allerdings sehr wenig enthaltenden Briefe des Michael Hummelburg an ihn, vom 26. Nov. 1515, 7. Decbr. 1515, 13. Januar 1516.

[8]) vgl. oben S. 310 fg.

[9]) vgl. Pfefferkorns defensio p. 162. Die Schrift Pf's., um die es sich hier handelt, ist „Sturmglock" s. unten.

[10]) Maximilian an Peter Galatin 1. Sept. 1515.

Was die Gegner Reuchlins während dessen thaten, ist uns nicht bekannt. Hochstraten war in Rom, und wird gewiss alle Hebel in Bewegung gesetzt haben, um in seinem und seiner Freunde Sinne zu wirken, ob er sich nun dabei der Bestechung bedient [1], oder mit ehrlichen Waffen der Ueberredung gekämpft haben mag. Die beiden vom Papst ernannten Richter wollten die Entscheidung der Sache einigen Theologen übergeben, die Anwälte Reuchlins hatten dagegen Nichts einzuwenden, aber Hochstraten protestirte: es sei eine Sache der allgemeinen Kirche und müsse vor dem Concil verhandelt werden [2]. Dem wurde zwar nicht entsprochen, aber eine immerhin nicht kleine aus 22 Mitgliedern bestehende Commission ernannt, die, wie es schien, für Reuchlin sehr ungünstig zusammengesetzt war. Nur 7 wurden von Seiten Reuchlins, die übrigen von Seiten Hochstratens eingeführt [3], von letzteren wird ein Pariser Magister ausgeschlossen, weil er erklärt, er könne nicht in einer Frage, in der seine Universität schon durch eine Verurtheilung entschieden hätte, nochmals zu Gericht sitzen, ein anderer Dominikaner entfernt sich aus eigenem Antriebe, auch von ersteren gehen zwei fort. Die Commission hält 4 Sitzungen, über die leider nichts bekannt ist als das Lokal, in dem sie gehalten wurden [4]. Nur wird berichtet, dass in der letzten der Beschluss gefasst wurde,

---

[1] s. o. S. 307, A. 2. Reuchlin schreibt dem Erasmus, 5. Juni 1516: *Ab argentariis iterum mille ducatos mutuati sunt adversarii mei, ut bis antea.* Die Summe ist ohne Zweifel übertrieben. Crombach, der seine Angaben aus den Originalakten der Kölner Universität schöpfte, sagt in seinen Annales ecclesiastici. Tom IV, p. 349: *astitit eidem (Hochstrato) facultas theologica Coloniensis, quae datis (stipendiis?)* 350 *Romam eum misit, ut causam prosequeretur.* Angeführt bei Cremans: De Jacobi Hochstrati vita et scriptis p. 37, A. 2.

[2] Die Anhänger Reuchlins erwiderten darauf: *quod non esset causa fidei sed causa invidiae.* Acta iudic. I 5b.

[3] Diese Angabe, wie das Folgende aus den Acta I 6a fg.; ihre Unwahrscheinlichkeit springt in die Augen. Die beiden Richter, die für Reuchlin beide nicht ungünstig waren, und die doch jedenfalls an der Ernennung dieser Commission den wesentlichsten Antheil hatten, wenn nicht allein dabei thätig gewesen waren, sollten von Hochstratens Partei nicht nur die Hälfte, was billig gewesen wäre, sondern mehr als zwei Drittel eingesetzt haben! Aber grade an dieser Stelle fehlt uns jeder andere Bericht zur Kritik und Ergänzung.

[4] Acta iudic. a. a. O.: *prima et altera in Capella papae, tertia et quarta in templo pacis.*

Jeder solle seine Entscheidung schriftlich formuliren. Dieselben werden am 2. Juli 1516 abgegeben. Als erster trat Georgius Benignus auf, der Erzbischof von Nazareth, er billigte den Augenspiegel, verurtheilte die Entscheidung der Pariser und der übrigen Universitäten. Der griechische Bischof von Malfi, der als zweiter sein Urtheil sprach, erklärte in gleicher Weise den Augenspiegel für rein von jedem Vorwurfe und wollte Hochstraten noch ausserdem als Ankläger bestraft wissen, dem schloss sich Peter Gryphus Episcopus Forliviensis an, und so alle übrigen, mit Ausnahme des Sylvester Prierias, des päpstlichen Palastmeisters [1]).

Auf diese Abstimmung hätten nun die Richter das definitive freisprechende Urtheil verkünden müssen, aber das geschah nicht. Statt dessen erfolgte ein päpstliches *mandatum de supersedendo*. Es ist leicht möglich, dass der Papst es aus freiem Antrieb erliess. Schon zeigten sich in der literarischen Welt durch die Reuchlinsche Angelegenheit hervorgerufen Bewegungen, die einem Oberhaupte der damaligen katholischen Kirche nicht unbedenklich scheinen konnten, Bewegungen, die Leo nicht mit einem Machtwort zur Ruhe zwingen zu können meinte, aber die er durch eine günstige Entscheidung zu billigen Bedenken tragen mochte. Auch das dringende Bitten Hochstratens [2]) und des Prierias mag Einfluss auf den Papst gehabt haben, ein Aufschieben der Sache zu genehmigen, das den Traditionen des päpstlichen Stuhles nicht fremd war [3]). Aber weiter wollte jener sich nicht einlassen: das Anerbieten Hochstratens, vor dem Concil seine Sätze gegen Reuchlin zu vertheidigen, wies er zurück, als jener sein Anerbieten am Thore der päpstlichen Kanzlei öffentlich anschlug, wurde es abgerissen [4]), aber ebensowenig hörte der Papst

[1]) Die Acta iudic. bemerken dabei, dass sein Vorgänger ein Gönner Reuchlins gewesen sei; Echard (Scriptores ordinis praedicatorum II, col. 72a) hat dagegen darauf hingewiesen, das müsse ein Irrthum sein, weil Prierias bereits 1512 zu seinem Amte befördert worden sei. — Eine abweichende Nachricht gibt Bernhard Adelmann an Pirckheimer, 15. August 1516: es seien in der Commission 26 Mitglieder gewesen und nur 19 haben für Reuchlin gestimmt.

[2]) So nach den Acta iud. F: *Jacobus . . et auxilio fautorum.* Der satirische Dialog *Hochstratus ovans* ergänzt das: *quibus auditis Magister noster Sylvester Prierates per Nicolaum de Schovenberg extoricit mandatum ut vocent Apostolicum de Supersedendo* (Böcking, Opera Hutteni VI, p. 474).

[3]) Schon die Acta sagen: *praeterea more curiae.*

[4]) Acta iudic. a. a. O.

auf das Drängen des Cardinals Hadrian und Surentinus, eine günstige Entscheidung für Reuchlin zu fällen.

Es lag in der Natur der Sache, dass mit diesem päpstlichen Befehle die Angelegenheit nicht als beendet betrachtet werden konnte: das erkannten beide Parteien ganz wohl. Hochstraten blieb noch etwa ein Jahr in Rom, er wandte sich freilich vergeblich nochmals an Ankonitanus, um ein entscheidendes Urtheil zu erlangen, Juli 1517 kehrte er nach einem mehr als dreijährigen Aufenthalte in Rom nach Köln zurück [1]), ohne erreicht zu haben, was er hatte erlangen wollen, aber auch ohne den Muth zu verlieren, zu seinem Ziele zu gelangen. Reuchlin und seinen Freundeskreis beherrschten wechselnde Stimmungen. Die Nachricht von der Abstimmung, aus der Reuchlin so glänzend gerechtfertigt hervorging, wurde als ein Sieg verkündet [2]), die auf ungewisse Zeit verschobene Entscheidung erfüllte mit Betrübniss. Zuerst freilich meinte van der Wik, der Sachwalter Reuchlins, er könnte bald die Zurücknahme des päpstlichen Mandats erwirken, ja er versicherte, das wäre ihm sofort gelungen, wenn nicht der Cardinal Griman wegen der augenblicklichen Ferien sich auf dem Lande befinde, — doch diese Hoffnung war trügerisch [3]).

Aber doch: im Ganzen war der Prozess in Rom, wie der zu Speier ein Triumph; selbst in Rom, wohin der Hauptgegner in der Absicht gegangen war, um in eigener Person seine Sache zu verfechten, wo er für sich unermüdlich schürte und wirkte, wo er Freunde und Gesinnungsgenossen hatte, die für ihn thätig

---

[1]) Diese Zeitbestimmung, nach dem Briefe des Joh. Caesarius an Erasmus 30. Juli 1517. Echard gibt an a. a. O. p. 69ª: *sub finem anni MDXVII Roma Coloniam rediit Hogostratus*. Seine letzten Bemühungen in Rom erzählt Hochstraten selbst (Apologia secunda, Einleitung) wo er sich namentlich gegen die Vorwürfe Reuchlins (an Nuenaar 21. März 1518), die später oft nachgesprochen worden sind, vertheidigt. — Zu derselben Zeit, wie Hochstraten, verliess auch Martin Groning Rom, er hielt sich einen Monat bei Caesarius in Köln auf, s. dessen eben angef. Brief an Erasmus und an Reuchlin 8. Sept. 1517. Auch Caspar Wirt war um diese Zeit nicht in Rom, vgl. den Brief Behaims an Pirckheimer, 21. Aug. 1517 bei Heumann, Documenta literaria, p. 257 und Cochläus an dens. 8. Okt. 1517 a. a, O. p. 40.

[2]) vgl. den oben S. 319 A. 1. angeführten Brief Adelmanns; Reuchlin an Nik. Ellenbog, 13. Nov. 1516; Potken an Reuchlin, 13. Sept. 1516.

[3]) Johannes Potken an Reuchlin. Köln, 13. Sept. 1516, nach einem Briefe Wiks.

waren, selbst da hatte die überwiegende Mehrzahl der Richter den Augenspiegel gerechtfertigt, die Vorwürfe der Gegner entkräftet und verurtheilt. Und da keine definitive Entscheidung getroffen war, so galt das Speierer Urtheil in ungeschwächter Kraft; Reuchlin lebte der sichern Ueberzeugung: es könne nie umgestossen werden [1]).

FÜNFTES KAPITEL.

DIE ÖFFENTLICHE MEINUNG FÜR REUCHLIN.

Das vom Kaiser beiden Parteien auferlegte ewige Stillschweigen wurde nicht lange gehalten, nicht einmal so lange als der in Speier anhängig gemachte Prozess dauerte. Zur Ostermesse 1514 trat jede Partei mit einer Schrift auf. In dem kaiserlichen Mandat waren nur Reuchlin, Pfefferkorn und Tungern ausdrücklich genannt, Ortuin Gratius brauchte es nicht als Bruch des Mandats zu erachten, wenn er eine Schrift veröffentlichte; eine Herausgabe von Briefen, die an Reuchlin gerichtet waren, schien nicht verboten.

Die Schrift Ortuins [2]) enthält urkundliches Material: die Gutachten der Universitäten über den Augenspiegel, die Verurtheilung desselben in Köln; daneben die geschichtliche Darstellung des Mainzer Prozesses, ein Verzeichniss ketzerischer Artikel aus dem Augenspiegel und Vorbemerkungen Ortuins. Der Verfasser zeigt in ihnen Gelehrsamkeit, führt Hesiod, Cicero, Curtius, Gregor von Nazianz,

---

[1]) So schliessen die Acta: *Et adhuc manet aethernumque manebit sententia Spirensis in vigore et honore.*

[2]) *II Oc in opuscu | lo. contra Speculu oculare Jo- | annis Reuchlin Phorcesis, hec in fidei et ecclesie | tuitionem continentur |*

Praenotamenta Ortwini Gratij liberaliū disciplinarum pro | fessoris contra ocm maleuolentiū ciuctis christifidelibus dedicata.

Historica et vera enarratio Juridici processus habiti in Maguūtia contra libellu eiusde. hereticas sapientē prauitates.

Decisiones quatuor vniuersitatu de speculo eiusdē oculari ab ecclesia dei tollendo.

Heretici ex eode libello articuli vt Christiani oēs male eum | scripsisse luce clarius dijudicent.

Sententia condēnatiua iuste. legitime et catholice Spe | culum oculare sit cobustum.

aa à 6 bb à 4 Bll. in 4⁰. Am Ende: *Finis.* o. O. u. J.

Geiger, Johann Reuchlin.   21

Johann Damascenus an, selbst Reuchlins De verbo mirifico wird erwähnt. Denn Reuchlins Gelehrsamkeit wird anerkannt, aber sie thue nichts zur Sache [1]), auch Hieronymus von Prag sei ein Gelehrter gewesen und doch verbrannt worden. Aber selbst in den Dingen, die zum Wissen, nicht zum Glauben gehörten, irre er, Hieronymus, Cyprian, Marsilius Ficinus beweisen, dass man aus Schriften der Juden, so lange sie nicht den Glauben an Christus angenommen hätten, die lautere Wahrheit nicht schöpfen könne [2]). Was den Glauben anbetreffe, so haben darüber die Fakultäten, habe vor allem die Kölner Universität ihr unumstössliches Urtheil gesprochen: der Augenspiegel habe mit Recht gebrannt, Reuchlin habe die Kirche verletzt und frommen Gemüthern Anstoss gegeben, er sei ein Thalmudist, ein Greis, der noch wenig Schritte zum Grabe habe, und mit Recht von Rauch seinen Namen habe, wahnsinnig und voll von Uebermuth [3]).

Als die Schrift erschienen war, fürchtete Reuchlin, dass durch sie eine feindliche Stimmung gegen ihn hervorgerufen werden könnte. Er wandte sich daher an den Rath der Stadt Frankfurt, um den Verkauf der Schrift zu hemmen. Aber wenn man auch auf sein Schreiben Rücksicht nahm, so ist es unbekannt und mehr als zweifelhaft, ob man zur Unterdrückung des Ortuinschen Libells Schritte gethan hat [4]).

Die von Reuchlin ausgehende Schrift war nicht direkt gegen die Kölner gerichtet. Es waren „lateinische, griechische und hebräische, zu verschiedenen Zeiten an Reuchlin geschickte Briefe berühmter Männer" [5]); Nichts in ihrem Titel zeigte die Tendenz an,

---

[1]) aa 3ª: *malam hanc esse consequentiam: Joannes est latine et graece doctus, ergo bonus Christianus.*

[2]) a. a. O. *Coge Hieronymum, Cyprianum, Marsilium Ficinum, Hi enim evangelice testantur, Judaeos ipsos rerum divinarum intelligentiam habere non posse, nisi primum crediderint in Christum.*

[3]) *Reuchlin Thalmudista: capularis ille senex, a fumo perbelle cognominatus; mentis exul et arrogantiae plenus.*

[4]) *Quinta post iudica* (7. April 1514). Als Johan Reuchlin von pfortzen weltlichen recht doctor schribt wie ein buchfurer gnant quentel zu Coln itzunt alhye vnd ein buchelin Ime zu schande vnd schmche gedruckt sy feile habe byt nach vermoge der recht Ime solich buchlein feil zu haben verbitten, die schrifft vnd buchelin doctor Adamen behanden vnd syn Rat haben. Bmb. 1513, fol. 156ᵇ. (Frankf. Arch.)

[5]) *CLARORVM VIRORVM EPISTOLAE latinae graecae et hebraicae*

und wer die Einleitung las, die Melanchthon der Sammlung voranschickte, und in der er mit Aussprüchen alter Schriftsteller den Satz
begründete, dass Briefsammlungen gelehrter Leute in denen oft die
ernstesten Dinge abgehandelt würden, von grossem Werth für die
Studirenden seien, oder die Worte Johann Hiltebrants [1]), des gelehrten
Correctors der Anshelmischen Druckerei, die eine zwar warme, aber
nicht in aggressivem Tone gegen die Gegner gerichtete Apologie
Reuchlins enthielten, konnte die Tendenz der Sammlung nicht ersehen.
Aber eine solche hatte sie. Reuchlin hatte Collin daran erinnert,
dass eine Menge Gelehrter bereit sei, für ihn aufzutreten, die ihn
als ihren Lehrer verehrten: hier zeigte er ihre grosse Zahl und ihre
Macht, ihre treue Anhänglichkeit, und ihre Bereitwilligkeit ihm beizu-
stehen, wenn es Noth thäte.

Denn — und das ist das Grosse und historisch höchst Beachtenswerthe dieser Erscheinung — seitdem der Augenspiegel veröffentlicht, und noch mehr seitdem Reuchlin als Ketzer betrachtet und
vor ein richterliches Tribunal geladen worden war, bildete sich unter
den Gelehrten Deutschlands eine öffentliche Meinung. Man erkannte,
dass die in der Wissenschaft Verbundenen auch im Leben eins seien,
dass, wenn der Angriff Einem galt, sich Alle zu seiner Vertheidigung zusammenschaaren müssten. Die Rückschritts- und Dunkelmänner sind an jedem Orte und zu jeder Zeit durch ein un-
sichtbares Band gemeinsamen Interesses verknüpft, bei denen, die
sich den Banden der Vergangenheit entreissend, neuen Ideen zustreben,
bedarf es eines äusseren Anstosses, damit sie sich zusammenfinden;
„erst jetzt lernte in Deutschland die Fortschrittspartei als eine ge-

---

uariis temporibus missae | ad Joannem Reuchlin Phorcensem | LL. doctorem.
a . . k, a à 2; b, d, f. h, i, k à 4; c, e, g à 8 Bll. und ein unpag. Bl. in 4º.
Am Ende: *Tubingae per Thomam Anshelmum Badensem | Mense Martio,
Anno M.D.XIIII.* Darunter Anshelms Buchdruckerzeichen. — Dass die Sammlung von Reuchlin veranstaltet ist, und nicht, wie man häufig gesagt hat,
von seinen Freunden, geht aus den Worten Hiltebrants hervor: *Joannes
Capnion ad nos attulit, quod ex variis clarissimorum literis concinnaverat
opusculum hoc elegans.* — In der Zusammenstellung der Briefe lässt sich ein
Princip der Ordnung nicht erkennen, weder nach der Zeit, noch nach dem
Ort, noch endlich nach dem Namen der Schreiber.

[1]) Beide Briefe (undatirt Anfang 1514) stehen am Anfang der Sammlung. — Im Briefe des Hiltebrant finden sich freilich die Worte: *quemque
omnis dubio procul sit admiratura posteritas, cum livor quieverit.*

21*

schlossene Macht sich fühlen". Seit den fast 40 Jahren, dass
Reuchlin wirkte, waren die Gelehrten gewohnt, ihn als Führer zu
betrachten; jetzt, seit er angegriffen war, wurde er immer mehr
der Leiter, um den man sich schaarte, das Haupt, in dessen
Verehrung man eins war, nach dem man sich nannte.

Nach dem Erscheinen des Augenspiegels erzählt Reuchlin,
wünschten ihm Gelehrte und Ungelehrte, Professoren von Universitäten und eine grosse Anzahl wackerer und tüchtiger Männer, die
dem Unrecht abhold waren, Glück, als sie hörten, dass er mit
Christus, der die Wahrheit sei, nicht von der Klippe gestürzt, sondern mitten durch Jene geschritten sei, die Uebles gegen ihn
dachten [1]. Und so war es wirklich.

Kaum einen Monat nach Erscheinen des Buches schrieb ihm Willibald Pirckheimer, der gelehrte und gelehrtenliebende Senator in
Nürnberg. Er habe gehört, Reuchlin sei wegen widrigen Geschickes
in Unruhe, er solle ohne Angst sein. Einem Manne, wie ihm, auf
den man mit Bewunderung und Verehrung schaue, könne An-
schwärzen und Verläumden nicht schaden, er solle, wie es
seiner Klugheit zieme, die Schmähungen ertragen, ja stolz sie verachten. Dass er einen Gegner habe, liege im Wesen der Dinge,
nur die Laster werden vom Neide nicht erreicht, den Tugenden
folge stets der Neid, wie denen, die im Lichte wandeln, der Schatten [2]. Aber als er Reuchlins Augenspiegel und die ihm folgenden
deutschen Erklärungen gelesen hatte, trat er mahnend, zurückhaltend
auf. „Die Epheser verboten, den Namen jenes Verruchten zu erwähnen, der den Tempel der Diana angezündet hatte, damit er
nicht aus jener Frevelthat ein ewiges Gedächtniss erwürbe; aber Du
feierst den nichtswürdigen Halbjuden, der bisher allen Gelehrten
unbekannt war und von dem Erdboden hätte vertilgt werden müssen,
zwar durch Schmähungen aber doch so, dass sein Name in der
ganzen Welt bekannt wird" [3]. Auch der würdige Conrad Peutinger,

---

[1] Reuchlins defensio B ii b.
[2] Pirckheimer an Reuchlin 1. Oktober 1511.
[3] Ders. an dens. 1. December 1512. Pirckh. war mit der Veröffentlichung dieses Briefes, die in den Epistolae clarorum virorum erfolgte, nicht
sonderlich zufrieden. Wir haben dafür freilich nur den indirecten Beweis,
dass er, ohne dass etwa der Freundschaftsbund einen Stoss erlitt, für einige
Jahre keinen Brief mehr an Reuchlin schrieb und die Aussage Behaims an

der, trotz seiner vielen Amtsgeschäfte, Zeit für wissenschaftliche Thätigkeit zu erübrigen wusste, nahte sich ihm mit ermunternden Worten: „Kümmere Dich nicht um die Lockungen der Gegner, die Dich nach Weiber Art schimpfen. Denn ihre von Neid aufgestachelte Hoffnung geht nur dahin, mit schmähsüchtiger Geschwätzigkeit das zu besiegen, gegen das sie mit Vernunft nicht ankämpfen können" [1]). Er erkannte, worauf es bei dem Streite ankam, dass nämlich hier ein Heros der damaligen Wissenschaft unwissenden, verketzerungslustigen Menschen gegenüberstand, denen weniger daran lag, das eine Buch zu vernichten, das dieser Mann geschrieben hatte, sondern die am liebsten die ganze Richtung vertilgt hätten, die dieser vertrat [2]).

Freudig erregt war eine Schaar der Humanisten in Wien. Dem Simon Lazius, der dorthin reiste, hatte Reuchlin Brief und Augenspiegel mitgegeben für Thomas Resch einen Theologen der alten Schule, der erst im vergangenen Jahre die ganze theologische Fakultät in den Bann gethan hatte, weil sie ihn als Rektor nicht anerkennen wollte. Reuchlin war ihm kein Fremder, seinen Brief nahm Resch mit Entzüken auf, er fragte begierig nach ihm und seinen Schicksalen, mit Eifer vertiefte er sich in das Lesen des Augenspiegels. Dann machte das Buch die Runde unter den Freunden. Da war Andreas Stiborius, der Mathematiker und Astronom, er war gerade auf dem Lande, da wurde die Apologie zu ihm hinausgeschickt, damit er nur recht frühzeitig mit dem Schatze bekannt gemacht würde [3]). Dann erhielt sie Cuspinian, der Dichter, Jurist und Staatsmann, der, trotz der grossen Häufung seiner Geschäfte als Professor und Bibliothekar der Universität, als Anwalt der Stadt Wien und Rath Maximilians Musse genug zu Gedichten, zur Herausgabe alter Schriftsteller und einiger historischer Werke fand.

Pirckh. *Dialogus ille* [unbekannt welcher] *mihi satis placuit, nam dedit mihi Huttenus ad legendum. Sed quod ad Reuchlin mittas nescio si probem: scis enim, qualiter egerit tecum epistolas tuas faciendo imprimi; alioquin bonus vir habetur.* (Sept. 1517) Böcking, Hutteni opera, vol. I, p. 154.

[1]) Peutinger an Reuchlin in einem früher erwähnten, eine wissenschaftliche Frage behandelnden Briefe. 12. Dec. 1512.

[2]) Peutinger an Mutian. Augsburg 25. Juli 1513.

[3]) Das im Text Gesagte nach dem Briefe des Simon Lazius, Wien 5. April 1512. Für die genannten Männer vgl. die Anmerk. in der Briefsammlung.

„Deine schon längst in ganz Europa besungene Gelehrsamkeit bewundere ich so sehr, dass ich darüber nur jammern kann, dass
Dein beginnendes Alter von Thoren gestört wird. Aber verachte
die Schmähung der Unwissenden, die Deinen Ruf verringern wollen,
da sie Deinem Leben und Vermögen nicht schaden können"[1]).
Reuchlin war für den Rath sehr dankbar, aber er meinte doch,
Mitleid sei für ihn nicht nöthig, das solle man den Unglücklichen
entgegenbringen, nicht Glücklichen. Er sei glücklich; die Lügen,
die man jetzt über ihn aussprenge, werde die Richterin Wahrheit
zu Schanden machen. Einstweilen trage er ohne Murren Lüge und
Verläumdung, wie jeder Tüchtige, der bestrebt sei, zu leben und
nicht blos zu athmen[2]). Voll Uebereinstimmung schrieb Vadian
(Joachim von Watt), ein junger Schweizer, der sich seiner Studien
wegen, die Humaniora, Mathematik und Medicin umfassten, in Wien
aufhielt und erst später in den grossen religiösen Kämpfen des
Jahrhunderts, auf Seite der Schweizer Reformatoren stehend zu
rechter Bedeutung gelangte. „Hätte ich ein Original Deines Gutachtens, so schrieb er, so würde ich wie ein Notar darunter schreiben. Ich, Vadian, billige, lobe, und erkläre Reuchlins Sache für die
siegreiche. Aber was bedarfst Du der Unterschriften, die Wahrheit
triumphirt für Dich. . . Wie Cicero's Anfeinder sich Verderben, Cicero Ruhm bereitete, so wird es auch Deinem Gegner ergehn; Deinem Gegner, einem getauften Juden, mit dem Du als Christ strei-
test. Denn in der That, es ziemt sich nicht für einen weisen und
der unumstösslichen Wahrheit des christlichen Glaubens trauenden
Mann, die Bücher der Juden den Flammen preiszugeben, statt sie
mit Gründen zu besiegen". Aber dennoch, trotz aller Uebereinstimmung in den Worten schien ihm Reuchlin in der Sache zu weit
gegangen zu sein, „die Grenzen der Vertheidigung überschritten
zu haben, namentlich gegen einen erst neu bekehrten und viele
Schlechtigkeiten ersinnenden Menschen"[3]). Ungeachtet dieses leisen
Tadels waren er und seine Freunde Reuchlin völlig ergeben und als
sie erfuhren, ein Buchhändler hielte Pfefferkorns Handspiegel feil,
und hätte das Gift daraus gesogen, da ruhten sie nicht eher,
bis er durch das Lesen von Reuchlins Augenspiegel die verderb-

---

[1]) Cuspinian an Reuchlin 6. April 1512.
[2]) Antwort Reuchlin's an Cuspinian nach 6. April 1512.
[3]) Joachim Vadianus an Reuchlin, 5. April 1512.

liche Krankheit sich selbst ausgetrieben[1]). Auch später noch erhielten die hier Genannten, namentlich Joachim Vadian, Reuchlin ihre warme Theilnahme. Während der Prozess in Rom schwebte, war es ihm eine Beruhigung, dass so viele treffliche und gelehrte Männer sich für Reuchlin interessirten, auch er wollte thun, was er mit seiner schwachen Kraft vermöchte, um die Sache zu einer endlichen Entscheidung zu führen. Reuchlin dankte ihm für die treue Hingebung und hätte ihm gern ausführlich geschrieben, wenn es seine mannigfachen Geschäfte erlaubt hätten[2]).

Still blieb es in dem südwestlichen Deutschland. Jakob Wimpheling, der Führer der dortigen Humanisten, konnte keine Sympathie für eine Sache zeigen, die ihm innerlich durchaus fremd war und selbst als Reuchlin ihn durch eine ausführliche Erzählung des Mainzer Prozesses[3]) zur Theilnahme zu gewinnen suchte, gab er kein Lebenszeichen von sich; Sebastian Brant, dessen Freundschaft mit Reuchlin bis in die ersten Zeiten von Reuchlins öffentlichem Auftreten zurückgeht, und der sein gewichtiges Wort gegen Pfaffenhochmuth und Unwissenheit früher nicht zurückgehalten hatte, schwieg hier still, Ulrich Zasius „wünschte es sehnlichst" Reuchlins Vertheidigung zu lesen[4]) und behielt sie, als Jakob Spiegel sie ihm darreichte, aber ob er sie nach dem Lesen gebilligt, ist uns unbekannt. Und auch andere, weniger Bekannte, wie Beatus Rhenanus und Andere, schwiegen, während, was immerhin bemerkenswerth ist, die Schweizer schon damals laut und freudig ihre Zustimmung gaben, ich erinnere ausser an den schon genannten Joachim Vadian noch an Heinrich Loriti Glareanus.

Aber der bedeutendste Anstoss ging von Erfurt aus. Hier wirkte von seiner bescheidenen Wohnung in Gotha aus, in emsiger, aber der grossen Welt verborgener Thätigkeit, ein Mann von bedeutenden Geistesgaben, der die Kunst verstand, zu schweigen und Andere reden zu lassen, sich, wie er sagte, an der Thorheit der Uebrigen zu ergötzen, und sich mehr mit dem Ruhme begnügte,

---

[1]) Simon Lazius an Reuchlin 5. April. 1512.

[2]) Vadian an Reuchlin, vor 24. Okt. 1516 und Reuchlins Antwort, 24. Okt. 1516.

[3]) Reuchlin an Wimpheling 30. Nov. 1513. vgl. oben Kap. 4, Anf.

[4]) So schreibt Jakob Spiegel an Reuchlin Ende 1513, Anf.: *Salve praeceptor aeternum*.

seinen Freunden gegenüber Mentor und Censor zu sein, als selbst in schriftstellerischer Thätigkeit zu glänzen. Conrad Mutianus (Muth) mit dem Beinamen Rufus[1]), geb. 14. Oktober 1471 in dem hessischen Städtchen Homburg, war, nachdem er die Schule des Alexander Hegius in Deventer besucht, und lernend und lehrend kurze Zeit auf der Universität Erfurt zugebracht hatte, nach Italien gegangen. Nach Deutschland zurückgekehrt, hatte er sich, den Absichten der Seinigen, die einen Staatsmann aus ihm machen wollten, zuwider, in ein dürftiges Canonicat nach Gotha zurückgezogen, um ein wissenschaftliches Stilleben zu führen. In emsigem Briefwechsel mit seinen Freunden, dem verständigen Heinrich Urban, dem Verwalter im Georgenthaler Hof, und dem gelehrten und thatkräftigen Georg Spalatin, der später in der Reformation, eine so bedeutende Rolle spielte, damals Lehrer im Kloster Georgenthal war, unterrichtete er und ward unterrichtet über neue wissenschaftliche Erscheinungen, tauschte er mit den Freunden Meinungen über verschiedene Gegenstände, namentlich auch über Religion aus. Die humanistische Richtung genügte ihm nicht ganz; auch sein religiöses Gemüth bedurfte der Befriedigung. Er hatte sich einer freien theologischen Anschauung ergeben, die äusseren Formen des Christenthums wollte er verinnerlicht, vergeistigt wissen, wenn er sie nicht als werthlos ganz wegzuwerfen meinte, das Sittengesetz, Gott und den Nächsten zu lieben, steht ihm höher, als die ängstliche Beobachtung der Ceremonien. Hauptsächlich die Starrheit der Scholastiker reizte ihn, sein Freisinn war ein bewusster Widerspruch gegen die hier hervortretende Intoleranz.

Zu dem Verkehre mit den beiden Freunden, den Mutian bis zuletzt aufrechterhielt, waren schon frühzeitig freundschaftliche Beziehungen mit einigen Professoren des nahegelegenen Erfurt, hauptsächlich aber ein inniges Verhältniss zu der jüngeren Humanisten- oder Poetenschaar, die sich in Erfurt tummelte, getreten. „Einen eigenthümlichen Reiz übte auf diese jugendlichen Gemüther die Persönlichkeit des Mannes aus, der nach bewegter, ganz im Dienste der Wissenschaft verlebter Jugend, den klösterlichen Aufenthalt einer glänzenden kirchlichen und politischen Laufbahn vorzog, nur um

---

[1]) Es ist fast überflüssig, zu erwähnen, dass ich in diesem Theile meiner Darstellung den Angaben Kampschulte's folge, die schwerlich übertroffen werden können. (Die Universität Erfurt I, namentlich S. 74—119.)

ungestört seinen wissenschaftlichen Neigungen leben zu können"[1]).
Nachdem Eoban Hesse vorangegangen war, schaarten sich auch die
übrigen Genossen, zuerst mit einer gewissen Schüchternheit, die nur eine
Folge der Bewunderung war, um den verehrten Mann: Crotus Rubianus, Herebord von der Marthen, Petrejus Aperbach, Trebe-
lius, Jonas. Es war ein fester Verein der Jungen um den Alten, ein
jeder Einzelne stand dem bewunderten Mann nahe, lauschte seinen
Reden, liess sich durch dessen Rathschläge in seinen Entschliessungen
bestimmen; es war ein Bund, der Eines dachte und fühlte und
der nur eines äusseren Anstosses bedurfte, um gemeinsam zu handeln.
Diesen Anstoss gab der Reuchlinsche Streit, aber freilich nicht die
Angelegenheit der Judenbücher, durch die er hervorgerufen war,
sondern der in ihm ausgesprochene Gegensatz zu der alten Richtung.

Mutians Verbindung mit Reuchlin datirte schon von langer
Zeit. Als dieser das Werk des Rabanus veröffentlicht, hatte ihm
jener dazu Glück gewünscht, und um seine Freundschaft gebeten,
die er schon lange ersehnt hätte[2]). Wenn der briefliche Verkehr
seitdem auch nicht fortgesetzt worden, Mutian war schwerlich von
der Bewunderung, der er damals beredten Ausdruck verliehen hatte,
abgekommen. Was von Reuchlin erschien, hatte Werth für ihn.
Reuchlins hebräische Grammatik schaffte er sich an, gewiss mehr
aus Interesse für den Mann, als für den Gegenstand. Durch Mutian
mag der Name Reuchlins in Erfurt bekannt geworden sein, aber
auch andrerseits hielt hier der später so bekannt gewordene Hieronymus Emser bereits 1504 Vorlesungen über die Komödie Sergius[3]).

Schon ehe der Streit ausgebrochen war, sprach Mutian über die
Angelegenheit, die ihn hervorrief, seine Ansicht aus. Der Kaiser
habe den 4 Universitäten Gutachten abverlangt, ob man den verderbten Juden ihre Bücher gestatten solle[4]); die Unwissenden wollen
die Juden verbrennen sammt ihren Büchern. Das ginge nicht an,
nach der Meinung des Cardinal Bessarion und der ganzen Gelehrtenrepublik, sei es für den christlichen Glauben vortheilhaft, die jüdi-

---

[1]) Kampschulte, Universität Erfurt I, S. 96.
[2]) Mutian an Reuchlin, Gotha, 1. Okt. 1503.
[3]) Waldau, Leben Emsers, S. 8. vgl. Kampschulte a. a. O. 1, S. 66.
[4]) Mutian braucht hier den der Sachlage nach nicht richtigen (s. o.
S. 226), und auch im kaiserlichen Mandat nicht gebrauchten Ausdruck: *sine
Thalmud perditissimis Judaeis reddendum?*

schen Schmähungen zu ertragen [1]). Das ist, wie wir sehn, keine
Begünstigung des jüdischen Volkes, noch weniger eine Liebhaberei
an dem jüdischen Schriftthume, sondern eine gewissermaassen durch
Nützlichkeitsgründe empfohlene Toleranz. Aber nicht lange war es
möglich, in dieser von den Personen abstrahirenden Betrachtungsweise die Sache anzusehn. Nach dem Augenspiegel Reuchlins waren
die Kölner Artikel erschienen. Hatte Mutian bisher als rechter
Schüler des Pythagoras geschwiegen, so galt es jetzt Antheil zu
nehmen, nicht als Gönner der Juden, sondern zum Lobe Reuchlins
und der Wahrheit, die dieser vertrat. „Reuchlin verurtheilt im Thalmud, den er als Sammlung der verschiedenartigsten Lehren erklärt,
das Verdammenswerthe und schützt das Gute. Er begünstigt die
Juden nicht, ihre Schätze haben ihn nicht gelockt, nur der Wahrheit
will er zum Siege verhelfen". Zu seiner Vertheidigung müsse man
sich gegen die Kölner wenden, die sich in ihrem Angriffe lächer-
licher und unpassender Beweise bedienen, die Frage verdrehen, und
wie im Wahnsinne blindlings umherschweifen [2]). Den getauften
Juden treffe die Schuld, dieser habe Reuchlins mit Ernst und Würde
abgefasstes Gutachten gestohlen und durch seinen Angriff gegen
dasselbe, das immerhin Irrthümer enthalten könne, denn irren sei
menschlich, die Vertheidigung herausgefordert [3]). Als er es gelesen
hatte, vertheidigte er Reuchlin, dessen erster Brief an Tungern ihm
bekannt geworden war, mit Stellen aus Tertullian und Lukrez gegen
den ihm von den Kölnern gemachten Vorwurf, er habe das Christenthum geschmäht, dadurch, dass er es eine Sekte genannt. Noch
war ihm der Augenspiegel unbekannt, den wollte er lesen, um dann
Reuchlin seine Meinung mitzutheilen [4]). Das hat er vielleicht Anfang
1513 gethan; als er im Juli 1513 an Peutinger schrieb, stand er
bereits mitten im Kampf für seinen Freund. Ihm war das Gerücht
zu Ohren gekommen, dass Reuchlin des Majestätsverbrechens ange-

[1] Mutian an Urban. (1511) anf.: *Inter innummerabilia mala.*

[2] Mutian an Petrejus Aperbach. 23. Okt. 1512.

[3] Mutian an Urban 26. Okt. 1512. Mutian hatte, wie er in diesem
Briefe mehrmals sagt, die Articuli der Kölner erhalten und hineingeblickt,
aber noch nicht gelesen.

[4] Mutian an Urban. o. D. Ende 1512 anf.: *Legisti Musardi literas...*
Schon in der Aufschrift sagt er: *Urbano adprobatae sectae divi Bernardi
viro praestanti.* Auch einen spätern Brief datirt er: *die larvarum christianae
sectae* 1513.

klagt sei, aber er werde nicht ungehört verdammt werden, habe er doch 2000, die seinem Urtheile beistimmten. Peutinger möge, soviel an ihm läge, für Reuchlin wirken, für diesen gelehrten Mann, der die alte Theologie und die platonische Philosophie wieder erwecke [1].

Es war wohl nur eine Formel der Bescheidenheit, wenn Mutian in diesem Briefe meinte, ihm stände zum Schutze Reuchlins ja nur eine geringe Hülfsschaar zu Gebote. Denn schon konnte er seine Truppen zählen, schon kannte er die Macht, über die er gebot. Bereits früher hatte er den Petrejus Aperbach wegen seiner Verehrung Reuchlins gelobt [2]; jetzt forderte er ihn auf, dem verehrten Mann in einem Briefe seine Huldigung darzubringen. Das that Aperbach in würdiger Weise. Es stehe ihm nicht zu, Reuchlin in seinem Kampfe gegen den Ueberläufer Pfefferkorn und dessen Anhänger zu loben, noch weniger ihn, der bereit sei, aufs Aeusserste zu kämpfen, zum Ausharren im Streite zu ermuthigen; er wolle nur bitten, unter die Schaar der Verehrer, neben Mutian, Urban und den Uebrigen aufgenommen zu werden [3]. Als Petrejus später in Rom war, gab er Reuchlin Bericht über die dort herrschende Stimmung und theilte ihm die neuen Ereignisse mit; auch dann, als er von da zurückgekehrt wieder in Erfurt lebte, stand er mit Reuchlin noch in brieflicher Verbindung, gab nach einem Briefe des Michael Hummelburg dem Mutian eine Schilderung der Persönlichkeiten, die im Prozesse zu Rom thätig waren, und schrieb ihm überhaupt Alles, was er über Reuchlins Angelegenheit erfuhr: denn er wusste, dass er ihm mit nichts Angenehmerem nahe treten konnte [4]. In ähnlicher Weise wird Spalatin geschrieben haben, — sein Brief ist nicht erhalten — dem es aber nicht genügte, mit Worten seine Hingebung und Verehrung auszudrücken, sondern der sie auch durch die That bewies, der den Herzog Friedrich von Sachsen, dessen einflussreicher Rathgeber er bereits geworden war, und eine

---

[1] Mutian an Peutinger. 17. Juli 1513.

[2] In dem S. 330 Anm. 2 angef. Briefe. Die dort erwähnten *hendecasyllabos tuos bene tornatos et ad unguem factos* sind ohne Zweifel Verse für Reuchlin und wider seine Gegner.

[3] Petrejus Aperbach an Reuchlin (Erfurt o. D. vor 22. Aug. 1513) anf.: *Non essem ausus, doctissime Capnion.*

[4] Ders. an dens. Rom 25. Aug. 1515; und die beiden Briefe des Petrejus an Mutian, Anf. 1516: *Scis nihil tibi gratius facere ..*, wo ein Brief Reuchlins erwähnt wird, und 25. Januar 1518.

Anzahl bedeutender Männer am Hofe: Bernhard von Hirschfeld,
Degenhard Pfeffinger u. A. für Reuchlin günstig stimmte, und den
Herzog veranlasste, Reuchlin in einem Briefe seines Schutzes und seiner
Theilnahme zu versichern [1]). Auch später behielt Spalatin dieselbe
ergebene Gesinnung gegen Reuchlin, dasselbe Interesse an seinem
Streite bei. Jemehr schlechte und übelwollende Menschen ihn durch
Neid bedrückten, um so freudiger, meinte er, müssten die Guten
sich um ihn schaaren [2]); ein Theologe, den er sonst nicht kannte,
war ihm schon lieb und werth, als er hörte, er sei ein Reuchlinist.
Wie glücklich wäre Deutschland, wenn es viele solcher Theologen
hätte, wie Dich, die den Ruhm des beredtesten, trefflichsten Mannes
beschützten [3]). Urban war von der Defensio begeistert. Alle Angriffe habe Reuchlin abgeschüttelt, die Schmähungen entkräftet, den
Schimpf abgewiesen, seinen Freunden gezeigt, was für ein Unterschied sei zwischen wahren Theologen und schwatzhaften Theologisten,
den Gegnern klar gemacht, welchen Zeugen man folgen, welche
Schriftstellen man anführen müsse, wie es nicht genüge, alte und
nichtige Autoren zu citiren [4]). Reuchlin war über diese Anerkennung
entzückt und wandte sich nun selbst an seinen hohen Gönner, den
Herzog Friedrich, dem er für seine Theilnahme dankte, um Erhaltung
derselben bat und ihm durch die gelehrte Nachweisung schmeichelte,
sein Volk und sein Herrschergeschlecht reiche in das graue Alterthum
zurück [5]), und einen Bibelvers deutete, als wenn Friedrich nach Maximilian's Tode als König Deutschland beherrschen würde [6]); er richtete Briefe
an seine Freunde, an den Erfurter Kreis. An Urban, der sich damals
in Erfurt aufhielt, schickte er das kaiserliche Mandat mit der Bitte,
es zu veröffentlichen [7]), dasselbe an Spalatin, um durch den Herzog

---

[1]) Der Brief ist nicht erhalten; in dem Briefe an Spalatin 31. Aug. 1513
führt Reuchlin einige Worte daraus an.

[2]) Spalatin an Lange 3. März 1514.

[3]) Spalatin an N. N. 16. April 1515.

[4]) Urban an Reuchlin (o. O. u. D. vor 22. Aug. 1513) anf.: *Adeo te
sacris literis instructum* .. Die defensio wird zwar nicht ausdrücklich genannt,
doch kann sich der Brief nur darauf beziehn, und Reuchlin sagt es selbst
in dem Anm. 7 anzuführenden Briefe.

[5]) Reuchlin an Churf. Friedrich 13. August 1513. Widmung des *Constantinus magnus.*

[6]) Reuchlin an Mutian 22. Aug. 1513: *umelech alkum immo.* Spr. 30, 31.

[7]) Reuchlin an Urban 22. Aug. 1513.

Friedrich vom Kaiser die Ausdehnung des Befehls auf sämmtliche Parteigänger der beiderseitigen Führer: Reuchlin einer-, Pfefferkorn und Tungern andrerseits zu erwirken [1]); dem Petrejus Aperbach dankte er für seine freudige Zustimmung [2]), auch mit Mutian setzte er sich in briefliche Verbindung. Durch die Zustimmung so viel edler und gelehrter Männer werde er gestärkt, trotz seines Alters fasse er nun Muth, die Widersacher zu besiegen. Er werde sie besiegen, wenn seine Gegner auch über viele Schätze gebieten könnten und er arm sei; ihn schütze seine Ehre und das Bewusstsein, niemals von Juden und Judengönnern einen Heller erhalten zu haben [3]).

Dass die Kölner auch die Erfurter Universität aufgefordert hatten, ein Verdammungsurtheil über den Augenspiegel auszusprechen, wusste Reuchlin schwerlich, sonst hätte er es an Aufmunterungen an seine Freunde nicht fehlen lassen, ihm beizustehn und die Pläne seiner Gegner zu vernichten. Aber wozu bedurfte es der besonderen Aufforderung, gab Mutian und seine Schaar doch sorgsam auf Alles Acht, was sie für das verehrte Haupt thun konnten. Von Urban liess er sich die Namen des Rektors und der Dekane der Universität mittheilen, um auf sie einzuwirken [4]); den Juristen Herebord von der Marthen ermahnte er besonders, bei seiner Fakultät auf eine Ablehnung der Kölner Vorschläge hinzuwirken [5]). Vor ergangener Entscheidung schrieb Urban an Reuchlin — Mutian war durch Unwohlsein verhindert —: Wir sind Capnobaten, weg mit den Arnobardisten, hier liebt Dich die ganze jugendliche Schaar; wenn die Theologen unserer Universität Würde in sich fühlten, eine Erkenntniss ihrer Unwissenheit hätten, so würden sie den Gegnern nicht beistimmen [6]).

Und doch hatte diesmal in Erfurt die alte Partei noch das Uebergewicht, doch fiel die Entscheidung gegen Reuchlin aus. Mutian spottete über die erheuchelte Milde dieser Entscheidung, er

---

[1]) Reuchlin an Spalatin 31. Aug. 1513.

[2]) Der Brief ist nicht erhalten; dass er an ihn und Urban schreiben wollen, sagt Reuchlin an Mutian 22. August 1513 a. E.

[3]) Reuchlin an Mutian 22. August 1513.

[4]) vgl. oben S. 284, A. 1.

[5]) Mutian an Herebord *natali Vergiliano* 1513: nochmalige Aufforderung an denselben durch Urban (undat.) anf.: *Hilaris Hilarium accepi.*

[6]) Urban an Reuchlin *natali Vergiliano* (1513).

wüthete über den Unverstand, der sich in ihr kundgab: „Wüthende
Hunde sind die Theologen, aber sie können nur bellen nicht beissen".
Doch was schade dieser Ausbruch eines ohnmächtigen Zorns? Jetzt
werden Papst und Kaiser ihre Meinung abgeben und gerecht sein.
d. h. für Reuchlin eintreten. Die Theologen wollen Bücher verbrennen, Männer ihrer Meinungen wegen verdammen, dazu finden
sie Gelegenheit genug; da sei neulich ein Zauberer, Georg Faust,
zu ihm gekommen, den mögen sie packen [1]).

Aber was that die Entscheidung einer Universität? Hatte
Reuchlin doch Anhänger, Vertheidiger, Anbeter genug, und was an
der Zahl fehlte, das ersetzte der treffliche Klang der Namen. Die
Trauernachricht, die Mutian klagend seinem Herzensfreunde Urban
schrieb [2]), bestätigte sich glücklicherweise nicht: Erasmus, von dem
man gehofft hatte, er werde als Vertheidiger gegen die bissigen
Hunde, die Kölner, auftreten, war nicht gestorben.

Wie wenige der deutschen Humanisten war Erasmus [3]) zu
jeder Zeit und bei jeder Gelegenheit von dem Gegensatz gegen die
alte Richtung erfüllt. Er war, kann man sagen, der Hauptvertreter
des stetig und consequent sich entwickelnden Princips: das Betreiben
der Wissenschaften, vor allem das Versenken in klassische Studien,
sei der einzig würdige Gegenstand der Beschäftigung für einen
denkenden Menschen. Er mochte anfassen, was er wollte: Ausgaben
griechischer Schriftsteller, Uebersetzungen aus dem Griechischen ins
Lateinische, pädagogische Fragen, theologische Dinge, überall zeigte
sich die scharfe Spitze gegen das Alte, Abgelebte, das sich aufblähte,
und neu aufputzte, das sich in seiner Nichtigkeit und Unwissenschaftlichkeit noch stolz brüstete. Das wirksamste Mittel gegen
eine solche Richtung war weniger der ernste, wissenschaftliche Kampf.
als Spott und Satire. Als alleinige Vertreter der Studien im Mittelalter hatten die Mönche gegolten, sie wollten auch nun für Bewahrer
dieses kostbaren Kleinods gehalten sein. Gegen diese sind daher
vor allem die Pfeile des Spottes gerichtet. Die Theologen geisselt

---

[1]) Mutian an Urban 3. Oktober 1513.

[2]) 6. December 1513.

[3]) Eine neuere wissenschaftliche Biographie des Erasmus fehlt. Viel
Material bietet S. Hess: Erasmus von Rotterdam. Zürich 1790. 2 Bde. Gut
geschrieben, aber den Gegenstand bei weitem nicht erschöpfend ist Adolf
Müller: Leben des Erasmus. Hamburg 1854.

er namentlich in seinem weltbekannt gewordenen Lobe der Narrheit[1]). Sie alle sammt und sonders sind Anhänger der Narrheit, jede ihrer Observanzen und Gesetze, Gebräuche, Lehren und Streitfragen fallen in ihr Gebiet. Jede einzelne Abtheilung in dem grossen geistlichen Staate mit ihren besonderen Fehlern und Abgeschmacktheiten wird durchgenommen, jede einzelne gerügt und so das ganze System dem Hohne und der Verachtung aller Gebildeten preisgegeben.

Gewiss haben zu diesem Kampfe den Erasmus keine persönlichen Motive veranlasst, nicht sie ihn in demselben geleitet, aber fremd war er ihnen nicht. Jahrelang neben Reuchlin, dann allein, über diesem, ihn fast verdrängend, war Erasmus Haupt der deutschen Humanisten. Ihm zu begegnen, schätzte man für ein hohes Glück; man unternahm grosse Reisen, um sein Angesicht zu sehn, um einige Worte von ihm zu hören, zu ihm zu reden; man wandte sich in wiederholten Briefen an ihn, versicherte ihn der Verehrung und Ergebenheit, um nur einmal ein Wörtlein der Antwort zu erhaschen, das man als kostbaren Schatz verwahrte[2]). Es wäre ein Wunder, wenn Erasmus gegen diese rückhaltlose Bewunderung und Hingebung unempfindlich geblieben wäre, wenn er sich nicht in der Stellung, die man ihm so bereitwillig anwies, gefühlt, nicht mit Stolz die Führerrolle, die man ihm antrug, übernommen hätte. Und während er so als König herrschte, erniedrigte er sich andrerseits. Das Leben bietet oft merkwürdige Gegensätze. Die Humanisten, die sich frei zu sein dünkten in ihrem Ringen und Streben, die nach äusserer Lebensstellung wenig fragten, und, wahre Geistesritter, die ganze Welt als ihr Eigenthum betrachteten, bedurften denn doch zum Leben äusseren Guts. Mit den Erzeugnissen ihres Geistes, ihren Schriften, machten die Buchhändler wol Geschäfte, aber nicht

---

[1]) Der Kürze wegen verweise ich auf Karl Hagen: Deutschlands religiöse und literarische Verhältnisse im Reformationszeitalter. Erlangen 1848. 1. Band. S. 409—417. In dem oben erwähnten Briefe des Peutinger an Reuchlin (12. Dec. 1512) schreibt Ersterer, dass er grade mit dem Lesen der Schrift des Erasmus beschäftigt sei und mit den dort niedergelegten Gedanken völlig übereinstimme.

[2]) Das Verhältniss der Erfurter, die recht gut als Typus der jüngeren Humanistenschaar gelten können, zu Erasmus, den Uebergang der Führerschaft von Reuchlin auf ihn hat Kampschulte a. a. O. I, S. 226—250 in trefflicher Weise nachgewiesen.

die Verfasser. Sie mussten einen Beschützer suchen, der um der
Ehre willen, vor der Welt als Mäcen der Wissenschaften gepriesen
zu werden, sich gern zu einer Beisteuer entschloss. Dieses Dedikations-
unwesen tritt am offensten und widerlichsten bei Erasmus hervor.
Keine Schrift liess er ausgehn, ohne den Namen eines hohen Gönners
ihr vorzusetzen; Keiner, Fürst oder Graf, Bischof oder reicher Privat-
mann, der nur einmal den Erasmus gerühmt, war sicher davor, eine
Schrift von ihm gewidmet zu erhalten. Und er war geschäftig, den
klingenden Lohn dafür einzutreiben; er konnte sehr böse werden,
wenn man ihm weniger gab, als er erwartet hatte, oder wenn man ihm
gar das Gewünschte ganz vorenthielt. Er zeigte gern seine Schränke
voll silberner Becher und goldener Münzen, wies die Ehrengeschenke
auf und die Schreiben, in denen man sein Lob verkündete und sich
um seine Freundschaft bewarb, er ward nicht müde, seine Freunde
herzuzählen, vom Kaiser bis herab zum einfachen Bürger. Alle
hatten ihn verpflichtet, Vielen fühlte er sich zur Schonung und
Rücksichtnahme verbunden. Er mochte gegen die Geistlichkeit und
gegen die Mönche, als Feinde des Lichts, als Bewahrer der Barbarei
wüthen, so heftig als nur einer seiner Gesinnungsgenossen, aber
diesen Abt, jenen Bischof, hier das Kloster, die ihn mit einer Gabe
beschenkt hatten, nahm er aus; Papst und Cardinäle mochten ihm
oftmals als die Führer des teuflischen Haushalts, wo Dummheit und
Unwissenheit regierte, erscheinen, aber Julius II. und Leo X., und
wer gerade auf dem päpstlichen Throne sass, die Cardinäle, die
diesen umgaben, fanden in den Augen des Erasmus Gnade, wenn sie
sich vor seines Ruhmes Sonne in Anbetung gebeugt hatten. Die
vielfache Rücksicht, die er zu nehmen hatte, gab in vielen Dingen
seinem Betragen etwas Schwankendes, Haltloses. Man hat das als
Feigheit gebrandmarkt. Das ist zu stark. Man hätte sagen können:
er war kein Mann der raschen That. Es war ihm Ernst um seine
wissenschaftlichen Ueberzeugungen, denen er freilich in seinen
Streitigkeiten mit zahllosen, oft selbstgeschaffenen Gegnern nicht
immer den rechten, gebührenden Ausdruck verlieh, aber er wollte,
dass sie erst unter den Gebildeten durchgekämpft werden sollten,
ehe sie Gemeingut des Volkes würden.

Die Freundschaft eines solchen Mannes musste für Reuchlin
von Bedeutung sein, sie konnte von entscheidendem Gewicht werden.
Die Verbindung beider Männer geht ziemlich weit zurück; wann sie
begonnen, ist nicht bekannt. Sie verfolgten gleiche wissenschaftliche

Ziele; sie mögen gegenseitig ihre Bedeutung schon frühe erkannt haben.
Bereits am 1. März 1510[1]) schreibt Erasmus, er habe zweimal an Reuchlin
geschrieben. Dann findet sich längere Zeit kein Zeichen eines Verkehrs. Es ist zwar kaum glaublich, dass Reuchlin seine Schriften,
die im Beginne des Streits geschrieben wurden: Augenspiegel und
Defensio, nicht gleich dem Erasmus zugeschickt, dass dieser nicht auch
ohnedies sich in einigen freundschaftlichen Worten über die Reuchlin
schwer bedrückende Angelegenheit geäussert haben sollte, aber kein
Brief ist erhalten. Da sahen sich die beiden Männer zum ersten
Male. Es war in Frankfurt a. M. im April 1514. Reuchlin kam
von Speier, wo er das entscheidende Urtheil gegen Hochstraten
erhalten hatte, Erasmus von England, um nach Basel zu gehn[2]),
Hermann vom Busche hatte sich von Köln aus eingefunden,
und der wackere Eitelwolf vom Stein war von Mainz aus her-
übergekommen, um den Gelehrten, die sich grade zusammengefunden
hatten, ein sokratisches Gastmahl zu geben, woran ihn aber ein
plötzlich eintretendes Unwohlsein verhinderte. Da mag Reuchlin
dem Erasmus die ganze Angelegenheit erzählt haben und ernannte
ihn durch ein geschriebenes Promemoria, in dem er ihm den Streit
vom Anfang an bis zu dem gegenwärtigen Zeitpunkte kurz aus-
einandersetzte, gleichsam zum Schiedsrichter[3]). Am Schluss bittet

---

[1]) vgl. die Briefsammlung u. dem angef. Dat.

[2]) nicht im Frühling 1515, wie Strauss I, S. 110 meint, der aber
sonst a. a. O. u. S. 17 zu vergleichen ist. Gewährsmann des Faktums (ohne
Angabe von Jahr und Tag) ist Hutten an Jakob Fuchs 13. Juni 1515 ed.
Böcking I, S. 43 fg. Ueber die Zusammenkunft, namentlich Busches Antheil
ist noch unten zu sprechen. Dies Zusammentreffen Reuchlins und Erasmus'
besingt G. Ursinus Velius in seinem *Genethliacon* (vor *Erasmi Opera*
ed. Lugd. Bat. vol. I, p. 21)

> *Illinc* (aus England) *deinde reversus adjacentes,*
> *Rheno belligeras adibis urbes*
> *Duri ex Helvetii jugis profectus.*
> *   Hic te Capnion innocens videbit] ?*
> *Pullati rabie gregis tot annos*
> *Rictu et mordicus appetitus atro,*

[3]) Frankfurt. *In nundinis Aprilibus* 1514. — Ich räume ein, dass die
hier, z. Th. im Obigen und Nachstehenden erwähnten Daten durchaus ungewiss sind; sie stützen sich auf die in Daten sehr berüchtigte Leidener
Briefsammlung des Erasmus, oder auf Combinationen, die zwar nach den
mir bekannten Thatsachen, als einzig mögliche erscheinen, aber weit davon entfernt sind, sich als Gewissheit auszugeben.

Geiger, Johann Reuchlin.   22

er ihn, sein Dolmetsch bei den englischen Gelehrten zu sein,
und ihnen, die ihn bisher nur aus den Schilderungen der Kölner
Bücherverbrenner gekannt hätten, sein wahres Bild zu zeigen.

So schlimm stand es, nun doch nicht, die englischen Gelehrten
meinten von vornherein, das müsste ein trefflicher Mann sein, der
solchen Gegnern missfiele. Sie verlangten dringend von Erasmus
Reuchlins Schriften und wurden seine treuen Gönner und Freunde,
je mehr sie sich in das Lesen derselben vertieften. Vor allen
Johann Fischer, der damals noch in naher, inniger Beziehung zu
den englischen Königen stand, und durch das Vertrauen Heinrichs VII.
geehrt, Bischof von Rochester geworden war, ein klardenkender,
charaktervoller Mann, den weniger tiefe Gelehrsamkeit auszeichnete,
als die treue Hingabe an die einmal erfasste Wahrheit. Fremdes
Wissen achtete er hoch und so hatte er schon früher Reuchlins
Gelehrsamkeit sehr verehrt und dieser Verehrung mehrfach in Briefen
an Erasmus Ausdruck verliehen [1]). In dem Streite nahm er sofort
für Reuchlin Partei, las seine Schriften, hasste seine Gegner, zeigte
ihm seine Hochachtung durch Geschenke [2]), ermunterte ihn in einem
eignen Schreiben, in seinem Kampfe auszuharren und bat ihn, doch
zur Vergeltung seiner Liebe ein kleines Antwortschreiben ihm zukommen
zu lassen [3]), freute sich, als er einen Brief von ihm erhielt und hätte
gern eine Reise zu ihm unternommen, um sich mit ihm zu unterreden [4]). Er stärkte sich und die übrigen englischen Gelehrten in
dieser innigen, ergebenen Gesinnung: die Theologen Wilhelm
Grocinus, Johannes Coletus, der bei dem König in hoher
Gunst stand, und Wilhelm Latamer, den königlichen Leibarzt
Thomas Linacer, den Juristen Cutbert Dunstan und den berühmten Thomas Morus [5]), der später vereint mit Johann Fischer

---

[1]) Erasmus schreibt mehrere solcher Aeusserungen an Reuchlin,
1. März 1510.

[2]) Das schreibt Erasmus an Reuchlin 27. Aug. 1516.

[3]) Joannes Roffensis Episcopus an Reuchlin (o. D. 1516) anf.: *Salvus
sis Reuchline charissime* . . . vgl. ferner die Anm. zu Erasmus' Brief an
Reuchlin 27. Aug. 1516.

[4]) Aus Stellen Fischers und Erasmus' in der Anm. zu dem eben angeführten Briefe.

[5]) Dieses Verzeichniss der Gönner Reuchlins in England hat wahrscheinlich Erasmus aufgestellt; mit dem eigenthümlichen Zusatze: *Omnes
sciunt graece, excepto Coleto* vgl. Erasmus an Reuchlin 29. Sept. 1516 Anm.

den Heldentod für seine Ueberzeugung sterben sollte. Thomas
Morus schrieb eine Apologie von Erasmus' Lob der Narrheit, er benutzte die Gelegenheit, um die Nothwendigkeit der Kenntniss der
griechischen Sprache zu erweisen. Dabei kam er auch auf Reuchlin
zu sprechen und redete für ihn in den wärmsten Ausdrücken. In
bewusstem Gegensatz, möchte man sagen, zu des Erasmus Mässigung
und besänftigender Zurückhaltung billigte er den heftigen Ton
Reuchlins gegen seine Gegner, und konnte den Tadel dieser harten,
aber, wie er meinte, nie ungerechten Ausdrucksweise nicht begreifen[1].

Dass auch des Erasmus Mahnung und Empfehlung beigetragen
hat, diese günstige Meinung hervorzurufen und zu erhalten, kann
nicht bezweifelt werden, forderte er doch Reuchlin auf, seine Vertheidigungsschrift nach England, an Fischer oder Colet zu senden[2].
Er selbst stand in voller Uebereinstimmung mit Reuchlin gegen
seine Gegner. „Als ich das etwas geschraubte und vorsichtig sich
ausdrückende Urtheil des Bischofs von Speier las, schreibt er an Reuchlin,
hatte ich noch einige Bedenken; als ich im Augenspiegel die Sätze
las, die man für unehrerbietig, ketzerisch, gottlos ausgab, konnte ich
das Lachen kaum halten; nachdem ich die Kölner Verurtheilung
gelesen hatte, warst Du gerechtfertigt, sie erschien mir wie eine
Apologie für Dich. Dann las ich Deine Vertheidigungsschrift.
Welche Frische, welches Vertrauen, welch glänzende Beredsamkeit,
welche Schärfe, welche Fülle mannigfaltiger Gelehrsamkeit zeigst
Du nicht da! Nicht einen Angeklagten glaubte ich zu hören, der
sich vertheidigte, sondern einen Sieger, der über unterworfene Feinde
triumphirte. Nur eins hätte ich gewünscht, dass Du Dich offenbarer
Schmähungen enthalten hättest, aber auch darin zeigte sich die
Entrüstung eines wissenschaftlich so hoch stehenden Mannes, und
wie schwer ist· es nicht, fremdem Schmerze das Maass vorzuschreiben.

----

[1] Die Apologie ist ein Brief des Th. Morus an Martin Dorpius,
21. Okt. 1515 (Er. Opp. III, col. 1915): *Novi ego, qui Reuchlinum, Deus bone,
quem virum! non satis aequo animo ferrent, quod in aemulos suos, videlicet
imperitissimos doctissimus, in stupidissimos vir prudentissimus, in vanissimos
nebulones homo integerrimus, ab iisdem in tantum lacessitus injuria, ut si manu
vindicasset, ignoscendum ei videretur: novi, inquam qui non ferrent, quanquam
ejus etiam studiosi, quod stylo contra illos libere, nec magis libere tamen, quam
vere, affectus suos effunderet.*

[2] in dem gleich zu besprechenden Briefe.

22*

Lebe wohl, einzige Zier, unvergleichlicher Schmuck ganz Deutschlands"[1]).

In England galt es nur, die Gesinnung der Gelehrten für Reuchlin günstig zu stimmen, aber auch da, wo es darauf ankam, Männer, die für Reuchlin wirksam sein konnten, zu bearbeiten, zauderte Erasmus nicht. Unterdessen war der Prozess vor das Tribunal in Rom gekommen. In einem Briefe an den Papst, bei der Ueberreichung der Werke des Hieronymus, gedachte Erasmus Reuchlins als eines in allen drei Sprachen fast gleich gelehrten, in allen Wissenschaften unterrichteten Mannes, den ganz Deutschland wie einen Phönix bewundert, als einzige Zierde achtet und ehrt[2]). Auch dem Cardinal Griman empfahl er den Reuchlin. „Dem Berühmten und Tüchtigen heftet der Neid sich an; nun hätten die Gegner, die selbst Nichts zu leisten vermöchten, ihren Ruhm darin gesucht, einen Mann anzugreifen, für den, nachdem er die Kenntniss so vieler Sprachen, so vieler Wissenschaften sich erworben, es nun an der Zeit gewesen wäre, in seinem Herbste die reiche Geistesernte einzusammeln! Und aus welch nichtigen Gründen erregen sie eine solche Tragödie? Aus einem deutsch geschriebenen Gutachten, das nicht zur Veröffentlichung bestimmt war. In boshafter Gier spähen sie nach jedem Fehler, um Ketzerei darüber zu rufen, statt Irrthümer, die sich in Reuchlins Schriften so gut finden könnten, wie in denen des Hieronymus, einfach zu berichtigen und milde zu tadeln. Auf Euch, so ruft er Griman zu, blicken alle Gelehrten, schaut ganz Deutschland in Schmerz und Angst; von Eurer Hülfe wird es abhängen, dass dieser ausgezeichnete Mann den Wissenschaften zurückgegeben wird"[3]). In ähnlicher Weise schrieb er an den Cardinal Raphael von St. Georg, der zwar nicht zum Richter in der Reuchlinschen Angelegenheit ernannt, aber vermuthlich beim Papst-oder im Cardinalscollegium vielvermögend war. Durch Vermittelung des päpstlichen Stuhles haben die Fürsten Frieden geschlossen, möge er nun

---

[1]) Erasmus an Reuchlin. Löwen, August 1514.

[2]) Erasmus an Leo X. London, 28. April 1515. Er. Opp. ed. Lugd. Bat. 1706, III, col. 149—155.

[3]) Erasmus an Card. Griman. London, 31. März 1515. — Nach Reuchlins Tode schreibt Erasmus an Botzhemus Absternius 30. Jan. 1524. Opp. ed. Lugd. Bat. vol. I. fol. 15: *Cardinalis Grimanus, cui dicavi Paraphrasim in epistolam ad Romanos teruncium non misit, nec ego expectavi. Quod ambiebam praestitit: favorem et benevolentiam non mihi, sed studiis et Reuchlino.*

dahin wirken, dass die Gelehrten nicht im Kriege einander aufreiben.
Möge der Papst das Beispiel seines Vorgängers Julius II. nachahmen,
der dem von Mönchen verfolgten Jakob Wimpheling die Ruhe herstellte,
unsterblichen Ruhm werde der sich verdienen, der Reuchlin den
Musen und den Wissenschaften zurückgebe [1]).

Auch Reuchlin liess es nicht daran fehlen, seinen Freund warm
zu erhalten. Erasmus hatte ihm ein Werk geschenkt, aber es mit
keinem Briefe begleitet; ein noch so kurzes Schreiben, sagt Reuchlin
klagend, hätte ihm grösseres Vergnügen gemacht, als der ganze
Spiegel des Vincenz von Beauvais [2]). „Wenn ich Deine Schriften
lese, verachte ich die meinigen so sehr, dass ich aufhören möchte, zu
schreiben; wenn ich Dich betrachte, die Grösse Deines Geistes, die
Ausdehnung Deiner Studien, durch die Du alle Zeitgenossen besiegst,
dann erfüllt mich nicht etwa Neid, sondern Schmerz, dass ich in
meiner Jugendzeit keinen solchen Lehrer, keine solchen Bücher
gehabt habe, um mich zu bilden." Sein Streit sei noch nicht zu
Ende, von Neuem brächten seine Gegner ungeheure Geldmassen
zusammen: ihm helfe nur Geduld, philosophische Ergebung und das
Bewusstsein der Tugend [3]). Er könne unbesorgt sein, erwiderte ihm
Erasmus, und ohne Furcht, in England verehre man ihn, in Frankreich stehe das Beispiel jenes Prior, der seinen Namen anbete, einen
Brief von ihm wie ein Heiligthum betrachte und mit Küssen bedecke,
nicht vereinzelt da. „Und wenn Dich die Mitwelt nicht genug anerkennt, wird die Nachwelt Dir gerecht werden, wird Christus Dich
belohnen, zu dessen Verherrlichung Deine Arbeiten beitragen" [4]).

Diese günstige Stimmung behielt Erasmus auch weiterhin bei;
freilich erkaltete das Interesse bei der langen Dauer des Prozesses
ein wenig, dafür wurde die Stimmung gegen die Gegner immer

---

[1]) Ders. an Card. Raphael London 31. März 1515. — In seinem An
wortschreiben nimmt Raph. auf die Empfehlung Reuchlins keine Rücksicht
18. Juli 1515. Er. Opp. ed. Lugd. Bat. 1706. III. col. 157 sq. epist.
Nr. CLXXX.

[2]) Das ungeheure, alle Wissenschaften (naturale, doctrinale, morale,
historiale) umfassende Speculum des Vincenz von Beauvais geschrieben Anfang des 13. Jahrhunderts; 1473 gedruckt.

[3]) Reuchlin an Erasmus Stuttgart, 5. Juni 1516.

[4]) Erasmus an Reuchlin 29. Sept. 1516. Der Brief des Erasmus vom
27. Aug., der vor dem Empfang des Reuchlin'schen Briefes vom 5. Juni
geschrieben ist, enthält nichts auf den Streit Bezügliches.

gereizter, namentlich gegen Pfefferkorn, „der aus einem verruchten
Juden ein noch verruchterer Christ geworden". Es war erklärlich,
denn Pfefferkorn hatte in einer Schrift gewagt, den Erasmus anzutasten, zwar nur ganz obenhin, aber immer genug, um den grossen,
nur kleinlich empfindlichen Mann in heftigster Weise aufzubringen [1].
Wie schäumte Erasmus da vor Wuth! „Jetzt zeigt sich Pfefferkorn
als wahrer Jude, nun beweisst er sich seines Geschlechtes würdig.
Seine Vorfahren haben gegen den einen Christus gewüthet, er rast
gegen so viele edle und hochstehende Männer. Er konnte seinen
Glaubensgenossen keinen grösseren Dienst erweisen, als unter dem
heuchlerischen Vorgeben, Christ zu werden, das Christenthum zu
verrathen, er ein Mensch, der nur das Schmähen versteht, zu jeder
andern geistigen Beschäftigung unfähig." „Glaube mir, sagt er zu
Pirckheimer, die Gegner verbinden mit ihrem Beginnen höhere
Zwecke, als man gewöhnlich glaubt; aus einem Fünkchen Asche
entsteht oft in ungeahnter Weise ein heftiger Brand". Nicht durch
Schmähungen werde dieser Mensch besiegt werden, nicht durch
Gegenschriften, es wäre die Pflicht der kirchlichen Obrigkeit, die
Hydra bei Zeiten zu zertreten und das schleichende Gift zu ver-
nichten; der Kaiser müsste sich hineinmischen, der Rath der Stadt
Köln, sie alle müssten zusammenwirken, um dem verderblichen
Menschen den Untergang zu bereiten [2]. In gleich bitterer Erregung
gegen Pfefferkorn schrieb er auch Reuchlin. „Dieser Halbjude hat
dem Christenthum mehr geschadet, als das ganze Judenpack." Er
schmäht alle Gelehrten, es wäre am besten, wenn die Gelehrten
seiner gar nicht gedächten [3]. Diese Aeusserung ist gleichsam ein
Wendepunkt in Erasmus' Gesinnung. Der Streit dauerte ihm zu
lange, er ging ihm zu weit. Ganz Deutschland hatte Partei genommen, die ganze Welt beschäftigte sich damit. Er wurde zu
heftig, zu leidenschaftlich geführt, man brauchte Mittel, die Erasmus

---

[1] Ueber den Angriff Pfefferkorns vgl. unten S. 386 A. 3.

[2] Erasmus an Pirckheimer 2. Nov. 1517. Denselben Gedanken führt
Erasmus in etwas abschwächender Weise in einem Briefe an denselben aus,
der in der Erasmus'schen Briefsammlung (Opp. ed. Lugd. Bat. 1706 Tom. III,
col. 1641, App. epist. Nr. CCIII.) das Datum 2. Nov. 1517 trägt, was schwerlich richtig ist. In ähnlichem Sinne schreibt Erasmus auch an Jakob Ban-
nisius und Joh. Caesarius 3. Nov. 1517.

[3] Erasmus an Reuchlin 15. Nov. 1517.

nicht die rechten dünkten, schmollend, fast seine frühere Zustimmung bereuend, verläugnend zog er sich zurück.

Wir betrachten noch den Erasmus der früheren Zeit. Als er einmal in Mainz war (wahrscheinlich Frühling 1515), da machte ein junger Mann seine Bekanntschaft, der damals schon für eine Stütze der jüngeren Humanistenschaar galt und der immer mehr ein Kämpfer in der vordersten Reihe wurde, der damals, wie alle übrigen, dem Erasmus eine fast göttliche Verehrung widmete und über ein Gedicht: Reuchlins Triumph, das er ihm zeigte, sein Urtheil einholte. Erasmus rieth davon ab, das Gedicht jetzt schon drucken zu lassen; dem Spruche des verehrten Richters wurde Folge geleistet[1]). Der junge Mann war Ulrich von Hutten.

Doch ehe wir über Hutten reden und seine Thätigkeit in unserm Streite schildern, die an Eifer und Beweglichkeit der des Mutian im Rathertheilen und Aufmuntern gleichkam, ist es wol gut, wenn wir uns die Schaar der Jungen vorführen, deren Haupt er war, der älteren Männer, die sich willig um ihn als Genossen schaarten.

Vielleicht der bedeutendste unter ihnen war Crotus Rubianus: ein Mensch von grosser Liebenswürdigkeit und vielem Witz. Er wandte ihn gern an, wo er nur konnte, gegen Personen und Dinge, die lächerliche Seiten darboten. Aber er konnte auch zürnen und ernst werden, wenn er dem Unrecht begegnete und die Schlechtigkeit triumphiren sah. Die Religion war ihm kein lächerlich Ding, sein Spott galt nur dem Aberglauben und den leblosen Formen. So hatte er Hutten zur Entweichung aus dem Kloster Fulda zugeredet, so war er ein schonungsloser Kämpfer gegen die Mönche als Bewahrer der Scholastik, ein Anhänger Luthers, so lange er in seinem Kampf das Princip, den Gegensatz gegen das verrottete römische Kirchenthum sah, und verliess ihn, als die Entwickelung der Reformation das nicht hielt, was sie versprochen hatte, als sie namentlich in Streitigkeiten über Dinge ausartete, die ihm des Streites nicht werth dünkten, und in diesen Controversen einen Ton zeigte, der selbst die an die heftigen Angriffe in der Humanistenperiode Gewöhnten verletzen musste. Man hat Crotus damals einen Apostaten gescholten, hat ihn getadelt, dass er seine Vergangenheit verläugnet, hat vor seinem Geiste, während er das Rauchfass schwingt, die Inful des Weihbischofs hält, den Schatten Huttens herauf beschworen, Huttens, mit dem er für

---

[1]) vgl. Strauss, Ulrich von Hutten I, S. 110 fg. 216.

Freiheit und Licht gekämpft, mit dem er über Kirchenceremonien gespottet, mit dem er gegen Bischöfe und Mönche geeifert. Man hatte damals gut reden: Hutten war todt. Der Verfasser der Anklageschrift gegen Crotus war ein eifriger Reformator, Justus Menius; Luther selbst hatte ihn aufgefordert, zu schreiben. Der alte Humanismus war damals gestorben, seine Hauptvertreter waren ins Grab gesunken. Crotus war auf dem alten Standpunkte geblieben: in der Reformation konnte er nicht die Erfüllung des Ideals seiner Jugend sehn [1]).

Hören wir, wie er zu Reuchlin spricht: „Nach einem Gesetze Solons musste in bürgerlichen Unruhen jeder Bürger Partei nehmen; in dem Kampfe, den die Kölner Theologisten gegen Dich unternommen, habe ich mich längst auf Deine Seite gestellt. Denn ich halte es für ehrlicher und heiliger, in einer edlen Sache mit den Edeln Gefahr zu leiden, als durch Unredlichkeit mit Lügnern nach dem Siege zu trachten. Hätten die Götter Dir doch vergönnt, nur die Guten zu erkennen, von den Schlechten aber durch gegenseitige Unkenntniss getrennt zu sein! Aber vielleicht ist durch der Götter Vorsehung der Streit begonnen: sie stählen gern diejenigen durch Gefahren, welche sie lieben; das Glück macht stumpf, Unglück macht stark und erhebt den Geist. Und so bist auch Du muthig, aus Deinem Briefe an Mutian [2]) geht Dein Entschluss hervor, den Kampf zu bestehen. Sei ruhig, Du bist nicht allein. Mögen die Gegner schreiben, erklären, Angriffe machen, ihre Artikel häufen, wenn sie nur dessen bewusst werden, dass sie den Gelehrten Stoff zum Lachen bieten. Stütze Dich auf uns, auf Mutian und seine Schaar; sprich und befiehl, wir sind bereit. Noch ist mein Körper stark genug, Hitze und Kälte, Hunger und Durst zu ertragen, Hügel und Berge

_____

[1]) Ueber Crotus vgl. Strauss a. a. O. hauptsächlich I, S. 27—29, II, S. 357—367 und passim; Kampschulte an vielen Orten, namentlich II, S. 266 A. 2, S. 273 A. 2. Derselbe: De Joanne Croto Rubiano Commentatio. Bonn 1862. Gegen die von Kampsch. beibehaltene, ältere Ansicht, Justus Jonas sei der Verf. der Epistola anonymi ad Joh. Crotum Rubeanum, gegen die schon Strauss I, S. 256 A. 1 Bedenken erhob, billige ich die Entdeckung Böckings, Drei Abhandlungen über reformationsgeschichtliche Schriften. Leipzig 1859, S. 67 ff., Justus Menius sei der Autor, die auch von Schmidt: Justus Menius, der Reformator Thüringens, Gotha 1868, aufgenommen und bestätigt worden ist.

[2]) vom 22. August 1513. s. o. S. 333.

sind mir nicht zu hoch für Dich. Und was sind Deine Gegner: ein Pfefferkorn, der in einem schmutzigen Körper eine schmutzige Seele verbirgt, Theologisten, die Dir als einziges Verbrechen vorwerfen, das Christenthum eine Sekte genannt zu haben, die aber selbst die Theologie, diese erhabene Herrin, in ihre eigene Gemeinheit zurückziehn"[1]. — Auch der Theilnahme des Abtes von Fulda, Hartmann von Kirchberg versichert er ihn; dessen thätige Beihülfe, insbesondere seine Verwendung bei Albrecht, dem neuen Erzbischof von Mainz, bei dem er ebenso wie bei dem Cardinal von Gurk und beim Kaiser Maximilian in hohem Ansehn stand, — von dem letzteren wurde er auch zu politischen Geschäften, z. B. der Friedensstiftung zwischen Polen und dem deutschen Orden verwendet[2] — Mutian kurz vorher zu gewinnen gesucht hatte[3].

Unter denen, die für Reuchlin zum Kampfe bereit seien, hatte Crotus den Eoban Hesse genannt. Hesse war ein Dichter, zwar nicht ein Homer, wie ihn sein Freund Joachim Camerarius, der seine Biographie geschrieben hat, nannte[4], kein Dichterkönig: Hessen, wie ihn Reuchlin, anspielend auf seinen Namen mit Beziehung auf einen Vers des Kallimachus, bezeichnet hatte[5], und wie Hesse sich seitdem scherz- und ernsthaft bis in sein letztes Lebensjahr nannte, aber ein

---

[1] Crotus an Reuchlin o. O. (Fulda) VII. Kal. Febr. o. J. (wahrsch. 1515); vgl. Kampschulte a. a. O. I, S. 190 A. 1.

[2] Vgl. Joh. Friedr. Schannat, Historia Fuldensis Fft. 1729 in fol. p. 248—251. Hartmann war 1507 Coadjutor des Bischofs Johannes geworden, wurde 1513 Bischof und starb 1529.

[3] In profesto Thomae Apostoli (20. Dec.) 1514. Legato Archiepiscopi et primatis Germaniae Augustae cancellario, principi meo, redet er ihn da an, letzteres vielleicht deshalb, weil Mutian aus seiner Diöcese stammte.

[4] Narratio, de vita Eobani Hessi Leipzig 1555, p. 10. Die narratio ist mehr ein hübsches Zeitgemälde, als genügende Biographie. Eine untergeordnete und unkritische Materialiensammlung gibt Lossius: Helius Eoban Hesse und seine Zeitgenossen, Gotha 1797. Anregend und geistvoll geschrieben ist Martin Hertz: H. E. Hesse Ein Lehrer- und Dichterleben aus der Reformationszeit. Ein Vortrag, Berlin 1860. Für Eoban sind namentlich die Werke von Strauss und Kampschulte zu vergleichen. Seine Dichtungen sind zerstreut, die Hauptquelle für sein Leben ist: H. E. H. epistolarum familiarium libri XII. Marpurgi 1543.

[5] Optimus et doctissimus vir Johannes Capnio, in quadam ad ipsum epistola, alludens ad Hessi nomen ἐσσῆνα eum appellaverat et versum adduxerat Callimachi de Jove, quem hic negat Hessena deorum sorte esse factum, sed virtute et praestantia sua. Camerarius a. a. O. p. 36.

Dichter von Begabung und grosser Gewandtheit. Was er nur sagen
wollte: eine einfache Nachricht, ein scherzhafter Gruss, eine ernste
Betrachtung, eine wissenschaftliche Ausführung, Alles gestaltete sich
bei ihm zum Verse und eben diese Leichtigkeit des Versemachens
bei jeder Gelegenheit und über jeden noch so unpoetischen Stoff
hat ihm mehr Ruhm eingetragen und einen bedeutenderen Namen
verschafft, als er durch die Gedanken, von denen die einzelnen
Gedichte durchweht sind und die Erfindung, die den meisten zu
Grunde liegt, verdient. Schon sein erster Lehrer Horläus soll ihm
das Dichtergenie angemerkt haben; als er nach Erfurt kam, hatte
ihn Mutianus Rufus, nachdem er seine Fähigkeiten geprüft, mit dem
Ausrufe begrüsst:

Hesse puer, sacri gloria fontis eris,

den Eoban gern hörte, und in seinem Mannesalter nur mit dem
Verse:

Hesse vir, aeternae nomina laudis habes

vertauscht wünschte [1]). Wie er in seiner wissenschaftlichen Beschäftigung keine Festigkeit zeigte, jetzt den alten Sprachen huldigte,
dann der Theologie sich hingab, um endlich Mediciner zu werden,
so war auch in seinem Leben kein leitendes Princip und in seiner
Poesie kein Streben nach einem festen Ziel. Er übersetzte die Psalmen
in lateinische Verse, die ungemeinen Anklang fanden, gab medicinischen
Werken ein poetisches Kleid, verfertigte eine sehr grosse Anzahl von
Gelegenheitsgedichten (9 Bücher *Silvae*), ahmte in seinen Bukoliken,
in denen er eigne Erlebnisse erzählte und sich mit seinen Freunden
redend einführte, Virgil nach, besang Zeitereignisse, widmete berühmten Männern Grabschriften und Gedenksprüche, dichtete Hymnen
und religiöse Gesänge, Zwiegespräche Gottes mit den Heiligen enthaltend (Heroiden), fast alle Gedichte recht lang, alle in leicht-
fliessenden Versen, aber viele ohne poetischen Schwung. Die
satirische Ader besass er nicht. Er hasste wol das Alte, bekämpfte
als wackerer Humanist seine Auswüchse und Schwächen, schloss
sich später in warmer Liebe und Anhänglichkeit einer religiösen
Richtung an, die der früher bestehenden starr entgegengesetzt war,
aber die zündende Begeisterung für das Gute, der glühende, aus
dem innersten Herzen emporflammende Hass gegen das Schlechte,

---

[1]) Das sagt er selbst in den Epistolae p. 9.

der in jener Epoche die Satire schuf, wie er sie in allen grossen Zeiten hervorlockt, fehlte ihm ganz.

Reuchlins Sache hing er warm an. Er hatte schon einmal an Reuchlin geschrieben, „um dessen Ruhm auch durch seine Verehrung zu vermehren", von ihm eine beglückende Antwort erhalten [1]), nun schrieb er ihm nochmals. „Ich bewundere Dich, dass Du, Einer gegen so Viele, einen schweren Kampf aufgenommen hast, aber dem Muthigen hilft das Glück: Du wirst siegen, schon hat der Senat der Gelehrtenrepublik Deinen Triumph beschlossen" [2]). Er habe neulich einige heftige Verse gegen die Kölner gemacht, die werde er ihm schicken, er stehe nicht allein, Hutten und Crotus und Andere seien ihm zur Seite, auch die Erfurter werde er anreizen [3]).

Ein andrer Dichter aus dem Erfurter Kreise war Euricius Cordus [4]). Cordus war ein Dichter von hervorragendem Talent: selbst Eoban duldete ihn als Zweiten nach sich, „denn der Erste bin ich" [5]). In seinen Hirtengedichten zeichnet er mit grossem Geschick die Verhältnisse des Lebens; prächtige Naturschilderungen und ergreifende Erzählungen füllen die Beschreibung einer Reise, die er in seine Heimath gemacht. Aber sein eigentliches Feld war die Satire. Er hatte einen unbezwinglichen Hang dazu und bedeutende Begabung, und so hat er in seinem Fache Bewundernswerthes geleistet. In 18 Jahren hat er mehr als 1200 satirische Gedichtchen geschrieben, über die verschiedensten Gegenstände, bei allerlei Veranlassungen [6]). Viele enthalten allgemeine Lehren, Ermahnungen, Betrachtungen, aber die meisten geisseln in kurzen

---

[1]) Diese beiden Briefe, die E. Hesse in dem gleich zu besprechenden erwähnt, sind nicht erhalten.

[2]) Auf diese Aeusserung: *Latinae civitatis senatus iam tibi Triumphum decrevit*, wird noch im Verlaufe zurückzukommen sein.

[3]) Hesse an Reuchlin, 6. Januar 1515. Ein anderer Brief Hesse's an Reuchlin ist nicht erhalten; wahrscheinlich hat er auf ein gleichfalls nicht mehr vorhandenes Schreiben Reuchlins [vgl. E. H. an Joh. Hessus, 26. Sept. 1517, bei Böcking, Opera Hutteni I, p. 154] geantwortet. Einige Verse des E. H. an Reuchlin theilt Mutian dem Urban mit, Januar 1515.

[4]) Vgl. C. Krause: Euricius Cordus. Eine biographische Skizze aus der Reformationszeit. Hanau, 1863. Seine Gedichte sind gesammelt in den Opera poetica ed. H. Meibom. Helmstädt, 1616.

[5]) Krause a. a. O. S. 41 fg.

[6]) Dass viele derselben Lessing sich bei seinen Sinngedichten zum Muster genommen, ist bekannt.

Worten Fehler Einzelner oder Mängel der ganzen Zeit. Schlüpfriges, Derbes genug findet sich wol in seiner Sammlung zerstreut, aber er entschuldigt sich wegen des Ausdrucks, der Sinn seiner Muse sei keusch und rein. Und daneben zeigt sich doch viel Ernstes und Würdiges: Sein frommer Sinn ist empört über das, was die Fürsten der Kirche als Religion ausgeben, und seine Aufregung macht sich Luft in Spott und Hohn, der den Papst Julius II. so wenig schont, wie einfache Mönche; seine Verehrung der Wissenschaft will keine Verachtung derselben dulden, keinen Aberglauben, weder das Hochhalten der Astrologie, noch dergleichen; seine Vaterlandsliebe mahnt ihn, die Thorheiten jedes Standes mit ernstem Wort zu strafen, um ihn zur Besserung zu veranlassen; sie kann es nicht ertragen, dass Fremde über Deutschland herrschen sollen, „trauert über die Schmach des deutschen Adlers und besingt seine Triumphe über den römischen Löwen, wie über den gallischen Hahn"[1]; seine Liebe zur Freiheit gibt ihm mahnende Worte ein gegen alle die, welche den unglücklichen Bauern ihre ohnehin schwere Last noch drückender zu machen suchten. — Einem solchen Manne musste der Reuchlinsche Streit eine willkommene Gelegenheit sein. Er verehrte Reuchlin und freute sich, als Mutian hiess, an den Gefeierten zu schreiben. „Sei mir gegrüsst, und nochmals und zum drittenmale gegrüsst, so bricht er aus, Du bester, gelehrtester, unbescholtenster Reuchlin. Gegen soviele scheusliche Ungeheuer, die aus dem alten Schmutze der Barbarei auftauchen, rufe ich nochmals: Sei gegrüsst, Du unbesiegbarer Herkules, Du Schützer der Gelehrten, süssestes Kleinod der Musen. Ich liebe Dich mehr, als Dein bester Freund, Dein Antlitz zu sehn ist mein höchster Wunsch. Da ich nicht selbst zu Dir eilen kann, so erfreue ich mich an den Berichten der Freunde, die von Dir kommen. Ich jubele, wenn sie dieses verkünden; aber siegen musst Du, siege bald und lass uns nicht in banger Erwartung"[2].

Wir sahen: auch auf Hesse und Cordus hatten, wenn auch nicht ausschliesslich, doch zum grossen Theil die Ermahnungen Mutians gewirkt. Denn, wie früher, so schürte und wirkte Mutian

---

[1] Krause, S. 55.

[2] Cordus an Reuchlin VII. Kal. Febr. (1515). — Wie begierig Mutian war Günstiges über den Verlauf des Reuchlin'schen Streites zu hören, sagt Cordus in einigen hübschen Versen seines Expiatorium 1515 (mitgetheilt in der Briefsammlung).

auch weiter eifrig in seinem Kreise für Reuchlin. Er jubelte, nachdem Hochstratens Versuch, Reuchlin in Mainz zu verurtheilen, gescheitert war, dass die Sophisten besiegt seien und ihre Stricke durchschnitten. Ein reiner Wahnsinn ist es, die griechische und hebräische Sprache mit leeren Spitzfindigkeiten abthun zu wollen [1]). Als er von der Verbrennung des Augenspiegels in Köln hörte, da schäumte er. Mögen die Kölner nicht glauben, dadurch dem Gegner schaden zu können, sie zeigen nur, dass sie nicht im Stande sind, den Glanz des gelehrten Mannes zu ertragen und zünden eine Flamme an, die sie selbst beständig quälen und brennen wird [2]). Aber nun zeigt sich eine merkwürdige Erscheinung.

Durch Crotus war ihm die übereilte falsche, aber mehrfach wiederholte Nachricht zugekommen, Reuchlin sei verurtheilt. Wie jammert er da! „Wenn Jupiter nicht mit seinem Blitze die Theologen straft, nie will ich wieder Jupiters Namen ehren. Der heiligste und gelehrteste Mann, die Zierde jedes Zeitalters, der Fürst aller Wissenschaften, hat auf Anstiften der Theologen eine kaiserliche Entscheidung gegen sich erhalten, er ist verdammt, geächtet. Wehe, wehe! Die Wahrheit entbehrt eines Schützers, Barbarei herrscht, Ungelehrte sitzen zu Gericht über Gelehrte. Wie Jeremias muss man nun klagen und weinen" [3]). Aber doch, er will mit dem Geschehenen sich auseinandersetzen. Nehmen wir an, schreibt er an seinen Herzensfreund Urban, Reuchlin sei verurtheilt. Weshalb? Er schrieb ein Gutachten über die ihm vorgelegte Frage: Ob die jüdischen Bücher zu vernichten seien. Er bedient sich dabei einer Ausdrucksweise, die prahlerischer ist, als der gemeine Nutzen sie erfordert, sammelt Gehässiges und Verbrecherisches, um seine Meinung zu beweisen, und gibt sich in anmassender Weise den unnöthigen Schein eines Viel-

[1]) Mutian an Urban 1513 *die Larvarum*, anf.: *Non tam heri festus mihi.*
[2]) Mutian an Urban (o. D. Febr. 1514) anf.: *Si saperent palliata et concionaria* . . . In diesem Briefe finde ich zuerst das schmutzige Wortspiel *pedicatores* für *praedicatores*. Die Worte: *Legisti, quantis argumentis ostendat author Speculi, nihil egisse colonarios pedicatores, nullo iure flammam excitatam* beziehen sich wol auf die deutsche Schrift, die Reuchlin in Speier veröffentlichte, nachdem ihm die Verbrennung seines Buches in Köln bekannt geworden, s. o. S. 302.
[3]) Mutian an Urban (o. D. März 1514?) anf.: *Multas a Croto accepi literas.*

wissers. Der Rathschlag wird von den Kölnern verrathen, veröffentlicht, angegriffen. Reuchlin vertheidigt sich in freier Weise,
die nur anstössig ist im Augenspiegel, den er besser bei sich behalten hätte. Dagegen wüthet Tungern und seine Gesinnungsgenossen: er vermischt Geringes mit Grossem, sieht den Splitter im
Auge des Nächsten und stösst sich nicht am Balken in seinem eignen,
stützt sich auf die Autorität eines Albertus, die im Vergleich zu
den von Reuchlin angeführten Zeugen nichts ist, umgibt sich mit
Helfershelfern, die so unwahr sind wie er selbst. Dem verläumderischen Angreifer antwortet Reuchlin mit einer stürmischen, wüthenden
Vertheidigungsschrift, er schildert Arnold als Thoren und Fälscher,
er bedrängt seine Genossen in heftigster Weise. Um drei Punkte
namentlich drehe sich der Streit: ob Reuchlin gelehrter sei, ob er
Schriftstellen in unrechter Weise angeführt, ob er ein Judengönner
sei. Ueber das Erste könne man nicht im Ungewissen sein; gegen
den zweiten Vorwurf vertheidigt er sich in so ungestümer Weise,
dass er fast die Anmuth und Würde eines wackeren Mannes
verliert. Damit hängt auch der Vorwurf der Judenbegünstigung
zusammen. In der Kirche sind viele schwache und kleinmüthige
Seelen, die nach dem Verschleierten, Geheimnissvollen verlangen.
Das dürfen wir nicht aussprechen, nicht die Meinung der Menge
schwächen, ohne die der Kaiser nicht lange die weltliche, der Papst
die geistliche Herrschaft, wir das Unsrige behalten würden; Alles
würde in das alte Chaos wieder versinken; nicht Gesetz und gute
Sitten, sondern Macht und Willkür würden herrschen! Lass
uns unsere väterliche Religion, gelehrter Reuchlin, und
schade den Christen nicht, indem Du die Juden begünstigst.
Und du schadest ihnen wirklich, wenn Du Zeugnisse des
Celsus, Julian, Porphyrius gegen uns anführst, man muss
glauben, Du wolltest ein neues Dogma schaffen und die
Wahrheit mit altem Trug verdunkeln. Aber sei überzeugt,
Ruhm kannst Du Dir nur erwerben, wenn Du, ein wahrer
Kreuzritter, den gemeinen Nutzen im Auge hast. So
kann ich mir denken, dass der Kaiser Reuchlin verdammt,
weil er Geheimnissvolles keck ausgesprochen, weil er
Schwachen Anstoss gegeben, weil er die Würde der Kirche
gleichsam durch jüdischen Schutz hat stärken wollen[1].

---

[1]) Derselbe an denselben. (o. D. März 1514) anf.: *Dii boni nisi omnes*

Dass Mutian hier seine wahre Meinung ausgesprochen hat, wir können daran nicht zweifeln. Wie bei sonstigen Herzensergüssen über religiöse und andere Fragen, setzt er hinzu: Veröffentliche nichts davon, wirf Alles ins Feuer. Urban hat gewiss das Geheimniss gewahrt. Aber wie können wir diese Ansicht erklären? Ist das derselbe Mutian, der gegen die Erfurter geeifert, als sie, bei aller Achtung vor Reuchlin, sein Buch verdammt, der gegen die Kölner gewüthet, als sie den Augenspiegel verbrannt hatten? Nahm er nur für sich, seine Freunde, die Gelehrten, das Recht in Anspruch, richterliche Entscheidung zu fällen, und wollte er den Ungelehrten den Eintritt in die heiligen Hallen verbieten? War er ein Heuchler, der mit der einen Hand an alle Gelehrten schrieb, um sie zur Vertheidigung Reuchlins aufzuwecken, und mit der andern seinem vertrauten Freunde das schriftliche Geständniss machte, Reuchlins Verdammung erscheine ihm gerecht? War es Furcht, die ihn veranlasste, nach ausgesprochener Verurtheilung nun auch in das *vae victis* einzustimmen? Wer mag dies Räthsel lösen, dessen Lösung schon wichtig wäre, wenn es den einzelnen Mann beträfe, das aber von höchster Bedeutung wird, da es vielleicht eine ganze Zeit charakterisirt? — --

Aber das kaiserliche Verdammungsurtheil erfolgte nicht. Mutian blieb der Alte. Er verfolgte alle Phasen des Streites mit regem Interesse. Als er die Speierer Entscheidung hörte, empfand er nur eine gemischte Freude: Gegen solche, die das Gute und Rechte nicht erkennen wollen, sei ein voller Sieg nicht zu erfechten; sie kümmert keine gegen sie getroffene Entscheidung, sie sehen nur, was ihnen beliebt[1]). Begierig hört er die Nachrichten, die ihm Jakob Sobius aus Köln über die Führer der Gegenpartei bringt, dass Ortuin Gratius in seiner Hartnäckigkeit, Hochstraten in seiner Grausamkeit gegen die Menschen und Wissenschaften beharre und nun nach Rom gegangen sei, um seinen Prozess zu führen[2]).

Und weithin schickte Mutian seine Rathschläge und Befehle. An den Gregor Agrikola (Lengsfelt) in Breslau schrieb er: Er habe ihn schon einmal aufgefordert, an Reuchlin sich brieflich zu

---

motus . . Das letzte ist in Form eines kaiserlichen Mandats; darauf beziehen sich die Worte im Briefe: *Haec est nostra fictio, dii melius.*

[1]) Mutian an Urban, 1. Mai 1514.

[2]) Ders. an dens., 7. Juni 1514.

wenden, sei das noch nicht geschehen, so möge er es nachholen.
Noch werde der gelehrte und allverehrte Mann von Hochstraten
bedrängt, noch schwebe der Prozess in der Appellationsinstanz zu
Speier. Aber Reuchlin habe seine Gönner unter den Mächtigen: in
Rom drei Cardinäle, in Deutschland Fürsten und Herzöge, Bischöfe
und Aebte. „Unter den Gelehrten haben wir einige Bannerträger,
die wir, wenn es noth thut, an der Spitze des Zuges ausschicken
werden gegen jene Bettelbrüder und fanatischen Mönche. Dich,
fügt er scherzhaft hinzu, wollen wir zum Kaiser machen, wenns Dir
recht ist“ [1]). Auch Verse machte er, in denen er seiner Bewunderung
für Reuchlin, seinem Hass gegen die Mönche Ausdruck verlieh, und
schickte sie Urban zu [2]).

An Reuchlin selbst wandte er sich zu wiederholten Malen. Man
schreibe ihm aus Rom, dass der Streit noch immer nicht zu Ende
sei, dass die Gegner in ihren Anstrengungen nicht ermatten, dass
aber die Angesehensten auch in Rom ihn bewundern und verehren.
„Auch ich kenne Viele, die Dich mehr verehren, als ihre religiösen
Gebräuche und Ceremonien. Unter Deiner Führung ist die Lehre
der Alten neu erstanden. Täglich strömen zu mir wackere Jünglinge, die Reuchlin im Munde und im Herzen haben, der nennt
sich einen Griechen, jener bewundert die hebräische Sprache und die
Cabbalah; jemehr sie von thörichten Lehrern zum Lernen einfältiger
Dinge angehalten werden, desto eifriger eilen sie Deinen Spuren
nach. Möchtest Du nur bald wieder Musse gewinnen, sie alle zu
unterrichten“ [3]). Er meldete ihm von den Schicksalen seiner Anhänger: Der wackere Ritter Eitelwolf vom Stein sei gestorben [4]), der
am Mainzer Hofe viel gelte, der hätte, wenn er länger gelebt, ihn
geschützt, soweit die Herrschaft des Mainzer Erzbischofs reiche.
„Er rühmte Dich laut als einen trefflichen Mann, und sollten Deine
Gegner deswegen vor Neid bersten“ [5]).

---

[1]) Mutian an Gregor Agrikola, 5. April 1514.

[2]) Zugleich mit einigen Versen Eoban Hesse's, s. o. S. 347, A. 3.

[3]) Mutian an Reuchlin, 13. Sept. (1516).

[4]) Er starb im Juni 1515. s. o. S. 337, A. 2 und die dort angeführten
Stellen.

[5]) Mutian *Magnifico et eloquentissimo Jurisperitorum Joanni Reuchlin
praeceptori et patrono reverendo.* (undat. Juni 1515.) — Mutian blieb auch
weiter noch mit Reuchlin in brieflicher Verbindung. Erhalten ist freilich
nur ein Brief Reuchlins an Mutian, 22. Juni 1518.

Neben dem Erfurter Kreise stand ziemlich frühzeitig der Wittenberger, der in den ersten Zeiten des Humanismus mit dem Erfurter geistesverwandt war, um später eine andere Richtung einzuschlagen, und in der Theologie allen Andern voranzugehn. Wir haben Spalatins Beziehungen zu Reuchlin schon erwähnt. Durch Spalatin wurde auch Martin Luther zu einem Aussprechen seiner Ansichten in der Reuchlinschen Angelegenheit veranlasst. Spalatin bat seinen Freund Lange, Luther, den er für den gelehrtesten, unbescholtensten und scharfsinnigsten Mann halte, aufzufordern, den Augenspiegel zu lesen, und ihm seine Meinung mitzutheilen [1]). Luther entsprach gern diesem Wunsche. Sein Urtheil sei zwar verdächtig, denn er sei nicht unparteiisch; aber er müsse bekennen, dass er in dem Gutachten nichts Gefährliches gefunden habe. Denn es sei eben ein Gutachten, das keine Glaubensartikel enthalte, sondern Meinungen vorbringe und beständig versichere, das Gesagte dem Urtheile der Kirche zu unterwerfen. Selbst wenn Reuchlin alle Ketzereien in seinem Rathschlag vereinigt hätte, er würde ihn für treu und unbescholten erklären [2]). Gegen Ortuin und seine Genossen brauste er auf. Bisher habe er ihn für einen eselhaften Dichterling gehalten, jetzt sehe er, dass er ein Hund, oder ein reissender Wolf in Schafskleidern sei. Was er vorbringe, sei lächerlich und widerspruchsvoll, man müsse den Menschen bejammern und bemitleiden, der in dieser Weise gegen einen unschuldigen Mann, wie Reuchlin, vorgehen könne. Aus seinen Schriften sei Vieles dem Spotte preiszugeben, aber die Sache sei zu traurig, um darüber zu scherzen. Hoffentlich nehme der Streit ein baldiges Ende, in dem nun, da er in Rom vor einem Collegium gelehrter Cardinäle geführt werde, mehr Aussicht für Reuchlin vorhanden sei, eine günstige Entscheidung zu erhalten, als in Köln, wo die ABC-Schüler nicht unterscheiden können und wollen, was der Schriftsteller meine, den sie ihrer Beurtheilung unterwerfen [3]).

Es ist bekannt, dass auch Luther sich persönlich in einem schönen Briefe an Reuchlin wandte. Er versicherte ihn seiner Ergebenheit, die er schon lange ihm selbst hätte ausdrücken wollen, nur hätte die Gelegenheit dazu gefehlt. Sei es ihm aber versagt ge-

---

[1]) Spalatin an Lange (März 1514).
[2]) Luther an Spalatin undatirt, nach März 1514.
[3]) Luther an Spalatin, 5. Aug. 1514.

Geiger, Johann Reuchlin.   23

wesen, als Genosse sich mit ihm zu verbinden, so leide er nun als
sein Nachfolger. „An Deiner Kraft sind schon die Hörner dieser
Thiere nicht wenig gebrochen, durch Dich hat der Herr gewirkt,
dass der Tyrann der Sophisten sich doch endlich vorsichtiger und
milder den wahren Freunden der Theologie widersetzen lernte und
dass Deutschland wieder zu athmen begann, nachdem es durch die
Schultheologie so viele Jahrhunderte hindurch nicht allein gedrückt,
nein, fast vernichtet war. Der Anfang der bessern Erkenntniss
konnte nur durch einen Mann von nicht geringen Gaben gemacht
werden, denn sowie Gott den grössten aller Berge, unsern Herrn
Christus zu Staub zertrat, (wenn es erlaubt ist, diesen Vergleich
zu machen) und aus diesem Staube hernach so viele Berge entstehen
liess, so würdest auch Du wenig Früchte hervorgebracht haben,
wenn Du nicht gleichsam getödtet, und in den Staub getreten wärest, aus dem sich nun so viele Vertheidiger der heiligen Schrift
erheben" [1].

Zu diesem Briefe war Luther, wie er selbst erwähnt, durch seinen
ausgezeichnetsten Mitstreiter Melanchthon veranlasst worden. Melanchthon hatte schon früher seine Theilnahme an dem Streite
Reuchlins, den er, wie die übrigen Gelehrten, als ersten im Range
der Geister hochachtete, und dem er als seinem Lehrer und nahen
Verwandten eine fast kindliche Verehrung zollte, gezeigt. Er hatte in
Tübingen Reuchlin nützliche Dienste geleistet, die Stücke abgeschrie-
ben, die Reuchlin in seinem Streite zur Sendung an die Gerichte
u. s. w. nöthig hatte [2]. Die erste Briefsammlung Reuchlins hatte
er mit einem empfehlenden Vorwort begleitet[3], in Tübingen wartete
er die Sendung der Bücherballen ab, um „seinem Vater" das Neu-
erschienene mitzutheilen, und hätte gern eine Schrift Hochstratens
gefunden, um sich zu üben, dagegen zu schreiben [4]. Wie der

---

[1] Luther an Reuchlin, 14. Dec. 1518. Ich habe mich der geschmack-
vollen Uebersetzung von Lamey, Joh. Reuchlin, S. 80. angeschlossen. Für
die Auffassung Luthers, er sei der Nachfolger und Fortsetzer Reuchlins, die
auch später maassgebend geblieben ist, vgl. Tischreden bei Walch XXII,
S. 1454; über Luther und Reuchlin, im Anschluss an eine Schilderung der
„Reuchlinisten-fehde": Jürgens, Luther von seiner Geburt bis zum Ablass-
streite, Leipzig 1846. 2. Band. S. 494—536.

[2] Vgl. Camerarius, vita Mel. (Briefs. 1560.)

[3] Briefs. Anf. 1514. vgl. oben S. 323.

[4] Melanchthon an Reuchlin (undat. Anf. 1518, anf.: *Serius quam vole-
bam*). Ueber das Verhältniss Melanchthons zu Reuchlin siehe Buch 4 Anf.

später als Gegner Luthers, als Stifter einer neuen religiösen Sekte so bekannt gewordene Andreas Carlstadt für Reuchlin thätig war, haben wir an anderem Orte gesehen. Er hatte auch einen Brief an den verehrten Meister geschrieben, er schickte ihn zuerst zur Begutachtung an Spalatin, und war ganz glücklich, als ihn dieser mit seinem eigenen Schreiben an Reuchlin zu senden versprach[1]).

Auch später wurde in Wittenberg das Andenken Reuchlins wachgehalten.

Blicken wir nach einem andern Striche Deutschlands, nach der Rheingegend, zunächst nach Mainz.

Eitelwolf vom Stein war einer der ersten Männer, die den Adel ihrer Geburt durch wissenschaftliche Bildung erhöhen zu können meinten. In Schwaben geboren — einen Landsmann Reuchlins nennt ihn Mutian — war er, nachdem er unter Crafto von Uttenheim in Schlettstadt, unter Philipp Beroaldus in Bologna studirt, ziemlich jung in den Dienst Johann Cicero's von Brandenburg getreten, war sein und seines Nachfolgers Joachim I. angesehener mit den höchsten Staatsgeschäften betrauter Rath geworden. Dabei vergass er seine Studien nicht: für seine Fähigkeit, lateinisch zu sprechen und zu dichten, erhielt er vom Kaiser den Lorbeerkranz, wurde er von den Gelehrten als Freund und Beschützer gerühmt. Von seinem Zögling Albrecht von Brandenburg wurde er, als dieser Erzbischof von Mainz geworden war, zum Hofmeister des Kurfürstenthums gemacht, verlegte seinen Wohnsitz nach Mainz und suchte hier grossartige Pläne auszuführen, die ihn seit lange beschäftigten; er wollte aus Mainz eine Musteruniversität machen, die berühmtesten Gelehrten vereinigen und aus ihnen eine Art „Akademie der Wissenschaften" bilden[2]). Doch starb er, wie wir sahen, zu früh; es gelang ihm nur junge Kräfte an sich zu ziehen und zu begünstigen, wie Ulrich von Hutten; berühmten Männern seine Theilnahme zu erweisen, so auch Reuchlin. An seinem Streite nahm er Interesse; mit kräftigem Ausdrucke pflegte er die Gegner Capnionsläuse zu nennen[3]).

Sein Werk war es, dass der neue Mainzer Erzbischof, Albrecht von Brandenburg, sich der frischen humanistischen Richtung und

---

[1]) Andr. Carlstadt an Spalatin, 21. Juli 1516; kurz nach 21. Juli 1516.
[2]) Ueber Eitelw. v. Stein, vgl. die guten, oft benutzten und wenig citirten Nachweisungen von Erhard: Geschichte des Wiederaufblühens der Wissenschaften, vornehmlich in Teutschland. Magdeburg 1832. III. S. 230—254.
[3]) S. den mehrfach angeführten Brief Huttens an Jak. Fuchs, Juni 1515.

23*

ihren Vertretern gegenüber wohlwollend verhielt. Uriel war gestor-. ben. Wir sind ihm mehrfach am Anfange des Streites begegnet; er war keineswegs ein Gönner Reuchlins, aber überall, wo er einzugreifen hatte, zeigte er strengen Gerechtigkeitssinn, der ihm meist das Richtige eingab. Jetzt war der Streit kein lokaler mehr; in Deutschland vor allem rangen nun die Geister allein. Albrecht that Nichts direkt für Reuchlin, aber er liess es nicht ungern geschehen, dass seine Freunde für ihn wirkten. Als Pfefferkorn eine neue Schrift gegen Reuchlin verfasst hatte, die „Beschyrmung" und sie dem Erzbischof, dem er sie gewidmet hatte, überreichen wollte, duldete es dieser, dass man ihn fortschickte, ohne sein Buch in Empfang zu nehmen und ihn anzuhören [1]). Und so mochte er es gern sehn, wenn sich Reuchlin mit einem längeren Schreiben als Widmung einer Schrift an ihn wandte. Er wünschte ihm zunächst Glück zu der neuen Cardinalswürde, die ihm ertheilt worden sei [2]). Nicht sein grosses Einkommen, nicht seine unermesslichen Reichthümer habe der Papst an ihm bewundert, nicht wegen dieser hinfälligen, oft mehr schädlichen, als nützlichen Dinge ihn solch hoher Ehrenstelle für würdig erachtet. Vielmehr habe ihn sein Geistesreichthum, seine Gelehrsamkeit in der Jurisprudenz und Theologie, seine Sittenreinheit, seine Mässigung und Klugheit dazu bewogen. Durch diese Eigenschaften erwerbe er sich Ruhm bei jedem Einzelnen, Alle wisse er zu begünstigen, zu trösten, die Leidenden zu unterstützen, die Schwachen zu stärken. „Aber wozu die Aufzählung Deiner Tugenden? Kennst Du ja selbst am besten Deine Verdienste, es klänge wie Schmeichelei, wenn ich einen Lobgesang Dir anstimmte. Sprechen doch laut genug für Dich die Männer, die Dich umgeben, ein Ulrich von Hutten, Heinrich Stromer, Lorenz Truchsess! — Ich bin zu gering um Dir Eigenes zu widmen, lass mich Dir Fremdes spenden, eine Schrift des Athanasius, des Alexandrinischen Erzbischofs, Dir, dem Mainzer, eine Schrift eines Mannes, der in seinem Wirken und Leiden einige Aehnlichkeit mit mir hat. Denn

---

[1]) Heinrich Stromer an Reuchlin 31. Aug. 1516. Der weit spätere Bericht Huttens an Nuenaar, 3. April 1518, bei Böcking, Opera Hutteni I, p. 168, der dem Erzbischof eine bedeutendere Rolle zuschreibt, ist übertrieben.

[2]) Am 1. Aug. 1518 auf dem Reichstag zu Augsburg. vgl. den Bericht des Augenzeugen Hutten (Brief an Julius Pflug 24. Aug. 1518) bei Böcking, a. a. O. I, p. 185 und Strauss, Ulrich von Hutten I, S. 305.

wie jener allen Eifer und alle Geisteskraft darauf verwendet hat, den rechten Glauben der Kirche zu vermehren, so habe auch ich bei allen meinen Leistungen, namentlich bei meinen Arbeiten über das Hebräische nur den Vortheil der Kirche erstrebt, die Draussenstehenden habe ich durch Freundlichkeit und Milde zu unserm Glauben zu ziehen gesucht, wie die kirchlichen Gebote namentlich gegen die Juden es erheischen." Dann entwirft er mit wenigen Zügen ein Bild seines ganzen Handels. Bis vor den Papst hätten seine Gegner den Streit gebracht, wie die Entscheidung dann gegen sie gefällt werden sollte, hätten sie dem Prozesse Einhalt zu gebieten verstanden. Und sie ruhen noch nicht; noch sei zu fürchten, dass sie durch irgend welche Kniffe die Sache von neuem anfangen und zu einem für sie günstigen Ende führen. Freilich er hoffe, der Vergleich mit Athanasius, der auch heftige Anklagen zu erdulden hatte und in grosse Bedrängniss kam, aber zuletzt gerechtfertigt daraus hervorging und in heiterer Glückseligkeit sein Leben schloss, werde sich bis zum Ende bei ihm bewähren. Der Erzbischof möge gnädig die Schrift aufnehmen und dem Uebersetzer seinen Schutz gewähren [1].

Lorenz Truchsess, den Reuchlin in dem eben besprochenen Briefe rühmt, ist nicht gerade sehr bekannt; mehr wissen wir von Heinrich Stromer, dem Leibarzte Albrechts. Stromer war so wenig Hofmann, wie Hutten. Er gab die Schrift des Aeneas Sylvius über das Elend der Hofleute heraus [2]; er konnte sich in einer Umgebung nicht behagen, wo die Wissenschaften doch höchstens als kostspielige Liebhaberei betrachtet wurden. Er war ein humanistisch gebildeter Mann und ein tüchtiger, in seinem Fache auch schriftstellerisch thätiger [3] Arzt; er musste sich in der geistigen Atmosphäre einer Universität wie Leipzig, wohin er von Mainz aus ging, wohler fühlen. Für Reuchlin hegte er eine schwärmerische Verehrung, er rühmte seine Verdienste, die er sich durch Neubelebung des Studiums der hebräischen, durch Verbreitung der griechischen und lateinischen Sprache erworben. „Du hast die schönen

---

[1] Reuchlin an Cardinal Albrecht, März 1519. Widmung der Schrift de variis quaestionibus, s. o Buch 2. S. 97.

[2] Strauss, U. v. Hutten. I, S. 315.

[3] Vgl. die Anm. zu dem gleich zu besprechenden Briefe u. Erhard a. a. O. III, S. 490 fg.

Wissenschaften aufrecht erhalten, als ihre Pflege sich verminderte und sank, Du bist der Stolz und der Ruhm Deutschlands. Dein Missgeschick beklagen alle Gutgesinnten, Hass gegen Deine Feinde ist das gemeinsame Gefühl aller Edlen. Möge die Erde sich aufthun, den getauften Juden verschlingen und jene Schaar der falschen Theologen, die ihn begünstigt und unterstützt haben. Für und für bete ich zu Gott, dass er Dir den Sieg gewähre über Deine Widersacher; soviel ich kann, arbeite ich zu Deiner Ehre [1]). Könnte ich es, dann würde ich die ganze Last auf mich nehmen, um Dich zu befreien, Dein ehrwürdiges Alter sorglos und ruhig zu gestalten, wie Du es verdienst" [2]).

Aber mächtiger als in Mainz regte sich in Köln eine Partei für Reuchlin. Das scheint auf den ersten Blick sonderbar, ist aber ganz natürlich. In Köln war eine Universität, wo so gut wie auf anderen deutschen Hochschulen der Humanismus seine Vertreter, der freie Geist seine Prediger gefunden hatte. Ortuin Gratius war ein Humanist, aber er war nun dem Ketzermeister durchaus ergeben, handelte einmüthig mit den Kölner Theologen. Trotz des halb unglücklichen Ausgangs des Mainzer Prozesses waren sie ihres Sieges gewiss, schon durch die für sie günstig ausgefallenen Entscheidungen der Universitäten dünkten sie sich unfehlbar. Aber ihre Zuversicht imponirte Wenigen: dem Volke lag die Sache zu fern, um darin Partei zu ergreifen, die Gelehrten fragten weniger danach, worum es sich handele, als nach den Personen, die in dem Streite thätig waren. Und da waren es eben auf der einen Seite Theologen, die im besten Falle sich der neuen wissenschaftlichen Richtung gegenüber nicht feindlich verhielten, und auf der andern Seite der Vater der modernen Wissenschaft, die Zierde und Leuchte Deutschlands, wie er von seinen Verehrern genannt wurde. Es konnte den Humanisten, namentlich den jüngeren in Köln, nicht zweifelhaft sein, welche Partei sie ergreifen mussten.

Von der in ihrem Kreise herrschenden Gesinnung erhielt Reuchlin schon frühzeitig durch Heinrich Loriti Glareanus Kunde. Das war ein junger Mann (geb. Juni 1488), von vielen Anlagen, gewandter Dichter, dem Maximilian den poetischen Lorbeer ertheilt hatte, gelehrter Latinist, der eine grosse Anzahl alter Schriftsteller

----

[1]) Vgl. oben S. 356, A. 1.
[2]) Stromer an Reuchlin, 31. Aug. 1516.

mit zum Theile noch heute werthvollen Anmerkungen herausgab, in seinem späteren Leben ein beliebter Jugendlehrer, der trefflich wirkte, wenn er auch gern etwas roh dazwischen fuhr. Seine Stärke lag namentlich in den sogenannten mathematischen Wissenschaften; er ist eigentlich der erste Humanist, der über Musik und Geographie in nicht zu verachtender, wenn auch jetzt veralteter Weise geschrieben hat. Er war schon seit 1508 in Köln und sein Verhältniss zu den Lehrern der alten Richtung war zuerst ein günstiges gewesen; hatte doch Ortuin Gratius sein Lobgedicht auf den Kaiser Maximilian mit einigen empfehlenden Versen begleitet [1]). Aber das alte Verhältniss musste beim Beginn des Reuchlinschen Streites weichen. In seiner Umgebung griff man Reuchlin an, sofort war er zur Vertheidigung bereit; und bewahrte auch in späterer Zeit die Bereitwilligkeit, ihm zu dienen [2]). „Möchte ich doch nicht ein unbärtiger und thörichter Jüngling sein, wenn ich mit Dir rede, sondern ein Scipio oder Laelius, dessen Stimme Dir, dem tugendreichen Cato, so angenehm klänge, wie uns die Deinige ... Zwar kann ich Dir nicht viel nützen, aber Du bedarfst solcher Unterstützung nicht. Wozu bangen? Dein Lob ist fest begründet, Deinen Namen wird die Nachwelt nimmer verschweigen, Deinen Ruhm keine Vergessenheit tilgen. Deine Gegner wurzeln fest in ihrem Unverstande; sie zu bekehren, ist vergebliche Mühe. Ich wollte Ortuin Gratius von seinem Vorhaben abbringen, ich erinnerte ihn an den Homerischen Vers, dass er durch solches Thun der Strafe der Götter nicht entrinnen würde, aber er wollte nicht hören. Indess er steht allein; die Universität ist ihm nicht geneigt, etwas gegen Dich zu unternehmen, es sei denn, dass sie aus denen, die sich Theologen nennen, bestehe" [3]).

Unter denen, die Reuchlin begünstigten, hatte Glarean zwei genannt, Jakob Gouda, und Hermann Busch, mit denen es eine eigenthümliche Bewandtniss hatte. Beide hatten sie Reuchlins Zorn aufs Höchste erregt. Jakob Magdalius Goudanus ein Dominikaner (tritt in den Orden 1465, † 1520), Verfasser einer

---

[1]) Vgl. über Glareanus die Abhandlung: Heinrich Loriti Glareanus. Seine Freunde und seine Zeit. Biographischer Versuch von H. Schreiber, Freiburg, 1837.

[2]) Nuenaar an Reuchlin (April 1518), anf.: *En tibi amicum* . . .

[3]) Henricus Glareanus Helvetius (wie er sich selbst nennt) an Reuchlin, 2. Januar 1514.

ziemlichen Anzahl theologischer Schriften, aber auch von Gedichten[1]),
Professor der Musik und Dichtkunst an der Kölner Universität, und
als solcher wol des jungen Ulrichs von Hutten Lehrer[2]), hatte
Reuchlin in einem Gedichte angegriffen[3]). Er bereute die Schmähung
aufrichtig, führte aber zu seiner Entschuldigung an, dass er seines
Priors, Hochstratens, Befehl hätte Folge leisten müssen[4]). Reuchlin
hatte, wie er sagt, nach den Mittheilungen Vieler gemeint, Gouda
und Busch seien mit ihm durch gemeinsame Liebe der Wissenschaften als Freunde verbunden, er unterdrückte daher die Namen der
„beiden Schreier" in seiner Vertheidigungsschrift gegen die Kölner,
aber er konnte sich einer recht bissigen Bemerkung gegen die Verse-
schmiede, deren Hülfe er verachte, nicht enthalten[5]). Mit Gouda fand

---

[1]) Vgl. Hartzheim, Bibliotheca Coloniensis, Köln, 1747, p. 227.
Panzer, Annales typographici X, 363. XI, 570. Epigramme Gouda's in
einigen Schriften von Hochstraten 1508, 1510, 1511, vgl. Cremans, De vita
et scriptis J. H. p. 76—78.

[2]) Wenigstens preist ihn dieser sehr:

Prima est ante alios Jacobi gloria Goudae
Qui miscet sacris Musica sacra suis.
Vix alius nostras callet studiosior artes,
Vix elegos vena candidiore facit.

Querelae lib. II, eleg. X, v. 181—184. bei Böcking, Opera Hutteni III,
p. 74. vgl. Strauss, I, S. 30 u. Anm. 2.

[3]) Articuli sive propositiones A.b. Die Verse lauten:

F. Jacobi Magdalii Epigramma cultum.
Proh pudor! errantem reclutitus apella magistrum
Catholicum quo se contueatur habet,
Christicolam verpis (ecquid sceleratius?) ipsis
Obdere quam rectum quo graderentur, iter.
Quos poteras latio diffundere, quosque pelasgo
Ac etiam bleso ponere forte sono.
Cur cedo theutonicis, Doctor Reuchline, libellis
Errores placuit disseruisse tuos.
Non opus hirsuto scyniphes renone recondi,
Et mage tollendum spargere gramen humo.

[4]) Glarean in dem oben besprochenen Briefe.

[5]) Defensio ed. 1513 e 3ª. ed. 1514 Gª: *Omitto in praesentia reliquos duos*
aeneatores cum sua cujusque taratantara, si forte aliquando cum Stesichoro
convertantur, audientes divinam vocem. Non dimittuntur peccata, nisi restituan-
tur ablata, putavi enim illos multorum relatione singulares mihi amicos, quos amor
literarum univisset. Ferner Defensio vorl. Bl.: *Non enim praemisi tot versifica-*
tores, tot metrifices, tot carminifices, ne dicam carnifices qui carmen famosum ab
initio buccinarent, ut professores isti theologiae contra consuetudinem et mores pro-
fessionis suae fecerunt, quod aeque potuissem, si non ego ipse mihi satis essem
ad hoc artificium nullius alieni adjutorio egens. — Dass diese beiden Aeusserungen sich auch in der 2. Ausgabe der Defensio finden, ist, wenn man nicht

nie eine vollkommene Versöhnung statt; die Dunkelmännerbriefe nennen seinen Namen noch mit einem Spottwort[1]) und in den Acta ist er als Gegner Reuchlins für die Ewigkeit verzeichnet[2]). Vollkommen war die Aussöhnung mit Busch. Dieser hatte der gegen Reuchlin gerichteten Schrift Arnolds von Tungern ein Gedichtchen beigegeben gegen Juden und Judengönner, und Reuchlin mochte, wenn auch sein Name nicht genannt wurde, wol den Passus auf sich beziehen: Der wahre Glaube triumphirt nicht allein über Juden, sondern über Jeden, der Dich, unseliger Beschnittener, begünstigt[3]). Wie so Busch dazu gekommen, ist ganz einfach. Er war ein bekannter Dichter, für den Herausgeber einer Schrift war es hohe Ehre, dieselbe mit einigen Versen von ihm versehen zu lassen. Tungern bat ihn darum, Busch verweigerte es nicht, dass es gegen Juden sich richtete, wird ihn eher angereizt als abgeschreckt haben; gegen Reuchlin hätte er wohl damals schon seine Verse nicht hergegeben. Als es geschehen war, da merkte er, was er gethan und bereute es sehr. Er warf sich alsbald zum Vertheidiger Reuchlins gegen seine Gegner auf und litt viel um seiner Ehre und seines Ruhmes willen[4]). Als Reuchlin von Speier mit der ihm günstigen Entscheidung nach Frankfurt kam (April 1514) da eilte Busch von Köln dorthin[5]) und

---

Reuchlin bei der Veranstaltung derselben als völlig unbetheiligt hinstellen will, nur so zu erklären, dass der gekränkte Mann der Versicherung Glareans (S. 359 A. 3) nicht vollen Glauben schenkte, oder Gouda doch nicht ganz ohne Strafe ausgehen lassen wollte.

[1]) Lib. I, epist. 11: *Jacobus de Ganda* (!), *ordinis praedicatorum poeta subtilissimus.*

[2]) S. o. S. 293, A 4.

[3]) Das Gedichtchen lautet:

Hermanni Buschii Pasiphili in Judaeos Judaeorumque amatores praeposteros Elogium.

Integra, sancta, nitens, certa, inconcussa, perennis
In toto late praesidet orbe fides.
Huic nulli maculam poterunt nec fingere rugam
Sacrilegi, specie tota decente placet.
Haec de te victrix, Judaee insane, triumphat,
Rumpare invidia tu licet usque tua.
Nec tantum de te, sed de quocunque triumphat,
Infelix, alio, qui tibi, Verpe, favet.

[4]) Glarean in dem oben angeführten Briefe sagt, Busch hätte diese Verse *coactus pene* beigegeben, doch liegt darin gewiss etwas die Absicht des Vertuschens.

[5]) Vgl. oben S. 337. A. 2.

hier mag mit der persönlichen Bekanntschaft beider Männer eine feierliche Aussöhnung stattgehabt haben. Im Juni wird berichtet, Busch habe widerrufen und erfreue sich der Gunst Reuchlins [1].

In Herrmann vom Busche hatte Reuchlin sich einen wackern thätigen Freund und Beschützer gewonnen. Er stand damals im kräftigsten Alter (er war etwa 1468 geboren); war eine unruhige, kampfbereite Natur. Der humanistische Wandertrieb hatte auch ihn erfasst, Jahre lang war nirgends seines Bleibens gewesen. Nachdem er in der berühmten Schule des Hegius in Deventer die erste Bildung erlangt und in Tübingen studirt hatte, war er nach Italien gegangen und hatte dann eine grosse Anzahl von Städten und Universitäten Deutschlands: Osnabrück, Bremen, Hamburg, Lübeck, Frankfurt a. O., Rostock, Greifswald, Münster, Erfurt, Leipzig, lehrend und lernend durchzogen, war in Städten fremder Länder: Amsterdam, Löwen, London gewesen. Jetzt hatte er in Köln als Professor einen einigermaassen festen Wohnsitz erlangt. Und streitbar war er. Als er in Rostock dem dortigen Professor Tilemann Heuerling im Lesen und Erklären alter Schriftsteller, namentlich des Juvenal, Concurrenz machte und dieser sich für den ihm angethanen Schaden in Schmähungen rächte, da veröffentlichte er heftige Epigramme gegen ihn, um allen Gelehrten die Unwürdigkeit solchen Gegners zu zeigen. Aber diese leichte schriftstellerische Thätigkeit genügte ihm so wenig, wie die rasch hingeworfenen Gelegenheitsgedichte zum Lobe für Freunde, für Gönner und Städte, er gab alte Schriftsteller heraus, verfasste Commentare dazu und veröffentlichte ein grösseres Werk — *Vallum humanitatis*, — in welchem er die neuen humanistischen Studien empfahl und gegen jeden Angriff vertheidigte [2]. Wie er in diesem Werke Reuchlin und Erasmus als Könige pries, ja höher als weltliche Machthaber, denn während die Stärke dieser schwinde und vergehe, bleibe der

---

[1] Mutian an Urban, 7. Juni 1514, nach dem Berichte des Jakob Sobius aus Köln.

[2] Ueber Hermann Busch vgl. seine *Vita* in Hermanni Hamelmanni, Opera genealogica historica de Westphalia et Saxonia ed. E. C. Wasserbach. Lemgoviae, 1711, p. 279—312, von Burckhardt vor dessen Ausgabe des Vallum humanitatis, Frankfurt, 1719; von Neueren Erhard, Geschichte des Wiederaufblühens u. s. w. III, S. 61—108 und Liessem, De vita et scriptis Hermanni Buschii. Bonn 1866 (Diss.).

Ruhm Jener, wenn auch der Neid ihn etwas zu mindern suche, ewig und unvergänglich [1]), so sprach er sich denn auch in einem Briefe an Reuchlin aus. „Gruss und den erflehten Sieg Dir, den ich nicht aufhören will zu wünschen, bis ich weiss, dass Du ihn erlangt. Deine Feinde solltest Du jetzt sehen: das Bild wüthenden Neids, rasenden Wahns, sie rollen die Augen, werden bald blass, bald roth, seufzen und knirschen. Dann schreien sie laut auf, erklären den Cardinal Griman für verdächtig, spotten über ihn als einen ungelehrten Mann. Wenn der Papst nicht für s i e entscheide, dann erklären sie, von ihm abfallen zu wollen, denn s i e seien die Kirche, ohne sie könne der Papst Nichts beschliessen, ihnen müsse der Papst gehorchen; Andere gehen in ihrer Frechheit nicht so weit, sie wollen doch wenigstens an ein Concil appelliren, wenn der Papst gegen sie sich ausspreche. Die Speierer Sentenz gilt ihnen nichts, nur der Verurtheilung der Pariser Fakultät legen sie Gewicht bei, überall zeigen sie dieselbe herum, man müsse doch dem Ausspruch So würdiger Männer mehr Vertrauen schenken, als der Entscheidung des Bischofs von Speier, der noch ein Jüngling sei [2]). Namentlich Pfefferkorn übertreffe alle an Unverschämtheit. Hochstraten sei in Rom; seine Brüder haben ihn reichlich mit Geld ausgestattet, aber bei den Meisten sei das rechte Vertrauen in ihre Sache geschwunden, nur aus Schamgefühl und Zwang halten sie an der einmal erfassten Sache fest; wie Hochstraten seine Ladung nach Rom erhalten habe, seien Viele schwankend geworden, Manche offen abgefallen. Als Hochstraten vor seiner Abreise nach Rom den Augustiner Dietrich Caster [3]) um guten Rath gebeten, habe dieser ihn verweigert: Ihr habt dies Geschäft ohne mich begonnen, mögt Ihrs auch ohne mich beenden. Er selbst (Busch) habe, um dem Eindruck entgegenzuwirken, den die Pariser Verurtheilung gemacht, zwei Exemplare der Citation an Hochstraten nach Münster und Utrecht geschickt „Ich heisse dich guten Muths zu sein. Bald wirst Du die Schlechtigkeit aller Deiner Gegner vernichtet sehen" [4]).

---

[1]) Aus Vallum humanitatis, 1518, s. in der Briefsammlung.

[2]) *Adhuc pueri* lautet die Bezeichnung nach Busch; der Bischof war freilich damals 27 Jahre alt, s. o. S. 298, A. 3.

[3]) Dietrich „Bischof von Cyrene" bewährte auch später der Reuchlinschen Angelegenheit seine anhängliche Theilnahme; s. den Brief Nuenaars an Reuchlin, 1. Mai 1518.

[4]) Hermann Busch an Reuchlin, 30. Sept. (1514).

Unter den Gönnern Reuchlins in Köln hatte Glarean auch den dortigen, namentlich im Griechischen sehr gelehrten Professor Johann Caesarius genannt. Caesarius war mit Reuchlin fast gleichaltcrig, schon seit lange lehrte er in Köln, bereits hatte der Hass der alten Partei ihn einmal von hier vertrieben, er verliess die Stadt auch später noch oft, aber immer kehrte er, gleichsam an den Boden gefesselt, hierher zurück. Seine wissenschaftlichen Leistungen sind nicht unbedeutend, er hat Lehrbücher der Grammatik, Rhetorik und Dialektik geschrieben, von seinen Ausgaben der alten Schriftsteller ist namentlich die des Plinius verdienstlich [1]). Wir haben bereits gesehn, wie Erasmus ihm seine Meinung über den Reuchlinschen Streit schrieb [2]), in gleicher Weise theilte Caesarius dem Erasmus Neuigkeiten darüber mit, die er auftreiben konnte [3]), nun wandte er sich auch an Reuchlin mit einem schönen Briefe. Martin Groning, der Uebersetzer des Augenspiegels vor dem Gericht zu Rom, sei bei ihm gewesen, und habe ihm viel über den Prozess erzählt; eine Anzahl Anderer, die von der Ankunft dieses Fremden gehört, sei zu ihm gekommen, um sich über den Stand der Sache unterrichten zu lassen. „Nicht durch Zufall, nicht durch menschliche Bestimmung ist ein solcher Streit zwischen Dir und den Kölnern ausgebrochen, sondern durch die göttliche Vorsehung, sie hat Dich beschirmt, ein jeder Andere wäre, durch die Macht der Gegner besiegt, niedergesunken. Gott allein trügt nicht und kann nicht betrogen werden." Ueberall gewinne ihm die Redlichkeit seiner Sache Anhänger und Freunde. „Sie kämpfen für Dich mit Worten, mit Schriften; überall wirst Du geliebt und verehrt, Du einzige köstliche Zierde der Wissenschaften" [4]).

Als später Caesarius selbst aus Köln entweichen musste [5]), tröstete ihn Agrippa von Nettesheim mit dem Beispiele Reuch-

[1]) Vgl. Erhard, a. a. O. III, S. 292—296, wo auch eine Aufzählung der Schriften des Caesarius. Vgl. unten, u. Krafft: Aufzeichnungen Bullingers über sein Studium zu Emmerich und Köln. Elberfeld 1870, an vielen Stellen.

[2]) 2 Nov. 1517; s. o. S. 342, A. 2.

[3]) 30. Juli 1517; s. o. S. 320, A. 1.

[4]) Johann Caesarius an Reuchlin, 8. Sept. 1517.

[5]) Ueber Caesarius' spätere Zeit in Leipzig und Stollberg, habe ich im Cod. Goth. A. chart. 399 einige interessante Briefe an Lange gefunden, die der Veröffentlichung werth wären.

lins. Er hielt ihm vor, wie die Kölner durch diese und ähnliche Verfolgungen ihren Ruf untergraben, an ihrer Treue und Gelehrsamkeit Schiffbruch gelitten, ihre Unwissenheit, Untreue und Falschheit über die ganze Welt verbreitet hätten [1]. Dann als Agrippa selbst die Nachstellungen der Kölner erlitt, wandte er sich an sie in einem bemerkenswerthen Briefe, in dem er ihnen auf's neue das an Reuchlin begangene Verbrechen vorhielt [2].

Und noch ein Anderer liess sich von Köln aus vernehmen, versicherte Reuchlin seiner Theilnahme und gab ihm von der herrschenden Stimmung Bericht. Wir kennen Johannes Potken, den gelehrten Propst vom Georgenstift in Köln, schon von Rom her [3]; von seinem Leben wissen wir keine Einzelheiten, nur dass er mit rastlosem Eifer das Studium namentlich der orientalischen Sprachen selbst betrieb, und gern bereit war, von seinen Kenntnissen Andern mitzutheilen. Voll Freude hatte Reuchlin, nachdem er den ihm günstigen Ausspruch der zur Prüfung seines Augenspiegels in Rom niedergesetzten Commission erfahren, diesen dem Potken mitgetheilt, der berichtete ihn dem Georg Sobius, einem eifrigen Humanisten, der Lehrer in Köln war. Am ersten Sonntage, als in der Kirche eine Anzahl gelehrter Männer zusammen war, las Sobius den Brief zu wiederholten Malen vor, das Gerücht von der günstigen Entscheidung verbreitete sich in der Stadt, eine grosse Menge strömte zusammen, Alle wollten Genaueres wissen, selbst Ortuin Gratius und Pfefferkorn eilten herbei und Potken zeigte ihnen einen Brief des Prokurator Wick, aus dem der Triumph noch deutlicher ersehen werden konnte. Reuchlins Anhänger jubelten, die Gegner schlichen sich betrübt davon [4].

„Es leben in Köln mehr von Deinen Freunden, als Du vielleicht glaubst und hoffst," schreibt Potken an Reuchlin. Wir kennen Einige ausser denen, die brieflich ihre Verehrung ausdrückten, und dem Georg Sobius, der Reuchlins Triumph öffentlich verkündigte, dem Jakob Sobius, der dem Mutian erfreuliche Nachrichten über den Stand der Dinge überbrachte; da waren von Gelehrten noch ein Doktor Sesseler, dem Caesarius auf dessen Bitten seinen Brief mit-

---

[1] Ueber Agrippa s. o. S. 198 fg.; Brief an Caesarius 1520.
[2] An Bürgermeister und Rath der Stadt Köln, 11. Januar 1533.
[3] S. o. S. 317, A. 3.
[4] Potken an Reuchlin, 13. Sept. 1516.

gab, da waren Johann Capellarius (von Königsau?) und Heinrich
Monoceros von Wesel, die mit ihm Gronings Mittheilungen lausch-
ten [1]); der Subprior der Augustiner, Fugius, hing Reuchlin eifrig an [2])
und wollte den Tod sogar für ihn leiden [3]); der junge, später so berühmt gewordene Heinrich Bullinger, der damals in Köln studirte,
nährte in sich einen heftigen Hass gegen die Sophisten, er schrieb
u. A. auch zwei lateinische Dialoge gegen Pfefferkorn, die aber
nicht erhalten sind [4]).   Auch unter den Nichtgelehrten hatte er Anhänger, vor allem den reichen Patricier Franz Struss, vor dessen
Anblick schon sich die Dominikaner scheuten, der den Augenspiegel
von Wort zu Wort auswendig wusste, und ihn recht zum Trotze
gegen die Mönche, die alle Exemplare, die sie finden konnten, verbrannt, und die übrigen zum Gebrauch untersagt hatten, stets bei
sich trug [5]).

Der thätigste aber in der späteren Zeit war ein Mann, der
nach dem Tode Eitelwolfs vom Stein gleichsam an dessen Stelle trat,
in derselben uneigennützigen, aufopfernden Weise jüngere Gelehrte
an sich zu ziehn, sie zu begünstigen, und, wenn es nöthig war, zu
unterstützen wusste, nur weit mehr selbständige wissenschaftliche
Bildung besass, als jener, Hermann Graf von Nuenaar [6]).   Er
hatte seine Bildung in Italien genossen, war lange in Rom gewesen,
in Kenntniss der klassischen Sprachen kamen wenige ihm gleich,
gross war sein Patriotismus, dem er auch durch Herausgabe deutscher
Historiker Ausdruck verlieh; zuletzt änderte er sein Studiengebiet
und trieb Medicin.   Der Reformation schloss er sich mit Begeisterung

---

[1]) Vgl. den Brief des Caesarius an Reuchlin, 8. Sept 1517.

[2]) Luther an Johann Lange, 26. Okt. 1516: *Lector Phugius scribit
Reuchlini causam prospere habere, et mire gestit* (De Wette, Luthers Briefe
1825, I, S. 42). Er wird auch von Pirckheimer in seinem Reuchlinistenver-
zeichnisse aufgeführt (30. Aug. 1517). Dass er später in Nürnberg lebte,
schreibt Joh. Hessus an Joh. Lange, 19. Nov. 1519 (Cod. Goth. 399 fol. 228 b.)

[3]) Hermann Busch an Reuchlin, 30. Sept. (1514).

[4]) Jos. Simler, *Narratio de ortu, vita et obitu reverendissimi viri
D. Henrici Bullingeri.* Tiguri 1575, fol. 6; Ludwig Lavater: Vom läben
vnd tod dess Eerwirdigen . . Herrn Heinrychen Bullingers. Zürych 1576,
fol. 4 b.

[5]) Busch angef. Brief.

[6]) Ueber sein Leben ist fast Nichts bekannt, das Meiste gibt noch
Erhard III, S. 417—421.

an. Aber er war nicht nur Gelehrter, auch Ritter. Gegen Hochstraten und seine Genossen, denen er schon Reuchlins wegen gram
war, spielte er einen boshaften Streich[1]); er war nicht der Mann,
dem man mit einer auf Ketzerei lautenden Beschuldigung imponiren
konnte. Seiner unermüdlichen Thätigkeit für Reuchlin, die zwar
nicht nach Aller Geschmacke war, aber den Gegnern empfindlich
wehe that, müssen wir in anderem Zusammenhange gedenken.

Ausser in solchen Centren, wie Erfurt, Wittenberg, Mainz und Köln,
wohnten auch zerstreut Anhänger und Freunde Reuchlins. Sie lebten
vereinzelt, aber doch waren sie zu einer Gemeinsamkeit verbunden.
Als der Humanismus lebenskräftig zu werden begann, als man anfing, sich aus den Banden der Unwissenheit zu befreien, da fühlten
die in ihrer Anzahl schwachen, ihrer inneren Kraft noch nicht bewussten, der ihnen innewohnenden Stärke noch nicht vertrauenden
Genossen das Bedürfniss eines engeren Aneinanderschliessens. Das ist
stets der Fall, wenn eine neue Richtung sich Bahn zu brechen beginnt, dann fühlen sich Diejenigen, welche ihr anhängen, von der
Menge ausgeschlossen. Man sieht auf sie mit Staunen und Verwunderung, in die sich oft Geringschätzung und Verachtung mischt.
Da ziehen sie sich zurück: in ihrem engen Kreise suchen sie die
Kräftigung, der sie bedürfen, die Anerkennung, die ihnen von anderer
Seite versagt wird. Aber wenn die neue Richtung sich als lebensfähig
und lebenspendend erwiesen, wenn ihre Anhänger nicht mehr ängstlich
nach Genossen suchen müssen, sondern überall Freunde und Ge-
fährten finden, da lösen sich jene aus erstem Bedürfniss entstandenen Genossenschaften und Einigungen auf, der neue Bund ist innerlich
lebendig genug, um eines äusseren Ausdrucks entbehren zu können.

Unter den Einzelnen, die Reuchlin in seinem Streite ihrer Verehrung und ihrer Theilnahme versicherten, befanden sich Männer
der verschiedensten Stellung. Da versicherte ihn ein Kirchenfürst,
der Propst und spätere Bischof von Brixen, Sebastian Sprenz
(Sperantius), der zugleich dem Matthäus Lang, Cardinal von Gurk,
als Sekretär diente, der günstigen Stimmung seines Herrn und seiner
eignen Verehrung und Hülfsbereitschaft[2]); da freute sich Jakob
Spiegel, der kaiserliche Sekretär, der Neffe Jakob Wimphelings,

---

[1]) Vgl. Strauss II, S. 21, A. 1; dagegen Cremans, Hochstraten, p. 71.
[2]) Seb. Sperantius an Reuchlin, 22. Mai 1513.

über das kaiserliche Dekret, das beiden Parteien Stillschweigen auf-
erlegte, und das wie er hoffte, den Streit beenden, und Reuchlin die
verlorene wissenschaftliche Musse wiedergeben würde, jubelte über
Reuchlins Vertheidigung und verdammte die schriftvergessenen Kölner
Heuchler und Verläumder [1]). Der Philologe und Dichter Gerhard
Listrius, der in Reuchlin ein göttliches, übermenschliches Wesen
sah, der Pfefferkorn aus eigenem Umgang kannte und in ihm ein
Scheusal erblickte, das die Erde nicht tragen dürfte, wollte die
Fürsten, Deutschland, die ganze Christenheit zu Hülfe rufen, um
dem Meister den Sieg zu verschaffen [2]). In dem Kloster Ottenbeuren
lebte als eifriger Anhänger Reuchlins der Mönch Nikolaus Ellenbog. Er folgte allen Phasen des Streits, freute sich über jede
günstige Nachricht, die er davon erhielt, und betrachtete den Beinamen Reuchlin, mit dem die Gegner ihn zu schänden meinten, als
hohe Ehre [3]). Bei ihm, wie bei Cellarius, der als Hebräer nutz-
bringend gewirkt hat, war es vor allem die Bewunderung des Gelehrten, die eine so grosse Begeisterung für den Kämpfer hervorrief:
es wollte ihm gar nicht in den Sinn, dass ein Mann, dessen wissenschaftliches Verdienst so sehr über jeden Vergleich erhaben war,
von Neidern, die auf so unendlich niedriger Stufe standen, angegriffen und angefeindet werden konnte [4]). Von gleicher Gesinnung sind
Johann Huttichius, Thomas Truchsess, Dekan in Speier, der
so gern auch äusserlich Reuchlin sich hülfreich erwiesen hätte, Michael Hummelburg, der bereits aus Rom treuer Berichterstatter
einzelner Zwischenfälle gewesen war, Nikolaus Gerbelius, der sich
mit Stolz einen Landsmann und unmittelbaren Schüler Reuchlins
nannte, erfüllt; sie alle geben in Briefen ihrer Verehrung für den
Meister Ausdruck und erachten es für ihren Ruhm, Mitkämpfer zu
sein in seinem grossen Streite [5]).

Zu der einmüthigen Stimmung der Gelehrten hat ohne Zweifel
auch der Umstand viel beigetragen, dass die Männer, auf deren
Stimme man in jener Zeit bedeutendes Gewicht legte, sich durchaus
für Reuchlin entschieden hatten. Wir haben dies bei Erasmus und

---

[1]) Spiegel an Reuchlin, Juli 1513.

[2]) Listrius an Reuchlin (Ende 1516).

[3]) Vgl. die Briefe Ellenbogs in der Briefsammlung, bes. den vom
Nov. 1516.

[4]) Cellarius an Reuchlin (vor 22. Juni 1518).

[5]) 21. Jan. 1518; Mai 1518; 24. Juni 1518; 1518. (o. D.)

Mutian erkannt, wir sehen ein Gleiches bei Willibald Pirckheimer. Auch Pirckheimer war Mittelpunkt eines geistigen Kreises, wie Mutian. Er war ein reicher Mann, der die Gelehrten freundlich aufnahm und ihnen gerne spendete, diese fühlten sich nun verpflichtet, ihm Schriften zu widmen, Briefe zu schreiben, seine Gesinnungen zu den ihrigen zu machen.

Schon im Anfange des Streites hatte sich Pirckheimer für Reuchlin erklärt. Er hatte Bedenken gegen die Art und Weise, in der dieser den Kampf zu führen begann und verhehlte diese nicht, aber in der Verdammung der Gegner blieben sie einig. Von allen Seiten gingen Pirckheimer während des Streits Berichte über die Machinationen der Feinde zu; er hätte nicht ausführlichere Meldungen erhalten können, wenn er selbst der Kämpfende gewesen wäre. Da treffen wir manchen wackeren Bundesgenossen, den Bamberger Canonikus Lorenz Behaim, der mit Reuchlin in Rom zusammengelebt und ihm auch weiter ein treuer Verehrer blieb [1]), Johannes Cochläus, der, was immer seine spätere Richtung sein mochte, ein eifriger Reuchlinist war, und das Dreigestirn: Erasmus, Reuchlin, Pirckheimer pries, das mit hellem Schein den strahlenden Mond, den Kaiser Maximilian, umgebe [2]); Johannes Hess, der in dem fernen Oels, wohin er den fruchtbringenden Samen des Humanismus gebracht hatte, gleichstrebende Männer um sich schaarte und sich stolz einen Reuchlinisten nannte [3]) u. a. m.

Pirckheimer selbst hatte nach den ersten Briefen lange kein Schreiben an Reuchlin ergehen lassen [4]); bevor er ihm wieder schrieb, hatte er kräftig für ihn gewirkt. Er ermahnte ihn zum muthigen Ausharren, die Bisse der Gegner könnten ihm nichts schaden; wenn er auch schweige, die Wahrheit werde für ihn reden [5]). An einen Freund schrieb er über die Reuchlinsche Angelegenheit und seine Stellung zu derselben. Die Freundschaft eines Reuchlin und Erasmus zu geniessen, dünke ihm ein Glück; ein Reuchlinist genannt zu werden, halte er für einen hohen Ruhm. Die Sophisten hasse er, aber mit der vollen Entrüstung beleidigter Tugend, verletzter

---

[1]) Behaim an Reuchlin, 20. Juli 1515; an Pirckheimer 21. Okt., 3. u. 16. Nov. 1517.

[2]) Cochläus an Pirckheimer, 9. Juli 1517.

[3]) Hess an Pirckheimer, 21. Dec. 1517.

[4]) Vgl. oben S. 324, A. 3.

[5]) Pirckheimer an Reuchlin (1517).

Geiger, Johann Reuchlin. 24

Ehre ihnen entgegen zu treten, halte er nicht für recht. Er habe Reuchlin getadelt, da er das gethan. Die Gegner richten sich selbst durch ihre verläumderischen, lügenhaften Angriffe[1]). Die innige Verbindung zwischen Pirckheimer und Reuchlin wurde im Laufe der Zeit nur noch enger und fester; die edle Natur des Nürnberger Patriciers offenbarte sich hier in schönster und herrlichster Weise. Noch nach dem Tode Reuchlins blieb Pirckheimers Anhänglichkeit für ihn, sein einmal in dem Streite eingenommener Standpunkt unveränderlich. In einem Gutachten an den Papst Hadrian VI. stellt er das eigensinnige und verkehrte Verfahren der Mönche in dem Reuchlinschen Streite als eine der Ursachen von Deutschlands übler Stimmung gegen das Papstthum hin[2]).

<hr>

SECHSTES KAPITEL.

SCHRIFTEN FÜR UND WIDER: SCHIMPF UND ERNST.

Die Humanisten fühlten wol, dass mit all den Briefen, in denen sie den Meister ihrer freudigen Zustimmung, ihrer Bereitwilligkeit zur Unterstützung versicherten, noch nichts Rechtes geschehen sei. Die Briefe wurden doch nur dem bekannt, an den sie gerichtet waren, oder höchstens noch einem kleinen Freundeskreise mitgetheilt. Zwar war schon ein Beispiel gegeben, sie zu veröffentlichen, aber das konnte nur geschehen, wenn eine stattliche Reihe zusammen war. Das genügte nicht. In dem Reuchlinistenkreise gährte es: man dürstete danach, statt im Privatkreise sich auszusprechen, vor dem grossen Publikum zu reden.

Einen günstigen Anlass boten die Gegner selbst dar. Es ist uns erinnerlich, dass die Pariser Fakultät einen Spruch gegen den Augenspiegel gefällt hatte. Der Urtheilsspruch selbst mit den Verhandlungen, die ihm vorangegangen waren, wurden in einer besonderen Schrift veröffentlicht[3]). Die Reuchlinisten traten dagegen auf. Was sie gegen die Schrift aufbringen musste, war der siegesgewisse, hochmüthige Ton, mit dem über Reuchlin gesprochen, die grausame Art, mit der die lateinische Sprache misshandelt wurde. Das Werk-

<hr>

[1]) Pirckheimer ad amicum, 1. Dec. 1516.
[2]) Vgl. Briefsamml. 1522.
[3]) Acta doctorum Parrhisiensium, s. o. S. 285, A. 3.

chen, in dem sie sich dagegen wendeten, ist in Form einer fingirten Gerichtsverhandlung abgefasst, — und demgemäss erschien es auch, gleichsam als Gerichtsanschlag, in einem grossen, engbedruckten Folioblatt —, in der vor einem unbekannten Tribunale Cutius Gioricianus, Bakkalaureus des Rechts von der einen und Hackinetus Petitus von der andern Seite auftreten [1]). Der erstere bekämpft das Urtheil der Pariser Fakultät mit zwölf zum grössten Theil ganz ernsten [2]) und von Reuchlin schon in Mainz bez. in Speier geltend gemachten Gründen, und beantragt, dasselbe als der brüderlichen Liebe, aller Gerechtigkeit und Billigkeit widerstreitend zu vernichten und zu verbrennen und seine Urheber zum Widerruf zu verurtheilen. Die einzelnen Gründe des Anklägers versucht der Vertheidiger nicht zu widerlegen, sondern durch die naivsten Zugeständnisse in Argumente für seine Partei umzuwandeln. Juristisch könnten sie nicht entscheiden, denn sie seien Theologen, schlimme Absichten dürfe man ihnen nicht zuschreiben, denn sie seien wackere Männner, verständig, gebildet, für Gottes Lehre eifrig. Was sie gethan, sei auf Anrathen des Beichtvaters geschehen oder auf Empfehlung der Kölner, denen man ja vertrauen dürfe; hätte man Reuchlin gehört, so wäre man vielleicht eines Andern belehrt worden und das hätte nicht sein dürfen. Er beantragt daher Bestätigung des Urtheils und Verwerfung der Appellation; die Entscheidung wird aber natürlich in starken Ausdrücken nach dem vorher gestellten Antrage des Anklägers gefällt.

---

[1]) Abgedruckt aus der Berliner Handschrift zuerst bei **Friedländer**, Beiträge zur Reformationsgeschichte. Berlin 1837, S. 118—124, dann bei Böcking, Supplem. p. 318—322. Der Bequemlichkeit wegen citire ich nach der von letzterem gegebenen Paragrapheneintheilung. Aus dem Namen Gloricianus hat Böcking vermuthet, Heinr. Loriti Glareanus sei der Verfasser, doch scheint mir das, obwol Glareanus auch in den Ep. obsc. vir. als Glorianus bezeichnét wird, II, 38, wegen der vielfach in der Schrift vorkommenden Gallicismen bedenklich. Hackinetus Petitus, ein erfundener Name, gewählt wol wegen seines Anklingens an Guillaume Petit, obwol dieser auch ausdrücklich genannt wird (§. 18). Mutian übersandte unser Stück seinem Freunde Hartmann von Kirchberg, Anf. 1515, wonach Kampschulte, I, S. 185, A. 1, zu berichtigen.

[2]) Witzig ist nur der eine §. 8. Die Gegner sagen, der Augenspiegel habe seinen Namen *non sine macula* erhalten; nun sei aber Reuchlin doch nie Makulist gewesen, sondern habe stets an die unbefleckte Empfängniss Maria's geglaubt.

24 *

In dieser Schrift erscheint zum ersten Male eine Gattung, die uns nun öfters begegnen wird: Die Satire. Sie zeigt sich stets in Zeiten, wo die Geister eines Volkes sich in grosser politischer oder religiöser Aufregung befinden. Nicht als wenn dann durchaus Zeit, Lust und Mittel dazu fehlten, in ernster, ruhiger Weise den Kampf aufzunehmen und durchzufechten. Der Streit wird auch auf wissenschaftlichem Wege, mit Gründen und Beweisen geführt, aber dazu muss das Material herbeigeschleppt, müssen die Geschosse geprüft werden. Um das zu thun, werden wol Einige ausgesandt, die durch ihr Alter oder durch Gemüthsverfassung zu langsamem Vorschreiten sich mehr eignen, aber die grosse Schaar verlangt einen kürzeren, leichteren Weg. Der Gegner bietet Mängel und Fehler in wissenschaftlichen Darlegungen und Auseinandersetzungen; sie aufzudecken ist Aufgabe der ernsten Erwiderung; aber er besitzt Schwächen des Charakters, entstellende sittliche oder geistige Eigenschaften, sie können nur durch persönliche Invektiven, scherzhafte Uebertreibungen, satirische Angriffe genügend hervorgehoben werden. In solchen Stücken macht der Verfasser seinem Hasse, seiner Erbitterung Luft, er will wol in Anderen den Glauben erwecken, Alles, was er schreibe sei wahr, aber er glaubt selbst nur einen geringen Theil. Satiren als Zeichen gehässiger Parteileidenschaft ganz zu verwerfen, wäre unbillig, aber ebenso ungerechtfertigt würde es sein, sie als historische Zeugnisse für Thatsachen zu verwerthen. Sie dienen uns trefflich dazu, den Geist der Partei, von der sie ausgingen, zu erkennen, aber wir dürfen nach ihnen nicht jene zeichnen, gegen die sie gerichtet sind.

Die Satiren, mit denen wir es hier zu thun haben, sind meist anonym erschienen. Das geschah nicht aus Furcht. Die Partei, zu der die Verfasser gehörten, kannte dies Gefühl nicht. Was sie veranlasste, ihren Namen zu verschweigen, war das gewiss richtige Bewusstsein, in eine allgemeine Angelegenheit, bei der es sich um die höchsten Grundsätze geistiger Freiheit handelte, keine Persönlichkeiten einzumischen. Die Gegner hatten sich in ihren einzelnen Vertretern, jedenfalls in ihren Wortführern blossgestellt, grade darum durften sie nicht von den Humanisten eine Gelegenheit zu gleichen Angriffen erhalten. Was konnte auch der Reuchlinschen Sache, wenn man die Angelegenheit, die damals von dem ganzen gebildeten Deutschland als die seinige betrachtet wurde, so nennen darf, für Förderung daraus entstehen, wenn man wusste, das hat Hutten geschrieben, das Crotus, das ein Dritter; alle, die man als

Schreiber vermuthen konnte und vermuthet hat, fühlten sich eng zu einem Ganzen vereinigt und wollten nicht getrennt sein [1]).

Die Pariser Theologen waren nur einem von anderwärts her gegebenen Impulse gefolgt. Sie konnten immerhin wegen des gegen die Humanisten geführten Schlages angefeindet und gehasst werden, aber der Hauptangriff musste den Kölnern gelten. Und unter ihnen lenkte durch seine rastlose Thätigkeit vor allem Pfefferkorn die Aufmerksamkeit auf sich. Wir haben schon in den Briefen der Reuchlinisten gesehn, wie auf ihn sich aller Hass entlud. Er galt für den Hauptanstifter der ganzen Angelegenheit, ihn musste daher die ganze Erbitterung treffen. Er that freilich auch Alles, um diesen Hass zu verdienen. Trotz des kaiserlichen Verbots zu schreiben, gab er eine neue Schrift: Sturmglock [2]) heraus, deren Inhalt ohne jede Bedeutung ist, die nur den Zweck gehabt zu haben scheint, das Urtheil der Pariser Fakultät, das in deutscher Uebersetzung mitgetheilt ist, in Deutschland bekannt zu machen, die aber durch die unerhörte Heftigkeit ihrer Ausdrucksweise „wider den ungetreuen Sünder Reuchlin", die Gemüther aller derer, die sich in Reuchlin getroffen fühlten, aufs Stärkste erregen musste. Wegen der Veröffentlichung seiner Schrift wurde Pfefferkorn, freilich erst im März des folgenden Jahres 1515, vor das kaiserliche Gericht geladen, ohne dass die Vorladung eine ernstliche Folge gehabt zu haben scheint [3]).

---

[1]) Diese Worte sollen keineswegs so aufgefasst werden, als wollte ich denen zu nahe treten, die sich bemühen, die Verfasser aller der kleinen Schriften aus jener Zeit ausfindig zu machen, obwol Vieles nicht klar gemacht werden kann und nur auf Hypothesen beruhen bleiben muss. Bekanntlich hat sich vor allem Böcking in der Untersuchung dieser Fragen grosses Verdienst erworben und ich nehme seine Resultate meistens an. Nur in den wenigsten Fällen lassen sich mit dem bis jetzt vorhandenen Material neue Untersuchungen anstellen, die zu einem irgend wünschenswerthen Ziele führen.

[2]) Vgl. den Titel bei Majus, p. 422; die Schrift Pfefferkorn abzusprechen hat man keinen Grund, s. m. Pfefferkorn, S. 303, A. 1. Nachzutragen ist, dass dieselben E. o. v., die I, 48 den Wigand Wirth als Verf. der Sturmglock bezeichnen, I, 29 sagen: *sicut scribit magister Joannes Pfefferkorn in suo libro qui dicitur Sturmglock.*

[3]) Im Chronicon sive Annales G. Spalatini (bei Mencken, Scriptores rerum Germanicarum II, p. 591 fg.) steht unter der Aufschrift *Johannis Capnionis dignitati: Eodem hoc anno* (1515) *D. Max.-Aemilian. Caes. vocavit in jus suum Quentell et Pepericornum quod non dubitarint contemptu Caesaris edicto*

Die Humanisten, die von einem Gerichtshof keine Unterstützung haben wollten, bedienten sich zur Bestrafung Pfefferkorns anderer Mittel. Man kann nicht sagen, dass diese sehr gut gewählt waren, und darf diesen Umstand beklagen. Zu einem schlechten Ziele mögen verwerfliche Mittel gut sein; um Fortschritt und Freiheit zu erlangen, muss man auf der Bahn des Rechten verharren.

Ein vor kurzer Zeit geschehenes Ereigniss bot den Humanisten zu ihrem Angriff willkommenen Anlass. In Halle war (Septbr. 1514) ein getaufter Jude, Namens Pfaff Rapp, wegen verschiedener Verbrechen, die man ihm Schuld gab, — er sollte trotz seiner Taufe mit den Juden in steter Beziehung gestanden, ohne Priester zu sein Messen gelesen, aus altem jüdischem Hass Christenkinder geschlachtet, Christen durch absichtlich schlechte Behandlung umgebracht haben — auf schmähliche Weise hingerichtet worden. Wahrscheinlich hat Hutten selbst bei der gerichtlichen Verhandlung als erzbischöflich mainzischer Commissar fungirt und musste den Sachverhalt kennen. Aber man wollte die Wahrheit nicht wissen, bald kam das Gerücht auf, über dessen Entstehung Nichts bekannt ist, der Kölner Pfefferkorn sei in Halle verbrannt worden. Man beschrieb die Hinrichtung und das dem Tode vorangehende Bekenntniss in lateinischer und deutscher Sprache, in Versen und Prosa. Man wusste vielleicht das Bessere, aber man wollte hier der Wahrheit keinen Raum geben: als Pfefferkorn erwiesen hatte, er sei noch am Leben, sagte man, seinen Bruder, und wie er bezeugte nie einen Bruder gehabt zu haben, seinen Vetter hätte die Strafe getroffen. Hutten bekannte später, er habe geirrt[1]), aber zur Zeit der Hinrichtung trat er gegen den angeblich getödteten Pfefferkorn auf. Er schrieb ein Gedicht auf das sehr verbrecherische Leben des Uebelthäters[2]), zählte seine Schandthaten auf und freute sich über das schreckliche seines Lebens würdige Ende, das Reuchlin's Feind genommen. Er frohlokte, dass Pfefferkorn kein Deutscher wäre, Deutschland hätte ein solches Ungeheuer nicht tragen

---

edere Sturmglocken et Acta Parisiensium Theologorum contra ejus famam et integritatem . . . Dat. Wormatiae 13. Mart. 1515. — Von dieser Vorladung spricht auch Pfefferkorn in der defensio p. 161 fg.: er habe sich allein durch seine Unschuld vertheidigt.

[1]) Vgl. über dies und das Vorhergehende m. Pfefferkorn, S. 370 fg. und die Anmm. das.

[2]) Böcking, Hutteni opera III, p. 345 ff.

können, seine Eltern seien Juden und er selbst bleibe es auch, wenn er gleich den unwürdigen Körper in die Taufe Christi getaucht hätte.

Aber mit einem Angriffe gegen Pfefferkorn, selbst mit seiner Vernichtung war nicht genug geschehn; hinter ihm stand seine ganze grosse Partei. Wie er ihr als Vorläufer diente, so wurde der Angriff gegen ihn seitens der Humanisten nur als Plänkelei betrachtet, der Hauptschlag musste gegen die Führer der Partei selbst geführt werden.

Der Hauptschlag wurde geführt; die *Epistolae obscurorum virorum* erschienen. Darüber jetzt, nachdem so unendlich viel davon gesprochen worden [1]) Neues zu sagen, scheint unmöglich, es kann nur versucht werden, einiges Alte zu wiederholen.

Die Dunkelmännerbriefe erschienen nicht auf einmal. Die erste Sammlung wurde ohne Jahresangabe und mit falschem Druckort Ende 1515 veröffentlicht, im August 1516 folgten Zusätze, der Anfang des Jahres 1517 brachte den Haupttheil des 2. Buches, und der Frühling Nachträge zu diesem. Die allgemeine Ansicht, die gleich beim Erscheinen der Briefe Hutten und Crotus als Verfasser ansah, hat sich nicht getäuscht; ob Andern gleichfalls Antheil an der Herausgabe gebührt, ist mit Sicherheit nicht zu entscheiden [2]).

Es war ein bis dahin noch nicht gewagtes, seitdem aber unzählige Male mit mehr oder weniger Glück nachgeahmtes Unternehmen, die Gegner in ihrer eignen Weise auftreten und reden zu lassen. In ihrer schlechtesten, gemeinsten Gestalt, wie wol nur Wenige sie zeigen mochten, wurden sie da geschildert, „tölpische, genussüchtige, von dummer Bewunderung und fanatischem Hass beschränkte, deutsche Pfaffen" [3]). Aus allen Orten, den kleinen und grossen, schreiben die Mönche an Ortuin Gratius, das Kölner Haupt,

---

[1]) Damit meine ich die unzähligen Darstellungen in Reuchlins Leben, und allen den Büchern, die nur entfernt sich mit der Schilderung jener Zeit beschäftigen; vor allem aber die in ihrer Art einzige Auseinandersetzung von Strauss, I, S. 230—271. Besseres zu geben als Strauss vermag ich nicht, und ihn auszuschreiben, wäre gewissenlos; ich begnüge mich, auf ihn zu verweisen.

[2]) Die neueste und beste Ausgabe hat Böcking gegeben in Opera Hutteni, Supplementum, vol. I, p. 1—80 und 181—300 und Separatausgabe. Leipzig 1858 und 1864 in 12°.

[3]) Ranke, I, S. 188.

er ist ihr Meister und Pfefferkorn sein Prophet; sie kennen Reuchlin nicht, haben den Augenspiegel nicht gelesen, aber doch ist er ein Ketzer, er muss verdammt werden. Sie fühlen sich so glücklich in ihrer Unwissenheit; der Geist, den sie nicht geübt haben und nicht üben wollen, lässt sich so willig in die Fesseln mittelalterlich-scholastischer Methode einschlagen, ihre Sprache, das lächerlichste und barbarischste Deutsch-Latein, das sich denken lässt, klingt ihnen so melodisch [1]); da kommen die neuen Poeten, verspotten die alten Meister, verlachen die veraltete Methode, bringen einen ganzen Schatz neuer Dichter hervor, die sie als gültige, als allein nach-ahmungswerthe Muster hinstellen. Die äusserliche Frömmigkeit be-hagt ihnen so wol: sie schlemmen und prassen, gehen ungestört ihren fleischlichen Begierden nach, dann lesen sie Messen und erhalten Absolution für den begangenen Fehl; da kommen nun ernste, würdige Männer, die mit der bisher geübten Form nicht zufrieden sind, die an die Stelle äusseren Frommthuns wahre, innere Heiligkeit setzen. Die Mönche erzählen ihre Unthaten, verkünden ihre Dummheiten, und offenbaren ihre Verketzerungssucht.

Zutreffend muss die Schilderung gewesen sein, denn zuerst meinten die Mönche wirklich, sie wäre von einem aus ihrer Mitte ausgegangen, wenn sich auch der Irrthum bald aufklärte. Von grossem Erfolg war die Schrift gewiss; manchen Schwankenden wird sie bestimmt, Manchem, der in der Angelegenheit noch gar keine Stellung eingenommen hatte, seinen entschiedenen Platz angewiesen haben. Aber von der durchschlagenden Wirkung, die man ihr manchmal zugeschrieben 'hat, konnte sie nicht sein. Erinnern wir uns der Zeit: der Streit, der sich an Reuchlins Namen knüpfte, war in den Augen der Männer, auf deren Stimme man in Deutschland zu hören gewohnt war, längst entschieden. Schon seit zwei Jahren hatte der Mutianische Kreis Reuchlin rückhaltlos seiner Zustimmung und seiner Mithülfe versichert; seit geraumer Zeit liefen Briefe in Menge bei ihm ein, in denen er als kühner, mächtiger, Alles unter-werfender Held gepriesen wurde; schon war sein Triumph geschrieben; im Juni 1515 waren bereits beim Papste Empfehlungsschreiben für ihn von Fürsten, Bischöfen, Aebten, Städten eingelaufen. Bedurfte

---

[1]) Bemerkenswerth ist, dass schon Reuchlin in Beziehung auf Ortuin gesagt hatte: *Ecquis unquam Latinorum dixit amariciem? quis oratoream?* Defensio G a.

es da noch eines Werkes, das den Sieg entschied? Die Dunkelmännerbriefe sind weit mehr der Ausdruck des Siegesbewusstseins
der Reuchlinschen Partei, das Triumphzeichen, das man nach
schwerem Kampfe für ewige Zeiten aufpflanzte, als eine neue Waffe,
deren man sich im Streite bediente, das letzte schwere Geschoss,
das man gegen den Feind aus der Rüstkammer hervorholte.

Gross war der Jubel der Humanisten, als sie die Briefe lasen,
gross der Schrecken der Dunkelmänner. Die jenen Briefen nach-
geahmte Literatur mehrte sich rasch, wir hören bald von diesem,
bald von jenem, dass er in der Weise der *obscuri* gedichtet. Manche
dieser Erzeugnisse sind nicht bekannt geworden, gar viele sehr
unbedeutender Art und der Erwähnung kaum werth, die meisten
gehören einer späteren Zeit an und haben die Anstrengungen der
Feinde gegen die Reformation zum Gegenstand und behandeln den
Reuchlinschen Streit nur beiläufig.

Die freudige Theilnahme, mit der die Dunkelmännerbriefe begrüsst wurden, war nicht ganz ohne Ausnahme. Erasmus gab
seine Missbilligung offen zu erkennen. In einem Briefe an Caesarius,
der später von den Gegnern zu ihren Gunsten ausgebeutet wurde,
sprach er zum ersten Male die Mahnung aus, die wir später noch
häufig werden erklingen hören, die humanistische Sache, der auch
er von ganzem Herzen den Sieg wünschte, und zu deren Triumph
er mit aller Kraft mitgearbeitet hatte, nicht durch heftige persönliche
Angriffe zu verunstalten und zu gefährden. Er sprach diese Mahnung
nicht nur aus, weil man ihn, wenn auch zart genug, in die Briefe
mit hineingezogen hatte, weil man ihn als Verfasser solcher und
ähnlicher Schriften ausgab, obwol ihn auch das nicht gerade gefahr-
bringend, aber doch unangenehm genug dünkte, sondern weil ihm
das in den Briefen zum Ausdruck kommende Princip ein bedenk-
liches, ja ein verderbliches schien. Erasmus bekämpfte die Dinge,
das feindliche System, nicht die Personen; er konnte an jenen das
Lächerliche hervorheben und tadeln, aber der einzelnen Menschen
Thorheiten zu strafen, war nicht seine Aufgabe. Auch Luther war
mit den Dunkelmännerbriefen nicht einverstanden, er fand sie frech
und nannte den Verfasser einen Hanswurst [1]).

Die Bekämpfung des thörichten Versuchs, Reuchlin zum Ver-

---

[1]) Vgl. die bei Strauss S. 272 angeführten Stellen.

fasser der Schrift zu stempeln, ist jetzt durchaus unnöthig. Unbedingt zustimmen konnte Reuchlin diesen Briefen nicht, sie standen doch seiner ganzen Sinnesart zu fern, aber mit offenem Auftreten oder auch mit einer Erklärung dagegen in vertrauten Briefen hätte er seinen Gegnern eine zu mächtige Waffe in die Hand gegeben [1]).

Die Gegner aber konnten den Schlag, der gegen sie gerichtet gewesen war und sie schwer getroffen hatte, nicht unbeantwortet lassen. Zuerst trat der allzeit gerüstete Pfefferkorn auf. Er gab, nachdem erst der erste Theil der Briefe erschienen war, eine Schrift heraus, die deutsch und in lateinischer Bearbeitung — die letztere ist durch eine in jüngster Zeit erschienene neue Ausgabe verbreiteter und bekannter geworden — erschien [2]). Ihr Hauptzweck ist die

---

[1]) Camerarius, vita Melanchthonis ed. Strobel p. 18. *Ingrata etiam erat prudentiae et gravitati illius senescentis iuvenilis levitatis exultatio et hanc non tam facto quam exemplo nocere posse perspiciebat.* Schon bei Strauss, S. 271, A. 3 angeführt.

[2]) *Defensio Joannis Pepericorni contra famosas et criminales obscurorum virorum epistolas* u. s. w. Vollständiger, wenn auch nicht typographisch genauer Abdruck des Titels und der ganzen Schrift, wobei nur zu erwähnen ist, dass die am Schluss angegebenen Druckfehler im Text nicht verbessert sind, bei Böcking, Opera Hutteni, Supplementum vol. p. 81—176 und in der kleinen Ausgabe zusammen mit den Lamentationes Leipzig 1864, p. 1 —200, nach der ich citire. Die deutsche Schrift erschien unter dem Titel: Beschyrmung Johannes Pfefferkorn | (den man nyt verbrant hat) zeygt menniglichen an. Den | loblichen handell von ym geubt. zwyschen ym vnd wy | der Johan Reuchleyn vnd der trulosen juden zusambt | yren mithelffers. Die wylche durch offenbaren smach bu·, cher. den aller vnfletigisten vnd vnfruchbarlichsten same | in die welt aussgeworffen haben. | Darunter ein in zwei Felder getheiltes Bild. Erstes Bild: auf der einen Seite der Papst, auf der andern der Kaiser, beide mit einigen Begleitern. Zweites Feld: links Pfefferkorn kniend und mit der Hand auf eine Gruppe weisend, in der Reuchlin, als Ungethüm abgebildet, von seinen Gegnern überwältigt wird, hinter ihm stehen betrübt seine Freunde. Darunter noch 6 Verse eines 42 zeiligen Gedichts:

> O yr Cristenlichen fursten. vnd heren mit got
> wie lang wolt yr zu sehen diesen spot
> Sathanas des dufels nempt doch war
> er zucht zu ym. eyn grosse schar
> An der gotlicher menscheyt. wil er sich rechen
> den heyligen glauben vermeynt er zu brechen.

A—H à 4 Bll. in 4°. O. O. u. J. (Augsburger Stadtbibl.) Das Verhältniss der Beschyrmung zur Defensio ist Folgendes: Der Anfang ist verschieden; die Uebereinstimmung beginnt Defensio p. 11.: *Quam ob causam;* Beschyrm. B b.

Vertheidigung Pfefferkorns gegen die mannigfachen Angriffe, die er
in den Dunkelmännerbriefen erfahren, und ein direkter Angriff gegen
seine Feinde. Aber, abgesehn von ihrem eigentlichen Zwecke, ist
diese Schrift sehr werthvoll, gewiss die, historisch betrachtet, werthvollste aller der in dem Streite gewechselten Schriften, sie enthält
eine oben bereits vielfach benutzte Erzählung des ganzen Streites
und eine grosse Reihe von wichtigen Briefen, Urkunden und Aktenstücken.

Dem Haupte der Christenheit, der sein Mandat für Niederschlagung des Prozesses zu Rom noch nicht gesprochen hatte, wid-

---

Ausgelassen sind dann in der Besch. fast alle Stellen, die nicht erzählen,
sondern in abschweifenden Bemerkungen gegen Reuchlin sich ergehen, nämlich
folgende: Def. p. 14. *Priusquam* — *Colonie* 1516; p. 24 *nota lector* — p. 27,
Z. 2; p. 43 *Et si quis Philocapnion* — p. 44 *resecabit;* p. 56 *Nota lector* —
p. 57 *revertamur;* p. 58 *Ex istis* — *revertar;* p. 66 *Nota lector* — p. 73
pervenerit, [der folgende Passus von *Quum pastor* an ist im Deutschen etwas
zusammengezogen]; p. 78 *Nota lector* — p. 92 *perlustremus;* p. 98 *Sed hoc
quam* — p. 99 *scripserunt;* p. 104 *Nota primo* — p. 110 *infra dicentur;*
p. 130 *nota* — p. 143 *historia;* p. 152 *Nota* — p. 153 *historiae.* Die Adresse
des Briefes p. 74 ist ausgelassen und statt der langen Ueberschrift p. 126
findet sich in der Beschyrmung eine kurze (K 2^b); irrthümlich das. G 4^b·
N. doctor statt *LL. doctor* p. 78 und L 2^b; *Januarias* statt *Junias* p. 150.
Neu ist D 3$^{a\,b}$ der Rathschlag der Universität Heidelberg, der p. 38 nur
dem Sinn nach angegeben ist; aus den dort gebrauchten Worten *quam consultationem de verbo ad verbum et ex integro hic inserere omisimus, eo quod in
libro nostro Theutonico integram collocavimus* geht übrigens hervor, dass die
Beschyrmung früher vollendet war, als die Defensio, wenn sie auch beide
zu gleicher Zeit herausgekommen sein mögen. Kleinere Zusätze sind F.^{b}
nach Reuchlin (p. 45, Z. 2) „tzo dem ich eyn sunderlich verlangen het synen
zusagen nach, wie vorgeschryben"; G. 4^b nach *executio* p. 93, Z. 11: „Und
wen er dan daruber erfunden wurde, so mocht er sagen wie Johan reuchlyn:
Ich hab es nyt also und also gemeynt"; K 4^a nach *Coloniensis* p. 130
„Darumb so ist der dufel aber mals lugenhaftig worden". Bemerkenswerth
ist auch die Auslassung des *alterius* in der Ueberschrift p. 123 in Beschyrm.
K^a. — Die deutsch abgefassten Aktenstücke, wie die kaiserlichen Urkunden,
die Briefe des Erzbischofs an den Kaiser und das Gutachten der Heidelb.
Universität sind in der Beschyrm. deutsch, die lateinisch abgefassten mit Ausnahme des Verdammungsurtheils der Pariser Universität über den Augenspiegel lateinisch wiedergegeben. — Von J. 3 bis zum Schluss (N 4^a) weicht
die Beschyrm. von der Defensio p. 153—200 durchaus ab. — Nur für die
Beschyrmung nehme ich das Autorrecht Pfefferkorns in Anspruch; die
Uebersetzung ins Lateinische und die grossen Zusätze der Uebersetzung
rühren von irgend einem der Kölner her. —

mete Pfefferkorn seine Schrift[1]). Nur bei ihm könne er Hülfe
suchen, den seine bewundernswerthe Redlichkeit, Tugenden und
Verdienste, seine unbestechliche Reinheit zu der höchsten, fast uner-
klimmbaren Stufe weltlicher Macht und Ehre erhoben hätten. Er
möge ihn unterstützen, denn Reuchlin habe ihn verletzt, habe ihn
angegriffen, und, trotzdem er Angreifer gewesen, geschmäht und
gehöhnt: Ein kaiserlicher Befehl habe beiden Parteien Stillschweigen
geboten, aber auch diesen hätten Reuchlin und seine Freunde nicht
beachtet; in den Dunkelmännerbriefen, die sie ohne ihre Namen zu
nennen herausgegeben, hätten sie aufs neue seine Ehre schwer
gekränkt. Solche Kränkungen habe er am wenigsten erwartet, er,
der sein ganzes Leben der Bekehrung der Juden gewidmet, der
bereits 14 Seelen dem Christenthume gewonnen habe und gewiss
weiter segensreich wirken würde, wenn ihm Papst und Cardinäle
Ruhe vor seinen Feinden verschafften.

Anders sprach er zu seinem Erzbischof, Hermann von Köln.
Er erinnerte ihn an das Verbrechen der Hostienschändung, wegen
dessen 38 Juden in Berlin (1509) mit dem Tode bestraft worden
waren[2]), knüpfte daran die Erzählung einer Unterredung, die er mit
dem Bruder des damaligen Churfürsten Joachim von Brandenburg,
dem jetzigen Erzbischof von Mainz, gehabt hatte, enthüllte seine
Ansichten über die Juden, erklärte das alberne Mährchen, als gebrauchten die Juden am Passah Christenblut, für unwahr, aber hielt
die übrigen Anklagen, dass sie dem Christenthum feindlich gesinnt
wären und dieser Feindschaft in Worten, in Schmähungen gegen
Jesus und Maria, und in Thaten, der Schändung von Hostien u. a. m.,
Ausdruck gäben, aufrecht.

Ausser dem bereits benutzten historischen Theile der Defensio,
an dessen einzelne Abschnitte sich oft sehr ausführliche Auslassungen
anreihen, die wenig mehr als Schmähungen enthalten, bietet dieselbe fast nichts Erwähnenswerthes. Neu vielleicht ist die Bemerkung, dass es den Kölnern ganz natürlich erscheine, bekämpft
zu werden, denn schon der bekannte Astrologe Johann Lichtenberger
habe ihnen vor etwa 20 Jahren für diese Zeit einen grossen Angriff

---

[1]) *Beatissimo in Christo patri domino nostro D. Leoni divina providentia
pape X. . . Colonie. anno XVI. i Jul'.* p. 3—7.

[2]) Der Kürze halber verweise ich auf G r ä t z, Gesch. der Juden IX,
S. 99 fg.

vorhergesagt [1]); der unwahre oder jedenfalls sophistische [2]) Vorwurf, Reuchlin habe das vom Kaiser gebotene Stillschweigen zuerst gebrochen: erst nachdem die *Epistolae clarorum virorum* herausgekommen wären, sei die Sturmglocke erschienen [3]); die Vertheidigung Pfefferkorns gegen einzelne Schmähungen, mit denen er in diesen Briefen von Pirckheimer, Joachim Vadian, Simon Lazius [4]) verfolgt worden sei [5]). Seine eigentliche Vertheidigung gegen die Dunkelmännerbriefe ist sehr kurz, sie besteht fast allein darin, dass er den ketzerischen Inhalt dieser Briefe angibt und damit schliesst, dass die Sünder, die solchen Frevel auf sich geladen hätten, nicht frei gesprochen werden könnten. Er habe kein Verbrechen begangen, er sei zwar ein geborener Jude und sogar aus vornehmem jüdischem Geschlecht, habe als Jude, wie alle seine ehemaligen Glaubensgenossen, in greulichem Laster gelebt; seit er aber Christ geworden, lebe er rein [6]).

Nur ein persönlicher Feind könne Schmähungen erdichten, wie sie die Dunkelmännerbriefe enthielten; er besitze 'nur einen persönlichen Feind: Reuchlin, der müsse Verfasser der Briefe sein [7]). Auf ihn passe auch Alles, schon sein Name *(fumulus)* zu dem Jener *(obscuri)*, die Schmähungen, die seine Schriften und diese Briefe gegen seine (Pfefferkorn's) Frau enthielten; der Vergleich, den Reuchlin einmal zwischen der Menschlichkeit Christi und einem Hurenkleid mache, stimme überein mit der Bezeichnung Maria's in den Briefen als Hure Jupiters; die Briefe seien nur zum Lobe Reuchlins geschrieben, habe er doch einst Collin gedroht, er werde mit Hülfe seiner Freunde gegen die Kölner aufstehn.

Die Beschyrmung beginnt mit einem Gedicht, das die unsäglichen Anstrengungen des Teufels beschreibt: er bemühe sich, die Ruhe in der Christenheit zu stören, Alles wild durcheinanderzuwerfen,

---

1) Defensio a. a. O. p. 190 sq.

2) S. o. S. 321.

3) Defensio p. 179.

4) S. über diese Briefe oben S. 324 ff.

5) Defensio p. 158 sq.

6) p. 164 sqq.

7) p. 180—183.

aber vor der allmächtigen Kraft der Wahrheit werde er weichen müssen [1]). Das Büchlein, sagt er dann, ist Niemandem zum Hass und zur Schmach geschrieben, sondern allein zu seiner Beschützung, zur Vertheidigung des Rechts und zu Gottes Ehre. Die Schrift ist dem Erzbischof von Mainz gewidmet und behält ähnlich wie Reuchlins Vertheidigung gegen die Kölner Verläumder die Briefform bis zum Schluss bei, so freilich, dass nur noch am Ende eine Anrede an den Erzbischof vorkommt, in der Pfefferkorn betheuert, nur das schreiben zu wollen, was von der Kirche gebilligt würde [2]). Der eigentliche Brief an den Erzbischof ist wenig mehr, als eine längere Ausführung der Unterredung mit ihm, die er dem wesentlichen Inhalt nach in der Defensio dem Erzbischof Hermann von Köln mitgetheilt hatte.

Das Neue, das sich in dieser Schrift findet, ist nicht sehr bedeutend. Nur ganz kurz spricht er von den Dunkelmännerbriefen, die Reuchlin oder seine Gesellen zum Verfasser hätten [3]); verwahrt sich dagegen, dass man ihn Betrüger und Verräther schelte: er habe niemals etwas Unredliches gethan, sei ein redlicher Christ, glaube und übe die Gebote der Kirche. Das Christenthum sei die einzig wahre Religion, denn ihm hingen die meisten Menschen an, seine Bekenner haben reine Sitten und seien Gott wolgefällig, während Gott sich von den Juden abgewendet habe. Er glaube an das Christenthum wegen der Wunder, die Gott den Aposteln, der Jungfrau Maria erwiesen, der Wunder, die Er täglich dazu erschaffe, dass soviele sich dem reinen Gottesdienst in Klöstern hingeben, die Er

---

[1]) Die ersten Verse s. o. S. 378 Anm. 2; der Schluss lautet:

Die wahrheit ist von sulcher natuyr
sy kan wal smecken suss vnd suer
Sie last sich wol drucken eyn wijle
bald schoust sy vff recht wie eyn pfyle
Sant peter schiff mach wol wyncken
doch in der ewikeyt nummer verdryncken.

[2]) H 4ᵃ. Die Schlussworte lauten: in dem genen, do ich geirt het, meyn schuld zo bessern und zo wyderruffen, des wil ich mich nyt schemen. Lieber ist es myr mit eynem aug in das ewig leben zu geen, dan mit beyden augen in die ewig verdumnyss. Davor uns got woll behuten. Amen.

[3]) L 3ᵇ. Bemerkenswerth ist die Stelle: „Ich sag nit, dass es Johan Reuchlyn gemacht habe, aber ich habe eyn vermuten, das er darumb eyn wyssen sol haben, eins theils die raten, doctor puschnar sy der vater, eins theils die raten, doctor kuttnar sey die mutter, eins theils die raten, doctor schnurnar sy der gevatter." Sollte nicht in „puschnar, kuttnar, schnurnar" die Erinnerung an Busch, Hutten, Nuenaar nachklingen?

im heiligen Sakrament hervorbringe, die Er in ihm selbst durch
seine Bekehrung gewirkt habe [1]). Ja, er liebe das Christenthum in
noch höherem Grade als Andere, weil er lange in der Finsterniss
habe umhertappen, lange in Unkenntniss habe schmachten müssen.
So betrachte er es nun als Gnade Gottes, für seinen neuen Glauben
zu leiden, und Lästerungen zu ertragen, welche die Reuchlinisten
gegen ihn häufen [2]).

Zuletzt beschwört er den Erzbischof, Maassregeln gegen die
Juden zu ergreifen, sie zu schweren Arbeiten anzuhalten, zum Anhören von Predigten zu zwingen, ihre verderblichen Bücher zu vernichten, auf die getauften Juden ein wachsames Auge zu haben, und
Missbräuche und Schandthaten, die leicht von ihnen verübt werden,
zu verhüten. Auch gegen Reuchlin solle man strenger zu Werke
gehn: den Handel in Rom nach dreijährigem Hinziehn nun schleu-
nig zu Ende führen, und endlich ihm, dem Schreiber, der in seiner
Ehre verletzt sei, durch einen Richterspruch vor weltlichen und
geistlichen Richtern Recht verschaffen [3]).

Wahrscheinlich am Anfang 1517, nach Veröffentlichung des
zweiten Theils der Dunkelmännerbriefe [4]), jedenfalls später, als die
eben besprochenen Schriften Pfefferkorns [5]), erschien das Streitbüch-
lein [6]). Auch diese Schrift bietet wol eine Erzählung des bis jetzt

---

[1]) Das im Texte Angedeutete führt Pfefferkorn aus L 4[b] — M 3[a] mit der
Vorbemerkung: „So hab ich die bewegung meynes geists in tzwelff artickell
gesetzt, und unterscheydenlich auss gedeylt und uss gegossen zu eygnem
zeychen und beweyss der tzwelff artickell des Christenlichen glaubens."

[2]) Anführen will ich nur die eine auf Reuchlin zielende Bemerkung
H[a]: Man bedarff myr kein prillen auff die nasen setzen, ich kan woll sunder prillen sehen . . . .

[3]) H[b] bis zum Schluss.

[4]) Am Anfang der gleich anzuführenden Schrift: Wie wol abermals
die falschen broeder Obscurorum virorum Joannes Reuchlyn in negst ver-
schinener Erbstmess Franckfort uber eyner lasterschrifft mich haben gemelt u. s w.

[5]) Das. A. 3[a]: So han ich gedachter Pfefferkorn den gantzen handel ...
ordentlichen beschryben, Dem ich eynen namen gegeben han. Defensionem
Joannis Pfefferkorn, kurtz vor diesem puechlyn in dem Teutzen vnd latyn
aussgangen, beweglich zu lesen. S. B 3[a]. Das vynt man alles in meynem
ersten puechlyn Defensionis, ist nit noit, das alhie zu verzelen. B 4[a]: wie
dan die selbige ratsleg und des busschofs alle hab ich auch in meynem
puechlyn Defension nach der snuyr beschryben.

[6]) Streydtpuechlyn | vor dy warheit vnd eyner warhafftiger historie

geführten Handels, aber ihr Hauptzweck ist das nicht; das urkundliche Material war nun vollständig vorgelegt, und es wäre überflüssig
gewesen, dasselbe nach so kurzer Frist zu wiederholen [1]). Vielmehr
ist die Absicht des Schriftchens eine vorzugsweise persönliche; es
soll Pfefferkorns Ehre wiederherstellen, von böswilligen Verläumdungen
und Beschimpfungen ihn befreien. Zu dem Ende bringt er eine
Urkunde der Stadt Dachau vor, dass er weder hier Fleischer, noch
des Diebstahls angeklagt gewesen, noch ihm die Rückkehr dahin
verboten sei [2]); eine Empfehlung der Stadt Nürnberg „dweyl er sich
dan by uns vormals erlichen, zimlich wesens gehalten hat" [3]), einen

Joan nis Pfefferkorn Vechtende wyd' den falschen Broder | Doctor Joannis
Reuchlyn: vnd syne jungerē. Ob- scurorum virorū. Die Formals verstolen
wyd' mich | vnd noch vil mer wyd' die heylig kyrch vnd wyd' vill | erbar
menner auss gegossen habē. eyn vncristēlich. ketz | erlich. vnwarhafftig.
schentlich. schmach schryfft. | Darunter ein Bild: links Pfefferkorn mit einer
Fahne in der rechten Hand, mit der linken auf den vor ihm sitzenden
Reuchlin zeigend, den er mit seinem Fusse tritt. Vor Reuchlin ein aufge-
schlagenes Buch, dass er mit der linken hält und mit der rechten darin
zeigt, neben ihm ein Topf mit zwei Kochlöffeln, in seinem Munde zwei
Zungen (womit auf die Widersprüche gedeutet sein soll, in die er sich in
seinen Schriften verwickelt vgl. Bl. Cᵇ, C 3ª); hinter ihm 3 Knaben in
Schülerkleidung. (Dasselbe Bild nochmals auf der letzten Seite; darüber
steht links: „Johannes Pfefferkorn", rechts „Obscurorum virorū"; darunter:
„Banyr de' warheit trag ich in der handt | Far hin puechlin in alle landt.")
Unter dem Bilde stehen die Zeilen: Rechtfertigkeit | sunder barmhertzigkeit.
vur das al ler myest wort in diesem puechlyn. vnr Gott vnd der | welt zu
approbyren vnd zu beweysen. vnd will dar | gegen meyn leyb vnd leben zu
vnd'pfant gesetzt habē | den strengen doit darumb zu leyden. | A—G à 4 Bll.
in 4º. O. O. u. J. Am Ende der vorletzten Seite steht: Die Tyrannen der
welt essen myr ab meyn fleisch | vnd blut. Aber meynen glauben vnd guten
wyllen | kunnen sy myr nit essen. die warheit sol bleyben in der | ebigkeyt. |
(Augsburger Stadtbibliothek.) Das Schriftchen ist ebenso wie die beiden
vorher besprochenen, keinem Biographen Reuchlins bekannt gewesen. —
Eine lateinische Uebersetzung der Schrift existirt nicht.

    [1]) Wiederholt sind nur das erste kaiserliche Mandat 19. Aug. 1509
A 3ᵇ—A 4ᵇ; das vierte 6. Juli 1510 B 3ª—B 4ª und das Empfehlungsschreiben Uriels für Pfefferkorn an Maximilian, F 3ª; neu ist die Bescheini-
gung der Stadt Frankfurt, die confiscirten Judenbücher erhalten zu haben;
4. Oktober 1509 B ª ᵇ.
    [2]) 21. Jan. 1510 Montag Nach sant Sewastianes und Fabianus tagh.
E 4ᵇ—F ª.
    [3]) Pfyntztag nach vnser lieben frauwen tagh (10. Sept.) 1506. F ᵇ fg.

Schutzbrief Pfalzgraf Philipps, ihm in seinem Vorhaben, Freunde
und Verwandte zum Christenthum zu bekehren, hülfreiche Hand zu
bieten[1]); eine Empfehlung des Mainzer Erzbischofs Uriel an den
Kaiser; eine Urkunde dieses, dass man Pfefferkorn für einen
kaiserlichen Diener halten, ihm Schutz und Schirm gewähren und
freies Geleit geben solle[2]); und endlich ein Zeugniss der Rentmeister
der Stadt Köln, worin er wegen seines frommen und christlichen
Lebens zum Hospitalmeister von St. Revylien vorgeschlagen wird[3]).

So gerüstet schlägt er die Anschuldigungen nieder, die man
gegen ihn erdacht, die absichtliche Verwechselung, die man zwischen
dem in Halle hingerichteten Pfaff Rapp und ihm habe machen wollen[4]),
die Vorwürfe, als hätte er den Augenspiegel verrathen und unzu-
lässiger Weise bekannt gemacht, als hätte er die Universitäten zum
Vorgehn gegen die Juden und später gegen Reuchlin bewogen und
den ganzen Handel nur aus Hass und Gewinnsucht begonnen[5]).
Nicht er sei der Frevler, sondern Reuchlin. Sein Benehmen, nachdem er ihm zuerst Hülfe versprochen und sie ihm dann verweigert
habe, ja als offener Gegner aufgetreten sei, zieme sich für keinen

---

[1]) Dinstag nach sant Bartholomeustag (25. Aug.) 1506 F 2a b.

[2]) Augspurg 26. Juni 1510 F 4a b.

[3]) 1. Juni 1513 F 3b.

[4]) Nachdem er gesagt, wer der Pfaff Rapp gewesen, fährt er fort E 4b:
Nun hat zu dem yrsten Udalricus von Hutten zu vill unerlichen ge-
schryben, unnd mit vyll anderen scheltworten ausslassen drucken unnd dar
nach der blint anhanck Obscurorum virorum felschlichen uffgeworffen, das ich
sey der man und darnach sey es mein Broder gewest. Nun ist offenbar, das
ich eyn eyniger son meyner alteren byn. — So schreyben sy nun zu dem
drytten anders, es sei mein Vetter gewest, nun hab ich keynen Vetter der
Johannes Pfefferkorun heysst, der cristen worden wer.

[5]) D·3a fg. — Die Eintheilung der Schrift in die 4 Theile:
Zum ersten eyn verzelung der hystorie, des handels zwyschen myr und
Johannes Reuchlin der juden halben verloffen ist.
Zu dem andern wurt gesagt von etlicher untrew und die uncristlichen
articlen Joannes Reuchlyn und seiner jüngeren Obscurorum virorum.
Zu dem dritten ein ussdeylung, straffung und wyderhalt mancherley
unwairheit wyder mich ghedacht, sein unrecht zu bedecken.
Zu dem vierden eyn cristenlichen beschluss anruffung an bayden sten-
den, zukunfftigen schadens zu verhuten als wol zu mercken ist.
konnte bei der Besprechung nicht beibehalten werden, da ihr die logische
Gliederung nicht entspricht.

Geiger, Johann Reuchlin.   25

Ehrenmann [1]).   Seine Artikel seien unchristlich, — und hier treten
uns nur die bekannten Vorwürfe: Begünstigung der Juden, Verachtung der christlichen Lehrer, falsche Anführung von Schriftstellen
entgegen, — seine Behauptungen lügenhaft, vor allem, dass die Kölner
den übrigen Universitäten einen verstümmelten Text des Augenspiegels zugeschickt haben.   Wie der Meister, so seien die Jünger;
was sie zu leisten beabsichtigten, zeige ihre neueste Schmachschrift [2]);
mögen sie sich hüten, wie Erasmus, das entlaufene Mönchlein, das
sie sich zum Patron erkoren [3]).   Zum Schluss ruft er die heilige
Kirche an, solche Uebel in Zukunft zu verhüten.   Dazu müsse man
den Augenspiegel und die Schriften der Dunkelmänner vernichten,
die der Ketzerei verdächtig seien, der Kirche Schaden bringen, und
den Unglauben der Juden stärken.

Grossen Eindruck machte die Schrift nicht; Reuchlin erhielt sie
durch seinen Freund, den Mainzer Arzt Heinrich Stromer zugeschickt,
würdigte sie keiner Widerlegung und Entgegnung [4]).   Nicht alle
werden es so gemacht haben, wie der Mainzer Erzbischof, der das
Buch ungelesen fortwarf und den Ueberbringer ohne Antwort fortschickte [5]); aber die es in Deutschland lasen, stimmten höchstens mit
Erasmus überein, der sich ärgerte, dass der freche jüdische Ueberläufer
nun aufs neue wage, alle Gelehrten in heftigster Weise anzugreifen [6]).

---

1) C 2 a b.

2) Die Dunkelmännerbriefe; die ketzerischen Artikel daraus zählt er
D b fg. auf, aber weit kürzer, als in der Defensio p. 166 sq.

3) Erasmus' Name wird nicht genannt, aber er ist sicher gemeint; in
dem Exemplar, das ich benutze, hat eine gleichzeitige Hand seinen Namen
dazu geschrieben. D 2 a: Und darzu (nämlich neben Reuchlin) ein moenchlin,
der ist auch in der zall yrs lobs, villeycht darumb, dass der kutten oder
kappen moedt ist, und auss geschudt hat.   Er mach wol zu sehen, dan der
Teuffel ist ytzunt so unmussig und so gyrich, das er niemant veracht, als
wer er auch eyn wyldter oder eyn verloffener moench, er nympt die alle an;
und ob eyner gleich so geistlich wer, das er am Carfreytagh vor myttag die
heylig Passio het doeren predigen, und nach mittag under die juden wer gegangen, und het eyn kelberen Protden mit jn gessen.

4) Stromer an Reuchlin 31. Aug. 1516.

5) a. a. O. s. auch oben S. 356. A. 1.

6) Erasmus an Pirckheimer 2. Nov. 1517; s. o. S. 342. A. 1.   Bemerkenswerth ist auch der Brief des Gerhardus Noviomagus an Erasmus 12. Nov.
1516. Opp. Er. III. 1577 epist. app. CXI, der die Pfefferkornsche Schrift
heftig tadelt, und hinzusetzt: *Melius esset rem silentio contemnere, quam scribendo et argumentando in infinitum augere.*]

Aber am päpstlichen Hofe, an dem unterdess eine halbe Wendung gegen Reuchlin eingetreten war, trug es gewiss dazu bei, eine
öffentliche Erklärung gegen die Dunkelmännerbriefe hervorzurufen.
Diese erfolgte in einer Verdammungsbulle am 15. März 1517 [1]), die
in den stärksten Ausdrücken abgefasst war: Einige Söhne der Sünde,
von denen Menschen- und Gottesfurcht gewichen, haben in ruchloser,
verdammungswerther, tollkühner Geschwätzigkeit die Briefe herausgegeben [2]), in ihnen die Dominikaner, vor allem die Professoren der
Kölner und Pariser Universität geschmäht und gelästert. Das Buch
müsse ausgetilgt werden, wie ein verderbenbringender Fleck, seine
Verfasser ihrer Frechheit wegen mit gebührender Strafe belegt
werden. Daher ergehe an Alle der Befehl, dieses Buch nicht zu
lesen, sondern innerhalb dreier Tage den Geistlichen auszuliefern,
die es bei schwerer Ahndung zu verbrennen haben [3]).

Die Verfasser liessen sich dadurch nicht einschüchtern; sie gaben
ruhig Zusätze zum zweiten Theile heraus, die gewiss ebenso begierig
gelesen wurden, wie die vorhergegangenen, und es war daher der
Idee nach nicht übel, wenn Or[t]uin Gratius versuchte, seine Gegner
mit denselben Waffen zu schlagen, mit denen sie ihn verletzt hatten.
Aber freilich eine Nachahmung erreicht selten ihr Original und bei
Ortuin Gratius trat solchen Gegnern gegenüber der Mangel an Geist
doch gar sehr hervor.

Schon dass er bei den „Klagen der Dunkelmänner" [4])

---

[1]) Abgedruckt in den Lamentationes obscurorum virorum I, 6; bei
Weislinger, Huttenus delarvatus S. 159—166 mit deutscher Uebersetzung;
Bianco, Die alte Universität Köln. S. 381—383.

[2]) *nonnullos iniquitatis filios, a quorum oculis dei atque hominum timor
abscessit, improba ac damnabili et temeraria loquacitate ductos, quendam libellum* (folgt der Titel) *edere.*

[3]) Ich mache darauf aufmerksam, dass Reuchlin mit keinem Worte erwähnt ist, und dass es, wo vom Verfasser gesprochen wird, heisst: *scanda-
losae hujusmodi garrulitatis auctores.*

[4]) Die *Lamentationes obscurorum virorum non prohibite per sedem
apostolicam* [*Ortwino Gratio auctore*]. Das Eingeklammerte erst in der 2. mit
einem Buche von 41 neuen Briefen vermehrten Ausgabe, *Coloniae* 1518 *in
Augusto* 30 Bll. in 4°, die erste *Coloniae* 1518, *quinto Idus Martias* 20 Bll.
in 4°. Die Titel beider typographisch genau abgedruckt bei Böcking,
Opera Hutteni Supplementum I, p. 326, 327, die Lamentationes das. p. 328
—416 und von demselben in der kleinen Ausgabe (Leipzig 1864) zusammen
mit Pfefferkorns Defensio p. 305— 369, nach der ich citire.

25 *

seinen Namen nannte [1]), war verfehlt. Denn hier wurden die Reuchlinisten als Dunkelmänner bezeichnet, die klagten über das geringe Interesse, das ihre Briefe gefunden hatten, über das Schwinden aller Achtung vor ihnen, über die mannigfache Bekämpfung, Widerlegungen, Entgegnungen, denen sie ausgesetzt seien. Durch das Vorsetzen von Ortuin Gratius' Namen schwand alle Illusion, — man sah den plumpen, gegnerischen Angriff. Denn plump war er allerdings. Mag es auch nur eine Fabel sein, dass Viele beim ersten plötzlichen Erscheinen der Dunkelmännerbriefe glaubten, hier sprächen wirklich die Mönche, die Gegner Reuchlins, bei den „Klagen" konnte der Gedanke, dass die fingirten Persönlichkeiten redeten, Keinem kommen. Dort traten die Dunkelmänner auf, in ihrer Einfalt, in dummer Dünkelhaftigkeit, das Rechte zu thun; hier sieht man jedem Reuchlinisten fast das Bekenntniss an, er sei ein Schuft, ein Jeder ist gleichsam begierig darauf, dass alle Welt ihm das sage [2]). Der Verfasser der Klagen geht zu ungeschickt zu Werke, wenn er wirklich die Absicht gehabt hätte, verborgen zu bleiben, indem er die seiner Auffassung nach gegnerischen Aktenstücke mittheilt: einen Brief des Erasmus, der die Dunkelmännerbriefe verurtheilt [3]), das Breve des Papstes, das den Verkauf und das Lesen dieser Briefe verbietet [4]), das Schreiben Pfefferkorns an Papst Leo, worin er um Schutz gegen die Angriffe seiner Feinde nachsucht [5]); die Bulle Papst

---

[1]) Auf dem Titel findet sich der Name zwar erst in der zweiten Ausgabe, aber bereits in der ersten steht die *sexto idus Martias* 1518 datirte *Epistola apologetica Ortwini Gratii . . . ad obscuram Reuchlinistarum cohortem, citra bonorum indignationem missa* a. a. O. p. 329—357 und andere Anhänge mit Ortuins und Anderer Namen. Vgl. auch den Brief Ortuins an Ingewinkel vom 1. Okt. 1518.

[2]) Vgl. p. 308, 316 u. a. m.

[3]) p. 223—225, namentlich wegen der Aufschrift in der zweiten Ausgabe: *quam hic honoris gratia interposuimus, ut ea quae falso illi a malevolis imposita fuere quantotius evanescant.* Ueber den Brief s. o. S. 377.

[4]) S. o. S. 387 und Anm. 1 fg.

[5]) p. 303—307 mit der Bemerkung: *Ex teutonico in latinum translata,* o. D. Es ist der schon oben S. 380 besprochene Brief, der als Einleitung zu Pfefferkorns Defensio dient; dort mit dem Datum: 1. Juli 1516. Fast ohne jede Abweichung, nur ist der dort stehende Schlussatz: *Hoc tandem adiecero, plures nuper baptizatos fuisse, nisi scripta Reuchlin nocenter obstitissent* hier weggelassen, vielleicht, weil man einsah, er sei gar zu naiv; und das *malescribentes*, wie es dort in der Aufschrift heisst, dünkte wol zu schwach und wurde in *impiissime scr.* verwandelt.

Sixtus' IV., in der dieser das Censurrecht der Kölner bestätigt [1]). Man vergleiche, um sich den Gegensatz deutlich zu
machen, das Verfahren der Dunkelmännerbriefe, die, wenn sie Anklagen der Reuchlinisten gegen Pfefferkorn anführen, daran gleich
deren ergötzliche Widerlegung reihen [2]).

Der Verfasser sagt selbst, er habe Namen aus den Dunkelmännerbriefen genommen und ähnliche dazu erdacht [3]), — aber
damit spricht er sich selbst nur Erfindungsgeist ab, er habe auch
in demselben Tone zu schreiben versucht wie jene, denn dem Thoren
sei nur nach seiner Thorheit zu antworten [4]). Aber freilich der Witz
lässt sich nicht zwingen, und die Bemerkung: man könne nicht an
zwei Orten zugleich stehn, also auch Reuchlin nicht zugleich in
Stuttgart und Rom [5]); oder die Datumsbezeichnung: am 30. vor
den Iden des September u. ähnl. [6]); die plumpe Erfindung eines
Reuchlinschen Schreibens, in dem dieser seine Unzufriedenheit mit
den Dunkelmännerbriefen ausspricht [7]), kommt dem oft übersprudelnden
Geiste dieser bei weitem nicht gleich. Nicht übel sind die nur zu
oft wiederkehrenden Worte, die Reuchlins Vorwürfe verspotten, Ortuin
Gratius habe durch die Bezeichnung Maria als erhabene Mutter
Jupiters eine Ketzerei auf sich geladen [8]); der Spott gegen die

---

[1]) p. 257 sq. Die Bulle ist vom 18. März 1479. Dass aber der Papst
*singulari quadam commissione per totam Alemaniam haeresium extirpandarum
munus theologis Coloniensibus commisisse*, wie Wickelphius zur Einleitung bemerkt, davon steht in dem Aktenstücke Nichts.

[2]) S. z. B. den Brief des Bernhard Gelff. E. o. v. II, 28.

[3]) Epistola protreptica am Schluss des 2. Buches p. 327.

[4]) a. a. O.: *quum ... stulto nonnunquam respondendum sit iuxta stultitiam ipsius, ne soli sibi sapere videatur.* So lässt er z. B. den Johann Pel-
lifex schreiben (p. 231), über denselben Gegenstand, über den dieser sich
schon E. o. v. I, 2 ausgelassen, und grüsst Reuchlin von der Frau
Pfefferkorns, deren zartes Verhältniss zu Ortuin Gratius die E. o. v. zum
Gegenstand ihrer oft schmutzigen Witze gemacht hatten.

[5]) p. 235.

[6]) p. 262. Andre z. B. XVI. *non. April.* p. 231; LXXXIX. *id. sept.*
p. 290 u. a. m.

[7]) p. 233. An Johannes Peltzflicker. Bemerkenswerth ist der Zusatz der
zweiten Ausgabe: *quanquam meae litterae ante annos aliquot Coloniensibus
missae idipsum (sc. obscurorum patronum esse) approbare videntur.* Bekanntlich hat noch Maius, vita Reuchlini p. 428 diesen Brief als Beweis dafür angesehn, dass Reuchlin nicht Verf. der E. o. v. sei.

[8]) vgl. p. 211, 213, 230, 233.

Dichterkrönung, nach der jeder Versmacher damals haschte [1]), gegen
die Sprachmengerei, in der die Humanisten sich gefielen [2]); auch
das Verzeichniss der unmoralischen Grundsätze, die einen Anhänger
Reuchlins leiten müssten [3]). Der Judenhass der vorgeblichen Reuchlinisten tritt häufig genug hervor, in Unterschriften der Briefe oder
in einzelnen spitzen Bemerkungen, [unter denen die einfältigste wol
die ist, dass die Juden die Dunkelmännerbriefe ins Deutsche übersetzt hätten [4]). Zwei Gedichte des Gratius gegen die Juden und
ein Vertheidigungsbrief desselben, in dem er zwischen guten und
schlimmen Reuchlinisten unterscheidet [5]), Reuchlin selbst mit ziem-
lichem Anstande behandelt und ihn nicht für die Fehler seiner ent-
arteten Jünger verantwortlich machen will, nebst einigen andern
kleinen Stücken, welche die Sammlung schliessen, erhöhen nicht
sonderlich ihren Werth.

Aber der ernste, schwere Streit durfte nicht blos mit diesen
leichten Waffen ausgekämpft, er musste mit dem gebührenden Ernste
geführt werden. Es ist nicht auszumachen, ob Reuchlin selbst auf
den Gedanken gekommen ist, oder ob er nur dem im Freundeskreise entstandenen Entschlusse seine Zustimmung gegeben, die an
ihn mit Bezug auf seinen Streit gelangten Briefe zu veröffentlichen
oder die bereits erschienene Briefsammlung mit diesen neuen zu vermehren. Im Jahre 1519 erschien die neue Sammlung; ihr Inhalt
ist uns zur Genüge bekannt [6]). Der Titel war bezeichnend: *Epistolae*

---

1) p. 296.

2) p. 311 sq.

3) p. 286 sq. vgl. Strauss a. a. O. I, S. 274.

4) p. 265. Darauf hat schon [Schwetschke?] aufmerksam gemacht in
dem Vorwort zu Novae epistolae virorum obscurorum saec. XIX. con-
scriptae. Lipsiae 1860. p. XII. fg. Andre Stellen über, d. h. gegen Juden
s. in den Lamentationes p. 209, 226, 228, 231, 235. Ob in dem Titelbild
(s. Böcking, Opera Hutteni Supplementum vol. I, p. 325, 326) mit der am
meisten links stehenden jüdisch aussehenden Figur der Judengönner Reuchlin, wie Strauss (I, S. 273, A. 3) meint, oder ein Jude (Pfefferkorn natürlich
nicht) bezeichnet sein soll, bleibe dahingestellt.

5) p. 345. Derselbe Gedanke findet sich bereits in Pfefferkorns Defensio
p. 184: *Bonos igitur Reuchlinistas et ratione informabiles summa prosequor
benevolentia, nec quovis modo in hac nostra defensione offensos velim.*

6) Reuchlins Briefwechsel mit den Kölnern und die zahlreichen einzelnen an Reuchlin gerichteten Briefe. Der Titel lautet: *ILLUSTRIUM
VIRORUM EPISTOLAE, HEBRAICAE, GRAE|CAE ET LATINAE,*

illustrium virorum. Sie waren die berühmten, die hervorragenden, hell leuchtenden, die Gegner der Dunkelmänner. Mit dieser Sammlung sollte die Briefherausgabe nicht abgeschlossen sein; ein dritter Theil die für den Prozess zu Rom wichtigen Stücke enthaltend, sollte folgen [1]. Leider ist er nie erschienen, wahrscheinlich nur ein vielleicht zur Veröffentlichung bestimmter Theil davon ist später aufgefunden worden.

Reuchlin und die Herausgeber setzten der Sammlung einen Reuchlinistencatalog voraus. Die Sache konnte für sich reden; die ganze Briefsammlung war ein beredtes Zeugniss dafür, dass der Standpunkt, den Reuchlin einnahm, von den vorzüglichsten Männern Deutschlands und des Auslandes getheilt wurde. Und der Catalog verzeichnete nicht alle Anhänger, wir sind Manchen, die im Verzeichnisse nicht stehn, schon oben begegnet [2].

Er verzeichnete zwischen Eoban Hesse und Michael Hummelburg auch den *Eleutherius Byzenus qui triumphum in Capnionis victoriam scripsit.* Dem Werke, von dem die Rede ist, wurde allerdings bei seinem Erscheinen der hier genannte Name vorgesetzt, aber ein wirklicher Personenname ist er nicht. Der Verfasser der Schrift war Ulrich von Hutten.

Wir haben schon vielfach Gelegenheit gehabt, von Hutten zu sprechen, dem Verfasser der Dunkelmännerbriefe, dem geistigen Mittelpunkt, dem Treiber und Dränger der ganzen feurigen humanistischen Jugend. Dem deutschen Volke, der deutschen Jugend namentlich ist Ulrich von Hutten bekannt, wie kein andrer aus jener Zeit. Er ist die anziehendste Persönlichkeit mitten in jener Menge

---

AD | Joannem Reuchlin Phorcensem, | virum nostra aetate doctissimum | diuersis temporibus missae, qui | bus iam pridem additus est | LIBER SECUNDUS | nunquam antea editus. A. E.: *HAGENOAE. MENSE MAJO MDXIX.*

[1] Schlusswort der Schrift: *Finis additionum ad epistolas clarorum virorum ex chartophylacio secundo viri, nostae (!) aetatis celeberrimi doctissimique Joannis Reuchlin Phorcensis. Sequetur tandem liber tertius, qui erit rerum Romanorum ex Chartophylacio tertio.* Ebenso im Vorwort Anshelms: *Quum si una cum prioribus placuisse vobis cognovero, non pigebit me reliquas etiam in comunem studiosorum omnium utilitatem publicare.*

[2] Neben dem Exercitus Reuchlinistarum (s. Briefsamml. 1519) ist, zur genauen Kenntniss der ganzen Schaar von Reuchlins Anhängern auch Ep. obsc. vir. II, 9, 59 zu vergleichen. Frühere Biographen haben versucht, eine Aufzählung der Reuchlinisten zu geben, dieser Versuch soll hier nicht erneuert werden. Diejenigen, die sich zum Aussprechen ihrer Ansicht gedrängt fühlten, sind oben genannt, und damit alle diejenigen, deren Theilnahme zum Sieg der Sache in der öffentlichen Meinung beitrug.

von frischen, strebenden, geistiganregenden Männern; eine unermüdliche Kraft im Reden und Handeln. Es ist ein Mann, der keine
Gefahr scheut, keine Furcht kennt, den Mächtigsten greift er an,
wenn seine Ueberzeugung es ihm gebietet; und auch der Freund
muss entgelten, wenn er in der einmal ergriffenen Sache sich lau
verhält oder scheu zurückzieht. In wilder stürmischer Weise wird
Erasmus angegriffen, der in der Reformation keine bestimmte Stellung
einnehmen wollte, und ihm dabei sein schwankendes Verhalten in
der Reuchlinschen Angelegenheit vorgehalten. Hutten ist eine rückhaltlos offene Natur, er kann nichts verbergen und nichts vertuschen:
scharf ausgeprägt kommen seine Empfindungen, seine Leidenschaften
zum Ausdruck. Hutten's Satire und Polemik richtet sich nicht blos
gegen einzelne Personen, wir haben in den Dunkelmännerbriefen
die Erhebung zum Höheren und Allgemeineren betrachtet; hier
gelten Spott und Angriff nicht den Kölnern allein, sondern dem
ganzen System des Stillstandes und Rückschritts, das diese vertraten.
Was die Kölner thaten, war nicht etwas einzeln Stehendes, von
ihnen allein Ausgehendes, es war nur ein Theil des Systems, das
zu Rom vollgültigen Ausdruck fand. So war Rom der Hauptfeind.
Rom war in Huttens Augen der Sitz alles Lasters und Verderbens,
aller Unthaten und Verbrechen; der Ort, wo Dunkelheit und Unwissenheit herrschte, von wo aus Beides zur unbedingten Herrschaft
überall erhoben werden sollte. Namentlich schien Deutschland zum
Schauplatz des Triumphes auserkoren. Und Hutten war deutsch.
Wie schäumte er auf gegen die verbrecherischen Absichten des
römischen Stuhls, wie musste ihn empören, dass man die guten
Deutschen, weil sie sich lange ohne Widerstreben hatten führen
lassen, wohin man wollte, nun weiter am Gängelbande zu leiten
gedachte. Hutten war deutsch, und, wie die alten Germanen, treu
und frei. Er wollte keine die Freiheit des Einzelnen niederhaltende
Allgewalt der Kirche, keine Bevormundung des Volks von den
Fürsten, keine Unterdrückung Deutschlands durch fremde Nationen,
durch die Türken. Die Nation rief er auf zum Widerstande,
Maximilian ermahnte und ermuthigte er zum Ausharren in seinem
heldenmüthig begonnenen Kampfe, Ritter und Städte trieb er an
zur Einigung, zur starken Abwehr gegen gemeinsame Feinde, den
Herzog Ulrich von Wirtemberg, der ihm einen Verwandten erschlagen,
verfolgte er mit heftigen Schmähschriften, um ganz Deutschland zum
Zorn gegen den Uebelthäter zu entflammen. Hutten war kein

stiller Gelehrter, er war ein streitlustiger Ritter und Krieger; im Kampfe für die höchsten Interessen seines Standes, seines Vaterlandes, des ganzen geistigen Lebens erkannte er seine Aufgabe, seinen hohen Beruf.

Es ist merkwürdig, wie selten sich Hutten an Reuchlin wandte. Indess wer solche Schriften schrieb, brauchte seiner Gesinnung nicht in Briefen noch Ausdruck zu verleihen. Ob er in Bescheidenheit, wie sie wahrer Grösse eigen ist, sich zurückhielt? Freilich seitdem er mit gewaltiger Rede gegen den Herzog Ulrich aufgetreten war, hätte er durch Briefe dem Meister Unannehmlichkeiten und Gefahren bereitet, da mussten diesem Freunde Grüsse überbringen und die Versicherung unverbrüchlicher Hingabe und treuen Ausharrens an der gemeinschaftlichen Sache erneuern [1]. Denn er verlor den Muth nie. Mochte die Angelegenheit sich lange hinziehn, mochten die Aussichten für Reuchlin sich ungünstig gestalten, die niedergebeugten Gegner wieder das Haupt erheben, mochten welterfahrene Freunde, wie Pirckheimer, bedenklich das Haupt schütteln, Hutten fand stets Gründe, um sie zu beruhigen und zu erheben. Auch Reuchlin hatte ihm geschrieben, kleinmüthig und gebeugt, den eignen Tod vor Augen, und in der Furcht vor dem Abfall der Genossen. Da vermochte Hutten nicht zu schweigen und richtete folgenden Brief an ihn (13. Jan. 1517)[2]): „Bei Deinem Leben, und wenn uns beiden noch etwas theurer ist, beschwöre ich Dich, gib keinen trüben Ahnungen Raum. Was will das sagen: wenn ich bald sterben sollte? Lass Dir Deine eigene Tugend darauf antworten. Wer so gelebt hat, stirbt nicht. Und was Du Deinen Jahren noch hinzufügen wirst, ist reiner Gewinn. Des Ruhmes hast Du genug. Noch bei Lebzeiten hast Du solche Zeugnisse über Dich vernommen, wie sie Wenigen nach ihrem Tode zu Theil werden. Was mich betrifft, so glaube ich meinen Eifer für Dich schon dadurch hinlänglich belohnt, dass ich mich öffentlich zu den Reuchlinisten gezählt sehe. Darum fasse Muth, tapferster Capnion. Viel von Deiner Last ist auf unsre Schultern übergegangen. Längst wird ein Brand vorbereitet, der zu rechter Zeit, hoffe ich, aufflammen soll. Dich selbst

---

[1] Vgl. Strauss, I, S. 227. Das. S. 224 sind die Stellen zu vergleichen, in denen Hutten sich über die Reuchlinsche Angelegenheit aussprach.

[2] Ich schliesse mich der von Strauss, S. 228 fg., gegebenen Uebersetzung an.

heisse ich ruhig sein. Ich geselle mir solche Genossen zu, deren Alter und Verhältnisse der Art des Kampfes angemessen sind. Bald wirst Du das klägliche Trauerspiel der Widersacher von einem lachenden Hause ausgezischt sehen. Damit gehe ich um, während Du ganz Anderes von mir vermuthest. Denn wenn Du richtig von mir dächtest, könntest Du mir nicht schreiben: Verlasse die Sache der Wahrheit nicht! Ich sie oder Dich, ihren Führer verlassen? Kleingläubiger Capnio, der Du Hutten nicht kennst! Nein, wenn Du sie heute verliessest, würde ich (soviel in meinen Kräften stände) den Krieg erneuern, und glaube nicht, dass ich für mein Unternehmen untüchtige Gehülfen habe. Mit solchen Genossen umgeben schreite ich einher, von denen jeder Einzelne, Du darfst es glauben, jenem Gesindel gewachsen ist. Capnions Preis wird von Munde zu Munde fliegen. Daraus wie aus anderem wird Dir hohes Lob erwachsen, während Du [ruhig ausser der Gefahr Dich hältst. Das wollte ich Dir nicht unangezeigt lassen. Lebe wohl und halte Dich für uns frisch".

Denn was bedeuteten bei Hutten die Gegner, welchen Werth konnte man ihren [Anstrengungen beimessen? Der Streit war ja entschieden, wozu sollte man ein definitives Urtheil abwarten, „von Mund zu Mund fliegt Capnio's Ruhm"; Hutten schrieb Reuchlins Triump,h [1]. Dem von dem Siege über seine Feinde, die Kölner Mönche, heimkehrenden Reuchlin wird ein feierlicher Triumphzug bereitet, — er wurde in einer dem Schriftchen beigegebenen Zeichnung bildlich dargestellt [2]. Ganz Deutschland hat zwar den erlangten Sieg zu feiern, aber vor allem gehört er, nach einer eigenthümlich lokal-patriotischen Idee, wie sie in jener Zeit häufig zum Ausdrucke kam, Schwaben und besonders der Geburtsstadt Reuchlins, Pforzheim, an. Die in geistigem Kampfe besiegten Feinde sind die Dominikaner, sie haben eine starke Niederlage durch viele frühere Schandthaten verdient. Sie, die den Kaiser Heinrich VII. durch eine Hostie vergiftet haben, die durch betrügerische Wunder erfundene Glaubenssätze erweisen wollten, haben nun gegen Reuchlin gekämpft

---

[1] Wie scharfsinnig auch die Ausführungen von Strauss, I, 216—222, sind, so trage ich doch kein Bedenken, das Resultat der Untersuchung Böckings, Hutteni Opera III, p. 414 fg., dass Hutten der alleinige Verfasser des Triumphs ist, anzunehmen.

[2] Wiedergegeben bei Münch, Huttens Schriften.

mit ihren Waffen, sophistischen Schlüssen, erkauften Titeln, Scheiterhaufen, zur Ehre ihrer falschen Götzen: Aberglaube, Barbarei, Unwissenheit und Neid; die Waffen sind jetzt zerbrochen, die Götzen
niedergestürzt. Die Feinde selbst sind vernichtet, ihre Führer werden
in Ketten herbeigeschleppt. „Voran [1]) Hochstraten, der Feuermann,
ein andrer Cakus, und Typhoeus, der Feuer frisst, Feuer speit und
dessen andres Wort: ins Feuer! ist; dann der trunkene neidische
Ortuin, der ehrsüchtige scheinheilige Arnold von Tungern, der Judas
Pfefferkorn, gegen welchen der Dichter den Henker herbeiruft, ihn
zu verstümmeln und an den Füssen zu schleifen; endlich die Reuch-
linsfeinde zu Frankfurt und Mainz: Bartholomäus Zehender und
Peter Meyer." Den Besiegten folgen im Triumphe die Sieger, „auf
einem Wagen die ehrwürdige Gestalt des Triumphator selbst, die
grauen Schläfen mit Lorbeer und Epheu umwunden, den Augen-
spiegel in der rechten und einen Oelzweig in der linken Hand; zum
Beschluss, gleichfalls bekränzt, die Schaar der Rechtsgelehrten und
Poeten, die er alle vom Untergang, der auch ihnen von den
Dunkelmännern zugedacht war, befreit hat."

Der Triumph ist kein Dichterwerk ersten Ranges, selbst die
Form ist keineswegs von Fehlern frei, aber der sittliche Ernst, die
von heiligem Feuer durchglühte Gesinnung, die sich in ihm aussprach, mussten bei den Zeitgenossen einen tiefen Eindruck machen,
und sichern ihm auch heute noch unsere Beachtung.

Dieselbe Gesinnung kam auch in einem Schriftchen Pirckheimers
zum Ausdruck, das etwa ein Jahr früher als die eben besprochene
Schrift erschien; eigentlich ein apologetischer Brief an Lorenz Behaim,
den Pirckheimer seiner Uebersetzung des Lucianschen Gespräches
der Fischer vorsetzte [2]), das ihm auf den Reuchlinschen Streit gut
zu passen schien.

Die schlimmsten Feinde der Tugend, meint Pirckheimer, sind
diejenigen, die Weisheit und Güte als ihr alleiniges Privilegium
auffassen und daher die wahrhaft Guten nicht aufkommen lassen.

---

[1]) Dies nach Strauss I, S. 224 fg.

[2]) *LVCIANI PISCATOR, SEV reviviscentes. Bilibaldo Pirck-heymero,
Caesareo Consilia- rio, Patricio ac Senatore, | Nurenbergensi | interprete, | Eius-
dem Epistola apologetica.* | A . . F à 6 u. 4 Bll. in 4°. A. E.: *Impressum
apud Fridericum Peypus | Nurenbergae sexto Nonas | Octobris. Anno salutis, |
MDXVII.* Eine 2. Aufl. erschien Köln, Jan. 1518 von Nuenaar besorgt,
mit vielen neuen Beigaben.

Solche Leute treten gegen alle bedeutenden Männer auf, sie haben
nun auch ihre Kraft gegen Reuchlin versucht. Er wolle sich nicht
in einen fremden Streit mischen, fühle sich auch nicht durch spitzige
Bemerkungen verletzt, die gegen ihn gefallen seien, er halte es nur
für die Pflicht eines ehrlichen Christen, gegen Beleidigungen aufzutreten, wo sie auch immer angewendet würden. Von ihm sprechen
die Gegner als von einem gewissen Wilibald; von solchen Leuten
nicht gekannt zu sein, sei ein Glück, Andre, nach deren Achtung
er strebte, kennten ihn gar wohl: Erasmus und Reuchlin. Man
nenne ihn einen Reuchlinisten, er nehme diesen Namen an und
wolle Vertheidiger seines Freundes werden. Man beschuldige Reuchlin, von den Juden Geld genommen und zu ihren Gunsten falsche
Behauptungen ausgesprochen zu haben. Den Beweis dazu erbringe
man nicht. Wie könnte man eine solche Aussage wagen, wie einem
Manne wie Reuchlin solche Frevel, solche Verbrechen andichten
gegen die christliche Religion, gegen eigne Ehre und Gewissen!
Wie dürfte man von dem Kaiser erwarten, er habe einem so verbrecherischen Rathschlag seine Zustimmung gegeben! Die Gegner
begnügen sich nicht mit der Beschimpfung Andrer, sie lästern den
christlichen Glauben selbst, indem sie behaupten, ihre Lügen zu
dessen Stärkung zu erdichten. Und zu seiner Kräftigung müssen
sie nicht allein den Meister Reuchlin beschimpfen und verletzen,
auch die gleichstrebenden jüngeren Genossen wollen sie in den
Staub hinabziehn, neben Andern die sicherste Hoffnung Deutschlands,
Ulrich von Hutten! Ist es denn wirklich ihr Ernst, wenn sie sich
als Schützer des Glaubens gebehrden, wenn sie die alte heilige
Religion von einem jüdischen Täufling vertheidigen lassen? Eine
sonderbare Art der Vertheidigung immerhin, Reuchlin bei der
Herausgabe seiner hebräischen und cabbalistischen Schriften, die zur
Verherrlichung des Christenthums dienen sollen, Schwierigkeiten in
den Weg zu legen, statt ihn in seiner Thätigkeit zu unterstützen
und ihm nachzueifern.

Eine Bemerkung der Gegner scheine nicht ganz der Wahrheit
zu entbehren. Sie werfen den Reuchlinisten vor, selbst Schimpfwörter zu gebrauchen. Was ihn betreffe, so werde er von dem
Vorwurfe nicht berührt, gleich beim Beginn des Streites habe er
Reuchlin von dem heftigen Tone abgerathen; wenn er Pfefferkorn
einen Halbjuden nenne, so spreche er damit nur die volle Wahrheit, denn das könne kein echter Christ sein, der so wenig Christi

Gebote erfülle, so wenig auf den Namen eines Theologen Anspruch erheben dürfe.

Denn Theologe könne nur der genannt werden, der mit ernstem, sittlich-gediegenem Streben reiches Wissen in allen Fächern verbinde. Deren habe es früher eine Anzahl gegeben, Dalburg, Pikus, Kaisersperg u. A., und gebe es jetzt eine grosse Anzahl — Pirckheimer gibt ein Verzeichniss derselben — sie alle aber seien Anhänger Reuchlins und verehren diesen als ihren Meister.

Auf solchem Schutz könne Reuchlin mit Stolz und Vertrauen in die Zukunft blicken, mit Ruhe die Schmähungen und Verläumdungen ertragen: seien doch alle bedeutenden Männer den Bissen der Gegner ausgesetzt gewesen. Seinen Ruhm könne Niemand ihm streitig machen, der sei durch seine unsterblichen Leistungen fest begründet, nun möge er zu dem Preis des Gelehrten auch den des unerschrockenen, geduldig ertragenden Christen hinzufügen.

Die Apologie wurde von den Freunden mit grossem Beifall aufgenommen: Adelmann, Stromer, Johann Hess, Lorenz Behaim, Spiegel sprachen darüber in Ausdrücken reinster Bewunderung. Das Verzeichniss der Theologen wollte Erasmus nicht gelten lassen[1]).

Das universelle, das kosmopolitische Moment im Reuchlinschen Kampfe, das uns schon manchmal entgegengetreten ist, zeigt sich namentlich auch darin, dass Vertheidiger Reuchlins in ernsten, zum Theil streng wissenschaftlichen Schriften, nicht blos in Deutschland, sondern auch in Frankreich, besonders aber in Italien auftraten.

Es ist merkwürdig, dass in Deutschland die Gönner Reuchlins ihrer Sympathie durch heftige und witzige Invectiven gegen die Gegner Ausdruck verliehen, während in Italien, wo doch diese Art und Weise des Kampfes ursprünglich und oft geübt war, eine ernste Vertheidigung Platz griff, hervorgegangen aus einer sachgemässen Prüfung der Gründe beider Theile und einer Billigung der von Reuchlin zu seinem Schutze vorgetragenen. Freilich, die deutschen Humanisten hatten keinen Sinn mehr für die Prüfung.

[1]) Vgl. K. Hagen, Deutschlands relig. und literar. Verhältnisse im Reformationszeitalter. Erlangen 1841 I. Band, S. 467 fg., der S. 456 ff. eine sehr ausführliche Besprechung der Apologie gegeben hat.

Der gegen die Person und die von dieser vertretene Ansicht gerichtete Angriff galt in ihren Augen der Sache und allen Anhängern
derselben; die Humanisten, denen das Schicksal der jüdischen
Bücher wenig am Herzen lag, fühlten sich selbst bedroht und
rüsteten sich zur Abwehr.   Die italienischen Humanisten nahmen
eine andere Stellung ein.   Sie fühlten sich mit der deutschen Bewegung verwandt; Reuchlin selbst brachten sie neben der Hochachtung für eine wissenschaftliche Autorität persönliche, freundschaftliche Theilnahme entgegen, aber durch den Angriff fühlten sie sich
nicht in Mitleidenschaft gezogen, nicht selbst gekränkt; sie waren
objektive Zuschauer, bis sie, durch die Nichtigkeit der gegnerischen
Gründe überzeugt, nicht durch persönliche Sympathien und Anti-
pathien bewogen, Parteigänger und Vertheidiger Reuchlins wurden.

Die Stimmung der maassgebenden Kreise in Rom, die Thätigkeit
von Reuchlins Prokuratoren, die Bemühungen seiner Gönner, eines
Questemberg u. A. sind uns bekannt.   Deutsche Freunde, die sich
in Rom aufhielten, schrieben dem verehrten Meister häufig über den
augenblicklichen Stand der Ereignisse, in ähnlicher Weise meldeten
auch Italiener, wie Philipp Beroaldus, das Neue, das eingetreten
war und gaben ihren jeweiligen Hoffnungen und Befürchtungen,
immer aber der grössten Verehrung für Reuchlin, lebhaften Ausdruck[1]).   Ein Mann wie Franz Poggius, der hauptsächlich durch
seine witzigen, aber sehr schlüpfrigen Facetien bekannt ist, fand sich
bereit, dem Papst Leo zu erklären: „Heiliger Vater, ich will die
Partei Reuchlins nehmen und an seinem Platz stehen.   Ich habe
seine Schriften so viel als möglich gelesen, dem Manne geschieht
Unrecht"; und Reuchlin fand bald in Paul Geräander einen treuen
Berichterstatter der Unterredung[2]).

Drei wissenschaftlich gebildete Italiener hingen Reuchlin mit
warmer Theilnahme an.   Der eine, Johann Franz Pikus von
Mirandula, der Biograph und treue Nachfolger seines grossen
Oheims, dem auch Reuchlin nacheiferte, hatte in seinen Schriften,
wo sich eine schickliche Gelegenheit dazu fand, Reuchlins mit Anerkennung erwähnt, er hätte, als er sich 1505 in seiner Nähe befand,

---

[1]) Vgl. die Briefe des Ph. Beroald 25. Mai, 5. Déc. 1517. Ein zwischen beiden liegender Brief Reuchlins ist nicht erhalten.

[2]) Paul Geräander an Reuchlin (1516) anf.: *Et ego habere me vellem.*

ihn gern besucht[1]). Dann versenkte er sich in seine Schriften,
namentlich die hebräischen und schöpfte aus ihnen Belehrung und
Anregung, namentlich aber auch Theilnahme für den Verfasser[2]).
Der zweite, Aegidius aus Viterbo, Augustinergeneral in Rom,
kannte nichts Höheres, als hebräische und cabbalistische Studien;
durch die Verdienste, die Reuchlin sich dadurch erwerbe, müsse,
meinte er, der Papst für ihn günstig gestimmt werden. Er war
Mitglied der zur Fällung eines Urtheils in der Reuchlinschen Angelegenheit niedergesetzten Kommission gewesen, er hatte mit dem
grössten Theile der Uebrigen seine dem Angeklagten günstige
Stimme abgegeben, aber das rechnete er sich nicht als Verdienst
an: nicht sie hätten Reuchlin gerettet, sondern sie selbst seien von
Reuchlin befreit worden[3]). Der dritte war Peter Galatin. Er liess
es nicht bei blossen Freundschaftsversicherungen bewenden, sondern,
wenn er seinen wissenschaftlichen Standpunkt, der dem Reuchlin'schen
ganz gleich war, in einem grossen Werke auseinandersetze, lieferte
er die in ihrer Art glänzendste Vertheidigung des Freundes. Sein
Werk über die Geheimnisse der katholischen Wahrheit[4]) zeigt
schon seinen Nebenzweck in dem Titel der Vorrede: Zur Vertheidigung des vortrefflichsten Mannes Johann Reuchlin. Die Vorstellung
des Werkes ist die, dass Reuchlin und Galatin mit Hochstraten zu-
sammenkommen, dieser mit seiner feststehenden Ueberzeugung, der
Thalmud sei durchaus zu verdammen, er enthalte nichts, was für
die christliche Religion von Nutzen sein könnte, jene mit ihrer aus
wissenschaftlicher Forschung gewonnenen Ansicht, aus dem Thalmud könne man im Gegentheil alle Grundlehren des christlichen
Glaubens erweisen, und durch diesen Beweis die Halsstarrigkeit der
Juden vollkommen brechen. Die Beweise für diese Behauptungen
soll das Werk bringen, in 12 Büchern werden die einzelnen christ-

---

[1]) Vgl. den Brief des Pikus an Reuchlin 5. April 1505 und die dort
in den Anmerkungen angeführten Stellen.

[2]) Pikus an Reuchlin 30. März 1517; vgl. auch Reuchlins Antwort vom
30. Juni.

[3]) Vgl. die Briefe des Aegidius 1516, 24. Mai 1517.

[4]) [*Petri Galatini*] *Opus toti christianae Reipublicae maxime utile de
arcanis | catholicae ueritatis, contra obstinatissimam Judaeoram | nostrae tempesta-
tis perfidiam: ex Talmud aliisque | hebraicis libris nuper excerptum: et | qua-
druplici linguarum genere | eleganter congestum.* 311 Bll. in fol. A. E.: *Im-
pressum Orthonae maris . . . MDXVIII. quintodecimo kalendis Martias.*

lichen Lehrsätze durchgenommen, und in langen sehr gelehrten
Auseinandersetzungen aus den jüdischen Schriften durch Galatin erwiesen. — Die Form des Gesprächs ist eine sehr lose, und Hochstraten wie Reuchlin spielen eine ziemlich untergeordnete Rolle.
Beziehungen auf den Reuchlinschen Streit finden sich in dem Werke
nicht. Aber wozu war das nöthig? Waren die Beweise stichhaltig,
so war im ehrlichen Kampfe das Werk die stärkste Waffe, deren
man sich bedienen konnte; waren durch wissenschaftliche Darlegungen die Beschuldigungen der Kölner als nichtig erwiesen,
wozu bedurfte es dann noch kleiner Nadelstiche gegen die Gegner?

Galatin, der lange Zeit an seinem Werke arbeitete und während
desselben Ermunterungen von vielen Seiten, u. A. auch vom Kaiser
Maximilian und von seinem Herrn, dem Cardinal Lorenz Pucci, erhielt, vollendete es September 1516, aber erst 1518 erschien es im
Druck. Welche Umstände die Veröffentlichung aufgehalten haben
ist nicht bekannt. Reuchlin hatte schon einige Zeit von dem Werke
Kenntniss, aber er scheint es nicht abschriftlich erhalten zu haben,
sondern erst als es im Druck vollendet vorlag [1]). Er war natürlich
darüber hoch erfreut, er wünschte auch seine Verbreitung in Deutschland, aber eine solche fand schwerlich statt. Ein eigentlicher Dankbrief Reuchlins an Galatin existirt nicht, in einem Briefe vom
12. Februar 1519 wünscht er Galatins Manuscript eines neuen 6
Bücher umfassenden, direkt gegen Hochstraten gerichteten Werkes
zu erhalten, um es in Deutschland drucken zu lassen.

Unter den Beigaben zu Galatins Werk befand sich auch eine
Vorrede des Georg Benignus. Die Vorzüglichkeit der Schrift,
meinte dieser, sei nicht nur durch die Zustimmung vieler Cardinäle und
anderer hochstehender Männer zu erkennen, sondern namentlich da-
durch, dass selbst einige Juden hebräische Gedichte zum Preis des
Werkes geliefert und sich damit zu dessen Wahrheit bekannt hätten.
Aber vorher war Benignus bereits mit einer eigenen Schrift für
Reuchlin in die Schranken getreten.

Schon im Jahre 1515 hatte Potken aus Rom an Reuchlin geschrieben: Zu Deiner Vertheidigung wird hier ein Dialog verfasst von
einem sehr gelehrten und uns beiden sehr befreundeten Mann,

---

[1]) Vgl. Galatin an Reuchlin vor 1. Juli 1515; Petrejus Aperbach, der
durch M. Groning eine Abschrift anfertigen lassen will, an R. 23. Aug. 1515,
und Reuchlin an Galatin 17. Aug. 1518.

dessen Namen und sonstige Eigenschaften Du seiner Zeit erfahren wirst. Für jetzt genüge Dir, dass er Latein und Griechisch versteht und in der Kenntniss des Hebräischen und Aethiopischen den ersten Rang unter den Christen dieses Jahrhunderts einnimmt[1]). Der so geschilderte Mann war Georgius Benignus, Erzbischof von Nazareth. Vielleicht weil er zum Mitglied der in Rom zur Prüfung des Augenspiegels niedergesetzten Commission ernannt war, zögerte er mit der Beendigung oder Herausgabe seiner Schrift, um nicht den Gegnern einen Grund zu geben, ihn als parteiisch zu verwerfen; jetzt, nachdem der Papst die Entscheidung der Sache verschoben hatte, liess er die Herausgabe geschehen. Sein Dialog erschien September 1517 zu Köln[2]). Er begleitete sein Schriftchen mit einer Widmung an den Kaiser Maximilian. Er wisse keinen, dem er die Vertheidigung Reuchlins widmen solle als ihm, dem Kaiser[3]). Möge er dessen bewusst werden, welchen Mann er da besitze, der die Griechen, die Erfinder aller Wissenschaften lehrt, die Römer, die vollkommenen Nachahmer griechischer Beredsamkeit unterweist, in der deutschen Sprache unterrichtet, Chaldäer und Hebräer in der Kenntniss ihrer Sprache erreicht oder übertrifft. Sollte das Vaterland, das dieser göttliche Mann so berühmt und gross gemacht, diesen nun nicht wieder rühmen, ihn vertheidigen, da selbst Fremde ihn als den ihrigen anerkennen? „Aber ohne Dich, der Du über Deutschland,

---

[1]) Potken an Reuchlin 25. Jan. 1515.

[2]) *D* (mit Initiale) *EFENSIO PRAE* | *stätissimi viri Joannis Reuchlin* | *LL. Doctoris a Reuerendo pa* | *tre Georgio Benigno Nazare-* | *no archiepiscopo Romae per modum* | *dialogi edita, atque ex opinione* | *decem et octo grauissimorum vi-* | *rorum ad examinandum Oculare* | *speculum a Sanctiss. D. nostro Leone P. M. deputato* | *rum, inter quos ipse primus ex ordine votum emiserat,* | *scripta Diuoque Maximiliano Ro.* | *Imp. Augusto* | *dicata.* | A. . F. à 4 Bll. in 4⁰. 1. S. leer. A. E. 5 Zeilen nach dem Anf. der vorl. S.: *FINIS DEFENSIONIS OPTIMI* | *ac integerrimi viri illius Joan Reuchlin, LL.* | *doc. quam Reuerendus pater Geo. Be.* | *Nazarenus archiepiscopus Romae per mo* | *dum dialogi scriptam, diuo Ma* | *ximiliano Romanorum im* | *peratori semper Augu* | *sto dicavit.* | *Anno Natiuitatis Dei. M.D.XVII. mense* | *Septembri.* | Die Defensio des Benignus Cᵇ—F 3ª. Caesarius schreibt an Erasmus 22. Sept. 1517: *Neaetius noster curavit his diebus, imprimi libellum quendam ex Urbe allatum, titulo Defensionis Reuchlini in mille et amplius exemplaria, ex his nunc duo ad te mittuntur.* (Er. Opp. III. col. 1634 epist. app. CLXXXIX.)

[3]) Martin Groning brachte sie aus Rom nach Köln, übergab sie dort dem Kaiser und liess sie Nuenaar zurück (*quasi pignus aliquod amoris erga me sui*, sagt dieser), der sie dann veröffentlichte.

Geiger, Johann Reuchlin. 26

über den ganzen Erdkreis herrschest, kann dies nicht geschehn, Du selbst musst den so berühmten, um Dich und das Vaterland verdienten Mann erheben und erhöhen. Bis zu den Sternen würde ich ihn tragen, wenn ich es vermöchte; ich thue, was ich kann. Man verläumdet ihn, ich zeige den Ungrund der Beschuldigung, man spannt Netze gegen ihn aus, ich zerreisse sie"[1]).

Die Vertheidigungsschrift ist in Form eines Dialogs zwischen dem Verfasser und Reuchlin gehalten. Dass er als Dialog gewandt ist, kann man nicht eben sagen, denn man sieht schon auf den ersten Blick zu deutlich, dass es keiner grossen Mühe und Ueberredungskunst bedarf, um den Gegenredner Benignus von seinen Einwänden abzubringen und ihn zu den Ansichten seines vermeintlichen Gegners zu bekehren. Auch kommen die Hauptvorwürfe, die Reuchlin von den Kölnern gemacht worden waren, gar nicht oder nur wenig zur Besprechung. Einige Behauptungen, die nach anfänglicher scheinbarer Bestreitung angenommen werden, sind, dass der Thalmud zum Beweise der Wahrheit des Christenthums nützlich sei, dass man die jüdischen Schriften als Quellen trefflicher Lehren aufbewahren müsse, durch deren Kenntniss man hoch erhoben werde, wie ja auch Paulus durch den Besuch der Rabbinerschulen der bedeutendste unter den Aposteln geworden sei; dass Christus selbst an das Verbot, diese Bücher zu vernichten, das Gebot geknüpft habe, sie fleissig zu studiren; dass man den Juden nicht verbieten könne, zur Vertheidigung ihres Glaubens zu schreiben und nur darauf zu sehen habe, dass sie nicht feindselig gegen das Christenthum auftreten; dass eine Verfolgung des Judenthums nur sein Wachsen zur Folge haben werde, wie man ein ähnliches Schauspiel auch bei dem Christenthum zur Zeit seines Entstehens gesehen habe.

Nicht die weitläufige, oft ermüdende Ausführung dieser Behauptungen gibt der Schrift ihre Bedeutung, verschaffte ihr damals Einfluss: begeisterte Zustimmung unter den Freunden, Verstimmung auf Seiten der Gegner, sondern der würdige Ton, dem man den Ernst und die Wahrheitsliebe des in der Kirche hoch stehenden Ehrenmannes anmerkte.

Hermann von Nuenaar, der die Schrift herausgab, versah sie mit einigen Beigaben, zunächst mit einem Briefe des Uebersetzers von Reuchlins Augenspiegel, des Martin Groning, der dem Kaiser

---

[1]) Benignus an Maximilian, Rom (vor Aug. 1517).

den Dialog des Benignus selbst in Köln übergeben hatte, und ihm die darin vertheidigte Sache nochmals ans Herz legte. Er dankte ihm für die Reuchlin bereits gewährte Unterstützung, die das volle Ausbrechen der Wuth seitens der Gegner gehindert hätte. Freilich der Mann verdiene vollkommen, dass man sich seiner annehme; alle Wissenszweige kenne er, alle vorzüglichen Geisteseigenschaften vereinige er in sich. Er sei der hervorragendste Theologe, der tiefsinnigste Philosoph, der schärfste Jurist, der beredteste Redner, der glücklichste Dichter. Und wie segensreich wende er seine Geistesgaben an: alle Völker wolle er unter dem christlichen Glauben vereinigen, die katholische Religion verherrlichen und erhöhen. Nur durch Neid werden seine Gegner gegen ihn aufgestachelt, sie können es nicht ertragen, dass statt der Sophistik edlere und fruchtbringende Studien gepflegt und von der Jugend bereitwillig angenommen werden, dass ihre eigene Autorität immer mehr schwinde und vergehe. Er, der Kaiser, werde am besten die Vorzüge und Verdienste seines Rathes zu schätzen wissen, er, der gemeinsam mit so vielen andern weltlichen und geistlichen Fürsten Reuchlin dem Papst Leo und den von diesem eingesetzten Richtern empfohlen habe. Nun stehe dem so Beschützten auch in Benignus ein Vertheidiger auf, wie er ehrwürdiger, gelehrter und berühmter nicht gedacht werden könne; möge der Kaiser diese Schutzrede gütig annehmen [1]).

Nuenaar widmete die so vermehrte Schrift dem Mainzer Canonikus Dietrich Zobel, den er als Freund und Gönner Reuchlins kannte. In Rom habe der verehrte Mann vor allem drei Vertheidiger gefunden, den Benignus, den Verfasser des vorliegenden Büchleins, den Peter Galatin, der das grosse Werk zur Ehre Reuchlins geschrieben, den Garganus von Siena, der seinen Gegnern kräftig zu Leibe gehe. Aber unter den Beschützern seiner Ehre sei, neben diesen Säulen der Wissenschaft, vor allem der Kaiser Maximilian zu nennen, dann die Cardinäle Grimanus, Ankonitanus, Hadrian, ferner der Volateranus und Lorenz Pucci, von denen der Eine nach Lesung von Reuchlins Vertheidigungsschrift kein Ende der Bewunderung fand, der Andere es sich zum höchsten Ruhme anrechnete, sein Werk über die Cabbalah mit eigener Hand dem Papste zu überreichen. Wer könne die andern alle nennen: Questemberg und Stephan Rosinus, Martin Groning und van der Wyk, die gelehrten

---

[1]) Martin Groning an den Kaiser Maximilian I. Aug. 1517.

26 *

Potken und Aegidius von Viterbo. Alle Fürsten und Städte in
Deutschland, die Reuchlin vertheidigt hätten, könne er nicht auf-
zählen, nur die Spitzen der Wissenschaft wolle er nennen, die es für
ihren Ruhm erkennen, wenn Reuchlin geehrt werde: Hieronymus
Aleander, Jakob Faber, Desiderius Erasmus, Wilibald Pirckheimer [1]).
Auch ein kurzes „ihm in Begeisterung entströmtes“ Gedicht zum
Lobe Reuchlins und seiner Vertheidiger fügte Nuenaar hinzu: Die
Kämpfe der Punier und der Argonauten seien nicht so grossartig
gewesen, wie die, welche jetzt Apollo führe, um Reuchlin Hülfe zu
bringen, den Wissenschaften Triumph zu verschaffen und den Neid
verstummen zu machen [2]).

Auf solche Schriften konnten die Gegner nicht schweigen. Aber
dagegen aufzutreten war nicht Pfefferkorns Sache, der nur schrieb,
wenn er persönlich gereizt oder beleidigt zu sein glaubte; hier musste
ein Höherer sich ins Feld stellen: der Ketzermeister selbst, Hochstraten
ergriff das Wort, um sich vor Papst und Kaiser, dem seine Gegner
ihre Schriften zugeeignet hatten, zu rechtfertigen. Die Schrift, in
der er dies unternahm, die sogenannte erste Apologie[3]), ist in
zwei Bücher getheilt. Das erste Buch, das wieder in 26 Kapitel,
deren jedes eine eigene Ueberschrift hat, jedes Kapitel in mehrere
Paragraphen zerfällt, enthält eine, der Fiktion nach, von einem

---

[1]) Nuenaar an Dietrich Zobel 26. Aug. 1517.

[2]) Das Gedicht folgt in der Briefsammlung dem ebenangeführten Briefe.

[3]) *Ad sâctissimu | dominu nostru Leone papam | decim i. Ac diuü Maxe-
mimilianum Imperatorem | semper augustu. APOLOGIA Reuerendi | patris
Jacobi Hochstraten. Artiu et sacre theolo- giae professoris eximij. Hereticae
prauitatis. per Colo niensem Moguntinensem Treuerensem. prouincias Inquisito |
ris vigilätissimi. Cutra dialogu Georgio Beni- | gnoArchiepiscopo Nazareno. in causa
Joannis | Reuchlin ascriptu. pluribusque erroribus scatent· | et hic de verbo ad
verb.t fideliter impressum. In | qua quidem Apologia Inquisitor ipse. multis
occa | sionibus e.t dem·t coactus. t·t catholic i veritatem | t i Theologorum hono-
rem. per solidas scripturas | verissime tuetur.   Opus nou i. | Anno
M.CCCCC.XVIII. Coloniae foeliciter editum. | A. E.: Impressum Colon. Anno
M.ccccc.xviij. in Februario. | 1. S. leer. a à 6 Bll.; Aa, Bb, Dd, Ff, Hh, Kk,
Ll à 4, Cc, Ee, Gg, Ii à 6 Bll.; A, C à 6, B à 4 Bll. in 4°. oben an der
Seite ist im 1. Buch: LIBER I. CAP. ... auf jeder Seite; im 2.: LIBER |
SECVNDVS. | Der erste Buchstabe fast aller gross gedruckten Wörter
roth bezeichnet. (Frankf. Stadtbibl.)*

Theologus gesprochene, Widerlegung der Schrift des Benignus, die sich an die einzelnen aus dieser wörtlich angeführten Stellen reiht. Bis jetzt habe er alle Schmähungen und Beleidigungen ruhig ertragen, Reuchlin habe ihn in seinen Schriften verletzt, er habe geschwiegen; der von den trefflichen Sitten der ehrbaren Nürnberger Patricier entartete Pirckheimer[1]) sei gegen ihn und die Kölner Theologen in einem durch den Druck veröffentlichten Briefe aufgetreten, in welchem er sich in theologische Fragen mische, Gesetze für die Theologie aufstelle, deren Kenntniss ihm durchaus abgehe, — er habe nicht geantwortet. Er habe darauf gehofft, durch eine zu Rom erlangte Entscheidung seine Gegner stumm zu machen, bisher habe sich aber seine Hoffnung nicht erfüllt, er habe Rom verlassen und wolle nun seinen Gegnern auf dem literarischen Kampfplatze sich stellen, den diese schon lange betreten hätten. Dazu böte ihm gleich eine Vertheidigungsschrift Reuchlins aus Rom Gelegenheit, die ausser persönlichen Schmähungen Behauptungen enthalte, die dem christlichen Glauben verderblich und unerträglich seien. Es handle sich vor allem um den Thalmud, der hier durch Christi Gebot gleichsam gerechtfertigt werden solle. Der dies behaupte, verberge sich unter dem Namen des Benignus[2]). Gegen diesen Schwätzer müsse er den Kampf aufnehmen und einen Wall aufwerfen, den die ganze Welt nicht durchbrechen könne. Dass es ihm schmerzlich sei, für Christus gegen diese falsche Lehre streiten zu müssen, wisse Papst und Kaiser, wissen die Könige von Frankreich und Spanien, wisse der Churfürst Joachim von Brandenburg, die er oftmals um Herbeiführung einer strengen Entscheidung gegen diejenigen, welche solch falsche Behauptungen vorbringen, angefleht habe[3]). Zu dem Kampfe

---

[1]) u 2a: *hominem proh dolor a moribus optimis spectatissimorum patriciorum Nurenbergensium . . . degenerantem Bilibaldum Pirckmerium qui usque adeo maledicendi avidus quo mordacissimas . . in theologos Colonienses effutiret contumelias . . proemialem maledictis plenam congessit epistolam . . . cui tam impudens os est, ut causis se ingerat theologicis, immo legem theologis praefigat . . .*

[2]) a 3a: *hunc dicacem hominem, quisquis fuerit qui sub nomine Nazaren tegmine se obtexit . . . a 5a: Minime attamen theologo illi cum reverendissimo Nazareno archiepiscopo, (si forte et hinc Georgius Benignus sit nomen) quaevis est concertatio.* und in der Schrift selbst s. u. S. 406, A. 4.

[3]) a 3b: *. . . Sanctitas ac maiestas vestra norunt, quinimmo et veracissime consciunt gloriosissime francie ac hispaniarum reges, Novit idipsum illu-*

reizte ihn der Spott seiner Gegner gegen die Entscheidungen der
Universitäten, namentlich der Pariser [1]), reizten ihn auch die Invektiven eines Mannes (Nuenaar, dessen Namen er nicht nennt) von
berühmter glänzender Abkunft, der er sich aber nur wenig würdig
zeigt, eines Mannes, der gegen die Kölner Theologen grausam
wüthe, während er ihnen doch als seinen Lehrern zum Danke verpflichtet sein müsste [2]), und den nun, soweit gehe ja die Macht jener
Leute, Pirckheimer zum Theologen gestempelt hätte [3]). Aber gegen
allen Spott und alles Wüthen werde der Sieg doch der Wahrheit
und dem Rechte bleiben.

In hochmüthigstem wegwerfendem Tone suchte er zunächst dar-
zuthun, der Dialog rühre gar nicht, wie der Titel behaupte, von
Georg Benignus her; der ehrwürdige Erzbischof, den er nicht anzugreifen wagen würde, könne eine solche Schrift nicht geschrieben
haben. Der Verfasser sei vielmehr ein frecher Schwätzer, der sich
unter diesem Namen verberge, einer der *obscuri*, deren Art es ja
sei, aus dem Verstecke heraus anzugreifen [4]). Ein Freund, der auch
den Erzbischof genau kenne, habe ihm (Hochstraten) vor Kurzem
aus Rom geschrieben, dass jener nicht die Autorschaft des neuen
Werkes, das unter seinem Namen ausgegangen sei, zugestehe; dieses
enthalte daher nichts als die gewohnten hinterlistigen Angriffe der

---

strissimus princeps *Joachim Brandeburgensis elector sacri imperii cuius laudes
qui satis consequi possit est nemo, ob id in primis quod in fide et pro Christi
fide integerrimus zelozissimusque (?) sit, quibus cunctis sepius instantissime
totis precordiis ob sanguinem Christi supplicavimus . . rigorosam atque exactis-
simam sententiam.*

[1]) a 5b; s. o. S. 370 fg.

[2]) Von seinen Eltern heisst es a 4b: *cuius generosos progenitores nemo
satis laudibus offerre potest, quorum utinam se morum assectum praeberet;* von
seinem Lehrer: *e quibus* (den Kölnern) *virum . . angelo similem paucis elapsis
annis habuit fidelissimum magistrum.* a. a. O. Er ist namentlich über die
iniuriosissimi versus Nuenaars (am Ende von Benigni Defensio) entrüstet:
    *Impia livoris ne fundere lingua venenum
        Audeat, et posthac obstrepuisse bonis.*

[3]) a 4b: *esto Bilibaldus eum citra studium et doctrinam ac proinde ex
nihilo creaverit in Almanie Theologum praecipuum.*

[4]) s. o. S. 405 A. 2, ferner in der Apologie liber I. Aaa, und Kk 2a:
*Et hinc quoque olfacimus istum Benignum non esse archiepiscopum Nazarenum,
qui Christo et ecclesiae Romanae dignus est filius, cuius modestia incircumcisas
illas non ferret invectiones nec frivolas Capnionis commendationes.*

Gegner [1]). Es ist natürlich, dass Hochstraten mit Benignus, der in seinem Dialoge ja die Einwände gegen Reuchlin zu machen hat, oder dem vermeintlichen Benignus, wie er meint, oft einverstanden ist, aber dass dieser die Kölner, „die gerechten Censoren, die er Verbesserer der Irrthümer, Eiferer für christliche Frömmigkeit hätte nennen sollen", Verläumder schilt, bringt ihn in Wuth [2]); er belehrt ihn, dass die so Geschmähten Alles, was sie gethan, nur zur Ehre ihres Schöpfers und zum Heile der römischen Kirche unternommen hätten [3]); er hält ihm vor, wie er durch Begünstigung Reuchlins geblendet, sich nicht scheue, Gelehrtes und Ungelehrtes, rechte und unrechte Einwände, Schlauheit und Verläumdungen gegen seine Gegner vorzubringen. Aber er wolle nicht richten; er überlasse das Urtheil Gott und seinem Gewissen, jedem gerechten und braven Mann. Sie alle mögen entscheiden, ob er Reuchlin verläumdet, ihm Verbrechen angedichtet, mit Lügen den Streit gegen ihn begonnen habe [4]).

So richtet sich die Anklage hauptsächlich, oder vielmehr allein, denn Benignus gilt doch nur als Verführter, und der Freunde Reuchlins wird einmal gelegentlich gedacht [5]), gegen Reuchlin, den Erzrabbinen, gegen seine verdammenswerthe Meinung, seinen verderbten Rath, seine schmutzigen Thorheiten, seine lügnerischen, betrügerischen Täuschungen, seine Ketzereien [6]). Von seinen Schriften wird übrigens nicht nur der Augenspiegel, bez. das Gutachten bekämpft, das von Anfang an die Rüstkammer für alle gegnerischen Angriffe dargeboten hatte, auch auf die Aussagen im Speierer Prozess, auf

---

[1]) Lib. II. fol. Aa: *amicus . . literis nuperrime ex urbe scripsit, Archiepiscopum Nazarenum nihil penitus fateri de novo quodam opere quod sub suo nomine prodierit, sed adversariorum consuetos esse latratus.*

[2]) Lib. I. Gg. 2ª.

[3]) Lib. I. Kk 2ª.

[4]) Die bemerkenswerthe Stelle lautet (Hh 2ª· b): *Sic Benignus favoribus excecatus indocta, erudita, iustas obiurgationes, insidias, atque versutias calumniasque vocare non veretur, sed deo atque conscientiae immo cuilibet bono viro iustoque iudici hanc delegamus provinciam . . . Capnionemne calumniati fuerimus, falsaque ei intenderimus crimina, mendaciis quoque litem sibi intentaverimus.*

[5]) Aaª s. o. S. 406, A. 4.

[6]) Die Ausdrücke an unzähligen Stellen; *archirabbinus* finde ich nur Aaª.

die Vertheidigung gegen die Kölner wird Rücksicht genommen [1]).
Die Reuchlin gemachten Vorwürfe sind die alten: er verdrehe den
Sinn der Schrift [2]); er begünstige die Juden, und beziehe, um sie zu
schützen, eine erlogene Vorschrift Christi auf die Christen, und gebe,
als rechter Judenanwalt, denen, die er vertrete, eine neue, unerhörte
Art an, Christus und die Kirche zu schmähen [3]); er verletze und
beleidige die christliche Kirche [4]). Namentlich gegen die Behauptung,
dass aus den thalmudischen Schriften Beweise für die Wahrheiten des
Christenthums genommen werden können, wendet sich Hochstraten aufs Entschiedenste. Wie könne man Schriften derer, die an
die Gottheit Christi nicht glauben, zum Beweise für dieselbe anrufen [5]); dass Christus selbst es angerathen, jene Schriften zu lesen,
sei durchaus falsch, er habe nur das Studium der biblischen Bücher
empfohlen [6]). Halte man das vermeintliche Gebot Christi aufrecht,
so würden verderbliche Folgen daraus entstehen, vor allem die, dass
man eine Aeusserung des Meisters mit der eines Apostels, der die
rabbinischen Schriften verbiete, in unlösbaren Widerspruch setze [7]).

Schwächen Reuchlins greift er in seiner Weise auf. Dieser
hatte im Gutachten die Juden Mitbürger des römischen Reichs genannt, dagegen war hauptsächlich der Sturm entstanden; in seinen
Erläuterungen hatte er seine Meinung dahin abgegeben, Bürger be-

---

[1]) Vgl. Ff 4ᵃ und Hhᵃ.

[2]) z. B. Ee 3ᵇ.

[3]) Ffᵃ. *Capnio . . resparserit turpissimo iudaico favore inducens super
nos christianos ementitum neque a Christo unquam excogitatum praeceptum* . . .
Ff 3ᵇ *tanquam Judaeorum advocatus* und das. *spectares . . Benigne novum
et a saeculis inauditum calumniandi genus tuum Capnionem docuisse Judaeos,
quo ecclesiae piae matri simul et filiis christianis insultare valeant.*

[4]) z. B. Ll 2ᵃ.

[5]) Cc 3ᵇ fg.

[6]) Cc 5ᵇ fg. Es genüge, die Randbemerkung anzuführen: *Vipera pes-
sima necatur, quod scilicet Christus Rabinorum libros sub scriptura com-
prehenderet.*

[7]) Dd 4ᵃ . . . *His inquam (resumpto quod tu affirmas Christum in verbo:
scrutamini iussisse diligenter Thalmudicas scrutari scripturas) consequens est.
Christi non tam sibiipsi quam apostolum salvatori Christo refragari, dum is
libros quos reprobat detestaturque etiam diligenter ipsemet mandat in scholis
perscrutandos; ille vero (apostolum dico) fabulas dicit eas esse scripturas et
quibus fideles intendere non debeant, quas scrutandas et tanquam pro scholasticae
scrutationis materia habendas Christus imperaverit.*

deute soviel als Unterthanen; in dieser Weise, meint Hochstraten, könne man auch Schweine und Esel Mitbürger nennen[1]). Auch Reuchlins eigentliche Wissenschaft, die Jurisprudenz, gibt ihm Gelegenheit zum Spott. Vielleicht soll schon die spitze Bemerkung, wer ein wahrer Gesetzeskundiger und wer ein Gesetzesfälscher sei[2]), ein Stich gegen Reuchlin sein; er, der, wie man ihm nachrühme, mit allen Gesetzen vertraut sei, müsse doch -über die von den Päpsten verordnete Thalmudverbrennung unterrichtet sein[3]); aber er habe den rechten Sinn des Gesetzes nicht in sich aufgenommen[4]) und könne mit den eigenen Worten seiner Wissenschaft seines Irrthums überführt werden[5]). Indess er begnüge sich nicht mit dem Ruhme eines Juristen, er wolle auch Theologe sein und mache den tollkühnen Versuch durch ein Gebot des alten Bundes einen Befehl Christi vernichten zu wollen, ein Versuch, der freilich misslingen müsse[6]). Hochstratens vorzüglichste Kampfmittel sind andere. Vor allem liegt es ihm daran, Reuchlin mit sich selbst in Widerspruch zu setzen. In dem Werk vom wunderthätigen Wort fordere Capnion den Baruchias auf, den Thalmud zu verlassen, (natürlich, denn er sollte zur Annahme des Christenthums gebracht werden), jetzt spreche Reuchlin für die Erhaltung des Thalmud[7]); früher hätte er die Juden Ketzer genannt (dagegen verwahrt sich Reuchlin freilich stets), also müsse er auch ihre Schriften für ketzerisch erklären[8]); mit denselben

---

[1]) Bb 4b.

[2]) Ee b: *Sic doctus legista eum nec dignum duceret vocari legum scrutatorem, qui solummodo ad glossemata marginalia respiceret et nunquam textum in seipso penetraret quin potius nonnunquam tales et glossatores et glossis immorantes legum corruptores haud iniuste dicuntur.*

[3]) Ee 4a.

[4]) Ee 6a.

[5]) Ii 2b. *Insuper et dua dicta facile eliduntur; facillime quoque prosterneris ex tuae professionis (iuris videlicet canonici) principiis.* Ausrufe (am Rand) wie *Mirandus Jurista* und ähnl. finden sich nicht selten.

[6]) *Tu igitur Theologorum et Juristarum maxime per veteris legis (quae sepulta est) iudiciale praeceptum, et id tempore anterius . . praeceptum Christi neotericum magis corrigere tentavis. Num prior lex corrigit posteriorem? Numquid magis iuristam decuit (quoniam ambo sustineri possunt) unum alteri concordare? Nempe iura iuribus esse concordanda et non corrigenda iam supra . . . allegavimus.* Kk 4a.

[7]) Aa 3a fg.

[8]) Bb 4a.

Worten wolle er beweisen, dass Christus geboten, die Bibel zu erforschen und aufgefordert, die rabbinischen Schriften zu studiren u.
ähnl. [1]). Das zweite Kampfmittel ist, Autoritäten ins Feld zu
führen. Dazu spickt er seine Schrift voll mit Citaten aus den klassischen Schriftstellern, aus dem alten und neuen Testamente, ruft
die Juristen, die Kirchenväter, vor allem Hieronymus und Augustin
zu Hülfe, und verschmäht nirgends Bundesgenossen herzuholen, er
citirt die judenfeindlichen Schriften von Raimund, Alfonsus, Nikolaus
von Lyra, Paul von Burgos, Peter Nigri, andere Unbekanntere wie
Peter Brutus, Jakob von Placentia, den Carmeliterbischof Guido [2]).
Aber besonderes Behagen findet er darin, solche Männer anzuführen,
auf deren Wort auch Reuchlin viel Gewicht legte, den Pikus von
Mirandula, der ausdrücklich erklärt habe, der Thalmud sei von den
Juden verfasst, als sie bereits den Christen feindlich gegenüberstan-
den [3]); vor allem den Erasmus, dessen Uebersetzung des Hierony-
mus und neuen Testaments, sowie sie in einem Worte mit der von
Reuchlin gegebenen nicht übereinstimmt, er gerne als vollwichtiges
Zeugniss der völligen Verurtheilung von Reuchlins Meinung betrachten möchte [4]).

Doch Hochstratens Illusion geht nicht soweit, ihn glauben zu
machen, dass ihm durch Schmähungen und spitzfindige Widerlegungen
einzelner Behauptungen der Sieg zufallen würde; er sucht daher den
Gegner durch fromme Reden von seiner ketzerischen Meinung abzubringen, beschwört ihn bei dem untrüglichen Gerichte Gottes [5]),
citirt Verstorbene, lässt den Panormitanus, den Reuchlin falsch an-

---

[1]) Dd 3ª. Bezeichnend sind die Ausdrücke: *te utique arguis, te strangulo
necas, palinodiam cecinisti.* Anzuführen ist auch Ff 4ᵇ, wo er am Rand sagt:
Capnion super varietatem suam hic veram facit confessionem und im Text:
*Singula etiam quae in bonos evomuit viros turpissima et bono viro nec digna
cogitatu convitia in suum cum veritate citra omnem malivolentiam retorsimus
auctorem.*

[2]) Bb 3ᵇ; Ccª; Ff 3ª.

[3]) *Picum Mirandulanum (quem plurimum facis) aperte dicentem doctrinam
Thalmudicam totaliter ab ipsis hebraeis, iam contra christianos pugnantibus
esse confictam* Bb 3ᵇ.

[4]) An sehr vielen Stellen z. B. Cc 6ᵇ: *disertus scripturarum interpres
Erasmus Roterodamus* Ee 4ᵇ; meist mit Randbemerkungen, um den Leser
gleich darauf hinzuweisen: *Erasmus contra Capnionem; Iterum praeclarissi-
mum Erasmi in Capnionem dictum.* Gg 4ᵇ Gg 5ª.

[5]) Ccª.

geführt hatte, auftreten, sich von dem ihm schuld Gegebenen reinigen und Reuchlin der Lüge zeihen [1]).

So konnte er denn am Ende zur Widerlegung von Reuchlins Schlussäusserung im Dialoge: Sieh' nun, von welchem Neid die händelsüchtigen Menschen gegen den Nächsten getrieben werden, wie sie der Neid geblendet hat, sagen: „Wir haben schon häufig Deine ungewaschenen und ungerechten Schimpf- und Schmähworte gehört, es wäre uns ein Leichtes gewesen, ähnliche mit grösserem Rechte gegen Dich zu brauchen. Aber im Himmel ist unser Zeuge, über den Wolken der, der uns kennet, der weiss, dass wir in Unschuld geduldet haben, dass wir in Reinheit heisse Gebete zu Ihm geschickt, und nicht das Beispiel der Bekenner falscher Lehren nachgeahmt haben, fromme Männer mit verderblichem Schimpfe zu beflecken. Keiner, der die Wahrheit liebt, wird, so hoffen wir', sagen können, dass die Kölner Theologen listig und betrügerisch gegen Dich aufgetreten sind, dass wir Dich zu bedrängen gesucht, sondern wird eingestehn müssen, dass wir nur nach der Vertheidigung der christlichen Wahrheit gestrebt haben. Was wir thaten, geschah nicht aus Hass und zur Befriedigung unserer Eitelkeit, sondern in berechtigter Weise nach päpstlichen Bestimmungen, die uns ein Vorgehen gegen irrige Meinungen zur Pflicht machen. Daher ist Dein Schlussvorwurf gegen uns so ungerecht, wie alle früheren. Hass gegen Dich und Deine Behauptungen ist daher nur eine Folge der wahren Liebe zu Gott; göttliche Erleuchtung gibt ihn uns ein, nicht Verblendung und Bosheit" [2]).

Das zweite, dem Umfange nach weit kleinere, Buch der Hochstraten'schen Apologie unterscheidet sich von dem ersten mehr der Form nach, indem es, nachdem nun im ersten eine Abfertigung des vermeintlichen Benignus vorgenommen worden, einen Dialog zwischen dem rechten Benignus, der nun auf Seite Hochstratens steht und diesem (*Theologus*) enthält, als dem Inhalt nach, der auch nichts

---

[1]) Gg a.

[2]) Ich gebe nur die letzte Stelle nach dem Original: *Hinc falsus finis vestro correspondet · falso principio, dum iniuriosissime concludis, quo nec venenosius quid spuere potuisses. Odium itaque tuarum haereticarum assertionum ac sacrae scripturae temerationis, gloriae dei atque proximi dilectioni affine est nec proinde tanquam malicia excaecat, sed divinae est index illuminationis.* Ll 4a.

weiter ist, als eine scholastische Bekämpfung Reuchlins. Auch hier
wird der Widerspruch in einzelnen seiner Aeusserungen gezeigt, wie
er, der die Bezeichnung der Maria als erhabene Mutter Jupiters
als Ketzerei ausgegeben, weil Jupiter Teufel bedeute, diesen Namen
oft selbst in gutem Sinne gebraucht [1]). Dieser Hieb gibt dann Gelegenheit, auf Ortuin Gratius einzugehen, diesen nebst Arnold von
Tungern von den Schmähungen zu reinigen, die Reuchlin gegen sie
geschleudert hatte und sie auf das Haupt ihres Urhebers zurückzu-
werfen [2]), zu zeigen, wie wehe er mit seinem Schimpf der Kölner
theologischen Fakultät gethan und pathetisch auszurufen, ob es
möglich wäre, einen grausameren und unmenschlicheren Henker aus
der Unterwelt hervorzurufen [3])?

Er fühlte sich so vollkommen in seinem Rechte, dass er an
den Schluss eine geharnischte Erklärung gegen seine Widersacher
fügen zu müssen glaubte: „Wenn Reuchlin, oder für ihn ein Anderer,
sei es aus der Schaar der berühmten oder der dunkeln Männer
auftreten will und unsere Behauptungen bekämpfen, so kann er
einer alsbaldigen Abfertigung gewiss sein. Ein Knecht Christi soll
zwar nicht streiten, den Thoren nicht nach ihrer Thorheit antworten, um ihnen nicht ähnlich zu erscheinen. Wir wollen auch nicht
reden wie sie, wie jene schmähsüchtigen Menschen, wenn sie überhaupt noch werth sind, Menschen genannt zu werden, deren Mund
voll ist von gehässiger Bitterkeit, aber leer von Wahrheit und Religion, die Schimpfwörter gebrauchen, wie man sie kaum von Possenreissern hört. Wir verachten sie, wie der Mond über die Hunde
lächelt, die ihn anbellen" [4]).

---

[1]) Zusammenstellung einiger Stellen Reuchlins C a, C 2 b. — Auch hier
wird nochmals auf das uns durch Pfefferkorns Schriften bekannte jüdische
Gebet: *velamneschumadim* Rücksicht genommen, das Reuchlin in dem Brief
an den Edelmann und in dem Gutachten verschieden gedeutet C 3 b. 4 b.

[2]) B 3 a fg.; B 4 b; C 3 a: *Si Ortwinus heresiarcha, Capnion superhere-
siarcha.*

[3]) C b. *Putasne, Rever. Dom., ab inferis susitari (!) posse carnificem
aut immaniorem aut crudeliorem.*

[4]) Das letzte lautet: *Praeterea hominibus (si tamen hoc vocabulo digni
sunt) maledicis, quorum os maledictione et amaritudine plenum est, qui veritate ac doctrina vacui non nisi injurias, turpitudines, probra insuper, vix leno-
nibus digna in medium afferunt, his inquam velut indignissimis respondere de-
dignabimur eos tanquam rudera contemnentes, sicuti rabidos canes contra lumen
latrantes nihilipendemus.* Dann folgen noch ein paar Sätze, dann: *Ipse autem*

Der ketzerrichterliche Ton, der sich in Allem, was Hochstraten that und so auch in dieser Schrift aussprach, die stolze übermüthige Weise, in der hier über Reuchlin, wie über einen argen Verbrecher Gericht gehalten wurde, erbitterten diesen und seine Freunde. Der Verletzte selbst und Hermann Busch und Ulrich von Hutten gaben ihrer Entrüstung in Briefen an den Grafen von Nuenaar Ausdruck, dieser sandte sein ausführliches Verdammungsurtheil an Reuchlin und gab diese vier Briefe nebst einer prosaischen und poetischen Vorrede an den Leser zusammen mit Hochstratens erster Anklageschrift, um den Urgrund aller seiner Beschuldigungen erkennen zu lassen, und einer neuen Vertheidigung Reuchlins heraus [1]).

Hochstratens Wuth, erklärte Reuchlin, sei dadurch entstanden, dass ihm das jüdische Gold, auf das er, als er den Streit über die Judenbücher angezettelt, bestimmt gerechnet habe, nun doch entgangen sei. Da weiss er sich denn in seinem Zorn nicht zu fassen, besudelt Alles, was er vornimmt, auch der ehrwürdige Erzbischof Georg Benignus entgeht seinem Schmähen nicht. Er wagt zu behaupten, jener habe die Vertheidigungschrift gar nicht geschrieben. Aus Bescheidenheit schweige jetzt Benignus, aber er werde Vertheidiger finden, die thun werden, was nöthig erscheint. Was sind das für Gegner! Auf der einen Seite der Erzbischof, wie wir ihn alle kennen, wie selbst der Kaiser ihm seine Achtung und Verehrung zollt, von Pflichteifer erfüllt, voll Liebe für die wahre Religion; auf der andern Hochstraten, der leichtsinnige, lügenhafte Verläumder, der, nachdem er zu Rom schändliche Mittel zur Erreichung seiner Zwecke angewendet, das erpresste Geld seiner Brüder in erbärmlicher Weise zu Bestechungen verschwendet, in Schande und Schmach aus Rom hat entweichen müssen. „Und ein solcher Mensch greift auch mich an, schmäht, lästert mich, reisst alle Aeusserungen, die

---

deus iudicet inter nos et eos qui est benedictus in saecula saeculorum. Amen. Darauf folgen zwei und eine halbe Seite unter der Aufschrift: *Assertiones Erronee Ocularis speculi, loca autem in quibus singule continentur in consilio Capnionis designantur primo; deinde designantur passus nostri istius libri in quibus singulae impugnantur.*

[1]) *Epistolae trium illustrium virorum etc.* vgl. die genaue Beschreibung der mir vorliegenden Ausgabe, bei Böcking, Index bibliogr. Hutten. p. 21 No. 4. Der Brief Reuchlins an Nuenaar und Nuenaars an Reuchlin ganz, der Busch's an Nuenaar zum Theil in der Briefsammlung, der Brief Huttens bei Böcking, Hutteni Opera I, p. 164—168.

ich je gethan, auseinander, um in jeder einzelnen eine Ketzerei zu
suchen.   Ich will mich nicht mehr vertheidigen, mag er mit immer
neuen Waffen gegen mich losgehn!   Du aber, tapferer Streiter, be-
kämpfe dieses Ungethüm, für die Wahrheit gegen die Lüge.   Ich
bin ein alter Mann, ich muss Euch Jüngere triumphiren sehen und
loben, ich kann nicht mehr selbst triumphiren"[1]).

Eine solche Mahnung fiel bei Nuenaar auf guten Boden.   Dazu
kamen auch die Freunde das Feuer zu schüren.   Die heftigsten
Invektiven gegen Hochstraten bildeten Busch's Urtheil über die Apologie, die er freilich immer die ehrwürdige nennt, wie er auch bei
Hochstratens Namen nie den Titel „verehrungswerther Vater" vergisst[2]).   Wie müssen sich Papst Leo und der Kaiser schämen, eine
solche Schrift gewidmet zu erhalten, ohne Geist, mit den ärgsten
Verstössen gegen die Sprache; ein Lehrer würde in Verzweiflung
gerathen, dem ein siebenjähriger Schüler eine derartige Arbeit
überbringt.   Er achtet nichts, Dich und Pirckheimer verletzt er wie
die elendesten Gesellen, gegen den Benignus fährt er los, wenn er
auch manchmal seine Waffen mit Honig bestreicht, kaum schont er
die, denen er seine Schrift gewidmet, denn er beklagt sich, dass
man ihm das Recht verweigere.   Und er, der die zu Rom von den
Richtern in gebührender Weise abgegebene Entscheidung nicht anerkennen will, wagt zu sagen, Reuchlin habe den päpstlichen Stuhl
beleidigt.   Er sagt, Reuchlin, freilich der vorgebliche, der in dem
Dialoge des Benignus auftrete, habe das alte Testament gefälscht,
die Bibel geschmäht, sein Buch sei ein gottloses, und dennoch
behaupte er, er nenne ihn keinen Ketzer[3]).   Hört es nur Alle, wie
er sich rühmt, er habe mit seiner Apologie eine Festung errichtet,
die die ganze Welt nicht erstürmen könne, Kaiser und Fürsten der

---

1) Reuchlin an Nuenaar 21. März 1518. — Die letzte Aeusserung ist
wol eine indirekte Antwort auf Nuenaars Aufforderung: *Quiesce tu, interea
dum luctamur, videbis, ut te ex insidiis eripuero.* (Nuenaar an Reuchlin
April 1518).

2) *Reverenda Apologia; reverendus Pater.*

3) Epist. tri. ill. vir. c 3ª. *Haec utique omnia non in poeticam personam
illam, sed in ipsum hominem Joannem Reuchlin dicuntur.   Impium scilicet esse
ejus libellum, item eundem vetus testamentum temerasse, ipsum sacram bibliam
blasphemasse, ipsum in Romanam sedem gravissimam calumniam instruxisse.
Si hoc nondum est dicere haereticum, age dicat ergo planius, quid sit dicere
haereticum.*

Christenheit, Papst, Cardinäle, Bischöfe und Gelehrte, dass Ihr die Hand nicht hebet gegen den einen „ehrwürdigen Vater"[1]). Hätte Reuchlin eine solche Aeusserung gethan, wie würde Hochstraten schäumen. Donner und Blitz würde er zu Hülfe rufen, Himmel, Erde und Meer erregen ob solcher Unthat[2]), — aber sich glaubt er Alles erlaubt.

Hutten bekennt in seinem Briefe geradezu, dass er die Schandschrift Hochstratens mit Vergnügen gelesen habe. Die Frechheit jener Pfaffen die uns beherrschen wollen und misshandeln, lästern und schmähen, müsse immer mehr offenbar werden. Ihre Frechheit kenne keine Grenzen mehr, da sei jener Peter Meyer in Frankfurt, der Ungelehrteste und dabei Unverschämteste von Allen, die Reuchlin übel wollen, Bartholomäus Zehender in Mainz, der, wie er überhaupt den Mund nicht öffnen könne, ohne Gift auszuspritzen, Reuchlin auf der Kanzel geschmäht habe. Bisher habe er geglaubt, diesen Feinden müsse man Schweigen entgegensetzen, aber er sehe, das reiche nicht aus; man müsse kämpfen. Freilich die Gegner erleichtern den Sieg, sie kämpfen und befehden sich; mögen sie sich nur unter einander aufreiben[3]). „Ja gebe Gott, dass Alle zu Grunde gehen und aussterben, welche der aufkeimenden Bildung hinderlich sind, damit die lebendigsten Pflanzungen der herrlichsten Tugenden, die sie oft zertreten haben, endlich sich erheben mögen." Was auch geschehe, auf ihn könne man als sicheren Bundesgenossen rechnen, er werde nicht säumen, den wackeren Männern sich anzuschliessen, die überall aufstehen, um Reuchlin zu beschützen. „Dass Du gegen Hochstraten auftrittst, billige ich vollkommen, begierig erwarte ich, was Du versprichst; fahre nur fort, wie Du angefangen hast; mögen sie uns hassen, wenn sie nur auch uns fürchten"[4]).

---

[1]) c 4ᵃ.

[2]) c 4ᵇ. *Siquis istud scripsisset Capnion, Dii boni, in quantam invidiam mox vocaret illum, ob hoc solum verbum, iste Reverendus Pater? Quantas inde tragoedias continuo excitaret, quae tonitrua, quae fulgura, quos nymbos cieret? coelum terris misceret et mare coelo . . .* übrigens kehren diese und ähnliche Gedanken in Nuenaars gleich zu besprechendem Briefe wieder.

[3]) Es ist bekannt, dass zu den Mönchsgezänken, über die sich Hutten damals freute und als günstig für den Sieg seiner Sache erklärte, auch der Streit gehörte, den Luther eben begonnen hatte. vgl. Strauss (I, S. 291), dessen Charakteristik unseres Briefes (S. 288—293) ich mich zum Theil angeschlossen und bisweilen seine Worte herüber genommen habe.

[4]) Hutten an Nuenaar Mainz 3. April 1518. Böcking, Opera Hutten I, p. 164—168.

So trat Nuenaar denn in einem Briefe an Reuchlin mit seiner geharnischten Erwiderung hervor. Fast zu gleicher Zeit sei ihm und seinen Freunden, nach der platonischen Seelenharmonie, die sie verbinde, eingefallen, den Hochstraten mit dem Höllenhunde Cerberus zu vergleichen. Er rühmt sich, allein die Vorschriften Christi zu bewahren, und kennt nicht das Gebot des Apostels, Streit, Bitterkeit und Hass aus der heiligen Gemeinde zu entfernen!? Er will ein Theologe sein und meint, die stürzende Kirche mit einem Lügendamme aufzuhalten, an Stelle der wahren katholischen Lehre sophistische Kniffe und Grundsätze zu empfehlen, sich als unbesiegbar hinzustellen und geistliche und weltliche Machthaber kühn anzugreifen. In falscher, gewissenloser Weise behauptet er, man habe ihm in einer Sache, in der es sich um das Heil Aller, um Glauben, um Christus handle, Recht verweigert, will seinen Richtern Grundsätze vorschreiben, wie sie zu urtheilen haben, eine neue Lehre aufstellen, dass er nur Gott unterthan und keinem Menschen Gehorsam schuldig sei, nicht einmal dem Papst. Er will für die Wahrheit reden, und alle seine Behauptungen sind Lügen; zur Ehre Christi, und füllt seine Reden mit Schimpf und Schmähungen! Er beschuldige ihn (Nuenaar) gegen die Professoren in Köln gewüthet zu haben, die Kölner Theologen haben aber durch ein öffentliches Zeugniss den Ungrund dieser Beschuldigung erwiesen. Er sei kein Feind der Theologen, das könne er durch Hunderte von Briefen der unbestritten gelehrtesten Theologen und Philosophen beweisen, die ihn in den anerkennendsten Ausdrücken ihrer Verehrung versichern und um seine Freundschaft bitten; Hochstraten müsste denn Leute seines Schlages Theologen nennen, die aber eher den Namen von streitsüchtigen, wahnsinnigen Menschen verdienen. Solche hasse er und freue sich, von ihnen angegriffen zu werden, namentlich wenn er dabei in Gemeinschaft des Benignus und Reuchlin zu leiden habe. Aber Hochstraten möge bedenken, wenn er gegen diese kämpfe, mit wem er es zu thun habe, das seien nicht ihm Gleichstehende, denen seine Syllogismen imponirten, sondern ihm weit Ueberlegene, gegen die seine Kampfesmittel nicht ausreichten. Mit diesen Mitteln ihm entgegentreten wolle er nicht, der Ruf, die Ehre, die Würde Anderer ständen ihm zu hoch, um sie leichtsinnig zu beflecken. Möge Jener weiter mit Stolz, Neid und Frechheit gegen alle Guten sich gürten, auch ferner seine Feinde Poeten schelten, während er doch nichts von den Verdiensten der heiligen Poesie verstehe, sich auch

in Zukunft einen Theologen nennen, während er doch die Schriften
der wahren Theologen niemals gelesen habe, — wir wollen uns
weiter unsern Studien hingeben, und uns mit ihm und Seinesgleichen
nur beschäftigen, wenn wir einen Gegenstand suchen, um unser
Lachen zu erregen [1]).

Neben diesen Briefen hatte die von Nuenaar herausgegebene
Schrift auch den *libellus accusatorius* enthalten, den Hochstraten zur
Begründung seiner Anklage im Mainzer Prozess vorgelegt hatte.
Vor kurzem war dieser mit den wichtigsten anderen Aktenstücken
des ganzen zu Mainz, Speier und Rom geführten Streites von
Reuchlin oder seinen Freunden veröffentlicht worden, eine Samm-
lung [2]), die zwar in durchaus unparteiischer Weise die von beiden
Parteien herrührenden Urkunden enthielt, der man aber in den
Schlussworten und in den erzählenden Theilen deutlich die Absicht
anmerkte, die die Schrift als Aktensammlung, wofür sie sich ausgab,
nicht hätte haben dürfen, Reuchlins Sache als die siegreiche und
als die allein zum Siege berechtigte hinzustellen.

Nach der Vertheidigungsschrift des Georg Benignus hatte
Nuenaar eine neue Schutzrede Reuchlins und zwar auch aus Rom
zugesendet erhalten. Sie ist an einen Stephanus gerichtet, der mit
Reuchlin, „Deinem Johannes" als ziemlich befreundet gedacht
wird, vielleicht Stephan Rosinus, von dem wir gesehen haben, dass
er für Reuchlins Sache in Rom und beim Kaiser Maximilian in
nicht erfolgloser Weise thätig war. Der Verfasser ist unbekannt,
der gemessene, ruhige Ton seiner Schrift lässt keinen deutschen
Humanisten vermuthen, man mag sich einen gelehrten Römer denken [3]), der aufgefordert, über den Augenspiegel und einige dagegen
vorgebrachte gegnerische Einwände sein Urtheil zu fällen, in schlich-

---

[1]) Nuenaar an Reuchlin 1. Mai (1518). — Es sei für diesen und die
oben besprochenen Briefe Buschs u. Reuchlins bemerkt, dass sie alle zwar
beabsichtigen ein Urtheil über Hochstratens Apologie abzugeben, oder richtiger eine Widerlegung derselben zu schreiben, das wenige Thatsächliche
aber, das sie enthalten, nicht aus dem voluminösen Werke selbst, sondern
aus der Einleitung geschöpft haben. — Für Reuchlins Brief bemerkt das
Hochstraten in der Vorrede zur Apologia secunda.

[2]) Acta iudic. Febr. 1518. vgl. oben S. 290, A. 2, wo Beweise für das
Einzelne erbracht sind.

[3]) Nuenaar nennt ihn in seiner Vorrede *quidam celeberrimus et acu-
tissimus Romanae academiae theologus.*

Geiger, Johann Reuchlin.   27

ter Weise seine Meinung abgibt[1]. Das Schriftchen war bereits 1516
in Rom geschrieben, wo es Hochstraten sah, schwerlich dort veröffentlicht, sonst wäre der im Kölner Druck ausgelassene Schluss,
Stephanus möchte dasselbe bei sich behalten, um dem Gegner
nicht Veranlassung zu neuen Artikeln zu geben, durchaus sinnlos[2]).
Was der Verfasser begründen will, stellt er am Anfang kurz
dahin zusammen, dass 1) die Hauptschlüsse Reuchlins über Bibel,
Thalmud, Cabbalah, jüdische Commentare, poetische und sonstige
Schriften wahrscheinlich seien, dass zwar 2) zu deren Beweise Einiges unklug vorgebracht, einzelne Stellen falsch angeführt, und einige
kecke Behauptungen aus zu grosser Liebe für die jüdischen Schriften
gewagt würden, dass aber dieselben 3) die Wahrheit des christlichen
Glaubens nicht hindern und stören und Manches, was ärgerlich und
ketzerisch erscheint, sein schlimmes Aussehen verliere, wenn es streng
nach dem Sinne des Schreibers genommen werde[3]).

------

[1]) *Defensio nuper ex urbe Roma allata*, zuerst besonders Köln Mai
1518 8 Bll. in 4°, dann (fast gleichzeitig) in *Epistolae trium* . . . f 4b—g 4a.
Der Anfang lautet: *Rogasti me, mi Stephane, ut tibi, quid sentiam de libello
tui Joannis, aperirem et quibusdam cavillis quae mihi nuper dedisti, respon-
derem, non ob aliud, ut dicis, nisi ut rei veritatem noscas. Dicam tibi quid in
hac re sentio, amice et familiariter.*

[2]) Hochstraten sagt in der Vorrede zur Apologia secunda (s. unten)
A 5b, der Schluss hätte gelautet: *Haec, mi Stephane, sint apud te, ne forte
bonus ille frater* [Hochstr.] *faciat fortasse novos articulos contra haec;* und
setzt hinzu: *Quae quidem verba studiose nuper* [in dem Kölner Druck] *sup-
pressa sunt, non ut ego deciperer, qui ante duos annos haec omnia Romae publicata legeram, verum ut simplices et boni fucatis quibusdam rebus
ac veluti novis defraudarentur.* Die Vorrede vom August 1518. ist neu abgedruckt bei Böcking, Opera Hutteni, Supplementum vol. I, p. 429—438.
Schon in der ersten Apologie hatte Hochstraten darauf angespielt, a 4a:
*Quod si adhuc illa aut alia huius herois sint patrocinia, in lucem prodeant
atque edantur; videbitur nobis non deesse quod pro deo et veritate loquamur.
Quod si hic heros sit vir ille qui facturam fecit cui initium nascitur „rogasti
me, mi Stephane“, sciant quoniam satis accepit responsi, quod in hanc usque
horam Rome apud reverendissimos dominos Cardinales citra replicam perdurat*
vgl. auch den Anfang des unten besprochenen Briefs von Nuenaar *ad lectorem*.

3) Der Wichtigkeit wegen mag die ganze Stelle im Original hier stehen:
*Primum, quod in hac re apparet, est, Conclusiones illius libelli principales
Joannis Reuchlin sunt probabiles, videlicet de libris sacris, Thalmud, Cabala,
glossis in Biblia, disputationibus, sermonibus, physicis sententiis, fabulis poe-
ticis et irrisionibus.*

Secundum, in earum improbationibus quaedam imprudenter dicta sunt et

Ketzerische Bücher, so führt der Verfasser aus, können nur solche genannt werden, die von einem innerhalb der christlichen Glaubensgemeinschaft Stehenden verfasst, sich von den angenommenen Lehrsätzen der Kirche entfernen. Jüdische Bücher sind daher nicht ketzerisch; sie können dem Christenthum Feindliches enthalten, dann ist es recht, wenn sie verbrannt werden, das haben Gregor und Innocenz gethan, aber nur durch die Verdammung gewisser verderblicher Schriften, nicht des ganzen jüdischen Schriftthums. Christus fordere zwar nicht auf, die thalmudischen Bücher zu studiren, aber diese Erklärung der Stelle des Evangeliums habe schon Paul von Burgos vorgebracht; also habe diesen der Vorwurf zu treffen. Es sei Reuchlin nicht eingefallen, dem Thalmud dieselbe Autorität beizulegen, wie der Bibel, was auch die Juden nicht thäten, er habe nur behauptet, dass aus dem ersteren deutlichere Beweise für Christi Gottheit zu ziehen seien [1]. Auch verbiete Paulus das Lesen der thalmudischen Schriften nicht; die nützlichen Lehren und Gebote, die aus diesen gezogen werden können, sollen von einer Verbrennung derselben abhalten [2]. Einer Schmähung der Bibel könne man Reuchlin nicht anklagen, denn allerdings sei sie nicht hinreichend, um die Juden von der Unrichtigkeit ihres Glaubens zu überzeugen, die rabbinischen Schriften seien nothwendigerweise mit hinzuzuziehen. Und ebenso wahr sei die Behauptung, dass die Juden durch eine Verfolgung nur stärker und kräftiger werden würden, wie man dies an der Martyrienzeit der Christen sehen könne [3]. — Die Wendung des Vertheidigungsschriftchens gegen Hochstraten ist deutlich genug, der Verfasser rechtfertigt Reuchlin, dass er jenen einen *diabologus* genannt [4], und spricht von dem Ketzermeister ironisch als dem *bonus frater*.

---

assertiones quaedam falsae et malae illationes; et quaedam arroganter et nimio affectu in Hebraeorum libros prolata.

Tertium, hae tamen omnia veritatem fidei nostrae nihil manifeste impediunt aut perturbant. Et si quaedam pauca haeretica et scandalosa forte appareant, in sensu tamen scribentis, in quo etiam de rigore sumi possunt, nec haeretica, nec scandalosa sunt.

[1] Epist. trium g a fg.

[2] g 2ᵃ fg.

[3] g 3ᵇ g 4ᵃ.

[4] *Quod illum Theologum Diabologum* (das Wort und *bonus frater* ist mit grossen Buchstaben gedruckt) *nominat, satis convenienter nominavit; idem*

27*

Nuenaar liess sich nicht nehmen, das Schriftchen mit einer Vorrede[1]) zu begleiten, die, was jenem an Bitterkeit fehlte, reichlich ersetzte. Hochstraten rühme sich, vor den Cardinälen sich gegen alle Angriffe vertheidigt zu haben, der ehrwürdige Vater möge es nicht übel nehmen, aber das sei eine unverschämte Lüge; haben die Cardinäle ihn doch nicht einmal anhören wollen, seien doch seine Protestationen, die er an die Kirchenthüren habe anschlagen lassen, herabgerissen und in den Koth geworfen, oft selbst von den päpstlichen Wachen zerrissen worden, zum Spott und Gelächter der Vorübergehenden[2]). Er möge sich nur rühmen, alle Angriffe seiner Gegner zu Boden geschlagen zu haben. Das müsse freilich im Beisein Stummer geschehen sein, denn noch hätte Keiner ein Sterbenswörtchen davon verrathen. Aber dass er gegen Menschen wüthe, wolle man hingehen lassen, den Namen Gottes möge er nur durch seinen frivolen Streit nicht in dieser Weise entweihen[3]). Mit dem Ruhme, die grössten Helden der Neuzeit zu sein, nicht zufrieden, wollen die Gegner noch den Ruhm des Alterthums sich erwerben, Hochstraten nenne sich Cato, Ortuin Herkules. Ein schöner Cato, der an Stelle von Sparsamkeit, Wegwerfen des eigenen, Verschwendung fremden Geldes setze, ein herrlicher Herkules, der statt durch seine Tapferkeit Andere zu schrecken, in seiner Feigheit jammere, und durch seine Thorheit das Lachen der Menschen und Jupiters selbst errege[4]). In einigen Versen an den Leser empfahl er

---

enim est Diabologus, quod sermonis calumniator ... g 2b. — Die einzelnen Widerlegungen der kleinen Schrift beziehen sich auf die Behauptungen Hochstratens in seinem Libellus accusatorius.

1) Ad lectorem: Epistolae trium d 3a—e a.

2) d 3b: bona venia Reverendi huius patris dictum velim impudentissimum et plane suum esse figmentum, quomodo enim dicere audebit a se responsum fuisse coram Reverendissimis Cardinalibus qui ipsum ne audire quidem voluerunt ... Negare inquam audebit suas illas conclusiones .. Romae in lutum, in pulverem publice conculcatas, et ab ipsis sacris postibus passim direptas fuisse, omnium praetereuntium maximo cum risu et joco?

3) d 4b: Caedo (!) facile, ut in homines debacchetur, dei nomen abhorreo in tam frivola concertatione tam licenter a quovis etiam levissimo homine profanari.

4) Das letzte lautet d 4b: Hercules .. adeo nunc tulipsius immemor factus ut inertiam tuam lamentando (bezieht sich auf Ortuins Lamentationes) prodi malis quam certando, et dum hoc agis tam es ineptus et ridiculus, ut risu non homines modo, verumetiam Juppiter ipse alioqui tibi charissimus

die Schrift, schilderte seinen Kampf als einen guten und löblichen. Aber es sei kein Streit, der mit Scherz abzumachen, mit leichten Waffen auszukämpfen sei; wenn die Sache rufe, werde er gerüstet erscheinen, und am Ende siegreich das blutgetränkte Schwert davon tragen [1]).

Wie Nuenaar gegen Hochstraten sich vertheidigt, so trat nun zur Erwiderung dieser gegen jenen in der zweiten Apologie [2]) auf. Seiner Gereiztheit machte er zuerst in einer langen Einleitung an Johann Ingewinkel, Propst von Xanten Luft. Reuchlin beharre in seiner Verstocktheit, nach seiner Defensio und seinem Werke über die Cabbalah habe er nun seine fluchwürdigen Schmähungen, denen freilich doch kein Guter Glauben schenke, in dem Briefe an Nuenaar wiederholt. Seinen Schimpfwörtern wolle er nicht gleiche entgegensetzen, ihn tröste sein Bewusstsein, und die Anerkennung trefflicher Männer, vor allem des Cardinals Adrian von Utrecht. Der habe ihm geschrieben: „Ich bin nicht betrübt, nein, ich freue mich, dass die

---

(gemeint ist wol O.'s Ausdruck: *Jovis alma parens) emori possint. Sed valeant isti cum suo Hannibale, quem sibi ducem constituerunt.* (Deutet wol auf den Schluss der Einleitung von Hochstratens erster Apologie: *Siquidem ut apud Plutarchum Hannibal inquit, et Romani suum Hannibalem habent.*)

1) Ein paar hübsche Verse, die den letzten Gedanken ausführen:

Non est lusibus haec agenda scaena,
Non est versibus explicanda paucis,
Sed cum res vocat, omnibus camoenis,
Quas vel Ibla nutrit, aut Pelasga
Tellus, ipse meas feram querelas.
Et tum sanguine tincta viperino,
Mecum spicula deferam cruentus.

a. a. O. e a, b.

2) *Ad reuerēdum | dignissimūque patrē. D. Joānnē | Ingewinkel. sacrosancte sedis apostolice Prothono- | tariu. Prepositu quoque Xantensem et apostolica | rum cōcessionum censorem Coloniensisque ecclesiae | Archidiaconum APOLOGIA SECUNDA | Reuerendi Patris Jacobi Hochstraten Artiū et sa | crae Theologiae professoris eximij. Hereticae praui- | tatis. per Coloniensem Mogūtinensem et Treuerensem prouin | cias Inquisitoris vigilātissimi. Cōtra defension m | quādam in fauorem Joannis Reuchlin nouissime | in lucem editam. || Ad lectorem | Inquisitor heretice prauitatis. non persequitur in hoc opere materiā | prime sue Apologie. sed alie quedam catholice impugnat. que ab | hōie sibi ignoto. in fauorē Capnionis ecclesiae scandalū sunt edita. | id quod duas subsequētes epistolas lectitanti. sole clarius elucescet. Anno M.CCCCC.XIX.*

A, C, E à 6, B, D, F à 4 Bll. in 4° 1. Seite leer.

Am Ende: Τελος και θεω δοξα.

Oben an der Seite: *Articulus primus — duodecimus, xiij—xvij.*

Sünder ihre verbrecherische Handlungsweise gegen Dich fortsetzen, denn gegen die Wahrheit vermögen sie doch Nichts. Unglücklich der, dem nichts Uebles zugestossen! Daher sei guten Muths; die Pfeile, die von den Gegnern gegen Dich geschleudert werden, fallen auf sie zurück"[1]). Auf alle irrigen Meinungen Reuchlins wolle er hier nicht eingehen, nur einige wolle er hervorheben. Reuchlin sage, er sei von den Kölnern Ketzer genannt worden, das sei nicht wahr. Man könne ganz wohl ein ketzerisches Buch schreiben, ohne darum ein Ketzer zu werden[2]). Reuchlin greife den Ortuin in heftiger Weise wegen einer ketzerisch klingenden Bezeichnung der Maria an, und doch nenne ihn selbst einmal ein Freund Dolmetscher des Zeus und er habe dagegen Nichts einzuwenden[3]). Ihm, Hochstraten, gebe man Schuld, heimlich aus Rom entwichen zu sein. Sei das wohl ein Zeichen heimlicher Entweichung, dass er kurz vor seinem Weggang nochmals die Richter um eine Entscheidung ersucht, und sogar den Gegenanwalt bezahlt, um nur rascher das Fällen eines Urtheils zu erzielen[4])? Aber schon sehe Reuchlin ein, dass er Unrecht habe, er, der früher sich Kenntniss der Theologie zugeschrieben, überlasse jetzt den Kampf den Jüngeren, die von Theologie grade so wenig verstehen als er[5]). Das hätte er aber

---

[1]) Die Worte Adrians, *quem a inventute eque ac patrem coluimus et quo in trecentis annis ipsa Alemania non procreavit ecclesie tam in scientiis quam in virtutibus et sapientia ulteriorem*, lauten a[b] fg. *Amantissime magister noster, dolere forsitan me existimas, quod te mihi amantissimum et alterum me N. noster tot maledictis insectatur mendaciis, confictis quoque erroribus impetit, dilacerat et prosequitur. Gaudeo potius quod supra dorsum tuum fabricantes peccatores suam iniquitatem prolongent, dum adversus veritatem possunt nihil. Jam licet teipsum experiri: Infelix est (nostri Cordubensis sententia) cui nihil unquam accidit adversi, non enim licuit ipsi seipsum experiri. Esto forti animo et hominem insanum cum deliramentis suis irride potius, iacula quae in te mittere tentat, ipsum invadunt et dilaniant.*

[2]) Lange Ausführung der schon oft vorgebrachten Vertheidigung a 2[a] fg.

[3]) Anspielung auf den Brief des Joachim Vadian 5. April 1512. s. o.

[4]) A 3[b] . . . Nach Angabe der betreffenden Summe: *Et qua ratione pro adversario pecunias exposuissemus, nisi quatenus contentato notario (id quod alias neque sperandum neque possibile foret) citius ad sententiam pertingere possemus.*

[5]) Das bezieht sich auf Reuchlins oben (S. 414) angegebene Worte in dem Briefe an Nuenaar. Hochstraten sagt hier a. a. O. *provinciam theologice concertationis (quam presumptuose prius iniit) nunc iuvenibus in com-*

früher erkennen sollen und nicht einen Kampf beginnen, in dem er und seine Freunde nur verächtliche, verdammenswerthe Waffen gebraucht [1]).

In einem Vorworte an den Leser gab Hochstraten als Zweck dieser Schrift die Beantwortung der Einwände an, die ihm auf seine im Prozess zu Rom gegen den Gegner erhobenen Anklagen entgegengehalten und nun als neue Schrift veröffentlicht worden wären. Wenn er den Verfasser derselben häufig Schwätzer, Lügner Sophist nenne, so seien diese Ausdrücke viel zu schwach, um ihn recht zu bezeichnen. Ausser positiven Beschuldigungen haben seine Gegner, namentlich ein frecher Geselle [2]), ihm vorgeworfen, der Styl seines Werkes sei nicht lateinisch. Was kümmere er sich darum, er vertheidige Christi Sache, in welcher Form es auch sei, die Gegner freilich nehmen auch die fruchtbringendste Wahrheit nicht an, ausser in ciceronischem Gewande [3]). Und weil er Christi Sache vertheidige, so werde er in seiner Schrift auch nur auf die Glaubensangelegenheit eingehen, um die sich der Streit schon so lange drehe; in Stolz und Uebermuth, in Spott und Schmähungen wolle er mit seinen Gegnern nicht wetteifern [4]). Denn Stolz, so sekundirt Ortuin [5]) seinem Genossen, erhöhe Keinen, ein goldener Zügel, lehre schon Aristoteles, mache das Pferd nicht besser. Mit jener Beredsamkeit und Poesie, die die Gegner in ihren Schulen lehren und als das Höchste preisen, komme man nicht weit, lerne man wohl schön reden, aber nicht Gutes thun, strebe man mehr danach den Leib zu speisen, als den Geist. Aber nicht in der Zunge ruht die Weisheit, sondern im Herzen. Jene Schwätzer sind zu vernichten, abzuschneiden wie faules Fleisch; wenn dies geschehe,

---

muni delegavit discipulis, et hoc in eo genere pugne, ad quod ita idonei sunt, ut asinus ad lyram.

[1]) Hier braucht Hochstraten die stärksten Ausdrücke; das Erbärmlichste für unsern Geschmack ist wol *meretricio more.*

[2]) *audaculus quidam;* gemeint ist Busch vgl. oben S. 414.

[3]) A 6ᵃ: *Adeo inquam multorum proterva phantasia sive cecitas est tantamque nauseam habent in Christi cibo, ut fecundissimam non dignentur percipere veritatem nisi Ciceroniano verborum nitore tradatur.*

[4]) Schluss der: *Informatio Inquisitoris ad lectorem.*

[5]) Ortuin an Johann Ingewinkel am Schluss der Apologia secunda, neu abgedruckt bei Böcking a. a. O. I, p. 416—418 und kleine Ausgabe der Lamentationes, p. 370—374.

wie in der vorliegenden Apologie, so gebühre dem Verfasser grosses
Lob [1]).

Diese zweite Hochstratensche Apologie schliesst sich ebenso
eng an die sogenannte römische Vertheidigung Reuchlins an, wie
die erste an die des Benignus. Dort war gegen 17 Behauptungen
Hochstratens Einsprache eingelegt, die Apologie bekämpft alle diese
Einwände der Reihe nach [2]). Die äussere Einrichtung weicht von
der der ersten Apologie etwas ab: nachdem Reuchlin seine Ansicht
vorgebracht, spricht sein Gegner, der dann, nachdem der Vertheidiger Reuchlins dessen Meinung aufrecht erhalten, das Schlusswort
zur Bekämpfung derselben ergreift [3]). Trotzdem er in der Einleitung
gesagt, er wolle in Schimpfworten seinen Gegnern nicht nacheifern,
sind seine Ausdrücke gegen Reuchlin und gegen dessen namenlosen
Fürsprech stark genug. Er heisst verrückt oder doch Dinge redend,
die an Wahnsinn anstreifen, wird durchaus unwissenschaftlich
und ungebildet genannt, es ist die Rede von fanatischen Hirn-
gespinsten Reuchlins und seines Anwalts, die die heiligen Schriften
besudeln [4]). Was er in der ersten Apologie, auf die er an unzähligen Stellen Rücksicht nimmt, versucht, thut er auch hier: er bemüht sich, Reuchlin mit sich selbst, mit seinem Vertheidiger, oder
diesen mit sich in Widerspruch zu setzen [5]), ruft auch hier die
Autorität des Erasmus zur Kräftigung seiner Meinungen an [6]), und
denkt dadurch sich den Sieg zu verschaffen. Gegen persönliche
Beleidigungen ist er unerbittlich. Wir erinnern uns, der Vertheidiger
hatte es gebilligt, dass Reuchlin den Hochstraten einen *diabologus*
nenne, dagegen Hochstraten: Wie der Klient, so der Advokat. Gegen
die verderbte Reuchlinsche Erklärung des Evangeliums bringe ich die
Auslegung vor, wie sie Christus seinen Schülern ertheilt, deshalb nennt
mich der Klient einen Teufelsredner und der Lügenvertheidiger einen

---

[1]) Der Brief Ortuins 1518 *ad cal. Octob.*

[2]) Jede dieser Bekämpfungen ist in einem besonderen Articulus enthalten, (nur 2 enthalten 2, so dass im Ganzen 19 Assertiones herauskommen)
deren jeder mehrere Paragraphen hat. Die einzelnen Artikel sind überschrieben: *Joannes Reuchlin pro Judaeis.*

[3]) *Capnion. Opponens. Defensor Capnionis. Theologus.*

[4]) C 6ª, C 6ᵇ, Fᵇ.

[5]) B 2ª, O 3ᵇ, C 6ª, D 3ª, D 4ᵇ, Fᵇ u. a. m.

[6]) E 6ᵇ; auch hier freilich ist es nur Erasmus' Uebersetzung des
N. T. s. o. S. 410 A. 4.

Verläumder. Ist das wirklich ein Verläumder, der die Auslegung
Christi der falschen Meinung eines Laien vorzieht[1])? Und ähnliches Selbstbewusstsein zeigt er auch sonst; er begreift die Kühnheit
des Vertheidigers kaum, der nochmals gewagt, Dinge zu besprechen,
die er schon lange in unbesiegbarer Weise widerlegt habe[2]).

Was er sonst vorbringt, ist sonst schon so oft gesagt, dass es
der Mühe nicht lohnt, dabei zu verweilen; nur einiges Einzelne sei
hervorgehoben. Er gesteht zu, dass die Juden eigentlich keine
Ketzer sind, man behandele sie daher ja auch anders als solche;
nichtsdestoweniger seien die Juden der christlichen Kirche unterworfen, und die Kirche habe das Recht, über ihre Bücher, wie über
ketzerische zu verfügen[3]). Der Thalmud war von zwei Päpsten verbrannt worden, Hochstraten hatte das freudig zur Stütze seiner
Meinung angeführt, Reuchlin behauptete, die Verbrennung hätte nur
den ketzerischen Theilen gegolten, die auch er verurtheilte. Der
Vertheidiger brachte bei Besprechung dieses Faktums den ver-
fänglichen Satz vor: „in Glaubens- und Sittensachen könne der
Papst und die Mehrheit des Clerus irren"[4]). Diese Behauptung
ist nach Hochstraten sehr verbrecherisch. Die Entscheidungen
der Päpste in Zweifel zu ziehn, die durch göttliches Gesetz und
die heiligsten Aussprüche gerechtfertigt, durch den Spruch der
Pariser Universität erst neuerdings feierlich bekräftigt seien! Und
statt diesem Spruche sich zu fügen, lege Reuchlin und sein Anwalt
dem Thalmud eine hohe Bedeutung bei. Sie wollen, dass dieses
Buch, das mit Recht für unchristlich erklärt worden, Zeugniss für
Christus ablege, so gut wie die Bibel, während es doch feststehe,
dass es gegen das Christenthum geschrieben und über Christus

---

[1]) D 3[b]. Articulus septimus § 4. Die bezeichnenden Worte des Theologus lauten: *Tali clientulo talis advocatus correspondet. Theologus namque
integerrimus* (Hochstraten selbst) *adversus pravam quam Capnion sacro dedit
evangelio expositionem eam quam Christus suis tradidit discipulis expositionem obiecit. Eapropter clientulus diabologum, propterea advocatus et
falsitatum defensor ipsum dicit calumniatorem. Num calumniatoris munus egit,
qui christi praetulit expositionem pravae iterpretationi unius laici?*

[2]) E 3[b]. Articulus duodecimus § 9.

[3]) B 2[b]. Articulus primus § 6. Am Schluss: *ne imbractator hic inter
iudeorum et hereticorum libros discreverit.*

[4]) Defensio a. a. O. g[a]: *Potest enim papa errare et in fide et in moribus
et non solum papa, sed major pars cleri.* Die Bemerkungen Hochstratens dagegen B 3[b] Articulus primus § 10.

selbst Lügenhaftes und Feindseliges enthalte[1]). Es ist schon deshalb, fügt Hochstraten sehr richtig hinzu, durchaus unverständig, den Thalmud zu Disputationen gegen die Juden zu gebrauchen. Sie kennen die Bestimmungen des Thalmud gar wohl, sie wissen, zu welchem Zweck er gearbeitet worden, sie werden sich durch Angriffe, die mit solchen Waffen geführt werden, nicht überwinden lassen[2]).

Darin hatte Hochstraten gewiss Recht und hätte nur ein deutscher Humanist über diese Frage nachdenken wollen, er hätte dem verhassten Gegner Recht geben müssen. Aber darum handelte es sich nicht. Es war für die Entscheidung des Ganzen völlig gleichgültig, ob man annahm, der Thalmud enthalte Zeugnisse für die Gottheit Christi und könne zur Stütze gegen das Judenthum dienen. Die Humanisten kümmerten sich darum nicht. Was sie vertheidigten, das war nicht der Thalmud, sondern Reuchlin, das war nicht Reuchlins Liebe zu den hebräischen Studien, sondern das in ihm zu lebendigem Bewusstsein gekommene, in ihm, in Allem, was er sprach und that, verkörperte Princip des Humanismus: die unzerstörbare Ueberzeugung davon, dass die wissenschaftliche freie Forschung in allen geistigen Gebieten erlaubt, ja als heilige Pflicht geboten sei. Und hätte Hochstraten, dem ich nur in dem einen ebenbesprochenen Punkte beistimmen möchte, in allen Recht gehabt, wären Reuchlin und seine Freunde nur wissenschaftliche Dilettanten gewesen, die zwar Neues anregten, aber überall, wo sie hintraten, irrten, — und wahrlich! das haben sie nicht gethan —, Hochstraten wäre doch gerichtet worden, weil er nicht begreifen mochte, nicht erkennen konnte, was Freiheit sei, weil er für Bücher und Menschen nichts Anderes kannte, als Ketzergericht und Scheiterhaufen!

Auch in dieser zweiten Apologie tritt dieser Standpunkt unaufhörlich zu Tage. Wenn er auch Reuchlin nicht geradezu einen Ketzer nennt, wovor er sich ja in allen bisherigen Schriften aufs feierlichste verwahrt hatte, so ist beständig von seinem ketzerischen Augenspiegel, seinen einzelnen ketzerischen Behauptungen, den einzelnen ketzerischen Ansichten seines Vertheidigers die Rede. Es

---

[1]) Vgl. die ausführliche Darlegung C 3ª. Schon die Randbemerkungen: *Thalmud nullam fidem facit christianis de christo; Thalmud non facit fidem iudeis de christo; Thalmud aptiorem contra christum quam pro eo.*

[2]) C 6ª.

kennzeichnet die Pläne, die er für Reuchlin in sich hegte, wenn es eines neuen Kennzeichens überhaupt noch bedürfte, dass er wiederholt auf die böhmischen Ketzereien hinweist, zeigt, von welchen entsetzlichen Folgen das einmal in diesen verderblichen Büchern ausgestreute Gift gewesen sei, oder wenn er meint, dass für gewisse Sätze Wikleffs und Huss' bei logischer und grammatischer Deutelung auch eine Vertheidigung oder Entschuldigung hätte gefunden werden können [1]). Am Schluss unterwirft er Alles, was er geschrieben, der Entscheidung des römischen Stuhls, erklärt sich bereit, dem Vertheidiger auf Alles, was er noch vorbringen wollte und könnte, zu antworten. Denn der Kampf sei kein persönlicher, in dem er sprechen und schweigen könne, wann es ihm beliebe, sondern ein pflichtgemäss unternommener, um Christi Ehre zu schützen [2]).

Aber doch war es Hochstratens letztes Wort in diesem Streit [3]). Schon lange hatte Reuchlin öffentlich aufgehört zu reden, jetzt hielt es keiner seiner Freunde mehr für nöthig, ihn in ernsthafter Weise zu vertheidigen. Wenn sie Hochstraten angriffen, so geschah es auf dem Gebiete der Satire; den Stoff dazu gaben weniger seine einzelnen Ansichten, als die Art seines Auftretens und seine Sprache. Nur Einer hielt es für der Mühe werth, in ernsthafter Weise zu ihm zu reden, das war Erasmus.

Wir haben oben gehört, wie Erasmus seine Missbilligung über die Dunkelmännerbriefe aussprach, und uns den Grund derselben klar zu machen gesucht. Immer mehr befestigte sich in ihm die Ansicht, dieser Streit sei den Wissenschaften gefährlich; nur in ruhiger Entwickelung könnten diese neu aufblühen und gedeihn. Die Klagen der Dunkelmänner waren erschienen, Nuenaar hatte die Vertheidigung des Benignus mit Brief und Versen begleitet, Erasmus war Beides nicht recht. Er kenne, schrieb er, nichts Thörichteres, Hässlicheres, Ungelehrteres als jene und wünsche von diesem, dass er sich von solchen Ungeheuern fernhalte, durch deren Berührung er nur Ekel empfinden und sich besudeln könne [4]). Er wollte von

---

[1]) Vgl. B b, B 3 a, F 2 b.

[2]) F 3.

[3]) Ueber die Schrift Hochstratens gegen Reuchlins Ars cabbalistica, s. o. S. 199 fg.

[4]) An Herrmann Busch 23. April 1518. (in den Briefsammlungen des Erasmus, neu abgedruckt bei Böcking, Opera Hutteni I, p. 169 fg. Anm.)

der Sache Nichts wissen. Zwar sein Hass gegen Pfefferkorn, den er
nicht anders als den Beschnittenen nannte, war der alte, seine Verachtung Ortuins, der durch nichts Anderes bekannt sei, als dass er
Reuchlin angegriffen[1]), war geblieben. Reuchlin hatte er seine Achtung, seine Verehrung, seine Freundschaft erhalten und drückte sie
ihm in schönen Worten aus. Man habe ihm seinen Tod gemeldet,
glücklicherweise bestätige sich die Nachricht nicht. „Wir leben in
traurigen unglücklichen Zeiten, aber Du hast Freunde, die Dich
tröstend umgeben und bedarfst meines Zuspruchs nicht. Dein Gedächtniss, Dein Ruhm ist im Herzen der Guten zu tief eingeprägt,
als dass Verläumdungen Deiner Gegner sie herausreissen könnten,
die Wahrheit lässt sich nicht besiegen und wird Dich bei der Nachwelt erhöhen, wie sie Dich in der Gegenwart gross macht"[2]). Aber
ein Reuchlinist genannt, als thätiger Theilnehmer oder gar Beginner
des Reuchlinschen Handels angesehen werden, wollte er nicht. Weder
an Cabbalah noch an Thalmud habe er jemals Geschmack gefunden,
Reuchlin habe er nur einmal gesehen und sonst nur eine Freundschaft mit ihm gepflogen, wie sie unter allen Gelehrten herrsche.
Deren schäme er sich nicht, er habe in seinen Briefen an ihn seine
Heftigkeit missbilligt, denn Schmähschriften habe er niemals begünstigt[3]). Nur die gemeinsame Sache der Wissenschaften, der Studien
habe ihn mit Reuchlin verbunden, nicht sein Streit[4]), zu einer Feindseligkeit gegen den Dominikanerorden hätte er keinen Grund, sondern hätte es für genügend erachtet, dem in gebührender Weise zu
antworten, der den Angriff unternommen[5]).

Ueber das Verfahren gegen Hochstraten theilte Erasmus nicht
die Meinung der übrigen deutschen Humanisten. Oft habe ich ihm
schreiben wollen, äusserte er sich schon 1518, und ihn ermahnen,
die wissenschaftliche Arbeit so vieler Jahre nicht durch diesen hart-
näckigen Streit in Frage zu stellen. Aber ich kenne ihn nicht, und
kann ihm keine Rathschläge geben, weiss ich doch, dass selbst unter
Freunden ein freimüthig ausgesprochener Rath nicht immer willig angenommen wird. Auch wollte ich durch solch' öffentlichen Schritt dem

---

[1]) Erasmus an Pirckheimer Basel 1518 anf.: *Nescio cujus culpa facta
sit . . .*

[2]) Erasmus an Reuchlin Köln 8. Nov. 1520.

[3]) Erasmus *Thomae archiepiscopo Eboracensi* 18. Mai 1519.

[4]) Erasmus *Laurentio Campegio* 6. Decbr. 1520.

[5]) Erasmus *Francisco Craneveldio* 18. Decbr. 1520.

Gerüchte, ich sei ein Parteigänger Reuchlins, keine neue Nahrung geben. Ich bin geneigt, denen Glauben zu schenken, die Hochstratens Charakter als nicht uneben bezeichnen, aber freilich, als ich seine Schriften las, wurde ich in meiner Meinung irre. Indess die Schuld liegt nicht allein an ihm, sondern an seinen Genossen, die ihm Beifall zujauchzen, ihn zu neuen Angriffen anstacheln, und auch an uns, die wir ihn und seine Partei in heftigster Weise stets angreifen, ihn im Schlechten nachahmen wollen, statt ihn im Guten zu besiegen [1]).

Endlich entschloss er sich doch, an Hochstraten einen Brief zu richten. „Die christliche Liebe, die gemeinsamen Studien, die Achtung vor Deinem Orden, meine Zuneigung zu Dir haben mir diesen Schritt gerathen, ich weiss, dass Du meinen Brief erwartest, dass Du die Wissenschaften ehrst und für ihre Verbreitung thätig bist. Rath ertheilen ist eine heilige, aber gefährliche Sache; selbst ein guter wird nicht befolgt und schlägt dem oft zum Schlimmen aus, der ihn ertheilt. Nun wage ichs doch, ein gemeinsamer Freund hat mir gesagt, Du wärest mild und freundlich gesinnt. Reuchlins Heftigkeit habe ich nicht gebilligt, aber die Schriften Pfefferkorns, Gratius', Tungerns waren nicht geeignet, ihm allein die Schuld dieses Tones beizumessen. Nachdem ich die Akten des Streites gelesen, kam Deine Apologie, ich las sie, erröthete und empfand Schmerz in Deinem Namen; ich suchte die Milde und Mässigung, wie sie einem Christen, einem Theologen ziemt, aber vergebens. Nun begriff ich die Heftigkeit Reuchlins, Buschs', Huttens, Nuenaars gegen Dich, aber ich hätte gewünscht, sie wären nicht fähig, Solches zu schreiben, Du verdientest nicht, dass man Dir in dieser Weise gegenübertrete. Du erwidertest Deinen Gegnern mit gleichen Waffen, in Deiner zweiten Apologie, in der Zerstörung der Cabbalah. Ich will über den Streit nicht entscheiden, ich wage über so schwierige Dinge kein Urtheil zu fällen. Ich will nicht sagen, wessen Sache mir besser gefällt; nicht Reuchlins Wortführer bin ich jetzt, sondern der Deinige. Sie spotten, dass Du Dich „ehrwürdiger Vater" nennst, Du hast Recht, Dich zu vertheidigen; aber Du vergehst Dich, wenn Du Deine Widersacher Treulose und Ketzer schiltst; Du solltest ihnen mit wissenschaftlicher Widerlegung entgegentreten, statt ihnen offenen Hass zu zeigen. Du bist nur Inquisitor, nicht Richter, Deine

---

[1]) Erasmus an Pirckheimer. Basel 1518.

Pflicht war nur, das Dir verderblich erscheinende Buch dem Bischof anzuzeigen, der hatte zu entscheiden. Hat der Papst nicht Stillschweigen geboten? Statt dem Dich zu unterwerfen, hast Du getobt, hast Zwietracht gesäet, hast Deinem Ruhme geschadet. Und was war nur an Reuchlins Buch so Gefährliches? War es solchen Geschreies werth, den Hass gegen die Juden zu vermehren? Sei zufrieden, wir hassen alle dieses Volk. Bot sonst Reuchlins Buch so viel Stoff zu Anklagen? Bücher werden in Menge geschrieben, Du bleibst stumm, nur gegen Reuchlins Schriften erhebst Du die Stimme, gegen ihn und seine Freunde, selbst mich hast Du hineingemischt. Es zeigt Deine Klugheit, dass Du zwischen Ketzer und Ketzerei unterscheidest, aber der grosse Haufe versteht diese feine Unterscheidung nicht, und wenn Du von einer Ketzerei Reuchlins sprichst, meinen sie, Du hättest Reuchlin einen Ketzer gescholten. An Dir ist es, die Schmähungen zu unterdrücken, zu Deiner Ehre, zum Ruhme des Standes, dem Du angehörst, des Studiums, das Du in würdiger Weise pflegst. Trenne die Person von der Sache, der Mensch kann irren, dann ist sein Irrthum zu verdammen, aber seine Ehre ist zu bewahren, sein wissenschaftliches Streben ist hoch zu halten, mit dem er die Theologie nicht verdunkelt, sondern erhellt, nicht bekämpft, sondern ihr dient" [2]).

Es war ein würdiges Abmahnungsschreiben der Form und dem Inhalt nach. Es wäre für beide Parteien von grossem Vortheil und ebenso segensreich für die spätere Entwickelung gewesen, wenn die Anhänger der verschiedenen Richtungen gelernt hätten, sich gegenseitig zu achten. Aber die an Kampf gewöhnten und den Kampf liebenden Gemüther waren dazu nicht angethan, es ging Erasmus, wie es stets denen zu gehen pflegt, welche die Kämpfenden trennen und zur Ruhe mahnen wollen: sie empfangen Schläge von beiden Seiten. Als Freund nahmen die Kölner Erasmus noch nicht an, und die Humanisten verübelten es ihm sehr, sich an Hochstraten gewendet zu haben. In seiner Herausforderung, in der der feurige Hutten mit seinen Anklagen gar oft das rechte Maass überschritt, rechnete er auch das Erasmus als Verbrechen an; es war leichte Mühe, dagegen sich zu vertheidigen. Erasmus meinte ganz witzig, er hätte Hochstraten doch nicht anreden können:

---

[1]) Erasmus an Hochstraten. 11. August 1519.

Scheussliches Ungethüm, wie kannst Du wagen, solche erhabene Männer mit Deinem Schmutze zu bespritzen [1]).

Aber die Humanisten liebten allerdings mehr einen solchen Ton. Eine Widerlegung des Inhalts der gegnerischen Schriften hatten sie auch früher nicht versucht, aber während sie vorher die ganze Art des Auftretens der Gegner, die Zügellosigkeit ihrer Ausdrücke bekämpft hatten, hielten sie sich nun zunächst an Hochstratens Sprache. Da hatten sie freilich ein weites Feld. Mit der Grammatik stand Hochstraten nebst seinen Freunden und Gesinnungsgenossen, den Kölnern, nicht auf allzu gutem Fusse, es geschah nicht umsonst, dass er die modernen Poeten und Redner verachtete, und ihre Kunst für unnütz, ja für verderblich erklärte. Es wimmelte in seinen Schriften von Eigenthümlichkeiten, überall wagten sich Schmarotzerpflänzchen hervor, die, so reich die lateinische Literatur auch war, nirgends das Tageslicht erblickt hatten, die Humanisten forschten ihnen begierig nach, suchten ihnen ihr kurzes Leben zu verlängern und sie dem stechenden Strahle des Spottes preiszugeben. Freilich Alles konnten sie nicht durchnehmen, sie hätten denn die Schriften wörtlich wiedergeben müssen; ein gewisser Saft strömt durch die ganze Rede, wie das Blut durch die Körper. Danken wir dem Herrn, so schliesst die eine Schrift, dass er seinem Glauben solche Vorkämpfer gegeben, die durch neue Beredsamkeit die alten Redner in Schatten stellen, die heikle Gegenstände so süss behandeln, dass man sie lächelnd liest. Nicht können sich die neuen Redner beklagen, dass sie mit ihren eignen Waffen geschlagen werden, denn auch den Arius hat Athanasius mit Beredsamkeit vernichtet und Goliath muss mit dem besiegt werden, was seine Stärke ausmacht. Wir wollen Gott bitten, dass Hochstraten lange lebe, und viele solcher Schriften schreibe zur Bekehrung der Türken, zum Ruhme seines Ordens und aller Theologen, denen die neuen Wissenschaften nicht gefallen [2]).

---

[1]) *Hutteni expostulatio cum Erasmo* bei Böcking II, p. 192 § 58 sqq. und *Erasmi Spongia adversus aspergines Hutteni* bei Böcking II, p. 273 sq. § 61 sqq.

[2]) Es erschienen verschiedene anonyme Schriften, die mir kaum dem Titel nach bekannt sind. Genau beschreibt Riederer: Nachrichten zur Bücher-, Kirchen- und Gelehrtengesch. 4. Band. Altdorf 1768 S. 170—180 die folgende: *Florilegium ex diversis opusculis atque tractatibus fratrum, patrum et magistrorum nostrorum. Horum autem catalogum in proxima reperies pagina. Lege*

In der Weise der Dunkelmännerbriefe sollte der satirische Dialog: Der triumphirende Hochstraten [1]), den Gegner in seiner ganzen Blösse zeigen. Als Redner tritt hier Hochstraten selbst auf, der auch Erostratus heisse (nach Jenem, der den Tempel der Diana verbrannte), der Bruder Lupold, unter dem vielleicht der Löwener Theologe Jakob Latomus verspottet sein soll [2]), und der zum Hunde verwandelte Eduard Lee, der bekannte Widersacher des Erasmus. Sie treten offen mit ihren Wünschen und Absichten hervor, rühmen sich ihrer Schlechtigkeiten, vor allem spricht sich Hochstraten unverhohlen über seine Pläne und über den nunmehr beendeten, vor einigen Jahren von ihm begonnenen Handel aus und zeigt, obwol er sich den Triumph zuschreibt, durch das seinen Gegnern oft sehr reichlich gespendete Lob, die Schlechtigkeit seiner Sache [3]). Komisch ist, wie er fast auch mit seinen beiden Genossen in Zank geräth, wie er gegen Lupold bald einen Ketzerprozess anhängig machen will und Lee, der betheuert, dass es seine Absicht gewesen sei, mit seinem Streit gegen Erasmus der gemeinsamen Sache zu nützen [4]),

---

et ridebis. A. E.: *Mense Februario Anno M.D.XX;* 5 Bogen in 4°, deren Schluss, nach Riederer, im Text gegeben ist. Die Schrift hechelt eine grosse Anzahl von Schriften durch, von uns interessirenden nur das *Alphabetum contra Judaeos* aus Tungerns Articuli und Hochstratens Destructio Cabalae. Riederer führt S. 180 noch den Titel einer anderen Schrift an, die sich nur mit Hochstraten beschäftigt: *Flores sive elegantiae ex diversis libris Hochstrati Magistri Nostri haeretici (!) etc. per Nicolaum Quadum Saxonem, collectae . . . .* 1520. Noch eine andere Schrift ähnlichen Inhalts ist: *Manipulus florum collectus ex libris R. P. F. Jacobi de Hochstrat.* o. J.; auch das *Conciliabulum Theologistarum* abgedruckt bei Böcking, Huttens Werke vol. IV.

[1]) *Hochstratus ovans, dialogus festivissimus.* (1521) Verzeichniss der Ausgaben und kritischer Abdruck der ganzen Schrift mit vorzüglichen Anmerk. bei Böcking, Opera Hutteni, Supplementum vol. I, p. 461—488.

[2]) Hochstr. ov. § 17: *magnanimus itaque Agamemnon vocasti in concilium istud nocturnum per fratrem Lupoldum Latomum Ulyssem tuum.* Böcking, p. 468, Z. 34 ff. und die Anm. dazu. (Unter den Interlocutores wird er aufgeführt als *Frater Lupoldus, huic (H.) in itinere comes.*) Von diesem Jacobus Latomus ist freilich unbekannt, dass er mit Hochstraten gegen den Bischof von Speier auftrat; was Lupoldus gethan haben will, vgl. § 2.

[3]) Lob des Cardinals Griman p. 472, Z. 23 ff.; des Lorenz von Truchsess p. 475, Z. 22; des Georg von Schwalbach und Thomas Truchsess und der übrigen Speierer Richter, p. 479, Z. 19 ff.

[4]) Lupold § 64, p. 481 sq.; Leus § 18 fg., p. 469.

zurechtweist. Das verstehe er besser, er der treffliche Disputator, der im Traume Orakel verkünde, dessen Worte eine sichere Mauer seien gegen die Geschosse der Gegner, der mit Feuer die verzehre, die ihm zu widerstehen wagen [1]). Von den Dingen, um die es sich handele, habe er zwar gewöhnlich keine Ahnung, Hebräisch verstehe er nicht und in eine Uebersetzung des Thalmud habe er kaum hineingesehen; aber das, was wir nicht kennen, errege schon deswegen naturgemäss grossen Verdacht [2]). Wie man mit den Römlingen zu handeln habe, das verstehe er; nur mit Gold, mit Bestechung, mit Lug und Trug könne man hier den Sieg erringen. Dass er so lange Zeit dazu gebraucht, sei nicht seine Schuld: Schon im Prozess zu Mainz sei der Erzbischof, veranlasst durch seinen Dekan Lorenz von Truchsess, gegen ihn aufgetreten, in Speier seien ihm alle Richter friedlich gewesen, in Rom habe er gegen die Cardinäle Griman und Ankonitan Nichts ausrichten können, den von ihm vorgeschlagenen Cardinal Bernhardin habe er nicht durchbringen können, und erst zuletzt, da ja die Stimmen gezählt und nicht gewogen würden, sei es ihm gelungen, viele von seinen Gesinnungsgenossen, von Erzbischöfen bis zu Kopisten herab, in die Commission eintreten zu lassen. Aber auch das hätte Nichts geholfen, das Urtheil der Commission wäre für Reuchlin ausgefallen, und nur durch Erwirkung eines Stillstandes hätte das Aussprechen einer für diesen günstigen Entscheidung verhindert werden können. Unterdess habe er in Deutschland den Ruf Reuchlins durch die Gutachten verschiedener Universitäten zu untergraben gesucht; aber der richtige Zeitpunkt, in Rom zu handeln, schien ihm erst dann gekommen zu sein, als viele Gönner Reuchlins aus Rom entfernt oder gestorben waren. Jetzt schade ihm nichts mehr, dass auch Hutten und Nuenaar feindlich gegen ihn gesinnt seien und ihre Feindseligkeit schon mit Thaten bewiesen haben, jetzt kümmere ihn Sickingen nicht mehr und seine Drohung, nun wolle er den Triumphgesang anstimmen für den erlangten Sieg.

Eine ähnliche Siegesfreudigkeit, zu der, wie wir [später sehen werden, Grund vorhanden war [3]), zeigte auch Pfefferkorn, der als erster

---

[1]) § 38 fg. p. 475.

[2]) § 41 p. 476.

[3]) Vgl. unten, wo die betreffenden Stellen Pfefferkorns und der Schrift gegen Hochstraten angeführt sind. — Dass ich die letztere hier und an eini-

auf den Kampfplatz getreten war und ihn auch als letzter verliess[1]. Früher habe Reuchlin die Nachricht verbreitet, er habe den Prozess in Rom gewonnen, jetzt werde er beschämt; er habe sich malen lassen, wie er im Triumphzuge die Reihen seiner Gegner durchschreite, jetzt wollen diese einen Siegeszug veranstalten zu seiner Schande. Statt der dunkeln Männer, der Genossen, die Jenen begleitet, könne er ganz andre Autoritäten nennen, die nun in seinem Zuge einherschritten. Und nun nennt er in einer Reihenfolge, die sich freilich sonderbar genug ausnimmt, den Carthäuserprior zu Freiburg, den Pfarrer Peter Meyer zu Frankfurt, den Kaiser Maximilian, die Erzbischöfe Uriel von Mainz und Philipp von Köln, den Bischof Lorenz von Würzburg und Reinhard von Worms, die Universitäten Köln, Löwen, Erfurt, Mainz, den Ketzermeister Hochstraten, die Universität Paris, den Herzog Karl von Burgund, der gegenwärtig deutscher Kaiser sei, den Cardinal Adrian, den König von Frankreich und den Papst[2].

---

gen früheren Stellen als historische Quelle benutze, was ich sonst bei satirischen Schriften für gar nicht oder nur mit der grössten Vorsicht gestattet halte, hat seine Entschuldigung darin, dass der Dialog Hochstr. ov. zum grössten Theil auf wirklich geschichtlichen, zum Theil sonst unbekannten, Fakten beruht.

[1] Ein mitleydliche claeg vber alle claeg an vnsern allergnedlichsten Kayser vnd gantze deutsche Nation, Durch Johannes Pfefferkorn gegen den vngetruwen Johan Reuchlin vnnd wydder seynen falschen raytschlack, vurmalss vur die trewloissen Juden, vnd wydder mich geübt, vnd vnchristlichen vssgegossen. A. E.: Getruckt in dem Jar nach Christus geburt M.VC.XXI vnnd vollendet an dem einvndtzwentzigsten tag dess Mertzen. Eine nähere Beschreibung dieses sehr seltenen Schriftchens liefert Erhard II, S. 443 fg., worauf ich verweise. Ich benutze ein Exemplar der Wolfenb. Bibliothek. Die Endverse, die weder grossen Geist, noch Poesie verrathen, lauten:

> Far hien, büchlin, in frembde landt,
> Man wirt dich lesen an all ort
> Stee nit still vnd mach Dich hin vort.
> Vnd hüt Dich für des Juden hauss
> Kumstu darein, mach Dich bald auss;
> Kumstu zu eynem frommen Christ,
> Bleyb bey jm souder alle list.
> Auss Dir soll myr keyn schutz nit seyn;
> Pfefferkorn wont an dem Rhein
> Zu Cöllen meyster im Spital
> Zu Recht will er steen überal.

[2] G 3 fg. Die Erwähnten fungiren alle als Genossen eines „Triumphzugs der göttlichen Wahrheit".

Ausserdem findet sich in der Schrift nichts sonderlich Neues. Wieder werden die alten, uns längst bekannten Anklagen gegen Reuchlin vorgebracht, aber, statt dass die Zeit deren Bitterkeit gemildert, ist sie wo möglich noch stärker als jemals. Kann es etwas Heftigeres und Sinnloseres geben, als jenen Ausfall, der für den elendesten Verbrecher zu stark wäre: „Anklage und Schrei gegen den widerspenstigen Reuchlin, der da umgeben ist von dem Bollwerk des Teufels, ein Münzmeister der Bosheit, ein Schulmeister der Lügen, ein Lästerer der heiligen Kirche, ein Fälscher der Schrift, ein Todtschläger der Seele, ein Betrüger und Verführer des christlichen Volks, ein Verräther an der römischen kaiserlichen Majestät und an meiner Ehre, ein Advokat und Patron der treulosen Juden, die allezeit darauf Acht haben, wie sie den Namen Jesu und seine Gliedmaassen lästern, schänden, schmähen, verspotten, vernichten und mit Füssen treten. Aber da sie allein das nicht zu thun vermögen, so haben sie den unseligen Reuchlin aufgeweckt und ausgerüstet zur Schmach der ganzen Christenheit und wider mich, den unschuldigen Johannes Pfefferkorn"[1]). Und auch sonst finden sich die Schimpfwörter in grosser Zahl, man könnte ein ganzes Register zusammenstellen, an dem schwerlich etwas fehlen würde. Gegen die Juden sprüht es denselben Hass; man mag all das Heftige, was er bisher gegen sie geäussert, zusammenwerfen, um einen Begriff von der Höhe zu erhalten, zu der sich Pfefferkorn hier emporhebt[2]). — Wie er sich, vor allem seiner Kinder wegen[3]), von allen Anschuldigungen reinigt, die ihm die Gegner gemacht haben, so will er auch seine Freunde und Beschützer, Arnold von Tungern und die übrigen Kölner von allem Schmutze befreien, den man an sie hat hängen wollen. Und je edler die Kölner, um so unangenehmer und hässlicher erscheinen Reuchlin, seine Jünger *obscurorum virorum*, Erasmus[4]) und Luther.

[1]) A 4b.

[2]) Er bringt auch einige neue Bücher vor, in denen die Juden ihre Feindseligkeiten gegen die Christen bewiesen, die er „Phylla, Maisser, Slyhoss, Thynos, Scruphos Hamynem" nennt. D 2.

[3]) Gleich am Anfang A 3b: „Unnd sunderlichen meyner kinder halben geistlich und weltlich". Der aus den Dunkelmännerbriefen schon bekannte Sohn Laurentius *magister in artibus* nochmals besonders.

[4]) G 3; auf sein Bitten hätte er den Namen des Erasmus verschwiegen; über diesen fast dieselben Worte, wie die oben aus dem Streydtpuechlin angeführten.

28*

SIEBENTES KAPITEL.

DIE ENTSCHEIDUNG.

Wir haben, den Wandlungen des Reuchlin'schen Streites folgend, ein Jahrzehnt durchlaufen, wir sind bis zum Jahre 1521 gelangt.

Während dieser literarischen Fehde hatte eine andre Bewegung Platz gegriffen; die Reformation hatte, von kleinen, geringfügig erscheinenden Anfängen ausgehend, sich bereits zu einer Macht erhoben.

In Deutschland jubelte man ihr mit Enthusiasmus zu, in Rom hatte man sich zum Widerstande gegen sie gerüstet. Reuchlin jauchzte nicht mit den Reformatoren, er gesellte sich nicht zu den Angreifern gegen die neue Lehre, er blieb still. Der Reuchlin'sche Streit, wenn wir im Namen dessen sprechen sollen, der diese Bewegung hervorgerufen hatte, soll und will kein Vorbote der Reformation sein, er mag nicht dasselbe Schicksal theilen wie jene. Aber die neu erstehende Richtung wies auf ihn hin, knüpfte an ihn an. Luther selbst hat dazu Anlass gegeben, die humanistische Bewegung überhaupt oder im Speciellen unsern Streit als eine mit der Reformation eng zusammenhängende Bewegung zu bezeichnen. In einem Briefe an Reuchlin nennt er sich einmal geradezu seinen Nachfolger, und auch sonst spielt er auf eine Verwandtschaft beider an. Mit Recht wies Erasmus auf das Unglückselige und Gefährliche dieser Verbindung hin, er blos aus dem Grunde, um dem schon mit Hass genug beladenen Reuchlin nicht neue Unruhe und Unannehmlichkeiten zu bereiten [1].

Auch in Rom mochte man ähnlich gedacht haben. Beiden Bewegungen lag ein Einheitliches zu Grunde: der Anspruch auf geistige Selbständigkeit und Freiheit; man ergriff das Gemeinsame und richtete sie zusammen.

Dass zu Rom eine Entscheidung gefällt werden sollte, lag in

---

[1] Die Stellen, auf die hier Rücksicht genommen ist, sind in der Anmerkung zum Briefe Luthers an Reuchlin 14. Oktober 1518 in der Briefsammlung zusammengestellt.

Reuchlins und seiner Gegner Plan; auch der römische Stuhl hatte
durch sein Mandat de supersedendo auf ein definitives Urtheil ver-
tröstet. Aber je länger es dauerte, um so schlimmer gestalteten
sich die Dinge. Caspar Wirt und Martin Groning, die Reuchlin
mannigfach nützlich gewesen waren, hatten Rom verlassen, auch
Potken und Graf Nuenaar hatten ihren römischen Aufenthalt aufgegeben, Philipp Beroaldus war gestorben. Reuchlins Hauptanwalt Johann
van der Wik war krank, von seinen Richtern befanden sich Griman,
Aegidius von Viterbo, Cardinal Hadrian nicht mehr in Rom[1]). Noch
war Leo X Papst, dessen Begünstigung Reuchlin sicher zu sein
glaubte. Um ihm ein Zeichen seiner Verehrung zu geben, hatte er
ihm im März 1517 sein Werk über die Cabbalah gewidmet. Er
hatte ihn mit Lobsprüchen überhäuft: er sei aus jenem Florenz,
jener durch Macht und Geistesgaben unter seinen Vorfahren so hoch
erhobenen Stadt, dass keine gefunden wurde, die ihr gleich stand.
Deren Geistesgrösse habe er in sich aufgenommen, an den Werken der
Philosophen sich gebildet und sei so seinem grossen Vorfahr Cosmos
ähnlich geworden, dem er auch in der Gunst gleichen möge, die
Jener ihm erwiesen. Er unterwerfe ihm seine Schrift, er möge sie
prüfen und tadeln, wenn sie ihm nicht gefiele. Er werde den Tadel
geduldig aufnehmen, ruhe doch auf ihm seine einzige Hoffnung.
Noch liege sein Streit unbeendet; noch sei keine Entscheidung erfolgt,
möge das doch bald geschehen, möge der Papst doch dem Kaiser und
allen denen, die seine Unschuld verbürgt, mehr Glauben schenken
als seinen Verleumdern; dem Richterspruch der Cardinäle, Erzbischöfe, und aller der ehrwürdigen Kirchenhäupter, die ihn in feierlicher Sitzung nach langen, sorgfältigen Berathungen für unschuldig
erklärt haben, durch ein ihm günstiges Endurtheil die volle Geltung
verleihen. „Meine Reinheit bezeugt die Stadt Rom, bezeugen Briefe
der gelehrtesten Männer von allen Enden der Welt. Lies sie, und
Du wirst erkennen, dass Niemand mich anklagt, je ein Aergerniss
gegeben, sondern Jeder mich rühmt, der Kirche durch meine
griechischen und lateinischen Schriften grossen Nutzen bereitet zu
haben. Ich hatte gehofft, man werde mir als Lohn für so viele Anstrengungen und Mühen den wohlverdienten Frieden und Ruhe gewähren; wenn Du aber willst, dass ich in diesem Leben der Ver-

---

[1]) Reuchlin an Questemberg 9. Nov. 1518.

folgung der Bösen unterliege, so werde ich mich freuen, dass ich
würdig erscheine, so grosses Unrecht für Christus zu erleiden"[1]).

Aber solchen Ton fand er nur für gut, Leo gegenüber anzu-
schlagen. Denn gegen Freunde und alle die, denen er seine wahre
Meinung enthüllen konnte, sprach er sich ganz anders aus. Sein
Zutrauen zum Papst war völlig geschwunden. Was hilft mir nun,
klagt er, dass Kaiser, Churfürsten und Fürsten, Bischöfe, Aebte und
Städte den Papst gebeten haben, mir Recht zu verschaffen[2]). Er
nennt ihn zwar noch: mein Vater, Vater aller Gelehrten, aber er
kann das Wort nicht unterdrücken, wenn er nicht seine Gegner zur
Ruhe verweise, dann möchte man von dem Papste glauben, ihm
gefallen die Zänkereien, da er sie stillen könne und es doch nicht
thue[3]). Er schreibt an Questemberg, den einzigen in Rom übrig
gebliebenen Freund, der ihm seine treue Ergebenheit stets bewies,
wenn er ihr auch durch Briefe keinen Ausdruck verlieh: Ich denke,
Dich in Zukunft nicht wie bisher durch mein Schreiben zu belästigen,
denn viele der Unsrigen beginnen, an Leo zu verzweifeln, er sei
doch nicht der, für den ihn alle Gelehrten früher halten zu dürfen
glaubten[4]).

Reuchlins Briefe sind überhaupt eine Quelle für uns, um aus
ihnen eine Anschauung von Reuchlins Ansichten über den Streit,
wie sie sich allmählich in ihm gebildet hatten, zu schöpfen. Er
hatte sich immer für den Unschuldigen gehalten. Er hatte, wie
wir gesehen haben, von Anfang an seine Gegner verachtet: sie hätten
ihm Undank entgegen getragen, während sie ihm für 28 Jahre hindurch treugeleistete Dienste Dank geschuldet hätten; Hass, während
sie ihm für seine grossen, wissenschaftlichen Leistungen, die alle
Zeitgenossen anerkannt hätten, Liebe und Verehrung hätten erweisen
müssen; ihre Scheintheologie gefährdet gesehen, während er durch
seine hebräischen Studien die wahre Theologie mächtig gefördert.
Als einen Kampf der Unwissenheit gegen das Wissen fasste er den
Streit auf, den die Kölner gegen ihn angezettelt hatten, wie schon
gegen so viele wissenschaftlich strebende Männer; er liebte es, auf

---

[1]) Reuchlin an Leo X. Widmung der *de arte cabbalistica libri tres.*
(März 1517.)
[2]) Reuchlin an Churfürst Friedrich von Sachsen, 7. Mai 1518.
[3]) Reuchlin an Questemberg, 9. Mai 1518.
[4]) Reuchlin an Questemberg, 12. Februar 1519.

einen Joh. von Wesel, auf einen Peter von Ravenna und Andre, gleichsam als auf seine Vorgänger, hinzuweisen: auf der einen Seite das Licht, auf der andern die Finsterniss, diese nannte er die Dunkelmänner, die Seinigen die Lichtfreunde [1]).

Es ist etwas Bezeichnendes für die Polemik jener Zeiten, dass sie sich vor allem nicht gegen das gegnerische Princip, sondern gegen seine Vertreter im Allgemeinen und die einzelnen hervorragenden Persönlichkeiten im Besondern wendet. Reuchlin und seinen Freunden genügte es nicht, die Sache, gegen die sie ankämpften, als schlecht und verwerflich hinzustellen, auch deren Vertheidiger mussten zu Scheusalen gestempelt werden: da wurde Ortuin, der Poetaster, zum Lüstling, Tungern zum Fälscher, Pfefferkorn zum schmählichen Ueberläufer und Diebe, Hochstraten, der Führer der ganzen Rotte, zum Inbegriff allen Lasters und aller Schmach.

So ward es erklärlich, dass die Meinung vorherrschend wurde, es sei ein Segen und ein Ruhm, bei solcher Schaar nicht in Gunst zu stehn, sondern schonungslos von ihr verfolgt zu werden. Da musste der Hass schwinden und an seine Stelle Mitleiden treten für diese vor Neid blassen Theologisten, die sich abhärmen und abmühen, nur um Befriedigung ihrer Rache zu erlangen [2]).

Aber Rom war nicht Deutschland, und obwohl dort am päpstlichen Hofe der italienische Humanismus mit seinen frivolen Anschauungen über Religion herrschend war, scheute man sich doch in einer Sache, wo die Beschuldigung auf Ketzerei lautete, einen Richterspruch zu fällen. Aber nun musste es doch geschehen. Die Sache erforderte es, es war unmöglich, einen Prozess, von dem die ganze Welt gesprochen, an dem die Gelehrten Europa's durch Wort und Schrift Antheil genommen hatten, ohne Entscheidung auf sich beruhen zu lassen. Nun wurde auch der Luthersche Handel bekannt; eine neue Ketzerei, wie der Ausdruck jener Zeit lautete, erstand, was lag näher, als der eignen Milde, Nachsicht und Langmuth gegen Reuchlin Schuld zu geben, dass diese ungescheut ans Tageslicht trat.

Und beide Parteien verlangten eine Entscheidung. Wir haben schon früher Hochstratens und seiner Freunde Schreiben an den Papst vernommen, wir haben nun Reuchlins Bitten gehört. Sein

---

[1]) *clari viri*, schon auf dem Titel der Briefsammlung von 1514.
[2]) Das letzte aus einem Briefe Reuchlins an Questemberg, 9. Mai 1518.

Geleitbrief, mit dem er dem Papst sein cabbalistisches Werk widmete, war eine indirekte Antwort auf ein Schreiben seiner Gegner[1]), in welchem diese im Namen der Kölner Universität, während sie doch nur als theologische Fakultät reden durften, nach Reuchlins Ausdruck dem Papste Gesetze vorschreiben wollten und ihre Forderungen durch lügnerische Behauptungen unterstützten. Reuchlin hielt es auch für erspriesslich, sich nochmals an seinen alten Gönner, 'den Cardinal Hadrian zu wenden, in der Widmung seines grossen Werkes über Accente und Orthographie ihm seine wissenschaftlichen Verdienste aufzuzählen, seine Rechtgläubigkeit zu betonen, und daran zu erinnern, wie er damit und durch die Bemühungen seines ganzen Lebens die Kirche mannigfach gefördert. Als höchsten, als einzigen Lohn verlangte er von ihm und allen Lesern, dass sie ihn bei seinen Lebzeiten und nach seinem Tode mannhaft gegen seine hündischen Verleumder vertheidigten[2]). Auch von anderer Seite bemühte man sich, Hadrians Unterstützung zu gewinnen. Der unermüdliche Ulrich von Hutten wandte sich an ihn mit einem Gedichte[3]). Er

---

[1]) Vom 18. Sept. 1516; ein Brief Reuchlins an Leo, März 1517, gibt kurz den Inhalt dieses Schreibens an.

[2]) *canes calumnienses*, ein Wortspiel für *Colonienses*. Der Brief an Hadrian vom Februar 1518 ist in anderm Zusammenhang schon mehrfach benutzt. Die im Text angeführte Aeusserung findet sich ganz am Schluss des Briefes.

[3]) *Ulrichi de Hutten equitis ad Cardinalem Hadrianum virum doctissimum et Germanorum in urbe patronum pro Capnione intercessio* undatirt, jedenfalls nicht nach 1518, da es sich bereits in einer in diesem Jahre erschienenen Sammlung befindet, aber auch nicht viel früher, bei Böcking, Opera Hutteni I, p. 138—141, vgl. die kurze Bemerkung bei Strauss II, S. 226 A. 2. Beide meinen, das Gedicht sei an Cardinal Adrian v. Utrecht, den späteren Papst Hadrian VI., gerichtet. Das ist sicher nicht der Fall: einem Niederländer gegenüber würde Hutten das Deutschthum nicht so hervorgehoben haben; vor einem erklärten Feinde Reuchlins, der Hochstraten offen begünstigte, würde H. nicht über Hochstraten und dessen Genossen in diesem Tone gesprochen haben (v. 17. *Ardet Hogostratus liventiaque agmina doctor*, v. 21: *ebrius Ortwinus* u. s. w.), vor einem Dominikaner, der Hadrian war, schon aus Klugheitsrücksichten die Aufzählung aller Schandthaten der Dominikaner (v. 39 fg.) unterlassen haben. Denn dadurch, das konnte sich doch H. selbst sagen, wäre der Cardinal wol schwerlich zu gewinnen gewesen. — Hadrian Cardinalis S. Chrysogoni, an den die Intercessio gerichtet ist, den wir als Gönner Reuchlins kennen, der wie es scheint, Reuchlin persönlich kannte, begünstigte auch andere deutsche Gelehrte z. B. Peutinger (Reuchl. an Questemberg 25. April1514).

sei ein Deutscher, er möge sich seiner Stammesgenossen, der Deutschen erinnern, derer, die die Ehre des Vaterlandes hochstellen und sie vertheidigen, und die sich auch hierin vor den Gegnern auszeichnen, dem neidischen Hochstraten, dem trunkenen Ortuin und dem aufgeblasenen Tungern, die, ihr Vaterland verrathend bei dem französischen König Hülfe suchten[1]). Solche Leute, die eine schlechte Sache noch mit schlechten Mitteln, Verleumdung und Bestechung führen wollen, könne er nicht beschützen, er werde einen Unschuldigen nicht leiden lassen; er werde diesen einen Mann erhalten, mit dem ein Jeder, der nach wahrem Ruhme strebe, ein Jeder, der rechte Bildung begünstige und sich aneignen wolle, zu stehn und zu fallen bereit sei[2]).

Aber auch Hochstraten hatte seine Annehmer. Adrian von Utrecht, — nicht zu verwechseln mit dem eben erwähnten Hadrian[3]), — der schon 1513 in Löwen die Verurtheilung des Augenspiegels erwirkt haben soll, der später für Hochstraten einen Empfehlungsbrief nach Rom schickte, versicherte nun, nachdem er Cardinal geworden war, Hochstraten weiter seiner förderlichen Theilnahme[4]). An Stelle der übrigen gestorbenen oder von Rom fortgezogenen Cardinäle waren Andere ernannt worden. Um sie für Hochstraten günstig zu stimmen, mag Adrian thätig gewesen sein, Reuchlin that selbst Schritte, um sie für sich zu gewinnen.

Denn es schien wirklich, als sollte die Angelegenheit, von der Reuchlin nun unmuthig in gewiss ungerechter Weise klagte, sie sei durch die Lässigkeit seiner Anwälte so lange hinausgeschoben

---

[1]) v. 60 sqq. namentlich 65 sq.:

Quid quod Hogostratus contra patriam imperiumque,
Proh facinus, Galli flagitat hostis opem.

Böcking verweist mit Recht auf Epp. obs. vir. II, 12. Dort erzählt Wilhelm Lamp, er habe in Bologna bei dem König von Frankreich Hochstraten getroffen, der sich bemüht, ihn zu einer Erklärung gegen Reuchlins Augenspiegel zu veranlassen. Ob dies wahr ist, bleibe dahingestellt; eine Reuchlin feindliche Erklärung des König Franz erfolgte wirklich (o. D. Mai 1515) s. o.

[2]) s. die schönen Schlussverse 95—100:

Quisquis ob ingenio victuram quaerere famam
Aut aliquid studuit laudis ab arte bona,
Et si quis recte didicit quod discere rectum est,
Et si quem sensu non juvat esse rudi,
(Nam neque judice me superest quid mitius illi)
Aut stabit, lapso aut cum Capnione cadet.

[3]) Dieser ist Cardinalis S. Chrysogoni, jener Card. Dertusensis.

[4]) Vgl. oben S. 421 fg.

worden [1]), von Neuem vorgenommen werden. Reuchlin hatte gehört,
der Cardinal Achilles von Crassis, ein hochstehender, oft mit
wichtigen politischen und kirchlichen Geschäften betrauter Mann, der
in dem berüchtigten Berner Prozesse als päpstlicher Bevollmächtigter
fungirt hatte, und bei dem man schon aus diesem Grunde keine
besondere Freundlichkeit für die Dominikaner voraussetzen durfte,
sei an Stelle Grimans zu seinem Richter ernannt worden. Reuchlin
wendete sich sofort an ihn, und erinnerte ihn daran, dass die Kölner
besonders Feinde ihres gemeinsamen Studiums, des juristischen,
seien, wie ein neuer Achilles nöthig sei, um den erbitterten Gegnern
einen rechten Damm entgegen zu stellen. Wie Nestor und Patroklus
den Achilles vor Troja, so wolle er, beider Eigenschaften in sich
vereinigend, denn er sei alt und hänge ihm aufs Innigste an, ihn
ermuntern und preisen. Wäre er vor einigen Jahren zu seinem
Richter ernannt worden, dann hätten die Kölner nicht gewagt, in
dieser schmählichen Weise ihn anzugreifen, Spott und Schimpf gegen
ihn zu häufen. Er sei ein Märtyrer der Wissenschaften. In ihm
bekämpften seine Feinde die geistige Entwicklung; wenn sie ihn
besiegt hätten, dann hofften sie, die alte Barbarei wieder zurückzuführen. Wie Priamus rufe ich klagend dem Achilles zu: Schütze
mein graues Haupt, sieh auf meinen weissen Bart und gedenke
deines greisen Vaters, nimm Dich meiner an, denn kein Unglück-
licherer hat je auf dieser Erde gelebt und solches geduldet [2]).

Aber die Nachricht, dass Achilles zum Richter ernannt worden
sei, bestätigte sich nicht, die Gegner brachten es zu Wege, dass
statt seiner Domenico Giacobazzi zu dieser Stelle erhoben wurde [3]).
Auch hier sollte der unermüdliche Questemberg eine günstige
Stimmung für seinen Freund erzielen; um auch sein Möglichstes zu
thun, schrieb Reuchlin dem neuen Richter einen Brief: „Ein gemein-
sames Band umschlingt uns, Du bist ein Römer, ich zwar ein
Deutscher, der ich es aber für meine Lebensaufgabe erkenne, das Ver-

---

[1]) Reuchlin an Questemberg, 9. Nov. 1518. — Gewiss viel richtiger
hatte nach Hummelbergs Berichten Petrejus Aperbach (an Mutian Januar
1514) Wicks aufopfernde Thätigkeit geschildert.

[2]) Reuchlin an Achilles de Crassis, 1. Nov. 1518. In der Anm. das.
einige Lebensnachrichten über A.

[3]) So meldet Reuchlin an Questemberg, 9. Nov. 1518, woselbst auch
Nachrichten über Domenico.

ständniss der römischen Sprache auszubreiten. Du wirst mich in
meinen Anstrengungen beschützen, mich nicht von Gegnern besiegen
lassen, die mir Worte in den Mund legen, die ich nicht gesagt, um
mich zu verderben. Gieb mir Ruhe vor meinem Tode, Friede vor
meinen Feinden, verschaffe der Wahrheit den Sieg"[1]).

Der College Grimans, Peter Ankonitan war noch auf seinem
Posten geblieben. Reuchlin rief ihm das dem Augenspiegel günstige
Urtheil der zur Prüfung desselben eingesetzten Commission in's Gedächtniss zurück, hob in Ausdrücken voller Verzweiflung das kaum
zu sühnende Unrecht hervor, das ihm von allen Seiten geschehe,
von den Kölnern, die seinen Ruhm gleichsam zerreissen und zer-
fleischen, durch die grossen Kosten, die sie ihm verursachen, ihn
zur äussersten Armuth führen; von dem pästlichen Stuhle, der ihn
auf eine endgültige Entscheidung warten und schmachten lasse;
beschwor ihn, auf seinen neuen Collegen in günstigem Sinn einzuwirken[2]).

Auch den Cardinal Lorenz Pucci, der Reuchlin von jeher
freundlich gesinnt war, der Galatin aufgefordert hatte, sein grosses
Werk zur Vertheidigung Reuchlins zu schreiben, bestürmte dieser
mit Bitten. Er möchte seinen Einfluss beim Papst, bei den Commissarien geltend machen, um ihn zu retten. Werde er doch angegriffen von Menschen, denen er treu und ohne irgend welchen Lohn
zu verlangen, viele Jahre hindurch gedient; seien doch alle seine
Arbeiten und Leistungen dem Wachsthum der Kirche gewidmet
gewesen; habe er doch alle Behauptungen in seinem Gutachten,
die ängstlichen Gemüthern anstössig erschienen wären, gemässigt
und beschränkt. „Hilf mir, es wird Dir neues Lob dadurch erwachsen bei allen Gelehrten in Deutschland, neuer Glanz zugefügt
werden Deiner himmlischen Krone"[3]).

---

[1]) Reuchlin an Dom. Giacobazzi, 12. Nov. 1518. Cremans *De Jacobi
Hochstrati vita et scriptis*, S. 51, A. 2, will diesen Brief 1520 setzen *„non ut
Friedländer vult* 1518". Friedländer, bei dem die hier Anm. 1—3 und S. 442,
A. 1 u. 2 angeführten Briefe zuerst abgedruckt waren, hat sich hier nur nach der
ihm vorliegenden Handschrift Reuchlins gerichtet. Die Angabe ist schon
deshalb unverwerflich, weil bei dem Datum als Ort Stuttgart angegeben ist,
was auf 1520 nicht passt. Auch könnte 1520 Reuchlin von sich nicht als
von einem *ad septennium vexatus* sprechen (an Lor. Pucci) wol aber 1518,
da der Streit 1511 begann.

[2]) Reuchlin an Peter Ankonitan, 13. Nov. 1518.

[3]) Reuchlin an Lorenz Pucci, 13. Nov. 1518.

Trotz der Ernennung eines andern Richters hatte man in Rom weder Zeit noch Lust, eine neue Prüfung der Reuchlinschen Angelegenheit vorzunehmen. Reuchlins Anstrengungen waren für jetzt vergeblich.

Unterdess waren aber in Deutschland Dinge vor sich gegangen, die ihn für das endlose Warten in Rom entschädigen und ihm die Frische und Freudigkeit wiederzugeben bestimmt waren, mit der er zuerst den Kampf unternommen hatte.

Wir haben in Hutten bisher nur den Schriftsteller und Dichter, den streitbaren Held im Reiche des Geistes gesehen; wir dürfen das Ritterliche nicht ausser Acht lassen, das mit zu seinem Wesen gehörte. Die Ermordung seines Vetters Hans von Hutten durch den Herzog Ulrich von Wirtemberg, Reuchlins Landesherrn, hatte ihn zur Rache entflammt, der er nicht blos durch Schriften Ausdruck geben wollte, sondern durch Thaten. Als der schwäbische Bund dem Herzog Ulrich den Krieg erklärt, schloss Hutten sich freudig als Kämpfer an. Da fand er für alle seine Pläne und so auch zum Schutz Reuchlins einen wackern und mächtigen Bundesgenossen in Franz von Sickingen[1]).

Franz von Sickingen war nicht mehr ein Ritter alten Schlages. Zwar einem Eitelwolf von Stein, einem Hermann von Nuenaar kann er nicht an die Seite gesetzt werden. Er war kein Gelehrter, auf feinere Erziehung konnte er keinen Anspruch machen, aber er besass Achtung vor der Gelehrsamkeit und ihren Vertretern, Empfänglichkeit für höhere, geistige Bildung. Er hatte Ehrgeiz und Phantasie, eine Wiedererweckung des Ritterwesens alter Zeit in edlerer Gestalt, im Dienste einer grossen Idee, erfüllte ihn; den hochfliegenden, grossartigen Plänen Huttens lieh er gern sein Ohr und seinen Arm. Denn der Arm blieb doch meist die Hauptsache. Er liebte es, dreinzuschlagen, wenn er ein Unrecht erlitt oder eine Andern zugefügte Unbill sah, oft auch dann, wenn das nicht der Fall war, und sein Thatendurst ihn nicht in der trägen Ruhe des Hauses verharren liess.

Und so griff er denn auch in den Reuchlinschen Streit, dem er durch die Bekanntschaft mit Hutten und die persönliche Begeg-

---

[1]) In ein Verhältniss zu demselben war Hutten kurz vorher getreten; vgl. Strauss I, S. 355 ff.

nung mit seinem alten Lehrer[1]) näher getreten war, in recht ritterlicher Weise ein. Das hatte ihm Hutten gerathen, der wusste, wie
man mit den Dominikanern umgehen musste[2]). Er erliess am
26. Juli 1519[3]) eine Erforderung und Verkündung an Provinzial,
Prioren und Convente des Predigerordens deutscher Nation und
sonderlich an den Bruder Jakob Hochstraten, von wegen des hochgelehrten und weit berühmten Herrn Johann Reuchlin, beider Rechte
Doktors. Allgemein sei es bekannt, wie sie diesen betagten, erfahrenen, frommen und kunstreichen Mann, wider päpstliches Verbot
und kaiserliche Willensmeinung, durch unbegründete Appellation
gegen das Speiersche Urtheil aufzuhalten und zu beschädigen gesucht
haben, auch noch immer durch die unziemlichen Schmachschriften
anzutasten fortfahren. Da nun aber er, Franz, als Liebhaber von
Recht und Billigkeit, in Betracht ferner, dass Reuchlin seinen Eltern
oftmals gefällige Dienste erzeigt, auch, so viel an ihm gewesen,
sich beflissen habe, ihn, Franzen, in seiner Jugend zu sittlicher
Tugend zu unterweisen, ob solchem ihrem Fürnehmen nicht unbillig
Missfallen trage: so stehe an Bruder Hochstraten und dessen
Ordensobere sein Begehren, gemeldeten Doktor Reuchlin fortan ruhig
zu lassen, auf den Grund des Speierschen Urtheils ihm Genugthuung
zu geben und insbesondere die ihnen auferlegten Prozesskosten im
Betrage von 111 fl. an ihn zu entrichten, und zwar binnen Monatsfrist nach Ueberantwortung dieses Briefes; sonst werde er, Sickingen,
sammt andern seiner Herren, Freunden und Gönnern, wider sie, die
ganze Ordensprovinz und deren Anhänger, so handeln, dass Dr. Reuchlin
als ein Alter, Frommer, unter den Hochgelehrten nicht der Niederst,
dess Ehre, Kunst und Lob in weiten Landen erschollen und ausgebreitet, solcher gewaltiger Durchächtung endlich vertragen, in diesem
seinem ehrlich hergebrachten Alter bei Ruhe bleibe, dasselbe auch,
soviel Gott gefalle, friedlich beschliessen möge, und dardurch vermerkt werde, dass vielen hohen Adligen und andern trefflichen
weltlichen Ständen, geschweige der Hochgelehrten und Geistlichen,

---

[1]) Vgl. oben S. 48.

[2]) Hutten an Mel. 20. Januar 1521: *Fortasse notum habes, ut vi sua
meoque instinctu liberaverit . . Capnionem Franciscus.* Böcking, Hutteni
opera I, p. 320 sq.

[3]) Freitag nach St. Jakobstag, vgl. in der Briefsammlung. — Das im
Text Folgende ist nach der Wiedergabe bei Strauss II, S. 19 fg.

ihrer (der Dominikaner) bisher gegen Dr. Reuchlin geübte Handlung von Herzen und Gemüth leid gewesen und noch sei.

Die Humanisten waren über den kühnen Schlag des Ritters erfreut[1]), die Dominikaner, die wussten, dass Sickingen in diesen Dingen keinen Spass verstand, geriethen in Angst. Aber in Monatsfrist zu zahlen, wie Sickingen gefordert hatte, dazu verstanden sie sich nicht. Dieser musste zum zweiten Male schreiben, gewiss in nicht minder energischem Tone, und bestimmen, dass er, wenn nicht bis zum 28. Dec. das Geld bezahlt wäre, die Fehde beginnen würde, ehe Hochstratens Partei Schritte that, um dem Verlangen zu entsprechen[2]). Am 26. December kam der Dominikanerprovinzial zu Sickingen nach Landstuhl. Alle Schuld der gegen Reuchlin ergriffenen Maassregeln schob er auf Hochstraten. Sickingen gab sich damit nicht zufrieden. Er hielt dem Mönche alle Schandthaten vor, die seit Jahrzehnten von dem Orden verübt worden seien, der erschrockene Provinzial gelobte nun Alles zu thun, was man von ihm verlangen würde. Sickingen verlangte von den Gegnern das Versprechen, innerhalb eines Monats bei Reuchlin die Herstellung des Friedens zu versuchen, oder, wenn dies nicht gelingen sollte, sich zu Worms am 13. März einem von beiden Parteien gewählten Schiedsgericht zu unterwerfen. Darauf gingen die Dominikaner ein. Am 8. Januar 1520 reisten zwei Abgesandte, der Heidelberger Rector und der Prior in Esslingen, beides gelehrte und bescheidene Männer[3]), zu Reuchlin nach Ingolstadt. Am 18. Jan. kamen sie bei ihm an.

---

[1]) In die zeitgenössischen Berichte schleichen sich einige Uebertreibungen ein. So schreibt Mosellan an Pflug, Sickingen habe gedroht, *se eos (Dominic.) pariter et Coloniensem Rempublicam afflicturum*. 6. Dec. 1519; Böcking I, p. 316. Ueber die Erforderung vgl. Thomas Venatorius an Pirckheimer, 7. Januar 1520 und Mosellanus an Hesse (Jan. 1520).

[2]) Schon Bernhard Adelmann schreibt an Pirckheimer, 15. Okt. 1519: *Mitto tibi exemplum literarum Sickingeri. Audio secundas eum ad ordinem istum seu factionem dedisse literas. Quid vero contineant, ignoro.* bei Heumann, Documenta literaria p. 176. Ferner der Brief Martin Bucers an Beatus Rhenan, der eine Hauptquelle für das Folgende ist (bekanntlich lebte Bucer bei Sickingen auf der Ebernburg), bei Böcking, Supplementum vol. I, p. 444: *Is ergo bis hastam simul et caduceum nostris (Dominicanis) obtulit, in secundis tamen literis magis ad caduceum est eos exhortatus, indicens nihilominus bellum si, praeterito die qui Innocentibus sacer est habitus, cum Capnione nondum in gratiam rediissemus.*

[3]) Dies und das Vorhergehende nach Bucers Brief a. a. O.

Sie legten ihm die Friedensbedingungen vor, machten ihm auch Geld-
versprechungen, auf diese wollte er nicht hören, für jene verwies er
sie an Sickingen zurück, dem er, als alleinigem Sachwalter, seine
Sache unwiderruflich übertragen habe [1]). Dann zeigten ihm die Gesandten die Bestimmungen, in denen sie mit Sickingen übereinge-
kommen waren, namentlich über das aus weltlichen und geistlichen
Personen zusammenzusetzende Schiedsgericht: darin willigte Reuchlin
gerne, er wollte sich jedem Beschlusse desselben unterwerfen [2]).

Aber vorher war ein wichtiges Ereigniss eingetreten: Hochstraten hatte vom Papste eine Ungültigkeitserklärung des
Speierer Urtheils erlangt [3]).

Sickingen liess sich dadurch nicht irre machen. Bei einer
Ordensversammlung der Dominikaner, die am 6. Mai 1520 und die
folgenden Tage in Frankfurt am Main stattfand [4]), trat das Schiedsgericht zusammen: Sickingen im Namen Reuchlins, Eberhard
von Clivis, der Dominikanerprovinzial, im Namen seiner Ordensbrüder, Philipp von Flersheim, Schwager Sickingens, der zu Heidelberg, Löwen und Paris studirt hatte, in Heidelberg Rektor gewesen
war (1504) und später (1529) Bischof von Speier wurde bis zu seinem
Tode (1552), Johann Wacker, der Jurist, der vertraute Freund

---

[1]) Reuchlin an Pirckheimer, 19. Jan. 1520, in der Briefsammlung. vgl.
auch den Brief Adelmanns an Pirckheimer vom 31. Jan. 1520 bei Heumann, p. 183—185.

[2]) Reuchlin an Pirckheimer, 10. Febr. 1520.

[3]) Eine Urkunde ist dafür nicht erhalten; zu entnehmen ist es aus
dem von mir im Stuttg. Arch. gefundenen und bisher unbekannten Aktenstück, 10. Mai 1520: *Concordia inter fratres Praedicatores et D. Joannem Reuchlin: ... et novissime idem magister Jacobus commissionem primum
super nullitate sententiae per Reverendissimum dominum Spirensem ita ut prae-
fertur latae obtinuisset ...*, und .. *litem .. tam causae principalis, quam
nullitatis novissime commissae .. extinguat* (s. u.). Dieses Aktenstück ist
Quelle für die folgende im Text gegebene Darstellung. Zu vgl. sind in der
Briefsammlung Reuchlin an Questemberg 11. Mai, an Pirckheimer 31. Mai
Cochläus an Pirckheimer 12. Juni 1520, auch der satyrische Dialog: *Hochstratus ovans* bei Böcking, Supplementum I, p. 479.

[4]) Das Frankf. Bürgermeisterbuch (Frankf. Arch.) 1520 fol. 2[b], weiss
von dieser Versammlung nur zu berichten, dass an *Dominica Cantate* (6. Mai)
der ganze Rath, Schultheiss und Advokat bei den Predigern „die itzunt ire
Capittel haben" eingeladen worden seien und ihnen ein Fuder Wein und
einen Ochsen verehrt hätten.

Reuchlins von der alten Heidelberger Zeit her, Simon Ribisin, der Speierer Dekan, dessen Verbindung mit Reuchlin gleichfalls schon viele Jahre alt war: alle drei Freunde oder Verwandte Sickingens, zugleich aber in naher Verbindung mit dem Dominikanerorden stehend. Da kam man überein (10. Mai), dass Clivis mit seinen Ordensbrüdern ein Schreiben an den Papst richten, darin die Unterdrückung des Streits, Aufhebung der Ungültigkeitserklärung des Speierer Urtheils, ewiges Stillschweigen für beide Parteien erbitten sollte, dass niemals mehr von Seiten der Dominikaner der Streit angefacht werden dürfe, oder dass, wenn dies doch geschehe, Reuchlin in keiner Weise verpflichtet sei, zu antworten.

Das Ordenscapitel, das neben Eberhard de Clivis aus folgenden Männern: Magnus Vetter, Prior in Gmünden, Vincenz Vipeck, Prior in Landshut, Alban Graff, Prior in Basel, Johann Essig, Prior in Chur, Martin Huppauer, Michael Uhe, Johann Diethenberger, Prior in Coblenz, Bernhard Senger, Prior in Heidelberg, Ulrich Collin, Prior in Ulm, Nikolaus Goldner, Prior in Wimpfen, Johann Studath, Prior in Schlettstadt, Johann Jung, Prior in Grätz, bestand, versprach die angegebenen Bedingungen zu erfüllen. Seine Mitglieder verpflichteten sich ausserdem, Hochstraten, wenn er sich nicht fügen wolle, in keiner Weise zu unterstützen, keine, selbst aus eignem Antriebe ihnen gewährte päpstliche Privilegien, die gegen die Uebereinkunft gerichtet wären, anzunehmen, ferner den Pfalzgrafen Ludwig zu veranlassen, ein Schreiben in ähnlichem Sinne wie das ihrige nach Rom zu senden, die Mitglieder der andern Partei wollten den Bischof von Speier zu einem solchen Schritte bewegen, letzteres sollte längstens innerhalb zweier Monate geschehen[1]).

Die Ordensmitglieder hielten ihr Versprechen.

Eberhard von Clivis erliess in seinem und der Dominikaner Namen ein Schreiben an den Papst: Die Dienste, die der Orden früher dem römischen Stuhle geleistet, berechtigen ihn nun auch, sich einmal bittend an diesen zu wenden. Lange schwebe schon der Streit zwischen Hochstraten und Reuchlin wegen des Augenspiegels, dem Orden sei dadurch fast unglaubliche Feindschaft entstanden, was er beginne, werde verspottet, oder als Stolz und Frechheit ausgegeben. Aber die ganze Sache sei ohne ihren Rath und ihre Hülfe unternommen worden, — und falle Hochstraten allein zur Last.

---

[1]) Brief Ludwigs s. u.; ein Brief des Bischofs Georg ist nicht erhalten.

Auf den Vorschlag einiger gelehrten und angesehenen Geistlichen habe man daher beschlossen, den Papst zu bitten, beiden Parteien ewiges Stillschweigen aufzuerlegen, den Streit, unbeschadet der Ehre beider Parteien, zu schlichten, und allen Ketzermeistern zu verbieten, den Prozess jemals wieder aufleben zu lassen oder Reuchlin etwas anzuhängen, der, nach dem Urtheil vieler bedeutender Leute, Ruhe und Frieden wegen seiner Gelehrsamkeit, seiner Unbescholtenheit und Reinheit im Glauben verdiene[1]). Man beschloss, die Prokuratoren Questemberg, Coritius, Wirt, Pener und Eginger in Rom zu beauftragen, das in diesem Briefe Verlangte beim Papste durchzusetzen[2]). Auf Verlangen der Dominikaner sendete nun auch der Reichsvikar Pfalzgraf Ludwig ein Empfehlungsschreiben an Papst Leo, worin er sein Gesuch um Niederschlagung des Streites mit den Bitten des Provinzialkapitels verband, damit nicht noch grössere Gefahren, Nachtheile und Aergernisse aus dem Kampfe entständen[3]). Zu gleicher Zeit scheint die Formel der endgültigen Entscheidung nach Rom abgegangen zu sein, welche die beiden Parteien vereinbart hatten[4]). Der Convent setzte überdies Hochstraten von seinen Aemtern: dem Priorate des Kölner Dominikanerklosters und dem Ketzerinquisitorate ab[5]), und legte ihm einstweilen Stillschweigen auf[6]).

Reuchlin, der von dem Resultat der Verhandlungen durch Sickingen unterrichtet worden war, beeilte sich, dasselbe seinem treuen Questemberg mitzutheilen. Noch einmal habe er sich ihm als Freund zu bewähren, vielleicht zum letzten Male. Er, der in der Abfassung von päpstlichen Dekreten so geübt und erfahren sei, möge seine Sorgfalt der endgültigen päpstlichen Entscheidung zu-

---

[1]) Eberhard v. Clivis an den Papst, 10. Mai 1520.

[2]) Cochläus an Pirckheimer, 12. Juni 1520.

[3]) Pfalzgraf Ludwig an den Papst, 20. Mai 1520.

[4]) Reuchlin an Pirckheimer, 31. Mai 1520: *Impetrabunt . . litis extinctionem . . in meliore forma quae et mihi et mei amantibus iam concepta placet.* — Die ganz unbeachtet gebliebene Darstellung des Caspar Hedio in seiner Ausgabe des Chronicon abbatis Urspergensis (1569) hat über diesen Theil des Streites gute, aber seltsam verworrene Nachrichten.

[5]) Vgl. Hartzheim prodromus hist. univ. Colon. 1759, p. 19 und die von Cremans p. 55 A. 1 angeführten Stellen.

[6]) Schon am 7. Febr. (!) 1520 schreibt Froben an Ulrich Zwingli: *Franciscus Provinciali scripsit, qui Hogostrato indixit silentium.* Zwinglii Opera ed. Schuler et Schulthess, vol. VII, p. 112.

Geiger, Johann Reuchlin. 29

wenden, damit sie nicht seine, Reuchlins, Ehre oder Ruf Verletzendes enthalte. „In Deine und des Cardinals Aegidius von Viterbo Treue setze ich mein Vertrauen"[1]). So schliesst dieser Brief, der letzte an Questemberg, nach 30jähriger treuer Freundschaft, und ziemlich reger brieflicher Verbindung. Ob Questemberg bis zuletzt die Treue gehalten? In unseren Briefen ist nun von ihm nicht mehr die Rede.

Die Dominikaner hatten von Anfang an falsches Spiel gespielt. Nur die Furcht lenkte ihre Handlungen. Was sie zur Ehre Reuchlins, zur Schmach Hochstratens sprachen, war Trug, sie hatten ganz Anderes im Sinn, als Reuchlin Ruhe zu verschaffen, als die verlorene Gunst der Gebildeten, des ganzen Volkes durch weise Nachgiebigkeit wiederzugewinnen; die Absetzung Hochstratens war Schein, die Bemühungen in Rom nicht ernst gemeint.

Schon früh erhielt Reuchlin von den Machinationen seiner Gegner Kunde. Am 9. Februar, als kurz vorher die Abgesandten der Dominikaner bei ihm gewesen waren, um über den Frieden zu unterhandeln, bekam Reuchlin von seinen Anwälten aus Rom beunruhigende Briefe. Die Gegner wollten den anfänglichen Streitpunkt, in dem sie sich durch die in der dazu ernannten päpstlichen Commission abgegebenen Urtheile geschlagen fühlten, fallen lassen, nur eine Nichtigkeitserklärung der Speierer Entscheidung erwirken, und dadurch allen weiteren Bemühungen freien Spielraum verschaffen. Reuchlin, über diese Nachricht erschreckt, fragte Pirckheimer, was er thun sollte; dieser rieth, Sickingen Alles mitzutheilen, was Reuchlin auch that[2]). Dass darauf von Seiten dieses etwas geschehen sei, ist nicht bekannt. Er meinte gewiss, die Anstrengungen der Hochstratenschen Partei datirten von einer früheren Zeit, als ihre Friedensverhandlungen, und würden nun, nachdem diese eingeleitet waren, auf sich beruhen.

Aber dem war nicht so. Die Dominikaner fuhren in ihren Bemühungen fort. Im ganzen Lager herrschte Thätigkeit. Die Kölner hatten die Parole ausgegeben, wer etwas zum Nachtheile des Glaubens thäte, solle aus dem Schoosse der Kirche getrieben werden[3]). Das mag geheissen haben: mit den Ketzern darf man

---

[1]) Reuchlin an Questemberg, 11. Mai 1520.

[2]) Reuchlin an Pirckheimer, 10. Febr. und 29. Febr. 1520.

[3]) Crombach, Annal. eccles., bei Cremans S. 55: *facultas theologica*

sich nicht einlassen. Der alte Gönner und Freund, Adrian von Utrecht versprach von Spanien aus (29. März) den Kölnern seinen Beistand; schon habe er ein dringendes Schreiben an den Cardinal Peter Ankonitan und andere Freunde in Rom gerichtet. Sickingen wollte er durch einen Befehl des Königs Karl unschädlich machen[1]). In Rom arbeitete Thomas de Vio, Cardinal Cajetan, General des Dominikanerordens, für seine Brüder, auch Sylvester Prierias, der schon vor 4 Jahren das *mandatum de supersedendo* erwirkt hatte. Was sie bestimmte, war vor allem der Luthersche Handel. Zum abschreckenden Beispiele für die Anhänger der neuen Ketzerei musste die alte bestraft werden. Wer dachte noch an den Augenspiegel, an die Frage, die Reuchlins Gutachten hervorgerufen hatte? Der Papst forderte selbst zum Drucken des Thalmuds auf.

Und doch! Am 23. Juni 1520 wurde durch einen päpstlichen Beschluss die Speierer Entscheidung für ungültig erklärt, der Augenspiegel sollte als ein ärgerliches, für fromme Christen anstössiges, den Juden unerlaubt günstiges Buch für den Gebrauch untersagt und vernichtet werden. Reuchlin wurde ewiges Stillschweigen auferlegt und er in die gesammten Kosten des Prozesses verurtheilt[2]).

Die Kölner erhielten Brief auf Brief (im Juni, 22. Aug., 4. Sept.), die ihnen die freudige Botschaft und die dazu gehörigen Aktenstücke mittheilten, am 8. September überschickte Ingewinkel, der uns als Gönner Hochstratens schon bekannt ist, ein päpstliches Breve, wodurch Hochstraten in seine verlorenen Aemter wieder eingesetzt wurde[3]).

Coloniensis singulos ejusdem familiae Bidello internuncio monent (!) quotquot in album facultatis relati essent, caverent, quidquam facere vel facientibus adsensum praebere, qui aliquid in fidei detrimentum machinarentur, alias scirent, se e gremio suo esse exturbandos.

[1]) *Die XXIX m. Martii a.* 1520 *Cardinalis Adriani pollicitus est omnem suam operam facultati in fidei negotio promovendo: addidit literas se Romam Cardinalis S. Eusebii, ibidem iudici constituto misisse et ceteris amicis suis. Mandatum etiam Caroli Regis ad Franciscum de Sickingen destinasse, qui quum apertas Dominicanis inimicitias nunciasset donec Jacobum Hochstratum ad concordiam cum Joanne Reuchlin adversario fidei componendum coegisset, nunciavit Sickingensi imperatum, ut ad Caesaris in Germaniam aditum (sc. ex Gallia Belgica) sibi ab infestandis religiosis temperaret.*

[2]) Anschlag der Kölner vom Sept. 1520 in der Briefsammlung.

[3]) Vgl. Cremans, p. 57.

29*

Die Kölner gaben ihrer Freude über diese glückliche und von ihnen selbst vielleicht nicht erwartete Wendung offen Ausdruck. Sie schlugen die päpstliche Bulle in Köln an und rühmten sich laut des errungenen Sieges[1]). Aber in ihren Schriften gaben sie davon keine Kunde; Hochstraten rühmte sich nicht, nur Pfefferkorn blieb es vorbehalten, die Lärmtrommel zu schlagen[2]).

Reuchlin und seine Freunde waren über den Ausgang betrübt. Es war ein jäher Umschlag: von der sichersten Siegeshoffnung zu der entscheidenden Niederlage. Auch in Rom trauerten Viele, sie meinten, diese Entscheidung sei der Würde und Gerechtigkeit des Papstes nicht angemessen[3]).

Reuchlin appellirte[4]). An wen? Von dem schlecht unterrichteten Papst an den besser zu unterrichtenden, wie Luther? Nochmals versprach Sickingen seine Hülfe, er liess sich von Hutten

---

[1]) *Literarum apostolicarum exemplaria valvis affixa Bidellorum opere sunt publicata.* Crombach bei Cremans a. a. O. vgl. Hedio an Zwingli, 15. Okt. 1520, dem es Hermann Busch mittheilte. Darauf bezieht sich wol auch die Aeusserung des Crotus in einem Briefe an Luther, 5. Dec. 1520, der aber ins folgende Jahr zu setzen ist: *Renovatur mihi memoria vetus de tragoedia reverendi Kapnionis cujus annuo spacio spectator fui. Et lingua et calamus deficit, si velim recensere theologorum insaniam, quorum effectus inveni muliercularum perturbationibus agitationes.* Böcking I, p. 434.

[2]) Ein mitleydliche claeg 1521. D 4ª. Sondern ich befelen es der heylgen kirchen und dem Römischen Gericht und dem Ketzermeister zu rechtfertigen, wie er das hat gethan, auch zu Rom ayn urtel desshalben wider dich gefallen ist. Auch an andern Stellen z. B. A 3ª und unten Anm. 4. Die ganze Schrift ist ein Triumphlied für den errungenen Sieg, der zugleich auch als eine Gewähr für den glücklichen Ausgang des Lutherschen Handels betrachtet wird, vgl. H 2: Ja Reuchlin, hett es Dir der Babst vor acht jaren gethan, so hett Martinus Louther mid Deine jüngeren Obscurorum virorum dess nit thüren wünschen noch gedencken, wess sie jetzundt zu nachteyl Christenliches glaubens offentlichen treyben.

[3]) Vgl. den Brief eines Unbekannten aus Rom an Pirckheimer (1521).

[4]) Hutten schreibt an Bucer: *Capnion appellavit, quem Franciscus tuebitur modis omnibus.* 15. Nov. 1520. Böcking I, p. 427. Auch Pfefferkorn sagt a. a. O. G 2: Das urtel tzo Rom (das du all tziit verhindert haist) vur uns und wydder dich ghefallen ... Wiewol Du vonn dem urtel magst geappeliert haben, vurwair Reuchlinn, das ist nit mehr denn von den galghen uff das radt. Bezeichnend sind auch folgende Worte: Du meinst, man habe yetzunt mit Martinus Lauter so vil tzo schaffen und tzo schicken, das man deiner sol vergessen. Reuchlin ych sag Dir und glaub mir das: Deiner wurt nit vergessen.

ein Schreiben an den Kaiser Karl aufsetzen, Spalatin sollte die Fürsprache des Herzogs Friedrich von Sachsen, Capito die des Erzbischofs Albrecht von Mainz gewinnen. Sickingen lud Reuchlin auf seine Burgen ein, der Alte wollte kommen, schon im Winter 1520, dann im Frühjahr des folgenden Jahres, aber er kam nicht[1]). Er blieb unangefochten bis zu seinem Tode. Unterdess wurden die Kölner von Reuchlins Freunden in einer Anzahl satirischer Schriften verspottet, die römische Entscheidung ohne weiteren Commentar berichtet[2]). Die Kölner waren zufrieden, den Sieg errungen zu haben, sie verfolgten ihn nicht weiter.

So endete dieser denkwürdige Streit. Sein Ausgang hat weder dem Ruhm Reuchlins geschadet, noch der Sache, die dieser vertrat. Das Interesse an dem Streit war in den letzten Jahren durchaus zurückgedrängt, man erinnerte sich in der Folgezeit gar nicht mehr des wirklichen Ausganges[3]).

Jetzt gibt es wohl Wenige mehr, die die Sache Hochstratens führen möchten, hütete sich doch Joh. Eck, Reuchlin zu verdammen[4]).

---

[1]) Vgl. die Briefe Huttens an Luther, 9. Dec. 1520, Böcking I, 437, an Spalatin und Capito 16. Jan. 1521.

[2]) Vgl. die Stellen aus Hochstratus ovans und andern Schriften, schon angeführt bei Strauss II, S. 22 fg. und Cremans, p. 53 und 61.

[3]) Von den Biographen hat Keiner, selbst Erhard und Lamey nicht, von demselben Kenntniss; nach Ranke, Deutsche Geschichte im Reformationszeitalter, hat Strauss a. a. O. die Sache zuerst genauer behandelt, neues Material ist durch Böckings Opera Hutteni hinzugekommen, das Cremans a. a. O. vermehrt; ich selbst habe einzelnes Neue gefunden und das Vorhandene zuerst in ausreichender Weise benutzt.

[4]) In seiner Schrift: Ains Judenbuech- | lins verlegung: darin ain Christ, | gantzer Christenhait zu schmach, will | es geschehe den Juden vnrecht in be- | züchtigung der Christen kin- | der mordt. | Ingolstadt 1541 in 4°, spricht er H ff. von dem Gebet *velammeschumodim* und führt die verschiedenen von den christlichen Lehrern gegebenen Uebersetzungen dieses Gebets vor. Darauf sagt er: Lieber frommer Christ. Es möcht Dich verwundern, warumm ich der juden bätt wider uns Christen so mannigfaltig gesetzt hab vertolmetscht: aber Daz ist darumm geschehen, das vor kurtzen jaren etlich gelert darob unains seind worden, daz ainer die wort nach Hebraischer art und aigenschaft hat wöllen ausslegen, wie Doctor Hans Reuchlin, die andern haben angesehn den brauch und mainung der juden. Darumb acht ich im grund haben sie baid recht gehabt, und ist allain ain wortkampff gewesen. Aus seinen weiteren Ausführungen geht freilich hervor, dass er mehr mit Pfefferkorns Erklärung einverstanden ist; Reuchlin

Aber der Kampf Reuchlins mit seinen Gegnern ist nicht ausgekämpft. Die Reformation hat ihn nicht geendet. Es ist der
Streit zwischen Freiheit und Glaubenszwang, der sich zu jeder Zeit
wiederholt, und der sich nur durch stete, mit ernstem, heiligem
Sinne gemachte Anstrengungen auskämpfen lässt.

---

will er aber von dem Vorwurf befreien (dazu die Randbemerkung: D. Reuchlin des Ehrlichen mans fürhaben wider den Pfefferkorn), dass er „mit disen
worten hab gemaint, die juden sprechend das gebät nit wider uns, das er
bestendigklich verleugnet". Dann sagt er: „Nun will ich nit ain alten
zank wider aufferwecken, oder auss alter äschen ain feur auff-
blasen". — Aussprüche der Reformatoren über den Reuchlinschen Streit
und seine Ursachen sind sehr selten; eine Aeusserung Andreas Osianders
scheint mir der Mittheilung werth: Desgleichen (näml. sie, die Mönche)
öffentlich an Kaiserliche Majestät die hebräischen Bücher auch zu verbrennen
begehrten, damit die recht Gelehrten des lautern Grundes und Ursprungs
auch beraubt würden. Und so dasselbe wäre geschehen, wäre fürwahr die
heilige Schrift schon zur Huren gemacht und geschwächt gewesen . . . . .
Es hilft sie auch nicht, dass sie sagen, man hab nicht die Bibel, sondern
andere hebräische Bücher wollen verbrennen. Denn die es fürnahmen, nicht
so gelehrt waren, dass sie eine hebräische Bibel hätten mögen erkennen,
will schweigen, dass sie sollten urtheilen, welche Bücher bös oder gut wären.
Dazu so die andern Bücher verbrannt wören, hätten wir die Sprach nicht
mehr können lernen, und wär also die hebräische Bibel auch nichts mehr
nütz gewesen. Um solcher grossen Vermessenheit wegen hat Gott sein Wort
verborgen und ihnen dasselbe zu schänden nicht Ursach wollen geben. --
Andreas Osiander: Vorrede zu Ein Schöner Sendtbrief des Herrn . . Johann-
sen, Herrn zu Schwartzenberg. Nürnberg 1524. Abgedruckt bei W. Möller:
Osiander. Elberfeld 1870. S. 47 fg.

VIERTES BUCH.

LETZTE LEBENSJAHRE UND TOD.

Wir kehren zu den Ereignissen von Reuchlins Leben zurück. Da gibt es allerdings nicht viel mehr zu berichten: der wahre Inhalt seiner letzten Jahre ist sein unermüdetes wissenschaftliches Streben und sein Streit.

Von seinen Aemtern hatte sich Reuchlin zurückgezogen. Er war nicht reich, wenn auch sein Amt, seine juristische Thätigkeit ihm Geld genug eingebracht haben wird, denn nicht alle werden sich mit dem blossen Gotteslohn abgefunden haben, wie die Predigermönche[1]), aber seine Ansprüche ans Leben waren nicht gross. Er besass ein Landgütchen zu Stuttgart seit längerer Zeit, dorthin hatte er sich schon 1509 zur Stärkung seiner kranken Frau zurückgezogen[2]); seit seiner Entfernung von den Aemtern pflegte er ganz dort zu wohnen[3]). Es muss nicht unbedeutend gewesen sein, denn durch die vielen Unkosten in seinem Prozess war er genöthigt, einen grossen Theil davon zu verkaufen und behielt doch noch genug, um von dem Wein, den er zog, ein rundes Sümmchen zu erhalten[4]).

---

[1]) *neque usquem aliquid praeter XII. agnos dei recipiens* Reuchlin an Lorenz Tucci 13. Nov. 1518.

[2]) s. oben S. 28 A. 3.

[3]) Reuchlin an Mutian, 22. Aug. 1513: *nunc sola agricolatione victum quaeritans;* an Spal., 31. Aug. 1513: *rus colo et sola vivo agricolatione;* vgl. Groning an Kaiser Max. 1. Aug. 1517.

[4]) *agellos meos ad XXVIII jugera . . coactus sum vendere.* Reuchlin an Peter Ankonitan, 13. Nov. 1518; der Weinvorrath (eines Jahres) sollte ihm, nach dem Versprechen des Verwalters, 100 Goldgulden einbringen, Reuchlin an Pirckheimer, 3, Jan. 1520. — So kann er auch in den letzten Lebensjahren nicht arm genannt werden, wie die Dunkelmännerbriefe sagen: *Ego audio quod ipse est depauperatus propter magnas expensas et valde laetor.* I, 26.

Was er erübrigen konnte, verwendete er für Bücher. Seine Bibliothek muss für jene Zeit sehr bedeutend gewesen sein, besonders reich an griechischen und hebräischen Hand- und Druckschriften. Schon Georg Merula bewunderte seinen Reichthum an griechischen Werken; hebräische Bücher kaufte er selbst in Rom; Freunde, die nach Italien reisten, entliess er selten ohne den Auftrag, ihm dieses oder jenes Werk zu besorgen[1]). Als Papst Leo in Deutschland Bücher kaufen lassen wollte, sollte Reuchlin Rath ertheilen[2]). Mutian wendet sich an ihn, um die beste Art einer Bibliothekseinrichtung von ihm kennen zu lernen[3]). Reuchlins Bibliothek ist leider nicht erhalten. Sie war ursprünglich für Melanchthon bestimmt, als dieser sich ganz der Reformation zuneigte, entzog sie ihm der Alte und vermachte sie der Vaterstadt Pforzheim. Aber dort ist kein Rest davon erhalten, einige hebräische Bücher sind nach Carlsruhe gekommen.

In das stille, zurückgezogene Leben der letzten Jahre brachte der Streit Sorgen und Beunruhigungen, aber auch äussere Störungen. Reuchlin hielt es im October 1513 für nöthig, nach Mainz zu gehn, März 1514 war er in Speier[4]), im April 1514 finden wir ihn in Augsburg[5]); persönlich in Rom zu erscheinen wurde ihm zwar erlassen, aber nach dem Rhein sich zu begeben, scheint er 1518 beabsichtigt zu haben[6]). Seiner Gesundheit wegen hatte er wohl manchmal ein Bad besucht[7]).

Das officielle Verhältniss zu Herzog Ulrich war zwar gelöst, bei besonderen Veranlassungen wird aber der alte Diener seinen Rath nicht verweigert haben, wenn man ihn verlangte. Es wird berichtet, dass Reuchlin bei der Bauernempörung des „armen Conrad", die 1513 namentlich in Schwaben zum Ausbruch kam, als herzoglicher Rath fungirt habe[8]). Auch war in dieser Zeit das persönliche

---

[1]) Petrus Jakobi an Reuchlin, 1. März 1488; vgl. die Briefe Johann Strelers, 25. Nov. 1491, 29. Juni 1492. Eine bezeichnende Stelle für seinen Bücherdurst de a. c. fol. XIII b.

[2]) Beroaldus an Reuchlin, 5. Dec. 1517.

[3]) Mutian an Reuchlin, 13. Sept. 1516.

[4]) s. oben Buch 3, Kap. 4.

[5]) vgl. die Briefe Reuchlins an Questemberg u. Wirt 25. April 1514.

[6]) Thomas Truchsess an Reuchlin, 21. Jan. 1518.

[7]) Reuchlin an Mutian 22. Juni 1518.

[8]) Heyd, Tübinger Zeitschr. f. Theol. 1839, S. 84.

Verhältniss zu Ulrich noch ein freundliches. Das Bittschreiben Reuchlins an die Pariser Fakultät begleitete Ulrich mit einem Empfehlungsbrief[1]). Doch das änderte sich bald. Am 8. Mai 1515 hatte Ulrich seinen Diener Hans von Hutten ermordet, später seine Gemahlin Sabina, der er verbotenen Umgang mit dem Ermordeten schuld gab, verstossen. Dadurch, wie überhaupt durch sein zügelloses und unbedachtes Handeln, erregte er in seinem Lande und in ganz Deutschland die grösste Erbitterung, in feurigen Reden und Ermahnungen forderte der Vetter des Getödteten, Ulrich von Hutten, den Kaiser und die Fürsten zur Rache des begangenen Frevels auf. Man war auch in Wirtemberg dahin gelangt, diesem Zustande nicht weiter ruhig zuzusehen. In Stuttgart hatten Besprechungen über die zu ergreifenden Maassregeln stattgefunden, Reuchlin hatte an denselben Theil genommen[2]). Wurde das dem Herzog bekannt, so musste natürlich alles Vertrauen zu dem früheren Rathe schwinden, aber schon vorher hatte man Reuchlin verdächtigt. Hutten wollte die schwierige Lage des Alten nicht durch Briefe, die er an ihn schickte, verschlimmern[3]). Doch scheint Reuchlin im Ganzen unangefochten in Stuttgart gelebt zu haben und noch 1518 war die Verbindung derart, dass Reuchlin zu dem Reichstag von Augsburg nur dann gehen wollte, wenn auch sein gnädigster Herr Ulrich hinkäme[4]).

Da brach nach dem Tode Maximilians I. der Sturm gegen Herzog Ulrich los. Er hatte Reutlingen angefallen und erobert, der schwäbische Bund, dem Reutlingen angehörte, waffnete sich gegen den Friedensbrecher. Dem Bundesheer unter der Führung des Herzogs Wilhelm von Baiern gelang es leicht, das Land zu erobern. Am 7. April ergab sich Stuttgart. Unter den Siegern befanden sich Franz von Sickingen und Hutten. Sie kamen zu Reuchlin, der vor den Feinden in grosser Angst schwebte, er hatte bereits am Anfang des Krieges, aus Furcht, es möchte Alles durch Feuer zerstört werden, seine Bücher vergraben[5]).

---

[1]) 19. Juni 1514 (Briefs.) vgl. oben Buch 3, Kap. 3.
[2]) Heyd, Herzog Ulrich I, S. 225. 510.
[3]) vgl. die schon bei Strauss I, S. 227 Anm. 1 u. 3 angef. Stellen.
[4]) Reuchlin an Herz. Friedr. v. Sachsen, 25. Juli 1518. — Denn sonst, meint Heyd (s. o. S. 458 A. 8) S. 95, A. 1, wäre er in den Verdacht gerathen, dass er an den kaiserlichen Hof wegen anderer Ursachen gegangen sei.
[5]) Reuchlin an Mich. Hummelburg, 29. Juni 1519.

Aber Hutten hatte für ihn gewacht: selbst für den Fall gewaltsamer Eroberung Stuttgarts war Reuchlins Haus sicher gestellt worden[1]. Das Bundesheer zog ab, die Freunde mit ihm. Herzog Ulrich kam wieder ins Land und betrat als Herrscher seine Hauptstadt. Reuchlins Furcht war grösser geworden; er fasste den Gedanken zu entfliehen, er hatte mit Freunden feste Verabredungen dazu getroffen; wie es dazu kommen sollte, liess er die Freunde allein ziehen, er selbst konnte sich nicht entschliessen, von seiner neuen Heimath fortzugehen[2]. Ulrichs Aufenthalt war nur von kurzer Dauer, aber er dauerte lange genug, um Reuchlins Eigenthum empfindlich zu beschädigen[3]. Als dann aufs neue Stuttgart dem Bundesheer seine Thore öffnen musste, erlangte Reuchlin durch einen Schutz- und Schirmbrief der Feldherren Sicherheit für sich, sein Haus und sein Gesinde[4]. Aber trotz dieser nachträglichen Sicherheit und trotz des dem neu errichteten Regiment ertheilten ehrenvollen Auftrags, sie sollten nach Gelegenheit der Sache den Dr. Reuchlin zu sich ziehen[5], war ihm Stuttgart verleidet.

Seiner trüben Stimmung gab er in einem Briefe an Pirckheimer Ausdruck (8. November 1519): „Mitten im Uebel stehend denke ich nach, auf welche Weise ich ruhigeren Gemüths philosophiren könnte. Hier herrscht die Pest, Rachlust der Sieger, Neid, Unterdrückung der Guten, vorher übte der Hunger sein Regiment aus, ihm folgte das Schwert, nun ist die Pest da. Und was das Schlimmste ist, fast das ganze Land ist in Parteien gespalten: es gibt mehr Bettler und Arme als Reiche und, des grossen Haufens Streben ist auf Plünderung und Aneignung von Reichthümern gerichtet. Ihren Herzog,

---

[1] vgl. Strauss I, S. 359 fg.

[2] Erasmus an den Bischof von Rochester, 2. Aug. 1520. Hutten trat dagegen auf in der Expostulatio cum Erasmo (Böcking, Hutteni opera II, p. 202—206). Erasmus hat sich dagegen in den Spongia a. a. O. p. 279—281 ziemlich glücklich vertheidigt.

[3] Reuchlin an Pirckheimer, 21. Dec. 1519, schreibt: *dum nobis Tyrannus nostra vi abstulit.*

[4] Schutz- und Schirmbrief für Dr. Reuchlin, seine Person und seine Güter, zu Stuttgart und der Umgegend. 27. Okt. [1519]. St. A. so nach Heyd, Herzog Ulrich I, S. 589, Anm. 72. Im Hof- und Staatsarchiv zu Stuttgart sind für mich vergebliche Nachsuchungen nach diesem Aktenstücke angestellt worden. — Ueber das Faktum vgl. auch den oben Anm. 2 angeführten Brief.

[5] Heyd, a. a. O. S. 596.

der Beides vortrefflich verstand, haben sie verloren, daher sehnen sie sich danach, den Fürsten der Räuber wiederzugewinnen. . Wenn der Bund nicht klug und vorsichtig handelt, dann ist es um alle Guten und Redlichen, die in Wirtemberg wohnen, geschehen."

Reuchlin musste sich in grosser Aufregung befinden, als er das Vorstehende über das Mitglied eines Fürstenhauses schrieb, dem er seit Jahrzehnten treu gedient, über einen Herzog, von dem er selbst Gutes erfahren. Man mochte es ihm lange nicht verzeihen: durch die in diesem Briefe enthaltenen Schmähungen bewogen, stand die Herzogin Antonia von ihrem Plane ab, Reuchlin ein Denkmal zu errichten[1]).

Wenn Angst und Furcht den Menschen ganz beherrschen, dann gibt es keine Schranken, die an dem einmal im Schrecken Beschlossenen verhindern. Reuchlin wollte fort. Schon früher war er einmal eilig flüchtig geworden, als die politischen Wolken sich über Wirtemberg zusammengezogen hatten. Nur das Eintreten anderer Zustände wollte er abwarten, nicht ganz den Wohnsitz ändern. Wie damals, so zog es ihn auch jetzt nach einer Universität, aber er ging nicht wieder nach Heidelberg, er wandte sich nach Ingolstadt, um, wie er an Pirckheimer schreibt, ein wenig mit den Gelehrten zu verkehren. Der Herzog Wilhelm von Baiern hatte ihm vielleicht zu dieser Wahl gerathen. Am 9. November 1519 verliess Reuchlin Stuttgart.

In Ingolstadt, wohin er wol nach kurzer Zeit gekommen sein wird, hatte früher ein reges, wissenschaftliches Leben geherrscht und die Erinnerung daran mag noch lebendig gewesen sein. Wie in manchen andern Städten Deutschlands hatte auch hier eine gelehrte Gesellschaft bestanden[2]). Am 1. September 1516 hatte Aventin, der Geschichtschreiber des bairischen Volkes, im Namen des Prinzen Ernst von Baiern, dessen Erzieher er war, bei der philosophischen Fakultät um Erlaubniss zur Gründung nachgesucht; am

---

[1]) Maius, vita Reuchlini p. 514 sq. — Dieser Brief allein zeigt, wie falsch das Gerücht ist, das Adelmann an Pirckheimer schreibt, 11. Dec. 1519: *Insimulatur a nonnullis, quod senserit cum Duce Würtebergensi.*

[2]) Joh. Caspar Lippert, Nachricht von den gelehrten Gesellschaften Baierns in: Abhandlungen der churf. bair. Akademie d. Wissensch. 1. Bd. 1763; Wiedemann: Johann Turmair, genannt Aventinus, Freising 1858, S. 19—31; W. Dittmar, Aventin, Nördlingen 1862. S. 143 ff.

13. Oktober war die *sodalitas literaria Angilostadiensis* eröffnet
worden, nach kaum 3 Jahren ist sie so gut wie verschwunden. Es
fehlte hier der geistige Mittelpunkt, um den sich die übrigen Glieder
hätten schaaren können: Männer wie Mutian in Erfurt, Wimpheling
in Schlettstadt, Celtis in Wien. Die Mitglieder selbst sind keine
Männer von grosser Berühmtheit, Otto von Pack, der später als
Rath Herzog Georgs von Sachsen zu einer ziemlich traurigen Bedeutung gelangte; Urbanus Rhegius, gekrönter Dichter, als Reformator in Hall, Augsburg, dann in Braunschweig thätig; Matthias
Kratz, gleichfalls als Dichter bekannt, aber im Gegensatz zu Rhegius
ein eifriger Anhänger und Verfechter der katholischen Kirche, der
Historiker Melchior Soter, der Jurist Georg Spies.

Bald nach der Gründung der Gesellschaft war Aventin fortgegangen, 1517 und 18 hatte er in den bairischen Archiven gearbeitet,
1519—21 war er in Abensberg mit der Ausarbeitung des Gesammelten
beschäftigt. Mit Ingolstadt blieb er in Verbindung. Als er hörte,
Reuchlin sei dort, bat er den Mathematiker Hieronymus Rosa um
Nachrichten über ihn, und wollte wissen, wie lange er wol bleiben
würde[1]).

Reuchlin wohnte im Hause von Johann Eck. Dass enge
Freundschaft die beiden Männer verbunden, ist nicht bekannt, aber
jedenfalls galt Eck, trotz seines Auftretens gegen Luther zu Leipzig,
noch Vielen als Humanist. Von Pirckheimer war er noch vor kaum
zwei Jahren unter die nachahmungswerthen Theologen gerechnet
worden — und das war gleichbedeutend mit Reuchlinist. Aber in
Ingolstadt musste Reuchlin ihm gegenübertreten. Eck wollte die
Bücher Luthers verbrennen, Reuchlin hielt ihn davon zurück. Das
geschah nicht aus Uebereinstimmung mit Luther, sondern war die
Folge einer höheren Auffassung. Reuchlin hatte die Bücher der
Juden vom Untergang gerettet, er hatte es bei seinem Augenspiegel
geschen, wie Unverstand und Verketzerungssucht die Verbrennung
einer Schrift ihrer wissenschaftlichen Widerlegung bei weitem vor-
ziehe. Der Augenspiegel war verbrannt worden, aber nicht widerlegt: Luthers Schriften sollte genaue Prüfung verdammen, nicht der
Scheiterhaufen. In einer Zeit blinder Leidenschaftlichkeit, rücksichts-

---

[1]) Aventin schreibt (der Brief ist undatirt): *De Reuchlino quoque me
certiorem facias, scire cupio, quandiu Angilostadii commoraturus sit.* Wiedemann a. a. O. S. 118.

loser Parteinahme thut es wohl, einen Mann zu finden, dem gerecht zu sein die höchste Pflicht ist.

In Ingolstadt hatte sich damals noch keine sonderliche Hinneigung zur Lehre Luthers gezeigt. Wir irren wol nicht, wenn wir behaupten, Reuchlin habe aus diesem Grunde es als passenderen Aufenthalt für seinen Grossneffen Melanchthon erachtet, als Wittenberg. Aber der Reformator, der Genosse Luthers, fühlte sich der Pflege des Vaters entwachsen. Wir müssen hier auf das Verhältniss Melanchthons zu Reuchlin näher eingehen[1]).

Durch enge Bande der Verwandtschaft waren beide mit einander verknüpft. Melanchthon lebte bei seiner Grossmutter, Reuchlins Schwester Elisabeth, in Pforzheim. Dort besuchte Philipp Schwarzerd die blühende lateinische Schule, in der auch griechisch gelehrt wurde. Der den Studien obliegende Knabe musste einen fremdklingenden Namen haben, Reuchlin übersetzte den deutschen in den griechischen: Melanchthon. Er besuchte seine Schwester häufig „und vermuthlich hielt er bei solchem zeitweisen Aufenthalt in Pforzheim die Vorträge, von welchen der sogenannte Reuchlinische Hörsaal in der Stiftskirche ein Denkmal ist." Zur Förderung im Studium schenkte er seinem Grossneffen eine griechische Grammatik — vielleicht die ungedruckt gebliebene Mikropädie — und eine lateinische Bibel; als er einige selbstgemachte Verse von ihm erhielt, setzte er ihm im Scherz seinen Doktorhut auf. So hatte im gegenseitigen Verkehr neben dem Ernst auch der Scherz seine Stätte: um Reuchlin zu erfreuen, führte Melanchthon mit seinen Jugendgespielen die Komödie Sergius auf[2]). Melanchthon bezog als Zwölfjähriger die Universität Heidelberg, als Fünfzehnjähriger kam er auf Reuchlins Wunsch nach Tübingen. Da lehrte und lernte er hebräisch bei seinem Grossonkel Reuchlin. Der persönliche Verkehr war ein sehr lebhafter, denn der Alte verschmähte

---

[1]) Quellen für das Folgende sind die Briefe, die Rede des Vitus Winshemius am Grabe Melanchthons, Corp. Ref. vol. X, namentlich p. 190, 192. und Camerarius vita Melanchthonis (s. Briefsamml. 1562). Vgl. m. Mel. or. S. 14—18, und Lamey, Reuchlin S. 76—82 und S. 93 fg. A. 52. — Die hier beigefügten Anmerk. sind neu.

[2]) Camerar. sagt nur: *Tunc et aequalibus suis scriptum quoddam ludicrum Reuchlini instar Comoediae illis diebus editum, ediscendum distribuit* ... aber die Scenica progymnasmata wurden schon 1498 gedruckt, die erste (datirte) Ausgabe des Sergius erschien 1507 (Mel. war damals 10 Jahre alt) und zwar in Pforzheim.

nicht, auch nach Tübingen zu kommen, um sich mit der Jugend in ernsten und heiteren Gesprächen zu ergehen, wie diese ihn in seinem Hause häufig genug überfiel. In seinem Streite fand Reuchlin an seinem Verwandten einen rüstigen Gehülfen. Die hier gewährte Unterstützung vergalt Reuchlin mit einer That, die für die Zukunft Melanchthons und die geistige Entwickelung Deutschlands sehr bedeutsam geworden ist.

Dem Churfürsten Friedrich von Sachsen hatte für seine 1502 errichtete Universität Wittenberg noch ein Lehrer des Griechischen und Hebräischen gefehlt. Um sich solche zu verschaffen, wusste er sich an keinen andern zu wenden als an Reuchlin. Dieser wäre gern selbst hingezogen[1]), die beiden Sprachen, deren Wiedererwecker er war, einer lernbegierigen Jugend zu verkünden, aber er fühlte sich zu alt und zu schwach. Und wenn er nun doch den Schritt gewagt hätte? Wer kann entscheiden, ob er sich der neuen Bewegung, wie sie von Wittenberg ausging, entgegengestemmt, und sie, wenigstens für einige Jahre, noch zurückgehalten, ob er sich freudig ihr angeschlossen hätte, oder ob er im Kampfe gegen sie von den brausenden Wellen darniedergedrückt, überfluthet worden wäre!?

Reuchlin schrieb dem Churfürsten Friedrich: „Gott wollte, dass ich es in eigener Person, Leibes und Alters halben, zu thun ver-

---

[1]) Churf. Friedrich an Reuchlin, 30. März 1518. Dieser Brief, bisher unbekfihnt, und mir aus dem Hof- und Staatsarchiv in Stuttgart mitgetheilt (vgl. die Briefsammlung) enthält übrigens keineswegs, wie man allgemein behauptet hat, die Aufforderung an Reuchlin, selbst nach Wittenberg zu kommen. Reuchlin erhielt diesen Brief am 25. April! und antwortet am 7. Mai. Die in diesem Schreiben enthaltene Empfehlung Melanchthons nimmt der Herzog an, er will Mel. als Lehrer (Brief nicht erhalten); Reuchlin bestimmt das Weitere (25. Juli 1518). Das ist der unzweifelhafte Thatbestand. Die Nachricht des Camerarius: *Itaque fama Philippi Melanchthonis .. ad ipsum delata, agi jussit cum Capnione* (Reuchlin war doch in den Augen Fremder kein Vormund Melanchthons) *de conducenda opera doctrinae Philippi* ist kritisch unhaltbar, und vielleicht von Camerarius, der, wenn irgend einer, den Thatbestand kennen konnte, erdacht. Möglich auch dass Melanchthon selbst den wahren Sachverhalt verschwiegen und so zu dem immerhin möglichen Glauben, der Churfürst habe ihm eine Professur angeboten, Anlass gegeben hat. Die folgenden Worte des Camerarius, der Herzog habe in dem Briefe *inter alia honorificam mentionem fecit de patre Melanchthonis tanquam familiariter noto* kann sich auf den zweiten uns nicht erhaltenen Brief Friedrichs beziehn.

möchte, so wollte ich Ew. F. G. zu Ehren und Gefallen in beiden Sprachen, griechischer und hebräischer, selbst den Anfang und den Zulauf aus andern Ländern machen. So mir aber der Weg zu fern und zu schwer ist, will ich Ew. F. G. und die löbliche Universität nichts desto minder mit meinem lieben Vetter obgedacht Meister Philipps Schwarzerd sehr wohl versehen, den ich doch der hohen Schule Ingolstadt versagt habe. . . . . Aber er mir bewilligt, in dieser Sache zu thun, was ich ihm heisse. Darum wird er auf E. F. G. gut Vertrauen und mein Befehl gen Wittenberg kommen, der Hoffnung, Nutz zu schaffen und Ehre einzulegen der Stadt und der hohen Schule."

Melanchthon war bereit. „Sei mir gegrüsst, theuerster Capnio," schreibt er an Reuchlin[1]), „mein Vater. Beschlossen ist, Dir zu folgen, Dir zu gehorchen. Wohin Du mich nur schickst, ich bin fertig zu gehen." Und Reuchlin entlässt ihn — er besorgt weiter mit Herzog Friedrich das Geschäftliche —[2]) ertheilt ihm praktische Rathschläge, fordert ihn auf, fröhlich zu sein und voll freudigen Vertrauens auf die Zukunft und redet ihn mit dem Segen Gottes an Abraham an: „Ziehe aus Deinem Lande, aus dem Hause Deines Vaters und gehe in ein fremdes Land, das ich Dir zeigen werde; da will ich Dich zu einem grossen Volke machen und Dich segnen, Deinen Namen erhöhen und Du sollst ein gesegneter sein"[3]).

Der Empfehlung machte Melanchthon alle Ehre, aber das Verhältniss mit dem Vater erkaltete. Hie und da findet sich ein Gruss des einen an den andern[4]); erst von Ingolstadt aus schreibt Reuchlin[5]), er will Melanchthon zu sich ziehen. Melanchthon antwortet. Sein Brief beginnt mit einem Hymnus auf die Wissenschaften: welch ein Glück, dass Reuchlin nun ihr öffentlicher Lehrer geworden, welch ein Segen, dass die Baiernherzoge dem Beispiele des Churfürsten Friedrich folgen! Zu ihm ziehe ihn viel, Freundschaft, Vaterland, Gesundheit, Sehnsucht nach gelehrtem Umgang. Aber er könne nicht kommen, er werde zurückgehalten durch sein gegebenes Wort, durch

---

[1]) 12. Juli 1518.

[2]) Reuchlin an Friedrich, 25. Juli 1518.

[3]) Reuchlin an Melanchthon, 24. Juli 1518.

[4]) Vgl. die Mel. or. S. 12, A. 4—6 angef. Stellen und Melanchthon an Joh. Schwebel C. R I, col. 128, 11. Dec. 1519.

[5]) Nachschrift im Brief Reuchlins an Pirckheimer, 21. Dec. 1519.

seine Schwerfälligkeit, die ihn hindere, den einmal gewählten Ort leicht zu verlassen, in Wittenberg glaube er zum Nutzen der Wissenschaft, zum Heile des Christenthums zu wirken[1]).

Den eigentlichen Grund verschwieg er: er fühlte sich schon als Mitstreiter der Reformation. Reuchlin hat das nicht gebilligt, er liess, um nicht selbst in Unannehmlichkeiten verwickelt zu werden, seinen Grossneffen bitten, ihm nicht mehr zu schreiben. Wie Melanchthon erzählt, hat er ihm auch wegen seiner reformatorischen Wirksamkeit die früher versprochene Bibliothek entzogen. Melanchthon meinte dann, sie sei ja auch werthlos gewesen, — werthlos der von den Zeitgenossen angestaunte und hochgepriesene Schatz!

Das aber hätte Reuchlin gewiss nicht verdient, dass sein Tod nicht mit einem Worte in den zahlreichen Briefen, die Melanchthon 1522 schrieb, erwähnt und betrauert würde! Es ehrt den Mann nicht, dass er statt eines ehrenden Nachrufs an Reuchlin, dem er einen guten Theil seiner ganzen Bildung und somit die Anlage und Grundlage zu dem, was er später geworden ist, verdankte, ein Jahr nach seinem Tode sagen konnte: „Ich habe mir von Reuchlin niemals mehr als gewöhnliche Dienste versprochen, obwohl eine alte Freundschaft zwischen unsern Familien bestand und er mich sehr zu lieben schien"[2]). Erst 30 Jahre später trug er durch sein Leben Reuchlins eine Ehrenschuld ab.

———

Melanchthon kam nicht, Reuchlin blieb allein. Die erste Zeit seines Ingolstädter Aufenthalts war für ihn eine traurige, unangenehme. Der Pest bin ich entgangen, dem Schwerte entflohen, möchte ich nur auch dem Hunger entrinnen, schreibt er an Pirckheimer. „Tröste mich mit einem Briefe, Du kannst ja Trost spenden, denn Du bist den Tyrannen nicht unterworfen. Ich bin nur ein halber Mensch, das Kleinod meiner Seele, meine Bibliothek, habe ich grösstentheils zurücklassen müssen"[3]).

Was half es, dass er bald Bewunderer fand, an denen es ihm niemals fehlte, dass Thomas Venatorius, ein wackerer Mathe-

[1]) Melanchthon an Reuchlin, 18. März 1520.
[2]) Melanchthon an Spalatin, 1523.
[3]) Reuchlin an Pirckheimer, 21. Dec. 1519.

matiker und Theologe und später eifriger Anhänger der Reformation, der das gütige Geschick nicht genug preisen konnte, Reuchlin, dessen Ruhm Kaiser und Könige nicht überstrahlten, nach Baiern geschickt zu haben[1]), mit dem als Theologen und Historiker bekannten Prior von Rebdorf Kilian Leib ihn aufsuchte und sich glücklich schätzte, den grossen Mann zu sehen und mit ihm sich zu unterreden[2]), — die Sehnsucht nach den altgewohnten Verhältnissen war zu gross, und das Neue zu wenig anziehend.

Dazu kamen äussere Sorgen. Er hatte sich nicht genügend mit Geld vorgesehen, nur 30 alte Goldstücke hatte er noch aufgespart; er erröthete, so schönes Gold unter den Haufen kommen zu lassen, aber es musste zu dem treuen Pirckheimer wandern, um durch ihn eingewechselt zu werden[3]). Aber Pirckheimer zeigte sich als edler, hochherziger Freund. Er spottete zwar ein wenig über das Aufheben, das Reuchlin mit den alten Goldstücken mache und dieser musste betheuern, nicht Geiz bestimme ihn zu dem Wunsch, diese Stücke zu behalten; aber er gab ihm Geld, so viel er bedurfte, und versah den Freund mit Schreibmaterial aller Art, an dem er Mangel hatte[4]).

Doch Reuchlin ward nicht fröhlich. Der frische Jugendmuth, der selbst das Brod des Exils mit kühnen Hoffnungen versüsst, war verschwunden. Die Trauer im Herzen wollte nicht weichen: oft griff der Alte nach der Cither, um das Weh zu stillen, das er fühlte, so oft er an das grausame Schicksal seines Vaterlandes dachte. Der in ernster Arbeit und unermüdlicher Thätigkeit altgewordene Mann wollte sich nicht an gezwungene Unthätigkeit gewöhnen. Dazu kamen neue Verwickelungen in seinem Streite, die ihn in Unruhe und Aufregung versetzten[5]). Da zeigte sich ein Lichtblick. Der Herzog Wilhelm war zurückgekehrt, erinnerte sich Reuchlins und der ihm wahrscheinlich gegebenen Zusicherungen, und ernannte ihn zum Professor der griechischen und hebräischen Sprache in Ingolstadt mit dem für jene Zeit bedeutenden Gehalt von 200 Goldgulden (29. Febr. 1520). Scherzhaft verglich sich zwar

---

[1]) Venatorius an Pirckheimer, 30. Dec. 1519.
[2]) Ders. an dens., 7. Jan. 1520.
[3]) Reuchlin an Pirckheimer, 3. Jan. 1520.
[4]) Reuchlin an Pirckheimer, 12. und 19. Jan. 1520.
[5]) vgl. oben 3. Buch 7 Kap.

30*

Reuchlin mit Dionysius von Syrakus, der in seinem Alter in Corinth Kinderlehrer wurde[1]), aber mit dem Vergleich war es ihm selbst nicht Ernst. Nun ordnete sich Alles rasch. Bevor Reuchlin am 5. März in dem grössten Hörsaal der Universität, Morgens um 9 Uhr, wie sein öffentlicher Anschlag besagte[2]), seine Vorlesung begann, hielt Johannes Gussubelius Longikampianus, den Reuchlin um diesen Dienst gebeten hatte, eine Rede zum Lobe des neuen Professors. Kein Aeschines und kein Demosthenes würde genügen, vor diesem Auditorium angemessen zu reden, er beginne im Vertrauen auf der Zuhörer Nachsicht und Wohlwollen, die ihm sicher gewährt würden wegen des Zwecks seiner von Allen freudig gebilligten Rede. Reuchlin habe Bedenken getragen, selbst eine Rede zu halten, dem Beispiele der Alten folgend, eines Sophokles und Euripides, die sich scheuten, ihre Tragödien vorzulesen, eines Archias, der seinen Schüler Cicero sich zum Anwalt bestimmte. Reuchlin sei hier, aus Stuttgart entflohen, wo Kriegsgetümmel und Pest längeres Bleiben nicht gestatteten, von den Baiernherzögen gerettet, der Wissenschaft wiedergegeben. Sei es nöthig den Mann zu empfehlen, dem in Deutschland Keiner zu vergleichen, der eine staunenswerthe Kenntniss der lateinischen, griechischen und hebräischen Sprache besitze, lateinisch süss, angenehm und mächtig zu reden wisse, wie ein Römer, in Philosophie ein leuchtendes Vorbild sei, die er aus den Schätzen der Griechen, in Theologie, die er aus den verborgenen Tiefen der Hebräer geschöpft habe? Welche Zukunft stehe Ingolstadt bevor, wenn es solche Männer bei sich beherberge? Man halte sie für Menschen, es sind Götter, nur in sterblicher Hülle uns Menschen gesendet, um uns aus Trägheit zu Fleiss, aus Barbarei zu Sittenreinheit, aus Finsterniss zum Licht, aus Unwissenheit zu wissenschaftlicher Kenntniss zu führen. Sophistische Verstocktheit und Verkehrtheit habe bisher verhindert, auf die rechten Wege zu gelangen, aber nun sei das goldene Zeitalter zurückgekehrt, die Studien blühen neu auf und Reuchlin sei ihr begeisterter Verkünder[3]).

Es waren 41 Jahre her, seit er zum letzten Male öffentlich an einer Universität gelehrt, 1479 in Poitiers, in Heidelberg hatte er nur privatim unterrichtet, und mit Tübingen stand er nur in in-

---

[1]) Reuchlin an Pirckheimer 29. Febr. 1520.
[2]) vgl. Briefsamml. 5. März 1520.
[3]) Rede des Gussubelius, Briefsamml. 5. März 1520.

direkter Beziehung, wenn auch sein Wort viel gegolten haben mag[1]), nun bestieg der 65jährige nochmals den Lehrstuhl. Und mit Erfolg. Er hatte den grössten Hörsaal der Universität gewählt, und es war nöthig, 300 und mehr Schüler drängten sich, um seine Vorlesungen — er las Morgens über die hebräische Grammatik des Moses Kimchi, Abends über den Plutus des Aristophanes — zu hören[2]). Er war als Lehrer sehr gefeiert: die Jünglinge sollten nach Ingolstadt eilen, Reuchlin — einen berühmteren Mann trüge der Erdkreis nicht — würde ihr Führer sein[3]). Von den Schülern sind wenige bekannt: Johann Eck, der die Vorlesungen und die Werke des Meisters fleissig benutzte, Johann Forster, den Reuchlin zu seinem Nachfolger bestimmte und der sich durch seine Kenntniss des Hebräischen später selbst bekannt gemacht hat, Jakob Ceporinus, später Professor in Zürich, Nikolaus Apelles[4]). Den Winter dachte er wol über griechische Grammatik zu lesen: er bestellt sich bei Pirckheimer den Hesychius und den Grammatiker Aelius Herodian[5]). Pirckheimer blieb überhaupt sein Kommissionär: er muss ihm weiter die Geldgeschäfte besorgen, bei Koburger in Nürnberg eine hebräische Bibel bezahlen[6]). Die Thätigkeit erfrischte Reuchlin, er machte kleine Reisen zu Thomas Venatorius, zu Kilian Leib, die bald wieder in Ingolstadt den Besuch erwiderten[7]), der Ausgang des Streites schien ein befriedigender, selbst zu kleinen wissenschaftlichen Arbeiten blieb Zeit genug übrig[8]).

------

[1]) vgl. oben S. 56, A. 3.

[2]) Reuchlin an Johann Secerius, 12. April 1520; an Pirckheimer, 7. Mai 1520.

[3]) vgl. ein paar Verse des Hieronymus Rott *ad Aeloquentiae (!) et Juris candidatos Angelistadianos: Hunc fontem Eloquii Demosthenis et Ciceronis | Conspicis, hic sophiae dogmata celsa vides. | En Capnion toto quo non praestantior orbe | Dux aderit, gressus diriget atque tuos.* Dann werden Locher, Zasius, Alciat, Budaeus genannt. *ORATIO DIVO HYVONI JU | ris consultorum sanctissimo a Hiero | nymo Rott Vlmensi patritio | In florentissimo Angelista | diano Gymnasio Dicta |* . . 7 Bll. in 4°. Ingolstadt *pridie Idus Apriles MD.XXI.* fol. b 3[b].

[4]) vgl. Das Stud. d. hebr. Spr. S. 30, A. 1. u. 2, S. 133.

[5]) Reuchlin an Pirckheimer, 7. Mai 1520.

[6]) Reuchlin an Pirckheimer, 31. Mai 1520.

[7]) Reuchlin an Pirckheimer a. a. O.; vgl. den dort angef. Brief des Venatorius an Pirckh. und Leib an Pirckh. 3. Juli 1520.

[8]) Er gab 3 Schriftchen Xenophons (griechischen Text ohne Uebersetzung) heraus. Hagenau Anshelm Juli 1520.

Da wurde aber auch Ingolstadt von der Pest heimgesucht, vielleicht rief auch die Heimath mit mächtigem Ton, im Frühjahr 1521 — am 11. April war er noch da[1]) — ging Reuchlin fort. Wie zur Zeit seines Aufenthaltes, so schaute man auch später auf diese kurze Epoche seines Wirkens mit Bewunderung hin, nur der Jesuit Gretser meinte, Ingolstadt sei dreimal in Gefahr gewesen, den wahren Glauben zu verlieren, darunter auch damals, als Reuchlin dort das Hebräische lehrte[2]).

So kehrte er wieder nach der Heimath; ganz in Ruhe wollte er die letzte Zeit verbringen, den Schlaf des Epimenides, sagte er, wolle er schlafen. „Von den Hassern der Wissenschaft, von meinen Neidern und Bücherverbrennern, schrieb er wenige Monate vor seinem Tode, bin ich genug und übergenug geplagt, von jener schlechten Pharisäerkaste als Märtyrer der hebräischen Sprache geopfert, gehetzt und zerfleischt worden. Einige haben dazu Beifall geklatscht, Menschen, die das Unglück gebar, Schlechtigkeit grosszog, Schmeichelei erhielt. Ich verachte die Menge, ich verachte die Einzelnen, der Gelehrte lebt am besten in stiller Ruhe, das will auch ich thun"[3]). Aber diese Sinnesart hielt nicht Stand.

In Wirtemberg war die österreichische Regierung in ihrer Organisationsthätigkeit weiter fortgeschritten, auch der Universität Tübingen hatte sie ihre Sorgfalt zugewendet. Man verlangte nach einem Lehrer der hebräischen Sprache nun auch hier, wo gleichsam der erste Same derselben vor zwanzig Jahren ausgestreut worden war. Da kam Reuchlin nach der Heimath zurück. Man wusste ihn zu fesseln: er sollte einen Tag um den andern lesen, griechisch und hebräisch. Aus Venedig hatte man zu diesem Zwecke eine Anzahl hebräischer Bibeln kommen lassen, um sie den Schülern zu billigem Preise zu verkaufen; dass man Reuchlin gewonnen, verkündigte man neben andern Universitätseinrichtungen in einem öffentlichen Anschlage[4]). Noch zwei Jahrhunderte später erneuerte man in Tübingen das Andenken an die Zeit, in der Reuchlin dort gelehrt[5]). Er las den ganzen Winter 1521/22. In seiner systemati-

---

1) Reuchlin an Forster, 11. April 1521.
2) Das Stud. d. hebr. Spr., S. 15, A. 2.
3) Reuchlin an Th. Anshelm, 13. Jan. 1522.
4) an dens. (1522) Briefs.
5) vgl. Das Stud. d. hebr. Spr. S. 40, A. 3.

sçhen Weise ging er zu Werke; für das Griechische lehrte er die Grammatik des Chrysoloras, für das Hebräische die des Moses Kimchi, über die er schon in Ingolstadt vorgetragen hatte. Seine Schüler waren zahlreich, Jakob Gruerius ist unter ihnen zu nennen[1]). Für den Sommer hatte er weitere Pläne, er wollte die Bibel lesen und erklären, für's Griechische gab er die Gegenreden des Demosthenes und Aeschines heraus[2]). Aber zu Vorlesungen ist er nicht mehr gekommen: Bei Beginn der besseren Jahreszeit ging er zur Stärkung seiner Gesundheit in das Bad Liebenzell bei Hirschau, ein Gelbfieber überfiel ihn dort, er ist nicht mehr lebend von da zurückgekehrt, er starb am 30. Juni 1522, 67 Jahre 4 Monate 8 Tage alt.

Er war noch in den letzten Wochen geistesfrisch und angeregt. Da erhielt er von Daniel Bomberg in Venedig eine Psalmenausgabe, um die er gebeten hatte, mit einer Widmung: „Deinen Namen muss auch ich der Ewigkeit überliefern, unter Deinen Schutz, der Du die hebräische Sprache aus dem dunkeln Gefängnisse befreit hast, ein Schriftchen geben, das gleichfalls zur Erlernung dieser Sprache bestimmt ist"[3]), und noch im Jahre 1522 eine Ausgabe des h. Lieds, der Sprüchwörter und des Predigers mit ähnlicher, von Lob überströmender Widmung[4]); da besuchte ihn noch in den letzten Wochen sein alter Schüler Conrad Pellikan und hatte lange Unterredungen mit ihm[5]); der Dichter Ursinus Velius kam, brachte Brief und Grüsse des Erasmus, wurde freundlich aufgenommen und über den gemeinschaftlichen Freund befragt[6]).

---

[1]) a. a. O. S. 30, A. 2.

[2]) Sie erschienen Hagenau bei Anshelm 1522, das Obige ist aus dem Briefe Reuchlins an Anshelm, 13. Jan. 1522, genommen.

[3]) vgl. Daniel Bomberg an Reuchlin, 23. Sept. 1521.

[4]) D. B. an Reuchlin, 22. Jan. 1522.

[5]) Pellikan erzählt in seinem Chronicon Mec. z. J. 1523: *Inveni in thermis Cellensibus prope Hirsaugiam sese lavantem infirmum D. Joannem Reuchlin, apud quem aliquot horis de multis colloquium habens, eum ultimo vidi, nam statim sequente Majo diem obiit supremum . . .*

[6]) *C. Ursini Velii ad Erasmum Rhoterodamum epistola.*
 Finibus egressum Helvetiis ubi raurica durus
 Arva colonus arat, linquentem et moenia pulchrae
 Urbis quae Graium retinet Germanica nomen,
 Me ducis exacti (Herz. Ulrich) *regio civilibus armis*
 Fertilis imprimis frumenti, fertilis uvae
 Excepit locuples, quamquam brevis. Optimus illhic

Und dieser Freund bewährte — und das ist wohl der beste Prüfstein für sein Verfahren während des Lebens Reuchlins — seine Treue auch über den Tod hinaus. Wohl durch die Erzählung Pellikans angeregt[1], feierte er Reuchlin, bald nach seinem Tode[2], in einer Apotheose[3]. Ein von Tübingen kommender Schüler Reuchlins[4] (Brassikan) erzählt von dem Morgentraum oder vielmehr der Vision, die ein frommer Franziskaner daselbst in Reuchlins Todesstunde gehabt habe. Jenseits einer Brücke, die über einen Bach führte, erblickte er eine herrliche Wiese, auf die Brücke schritt Reuchlin zu in weissem lichten Gewande, hinter ihm ein schöner Flügelknabe, sein guter Genius. Etliche schwarze Vögel in der Grösse von Geiern verfolgten ihn mit Geschrei; er aber wandte sich um, schlug das Kreuz gegen sie, und hiess sie weichen, was sie thaten mit Hinterlassung unbeschreiblichen Gestankes. An der Brücke empfing ihn der sprachgelehrte heil. Hieronymus, begrüsste ihn als Collegen, und brachte ihm ein Kleid, wie er selbst eines anhatte, ganz mit Zungen in dreierlei Farben besetzt, zur Andeutung der drei Sprachen, welche Beide verstanden. Die Wiese und die Luft war mit Engeln angefüllt, auf einen Hügel, der sich aus der Wiese erhob, senkte sich vom offenen Himmel eine Feuersäule nieder, in dieser stiegen die beiden Seligen, sich umarmend, unter dem Gesang der Engelchöre empor. Der Erzähler und sein Mitunterredner wollen nun den Entschlafenen in das Verzeichniss der Heiligen, dem heil. Hieronymus zur Seite setzen, sein Bild in ihren

---

Capnion oppidulo quod Neccarus alluit arcto
Littera culta illi simul est tua reddita, lauto
Hospicio ignotum accepit, caenamque subinde
Multa super magno rogitans produxit Erasmo.

in: *IN HOC LI | BELLO HAEC HABENTUR. | ORATIO DOMINICA IN | uersus adstricta Caspare Vrsino | Velio authore . . etc.* 2 Bogen à 6 Bll. l. S. leer. a. E.: *Viennae Austriae per Joanne Singreniu. Anno XXIIII.* a 6ª.

[1] Pellikan fährt bald nach der S. 471 A. 5 a. Stelle fort: *Rediens autem Basileam et Erasmo narrans de obitu et colloquio, occasionem praestiti colloquio illi: „De apotheosi Reuchlini.“*

[2] Schon am 22. Dec. 1522 schickt Erasmus die Apotheosis an Jacobus Landavus Bavarus (Opp. ed Lugd. Bat. 1706, III. col. 739 epist. DCXLII).

[3] *De incomparabili heroe Johanne Reuchlino, in divorum numerum relato* in den Colloquia familiaria a. Ausg. vol. I, col. 689—692. (vgl. Briefsamml.)

[4] so nach der Analyse bei Strauss II, S. 250 fg.

Bibliotheken aufstellen und ihn fortan als Schutzheiligen der Sprachgelehrsamkeit anrufen[1]).

Auch sonst wurde Reuchlins Tod betrauert. Nikolaus Gerbelius jammerte, dass er nun seiner Hülfe zum Studium des Hebräischen entbehren müsse; der Sohn des Ulmer Arztes, Wolfgang Rychardus, meldete dem Vater Reuchlins Tod: ein Ersatz, meinte er, sei nicht zu erhoffen; Vitus Berlerus schrieb an Pirckheimer, seit langen Jahren habe ihn kein Fall so wehmüthig gestimmt. Und doch ist Reuchlin wohl, er ist befreit von dieser Welt, die ebenso verbrecherisch ist, als voll von Kummer[2]).

Eine Zeit, die im bewussten Gegensatz zu dem Alten stehend, ihre Aufgabe voll erfasst, und ganz zu erfüllen glaubt, ist stolz und freudig erregt; eine Zeit, die aus dem inneren Ringen und Schwanken nicht recht herauskommt, die Abneigung gegen das, was sie bekämpft, wohl fühlt, aber nicht vollständig zum Ausdruck bringen kann, lässt auch in ihren Aeusserungen und Handlungen den inneren Zwiespalt erkennen. Die Reformatoren klagen über den Verfall der Zeiten, sagen den Untergang der Welt voraus, die Humanisten schelten nur die Vergangenheit, schwärmen für die Gegenwart, hoffen auf die Zukunft. Was Hutten ausgesprochen, das ist Aller Wahlspruch: Es ist eine Lust zu leben.

Dem Meister und Freund Reuchlin setzte Brassikan[3]) eine poetische Grabschrift: Kein sterblicher Mensch sei Reuchlin gewesen, sondern ein von Gott auf die Erde niedergesendetes Wesen, um hier die Kenntniss der Sprachen zu begründen und zu verbreiten. Als

---

[1]) Diesem Faktum gegenüber muss es einen zum mindesten befremdenden Eindruck machen, wenn Hutten (Expostulatio cum Erasmo, Böcking II. 185) sagt: *Neque tu ignorabas, quid me aegre abs te haberet . . deinde Capnionis nuper vita defuncti, quem foedissime sugillatim ignominiae et dedecori, quantum in te est, exposuisti.*

[2]) vgl. Das Stud. d. hebr. Spr., S. 84, A. 1; Briefsamml. 30. Juli, 8. August 1522.

[3]) Joh. Alex. Brassikan hatte sich schon vorher (s. o. S. 472) als Verehrer Reuchlins gezeigt. In seinem, übrigens ziemlich witzlosen Schriftchen *HAN. OMNIS* (O. O. u. J. Wolfenb. Bibl. 240. 14. Quodlib. in 4°.) sagt er a 2[b] fg.: *Theologistae suas stribiliginis offas, penelopes telas patherasque non nisi bestiis bene olentes nondum reponunt. Tanque strenuis inhortatoribus D. Erasmo Roterodamo et D. Joanni Capnioni recalcitrant, tum ad ignem usque suis spinis inhaesuri, suam perpulchre insaniunt insaniam, pensumque stulticiae absolvunt egregie. Quae caussa est? Omnis.*

er seine Aufgabe erfüllt, da rief ihn Gott ins ewige Vaterland
zurück. Eine andere Grabschrift lautete:

> Als Reuchlin zu dem Ewigen ging, vom Tode gerufen,
> Deutsches, herrliches Land, ward Dir ein Auge geraubt.

Auch Eoban Hesse, der stets bereite Dichter, feierte Reuchlin
in einem Gedicht von vielen Versen, und Conrad Peutinger, der
altbewährte Freund, sagte, einen Psalmvers paraphrasirend: „Heil
dem Manne, der nicht geht zum Rath der Frevler, und in der Versammlung der Kölner Mönche nicht sitzet, sondern in Gottes Gesetz
Reuchlin nacheifert, Gottlosigkeit, Grausamkeit, Neid von sich wirft,
und Frieden und Gerechtigkeit erfasst"! Und die Historiker der folgenden Zeit, Johann Kessler, Caspar Hedio, Sleidan, Camerarius, wie
haben sie den unvergleichlichen Heros Reuchlin gepriesen[1]).

Es haben sich nicht entfernt soviel gleichzeitige Stimmen über den
Tod Reuchlins erhoben, als man bei den ungeheuren Lobsprüchen,
die ihm während seines Lebens zu Theil wurden, hätte erwarten
sollen. Auf dem Gipfel seines Ruhmes ist er nicht gestorben. Seit
4 Jahren war die Theilnahme an seiner Sache erkaltet; ihren
Ausgang beachtete kein Mensch; die Reformation hatte alles übrige
Interesse vollkommen in den Hintergrund gedrängt.

Zu rechten Ehren hat ihn erst die spätere Zeit wieder gebracht,
als „Wiederhersteller der Wissenschaften" ist er gerühmt und gepriesen, ihm im Ganzen der gebührende Rang eingeräumt worden,
wenn auch seine wissenschaftliche Bedeutung oft nur oberflächlich
erfasst, sein Streit in parteiischer Weise betrachtet und beurtheilt
worden ist. Es kann hier unsere Aufgabe nicht sein, alle Aussprüche
über ihn, wahre und falsche, schöne und unzutreffende, zu sammeln,
oder auch nur eine Blumenlese aus denselben zu geben. Nur wie
wir einen Ausspruch Wielands angeführt haben, so mag auch die
Meinung Altmeisters Goethe hier ihren Platz finden.

Goethe liebte es, sich mit Reuchlin zu vergleichen[2]); seiner Bewunderung für Reuchlin gab er in folgendem Gedichte Ausdruck:

---

[1]) vgl. alle die angeführten Stücke in der Briefsammlung.

[2]) Gegen Goethe war eine Schrift von Glover erschienen: Goethe als
Mensch und Schriftsteller, und Klinger gewidmet, der sich in einer kräftigen
Erklärung dagegen aussprach. „Diese Erklärung zu Gunsten Goethes erfreute
ihn sehr. Er verglich sie mit Huttens Schrift: Epistolae obscuror. viror., zu
Gunsten Reuchlins." vgl. Goethe's Unterhaltungen mit dem Kanzler Friedr.
v. Müller herausgeg. von C. A. Burckhardt. Stuttgart 1870, S. 85 fg.

Reuchlin! wer will sich ihm vergleichen,
Zu seiner Zeit ein Wunderzeichen!
Das Fürten- und das Städtewesen
Durchschlängelte sein Lebenslauf,
[Er lehrte uns die Griechen lesen,]
Die heiligen Bücher schloss er auf;
Doch Pfaffen wussten sich zu rühren
Die alles breit ins Schlechte führen,
Sie finden alles da und hie,
So dumm und so absurd wie sie.
Dergleichen will mir auch begegnen;
Bin unter Dache, lass es regnen:
„Denn gegen die obscuren Kutten,
Die mir zu schaden sich verquälen,
Auch mir kann es an Ulrich Hutten,
An Franz von Sickingen nicht fehlen"[1]).

Ein Heiliger, zu deren Reigen Erasmus ihn erhob, war Reuchlin nicht, er war ein Mensch auch mit menschlichen Fehlern und Schwächen. Er hatte einen weltgeschichtlichen Kampf unternommen, dessen Gefährlichkeit er bald einsah, aber er gab ihn deshalb nicht auf. Zwar kämpfte er nicht allein den Kampf bis zu Ende, er liess seine jüngeren Genossen für sich streiten, aber was geschah, erfolgte wol mit seinem Wissen und seiner Bewilligung. So besass er den moralischen Muth, der zur Durchführung einer grossen Sache gehört, aber der physische Muth fehlte ihm oft. Ueberflüssige Sorge veranlasste ihn, beim Tode Eberhards des Aelteren die Heimath zu verlassen, Furcht liess ihn den Genossen rathen, aus Stuttgart wegzugehen, und Muthlosigkeit hinderte ihn selbst daran, bis ihn neu erwachende Bangigkeit wieder dazu trieb. Um nicht behelligt zu sein, liess er Melanchthon bitten, ihm nicht zu schreiben, schente er sich, für oder wider die Reformation eine offene Stellung einzunehmen, furchtsame Vorsicht trieb ihn dazu, während seines Streites manchmal einer Geheimschrift sich zu bedienen[2]).

---

[1]) Zahme Xenien 5. Abtheil. Goethe's Werke, Ausgabe in 40 Bdn. III, S. 109. Der in [ ] eingeschlossene Vers ist nicht von Goethe; (dass ein Vers fehlt ergibt sich aus dem Bau des Gedichts); ich habe ihn gesetzt nach Vermuthung des Hrn. Professor Creizenach in Frankfurt, dem ich die Mittheilung der letzten Stellen verdanke.

[2]) Die folgende Stelle in de a. cabb. fol. LXVIII[b] (vgl. auch LXXII[a])

Diese Furcht war keine Folge innerer Gedrücktheit, der Emfindung, nicht im Rechte zu sein. Reuchlin war von der Heiligkeit seiner Sache, von der Wahrheit seiner wissenschaftlichen Ansichten überzeugt. Er wusste, dass er Manches geleistet, und er sprach es auch aus. Aber nicht Stolz erfüllte ihn dabei. Er betrachtete sich nicht als Führer und Herrscher im Geistesgebiete, sondern reichte den Mitstrebenden als Genossen die Hand. Wenn er es auch oft sagte, dass er das Griechische in Deutschland eingeführt habe, wenn er mit gewisser Befriedigung auf seine Leistungen für das Hebräische hinblickte, so war es nicht persönliche Eitelkeit, sondern der Eifer im Dienste der ergriffenen Sache, das Streben, die Kirche, die Religion zu stützen, den Ruhm des Vaterlandes zu erhöhn. Wenn wir die unzähligen Lobsprüche lesen, mit denen die Zeitgenossen ihn überhäuften, ihm während seines Lebens schon übermenschlichen Rang anwiesen, unsterblichen Ruhm ihm vorhersagten, dann darf es uns nicht Wunder nehmen, wenn er selbst Aeusserungen gethan, die wol nicht ganz der Bescheidenheit ziemen, die den Gelehrten schön steht[1]). Indess seine Sucht nach Ruhm, wie sie Petrarca den italienischen und deutschen Humanisten als Erbtheil hinterlassen, jenes ungezügelte Streben, Lob und Preis zu erringen, war Reuchlin doch fast fremd; edles Selbstgefühl beseelte ihn stets, aber das Urtheil, das er über sich fällte, muss auch die Nachwelt als richtig bezeugen[2]).

Die Humanisten waren leicht geneigt zu Vergötterung Anderer, zu Selbstbespiegelung. Jugendfrische Genossen, die das Alte von sich abgestreift haben und ein Neues zur Geltung bringen wollen,

---

spricht zwar Simon, man kann sie wol aber auf Reuchlin beziehn: *Quamobrem in arte quis dubitare velit una litera dictionem integram et una dictione orationem intensam atque versa vice, similiter una oratione dictionem aliquam electam et intentatam notari posse. Unde oritur occulta quaedam et admirabilis epistolarum technologia, quam saepe imitatus ego in gravibus periculis et summo rerum discrimine lingua germanica per epistolam scripsi quae a latino viro in Thuscia vel Etruria cognosci desyderabam et converso more scripsi latine quod alemannum hominem latinitatis imperitum scire volui.*

[1]) Für das Gesagte liefern namentlich die Briefe Belege. Ausserdem will ich anführen, dass in de v. m. er sich nennen lässt: *Capnionem hunc venerandae probitatis hominem et literarum quoddam pelagus ac aetatis nostrae divinum specimen.* l. c. a b b.

[2]) Er sagt Defensio E 3 b: *Numquam enim turpe laudavi, nunquam honestum vituperavi, non personarum acceptor fui, sed legis aestimator, nemini blanditus sum, sed quae vera esse probabiliter opinor deprompsi.*

500

überheben sich oft, sind verschwenderisch in den Ausdrücken ihrer
Bewunderung, ihres Ruhmes. Reuchlin aber galt als Heros: die
Krone der Gelehrten, das Auge Deutschlands, das ihm Italien beneidete, der unauslöschliche Ruhm Schwabens. Im Verhältniss wurden aber auch Andere gelobt und Reuchlin selbst trug sein Scherflein
dazu bei; nach den in den Briefen zahlreich vorkommenden Ausdrücken zu schliessen, müsste jeder seiner Correspondenten ein hoch-
berühmter Mann, sein am nächsten stehender Freund sein, noch in
den letzten Jahren wehrt Joh. Secerius die ihm gemachten Lobsprüche ab, und kann sie nur erklären aus der freundlichen Milde,
mit der Reuchlin selbst Mittelmässiges anerkenne[1]).

Eben dieses neidlose Geltenlassen Anderer, wie es im Verhältnisse zu allen untergeordneten Humanisten, vor allem aber auch
in der schönen Würdigung der ihm ebenbürtigen Geistesheroen, eines
Erasmus hervortritt, zeigt die wahre Bedeutung des Mannes[2]). Er
lässt sich durch Lob nicht verblenden, mit Andern vereint will er
streben, nicht Herrscher sein in Kampf und Krieg. Denn er ist
friedfertig. Ich habe nie Jemand mit Absicht verletzt, nie einen
Streit angefangen, schreibt er an die Kölner; keine Art zu schreiben
ist mir mehr verhasst, sagt er in seiner Vertheidigung, als die, wo
stets Einer den Andern mit Heftigkeit und Bitterkeit angreift[3]). Er
erkannte das Gute an, wo er es fand, die stets bereiten Tadler verglich er mit Fliegen, die Alles beflecken und nirgends nützen[4]).

So im Frieden mit den Menschen, aber auch möglichst wenig
von ihnen berührt, zu leben, war sein eifrigstes Sehnen. Als An-

---

[1]) Joh. Secerius an Reuchlin, nach 12. April 1520.

[2]) *Quae cum* (die pythagoreischen Vorschriften über Moral) *aetate nostra
legantur publice nunc sola prosequar eiuscemodi symbola sine scriptis tradita ut
discipuli memoriae viribus freti consuescerent ad signa prolata bonis moribus
vivere professumque philosophiae ordinem quotidie inter se arcanis tesseris af-
firmare. Quorum e numero haud quaquam pauca ERASMVS patria ROTERO
DAMVS professione Theologus, eloquentissimorum nostro seculo facile princeps
et dulcis siren cum ingenti sua laude quam de politiorum literarum studiosis-
simus quibusque optimo iure meretur, in libris suis vel posteritati admirandis
Adagiorum luculenter expressit.* d. a. c. fol. XLV[b].

[3]) Def. A 3[a]: *nec odivi nullum magis scribendi munus quam quod in
disceptatione et amarulenta quoquo modo altercatione sit constitutum.* vgl. auch
den Brief an Jakob Faber, 31. August 1513.

[4]) Manl. loc. comm. coll. (Briefs. 1561.)

walt und Richter hatte er mit einer Menge Volks zu thun; davon
befreit zu werden, war sein liebster Wunsch; das Hofleben bestach
ihn nicht, und wenn er auch mit edelsten Fürsten der Zeit lebte,
Eberhard von Wirtemberg, Philipp von der Pfalz, Friedrich von
Sachsen. Auf das Aeussere hielt er nicht viel, nach Reichthümern
stand nicht sein Sinn. Von Jugend auf war er gewohnt gewesen,
in mühsamer Thätigkeit sich seinen Lebensunterhalt zu erwerben,
in späterer Zeit lebte er in anständiger Behaglichkeit. Zwar meinte
er, er hätte verdient, reich zu werden[1]), aber sein Streben war nicht
darauf gerichtet; auch die Armuth hätte er zu ertragen gewusst,
denn wer arm ist, hat nichts zu fürchten, er kann nichts verlieren[2]).
Er war kein Mann der That; ein stiller, emsiger Forscher, der sich
gerne abschloss und nur seinen Studien lebte. Jeder Ort war ihm
dazu recht, jede Stunde geeignet. Als er einst eine Reise machte,
erzählt Manlius, kam er in eine Stadt, wo er einige Stunden warten
musste. Draussen zu stehen machte die Kälte unmöglich, im
Zimmer hinderte die Schaar lärmender Bauern vernünftiges Gespräch
und Lektüre. Da lässt sich Reuchlin ein Glas Wasser und etwas
Kreide geben, zieht auf den Tisch einen Kreis, macht das Zeichen
des Kreuzes hinein, stellt rechts das Glas Wasser, links ein Messer,
in die Mitte legt er ein Buch, das er bei sich hat. Die Bauern
sehen staunend zu und verhalten sich ruhig; diese Stille benutzt
Reuchlin, um zu lesen[3]). Der Drang nach Wissen, nach Vermehrung
der Kenntniss duldet keinen Augenblick müssiger Ruhe.

Seine Kenntnisse, die wissenschaftlichen Werke, in denen er
diese niederlegte, haben wir betrachtet. Er ward nicht müde, zu
sammeln. Mit banger Sorge blickte er wol auf die humanistische
Jugend seiner Zeit hin, die zum Theil nur die neue Geistesrichtung
in sich aufnahm, aber die Kenntnisse verschmähte, aus denen die
Alten diese Ueberzeugung gewonnen hatten; es schien ihm, als
wenn früher gelehrtere Männer gelebt hätten, wo noch Jeder sich
die Schriftsteller abschrieb und auswendig lernte, als jetzt, wo die
Geister der Jugend hin- und hergezogen würden, und nicht an einem
Punkte haften blieben[4]). Aber ein grämlicher Alter war er nicht,

---

[1]) Reuchlin an Pirckheimer, 31. Jan. 1520.
[2]) Oft von Luther als Reuchlinisch angeführter Spruch (Briefs. a. E.).
[3]) Manl. loc. comm. (Briefs. 1560).
[4]) Melanchthon, Corp. Ref. III, p. 378. (Briefs. a. E.)

von der Jugend verehrt, als Vater und Schützer, neigte er sich ihr
zu in liebender Freundlichkeit und Milde, unterrichtete und förderte
er die Einzelnen so gut er konnte.

Der unbehülfliche Gelehrte verrieth sich denn manchmal in
komischen Kleinigkeiten. Bei Tisch mit dem Herzog von Wirtemberg liess er vor lauter Höflichkeit das Dargebotene fallen; an den
Aegidius von Viterbo wollte er erst schreiben, wenn er seinen Titel
wüsste[1]).

Strenge Sittlichkeit leitete ihn in allen Lebensverhältnissen;
thörichte Greise, die noch Liebe verlangten, verspottete er in derber
Weise[2]). Es ist uns versagt, ihn in häuslichem Kreise als Gatten
zu schildern — Kinder besass er nicht, er steht nur vor uns als
Mann des Gedankens, als Mann der Wissenschaft.

Der Funfzehnjährige bezieht die Universität, der hohe Sechsziger
besteigt den Lehrstuhl, die ganze Zwischenzeit ist erfüllt von uner-
müdetem Streben nach Erkenntniss. Wahrheit ist der erste Ruf des
Jünglings, der sich aus den Banden der Scholastik befreit, Wahrheit
das letzte Wort des lebensmüden Greises, was gelten ihm Autoritäten
und Meinungen, die allein das Alter heiligt, — „die Wahrheit nur
bete ich an als Gott."

---

[1]) Manlius; Reuchlin an Questemberg, 9. Mai 1518: *si dignitatis suae
titulum nossem.*

[2]) *Capnio ridebat senes amatores hoc ioco: Dicebat oportere senem aman-
tem marsupium plenum aureis appendere ad longam furcam, et demittere per
fenestram, et animadvertere, num amica accedat, et videat, quid sit in mar-
supio aperta. Postilla Melanchthoniana* in Corp. Ref. XXIV. col. 284.

PERSONENREGISTER.

~~~~~

Geiger, Johann Reuchlin.　　　　　　　　31

31 *

NACHTRAG

zu Seite 145 ff., 453.

~~~~~~

Nachdem das ganze Werk bereits gedruckt war, erschien die
2. Hälfte des 2. Supplementbandes von Böckings Hutteni Opera.
Sie enthält S. 803 fg. einen bisher nur handschriftlich vorhandenen
Brief Huttens an Reuchlin vom 22. Februar 1521, der Reuchlins
Stellung zur Reformation in einer eigenthümlichen Weise beleuchtet,
und die Ansicht, die ich darüber ausgesprochen, durchaus bestätigt
und thatsächliche Belege dafür liefert. Es wäre für mich von Interesse gewesen, wenn ich den Brief vor Beendigung meines Werkes
erhalten hätte; da ich ihn für die betreffenden Stellen nicht mehr
benutzen konnte, so folge er hier ganz in deutscher Uebersetzung:

„Ich habe Deinen Brief an die baierischen Fürsten gelesen,
denen Du auf die Anklage Leo's X. antwortest. Ihr unsterblichen
Götter, was sehe ich darin? In schwächlicher Aufregung erniedrigst
Du Dich so sehr, dass Du Dich selbst gegen die der Schmähungen
nicht enthältst, die Dich stets gerettet wissen wollten und Deinen
Ruf selbst mit eigner grosser Gefahr vertheidigt haben. Franz war,
als ich ihm den Brief vorlas, aufs Höchste erregt. Was hoffst Du
denn von denen, bei welchen Du Dir niemals Recht und Billigkeit
verschaffen konntest, zu erreichen, wenn es Dir gelänge, Luthers
Angelegenheit zu unterdrücken? Hast Du nicht in neun langen
Jahren gelernt, was man von ihnen erschmeicheln kann? Selbst
wenn Du durch die Missbilligung von Luthers Ansichten von Rom
Dich befreien könntest, so würde ich es doch für unehrenhaft halten,

dass Du d i e Partei bekämpfst, der, wie Du siehst, diejenigen angehören, deren Gesinnungsgenosse Du in jeder ehrenhaften Sache sein solltest. Zu Deiner Vertheidigung wäre es übergenug gewesen, wenn Du, wie Erasmus, geschrieben hättest, Du habest niemals Gemeinschaft mit Luther gehabt; nun fügst Du hinzu, Du habest stets seine Ansicht missbilligt, habest es sehr ungern gesehen, dass Dein Name in seinen Schriften vorkomme; ja habest es versucht, uns, Jenes Anhänger, abwendig zu machen. Mit solch niedriger Schmeichelei hoffst Du die zu erweichen, die Du, wenn Du ein Mann wärest, nicht einmal freundlich anreden dürftest, nachdem sie sich in so schmählicher Weise gegen Dich vergangen haben. Versuche es nur, und wenn es Dein Alter erlaubt, gehe nach Rom, wohin es Dich so sehr drängt, und küsse dem Papst Leo den Fuss; schreibe doch gegen uns, wonach Du Verlangen trägst. Trotz Deiner und Deines Geschreis mit den gottlosen Römlingen, wir werden es erreichen, dass wir das drückende Joch brechen und von der schimpflichen Knechtschaft uns befreien, die Du, wie Du Dich rühmst, stets gern getragen hast, als wäre das Deiner würdig. Luthers Sache missfällt Dir, Du missbilligst sie, und möchtest sie wäre vernichtet. Aber Deines tapfern Vorkämpfers Franz erinnerst Du Dich dabei nicht; auch meiner nicht, der ich Dir nicht nur zuletzt, sondern auch damals zur Seite stand, als der Streit am ärgsten und gefährlichsten wüthete; nicht der Uebrigen, die Dich mit Hand und Mund immer wacker beschützt haben, theils aus Mitleid für Dich, theils weil sie sahen, dass das Gedeihen der Wissenschaften mit Deinem Wohle verknüpft sei. Einen Angriff gegen diese Partei würdest Du niemals mit reinem Gewissen unternehmen, sondern nur in verbrecherischer Absicht das zu erlangen, was Du, selbst wenn es Dir angeboten würde, anzunehmen Bedenken tragen müsstest, was Du aber auch durch stete Schmeichelei nicht erlangen wirst, denn ich kenne jene Leute. So missbrauchst Du Franzens Hülfe, so verzweifelst Du an der Sorge aller Guten für Dich, dass Du meinst, wir hätten nicht Blut und Seele genug, um Dich zu erhalten, wenn Dir daran fehlt. Wenn Du die Sache, in der wir so wacker gestritten haben, mit so schmählichem Ende beschliessest, dann will ich mich schämen, so viel geschrieben, so viel gethan zu haben. Das wollte ich Dir sagen. Du magst sehen, was sich für Dich ziemt, ob es besser ist, den Wohlthätern dankbar zu sein, oder durch Schande sich diejenigen zu verpflichten, die immer Dein Verderben gewollt haben. In mir

aber wirst Du einen heftigen Widersacher haben, nicht nur, wenn
Du jemals die Sache Luthers bekämpfst, sondern auch, wenn Du
Dich so dem römischen Papst unterwirfst. Lebe wohl."

Wir wissen nicht, ob Reuchlin durch diesen Brief bewogen
wurde, das Bittschreiben an den Papst, das Auftreten gegen Luther
zu unterlassen. Von seinem Briefe hat Hutten niemals Gebrauch
gemacht, vielleicht ist er gar nicht in dem Kreise der Reformatoren
bekannt geworden.

Leipzig. Bär & Hermann.